CURSO DE ECONOMIA

JOSE CASAS PARDO

Catedrático de Economía Política y Hacienda Pública

To Jim Buchanan
with my friendship.
Jose Casas
December 1987

CURSO
DE ECONOMIA
(NUEVA ED. REVISADA Y AMPLIADA)

EDITORIAL DE ECONOMIA POLITICA, S. A.
1987

ISBN: 84-398-7294-1
Depósito Legal: M. 26.731-1987

Grafinat, S.A.
Argos, 8 - 28037-MADRID

A mi mujer

INDICE

II. LA DETERMINACION DE LOS PRECIOS
(Microeconomía)

VISION GENERAL DEL SISTEMA DE PRECIOS

PROLOGO

Escribir un libro de texto siempre encierra un cierto riesgo. Máxime cuando se expone la materia a un nivel básico, al escribir un manual generalmente no se innova, no se aportan nuevas teorías o conceptos, ya que de lo que se trata es de exponer las ideas comúnmente aceptadas sobre la materia, y hacerlo de una forma comprehensiva, clara y rigurosa. Las posibles innovaciones que el autor puede introducir en un libro de este tipo consisten principalmente en las materias de la disciplina que incluye en el manual, en la forma de organizarlas, y sobre todo, en la manera de exponerlas. Debido a su enorme amplitud y complejidad, en Economía hoy día ya no se escriben tratados. El riesgo estriba en si se acierta o no en cuanto a los temas que se incluyen, el nivel al que se tratan y el grado de claridad con el que se exponen; todo ello, naturalmente, en relación con los lectores o grupos de lectores a los que el libro está dirigido, en los que se piensa al redactar la obra. Este riesgo es aún mayor en el caso de un manual de Economía a nivel de introducción, ya que en este campo existen excelentes textos, algunos de los cuales están consagrados como clásicos desde hace años y a escala mundial, al mismo tiempo que otros nuevos aparecen continuamente.

Obviamente son los lectores los únicos que, en último extremo, pueden juzgar la adecuación o inadecuación de este libro, y a su juicio me remito. No obstante, permítaseme intentar exponer aquí mi punto de vista sobre esa relación entre las características de la obra y los lectores a los que está destinada. Ello, en definitiva, equivale a expresar las razones que me han impulsado a escribir el libro.

Empezaré exponiendo las características de la obra. Por lo que respecta al contenido, en ella trato de realizar una exposición completa, rigurosa y actualizada de todas las materias que generalmente se considera deben formar parte de una introducción sólida a la Economía moderna, así como de los recientes avances experimentados por algunas ramas concretas de ésta. En la parte dedicada a la Microeconomía (25 capítulos) expongo las modernas teorías sobre el comportamiento del consumidor, sobre la empresa, sobre los costes, sobre la producción y sobre las distintas estructuras de mercado. Pongo especial énfasis en mostrar la utilidad y aplicabilidad de estas teorías para analizar, interpretar, explicar y predecir los acontecimientos y situaciones de la vida real. En concreto, la operatividad de la teoría de precios la pongo de manifiesto en el análisis de los efectos y de la incidencia de los distintos impuestos indirectos, de las consecuencias que los cambios en la demanda de los bienes y servicios y en los costes de producción que éstos tienen en los diferentes tipos de mercado (competencia pura, competencia imperfecta y monopolística, oligopolio y monopolio), y del control de precios y salarios. El mercado laboral y sus características especiales es considerado con gran atención. También expongo unas nociones básicas de contabilidad al considerar el balance y la cuenta de resultados de la empresa.

En la sección destinada a la Macroeconomía (16 capítulos) en primer lugar hago una exposición detallada de la teoría keynesiana standard de determinación del nivel de producción, renta y empleo, y de sus fluctuaciones. A continuación trato ampliamente del moderno enfoque de demanda agregada-oferta agregada, con lo que el lado de la oferta agregada de la economía es integrado cuidadosamente en el análisis. De esta forma el lector puede comprender los shocks que las economías han experimentado en los años setenta, así como el reciente fenómeno de estancamiento con inflación y desempleo. Asimismo se analiza el papel del dinero en la actividad económica a través de exponer las teorías keynesiana y monetarista en su versión actual, y presto gran atención a las recientes teorías sobre el desempleo y la inflación, las expectativas racionales y la tasa natural de desempleo.

Como ocurre con casi todos los manuales de introducción a la Economía, la Microeconomía ocupa casi dos terceras partes del libro y la Macroeconomía algo más de un tercio. Esta distribución es lógica por dos razones principales. De un lado, la Microeconomía, y concretamente el análisis de oferta y demanda, es la única parte de la Economía que está suficientemente consolidada como para que se la pueda enseñar con una cierta tranquilidad de conciencia por parte del profesor, así como con un mínimo de rigor. De otro, la Macroeconomía, en la actualidad se encuentra en una situación de desarraigo, confusión y fluidez muy notables; el reciente fenómeno de inflación con desempleo ha colocado a esta rama de la economía en una posición de penuria teórica. De ahí que se pueda mantener con alguna razón que al escribir un libro de introducción a la Economía, lo más sensato sea explicar muy bien unas pocas cosas básicas, principalmente la teoría de los precios, ya que éstas son las que conocemos con algún grado de certidumbre, son cuestiones importantes, y también son las que constituyen ese aparato *analítico imprescindible que nos sirve para tratar de entender algo de los fenómenos que tienen lugar a nuestro alrededor.*

Según puede verse en el índice, el libro contiene los temas que tradicionalmente se incluyen en un manual de Economía a nivel básico. No obstante, en lo referente al contenido creo que el libro presenta tres rasgos diferenciales respecto de los manuales existentes en el mercado. El primero estriba en la inclusión de una parte introductoria (5 capítulos) que presenta una cierta originalidad, tanto por los temas que se tratan en ella como por el nivel al que se exponen aquéllos. En primer lugar, se destina un capítulo completo a los sistemas económicos, especialmente a las economías de mercado y a las de planificación central, en el que se exponen con algún detalle las características y las ventajas y desventajas de cada una de ellas respecto de la asignación eficiente de los recursos. En segundo lugar, destino un capítulo a realizar una exposición de las distintas concepciones que los diversos autores han mantenido acerca de cuál debe ser el objeto de estudio de la Economía, así como de los problemas metodológicos más importantes que se plantean en la construcción de la Economía como una ciencia positiva al estilo de las ciencias naturales. Generalmente en los manuales introductorios las cuestiones metodológicas o no son tratadas o se las expone de una manera superficial, por entender (en mi opinión erróneamente) que son demasiado complejas para tratarlas a un nivel elemental. Por mi parte, he intentado exponer estos temas con la complejidad que encierran, sin por ello caer en tecnicismos excesivos. Finalmente, dedico dos capítulos a exponer, de la forma más sencilla y amplia que una obra de este tipo justifica, los instrumentos analíticos imprescindibles para comprender la Economía. Aun cuando se estudie a un nivel elemental, la comprensión de esta materia exige familiarizarse mínimamente con un instrumental matemático que, aunque muy sencillo, crea problemas a muchos lectores. La exposición que realizo de estos instrumentos matemáticos es muy minuciosa y detallada, ya que parto de la idea de que el·lector no sólo no tiene prácticamente ningunos conocimientos matemáticos, sino que incluso tiene una cierta aprensión frente a las matemáticas. En mi modesta opinión, estos dos capítulos constituyen una innovación importante y un material muy útil para el lector.

La segunda innovación que presenta el libro en lo referente al contenido reside en que en él se recogen muchas de las nuevas teorías y concepciones que actualmente se están exponiendo en algunas ramas de la Economía. Así, por ejemplo, se incorporan los recientes avances realizados en campos tales como el comportamiento del consumidor, la nueva concepción de la empresa (que en último extremo justifica a ésta desde el punto de vista económico como una institución que reduce los costes de información y de transacción entre los agentes económicos, y de toma de decisiones por éstos), la distribución de la renta entre los individuos como un fenómeno en parte determinado por factores políticos, el enfoque macroeconómico de oferta agregada-demanda agregada, y el análisis de la inflación que recoge las últimas teorías desarrolladas sobre el tema, concretamente la hipótesis de las expectativas racionales de los sujetos y de la tasa natural de paro. Esta actualización constituye una cierta ventaja, ya que por una parte las nuevas ideas siempre suelen tardar en ser incorporas a los manuales introductorios, y por otra, las ediciones traducidas al español de los libros extranjeros que se suelen utilizar generalmente no son las últimas.

La tercera característica diferenciadora del contenido del libro radica en que las instituciones y los datos a las que hace referencia y que se emplean al hilo de la exposición de la teoría son instituciones y datos de la economía española. Las constantes alusiones a la realidad que se hacen en la obra están referidas a la vida económica española, en especial la estructura de las diferentes industrias y mercados, el plan general contable de las empresas, la Contabilidad Nacional de España y sus magnitudes, el sistema financiero español, las instituciones que lo integran, su incidencia sobre la financiación de la empresa privada y su regulación, todo ello a la luz de las reformas efectuadas en los últimos años, y las exportaciones y las importaciones españolas por partidas y por países de destino y de origen. Las referencias que en los libros extranjeros se hacen a instituciones de otros países con frecuencia confunden al estudiante de Economía.

Pero entiendo que es fundamentalmente en la forma de exposición de la materia donde realizo mi pequeña contribución, si es que de contribución puede hablarse. La diferencia principal entre esta obra y otros textos sobre Economía estriba en que en ella se hace una exposición plenamente literaria de todos los temas, sin por ello trivializar la Economía ni hacer concesiones al simplismo. En este libro trato de hacer honor a la idea de que todo (o casi todo) lo que se puede expresar con las Matemáticas debe ser suceptible de exposición con palabras. Naturalmente, en el libro se emplean algunas fórmulas matemáticas muy sencillas y, sobre todo, muchas gráficas, pero absolutamente todas las teorías y argumentaciones son expuestas literariamente. Con esta obra el lector puede constatar que, en su parte más elaborada y acabada, la Economía no es la materia tan enormemente exotérica, compleja y complicada, arcana y sólo asequible a las mentes privilegiadas que generalmente se piensa. Por otra parte, algunos de estos instrumentos matemáticos (tales como los numerosos índices, la representación gráfica de los datos o el cálculo de un tipo de interés) son algo que el ciudadano necesita para entender las informaciones que los medios de comunicación le ofrecen sobre los fenómenos económicos.

Todo autor que escribe un manual a nivel básico ha de plantearse hasta dónde explicar las cuestiones. Generalmente, se establece una línea, ya que no es posible ni necesario las cosas ad infinitum, y se entiende que el lector ha de hacer un esfuerzo de comprensión. Por mi parte, he intentado llevar esa línea un poco más allá, a través de elaborar mucho las explicaciones, no dejar casi ninguna afirmación sin explicar, no suponer que el lector conoce las cuestiones, y exponer cada una de éstas desde varias perspectivas diferentes. Esto justifica la extensión de la obra; me he visto obligado a intercambiar brevedad por claridad, ya que la Economía es una materia compleja, en cuya exposición difícilmente se puede ser claro y breve al mismo tiempo. Esta claridad expositiva creo que es la nota que realmente caracteriza a mi libro. Por otra parte, el que se trate de una obra directamente escrita en español, y no de la traducción de un libro extranjero, también contribuye a su inteligibilidad.

Dadas estas características, lógicamente el libro está dirigido a dos grupos bien diferenciados de lectores. Un grupo, sin duda el más importante, lo constituyen los estudiantes de todas aquellas Facultades, Escuelas Universitarias y Escuelas Técnicas cuyos planes de estudio incluyan una asignatura de introducción a la Economía general. Así, con este libro generalmente se podrán preparar las asignaturas de Teoría Económica I de las Facultades de Ciencias Económicas y Empresariales, la Economía Política de las Facultades de Derecho, las Teorías Económicas I y II de las Escuelas Universitarias de Estudios Empresariales, la Introducción a la Economía de las Facultades de Ciencias Políticas y Sociología, la Economía de las Facultades de Ciencias de la Información y de la Imagen y la Economía General de las Escuelas Técnicas medias y superiores. En definitiva, esta obra contiene un curso de introducción a la Economía, y en consecuencia es útil tanto para el alumno de primer año de Ciencias Económicas que en cursos posteriores estudiará las distintas partes de la Teoría Económica a un nivel más avanzado, como para los estudiantes de otras licenciaturas en las que sólo se cursa una asignatura de Economía general.

El segundo grupo de lectores potenciales está integrado por los miembros de las profesiones liberales, especialmente los juristas, que desean disponer de una obra de consulta sobre temas económicos, que sea completo e inteligible para personas no expertas en esta materia. Con frecuencia tanto en la práctica de su actividad profesional como en el ejercicio de su condición de ciudadano que ha de tomar una postura fundada sobre las cuestiones públicas, el profesional necesita disponer de una cultura económica considerable. Esta es, en último extremo, la justificación más importante de que se curse la asignatura de Economía Política en la licenciatura de Derecho, asignatura a la que incomprensiblemente parecen oponerse algunos profesores y alumnos de estas Facultades. La comprensión de los fenómenos económicos que ocurren a nuestro alrededor y de los temas que se exponen, debaten y negocian en las comunidades nacionales e internacionales reflejados en las noticias y artículos que diariamente aparecen en los medios de comunicación exige del ciudadano unos conocimientos mínimamente sólidos y profundos de Economía. El nivel de esos conocimientos se va haciendo cada día más elevado y técnico. A facilitar esa imprescindible cultura económica a las personas con una cierta formación intelectual está dirigido este libro.

El lector que se aproxime por primera vez al estudio de la Economía debe tomar conciencia clara de varias cuestiones. En primer lugar, es necesario aceptar que el aprendizaje de esta disciplina requiere fundamentalmente un esfuerzo constante de comprensión, al igual que ocurre con el estudio de cualquier ciencia. Las argumentaciones que se emplean en ella están construidas de forma lógica y fundamentadas unas sobre otras. Si no se comprende bien una cuestión, difícilmente se pueden entender las siguientes.

En segundo lugar, el lector debe hacerse a la idea de que muchos de los conceptos y nociones que a nivel profano se tienen sobre los fenómenos económicos son erróneos. Para aprender adecuadamente esta materia es necesario desechar algunos de estos conceptos e ideas equivocadas. El lector irá detectando éstas a medida que avance en su estudio de la disciplina.

En tercer lugar, como ocurre en el aprendizaje de cualquier cuerpo de conocimientos, de un lado es necesario aprehender el contenido exacto de los conceptos para poder utilizarlos con soltura y propiedad. La Economía, como cualquier otra ciencia (la Botánica, la Zoología, la Física), hace uso de una terminología que corresponde a unos conceptos diseñados para designar las variables que intervienen en los fenómenos económicos y los instrumentos analíticos que se emplean en su estudio. Estos términos y estos conceptos han de ser utilizados con precisión, si se desea que se nos entienda cuando hablamos de cuestiones económicas.

De otro lado, es imprescindible acostumbrarse a ser rigurosamente lógicos y claros en los argumentos que se estudian y se emplean, así como en el procedimiento que se sigue en la deducción de las implicaciones que se desprenden de los supuestos y de las hipótesis que se utilizan. La Economía es una técnica de análisis, una disciplina de la mente y un enfoque de los fenómenos en el que se utilizan unos instrumentos analíticos que permiten poner orden en el conjunto de los datos económicos con los que nos enfrentamos, analizarlos con la ayuda de las hipótesis y sacar de ellos conclusiones e implicaciones correctas.

Finalmente recomendamos al lector que, al estudiar esta materia, haga un esfuerzo mental no sólo por entender a fondo lo que lee, sino además (y esto es muy útil) por visualizar o imaginar los fenómenos y los procesos que se analizan. Ello ayuda enormemente a comprender fenómenos tales como el funcionamiento del sistema de mercado en su conjunto o el de los mercados de bienes concretos, el proceso de creación y destrucción de dinero por los bancos, o la determinación del nivel de renta nacional. El visualizar y tratar de seguir paso a paso el proceso del desarrollo de un fenómeno económico ayuda enormemente a la comprensión de éste.

Digamos por último que el lector no debe acercarse a la lectura de esta obra con aprensión o temor a no comprenderla. La Economía no es ni más fácil ni más difícil que cualquier otra materia. Los conocimientos matemáticos que se exigen para entenderla son muy sencillos y elementales, y en consecuencia están al alcance de cualquier mente. En esta obra hemos tratado de exponer clara y ampliamente el contenido de la Economía a un nivel elemental, sin por ello hacer concesiones al simplismo o a la superficialidad.

Nuestro propósito es que al lector le interese el estudio de la Economía por dos razones. La primera estriba en el interés y el placer intelectuales que el lector puede derivar de la comprensión de un cuerpo de hipótesis y teorías construidas de una forma lógica. La segunda reside en la utilidad y aplicabilidad que estas teorías y los instrumentos analíticos que se emplean en la Economía tienen para estudiar y explicar los fenómenos que ocurren alrededor nuestro todos los días. Sobre estos dos pilares está construida esta obra.

En el capítulo de agradecimientos he de mencionar a los Profesores don José María Navarro Mora y doña Gloria Begué Cantón. Su apoyo y estímulo han constituido y constituyen un factor importante en mi dedicación a la actividad académica, fruto de la cual es este libro. A ellos deseo expresar mi gratitud. En segundo lugar he de mencionar a don Vicente Jaime Pastor, cuya ayuda en todas las tareas de elaborar este libro ha sido inestimable. En particular ha colaborado en la elaboración de los Capítulos 29, 30, 40, 41 y 42. Del mismo modo, he de dejar constancia de la colaboración que he recibido del Profesor don Segundo Bru Parra, que ha leído todo el texto y contribuido a su enriquecimiento a través de numerosas sugerencias y comentarios; en particular ha colaborado muy estrechamente en la elaboración de los Capítulos 39, 43, 44, 45 y 46, de los que en buena medida comparte conmigo su autoría. Asimismo quisiera manifestar mi gratitud hacia el Profesor don Ismael Fernández Guerrero, por su ayuda en la revisión del texto y por sus comentarios sobre el mismo. También he de expresar mi especial agradecimiento a doña Ana María Carrión, la persona que ha mecanografiado la totalidad de esta obra; en no pequeña medida, gracias a su impresionante eficiencia, a su sentido de la responsabilidad y al generoso sacrificio de ella y de su familia, ésta ha podido salir a la luz en las fechas previstas.

Por último, pero no por ello menos importante, he de referirme a mi deuda con mi mujer. Su ayuda eficaz en muchas de las tareas ingratas de la elaboración del libro, pero sobre todo su constante estímulo y apoyo, su buen talante y su generosa disposición a sacrificarse, su paciencia en soportar de buen grado los malos humores de un autor cuyo trabajo en muchas ocasiones «no avanza», constituyen una contribución muy importante a este libro. Sin ella todo habría sido más difícil.

Madrid, junio de 1982.

I
INTRODUCCION

CAPITULO 1

LOS PROBLEMAS ECONOMICOS DE TODA SOCIEDAD

LOS PROBLEMAS ECONOMICOS BASICOS QUE SE PLANTEAN A TODA SOCIEDAD HUMANA

A toda sociedad humana, cualquiera que sea su grado de evolución, civilización y desarrollo económico, y cualquiera que sea su sistema de organización política, económica y social, se le plantean un conjunto de cuestiones económicas básicas que no puede eludir y que ha de resolver de alguna manera. Estas cuestiones básicas o problemas fundamentales de organización económica, pueden resumirse en tres:

a) Qué bienes y servicios producir y en qué cantidades.

b) Cómo producir estos bienes y servicios.

c) Para quién serán dichos bienes y servicios; es decir, quien disfrutará de ellos: los deseos de quienes serán satisfechos, y los de quienes serán dejados sin satisfacer.

La primera cuestión hace referencia a todos los problemas económicos que conlleva el decidir qué bienes y servicios producir de entre los miles o quizá cientos de miles posibles (y en consecuencia los que no producir, ya que la acción de elegir supone simultáneamente la acción de excluir) y en qué cantidades producirlos. A título de ilustración, piénsese, por ejemplo, en el número de tejidos posibles de fabricar en cuanto a textura, color y estampado; añádase a ello el número posible de vestidos, faldas, pantalones, camisas, y demás prendas de vestir posibles de fabricar y demandadas por hombres, mujeres y niños de todas las edades, estaturas, gustos y poder adquisitivo. Solamente en este área de la producción (la del vestido hecho de tejido) es necesario tomar miles de decisiones. Sin pretender ser exhaustivos, podemos sistematizar los grandes campos en los que es necesario decidir qué bienes y cuántos producir, agrupándolos en seis:

1) El campo de los bienes acabados de consumo que se agotan con su uso, ya sean bienes necesarios para la vida humana, bienes de placer, o bienes que son

una mezcla de los dos anteriores: los alimentos de todo tipo, la ropa, las bebidas, el calzado, los artículos de aseo y limpieza, el tabaco, etc.

2) El campo de los bienes acabados de consumo que producen servicios valiosos para los individuos: los coches, los televisores, los frigoríficos, los tocadiscos, los muebles, las viviendas de todo tipo, los cuadros, las esculturas, los libros, las revistas y los periódicos, etc.

3) El campo de los servicios que son utilizados como consumo final: la enseñanza, los espectáculos de todo tipo, los servicios de los profesionales liberales (médicos, abogados, asesores de toda clase), el servicio doméstico, los servicios de bares, restaurantes y hoteles, los transportes, etc.

4) El campo de todos los bienes intermedios que se utilizan en la producción de otros bienes: las materias primas de todo tipo, los materiales de toda clase, los productos que constituyen componentes de otros productos (ya sean estos bienes de consumo final, bienes intermedios o bienes que sirven para producir otros bienes). Piénsese, por ejemplo, en los componentes que entran en un coche acabado: neumáticos, cámaras, batería, faros, tapicería, etc.

5) El campo de los bienes capital acabados o bienes que se utilizan en la producción de otros bienes, ya sea en la elaboración física (la maquinaria de todo tipo, los edificios industriales, los tractores, etc.), o en la provisión de servicios necesarios para la producción (ordenadores, máquinas de escribir, calculadoras, edificios dedicados a oficinas, establecimientos comerciales, medios de transporte de todo tipo, hospitales privados, etc.).

6) El campo de la administración pública y de los bienes y servicios públicos: los servicios administrativos de los distintos órganos del Estado que son necesarios para el funcionamiento ordenado y la supervivencia de la sociedad (los servicios administrativos, la administración de justicia, el orden público y la defensa); y los bienes y servicios públicos que la sociedad pide al Estado (educación, cultura, transportes públicos, seguridad social, parques, jardines, pantanos, carreteras, autopistas, hospitales públicos, etc.).

El segundo grupo de cuestiones hace referencia a todas las decisiones que es necesario tomar sobre quién producirá los bienes y servicios, qué recursos se utilizarán en su producción y con qué tecnología se elaborarán. Un número determinado de mesas puede ser fabricado utilizando muy diversos tipos de madera, metales de distintas clases, otros materiales, o una mezcla de ellos. Igualmente, se puede fabricar de forma artesanal empleando mucha mano de obra y poca maquinaria, o por diversos procedimientos industriales según el grado de sofisticación de la tecnología que se emplee (tecnología que va implícita en la maquinaria que se utilice). Asimismo, es posible fabricarlo en grandes complejos industriales o en pequeños talleres; por iniciativa privada o por el Estado. Igual ocurre con la mayoría de los bienes y servicios.

Finalmente, el tercer grupo de cuestiones incluye las decisiones sobre qué individuos y familias han de disfrutar los bienes y servicios que, por el procedimiento que sea, se decide producir. La actividad de producir bienes y servicios tiene como finalidad última y como razón de ser el satisfacer las necesidades y deseos de los individuos que componen la sociedad. Una vez producidos (o simultáneamente a su producción) los bienes y servicios, a la sociedad se le plantea la importante cuestión de cómo se distribuirá el producto de esa actividad entre los individuos que componen la sociedad: qué bienes y servicios, de qué tipo, de qué calidad, y en qué cantidad disfrutará cada persona.

Obviamente, esta distribución se puede hacer siguiendo muchos criterios posibles: dar a cada individuo bienes y servicios según sus necesidades, según el trabajo que realice, según la producción que obtenga, según el color del pelo, etc.

Los tres grupos de cuestiones económicas están estrechamente interrelacionados e implican literalmente millones de decisiones que han de ser tomadas. Estas cuestiones económicas básicas son comunes a todas las sociedades, ya sean primitivas o evolucionadas, atrasadas o civilizadas, subdesarrolladas o superindustrializadas, democráticas o autoritarias, capitalistas o comunistas. Cada sociedad las decide según unos principios que pueden tener diversos orígenes y tomar distintas formas. Así, en algunas sociedades estas cuestiones se deciden según la costumbre ancestral. En otras son decididas por un dictador. En las sociedades actuales, y dada la complejidad y la multiplicidad de las decisiones económicas que hay que tomar, la regulación de esta distribución se realiza por leyes elaboradas, bien por parlamentos elegidos por votaciones, bien por autoridades encargadas de la planificación económica y social, o bien por una mezcla de los dos sistemas. Como veremos más adelante, los distintos sistemas económicos se caracterizan por la forma de decidir estas cuestiones y por los principios que los inspiran.

A las tres grandes cuestiones básicas (o problemas económicos fundamentales) señaladas, pueden añadirse otras que, sin ser básicas, tienen, sin embargo, una gran importancia en las sociedades actuales debido al énfasis que se pone en el creciente bienestar material, psicológico y cultural de los individuos. Estas cuestiones o problemas económicos los podemos agrupar en las siguientes áreas:

1. La medida en que están siendo utilizados eficientemente los recursos de la sociedad.

Aquí la eficiencia se refiere tanto a la producción de bienes y servicios, como a la distribución de éstos entre los miembros de la sociedad. La cuestión no es meramente retórica, ya que, dada una cantidad limitada de recursos disponibles, es importante utilizarlos y asignarlos entre la producción de los distintos bienes y servicios de la forma más eficiente posible. En Economía se dice que la producción no se está realizando de forma eficiente cuando, reasignando los recursos (es decir, cambiando su distribución de unos bienes a otros), es posible producir más unidades de al menos un bien o un servicio, sin al mismo tiempo producir menos unidades de cualquier otro bien o servicio. Del mismo modo, se afirma en Economía que la distribución del producto nacional es ineficiente cuando, redistribuyendo entre los miembros de la sociedad los bienes y servicios producidos, se mejora la condición de al menos un individuo, sin perjudicar simultáneamente a nadie.

Este es el criterio del llamado Optimo de Pareto, que se utiliza en la Economía del Bienestar (rama de la Teoría Económica que se ocupa de la eficiencia en la asignación de los recursos y en la distribución de bienes y servicios) para determinar si se están asignando los recursos y distribuyendo los bienes y servicios eficientemente.

Es sabido por los economistas que según el criterio de eficiencia señalado, en todas las sociedades la mayoría de los bienes y servicios son producidos de forma ineficiente e igualmente están distribuidos ineficientemente, y que, en consecuencia, sería posible producir más unidades de todos los bienes y servicios al mismo tiempo y mejorar la situación de cada uno de los individuos simultáneamente. El problema está en que no se sabe bastante sobre la importancia, en términos cuantitativos, de este fenómeno de ineficiencia en la producción y en la distribución como para determinar si los costes en que habría que incurrir para detectar, cuantificar y eliminar estas deficiencias serían superiores o inferiores a las ventajas económicas que se obtendrían de ello. Quizá algún día sepamos lo suficiente sobre el tema como para poder tomar una decisión fundamentada sobre esta importante cuestión.

2) La medida en que están siendo utilizados o empleados los recursos de la sociedad.

Observamos que en la vida real con frecuencia hay personas que desean trabajar y no encuentran un puesto de trabajo (ésto es lo que llamamos desempleo), y que las empresas producen a niveles inferiores a los que su capacidad productiva instalada les permitiría. Esto significa que hay a menudo recursos que permanecen ociosos sin que nadie lo planee ni lo desee, y a pesar de que todos los recursos de una sociedad, por ser escasos, no son suficientes para producir todos los bienes y servicios que los miembros de esta sociedad desearían tener y disfrutar. Este desempleo involuntario de los recursos y sus implicaciones en cuanto a despilfarro y perjuicios a los individuos de una sociedad, constituye una de las características más perturbadoras de las economías de mercado y de libre empresa. De ahí que esta cuestión sea muy importante para las sociedades modernas y que se haya convertido en la actualidad en uno de los problemas más acuciantes.

El desempleo involuntario de los recursos, a pesar de que todos los agentes implicados en los procesos económicos (los empresarios, los trabajadores y el Gobierno) desearían utilizarlos, constituye una pérdida irrecuperable en términos de bienes y servicios que dejan de producirse, ya que las horas de trabajo que se pierden con el desempleo de las personas y la no utilización de la maquinaria e instalaciones, no pueden ser recuperadas. Las personas, las máquinas y las instalaciones de todo tipo envejecen, tanto con el paso del tiempo como con el trabajo y el esfuerzo (en el caso de las personas), y con su uso (en el caso de la maquinaria e instalaciones). En general no ocurre así con las materias primas, que si no son utilizadas en un momento, no pierden valor y pueden ser empleadas posteriormente. No obstante, las pérdidas que para las sociedades representan el desempleo o la infrautilización del capital humano y el capital físico (la maquinaria y las instalaciones) son enormes. De ahí la importancia de la medida en que están siendo empleados los recursos de una sociedad.

3) En qué medida está creciendo la capacidad de una economía para producir bienes y servicios, o si por el contrario dicha capacidad permanece constante a lo largo del tiempo. Evidentemente, si una sociedad pasa de tener recursos desempleados al pleno empleo, su producción aumentará, pero no nos referimos al aumento de la producción sino al incremento de la capacidad productiva.

Esta cuestión también es de gran importancia para las sociedades y los países, ya que el nivel de vida de los ciudadanos de éstos solo puede elevarse si aumenta la capacidad de su economía de producir más bienes y servicios por período de tiempo. Esta capacidad, como se verá más adelante, puede crecer en el tiempo debido a varios factores tales como el avance de la ciencia que permita la solución de problemas técnicos, el descubrimiento de nuevas técnicas de producción que hagan más productivos algunos de los recursos dados, el descubrimiento de nuevos factores de la producción (fibras sintéticas, plásticos, aleaciones de metales, etc.), y el diseño de nuevos productos y el nuevo diseño de otros ya existentes.

Estos factores tienen a su vez un trasfondo económico. Es cierto que los avances de la ciencia son en buena medida erráticos, ya que dependen de la creatividad de unos pocos científicos geniales. Pero no es menos cierto que cuantos más recursos se destinen a la investigación científica pura, mayor será el número de personas dedicadas a esta actividad y dotadas con mejores medios de trabajo, lo que sin duda aumenta las probabilidades de que surjan científicos de genio.

Todos los demás factores que hemos mencionado como determinantes del crecimiento de la capacidad productiva de una economía dependen directamente de la cantidad y calidad de los recursos económicos que se destinen a ellos, lo que a su vez dependerá del interés que para la sociedad y para los agentes económicos que toman las decisiones tenga el incremento de la capacidad productiva. En un sistema económico de libre empresa, las empresas tienen interés en mejorar la tecnología y todos los aspectos de los procesos de producción de los bienes porque ello les puede reportar beneficios. En un sistema de planificación central, los directores de las empresas estatales pueden tener interés en aumentar la capacidad productiva debido a que en el plan se les asigna el objetivo de incrementar la producción en una cuantía determinada o de mejorar el producto que elaboran.

En cualquier caso, dado que en el mundo actual los individuos valoran altamente el disponer de cantidades crecientes de bienes y servicios (tanto en cantidad como en calidad), el aumentar la capacidad productiva de las economías es una cuestión de la mayor importancia.

LA LEY DE LA ESCASEZ Y LA NECESIDAD DE ELEGIR

Los grandes problemas señalados de qué bienes y servicios producir y en qué cantidades, cómo producirlos, quiénes los van a disfrutar y en qué cantidades, cómo utilizar los recursos disponibles de la manera más eficiente posible, cómo evitar que los recursos estén ociosos, y cómo conseguir aumentar la capacidad productiva de la economía, no existirían como tales problemas si los recursos de que disponen las sociedades o los países fueran ilimitados y/o sólo se pudiera emplear cada recurso en la producción de un sólo bien o servicio. Si se pudieran producir todos los bienes y servicios en cantidades ilimitadas no existirían problemas económicos, ya que las necesidades y los deseos de las personas serían completamente satisfechos. No tendría ninguna importancia el que se produjera demasiado de un bien concreto o que se combinaran los recursos de forma ineficiente en la producción. Cada persona tendría a su disposición todo aquello que deseara.

Pero los recursos económicos de que dispone una sociedad son limitados en cantidad y calidad en cada momento histórico. Cada país, en un momento dado, tiene una población, unos recursos naturales, una cantidad de bienes capital acumulados del pasado, y una tecnología. En Economía se entiende por bienes capital aquellos bienes que son utilizados para producir otros bienes y que han sido elaborados por el hombre: todo tipo de máquinas y utensilios que sirven para fabricar productos, carreteras, vías férreas, pantanos, edificios industriales, etc.

Pero, además, los recursos son susceptibles de ser utilizados en la elaboración de muchos y distintos bienes o en la provisión de diversos servicios. Una persona puede trabajar en una mina de carbón, en una fábrica de zapatos, programando ordenadores, enseñando Economía, o sirviendo bebidas en un bar, por citar sólo unos pocos ejemplos. Lo mismo ocurre con prácticamente la totalidad de los factores productivos, con la excepción de la maquinaria diseñada para fabricar un producto determinado. Pero incluso estos recursos o bienes capital pueden ser transformados en otros recursos (ya sean otros bienes capital o cualquier otro factor de la producción) cuando, por medio de la amortización, son convertidos en capital financiero. Se entiende por capital financiero el ahorro monetario generado en la actividad productiva que puede ser utilizado para comprar bienes capital.

Por su parte, la amortización de un bien capital (como veremos más adelante con mayor precisión) se define como la asignación que se hace en los costes de la producción en la que interviene aquél, en concepto del uso de dicho bien capital por deterioro u obsolescencia de éste. Dado que en un bien capital generalmente tiene una vida activa de varios años, cada año se va asignando a los costes de producción una cantidad proporcional al número de años de uso del bien capital, de tal manera que al final del período de vida activa de éste, se han acumulado los recursos financieros suficientes para reponerlo o reemplazarlo por otro nuevo.

Esta escasez de recursos, que tiene el carácter de ley de la naturaleza porque ningún país, sociedad o individuo puede sustraerse a ella (de ahí que se le llame ley de la escasez), la propiedad que tienen los factores de poder ser utilizados en la producción de diversos bienes y servicios, y el hecho de que las necesidades y los deseos humanos que pueden ser satisfechos por el consumo de bienes y servicios son prácticamente ilimitados, son los tres factores o componentes básicos de lo que podemos llamar el problema o los problemas económicos de las sociedades. El problema económico, en el sentido fundamental, surge o se plantea porque los recursos son limitados o escasos en relación con las cantidades de bienes y servicios que, las personas desean consumir y disfrutar, cantidades que a efectos analíticos pueden ser consideradas como ilimitadas y continuamente crecientes.

A lo largo de la historia de la humanidad, los individuos y las sociedades han ido disponiendo de cantidades crecientes de bienes y servicios hasta llegar a lo que Galbraith ha llamado la sociedad opulenta actual, primordialmente como consecuencia de la acumulación de bienes capital que ha potenciado enormemente su capacidad de producción. No obstante, y a pesar de la relativa abundancia que se da en algunos países, sabemos que en relación con los deseos expresados por la gente de disponer de mejores y más alimentos, vestidos, viviendas, coches, vacaciones, escuelas, hospitales, etc., los recursos existentes son totalmente insuficientes, ya que sólo bastan para producir una pequeña fracción de aquellos bienes y servicios.

La escasez de los recursos en relación con unos deseos humanos prácticamente ilimitados y crecientes, es sin duda el dato primordial y básico que subyace a los problemas económicos. La escasez no equivale a pobreza; incluso los países ricos y los individuos ricos tienen que hacer frente a la escasez. Dado que no existen suficientes recursos para producir todos los bienes y proveer todos los servicios que los individuos de una sociedad desearían tener y que los recursos pueden utilizarse en la producción de distintos bienes y en la provisión de diversos servicios, las sociedades y los individuos se ven obligados a elegir, a escoger. Es necesario escoger entre las múltiples alternativas que se presentan en las diversas áreas de la actividad económica o actividades relacionadas con la utilización y el empleo de los recursos escasos: el área de qué bienes y servicios producir y qué cantidades de cada uno de ellos, el área de qué recursos asignar a esa producción (cómo producirlos), el área de cómo distribuir esos bienes y servicios entre los individuos que integran la sociedad para su disfrute, decidir cuántos bienes y servicios se consumirán en la actualidad y cuántos en el futuro (consumo e inversión), decidir cuántos bienes privados y cuántos públicos se consumirán, y decidir entre consumo y ocio.

Repitamos una vez más que los problemas económicos surgen de la utilización de unos recursos que son escasos y susceptibles de usos alternativos para satisfacer unas necesidades y unos deseos humanos de disfrutar de bienes y servicios, necesidades y deseos que son prácticamente ilimitados.

Este problema no sólo se le plantea a las sociedades. También cada individuo ha de enfrentarse con él. El individuo que decide estudiar Derecho en lugar de Medicina (suponiendo que las dos carreras le gusten), en buena medida está realizando esta elección, porque sólo dispone de 24 horas por día y de 365 días por año durante los que poder estudiar, y, en consecuencia, esta limitación de tiempo le impone la necesidad de elegir entre las dos carreras. Y puede elegir entre estudiar Derecho y Medicina porque su capacidad intelectual es susceptible de ser empleada en aprender las materias jurídicas o las médicas. Esta argumentación es extensible a cualquier otro acto humano que no tenga un carácter estrictamente económico (en el sentido de los actos relacionados con las cuestiones monetarias o materiales de la vida de las personas). La elección entre ir a ver una película o quedarse en casa leyendo una novela o escuchando música, encierra también un aspecto económico por la limitación del tiempo disponible que tenemos todos los individuos.

LAS POSIBILIDADES TECNOLOGICAS ABIERTAS A TODA SOCIEDAD

Ya hemos señalado que la escasez da lugar a la necesidad ineludible de elegir, de escoger, y que el problema económico es el problema de economizar o, lo que es lo mismo, de elegir cuidadosamente qué hacer con los recursos escasos disponibles. Este problema se le plantea a los individuos, a las familias, a las empresas, a las instituciones y organizaciones de todo tipo, a las sociedades, a los países, y cada vez más al mundo en su conjunto.

Hemos dicho también que en un momento dado una sociedad o un país disponen de cantidades limitadas de recursos o factores de la producción. Con una tecnología dada y suponiendo que se emplearan las combinaciones más eficientes posibles de los factores que permitiera dicha tecnología, una sociedad sólo podrá producir unas cantidades máximas de los bienes y servicios que haya decidido elaborar. Por supuesto que con combinaciones menos eficientes de los factores, esa misma sociedad producirá cantidades menores de dichos bienes y servicios, pero existe esa frontera, ese techo de máxima producción posible.

Asimismo, la sociedad tiene abierta la posibilidad de escoger el producir muy diversas combinaciones de bienes y servicios, siempre con la limitación de un techo máximo en el número de bienes y servicios que puede producir y de las cantidades producidas de cada uno de ellos.

Al mismo tiempo, además de ese techo de máximos que se pueden alcanzar (tantos como combinaciones posibles de bienes y servicios dentro de las cantidades máximas alcanzables), cada sociedad puede elegir reasignar (o redistribuir de una forma distinta a la anterior) sus recursos limitados, y producir una nueva combinación de bienes y servicios. Si todos los recursos estaban siendo plena y eficientemente utilizados antes de la reasignación de los recursos, entonces el producir una cantidad mayor de un bien o un servicio, o producir una cantidad determinada de unidades de un bien o servicio que anteriormente no se producía, exigirá necesariamente el producir menos de otro u otros bienes y/o servicios, o dejar de producir uno o varios de los bienes y servicios que se producían en la anterior combinación.

Este hecho fundamental de la vida económica es representado por la llamada curva de posibilidades de producción o curva de transformación de una sociedad o un país. Evidentemente, los problemas implícitos en determinar los recursos y las cantidades de éstos que se destinan a la producción de cada uno de los bienes y servicios que se ha decidido producir son complejos y numerosos. Para poder manejar analíticamente el tema, se suele recurrir a la simplificación de suponer que el país que estudiamos decidiera producir sólo dos bienes. Supongamos que estos bienes son maíz y coches. Supongamos, además, que la Tabla 1.1. expresa las combinaciones de cantidades de maíz y coches que el país puede alcanzar destinando a ello todos sus recursos durante un año de actividad productiva.

TABLA 1.1.

POSIBILIDADES DE PRODUCCION POR AÑO

	Maíz (toneladas)	Coches (unidades)
Combinación 1	10.000	0
Combinación 2	9.000	1.000
Combinación 3	7.000	2.000
Combinación 4	4.000	3.000
Combinación 5 .:.	0	4.000

Podemos representar estos valores gráficamente, tal como se hace en la Figura 1.1.

FIGURA 1.1.

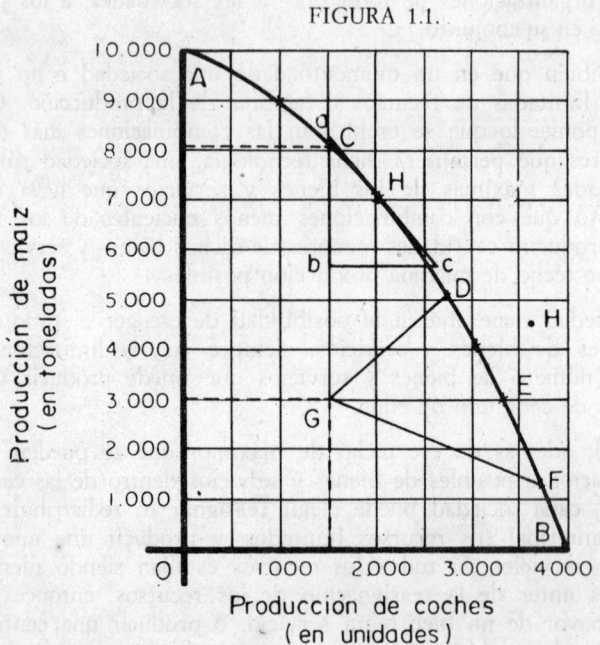

En el eje de ordenadas (eje vertical) hemos representado las toneladas de maíz producidas, y en el de abscisas hemos expresado el número de coches fabricados, ambas magnitudes expresadas en unidades por año. La curva AB une los puntos que representan las cinco combinaciones de cantidades producidas de ambos bienes de la Tabla 1.1. Pero, además, representa muchas otras combinaciones de toneladas de maíz y unidades de coches que no hemos expresado en la Tabla 1.1. por no hacerla excesivamente farragosa. En realidad representa tantas combinaciones como puntos tiene la curva, muchas de las cuales no sería factible producirlas debido al fraccionamiento de unidades de los bienes que implicarían.

Como veremos más adelante, en el Análisis Económico a menudo se opera como si las magnitudes que se manejan variaran de forma continua; es decir, como si pudieran tomar y tomaran todos los valores, cuando no ocurre así en la realidad. En los fenómenos físicos las variables o magnitudes son continuas. Así, la temperatura de un cuerpo, al elevarse de 20º a 30º centígrados, pasa por todas las temperaturas intermedias. Igual ocurre con la velocidad de caída de un cuerpo. Con las variables o magnitudes económicas las variaciones son discontinuas; así, la producción no pasa de 1.000 unidades a 1.000,1 unidades, sino que pasa como mínimo a 1.001 unidades. Incluso, y según los procesos productivos utilizados, es posible que sea necesario producir bloques o cantidades mínimas de unidades del producto. En cualquier caso, el problema de la discontinuidad de las variables económicas no impide que éstas puedan ser tratadas como si fueran variables continuas, sin que la validez de su análisis se vea afectada.

La curva de posibilidades de producción o de transformación, que no es más que la representación de unos valores que hemos escogido arbitrariamente pero que responden a una visión de los fenómenos que explicaremos seguidamente, expresa los siguientes datos económicos fundamentales:

1. Dados unos recursos (una población con un nivel de educación y formación profesional, unos recursos naturales de todo tipo, un stock de bienes capital, y una tecnología), empleándolos todos y combinándolos de la forma más eficiente posible, una sociedad o un país puede producir unas cantidades máximas de los bienes y servicios que decida elaborar. En el ejemplo que utilizamos, esta sociedad, si destinara todos sus recursos a producir maíz, obtendría 10.000 toneladas de este producto por año. Del mismo modo, si empleara todos sus factores productivos en fabricar coches, produciría 4.000 unidades de vehículos por año. Entre estos dos extremos, la sociedad puede producir toda una serie de combinaciones de cantidades de coches y de toneladas de maíz expresadas por los puntos de la curva, que constituye una auténtica frontera de posibilidades máximas de producción.

Cualquier punto a la derecha de la curva, que representaría mayor cantidad de uno de los bienes o de los dos, no es alcanzable por esa sociedad en tanto en cuanto no aumenten sus disponibilidades de uno o varios de los factores y/o mejore su tecnología.

Conviene, sin embargo, matizar esta afirmación. La sociedad no podrá alcanzar ninguno de los puntos a la derecha de la curva de posibilidades de producción en términos reales; es decir, la sociedad o la economía de esta sociedad no podrá físicamente producir las cantidades representadas por el punto H del plano, debido a la limitación de los factores y de la tecnología de que dispone. Si se intenta alcanzar este punto (o cualquier otro a la derecha de la curva), se produciría un aumento de los precios de los factores y de los coches y del maíz al competir los productores por los factores para atraerlos de una producción a otra, ya que la economía estaría en pleno empleo. A través de este aumento de los precios se alcanzaría el punto H, pero ello sólo significaría que habría aumentado el valor monetario de los bienes y de la producción de maíz y coches, pero el número de unidades de coches y de toneladas de maíz producidos no habría aumentado. El fenómeno de la inflación o subida generalizada y continua de los precios se verá en la parte de Macroeconomía.

2.   Por el contrario, todos los puntos por debajo de la curva son alcanzables, pero representan combinaciones de los bienes inferiores cuantitativamente a las expresadas por la curva. Así, por ejemplo, el punto G representaría una producción de 1.500 coches y 3.000 toneladas de maíz. Utilizando recursos ociosos o mejorando la combinación de los factores, la sociedad podría trasladarse a uno de los puntos C, D, E, F, o a cualquier otro punto de la curva de posibilidades de producción. Todos ellos constituirían una mejora cuantitativa en términos de cantidades producidas de unidades de los dos bienes.

Situándose en el punto C la sociedad seguiría produciendo 1.500 coches por año, y aumentaría su producción de maíz de 3.000 toneladas a 8.150 toneladas por año.

Todos los puntos de la curva de transformación o de posibilidades de producción comprendidos en su tramo CE representarían combinaciones de mayores cantidades de ambos productos que la representada por el punto G. El punto C representa igual cantidad de unidades de coches que G, pero mayor número de toneladas de maíz; y el punto E corresponde a igual número de toneladas de maíz que G, pero a mayor cantidad de unidades de coches.

Todos los puntos de la curva a la izquierda del punto C y a la derecha del E corresponden a combinaciones que, aunque implican menor cantidad de uno de los dos bienes, representan cantidades suficientemente mayores del otro como para constituir combinaciones superiores a la del punto G. La curva AB constituye, pués, la frontera de posibilidades de producción máxima de una sociedad para un momento determinado.

3.   La curva AB indica asimismo que para producir mayor cantidad de uno de los bienes es necesario reducir la cantidad producida del otro. Si la economía está en pleno empleo (está utilizando todos sus recursos), éste es un hecho ineludible. Supongamos que la curva de posibilidades de producción de un país fuera la expresada por la curva AB de la Figura 1.2., en la que representamos en el eje vertical la producción de bienes de uso civil (televisores, coches, viviendas, alimentos, etc.), y en el eje horizontal la producción de material bélico (tanques, cañones, aviones de combate, etc.). Imaginemos que en una situación de paz el país produce la cantidad Oa de bienes civiles y la cantidad Ob de material de guerra. Si el país entra en guerra y desea aumentar la producción de material bélico, tendrá que moverse hacia abajo dentro de su curva de transformación, por ejemplo, al punto D. Para producir la cantidad adicional bd de material de guerra ha de sacrificar la cantidad ca de bienes civiles.

El Coste de Oportunidad

Al sacrificio de la cantidad ca de bienes civiles para producir la cantidad adicional bd de material bélico se le llama en Economía el coste de oportunidad. Este es un concepto importante que conviene retener. Se entiende por coste de oportunidad de la cantidad de un bien o servicio cualquiera a la cantidad de otro u otros bienes o servicios que es necesario sacrificar o dejar de obtener para conseguir la primera.

Hemos señalado que la existencia del problema económico estriba en la limitación de los recursos disponibles que tienen usos alternativos. En consecuencia, si deseamos tener mayor cantidad de un bien, hemos de reducir la cantidad que disfrutamos de otro u otros bienes (obviamente dependiendo de los precios de todos los bienes implicados). Al coste de un bien o servicio en términos de otros bienes o servicios le llamamos coste de oportunidad. Así, si disponemos de una cantidad limitada de dinero que ya hemos distribuido entre una serie de bienes que deseamos obtener y si decidimos comprar un libro extra (que no habíamos incluido en nuestro plan primero de compra), tendremos que sacrificar el tomarnos varias cervezas, o algunas cervezas y una entrada de cine, o una corbata, o cualquier otra combinación de bienes y servicios equivalentes en valor monetario al libro adicional. Este sacrificio sería el coste de oportunidad del libro para el comprador.

A menos que la economía tenga desempleo, la producción adicional de un bien implica necesariamente un coste de oportunidad que se traduce en la cantidad de otro u otros bienes que hemos de dejar de producir. Naturalmente si la economía tiene recursos ociosos (desempleados), se puede producir más de uno o varios bienes sin tener que dejar de producir o reducir la producción de otro u otros bienes y servicios.

Al moverse dentro de su curva de posibilidades de producción de un punto a otro, el país o la sociedad está transformando unos bienes en otros. En la Figura 1.2 el país está transformando la cantidad *ca* de bienes civiles en la cantidad *bd* de bienes bélicos (el término bien hace referencia a objetos físicos que sirven para satisfacer una necesidad o deseo, sin que implique ninguna connotación ética. El término bien bélico parece un contrasentido pero en Economía no lo es). De ahí que a la curva de posibilidades de producción se le llama también la curva de transformación. Los recursos son susceptibles de emplearse en distintos usos, y ello permite el retirarlos de la producción de unos bienes y emplearlos en la elaboración de otros.

Obviamente no sería posible literalmente dedicar todos los recursos a producir cañones, ya que ciertos recursos no son materialmente utilizables o apropiados para esta actividad; pero sí que es posible orientar totalmente una economía a la producción de material bélico, reduciendo al mínimo la producción de bienes de uso civil para alimentar, vestir y alojar a la población civil no activa (niños y ancianos) y a la población civil que participe en la producción de material bélico, y destinando el resto de los recursos a la fabricación de armamento y de los productos necesarios para el mantenimiento de los combatientes. Este fue el caso de los países beligerantes en la Segunda Guerra Mundial.

A la proporción en que se transforman unos bienes en otros se le llama tasa marginal de transformación. El lector puede consultar el Capítulo 5 para una exposición amplia del concepto de cambio marginal. Aquí sólo diremos que la tasa marginal de transformación del maíz en coches sería la cantidad de maíz que habría que sacrificar o dejar de producir para fabricar un coche más, cualquiera que fuera la cantidad de coches de la que partiéramos.

Esta tasa marginal de transformación o coste de oportunidad la obtenemos a partir de la curva de transformación, bien para un segmento de ésta (el tramo entre dos puntos) o para un punto concreto de la curva. Así, si queremos hallar la tasa de transformación de maíz en coches para el segmento de la curva *CE* de la Figura 1.1 sólo tenemos que obtener la razón entre las magnitudes *CG* y *GE*; es decir, la cantidad *CG* que hay que sacrificar de maíz para obtener la cantidad *GE* de coches: sacrificamos 5.150, toneladas de maíz (se reduce la producción de 8.150 a 3.000 toneladas) para aumentar la producción de coches en 1.800 unidades (se aumenta la producción de 1.500 a 3.300 coches por año). De ahí que cada coche nos costaría 2,86 toneladas de maíz. Esta sería la tasa de transformación del maíz en coches al pasar de producir 1.500 vehículos a fabricar 3.300.

Hemos dicho tasa de transformación y no tasa marginal de transformación porque en sentido estricto ésta implica, por definición, el coste de oportunidad en términos de maíz que tendría el producir un coche más (por ejemplo, al pasar de producir 1.500 coches a fabricar 1.501). Matemáticamente es posible hallar la tasa marginal de transformación como la pendiente de la curva de transformación en el punto correspondiente a las cantidades de los dos bienes para las que queremos obtenerla. Recordamos al lector que en el Capítulo 5 puede encontrar una explicación adecuada de esta cuestión.

La pendiente de la línea tangente a la curva de transformación en el punto *H* es la línea *ac*. Su pendiente nos da la razón:

$$\frac{ab}{bc} = \frac{8.300 - 5.700}{2.700 - 1.500} = \frac{2.600}{1.200} = 2,16$$

Es decir, cuando se producen 2.000 coches y 7.000 toneladas de maíz, la tasa marginal de transformación del maíz en coches es de 2,16 toneladas de maíz por un coche. Inversamente, la tasa marginal de transformación de los coches en maíz es de 0,46 unidad de coche por tonelada de maíz (si a 2,16 toneladas de maíz corresponde un coche, a una tonelada de maíz corresponde 0,46 unidades de coche).

La tasa marginal de transformación es distinta en los diferentes puntos de la curva. Esto responde al supuesto del que partimos al diseñar el ejemplo numérico, de que el coste de oportunidad de un bien en términos del otro aumenta a medida que incrementamos la producción de aquél y reducimos la de éste. Al diseñar el ejemplo numérico de la Tabla 1.1. partimos de dos supuestos:

a) Todos los recursos no son igualmente aptos o productivos en la elaboración de todos los bienes, o, lo que es lo mismo, en todos los procesos de producción. Unos recursos son aptos para producir maíz pero son muy poco productivos para fabricar coches, mientras que otros son aptos para producir coches y muy poco adecuados para cultivar maíz. Algunos recursos, como la mano de obra, son aptos para emplearlos indistintamente en la producción de ambos bienes.

b) Algunos de los recursos de la sociedad son fijos en cantidad y en uso. La cantidad de tierra de cultivo es fija y sólo se puede utilizar para cultivar maíz (se entiende que nos referimos al caso de producir sólo maíz y coches), mientras que la maquinaria y las instalaciones son fijas y sólo se pueden emplear en fabricar automóviles.

De estos dos supuestos de partida (referidos naturalmente a la situación de pleno empleo y para un momento determinado, dados unos recursos y una tecnología), se desprende que, al aumentar paulatinamente la cantidad de recursos que se emplean en la producción de coches y en consecuencia reducir continuamente los recursos utilizados en cultivar maíz, el coste de oportunidad de los coches en términos de maíz, o la tasa marginal de transformación del maíz en coches, se va haciendo cada vez mayor (cada vez cuesta mayor cantidad de maíz el fabricar un coche más) a medida que aumentamos la producción de éstos y reducimos la de aquél.

La explicación de este fenómeno se desprende de los dos supuestos y tiene dos explicaciones: una, que al aumentar continuamente la producción de coches y reducir la de maíz, vamos transfiriendo recursos a la fabricación de coches que van siendo menos productivos en la producción de automóviles y más en el cultivo del maíz; y dos, que progresivamente más obreros tendrán que trabajar con la misma cantidad de maquinaria (lo que los haría continuamente menos productivos) en la fabricación de coches y menos trabajadores tendrían que trabajar con la misma cantidad de tierra (lo que los haría más productivos) en el cultivo de maíz.

FIGURA 1.2   FIGURA 1.3

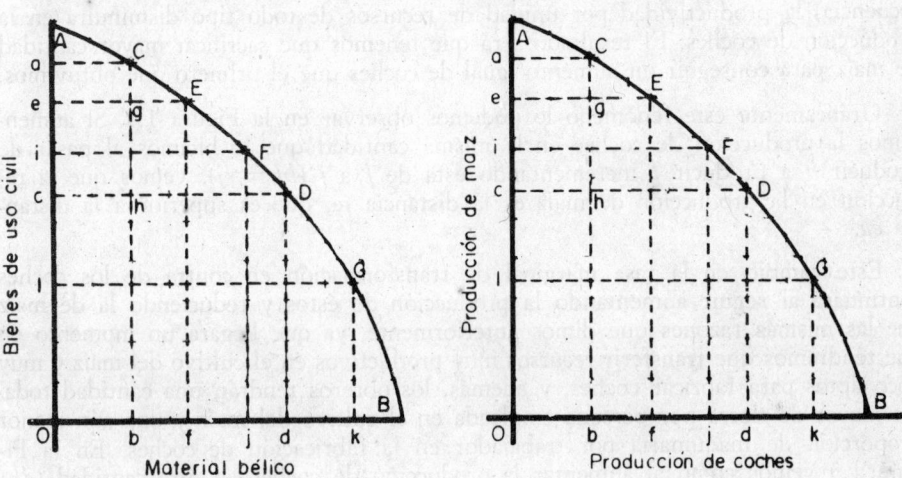

Partamos del punto C de la curva de transformación de la Figura 1.3. En este punto producimos una cantidad elevada de maíz (la distancia Oa del eje vertical) y muy pocos coches (la distancia Ob' del eje horizontal). Esto significa que estamos empleando la mayor parte de los recursos disponibles en producir maíz, una parte sustancial de los cuales podemos suponer que será poco apta para cultivar maíz y que en cambio son productivos para fabricar coches (por ejemplo, cierto tipo de mano de obra especializada como montadores, diseñadores, etc.). Pero además, al destinar gran cantidad de mano de obra a la producción de maíz, cada obrero dispondría de una cantidad pequeña de tierra.

Si decidimos aumentar la producción de coches, lógicamente retiraríamos de la producción de maíz estos factores poco productivos en las tareas agrícolas y los transferiríamos a la fabricación de coches. Parece lógico pensar que al transferir estos factores, la producción de maíz disminuiría poco en proporción con el aumento que experimentaría la fabricación de coches, ya que además aquéllos serían posiblemente muy productivos en la elaboración de automóviles. En consecuencia, a ese nivel de producción de ambos bienes habría que sacrificar relativamente pocas toneladas de maíz por coche adicional fabricado. Esta idea está expresada en la forma de la curva de transformación de las Figuras 1.1 y 1.3 que es cóncava. En esta última, si pasamos del punto C al E sacrificamos la cantidad Cg de maíz (igual a la distancia *ae* en el eje vertical) para obtener la cantidad *gE* de coches (igual a la distancia *bf* del eje horizontal). Obviamente *ae* es menor que *bf*.

Pero a medida que producimos mayor número de coches tenemos que continuar retirando recursos de la producción de maíz. Estos recursos ya no serán tan improductivos en el cultivo del maíz como los primeros que retiramos, sino que habrán de ser recursos relativamente aptos en la plantación de maíz. Además, al disponer de mayor cantidad de tierra por trabajador (la cantidad de tierra no ha variado pero el número de obreros ha disminuido), la productividad por obrero aumentará en el cultivo del maíz.

El fenómeno contrario ocurrirá en la producción de coches: por una parte, los nuevos recursos que transferimos a ésta no serán tan productivos como los primeros; y por otra, la proporción de maquinaria por número de trabajadores disminuirá, ya que la maquinaria es la misma y el número de obreros aumenta. En consecuencia, la productividad por unidad de recursos de todo tipo disminuirá en la producción de coches. El resultado será que tenemos que sacrificar mayor cantidad de maíz para conseguir un aumento igual de coches que el primero que obtuvimos.

Gráficamente este fenómeno lo podemos observar en la Figura 1.3. Si aumentamos la producción de coches en la misma cantidad que lo hicimos al pasar de producir *b* a producir *f* incrementando ésta de *f* a *j* (*bf = fj*), vemos que la reducción en la producción de maíz es la distancia *ie*, que es superior a la distancia *ea*.

Este cambio en la tasa marginal de transformación en contra de los coches continuará al seguir aumentando la producción de éstos y reduciendo la de maíz por las mismas razones que dimos anteriormente, ya que llegará un momento en que tendremos que transferir recursos muy productivos en el cultivo del maíz y muy poco aptos para fabricar coches, y además, los obreros tendrán una cantidad todavía mayor de tierra por persona empleada en el cultivo del maíz y una aún menor proporción de maquinaria por trabajador en la fabricación de coches. En la Figura 1.3 vemos cómo al aumentar la producción de coches en otra cantidad (*dk*) igual a las dos anteriores (*dk = bf = fj*), la reducción en la producción de maíz (*lc*) es muy superior a las reducciones anteriores (*lc* es mayor que *ie*, y ésta a su vez es mayor que *ea*). Al pasar a producir la cantidad *Ok* de coches, ya estamos produciendo muchas unidades de éstos y muy poco maíz, lo que significa que estamos empleando la mayor parte de los recursos en fabricar coches, incluyendo algunos que son muy poco productivos en esta actividad y muy aptos para cultivar maíz.

La argumentación es exactamente la misma si empezamos desde el otro extremo de la curva, produciendo muchos coches y muy poco maíz. Con una reducción en la producción de aquéllos de la cuantía *dk* (pasamos del punto *G* al *D* de la curva de transformación) obtendremos un aumento relativamente grande (*lc*) en la producción de maíz. Pero cuando estamos en el punto *E* de la curva de transformación (según la cual producimos la cantidad *Of* de coches y la cantidad *Oe* de maíz), para aumentar la producción de éste de *Oe* a *Oa* hemos de sacrificar la cantidad *bf* de coches. La argumentación es, pues, simétrica al movernos en ambas direcciones de la curva de transformación. De ahí que la tasa marginal de transformación de un bien en otro cambie continuamente y que la curva sea cóncava.

La Ley de los Costes Crecientes o de los Rendimientos Decrecientes

Hemos visto que a medida que aumentamos la producción de uno de los dos bienes y reducimos la del otro, la tasa marginal de transformación va cambiando en contra del primero y a favor del segundo. Para explicar este fenómeno aducíamos dos razones: el que los factores no son igualmente aptos para producir todos los bienes, y que algunos factores son fijos o sus cantidades disponibles permanecen fijas si la economía está en pleno empleo y si el período de tiempo que se considera es corto.

Esta última característica de la producción es la que da lugar a la llamada ley de los rendimientos decrecientes o de los costes de producción crecientes. A esta ley se le puede llamar de las dos formas indistintamente, ya que ambas constituyen el mismo fenómeno: la productividad decreciente significa que la cantidad adicional del producto que obtenemos por unidad de factor va disminuyendo al aumentar sucesivamente en una unidad la cantidad de factores utilizados (el rendimiento por unidad adicional de factor empleada va disminuyendo); y los costes crecientes significan que el coste por unidad del producto que elaboramos en términos de unidades de factores que empleamos en su fabricación, se va haciendo mayor (cada unidad adicional de producto que fabricamos nos cuesta mayor número de unidades de factores).

El término productividad se aplica a los factores de la producción, y es el rendimiento de una unidad de factor en términos de unidades o fracciones de unidad del producto elaborado; mientras que el término coste se aplica al producto que se elabora en términos de cantidad de unidades de factores por unidad del producto fabricado. En un proceso productivo por el que se elabora un producto y en el que se emplean unos factores productivos, decir rendimientos decrecientes es, pues, igual que decir costes crecientes.

La ley de los rendimientos decrecientes o de los costes crecientes postula que si se mantienen uno o más factores de la producción constantes (no se varía su cantidad), al aumentar progresivamente la cantidad de unidades de un factor variable (le llamamos variable porque su cantidad no permanece constante) el rendimiento de éste llegará un momento (un nivel de producción) en que empezará a disminuir en términos del producto que se elabora. Es decir, si en un proceso de producción de un bien se utilizan dos factores, y la cantidad de uno se mantiene constante mientras que la del otro se va aumentando progresivamente, habrá algún nivel de producción (una cantidad de unidades de bien producidas por período de tiempo) en el que la productividad del factor variable empezará a disminuir (el coste por unidad del bien en términos de unidades del factor variable aumentará).

Esto se debe a que, al mantener constante la cantidad de uno de los factores empleados, las unidades del factor variable tendrán cada vez menor cantidad del factor fijo con el que trabajar. En consecuencia, la combinación de los dos factores se irá haciendo cada vez peor en términos de eficiencia productiva. Se puede suponer que en todo proceso productivo habrá una combinación de factores que será la óptima desde el punto de vista de la productividad de éstos, y que corresponderá a un nivel de producción. Cuando se sobrepasa ese nivel de producción, la productividad del factor variable será presumiblemente positiva, pero empezará a decrecer.

Supongamos que partimos de una situación en la que disponemos de 10 hectáreas de tierra de secano. En la Tabla 1.2 se dan los datos de unas hipotéticas cantidades de producción de kilos de trigo cuando aumentamos el número de trabajadores que empleamos en las 10 hectáreas (superficie que mantenemos constante). Cuando em-

TABLA 1.2

Cantidad de tierra	Número de trabajadores	Producción de trigo en kilos
10	1	5.000
10	2	11.000
10	3	15.000
10	4	18.000
10	5	20.000
10	6	21.500
10	7	22.000
10	8	22.000

pleamos un obrero, obtenemos 5.000 kilos de trigo por año. Al aumentar a dos el número de obreros, la producción pasa a 11.000 kilos al año. Estamos suponiendo aquí que la productividad crece debido a que dos trabajadores pueden efectuar las faenas proporcionalmente mejor que uno sólo (un trabajador no sólo haría las faenas peor, sino que además algunas se quedarían sin hacer por falta de tiempo), con lo que los rendimientos crecen con el segundo trabajador, pasando la producción de 5.000 a 11.000 kilos (la combinación de tierra y trabajo mejora en términos de productividad de los factores, por lo que la productividad aumenta en 6.000).

Pero al pasar a emplear tres trabajadores por año, la producción total también aumenta (pasa de 11.000 a 15.000 kilos), pero lo hace en menor cuantía que cuando se pasa de un obrero a dos (aumenta en 4.000 kilos). Si todavía se aumenta el número de obreros empleados a 4, la producción total sigue incrementándose (pasa de 15.000 a 18.000 kilos por año), pero lo hace en menor cuantía que la vez anterior (3.000 kilos). Esta reducción en los rendimientos por trabajador adicional (aunque éstos sean positivos) es la llamada ley de los rendimientos decrecientes. También podemos decir que los costes de producir un kilo de trigo se empiezan a hacer mayores a partir del momento en el que se emplean 3 obreros. Al pasar de 1 a 2 obreros los rendimientos fueron crecientes. y en consecuencia los costes decrecientes, pero al aumentar el factor mano de obra en una unidad más, los rendimientos empezaron a decrecer y los costes a crecer; incluso, al pasar de emplear 7 obreros a 8 la producción total no varía.

Obviamente los datos numéricos los hemos elegido arbitrariamente, pero lo hemos hecho con la finalidad de ilustrar la llamada ley de los rendimientos decrecientes o costes crecientes, que postula que siempre que se mantengan uno o varios factores de la producción fijos y se aumente otro, los rendimientos por unidad adicional de este factor variable empezarán a disminuir (aunque sean positivos, insistimos) a partir de algún nivel de producción (a partir de algún número de unidades utilizadas del factor variable). Ello se debe a que las unidades del factor variable contarán cada vez con menor cantidad del factor fijo, lo que dará lugar a combinaciones peores de los dos factores, que llevarán a un aumento de los costes por unidad del producto elaborado.

Naturalmente, la ley de los rendimientos decrecientes entrará en juego en distintos momentos para los distintos procesos productivos y según las cantidades iniciales de los factores de los que partamos. Si en vez de con 10 hectáreas de tierra hubiéramos empezado con 100, evidentemente la ley de los rendimientos decrecientes habría hecho su aparición más tarde; es decir, cuando hubiéramos empleado 8 en lugar de 7 obreros, o quizás 15 en lugar de 14. Lo importante es que llega un momento en el que esta ley entra en juego, siempre que se mantenga un factor o más fijos y se aumente otro.

Este es un hecho ampliamente constatado en la realidad, y por ello se le llama ley, como si se tratara de una ley de la naturaleza. Tiene además gran trascendencia económica, porque implica que para aumentar la producción de un bien, el coste de oportunidad en términos de las cantidades de otros bienes que hay que sacrificar, es creciente. Puede ocurrir en ocasiones que la tasa marginal de transformación (el concepto de valor marginal lo puede consultar el lector en el Capítulo 5) de un bien en otro sea constante, en cuyo caso la curva de transformación sería rectilínea (compruebe el lector esta afirmación trazando una curva de transformación en forma de línea recta y hallando las cantidades de uno de los dos bienes que habría que sacrificar para aumentar continuamente la producción del otro en una magnitud constante). Cuanto más similares sean dos bienes en cuanto a las técnicas que se emplean en su producción, más parecida sería su curva de transformación a una línea recta. Esto es lo que ocurriría en el caso del trigo y la cebada, o en el de los coches y los camiones.

Las Economías de Escala

Hemos señalado que la curva de posibilidades de producción de la economía de un país la obtenemos partiendo del supuesto de que para un momento dado los recursos disponibles y la tecnología son fijos. Considerando un período de tiempo largo (varias décadas), las posibilidades de producción de los países pueden cambiar, aumentando o disminuyendo, si bien generalmente aumentan. El crecimiento económico de un país puede ser definido como un aumento de las posibilidades de producción de este país. Los dos factores más importantes que afectan a las posibilidades de producción son las disponibilidades de recursos productivos (factores de la producción: tierra o recursos naturales de toda clase; capital c stock de máquinas, instalaciones y estructuras de todo tipo; y fuerza laboral de todas clases) y la tecnología. El cambio en cualquiera de los dos factores, o de los dos al mismo tiempo como generalmente suele ocurrir, da lugar a variaciones en las posibilidades de producción.

Los recursos o factores de la producción cambian a lo largo del tiempo. La población aumenta y con este aumento se incrementa la oferta de mano de obra. Además, al mejorar la alimentación, las condiciones sanitarias y de higiene, y el nivel de educación, el capital humano (en el sentido de capacidad productiva de la población) se incrementa.

Por otra parte, generalmente los recursos naturales aumentan: se meten nuevas tierras en regadío, se repoblan los bosques y se descubren riquezas del subsuelo (minerales, petróleo, gas, agua, etc.), si bien también se reducen o se agotan algunos de ellos a través del consumo. El stock o cantidad de bienes capital crece a lo largo del tiempo: se montan nuevas fábricas y se amplían otras; se construyen carreteras, autopistas, pantanos, vías férreas y aeropuertos; se incrementa el número de tractores, camiones, aviones, barcos, etc.; se construyen universidades, escuelas, hospitales, etc. Todo ello se añade al stock de capital de un país a lo largo del tiempo. Y finalmente, la tecnología avanza: se inventan nuevas máquinas para la producción de los bienes y servicios, se descubren nuevos materiales y productos para la elaboración de bienes, se diseñan nuevos productos y se mejora el diseño de los ya existentes, se descubren nuevas fuentes de energía, se introducen mejoras en la organización de los procesos productivos, y se consiguen mejores tipos de plantas y animales que son más productivos.

Todos estos factores dan lugar a un desplazamiento continuo de la curva de posibilidades de producción de los países (particularmente de los países industrializados) hacia la derecha. Se está ensanchando continuamente la frontera de posibilidades, de producción: el aumento en la cantidad y calidad de los recursos, el incremento en la cantidad y calidad de los bienes capital, y el avance de la tecnología han hecho que en los doscientos últimos años las posibilidades de producción se hayan multiplicado muchas veces. Este aumento de las posibilidades de producción se suele medir por medio de la productividad del trabajo humano. Este, al disponer de más unidades de capital (medido en unidades monetarias), de mayor cantidad de recursos de mejor calidad, y de una tecnología cada vez más avanzada, ha experimentado un enorme incremento de la productividad por hora trabajada. Y este aumento de la productividad es el que ha permitido el incremento de los salarios reales y con él la mejora del nivel de vida de los ciudadanos.

FIGURA 1.4.

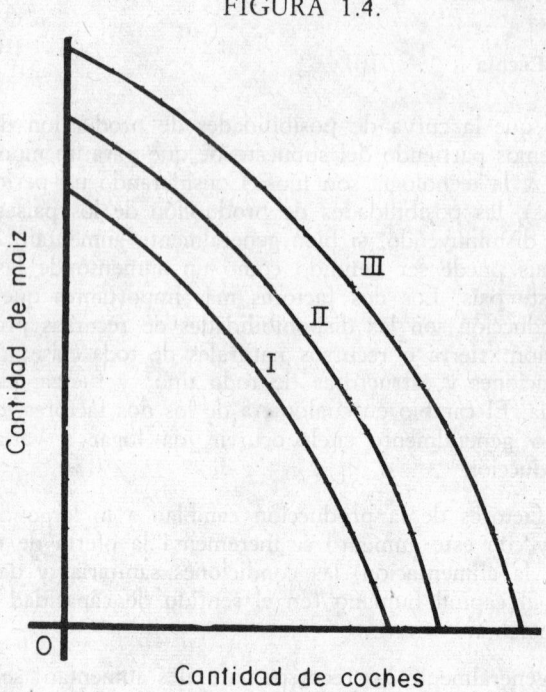

Gráficamente representamos este ensanchamiento de la frontera de posibilidades de producción de la economía por un desplazamiento de la curva de posibilidades de producción de las economías hacia la derecha, tal como se hace en la Figura 1.4. De la curva I se ha pasado a la curva II, y de ésta a la III y así sucesivamente.

Para cada una de las nuevas curvas a la derecha, la ley de los rendimientos decrecientes sigue siendo válida en un momento determinado, pero igualmente cada una de ellas representa posibilidades de producir combinaciones de cantidades de maíz y coches que cuantitativamente (y cualitativamente) son superiores a las de la curva a su izquierda. Una cuestión distinta es si esta mayor capacidad de producir bienes y servicios es o no deseable. Para emitir un juicio en este sentido es necesario emplear criterios éticos en los que la Economía como ciencia positiva no entra.

Una consecuencia del incremento del stock (o cantidad existente en un momento) de bienes capital han sido las economías de escala. Ya hemos visto que un aumento en unos factores en relación con otros que permanecían constantes da lugar a un incremento de la producción, pero que muy probablemente, más allá de un cierto nivel de producción, el incremento adicional de ésta resultante de añadir unidades extra de los factores variables, se hará crecientemente menor. Esta es, como sabemos, la ley de los rendimientos decrecientes. Esta ley suponía la existencia de cantidades constantes de unos factores (principalmente de los bienes capital), ya que estaba referida a un período corto de tiempo (insuficiente para aumentar la cantidad de bienes capital).

Pero si consideramos un período suficientemente largo de tiempo como para poder incrementar la cantidad que se utiliza de estos bienes capital, entonces no habrá factores cuyas cantidades permanezcan constantes (todos los factores se convierten en variables: no sólo las materias primas y la mano de obra, sino también la maquinaria y las instalaciones, e incluso la tecnología implícita en las máquinas y en los procesos productivos). En este caso la ley de los rendimientos decrecientes no sólo puede que no entre en juego, sino que incluso es posible que sea reversible y se pase de costes crecientes a costes decrecientes, de rendimientos decrecientes a rendimientos crecientes.

Las economías de la llamada producción en masa o producción en serie, o también la standardización de la producción (la reducción de los costes de producción) tienen su origen en el hecho de que a largo plazo, al ser todos los factores de la producción variables, se ha aumentado el tamaño de las unidades productoras hasta encontrar combinaciones cada vez más productivas de los factores. Estas combinaciones más productivas han sido posibles gracias a la acumulación de bienes capital, que ha permitido aumentar la razón capital-trabajo (unidades de capital por unidad de trabajo traducidas ambas a unidades monetarias), al empleo de fuentes de energía no humana, al uso de mecanismos automáticos de autoajuste (servomecanismos, etc.), al uso de partes standardizadas e intercambiables, a la división de los procesos complejos en simples operaciones repetitivas, y a la especialización en la función y a la división del trabajo. Las cadenas de montaje de las fábricas de coches. constituyen el ejemplo típico de la producción en masa.

Las economías de escala explican en buena medida el hecho de que tantos de los bienes que consumimos sean fabricados por grandes empresas. No se puede inferir de aquí, sin embargo, que cuanto mayor sea el tamaño de una empresa menores serán los costes de producción por unidad del bien fabricado. Las economías de escala simplemente señalan que existen combinaciones de factores y procesos de producción que son más productivos que otros, y que estas combinaciones generalmente corresponden a cantidades grandes de todos los factores (maquinaria, materias primas, mano de obra y management), pero el tamaño óptimo de las plantas varía de unas industrias a otras. De hecho, en la actualidad se estudia con intensidad el tamaño óptimo de las plantas en las diferentes industrias, ya que se sabe que cuando se sobrepasa éste, los costes aumentan más que proporcionalmente con el incremento de la producción. En los últimos años ha habido incluso una cierta revalorización de la empresa pequeña por los efectos beneficiosos que sobre la productividad de la mano de obra (que continúa siendo el factor de la producción más importante) pueden tener unas relaciones más humanas en el trabajo.

LA ELECCION DEL NIVEL DE PRODUCCION

El modelo (o descripción de la realidad, como veremos en el Capítulo 4) de las posibilidades de producción nos muestra los límites de la capacidad de producción de una economía. Dentro de estos límites, la sociedad o el país ha de elegir la combinación concreta de bienes y servicios que ha de producir. Cualquier elección impone unos costes de oportunidad en términos de los bienes y servicios que la sociedad ha de sacrificar. Esto significa que la sociedad debe elegir cuidadosamente la combinación de bienes que desea producir.

Por otra parte, el uso de grandes cantidades de bienes capital hace posible y conveniente, y al mismo tiempo impone, la especialización, como el medio de obtener una mayor productividad de los factores disponibles. En las economías modernas o industrializadas prácticamente todos los individuos adultos producen bienes y servicios a través de la especialización. Especialización significa que los individuos producen sólo uno o unos pocos bienes y servicios; es decir, muy pocos (o ningunos) individuos producen todos los bienes que necesitan (comida, vivienda, vestido, etc.). La razón de que los individuos se especialicen estriba en el aumento de la productividad de sus recursos que la especialización implica. La enormemente amplia gama de bienes y servicios de consumo y de mercados en los que se transsaccionan éstos es sólo posible a través de la especialización.

A su vez la especialización conlleva la división del trabajo. Las economías modernas de la producción en masa a través del empleo de grandes cantidades de capital materializadas en la utilización de máquinas y estructuras de todo tipo, se caracterizan por un increíblemente elaborado grado de especialización y por una intrincada división del trabajo. Los complejos procesos productivos son divididos o descompuestos en varias funciones o actividades simples, que son realizadas cada una de ellas por diferentes individuos de forma repetitiva. La especialización y la división del trabajo permiten obtener las ventajas de la utilización de los individuos en aquellos trabajos para los que tienen mayor habilidad, y del fraccionamiento de los procesos complejos en tareas sencillas. Todo ello aumenta enormemente la productividad del trabajo humano.

Pero además la especialización implica que los individuos no pueden vivir aislados, sino que son enormemente interdependientes. Estos tienen que intercambiar los bienes y servicios que producen por los que elaboran otros individuos. La especialización inevitablemente implica el intercambio, el comercio y el uso del dinero. Este intercambio y comercio no sólo se efectúa entre los individuos de una localidad, sino que se lleva a cabo también entre las regiones de un país y entre las naciones del mundo. Los distintos individuos de una área se especializan en diferentes actividades productivas tratando de explotar la habilidad que tienen o la capacidad productiva de los factores que poseen. Igualmente las regiones de un país y los países tratan de aprovechar sus ventajas comparativas en la producción de determinados bienes y servicios.

Si un país tiende a especializarse en la producción de unos pocos productos, esta nación tendrá que depender del comercio para intercambiar sus productos por los que elaboran otros países, y que ella necesita y no produce. Un país que realice comercio con otras naciones pondrá el énfasis en la producción de aquéllos bienes que le permitan explotar la proporción concreta de factores fijos y mano de obra que posee, y que le hará posible producir dichos bienes a costes más bajos que otros países. Después exportará estos bienes, y con los ingresos así obtenidos importará otros bienes que otros países producirán a costes más bajos que aquél. Con la especialización y el intercambio los costes de oportunidad se reducen.

Vemos, pues, que las ventajas del comercio internacional inducirán a un país a decidir en parte la combinación de bienes que ha de producir. Pero hay otros factores más importantes que afectan a la decisión de en qué punto de la curva de posibilidades de producción se sitúa una sociedad. La sociedad tiene que decidir de alguna forma (por algún sistema) la combinación de bienes y servicios que ha de producir en cada una de las cuatro grandes áreas siguientes:

a)   Bienes de uso civil y material de guerra. El país tiene que decidir las cantidades de unos y otros bienes (la combinación de éstos) que ha de producir; es decir, la sociedad ha de escoger el punto de la curva de transformación de la Figura 1.2 en el que situarse. Los costes de oportunidad del material de guerra en términos de bienes civiles son inevitables. Una de las causas de la prosperidad de Alemania Federal y del Japón estriba en el hecho de que estos países gastan muy poco en defensa, y por lo tanto pueden situarse en un punto alto de sus curvas de transformación (si éstas fueran como la representada por la Figura 1.2).

b)   Bienes de consumo y bienes capital. La sociedad ha de decidir cuántos bienes de consumo y cuántos bienes capital (bienes que sirven para producir otros bienes: maquinaria de todo tipo, estructuras, camiones, tractores, etc.) ha de producir, y arrostrar los correspondientes costes de oportunidad de unos en términos de los otros. En definitiva, se trata de decidir entre mayor consumo en el presente y mayor consumo en el futuro, ya que la producción de bienes capital o inversión representa al mismo tiempo una reducción del consumo presente (por la detracción de recursos para la producción de bienes de consumo que implica) y un aumento del consumo futuro (por el incremento de la capacidad de producción futura de bienes de consumo que supone). Cuando los recursos son trasvasados de las industrias de bienes de consumo a las de bienes capital (y si la economía está en pleno empleo), el nivel de vida de los ciudadanos descenderá. Pero al desplazarse la frontera de posibilidades de producción hacia la derecha, en el futuro será posible producir mayores cantidades tanto de bienes de consumo como de bienes de inversión.

c)   Consumo privado y consumo público, o bienes y servicios de consumo privado y bienes y servicios de consumo público. Las sociedades también han de decidir qué combinación de cantidades de bienes privados (coches, neveras, ropa, alimentos, etcétera) y de cantidades de bienes públicos (defensa, sanidad estatal, educación estatal, parques públicos, orden público, servicios de bomberos, etc.) se han de producir. Cuantos más bienes privados se produzcan, menos recursos podrán destinarse a producir bienes y servicios públicos.

d)   Finalmente mencionemos otra elección que se le plantea a las sociedades prósperas: qué cantidad de tiempo dedicaran los individuos al trabajo y qué cantidad al ocio. La sociedad puede destinar algunos de sus recursos a producir ocio, en el sentido de que las personas trabajen menos horas y menos días al año. Hay países notorios por la elección de los ciudadanos en favor del ocio, en detrimento de un mayor standard de vida material, como es el caso de Inglaterra.

Las sociedades no siempren realizan las decisiones sobre las cantidades de bienes que han de producir de una forma consciente o planificada. Los mecanismos a través de los cuales (o la forma en que) una sociedad toma estas decisiones dependen de la ideología y del conjunto de instituciones que ha desarrollado a lo largo del tiempo. Todas estas diferencias culturales afectan a los incentivos que tienen las empresas para invertir, a los esfuerzos de los consumidores para ahorrar, a las políticas económicas de los Gobiernos, y a las actuaciones de las autoridades bancarias. Como veremos en el Capítulo 2, unas sociedades deciden estas cuestiones por medio de una mezcla de actuación libre e independiente de los individuos y de intervención del Estado, y otras lo hacen por medio de una planificación de la autoridad central responsable de la economía. Pero a todas se les plantea el mismo problema o problemas económicos, y han de resolverlos de alguna forma.

BIBLIOGRAFIA SELECCIONADA

Samuelson, P.: *Curso de Economía Moderna,* decimosexta edición, séptima reimpresión. Aguilar, Madrid, 1974, Caps. 1 y 2, págs. 21-34.

Lipsey, R.: *Introducción a la Economía Positiva,* décima edición. Vicens Vives, Barcelona, 1977, Cap. 4, págs. 56-66.

Barre, R.: *Economía Política,* Ariel, 3.ª edición, 1964.

Mckenzie, R., y Tullock, G.: *Economía Política Moderna,* Espasa-Calpe, Madrid, 1981, Cap. 1.

Reynolds, L. G.: *Los Tres Mundos de la Economía,* Alianza Editorial, Madrid, 1974.

Sampedro, J. L.: *Las Fuerzas Económicas de Nuestro Tiempo,* Editorial Guadarrama, Madrid, 1969.

Lancaster, K.: *Economía Moderna 1,* Alianza Editorial, Madrid, 1977, Caps. 1 y 2.

LAS FUNCIONES DEL SISTEMA ECONOMICO

En el capítulo anterior hemos visto cómo todas las sociedades, ricas o pobres, subdesarrolladas o industrializadas, y cualquiera que sea su sistema político, se enfrentan con el problema económico fundamental de disponer de unos recursos limitados que tienen usos ulternativos, y que son insuficientes para producir todos los bienes y servicios que sus ciudadanos desearían disfrutar.

En consecuencia, las sociedades o los países han de decidir por algún mecanismo los bienes y servicios que se han de producir y los que no se producirán, así como las cantidades y la calidad de los que se ha decidido producir; los recursos que de entre los disponibles se dedicarán a la producción de los distintos bienes y servicios que se han seleccionado, así como las cantidades que de cada uno de los recursos se destinarán a producir aquéllos (esto implica cómo se han de producir los bienes y servicios, y quién los va a elaborar); y finalmente, las sociedades han de decidir los bienes y servicios y las cantidades de éstos que disfrutará cada miembro de la comunidad.

Pero además de estas cuestiones básicas, las sociedades modernas han de decidir sobre otras cuestiones igualmente importantes. Entre éstas citemos algunas de las más significativas:

1) Qué recursos destinar en cada período de tiempo a la producción de bienes y servicios de consumo, y cuáles a la producción de bienes capital. En definitiva, esta decisión implica cuántos bienes y servicios de consumo disfrutar en el presente y cuántos en el futuro, ya que en una economía en pleno empleo, la producción de bienes capital en un período supone dejar de producir los correspondientes bienes de consumo en ese período, y al mismo tiempo aumentar la capacidad productiva de la sociedad; lo que hará posible producir más bienes de consumo en los períodos siguientes. La producción de bienes capital tiene el coste de oportunidad representado por los bienes de consumo que se dejan de producir. Pero la acumulación de bienes capital hace trasladarse la curva de posibilidades de producción de la sociedad hacia la derecha, lo que implica que en el futuro se podrán producir mayores cantidades de los

dos tipos de bienes. El consumir en el presente menos bienes de los que se podría disfrutar, significa realizar un ahorro con el que se financia la inversión o gasto en bienes capital.

2) Qué recursos asignar a la producción de bienes y servicios de uso privado y cuáles a la producción de bienes y servicios de uso público. Entre los bienes y servicios públicos están la sanidad y seguridad social, la educación pública, los servicios de policía y de bomberos, los parques, la defensa, etc. Cuantos más recursos dedique una sociedad a los bienes y servicios de uso privado, menos bienes y servicios de uso público podrá producir, y viceversa.

3) Qué recursos dedicar en un período de tiempo a la producción de bienes y servicios civiles, y cuáles a la producción de material y servicios militares. En la actualidad, las exigencias de la producción de material bélico están afectando adversamente y de forma considerable al nivel de vida de los ciudadanos de algunos países. En cualquier caso, la producción de material de guerra supone dejar de producir los bienes y servicios civiles que los recursos empleados en aquella permitirían obtener. Estamos suponiendo, una vez más, que la economía está en pleno empleo, ya que de no estarlo sería posible producir más de los dos tipos de bienes simultáneamente, o más de una clase sin tener que reducir la producción de la otra.

4) Qué recursos destinar a la producción de bienes para uso interno del país y cuáles para producir bienes y servicios destinados a la exportación. Obviamente exportar unos bienes no significa regalarlos a otros países, sino venderlos con el objeto de comprar en el extranjero otros bienes que la sociedad no produce o que lo hace de una forma demasiado costosa. El comercio entre países, al igual que el comercio entre las regiones y entre los individuos de un país, tiene como razón de ser el explotar las ventajas comparativas que una nación tiene sobre las demás. De ahí que las naciones se especialicen en la producción de aquellos bienes y servicios que elaboran a un coste relativamente más bajo (en términos de recursos utilizados) que los demás países, los exporten a éstos, y con los ingresos obtenidos importen los productos y los servicios que los demás países producen a menor coste que aquellas. Aunque las ventajas del comercio internacional son claras, no obstante alguien tiene que tomar la decisión o decisiones de asignar recursos a la producción de bienes para la exportación, lo que implica que si la economía está en pleno empleo, se destinarán menos recursos a la producción de bienes para uso interno y el país dependerá en mayor medida del comercio exterior.

5) Finalmente, en las economías de los países industrializados se plantea otra elección también importante: qué tiempo dedican los miembros de la sociedad al trabajo, y qué ocio disfrutan. La decisión económica de distribuir el tiempo entre el trabajo y el ocio a menudo depende de factores culturales. Por ejemplo, los indios prefieren tener más ocio y disfrutar de menor cantidad de bienes y servicios, mientras que los japoneses tienen preferencia por el trabajo y de esa forma obtener mayores ingresos y poder comprar mayor cantidad de aquéllos.

El Sistema Económico

Las respuestas a estas cuestiones fundamentales con las que se enfrenta toda sociedad constituyen las funciones de un sistema económico. Una economía en la que los individuos y las familias son interdependientes en un alto grado en sus actividades económicas es llamada economía social. Todas las economías modernas son economías sociales, ya que los métodos modernos de producción dan lugar a la especialización y a la división del trabajo, y en consecuencia a la interdependencia y al intercambio de bienes y servicios. En orden a realizar sus funciones, las economías sociales se sirven de lo que los científicos sociales llaman instituciones, entendiendo por institución (en su sentido más amplio) el conjunto de normas, reglas de conducta o formas establecidas de pensar de los individuos que la integran. La propiedad privada, la empresa, la economía doméstica (el individuo o la familia que actúa como una unidad de consumo y como oferente de unos recursos productivos: tierra, capital y trabajo), el Gobierno, el dinero, el impuesto sobre la renta, los beneficios de las empresas, la planificación económica, los sindicatos de trabajadores y la propina son todos ejemplos de instituciones económicas.

El conjunto de instituciones que caracterizan a una economía concreta constituye su sistema económico. Digamos también que se entiende por unidad económica a un grupo de individuos que están unidos por un objetivo económico común. Ejemplos de unidades económicas son una familia, una empresa, un sindicato, una asociación de empresarios, una cooperativa de cualquier tipo, o un organismo de la Administración Pública, cuya actividad sea de tipo económico. Un agente económico es definido como un individuo o una institución que realiza algún tipo concreto de actividad económica (un consumidor, un trabajador, un empresario, un inversor, un planificador económico, etc.).

El sistema económico consiste, pues, en el conjunto de instituciones, mecanismos y procedimientos por medio de los cuales una sociedad da respuesta a todas las cuestiones económicas con las que se enfrenta; es el conjunto de procedimientos institucionalizados o la forma sistemática en la que una sociedad se enfrenta al problema económico y trata de resolverlo. Las funciones del sistema económico estriban en la resolución de las cuestiones básicas de la producción y de la distribución de los bienes y servicios, y en su implementación. En este sentido el sistema económico es el mecanismo por medio del cual se organizan y orientan todos los recursos naturales, las fábricas, la maquinaria y el equipo, y todos los individuos que los manejan, en las actividades de producir y consumir bienes y servicios.

Con esto no queremos decir que el sistema económico resuelva los problemas económicos en el sentido convencional de arreglarlos, como, por ejemplo, crear puestos de trabajo cuando hay desempleo, aumentar las exportaciones cuando la balanza de pagos es deficitaria, etc. Nos referimos a que el sistema económico realiza la asignación de los recursos de una sociedad entre las distintas actividades productivas, y la distribución de los bienes y servicios de consumo entre los individuos de aquélla, pero ello no significa que la asignación o la distribución que efectúa sea ni la mejor ni la peor posibles; simplemente las efectúa. Obviamente, es posible juzgar la asignación de los recursos y la distribución de los bienes y servicios que realiza un determinado sistema económico utilizando criterios tales como la eficiencia en la producción de los bienes y servicios, la estabilidad de los precios y del nivel de actividad económica, el crecimiento de la producción, la seguridad económica de los individuos, el grado de igualdad y justicia entre los sujetos, las libertades económicas de los agentes, etc. De momento nos interesa sólo resaltar que el sistema económico resuelve de alguna manera las cuestiones económicas que se le plantean a la sociedad.

TIPOS DE SISTEMAS ECONOMICOS

Cada sociedad organizada tiene su propio sistema económico a través del que realiza las elecciones económicas y las implementa, sistema que depende de la ideología dominante en la sociedad y del conjunto de instituciones que ésta ha desarrollado a lo largo de su historia. El sistema da respuesta a las preguntas de quién decide los bienes y servicios que se han de producir, cuáles son éstos y en qué cantidades, qué métodos de producción se van a utilizar en su elaboración, y qué porción de los bienes y servicios producidos va a disfrutar cada persona.

Generalmente las sociedades no resuelven las cuestiones económicas básicas a través de una elección o selección consciente; es decir, no se les pregunta a los individuos qué bienes y qué cantidades de cada uno de ellos se han de producir. No obstante, estas cuestiones son decididas y resueltas de diversas formas en las distintas sociedades. Realizando un esfuerzo de síntesis podríamos clasificar los diferentes sistemas económicos utilizando dos criterios: según el mecanismo predominante de coordinación de las actividades económicas, y según quien detente la propiedad de los factores de la producción. Empleando el criterio del mecanismo dominante de coordinación de las actividades económicas, se pueden distinguir tres tipos de economías: las economías tradicionales, las economías autoritarias, y las economías de mercado. Empleando el criterio de quien detenta la propiedad de los medios de producción, se pueden distinguir dos tipos: las economías capitalistas y las economías socialistas.

Empleamos el término economía como sinónimo de sistema económico, cosa que generalmente se hace. No obstante debe recordarse que el término economía de un país hace referencia al conjunto de factores productivos, relaciones técnicas de producción, e instituciones económicas, mientras que el término sistema económico se refiere más reducidamente al conjunto de instituciones que regulan y dan forma a las actividades económicas. El primero hace referencia al contenido y el segundo a la forma que toma ese contenido. Así, decimos que la economía española ha crecido en tal magnitud en el año cual, y no decimos que el sistema económico ha crecido. Del mismo modo, se dice que el sistema económico de tal país es un buen sistema (en el sentido de que funciona bien y hace crecer la producción), pero no se afirma que la economía de un país es una buena economía.

Las Economías Tradicionales

En las economías simples del pasado las decisiones se basaban en la tradición. Incluso en algunas sociedades actuales las tres cuestiones de qué bienes producir, cómo producirlos y para quién, son resueltas en la misma forma en que se ha hecho durante generaciones. En las sociedades primitivas es necesario seguir la tradición porque el margen entre la vida y la muerte es muy reducido. Una mala cosecha o un invierno duro pueden significar la ruina y el desastre. La supervivencia depende de que se hagan las cosas en la forma que ha tenido éxito en el pasado. Estas sociedades disponen de un excedente económico (la cantidad de bienes en exceso de la que es absolutamente imprescindible para sobrevivir) muy reducido, y en consecuencia no se pueden permitir experimentar con los procesos de producción. Como consecuencia de ésto, estas economías tienen pocas posibilidades de experimentar un desarrollo y un crecimiento económicos. Este es el caso de muchas naciones pobres, cuya única perspectiva de futuro está en que las naciones más ricas les otorguen ayuda y les concedan préstamos que les permitan importar bienes capital o liberar algunos recursos propios para la elaboración de aquéllos.

Las Economías Autoritarias

En algunas áreas del mundo el clima favorable o la tierra fértil han hecho posible que la producción haya alcanzado niveles superiores al necesario para la supervivencia de la población asentada en ellas. A partir de ese momento la elección de qué producir se hace más compleja. Una sociedad próspera puede elegir utilizar parte de sus recursos en la producción de bienes que no son necesarios para sobrevivir, pero que le sirven para alcanzar otros objetivos tales como la acumulación de bienes capital que le permitan crecer en el futuro; o en la producción de material bélico para defenderse de sus enemigos o para atacarlos; o en la producción de bienes de lujo (palacios, obras de arte, jardines, etc.) para el disfrute de la clase dominante.

El término «autoritaria» no es empleado en modo alguno en sentido peyorativo, sino solamente para caracterizar a los sistemas económicos en los que las autoridades deciden las cuestiones del qué, cómo y para quién de la actividad económica.

A lo largo de la historia en la mayoría de las sociedades las elecciones económicas han sido tomadas por una autoridad central, ya sea un rey, un dictador o una oficina de planificación central. Llamamos economías autoritarias a las de este tipo de sociedades. Las economías autoritarias tienden a desarrollarse en las sociedades en las que se acepta el control del uso de los recursos en orden a conseguir un objetiva o unos objetivos que las autoridades consideren importantes. El dejar las decisiones sobre la producción en manos de muchos individuos independientes puede entrar en conflicto con el objetivo nacional. Cualquiera que sea este objetivo nacional, una economía autoritaria necesariamente ha de interferirse en las libertades de sus ciudadanos.

En la actualidad responden a este tipo de economías las de los países comunistas, en los que el Estado decide los bienes y servicios y las cantidades de éstos que se han de producir, a través de fijar cuotas de producción anual a las distintas industrias dentro de un plan económico nacional. No obstante, los individuos son libres de comprar los bienes y servicios y las cantidades de éstos que desean dentro de las disponibilidades existentes de cada bien, lo que a su vez depende de la cuota que se le haya asignado a cada uno dentro del plan económico nacional. El Estado posee la casi totalidad de los medios de producción, carácterística ésta que es la realmente definitoria de estas economías, y que permite a las autoridades planificar la totalidad de la actividad económica.

Algunos economistas consideran que las economías de algunos países no comunistas tales como Suecia, Dinamarca e Inglaterra, también tienen un elemento de autoridad, ya que el Estado es propietario de las principales industrias (los ferrocarriles, la industria de la construcción naval, la industria siderúrgica, las compañías aéreas, y la sanidad) y decidir la actuación de éstas. En las demás áreas de las economías de estos países funciona el sistema de mercado. El que a estas economías se les deba llamar economías socialistas o economías social-capitalistas (una mezcla de capitalismo y socialismo), es una cuestión debatible (economía social de mercado es el nombre que dan a los alemanes a su sistema económico). En general creemos que es más exacto decir que éstas son economías fundamentalmente de mercado con un fuerte componente de economía autoritaria. En realidad las únicas economías socialistas en sentido estricto son las de los países comunistas, en los que el Estado realmente controla todos los medios de producción, ya que un sistema económico es socialista en sentido estricto cuando el Estado posee los medios de producción.

Las Economías de Mercado

En las sociedades con sistemas políticos democráticos (en el sentido liberal, no en el sentido que se le da al término democracia en los países comunistas) y en algunas otras, una gran parte de las decisiones económicas son tomadas por los individuos o por los ciudadanos, en un amplio sistema de interrelaciones que tienen lugar a través del mercado. Los individuos expresan libremente sus preferencias por los distintos bienes a través del precio que están dispuestos a pagar por ellos en el mercado. Este gasto de los individuos, traducido en la demanda, determina los bienes que se han de producir en la economía. Por su parte, los vendedores o productores compiten entre ellos por satisfacer los deseos de los consumidores o compradores a través de ofrecerles a éstos los bienes y servicios que desean al precio más bajo que les sea posible. Para ello los productores intentan utilizar la tecnología más eficiente y los factores más baratos disponibles. Esta respuesta de los productores a la demanda de los consumidores determina cómo se han de producir los bienes y quién los produce.

Los bienes y servicios son distribuidos entre los consumidores de acuerdo con la renta de que dispongan para comprarlos (pagar su precio). A su vez, la renta que obtienen los individuos depende de los factores productivos que posean, y de las cantidades de éstos que vendan en el mercado y de los precios que obtengan por ellos. De esta forma se determina o resuelve la cuestión de quién ha de disfrutar los bienes y servicios que se producen.

A estas economías de mercado o de libre empresa también se les llama economías capitalistas, pero en sentido estricto capitalismo o sistema capitalista implica algo más que esta libertad de los compradores y vendedores para tomar decisiones y actuar en el mercado. Capitalismo es un sistema económico que en sentido estricto se carecteriza por las siguientes notas:

a) La propiedad privada del capital (aquí el término capital se emplea en el doble sentido de bienes capital y de recursos financieros, ya que éstos son los que permiten adquirir aquéllos) o de los medios de producción.

b) La libre empresa; es decir, la libertad de los individuos para iniciar o disolver cualquier tipo de empresa o negocio.

c) Mercados libres; es decir, mercados competitivos en los que se determinan los precios de los bienes y servicios a través de la oferta y la demanda. El poder monopolístico de las empresas y de los sindicatos y la intervención del Estado van contra esta característica.

d) Libertad de elegir por parte de los individuos, tanto en lo referente a los bienes que desean comprar como al tipo de trabajo que desean realizar y el lugar en el que prefieren trabajar.

Estas características definen al llamado capitalismo puro, sistema que en realidad no se da en ningún país, como tampoco se da en ninguna sociedad el sistema puro de economía autoritaria. Las economías de los países occidentales son economías mixtas, en las que una parte (mayor o menor según el país) de las decisiones y elecciones las realizan los individuos en el mercado, pero otra porción importante de las elecciones las efectúa el Gobierno. En estas sociedades se acepta que ciertos bienes y servicios han de ser provistos por mecanismos extramercado. La provisión de bienes y servicios tales como carreteras, autopistas, puentes, oportunidades de obtener educación para todos los individuos, material y equipo para la defensa nacional, edificios públicos, servicios postales y otros, no puede esperarse que se lleve a cabo adecuadamente a través de la oferta y la demanda en el mercado. De ahí que el Estado intervenga y los provea. Para realizar estas funciones, el Estado es propietario de una parte considerable de los medios de producción de la sociedad.

Por otra parte, el sistema económico de mercado con mucha frecuencia genera fenómenos que se consideran indeseables o perjudiciales para la sociedad, tales como la venta de drogas, el poder monopolístico de ciertas empresas, una distribución desigual de la renta entre los individuos, y los efectos económicos externos. Se entiende por efectos económicos externos los efectos que la actividad de producir y consumir de unos individuos tiene sobre las actividades de otros individuos, sin que los primeros compensen o sean compensados por los segundos. Si una empresa de productos químicos vierte sus residuos en un río polucionando el agua y no compensa (porque la ley no lo exige) a los agricultores por los daños que les causa, está produciendo un efecto económico externo negativo. Si una empresa construye un tramo de carretera porque la necesita, pero que al mismo tiempo la pueden utilizar otras empresas y personas que desarrollan sus actividades en las proximidades y éstas no pagan a la primera por su uso, está produciendo una economía externa positiva.

Para corregir estos defectos del sistema de mercado, el Estado interviene de distintas formas. Utilizamos los términos Estado y Gobierno indistintamente, si bien, evidentemente, existe una diferencia entre los dos: el Estado es la estructura total y permanente de la organización de una sociedad, mientras que el Gobirno es el órgano u órganos del Estado que tienen la función específica de gobernar la sociedad y que puede cambiar. En este sentido, en el Gobierno incluimos el poder Ejecutivo y el poder Legislativo, ya que aunque el primero no sólo realiza la función concreta de gobernar sino que además suele tomar la iniciativa en la propuesta de leyes al Parlamento, no obstante el Legislativo ha de aprobar las leyes para que el Ejecutivo las pueda aplicar. Pues bien, el Estado interviene: prohibiendo la venta de ciertas drogas; restringiendo el juego y la pornografía; regulando ciertas prácticas de las empresas que son consideradas como monopolísticas o indeseables (como veremos más adelante); gravando más las rentas elevadas que las rentas bajas, con la finalidad de redistribuir (volver a distribuir) entre los individuos la renta cuya distribución entre éstos ha realizado el mercado (la renta que los individuos obtienen por la venta de los recursos que poseen); así como de muchas otras formas.

De ahí que a las modernas economías de mercado haya que llamarlas más bien economías mixtas. Estas son primordialmente economías de mercado pero tienen un elemento o parte importante de economía autoritaria. También a algunas de ellas, como la norteamericana, se les llama capitalismo mixto o neo-capitalismo. Como hemos señalado, no todos los medios de producción pertenecen o son propiedad de los individuos, sino que parte pertenecen al Estado, y además, el Gobierno regula algunas actividades económicas e incluso en ocasiones ayuda a determinadas empresas privadas para impedir la quiebra de éstas.

Podemos resumir esta clasificación de los sistemas económicos que combina el criterio del mecanismo coordinador de las actividades económicas y la propiedad de los medios de producción, tal como se hace en la Figura 2.1.

FIGURA 2.1.

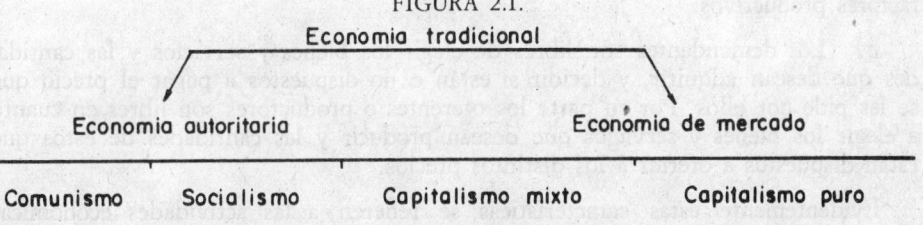

En esta Figura 2.1 se parte de la economía tradicional que representa el sistema del que han surgido todos los demás y del que siempre quedan residuos en las economías actuales por muy elevado que sea el grado de industrialización que hayan alcanzado (y con él la transformación y los cambios en los procesos de producción). Después distinguimos los dos sistemas económicos fundamentalmente distintos (el que se sirve de la autoridad, y el que deja libertad a los individuos en la toma de decisiones) en cuanto a la resolución de las cuestiones económicas básicas con las que se enfrentan las sociedades. Estos dos sistemas marcan los dos extremos de una gama que va desde el sistema comunista puro (en el que el Estado es propietario de todos los medios de producción, y decide no sólo sobre la producción de los bienes y servicios, sino también sobre qué bienes y en qué cantidades corresponderán a cada individuo) al capitalismo puro.

Entre estos dos extremos están los sistemas que realmente se dan en la realidad: los sistemas comunistas en los que se permite cierto juego al mercado y se deja una cierta libertad a los individuos en cuanto a la adquisición de una parte de los bienes y servicios que desean consumir y en cuanto al trabajo que prefieren realizar y el lugar donde trabajar; los sistemas socialistas o socializantes de algunos países en vías de desarrollo, en los que el Estado controla la mayor parte de los recursos productivos y de la actividad económica, pero existe una parte de ésta realizada por los individuos a título privado y a través del mercado (este es el caso de países como Yugoslavia, Argelia, Libia y otros); los sistemas mencionados de países en los que las industrias que pueden llamarse clave están en manos del Estado, pero en los que la mayor parte de la actividad económica se realiza por la iniciativa privada y a través del mercado (Austria, Suecia, Francia, Inglaterra, Alemania, en cierta medida España, y otros países industrializados); y finalmente los sistemas económicos en los que el Estado controla también algunas industrias importantes, pero menos numerosas que en los anteriores, y en los que la actividad económica privada y el mercado son preponderantes (Estados Unidos, Canadá, Australia, Japón).

EL SISTEMA DE PRECIOS Y SU FUNCIONAMIENTO

Veamos con un poco más de detalle el funcionamiento del sistema de mercado o de precios y del sistema de planificación central, por ser estos dos los prototipos de sistemas económicos actuales.

Además de la propiedad privada de los medios de producción, el sistema económico de mercado se caracteriza por tres notas fundamentales:

a) Todos los bienes y servicios y los factores de la producción tienen un precio al que se transaccionan en el mercado.

b) La determinación de los precios se efectúa en el mercado por el enfrentamiento de la oferta y la demanda tanto de los bienes y servicios como de los factores productivos.

c) Los demandantes son libres de elegir los bienes y servicios y las cantidades que desean adquirir, y decidir si están o no dispuestos a pagar el precio que se les pide por ellos. Por su parte los oferentes o productores son libres en cuanto a elegir los bienes y servicios que desean producir y las cantidades de éstos que están dispuestos a ofertar a los distintos precios.

Evidentemente estas características se refieren a las actividades económicas que se desarrollan a través del mercado. Ya hemos señalado que las economías modernas son mixtas. En éstas, una parte importante de las decisiones económicas (las referentes a los bienes públicos) se toman por mecanismos extramercado, generalmente políticos.

Para comprender el funcionamiento del sistema económico de mercado o sistema de precios, conviene simplificar el mundo real y partir de una economía imaginaria en la que no existiera Estado o Gobierno y que no tuviera relaciones económicas con los demás países del mundo. Una vez visto el funcionamiento de esta hipotética economía, introduciremos el sector público o sector estatal y el resto del mundo.

FIGURA 2.2

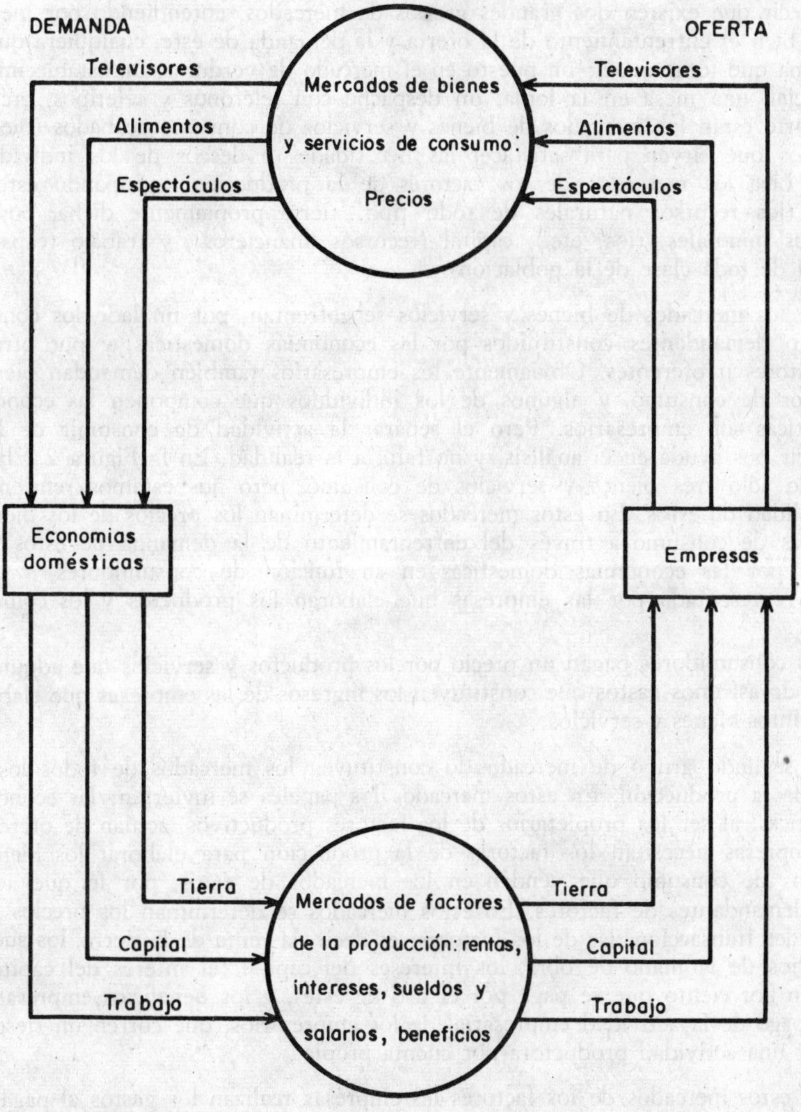

Por economías domésticas entendemos los individuos y las familias que actúan como unidades de consumo independientes y que asimismo son los propietarios de los factores de la producción. Aunque las empresas como personas jurídicas poseen recursos productivos (edificios, maquinaria y equipo, materias primas, etc.), en último extremo las empresas privadas son propiedad de individuos o familias, ya sea como accionistas de las sociedades anónimas, como socios de las sociedades de responsabilidad limitada o en comandita, o como propietarios individuales de las empresas que no tienen la forma jurídica de sociedad de algún tipo. Entendemos por empresa la unidad de producción que reúne unos recursos productivos, los emplea en los procesos productivos y vende su producción. A efectos analíticos es irrelevante el que la empresa tome o no la forma de sociedad mercantil; lo importante es que actúe como unidad de producción.

Simplificando un poco la realidad y según el esquema de la Figura 2.2., podemos decir que existen dos grandes grupos de mercados, entendiendo por mercado de un bien el enfrentamiento de la oferta y la demanda de éste, cualquiera que sea la forma que tome aquél: un puesto en el mercado de verduras, un establecimiento comercial, una mesa en la lonja, un despacho con teléfonos y teletipos, etc. Por una parte están los mercados de bienes y servicios de consumo acabados (bienes y servicios que sirven para satisfacer las necesidades y deseos de los individuos); y por otra los mercados de los factores de la producción, agrupando éstos en tierra (los recursos naturales de todo tipo: tierra propiamente dicha, bosques, riquezas minerales, ríos, etc.), capital (recursos financieros), y trabajo (capacidad laboral de toda clase de la población).

En los mercados de bienes y servicios se enfrentan, por un lado los consumidores o demandantes constituidos por las economías domésticas, y por otro los productores u oferentes. Obviamente los empresarios también demandan bienes y servicios de consumo, y algunos de los individuos que componen las economías domésticas son empresarios. Pero el separar la actividad de consumir de la de producir nos ayuda en el análisis, y no falta a la realidad. En la Figura 2.2 hemos incluido sólo tres bienes y servicios de consumo, pero nos estamos refiriendo a la totalidad de estos. En estos mercados se determinan los precios de los bienes y servicios de consumo a través del enfrentamiento de la demanda de éstos constituida por las economías domésticas en su función de consumidores, y de la oferta representada por las empresas que elaboran los productos y los comercializan.

Los consumidores pagan un precio por los productos y servicios que adquieren, realizando así unos gastos que constituyen los ingresos de las empresas que elaboran los distintos bienes y servicios.

El segundo grupo de mercados lo constituyen los mercados de todos los factores de la producción. En estos mercados los papeles se invierten: las economías domésticas, al ser los propietarios de los factores productivos, actúan de oferentes. Las empresas necesitan los factores de la producción para elaborar los bienes y servicios de consumo que venden en los mercados de éstos, por lo que actúan como demandantes de factores. En estos mercados se determinan los precios y las cantidades transaccionadas de los factores; es decir, la renta de la tierra, los sueldos y salarios de la mano de obra, los intereses del capital (el interés del capital es el tanto por ciento que se paga por el uso de éste), y los beneficios empresariales como pago de la actividad empresarial de los empresarios, que corren un riesgo al realizar una actividad productora por cuenta propia.

En estos mercados de los factores las empresas realizan los gastos al pagar los precios de los factores a sus propietarios, y las economías domésticas reciben esos gastos que constituyen sus ingresos. La mayor parte de estos ingresos representan los gastos que las economías domésticas realizan al comprar los bienes y servicios en los mercados de éstos. Por su parte las empresas utilizan en los mercados de factores los ingresos que obtienen en los mercados de bienes y servicios. De esta forma se cierra el círculo. Los dos grupos de mercados están funcionando simultáneamente y de forma continua.

Qué bienes y servicios de consumo se producirán se determina en los mercados de éstos a través de las preferencias que los consumidores expresan al estar dispuestos a pagar unos precios por ellos. Las empresas, cuyo objetivo principal es obtener beneficios, producirán los bienes y servicios que los consumidores demandan y en las cantidades que éstos desean. A este papel determinante de los consumidores en la resolución de la cuestión de qué bienes y servicios de consumo producir se le llama en Economía la soberanía del consumidor. Como veremos más adelante, esta soberanía no es tan amplia como se había supuesto inicialmente por los economistas: la publicidad y la capacidad que tienen las grandes empresas para influenciar a los consumidores a través de su iniciativa en lanzar nuevos productos al mercado suponen una limitación seria a aquélla.

El cómo producir los bienes se determina a través de la competencia entre las empresas por ofrecer los productos más baratos o más atractivos. Si, como se supone, existe libertad de que los empresarios entren y salgan de la industria que deseen, se producirá una competencia entre los empresarios por atraer las preferencias de los consumidores (y en consecuencia su gasto) hacia sus respectivos productos. Esta competencia la realizan fundamentalmente a través de los precios y de la calidad de los productos, lo que redunda en beneficio de los consumidores.

Las empresas tendrán que intentar conseguir los costes más bajos posibles en la elaboración de sus productos, a través de utilizar los factores relativamente más baratos (si la mano de obra está relativamente cara con respecto al interés que se paga por el capital, emplearán más de éste y menos trabajo), de diseñar los productos más adecuados a los deseos de los consumidores, y de desarrollar los procesos de elaboración más productivos posibles. Dado que los factores son hasta cierto punto sustituibles unos por otros en la producción de un bien, los empresarios utilizarán los factores relativamente más baratos y los combinarán en las proporciones más productivas que les sea posible. Los empresarios son, pues, los que toman las decisiones de qué producir y en qué cantidades. También aquí, como veremos, a menudo y en algunas industrias no se da la competencia entre las empresas que este modelo supone. No obstante, el modelo se aproxima lo suficiente a la realidad como para tener valor explicativo.

Finalmente, el para quién (quiénes disfrutarán los bienes y servicios producidos y en qué cantidades) se determina en los mercados de factores. Hemos señalado que los ingresos de las economías domésticas provienen de la venta de sus factores. La cantidad y calidad del factor o factores que posea cada individuo, el precio que éstos alcancen en el mercado, y las cantidades de ellos que vendan determinarán sus ingresos. La cantidad y calidad de factores no humanos (tierra y recursos naturales, bienes inmuebles y capital: acciones, obligaciones, depósitos bancarios, etc.) dependen de la distribución de la riqueza que exista en una sociedad en un momento dado, y esta distribución puede ser el resultado de una evolución histórica de las instituciones existentes, de una revolución, etc. La cantidad y calidad de la fuerza laboral de los individuos dependerá de sus cualidades innatas y de la educación que hayan recibido.

Por su parte, los precios de los factores y las cantidades de éstos que se vendan dependerán de los bienes y servicios de consumo y de sus cantidades demandados por los consumidores, ya que los empresarios demandarán los factores y las cantidades de éstos que necesiten para producir los bienes y servicios que demandan los consumidores. Cuanto más se demande de un bien, se puede esperar que serán más elevados los precios y mayores las cantidades de los factores que se emplearán en su elaboración. De esta forma vemos cómo están conectados los dos grupos de mercados y cómo existe una interrelación entre ellos.

La economía de mercado constituye, pues, un enorme tejido de interrelaciones, y en ella se están tomando literalmente millones de decisiones continua y simultáneamente por los consumidores y por los productores. Este sistema puede concebirse como un gran flujo circular con dos grandes estaciones de bombeo (los consumidores y los productores), en el que los gastos de los consumidores van a parar a las empresas y éstas a su vez pagan a las economías domésticas por los factores que obtienen de ellas, y así continúa el flujo *ad infinitum*. Debemos señalar, sin embargo, que la magnitud del flujo cambia como veremos en la parte de Macroeconomía.

No todos los ingresos que las economías domésticas obtienen por la venta de sus factores son gastados por éstas en la compra de bienes y servicios a las empresas, ya que ahorran una parte de estos ingresos. En consecuencia, éstas, consideradas en su conjunto, no recibirán a través de la venta de sus productos la totalidad de los pagos que ellas hacen a las economías domésticas. Pero el ahorro de las economías domésticas es ofertado por éstas en el mercado de factores en forma de capital y a través de las instituciones financieras (bancos, cajas de ahorro, sociedades financieras, bolsa, sociedades de inversión, etc.). Estos fondos son obtenidos por las empresas, y por su uso pagan unos intereses. El mecanismo por el que se efectúa este trasvase de recursos financieros de las economías domésticas a las empresas lo estudiaremos en la parte de Macroeconomía.

Por otra parte, no todos los ingresos de las empresas provienen del gasto de las economías domésticas en bienes y servicios de consumo. Las empresas realizan inversiones; es decir, compran bienes capital (maquinaria y equipo de todo tipo, e instalaciones) que también son producidos por empresas, las cuales a su vez han comprado a las economías domésticas los factores de la producción necesarios para su elaboración. De esta forma, las empresas realizan transacciones entre ellas que constituyen ingresos de unas y gastos de otras, y que, desde el punto de vista del flujo economías domésticas-empresas, se traduce en ingresos de las primeras adicionales a los que obtienen por la venta de sus factores destinados a la producción de bienes de consumo, y en ingresos de las empresas adicionales a los que obtienen por la venta de los bienes y servicios de consumo.

Digamos, por último, en la consideración de este modelo simplificado de la economía de mercado, que además de los mercados de bienes y servicios de consumo y de factores primarios de la producción, está el grupo de mercados de los productos intermedios. En una economía moderna en la que la especialización y la división del trabajo son ampliamente utilizadas, sólo una parte de las empresas produce los bienes de consumo acabados (o, dicho de otra forma, les da los últimos toques en el largo proceso de elaboración desde la obtención de las materias primas hasta que el producto aparece en las estanterías de los comercios). La mayor parte de las empresas elaboran productos que a su vez son utilizados como factores de la producción o como partes en la elaboración de otros productos. En los mercados de estos productos intermedios prácticamente sólo las empresas actúan como oferentes y como demandantes. No incluimos este grupo de mercados en nuestro esquema porque éste ya recoge los resultados de las transacciones efectuadas en aquél: por una parte, el mercado de bienes y servicios de consumo acabados refleja en el valor de éstos el valor de los productos intermedios, además del valor de los factores primarios; y por otra, el mercado de factores igualmente recoge el valor de los factores originarios que se hayan ido utilizando en las sucesivas etapas (productos intermedios) de elaboración de los bienes finales. De ahí que en realidad los productos intermedios estén incluidos en los mercados de factores.

Ahora ya podemos completar la escena e introducir en el modelo el sector público y el sector exterior. El sector público está constituido por los órganos de la Administración Pública y organismos dependientes de ésta, así como por las empresas cuya actuación es decidida por el Gobierno (aquí se incluyen las empresas estatales; las empresas con participación privada y del Estado pero que éste decide su actuación; y las empresas que siendo de propiedad privada, actúan según las directrices del Gobierno, debido a que tienen un contrato con éste para realizar un determinado servicio).

El sector público como unidad o conjunto de unidades económicas actúa en los tres mercados (el de bienes y servicios de consumo, el de factores de la producción, y el de bienes capital), y además, dispone del poder de gravar y obtener ingresos en concepto de impuestos.

En el mercado de bienes y servicios de consumo el Estado actúa como demandante y como oferente. Demanda bienes y servicios tales como comida y ropa para el Ejército, lápices y bolígrafos para la Administración, servicios de electricistas y limpiadoras, etc. Más amplia es su participación como oferente de bienes y servicios de consumo, ya que incluyen éstos una parte de la amplia gama de bienes públicos: los servicios de la Administración central y local, la defensa, el orden público, la enseñanza pública, la administración de justicia, etc. La mayor parte de estos servicios los presta el Estado, bien gratuitamente, o bien cobrando unas tasas que generalmente no cubren los costes de provisión de aquéllos.

También interviene en los mercados de factores, fundamentalmente en el mercado de trabajo, para cubrir sus plantillas de funcionarios en las distintas esferas de la Administración, en el Ejército, en la policía, en la enseñanza, en la administración de justicia, en la sanidad y seguridad social, etc. Asimismo, demanda otros factores de la producción para implementar sus planes de obras públicas, transportes y armamento, bien directamente o bien por intermediación de las empresas privadas a las que contrata la realización de las obras y la elaboración de los productos. Aquí podemos incluir su participación en el mercado de bienes capital como demandante de éstos.

Para financiar todos estos gastos en los distintos mercados, el Estado dispone fundamentalmente de los ingresos fiscales o ingresos procedentes de los impuestos, y en una pequeña medida de las tasas que cobra por la prestación de ciertos servicios (tasas académicas, los costes de los procesos judiciales, etc.). También puede imprimir dinero, aunque este recurso generalmente no lo utiliza o lo emplea en una medida reducida.

Desde el punto de vista de las economías domésticas, de un lado el Estado les detrae parte de la renta obtenida por su venta de factores a las empresas y al propio Estado, a través de los impuestos directos, de los impuestos indirectos y de los pagos de cuotas a la Seguridad Social. En consecuencia, estos ingresos estatales constituyen renta que las empresas y el Estado han pagado a las economías domésticas, pero que éstas no pueden gastarse en bienes y servicios de consumo producidos por las empresas, y por lo tanto no revierte a éstas. Como contrapartida, el Estado les provee gratuitamente o a un precio bajo una serie de bienes y servicios de la Administración central, local, y ahora regional; la defensa; la enseñanza; la seguridad social con sus prestaciones de servicios médico-quirúrgicos, medicamentos, pensiones de todo tipo, etc.; los parques; las escuelas; las universidades; las carreteras; la seguridad ciudadana, etc. Asimismo, las economías domésticas obtienen ingresos por la venta de factores de la producción al Estado, principalmente mano de obra, para cubrir los cuerpos de funcionarios.

Desde el punto de vista de las empresas, el sector público detrae renta de las economías domésticas que en su mayor parte aquéllas le pagaron a éstas por la compra de factores. Esto podría dar lugar a que las empresas produzcan más que venden. No tiene que ocurrir necesariamente así, ya que la mayor parte de los ingresos fiscales del Estado revierte a las empresas, bien a través de los gastos en consumo que realizan los funcionarios y en menor medida la propia Administración, o bien por medio de los gastos de inversión del sector público. Los sueldos de los funcionarios constituyen ingresos de las economías domésticas que no provienen de las empresas, y por lo tanto el gasto en consumo procedente de estos sueldos es una demanda adicional de bienes y servicios de consumo producidos por las empresas, que hay que añadir a la que procede de los pagos (renta) que éstas hacen a las economías domésticas por la compra de sus factores. Del mismo modo, los gastos de inversión del sector público (carreteras, escuelas, universidades, pantanos, autopistas, aeropuertos, etc.) constituyen ingresos de las empresas adicionales a los que éstas obtienen de otras empresas por las ventas de bienes capital.

Como hemos señalado anteriormente, el Gobierno interviene también en el mercado fijando precios máximos o mínimos de ciertos bienes y factores (por ejemplo, el salario mínimo o el tipo de interés), regulando la competencia en las industrias, o prohibiendo unas actividades y regulando otras. Pero es principalmente a través de la imposición y de la provisión de bienes y servicios públicos cómo el sector público (o el Estado o el Gobierno) se interfieren con el mecanismo del mercado, cambiando los resultados del funcionamiento de éste.

La principal modificación que el Estado realiza respecto a los resultados que produce el mercado es el cambio que efectúa en la distribución de la renta que produce el sistema económico de mercado. Ya hemos visto cómo, dejando al mercado funcionar libremente, la distribución de la renta o de los ingresos entre los individuos se lleva a cabo a través de la venta por parte de éstos de los factores que poseen en los correspondientes mercados; y que los ingresos de cada individuo dependerán de qué factores posee y en qué cantidades, de los precios que alcancen éstos, y de las cantidades que pueda vender.

Dado que la distribución de la riqueza (entendiendo por ésta el valor de todos los activos que existen en un país en un momento determinado, de la que los factores productivos constituyen la parte más importante), que la demanda de factores depende de la demanda de bienes y servicios de consumo (lo que puede dar lugar a que haya escasa demanda de ciertos factores), y que incluso el talento y la habilidad varían de unos individuos a otros, la distribución de la renta que efectúa el mercado da lugar a grandes diferencias en los ingresos de los distintos individuos (y por ende en la capacidad de adquisición de bienes y servicios de consumo) entre las personas y familias, diferencias que pueden ser ética, social y políticamente intolerables. De ahí que el Estado realice una redistribución (una nueva distribución) de la renta entre los individuos a través de detraer una fracción más elevada de ésta de los sujetos que obtienen mayores ingresos, y de facilitar una serie de bienes y servicios gratuitos o cuasigratuitos que en definitiva constituyen unos ingresos adicionales para sus perceptores y usuarios.

El sector exterior también interviene en el funcionamiento de la economía de mercado. Las exportaciones de bienes y servicios de consumo y de inversión constituyen ingresos de las empresas adicionales a los que éstas obtienen de sus ventas a las economías domésticas del país, a otras empresas nacionales y al sector público. También las economías domésticas obtienen ingresos por la venta de sus factores a las empresas nacionales que fabrican los bienes y servicios que se exportan. Con estos ingresos procedentes de las exportaciones, convertidos en divisas (ésto lo veremos en la parte de Comercio Internacional), se financia la importación de bienes y servicios de consumo, materias primas, productos intermedios y bienes capital. Los primeros los adquieren las economías domésticas (los consumidores), con lo que son gastados los ingresos que éstas obtienen procedentes de la producción de los bienes exportados (estas dos cantidades no tienen que ser iguales; de hecho en España la primera es mucho menor que la segunda). Las materias primas y los bienes capital importados son adquiridos por las empresas y por el sector público, lo que constituye un gasto adicional al que realizan en la compra de factores del país.

Las Funciones de los Precios en una Economía de Mercado

Los precios realizan dos funciones primordiales: una, racionar los bienes y servicios y los factores; y otra, servir de incentivo a los empresarios o productores y a los propietarios de factores. Los precios constituyen un mecanismo de racionamiento de los bienes y servicios entre los compradores, de acuerdo con las cantidades que éstos desean comprar y con las que pueden pagar. Como señalaba en una ocasión el Profesor Sampedro, delante de los establecimientos comerciales de los países llamados capitalistas existen colas invisibles de consumidores constituidas por los individuos que se acercaron a los escaparates porque deseaban comprar los bienes que se exponían en ellos, y, al ver que los precios eran inalcanzables a sus bolsillos, se fueron. También las diferencias en los precios de un mismo bien o servicio según hora del día o época del año producen un uso más equilibrado de los recursos. Esto ocurre con los alquileres de los pisos y apartamentos en los lugares de recreo en temporada alta y en temporada baja, en fines de semana y en días laborables; y con las tarifas telefónicas y eléctricas, que varían según las horas del día en un intento de distribuir su uso.

Los precios también constituyen un incentivo para que las empresas provean mayores cantidades de los bienes y servicios. Cuando la demanda de un bien es grande, el precio de éste aumenta y ello estimula a las empresas que ya lo producían a aumentar su producción y atrae nuevas empresas a la industria. Cuando la demanda de un bien disminuye, el precio de éste generalmente baja y esto dará lugar a que las empresas que lo elaboran reduzcan su producción, liberando así recursos que pueden ser utilizados en la producción de otros bienes para los que existe demanda creciente.

Asimismo, las empresas compran materias primas y productos intermedios a otras empresas, y en estas transacciones se comportan de la misma forma que lo hacen los consumidores cuando han de decidir qué bienes comprar y en qué cantidades. Si una nueva maquinaria promete reducir los costes de producción o si una cierta materia prima puede ser sustituida por otra más barata, la empresa comprará la máquina y la materia prima con precio más bajo en orden a poder competir con las demás empresas de su industria. La economía se mantiene unida por millones de estas interrelaciones: los productores están interrelacionados unos con otros y con los consumidores, los productos están interrelacionados unos con otros, y los mercados de los distintos bienes y factores están igualmente interconectados unos con otros. Todos los agentes económicos y todas las unidades económicas están interconectadas en mayor o menor medida dentro de cada economía, y cada vez más a nivel mundial a través del comercio internacional.

El sistema de precios o de libre mercado implica este enorme sistema de interrelaciones. Adam Smith (1723-1790), el gran economista inglés de finales del siglo XVIII y fundador de la moderna Economía, en su obra *La Riqueza de las Naciones* describió cómo los compradores y vendedores individuales emiten y reciben señales a través de los precios que les guían en su actuación económica. Los precios constituyen el medio por el que la sociedad expresa sus necesidades. Los precios contribuyen a que se produzcan de forma flexible los ajustes necesarios de la producción ante los cambios de la oferta y de la demanda. Los precios constituyen, pues, un enorme sistema de señalizadores que por una parte expresan la valoración que los individuos hacen de los bienes y servicios, y por otra, orientan a los productores sobre los bienes y servicios que deben producir para obtener beneficios.

Fue asimismo Adam Smith el que señaló el hecho de que en las economías de mercado o de libre empresa, sin que nadie sea responsable de la coordinación de la producción y del abastecimiento adecuado de los bienes y servicios que desean los individuos en cada momento, estos bienes y servicios son producidos con relativa eficiencia y rapidez. El motor de este sistema es el autointerés o el egoísmo de los individuos, entendido éste en su acepción no peyorativa. Como decía Adam Smith, el carnicero no nos vende la carne por altruismo (por hacernos felices o por evitar que nos muramos); lo hace porque con ello él obtiene un beneficio. De esta manera, los individuos, al perseguir su propio interés, están realizando las funciones económicas que hacen que el sistema marche de una forma razonablemente eficiente y dé respuestas a las cuestiones económicas básicas de la sociedad. Nadie es responsable de que lleguen diariamente a la ciudad de Valencia los bienes de todo tipo que sus 700.000 habitantes necesitan o desean comprar, y, sin embargo, llegan cada día.

A este fenómeno de que a través de la iniciativa privada y sin que exista una persona u organismo responsables de coordinar el conjunto de las actividades, se resuelven los problemas económicos, Adam Smith le llamó «la mano invisible». Posiblemente esta idea constituya todavía el descubrimiento y la aportación más importantes que se hayan hecho hasta el momento a la comprensión de los fenómenos económicos. Como veremos más adelante, no siempre coinciden los intereses de los individuos y los de la sociedad como suponía Adam Smith. Empresas concretas, grupos de empresas, individuos y grupos de individuos pueden realizar actividades económicas que, sin recurrir a la violencia física, entran en conflicto con los intereses de la sociedad. El poder monopolístico de las grandes empresas, las prácticas restrictivas de los sindicatos y de las asociaciones de profesionales, los efectos económicos externos de la producción y del consumo, o incluso la distribución muy desigual de la renta, constituyen algunos ejemplos de posibles consecuencias de la búsqueda del interés propio por parte de los individuos, que colisionan con los intereses de la sociedad.

Ventajas y Desventajas del Sistema de Precios

Aunque prácticamente ya las hemos señalado, veámoslas de forma sistemática.

Las ventajas del sistema de precios, de la economía de mercado o de libre empresa, las podemos resumir en tres:

a) La ventaja más importante del sistema de mercado es lo que hemos llamado «la mano invisible». A pesar de algunas de sus consecuencias o subproductos, no cabe duda de que la mayor parte de las actividades económicas de los individuos realizadas en la búsqueda de su propio interés contribuyen al bienestar y a la riqueza de la sociedad, a través de la producción de los bienes y servicios de forma eficiente. Además, si los individuos están incentivados en su trabajo por las ventajas materiales que obtienen, su rendimiento y productividad son elevados, y ello redunda en beneficio de la sociedad.

b) El mercado competitivo o sistema de precios, cuando es realmente competitivo, es eficiente porque canaliza los recursos hacia las actividades y a los lugares donde se les necesita más; es decir, donde pueden ser más productivos y dan los mayores rendimientos a sus propietarios. Posiblemente el sistema de mercado sea el más eficiente para producir la mayor cantidad de bienes alcanzable para una economía. Esto es posible por la relativamente elevada flexibilidad y rapidez de adaptación y de respuesta de la producción a los cambios en los deseos y preferencias de los consumidores expresados a través de la demanda de bienes y servicios. La descentralización de los procesos de toma de decisiones a nivel de las empresas da al sistema una agilidad enorme en la introducción de innovaciones de todo tipo, y en la realización de cambios en los niveles de producción y en las características de los productos para adaptarlos a los deseos cambiantes de los consumidores.

c) El sistema competitivo de precios deja libertad a los individuos para tomar las decisiones sobre lo que desean consumir y el trabajo que desean realizar. Conviene señalar aquí que esta libertad no es tan real como puede parecer en principio. No cabe duda de que la mayoría de los individuos de las sociedades industrializadas con economía de mercado pueden decidir sobre todas estas cuestiones, pero las personas que están en paro pueden pensar que esta libertad es una mofa. El seguro de desempleo y otras correcciones de los efectos del sistema de mercado están contribuyendo a hacer esta libertad más auténticamente real. Por otra parte, para la mayoría de los habitantes de la mayor parte de los países subdesarrollados esta libertad no tiene demasiado contenido. De ahí que muchos países en vías de desarrollo estén recurriendo a sistemas económicos que son una mezcla de economía de mercado y economía planificada centralmente.

Algunos autores mantienen que la libertad económica que implica la economía de mercado es necesaria para preservar la libertad política o los sistemas políticos de democracia parlamentaria. No siempre ocurre que el sistema de economía de mercado vaya acompañado de un sistema político democrático, como es el caso de Chile, Argentina, Uruguay y Paraguay en la actualidad. Si la libertad económica es o no condición necesaria para la existencia de libertad política, en el sentido en que ésta se entiende en el mundo occidental, es una cuestión teórica debatible en la que no podemos entrar aquí.

Las desventajas o defectos más importantes del sistema de economía de mercado las podemos resumir en las siguientes:

a) Los críticos del sistema de mercado afirman que existe una gran diferencia entre el ideal y la realidad de la economía de mercado. El mayor de los defectos del sistema de mercado estriba en la distribución desigual de la renta y de los recursos que genera. Las personas capaces o ricas pueden sacar mayores ventajas al sistema que los débiles; los ricos se hacen más ricos y los pobres siguen siendo pobres. Muchas de las desigualdades sociales son transmitidas e incluso aumentadas a través del sistema de precios: las personas más ricas obtienen mayor educación y formación que las menos ricas, y en consecuencia, consiguen mejores trabajos (mayores ingresos, más prestigio y mayor poder) que éstas, lo que les permite acumular mayor riqueza y transmitírsela a sus hijos. Hay que reconocer que en el sistema de planificación central también se dan desigualdades entre los individuos en el disfrute de bienes y servicios, aunque en mucha menor medida que en el sistema de mercado.

Las grandes compañías tienen ventajas sobre las pequeñas y algunas veces pueden obligarlas a abandonar. Los recursos o factores productivos no siempre fluyen hacia donde más se los necesita o hacia donde pueden ser más productivos debido a las barreras de entrada, a los obstáculos a la movilidad de los factores y a la ignorancia de los individuos. Existen barreras de escala (cualquier empresa no puede producir automóviles, ya que para montar una fábrica de coches es necesario disponer de una cantidad elevada de recursos financieros). Los individuos generalmente no están informados sobre las oportunidades más ventajosas que existen de conseguir puestos de trabajo en otras ocupaciones y lugares, y en cualquier caso tienen familias y lazos sociales que los atan al lugar donde han crecido.

b) Otro defecto del sistema de mercado estriba en que la sociedad como un todo o en su conjunto, en ocasiones paga parte de los costes en que incurren los productores privados. Estos son los llamados efectos económicos externos negativos generados por la actividad privada de producir bienes y servicios. La empresa que poluciona la atmósfera impone un coste a la sociedad por el que la empresa polucionante no paga. La sociedad tiene que pagar este coste en términos de enfermedades de los ciudadanos y gastos de limpieza. Los costes sociales a menudo son, pues, superiores a los costes privados, ya que a la sociedad la producción de un bien le cuesta los recursos o factores que utiliza y paga la empresa o empresas que lo producen, y además, los efectos económicos externos negativos de esa producción (polución, congestión del tráfico, deterioro de carreteras, ruidos, degradación de la naturaleza, problemas sociales de todo tipo que puede crear la aglomeración de personas en las ciudades donde se instalan las fábricas, etc.). Estos efectos económicos externos negativos no son privativos de las economías de mercado, sino que son consustanciales a la industrialización, debido al elevado grado de interrelación e interdependencia de todas las actividades económicas (y de todo tipo) de los individuos y las empresas.

Por otra parte, la economía de mercado, si se la deja funcionar libremente, puede que no produzca (o lo haga en cantidades insuficientes) algunos de los bienes y servicios que son beneficiosos para la sociedad en su conjunto. Por ejemplo, puede que las empresas privadas construyan demasiados pocos pisos baratos debido a que les sea más rentable producir pisos de lujo.

c) La libertad de los consumidores hace posible un cierto despilfarro de recursos a través del consumo de bienes suntuosos o de bienes cuyo consumo podría reducirse sin realmente afectar al bienestar de los ciudadanos. El ejemplo típico lo constituyen los coches demasiado grandes para las necesidades de los usuarios, y la costumbre de la mayoría de éstos de ir en automóvil al trabajo (consumiendo gasolina, produciendo atascos y dedicando una buena cantidad de tiempo y de energía) en lugar de hacerlo en los transportes públicos.

Puede aducirse también que, en parte, la distribución de los recursos que efectúa la economía de mercado es algo irracional, ya que se producen grandes cantidades de bienes que son irrelevantes o que incluso son nocivos para los individuos (alcohol, tabaco, coches), mientras que otros bienes y servicios que son realmente importantes para éstos se producen en cantidades insuficientes (educación, bienes y servicios culturales de todo tipo, un habitat que haga la vida agradable, mejores carreteras y coches más seguros que reduzcan los accidentes mortales, mejores servicios sanitarios que alarguen la vida de las personas y éstas vivan en buen estado físico y psíquico, etc.). Evidentemente esta consideración de cuáles bienes son irrelevantes y cuáles son importantes para los individuos implica utilizar juicios de valor. Si se ha de mantener la libertad de los consumidores, entonces no es admisible que una autoridad decida por ellos los bienes y servicios que deben consumir, aunque sus preferencias sean en parte irracionales.

Para corregir algunos de estos defectos del sistema de mercado, el Estado interviene, como ya hemos visto, redistribuyendo la renta, haciendo obligatorio el consumo de algunos servicios (como educación primaria y seguridad social) y proveyendo gratuitamente los bienes públicos que hemos señalado, gravando la riqueza que puede ser transmitida por herencia, y regulando la competencia y limitando el poder de las grandes empresas.

EL SISTEMA ECONOMICO DE PLANIFICACION CENTRAL

Veamos brevemente las notas más importantes del sistema económico de planificación central. Hemos dedicado gran extensión a la exposición del sistema de precios por ser éste el que existe en España. Ello nos reduce el espacio que podemos destinar a la descripción del sistema de planificación central. Este se caracteriza por las notas siguientes:

a) No existe la propiedad privada o existe en una magnitud reducida. El Estado es propietario de prácticamente toda la riqueza.

b) Las decisiones sobre qué bienes y servicios de todo tipo producir y cómo producirlos son tomadas por una autoridad central a través de planes económicos a largo y a corto plazo.

c) La distribución de los bienes y servicios de consumo entre los ciudadanos se realiza en parte por la asignación directa realizada por la autoridad, y en parte por la venta de éstos a precios controlados. Se permite el funcionamiento de mercados para la venta de pequeñas cantidades de productos agrícolas y artesanales.

Para la confección del plan a largo plazo (generalmente de cinco años), el Gobierno fija unos objetivos que se han de conseguir tales como una tasa determinada de crecimiento de la producción total, unas prioridades en cuanto a los bienes y servicios que se han de producir (bienes capital para las distintas industrias, armamento, bienes y servicios de consumo de los distintos tipos, bienes para la exportación, etc.), y unos volúmenes de producción de éstos. Estos objetivos económicos responden a las metas que la autoridad política se proponga alcanzar: la industrialización más o menos acelerada del país y en qué áreas, la elevación más o menos rápida del nivel de vida de la población, el nivel cuantitativo y cualitativo que se pretende alcanzar en la educación, la capacidad militar defensiva y ofensiva de su ejército, el grado de autosuficiencia de la economía frente al exterior, etc.

Los planes quinquenales y a más largo plazo son traducidos a planes a corto plazo para su implementación. La finalidad de los planes anuales es primordialmente coordinar las actividades de las miles de unidades económicas que intervienen en los procesos productivos. Para la confección de estos planes a corto plazo o anuales, la autoridad política emite instrucciones a los planificadores económicos (tras haber consultado previamente a éstos) que contienen las principales directrices que debe seguir la actividad económica en el año para el que se elabora el plan: el aumento que se desea alcanzar en la producción nacional y en la producción de los principales sectores e industrias; la distribución del producto nacional entre consumo, inversión, defensa y otros usos importantes; la distribución de la inversión por industrias; el nivel de consumo medio de las economías domésticas; los aspectos especiales de esta actividad económica (una industria determinada debe expandirse en una región y contraerse en otra, etc.); y finalmente, las cuotas de producción que se deben obtener para los bienes más importantes.

Estos objetivos políticos se derivan en parte de las metas trazadas en el plan a largo plazo que esté vigente, y en parte de las metas que se proponen obtener los dirigentes políticos que estén en el poder en ese momento. Obviamente los objetivos políticos que se marquen han de tener una base económica. Así, la tasa fijada de crecimiento de la economía en su conjunto ha de ser alcanzable, el volumen de inversión ha de ser suficiente para conseguir esta tasa de crecimiento, la parte del producto nacional que se destine al consumo ha de ser consistente con el nivel medio de consumo por ciudadano planeado, etc.

La misión de los planificadores es traducir estos objetivos políticos en metas de producción consistentes, precisas y detalladas, y en instrucciones igualmente precisas y detalladas a los cientos de miles de empresas sobre los miles de bienes y servicios que se producirán en el curso del año. El resultado es un conjunto de planes de un año jerarquizados para las empresas concretas, los ministerios, las repúblicas y la economía en su conjunto. Paralelamente, los planificadores diseñan un conjunto de planes igualmente jerarquizados que determinan la asignación física de los materiales, maquinaria y equipo entre las empresas que pueden necesitarlos.

Además de los objetivos políticos fijados para el año del plan, los planificadores disponen de dos tipos de información que les permite diseñar el plan: por una parte, tienen los datos más o menos exactos de los recursos y de la capacidad productiva de las fábricas existentes en el país; y por otra, disponen de miles de relaciones *input-output* (llamadas normas) que indican las cantidades de cada clase de materiales, trabajo y equipo necesarios para producir una unidad de un determinado bien. Estas normas o relaciones entre las cantidades de factores por unidad de producto para los distintos bienes y servicios se obtienen de la experiencia pasada y de cálculos técnicos.

En la economía de mercado el coste de un producto se calcula como el valor monetario de las cantidades de factores empleados en su elaboración, y este valor monetario se obtiene multiplicando el precio de los factores por las cantidades de éstos utilizadas. En las economías planificadas centralmente, al no emplearse los precios monetarios de los factores, no es posible calcular el coste de un bien en valor monetario. De ahí que haya que calcular los costes de los productos por algún otro procedimiento, y obviamente el más lógico es el de emplear el coste en términos reales; es decir, en términos de unidades de los factores empleados en su elaboración. De esta forma los planificadores pueden calcular las cantidades de factores que hay que asignar a cada empresa para que ésta alcance la cuota de producción que se le ha fijado. Asimismo, las relaciones *input-output* (*inputs* son los factores que entran en el proceso productivo, y *output* la producción que resulta) les permite controlar la marcha de las empresas. Estas relaciones *input-output* son los llamados precios-sombra, que actúan de sustitutivos de los precios de los productos en las economías de mercado.

Las ventajas más importantes de las economías de planificación central pueden resumirse en dos:

a) En principio, la planificación central permite racionalizar la producción de acuerdo con una jerarquía de prioridades en los bienes y servicios de todo tipo que se elaboran, así como el uso racional y completo de todos los recursos del país. Los factores están plenamente ocupados todo el tiempo y no existe desempleo, fenómeno que, además de un despilfarro económico constituye una tragedia para muchos individuos. El avance tecnológico en el campo de los ordenadores ha hecho posible llevar a cabo los cálculos enormemente complejos que aquélla implica y el perfeccionamiento de las técnicas de planificación.

Digamos que la planificación económica se utiliza también en muchos países con economías de mercado (España ha tenido cuatro planes de desarrollo), si bien no tienen un carácter de obligatoriedad para todos los sectores de la economía. El plan lo realiza el Gobierno pero sólo vincula a éste en sus actividades de consumo e inversión, sirviendo de guía al sector privado e intentando introducir un factor de racionalidad en el conjunto de la economía. A este tipo de plan se le llama plan indicativo. Muchos países en vías de desarrollo emplean la planificación, más centralizada o más indicativa según el grado de socialización de la economía.

b) La distribución de los bienes y servicios de consumo es más igualitaria que en las economías de mercado. No obstante, en las economías planificadoras se fijan también sueldos (lo que determina en parte los bienes y servicios que pueden adquirir los individuos) con la finalidad de incentivar a los trabajadores a todos los niveles, si bien las diferencias salariales suelen ser menores que en las economías de mercado. Los principales bienes y servicios del consumo (vivienda, educación, sanidad y seguridad social) son provistos gratuitamente.

Las desventajas pueden resumirse en tres:

a) La burocratización de toda la actividad económica da lugar a que las decisiones de introducir cambios en los métodos de producción (innovaciones en la tecnología, en la organización de los procesos productivos, en los sistemas de control, etc.), en la calidad y diseño de los productos, y en las cantidades producidas se adopten con lentitud. Ello hace que se produzcan excedentes y desabastecimientos. Los excedentes constituyen un despilfarro de recursos que sin duda contrarresta en parte las ventajas de la planificación global.

Los problemas puramente técnicos de la planificación y de la implementación de ésta son enormes. Es necesario planificar y organizar la producción de entre doce y trece millones de bienes y servicios: decidir los bienes y servicios que se producen, las cantidades y calidades de cada uno de ellos, los factores productivos que se destinan a su elaboración, las unidades productoras que los elaborarán y en qué cuantía; asignar precios a todos y cada uno de los bienes y servicios; realizar los cálculos de todas estas magnitudes en relación con las cantidades de factores disponibles; y finalmente, implementar el plan: que los recursos productivos y los productos intermedios lleguen en el tiempo y en las cantidades requeridas a los lugares correspondientes, y que los bienes y servicios estén a disposición de los consumidores en las cantidades, en los momentos y en los lugares adecuados. Un fallo en cualquiera de los eslabones de este complejo mecanismo o una desconexión entre cualesquiera de las fases sucesivas de éste, puede dar lugar a un caos en la producción y/o en el abastecimiento de los bienes y servicios.

b) La falta de incentivos de los individuos, o lo reducido de aquéllos en términos materiales, parece que es un factor importante en el relativamente lento crecimiento de la productividad y de la producción en las economías planificadas. Generalmente se considera que las economías de los países occidentales han crecido más de prisa en los últimos años que las de los países socialistas, fenómeno que parece deberse a las dos desventajas antes señaladas.

c) La falta de libertad que en buena parte tienen los consumidores para comprar los bienes y servicios que realmente desean. Aunque los individuos disponen de los ·bienes y servicios fundamentales de acuerdo con las posibilidades del país y las prioridades fijadas por el Gobierno, los individuos no tienen la libertad de comprar los demás bienes de consumo según sus valoraciones personales.

BIBLIOGRAFIA SELECCIONADA

Samuelson, P.: *Curso de Economía Moderna,* op. cit., Cap. 3, págs. 47-62.

Lipsey, R.: *Introducción a la Economía Positiva,* op. cit., Cap. 5, págs. 69-76.

Bricall, J. M.: *Introducción a la Economía,* Ariel, Barcelona, 1977, Cap. IV.

Barre, R.: *Economía Política,* op. cit.

Roepke, W.: *Introducción a la Economía Política,* Alianza Editorial. Biblioteca de la Ciencia Económica, págs. 39-46.

Eucken, W.: *Cuestiones Fundamentales de la Economía Política,* Alianza Editorial, Biblioteca de Ciencia Económica, págs. 10-154.

Wilczynski, J.: *Desarrollo y Reformas en los Países Socialistas,* Vicens Vives, Barcelona.

Di Fenizio, F.: *El Sistema Económico,* Editorial Bosch, Barcelona, 1961.

Reynolds, L. G.: *Los Tres Mundos de la Economía,* op. cit.

Grossman, G.: *Economic Systems,* Prentice-Hall, Inc. Englewood Cliffs, New Jersey, 1967.

CAPITULO 3
CONCEPTO DE ECONOMIA POLITICA

EL OBJETIVO DE ESTUDIO DE LA ECONOMIA POLITICA

Hemos visto que el problema económico fundamental (también podemos llamarle la cuestión económica) o, en general, los problemas económicos surgen de tres factores:

1) La disponibilidad limitada de recursos o la escasez de éstos, tanto para las sociedades como para los individuos.

2) El que estos recursos son susceptibles de usos alternativos.

3) El carácter prácticamente ilimitado de las necesidades y deseos de los individuos.

El análisis del problema o los problemas económicos derivados de la relativa escasez de los recursos en relación con las necesidades y deseos ilimitados de los individuos, complicados, además, estos problemas por el hecho de que los recursos tienen usos alternativos, constituye el campo de estudio de la Economía. Expresada así la cuestión, quizás el lector concluya que la Economía se limita a estudiar sólo aquella área de la actividad humana relacionada con la búsqueda y consecución de objetivos materiales), y que sus temas de análisis son las actividades industriales y comerciales, el dinero, los impuestos, el comercio internacional, los salarios, etc.

Ciertamente, todos estos temas son objeto de estudio de la Economía. Pero esta disciplina abarca un campo mucho más amplio de análisis.

En realidad, más bien que un área de la actividad humana (el área de la actividad humana relacionada con la producción y distribución de los bienes y servicios), la Economía estudia un aspecto de ésta: el aspecto de toda actividad humana que implica la necesidad de elegir. Siempre que los recursos son escasos o insuficientes para alcanzar unos objetivos (cualquiera que sean éstos: materiales, culturales, de placer, religiosos, etc.) el problema económico está presente, ya que el individuo o los individuos se ven obligados a elegir.

El Profesor Robbins, en su famosa obra *Un Ensayo sobre la Naturaleza y Significado de la Ciencia Económica,* publicada en 1932, definió la Economía como «la ciencia que estudia el comportamiento humano como una relación entre fines y medios escasos que tienen usos alternativos». Desde entonces la gran mayoría de los economistas conciben así esta disciplina. La definición de Robbins pone el énfasis en el elemento esencial al aspecto económico de la actividad humana que constituye la posibilidad y la necesidad de elegir. Solamente cuando los medios para alcanzar fines son limitados y susceptibles de ser empleados en usos alternativos y los fines pueden ser jerarquizados en un orden de prioridades, la actividad humana toma la forma de una elección y de este modo asume una dimensión económica. La Economía es, en consecuencia, una ciencia de toda actividad humana en la medida en que tal actividad toma la forma de una elección.

La economía estudia, pues, no un área o un campo de la actividad humana, sino un aspecto de ésta. Esta diferencia es importante. Las actividades humanas se las puede agrupar en áreas o campos: el campo político, el social, el familiar, el religioso, el económico, el deportivo, el cultural, etc. Esta agrupación supone que las actividades o son políticas, o son económicas o son de cualquier otro tipo, pero cuando son de un tipo suponemos que no son de otro, aunque entendemos que en ocasiones pueden ser una mezcla de varios tipos. Por ejemplo, el político que ocupa un cargo público gana un sueldo, y, en consecuencia, a la vez que desarrolla una actividad política, realiza una actividad económica.

La cuestión puede ser considerada desde otra perspectiva, partiendo de la idea de que la actividad humana es una y que ésta tiene distintos aspectos: el político (en el sentido amplio del aspecto de la actividad humana que se refiere a las relaciones de poder del individuo que la realiza, frente a los demás individuos con los que se asocia en todas las áreas de su vida: la profesional, la familiar, la social, etc.), el social, el económico, el religioso, el estético, el físico, el psíquico, el humano, etc. Concebida así, toda actividad o acción humana tiene una serie de aspectos; obviamente no toda actividad humana está compuesta de todos los aspectos, y unas actividades son más ricas en facetas (son más complejas) que otras, dependiendo su complejidad del tipo de actividad, de las circunstancias en las que se produzca y del individuo que las realice. También cabe combinar en el análisis una clasificación de las actividades humanas por tipos o clases y por los aspectos de éstas; así, una actividad primordialmente económica de un individuo como es el trabajo, tiene al mismo tiempo facetas sociales, psicológicas, políticas, etc. En cualquier caso, el considerar los distintos aspectos de la actividad de un individuo enriquece el análisis de ésta, ya que una misma actividad o acción realizada por un individuo puede ser estudiada o analizada desde el punto de vista o aspecto político, físico-médico, económico, psiquiátrico, sociológico, cultural, religioso, etc.

Con su definición de Economía, Robbins buscaba una definición del hecho económico que no fuera clasificatoria, sino analítica. Con ello el autor no pretendía formular una definición que seleccionara ciertos hechos o ciertos tipos de conducta a los que se les calificaría de económicos, sino que lo que intentaba era dar una definición que indicara en qué consiste el verdadero aspecto económico de la actividad humana. La Economía estudia el aspecto de la conducta humana relativo a la necesidad de elegir como consecuencia de que los medios para alcanzar fines son escasos y tienen usos alternativos. El propio Robbins en la obra citada escribe a este respecto: «La concepción que hemos adoptado puede describirse como analítica. No intenta resaltar ciertas clases de comportamiento, sino que centra la atención en un aspecto particular del comportamiento, cuya forma viene impuesta por la influencia de la escasez. De ello se sigue, por lo tanto, que mientras esté presente

este aspecto, cualquier clase de comportamiento humano cae dentro del alcance de las generalizaciones económicas. No decimos que la producción de patatas es una actividad económica y la producción de Filosofía no lo es. Más bien decimos que, en tanto cualquier clase de actividad supone el agotamiento de otras alternativas deseadas, tiene su aspecto económico. No hay otras limitaciones en la materia objeto de la Ciencia Económica excepto ésta.»

Hemos transcrito esta larga cita de Robbins porque expresa magistralmente una concepción del contenido de la Economía que, desde su formulación en 1932, ha sido compartida por la mayoría de los economistas. Así, el economista norteamericano Robert Mundell, en su obra *Hombre y Economía,* afirma que «la Economía parece ser aplicable a toda experiencia humana. Es un aspecto de toda acción consciente. Siempre que se toman decisiones, la ley de la economía entra en juego. Siempre que existen alternativas, la vida toma un aspecto económico. Siempre ha sido así». Vemos, pues, que el campo de estudio de la Economía es el aspecto de la actividad humana relacionado con la elección entre recursos escasos con usos alternativos para alcanzar fines. Se trata del estudio de las decisiones y de sus implicaciones, que están referidas a la necesidad de economizar recursos. Ya que toda acción o actividad humana tiene un coste de oportunidad, la Economía estudiaría el aspecto de la conducta humana encaminado a reducir al mínimo este coste de oportunidad.

Los economistas norteamericanos Richard McKenzie y Gordon Tullock han expresado muy bien esta visión del campo de estudio de la Economía. Estos autores señalan que (figurativamente hablando) desde el día fatídico en el que Adán y Eva fueron expulsados del paraíso, los individuos, independientemente de su posición en el tiempo, en el espacio o en una clase social, han tenido conciencia de la imperfección de su existencia, han imaginado situaciones mejores y han realizado actividades y acciones encaminadas a mejorar aquélla e intentar alcanzar éstas. Este deseo de mejorar su condición ha sido el gran motor que ha hecho que a lo largo de la historia las personas (individual y colectivamente) hayan intentado crear los medios de hacer su existencia más agradable. Los hombres han tenido siempre necesidades y deseos insatisfechos como consecuencia de sus medios limitados y de su capacidad para poder imaginarse formas de vida mejores en todos los aspectos. De ahí que a lo largo de la historia(y en buena medida) el estudio de la actuación de los individuos y de su comportamiento social se haya realizado partiendo de este hecho incontrovertible.

McKenzie y Tullock concluyen que «La Economía trata fundamentalmente del estudio de su lucha (se entiende de las personas individual y colectivamente consideradas) por mejorar su condición. Cómo se han comportado para conseguir este objetivo, y por qué y en qué medida han tenido éxito en alcanzar este fin son las cuestiones centrales o fundamentales que constituyen el meollo del estudio de la Economía». Según esta concepción, la Economía no sólo se aplica al estudio de las acciones y actividades humanas encaminadas a la consecución de fines y objetivos materiales, sino que también puede utilizarse con provecho para estudiar desde esta perspectiva prácticamente la totalidad de las actividades humanas.

Esa afirmación puede parecer presuntuosa al lector, fruto de la deformación profesional y de la tendencia que todos los autores o especialistas tienen a considerar su materia como la más importante. La afirmación en cuestión no es exagerada. Basta leer las revistas especializadas (e incluso no especializadas) para constatar cómo el Análisis Económico está siendo aplicado prácticamente a la totalidad del espectro de las actividades humanas.

Por supuesto, se siguen estudiando las cuestiones clásicas del desempleo, la inflación, los desequilibrios de la balanza de pagos, los salarios, el funcionamiento de los mercados, las fluctuaciones de la actividad económica agregada, el consumo, la inversión y las estructuras de las distintas industrias, por citar sólo algunos de los temas tradicionales. Pero cada vez se encuentran mayor número de estudios económicos sobre la educación; el crimen; la discriminación racial, sexual y religiosa; la pobreza; el derecho; las instituciones políticas; la burocracia; la ética; el control de sí mismo; las relaciones sexuales; los sistemas de votación; la provisión de viviendas para los individuos de renta baja; los procesos judiciales; la familia; la homosexualidad; la provisión de servicios médicos para los niños y los ancianos; los procesos legislativos; las revoluciones; la delincuencia, y gran cantidad de otros aspectos de los procesos de interacción entre los individuos.

En definitiva, esta concepción del campo de estudio de la Economía se basa en la idea de que lo que distingue o caracteriza a la Economía (y a los economistas) no es tanto su campo de estudio como un método de análisis aplicable al comportamiento humano y a las instituciones sociales, políticas y económicas, a través de las cuales los individuos se relacionan entre sí y que constituyen el orden social. Este puede ser definido como la forma y los procesos a través de los cuales los individuos se relacionan entre sí en orden a conseguir lo que desean. Los economistas se distinguen de los demás científicos sociales en que emplean un conjunto de presupuestos (o supuestos de partida) sobre el comportamiento humano, y utilizan unos instrumentos analíticos que les permiten derivar conclusiones significativas sobre la conducta de los individuos en relación con unas cuestiones o problemas dados. Estas conclusiones pueden ser complementarias e incluso contradictorias con las obtenidas por otros científicos sociales (sociólogos, psicólogos sociales, politólogos y antropólogos sociales), pero sin duda constituyen una contribución a la explicación de los fenómenos sociales.

A este respecto el economista inglés John Maynard Keynes (1883-1946), que tanta influencia ha tenido y sigue teniendo en la construcción de la Ciencia Económica treinta y cuatro años después de su muerte, escribió en 1921: «La Teoría de la Economía no ofrece un cuerpo de conclusiones consolidadas (en el sentido de sólidamente establecidas científicamente) inmediatamente aplicables a la política económica. Es un método más bien que una doctrina, un aparato (o disciplina) de la mente, una técnica de pensar, que ayuda a la persona que la tiene a sacar conclusiones concretas.» Esta es la concepción que conviene retener de la Economía. Jacob Viner, un economista norteamericano de la primera mitad de este siglo, hizo famosa la definición de Economía como lo que los economistas hacen como profesionales y poseedores de unas técnicas de análisis, y que, como miembros de una sociedad, utilizan estos instrumentos en el estudio de las cuestiones que la sociedad les demanda en cada momento. Lógicamente, estas cuestiones serán en cada momento las que más interesan a la sociedad y a sus miembros. El avance de la Ciencia Económica en el desarrollo de un cuerpo de teorías y de instrumentos de análisis, y los problemas en parte constantes y en parte cambiantes y nuevos de las sociedades, dan lugar a esta continua expansión del campo y del objeto de estudio de la Economía.

De ahí que los economistas estudien no sólo todas las cuestiones relativas al intercambio de bienes y servicios a través del mercado (a éste se le define como cualquier tipo de organización, a través de la cual los individuos intercambian bienes y servicios), ya sean éstos materiales, culturales o de cualquier otro tipo, sino también los intercambios que se efectúen por otros mecanismos distintos del mercado, tengan o no aquéllos una contrapartida monetaria (por ejemplo, se puede invitar a una persona a cenar para obtener a cambio el placer de disfrutar de la compañía de una persona agradable y/o interesante).

En las actuales economías de libre empresa o mixtas, ciertamente, el mercado es el mecanismo a través del cual los individuos intercambian la mayor parte de los bienes y servicios que disfrutan, y los precios monetarios constituyen la unidad de medida en la que se cuantifica el valor de los intercambios. Pero existen otros medios o canales, a través de los cuales los individuos se interrelacionan y por medio de los cuales se toman decisiones que afectan al bienestar material, cultural, religioso y de todo tipo de los miembros de las sociedades. Las familias, los clubs, las asociaciones ciudadanas de todo tipo, los partidos políticos y las instituciones políticas democráticas (y las no democráticas dentro de sistemas políticos democráticos), las leyes, los procedimientos judiciales y cantidad de otras instituciones y mecanismos constituyen también partes del orden social y a través de las cuales los individuos actúan voluntariamente de forma organizada para alcanzar objetivos comunes, dados unos recursos escasos.

Los tres mecanismos fundamentales de actuación e interrelación de los individuos en las sociedades democráticas son el mercado, las instituciones políticas propiamente dichas, y las instituciones sociales como familia, los clubs y las asociaciones de todo tipo. Los dos primeros mecanismos están regulados por ley, aunque también existen normas de conducta y de ética que son adoptadas de manera informal (que no tienen forma jurídica). Las instituciones sociales tienen también sus normas de comportamiento y de ética que son adoptadas y seguidas voluntariamente por sus miembros. Estas reglas guían el comportamiento y las interacciones de los individuos cuando los intercambios a través del mercado o el poder coercitivo de la acción política son impracticables o demasiado costosos de efectuar. Por ejemplo, sería demasiado costoso regular por ley (y hacer cumplirla) el que los individuos jueguen al tenis y las normas que deben seguir en su práctica, o quién debe pasar primero por una puerta cuando más de una persona desea hacerlo en el mismo momento.

También se utilizan las leyes y las reglas de conducta voluntaria y generalmente aceptadas para regular la forma en que los intercambios a través del mercado y las relaciones políticas deben desarrollarse. Estas leyes y reglas constituyen limitaciones a los tipos y a la intensidad del comportamiento de los individuos en el mercado y en la política (no se pueden vender drogas sin licencia, no se pueden tener abiertos los establecimientos comerciales más que a determinadas horas, y no se puede hacer campaña electoral dentro de las veinticuatro horas anteriores a las elecciones, entre otros ejemplos). Todos estos métodos de organización de las actividades sociales (en el sentido de relacionarse unos individuos con otros) tienen sus ventajas e inconvenientes desde la perspectiva de su faceta económica, y como tales son susceptibles de ser estudiados por los economistas.

Todos estos mecanismos, que implican un conjunto de reglas de comportamiento y normas éticas de conducta generalmente aceptadas, constituyen el marco o las reglas del juego, dentro de las cuales las relaciones de intercambio de todo tipo y las relaciones políticas entre los individuos tienen lugar y se desarrollan. Este conjunto de instituciones y reglas representan mecanismos alternativos al del mercado de organizar las actividades sociales de los individuos en la búsqueda de mejorar su condición. Como señalamos en el capítulo anterior, una buena parte de los bienes y servicios de las sociedades democráticas son distribuidos a través de estos mecanismos extramercado (todos los llamados bienes públicos: enseñanza estatal, defensa, orden público, carreteras, etc.).

Todos estos mecanismos, que al definir las reglas del juego representan limitaciones a las actividades de los individuos (si bien también constituyen una potenciación del poder de los individuos al permitirles relacionarse y unirse de forma organizada en su actuación), son susceptibles de un estudio económico desde la perspectiva de la utilización de unos recursos escasos con usos alternativos y en orden a alcanzar unos fines. Esto impone la necesidad de elegir, y los resultados de las actividades así organizadas de los individuos pueden ser juzgados en términos de eficiencia en esa relación recursos escasos-fines. De ahí que en la actualidad se está desarrollando con rapidez una Teoría Económica de la democracia, de las reglas de votación, de los partidos políticos, de la burocracia, de los Parlamentos y de prácticamente todas las instituciones políticas, sin que por ello se abandone el estudio de las cuestiones que tradicionalmente han constituido el campo de estudio de la Economía. El Análisis Económico está haciendo contribuciones importantes y originales a la explicación de los fenómenos políticos, campo que hasta ahora había estado reservado a los científicos políticos.

También el Análisis Económico está haciendo aportaciones valiosas a la comprensión del fenómeno del Derecho, de las leyes y de los procesos jurídicos. El Derecho es un bien público, en el sentido de que constituye un instrumento de organización y regulación de las actividades humanas encaminadas a obtener unas interrelaciones ordenadas y equitativas entre los individuos. En general, el Derecho o el conjunto de leyes de una sociedad producen el efecto económico externo positivo de hacer posible estas relaciones ordenadas y de evitar los enormes costes que para la sociedad y para los individuos tendría el caos, la anarquía y la violencia. Pero además, cada ley regula una determinada relación o actividad y prescribe la forma en que deben relacionarse los individuos al desarrollar esta actividad (al mismo tiempo prescribe los modos que no deben tomar las relaciones entre y las acciones de los individuos). Esta normativa tiene unas implicaciones o consecuencias en cuanto a los resultados de la actividad concreta, al realizarla los individuos o los grupos de individuos, y estas consecuencias pueden ser estudiadas en su aspecto económico. Asimismo, la ley define los derechos de propiedad de los individuos sobre los bienes y factores, y las relaciones económicas pueden ser concebidas como un intercambio de derechos de propiedad entre los individuos que las realizan. De ahí que esté desarollándose una rama de la Economía que estudia los derechos de propiedad.

Así pues, el Análisis Económico puede ser aplicado al estudio del aspecto general del Derecho como bien público, a las leyes concretas en cuanto a sus implicaciones para las actividades de los individuos y grupos y para el funcionamiento de las instituciones, y a los procesos judiciales de todo tipo en lo que respecta a su eficacia en la consecución del objetivo de aplicar las leyes y hacerlas cumplir, así como a las implicaciones económicas de los derechos de propiedad.

Señalemos también que el Análisis Económico, entendido como la ciencia que estudia el comportamiento humano como una relación entre fines y medios escasos con usos alternativos, no tiene gran utilidad para estudiar la economía socializada de una sociedad con un sistema político autoritario. Las decisiones de los planificadores de una economía centralmente planificada han de ser necesariamente arbitrarias, en el sentido de que sus decisiones han de estar basadas en criterios políticos, y no en las valoraciones que hacen los consumidores y los productores sobre los bienes y servicios. Para aquéllos, el problema económico consiste en decidir si los recursos económicos se destinan a este o a aquel fin. Dada la propiedad y el control de los medios de producción por parte del Estado, por definición no se plantean las cuestiones que surgen de las acciones y reacciones de los consumidores y de los productores a través del mecanismo de los precios y de los costes de producción. De ahí que la Economía en los países de planificación central sea considerada más como una técnica de administración que como una ciencia social. Esto explica que en estos países se haya prestado atención fundamentalmente a las técnicas de planificación y a la resolución de los múltiples problemas técnicos de aquéllas, así como a la Cibernética como medio de influir y encauzar el consumo de los individuos.

Para Robbins, la Economía como ciencia sólo tiene sentido y puede desarrollarse como un cuerpo de teorías que explique el funcionamiento de una economía descentralizada con propiedad privada. En una economía tal, la libre interacción de las unidades individuales produce resultados que no son intuitivamente obvios, y la tarea del economista consiste en explorar esas interrelaciones, así como desarrollar un conjunto de conceptos e hipótesis que las expliquen y permitan hacer predicciones acerca de ellas.

Concluimos, pues, que el objeto de estudio de la Economía lo constituyen las actividades de los individuos y el funcionamiento de las instituciones de todo tipo y de los procesos de los distintos mecanismos de organización social, en su faceta de utilizar unos recursos escasos susceptibles de usos alternativos en orden a alcanzar unos determinados objetivos.

DIFERENTES CONCEPCIONES DEL OBJETO DE ESTUDIO DE LA ECONOMIA

Si bien la delimitación que hemos realizado del objeto de estudio de la Economía es la más ampliamente aceptada en la actualidad, no siempre ha sido considerada ésta como el campo de análisis de aquélla. Podemos agrupar las definiciones que se han dado de la Economía en cinco categorías, atendiendo a los aspectos de la actividad económica que en cada momento histórico se han considerado que constituyen el objeto de estudio de la Economía. Ello nos ayudará a comprender mejor el contenido de la Ciencia Económica y a completar la exposición que del campo de análisis de la Economía hemos realizado anteriormente.

El primer grupo de definiciones está centrado alrededor del concepto de riqueza, y pone el énfasis en el carácter material de los actos económicos. Esta fue la concepción que mantuvieron Adam Smith (1723-1790) y los autores de la llamada escuela clásica inglesa. Estos autores concebían la Economía como la ciencia de la riqueza; o como la ciencia de la formación, distribución y consumo de la riqueza. Así la entendieron el propio Adam Smith, Malthus (1766-1834), Ricardo (1772-1823), Say (1767-1832), Stuart Mill (1806-1873) y otros tratadistas del período clásico. Concretamente, Ricardo escribió: «Determinar las leyes que regulan esta distribución es el principal problema de la Economía Política.» Lo que Ricardo se proponía no era ni más ni menos que determinar las leyes, en el sentido científico (no jurídico), que regulan la distribución de la renta entre la tierra, el capital y el trabajo en la producción.

Más recientemente, algunos autores han vuelto a utilizar este concepto de Economía y la han definido como la ciencia que estudia las causas del bienestar material, o que se ocupa de la parte de la actividad individual y social que está destinada fundamentalmente a alcanzar y utilizar las condiciones materiales del bienestar. En cierto modo, esta concepción del objeto de la Economía constituye una reacción contra otros tipos de concepciones no materialistas por considerar éstas demasiado amplias y vagas a efectos analíticos.

Cronológicamente posterior al concepto de la riqueza aparece la noción de intercambio como centro del objeto de estudio de la Economía. Según esta concepción, la actividad humana adquiere carácter económico solamente a partir del momento en que el individuo se desprende de un bien que posee para obtener otro a cambio, y no en el acto de transformar los recursos en bienes y servicios. El acto del intercambio es el que permite convertir el valor potencial de la riqueza en valor real, y, en consecuencia, es el acto económico por excelencia y el que caracteriza a la Economía.

Entre los autores que han concebido la Economía de esta forma se encuentran los primeros representantes de la llamada escuela marginalista, Walras (1834-1910) y Menger (1840-1921), que consideraron los actos de intercambio y su corolario la formación de los precios, como los fenómenos que estudia la Ciencia Económica. Algunos economistas actuales como Debreu han vuelto a colocar el proceso de intercambio como la noción central de la Economía. Así, Afriat ha presentado las relaciones de intercambio en los mercados y de producción en las empresas como relaciones de transformación, equiparando de este modo producción e intercambio.

Debe señalarse que, para muchos economistas a lo largo de la breve historia de esta ciencia, el centro de la Economía ha sido y sigue siendo la teoría de los precios; es decir, la teoría que explique la formación y los cambios de los precios de los distintos bienes y servicios y factores de la producción. La introducción del concepto de equilibrio, tanto parcial como general (este concepto lo veremos en el Capítulo 6) y su simbología en la Economía por los economistas de la escuela marginalista, va a llevar a una visión formal del universo económico como un continuo entretejerse de actos económicos. Lo que para los economistas clásicos es un conjunto de actividades (producción, distribución, consumo, etc.) se reduce ahora a una sola categoría de actos, que son los actos de intercambio. Era lógico que se produjera este cambio de énfasis, ya que en el intento de construir una Ciencia Económica positiva susceptible de verificación empírica objetivada, los precios, consecuencia del intercambio, constituyen una realidad identificable que puede ser medida.

El tercer grupo de definiciones es el centrado alrededor del concepto de escasez, poniendo el énfasis en la relación entre medios y fines, y en su corolario la elección. Esta es la concepción mantenida por Robbins, que ya hemos visto y que constituye la noción de Economía más ampliamente difundida. Robbins también definió la Economía como la disciplina que estudia «aquel aspecto del comportamiento... que se ve condicionado por la escasez de medios dados para la consecución de fines dados». En realidad, esta concepción de la Economía como la ciencia de la escasez es el producto de una larga evolución histórica doctrinal que se remonta a Adam Smith, ya que los autores clásicos al tomar como tema principal de estudio los fenómenos de la producción de la riqueza, lo que pretendían resolver era el problema de la escasez en su dimensión cuantitativa.

Pero fue la escuela marginalista la que, a través del empleo del cálculo diferencial en la Economía (hecho posible por la introducción del concepto de cambio marginal; el lector puede consultar el Capítulo 5 para una exposición de este concepto), y del marco analítico del equilibrio general, redujo a un arquetipo o modelo formal, de aplicación general, toda la variedad de las decisiones y elecciones económicas sobre la ordenación racional de los medios escasos (para una exposición del concepto de equilibrio general, véase el comienzo del Capítulo 6). De esta forma se establecen las bases de una teoría de las elecciones económicas racionales, motivadas por la escasez de los recursos y conducentes a la obtención del máximo de satisfacción para los miembros de la sociedad, a través de producir la mayor cantidad posible (dados los recursos limitados) de los bienes y servicios que los individuos desean consumir.

Esta identificación de la Economía con una teoría general de la acción eficaz que desarrolló el marginalismo y que consagró Robbins, llevó a von Mises a definir la Ciencia Económica como la rama más desarrollada de la praxeología o ciencia de la actividad humana. En su obra *La Acción Humana,* von Mises escribe: «De la economía política de la escuela clásica surge la teoría general de la acción humana... Ningún tratamiento correcto de los problemas económicos puede evitar el partir de actos de elección; la economía se convierte en una parte, hasta ahora la mejor elaborada, de una ciencia más universal, la praxeología.»

De esta forma se hace de la Economía una «lógica de la elección», un conocimiento *a priori* de las leyes (en el sentido científico) de la actividad humana. Robbins y von Mises confunden la Teoría de la Decisión con la Teoría Económica; la primera es una teoría lógico-formal como las Matemáticas, mientras que la segunda es una ciencia positiva sobre la realidad económica, y en esta realidad no todo lo económico ha de tener lugar a través de un comportamiento racional de los individuos. No obstante estos defectos, la concepción de que la actividad económica es esencialmente la actividad de elegir se ha mantenido como el centro del fenómeno económico.

El cuarto grupo de definiciones lo constituyen las que ponen el énfasis en las relaciones sociales y en el papel de las instituciones en la actividad económica. Esta concepción de la Economía la han mantenido principalmente los autores marxistas y los institucionalistas norteamericanos (Veblen (1857-1929), Mitchel, Commons y Galbraith) y el sueco Myrdal en su última época. También los economistas de la nueva izquierda, los llamados teóricos de la elección colectiva (Buchanan, Tullock, Tollison y otros), así como un número creciente de economistas pertenecientes a la corriente ortodoxa de la Teoría Económica (la corriente que intenta construir una teoría de las actividades y de los fenómenos económicos en el sentido de la definición de Robbins) consideran que es necesario tener en cuenta las instituciones al formular las hipótesis sobre los fenómenos económicos. En este sentido, el economista polaco Lange escribe: «La Economía Política, o economía social, es el estudio de las leyes sociales que gobiernan la producción y la distribución de los medios materiales de satisfacer las necesidades humanas.»

Lo que distingue a los marxistas y a los institucionalistas de los llamados economistas teóricos (los incluidos en las tres concepciones primeras señaladas) no es sólo que los primeros prestan gran importancia a las instituciones sociales, políticas y económicas, sino, además, el considerar que lo económico no nace de las relaciones hombres-mercancías (en el sentido de bienes y servicios), sino que surge de las relaciones entre los individuos en el proceso de producción y distribución de los medios materiales y de los bienes. Marx (1818-1883) hizo especial hincapié en la importancia de las formas del proceso de producción, ya que éstas configuran y caracterizan la organización social. A este respecto Marx escribía en *El Capital:* «Lo que distingue a una época económica de otra es menos lo que se fabrica que la manera de fabricar, los medios de trabajo mediante los cuales se fabrica.»

Es precisamente la relevancia de las formas que toma el proceso de producción lo que da el carácter histórico que tienen las leyes económicas en la Teoría Económica marxista. A este respecto, el economista marxista polaco Oskar Lange, en su obra *Economía Política,* escribió: «La interpretación marxista establece leyes que aunque resultantes de la actividad humana consciente y finalista son, sin embargo, objetivamente necesarias e independientes de la voluntad y de la conciencia humanas, porque el hombre actúa bajo condiciones sociales específicas y porque las fuerzas productivas que desarrolla tienen propiedades específicas. La tendencia marxista en Economía Política mantiene, además, que es ahora posible remodelar las relaciones económicas de forma que el operar de las leyes económicas deje de ser un proceso espontáneo y se haga mucho más efectivo para servir los fines que el hombre conscientemente se propone.» Aquí aparece la idea de la praxis marxista de cambiar el curso de la historia.

Finalmente, el quinto grupo de definiciones incluye las que consideran que el objeto de estudio de la Economía evoluciona y cambia a lo largo del tiempo, por contraposición a las cuatro concepciones anteriores que se centran en los aspectos materiales o formales de la actividad económica. Se puede considerar el objeto de estudio cambiante de la Economía desde dos perspectivas: la del cambio que se da a lo largo del tiempo en los temas de estudio que interesan a los economistas y que se convierten en el objeto de estudio de la Economía, y la de que la realidad que estudia la Economía cambia debido a influencias históricas de orden exógeno.

A la primera perspectiva pertenece la ya clásica (y citada por nosotros) definición de Jacob Viner de que «Economía es lo que hacen los economistas». Con esto Viner quiere decir que el objeto de investigación de los economistas varía con el cambio en los temas que interesan a éstos y en las demandas que la sociedad hace a los economistas en cuanto a la solución de problemas concretos por medio de la investigación.

La idea de que el aspecto de la realidad que estudia la Economía es cambiante y que, en consecuencia, el objeto de estudio de ésta varía a lo largo del tiempo se hallaba ya en Adam Smith y, por supuesto, en Marx, quienes consideraban que las leyes económicas eran válidas sólo dentro de ciertos períodos históricos (según la concepción marxista, los períodos históricos correspondientes al feudalismo, al mercantilismo, al capitalismo industrial y al capitalismo financiero), ya que las estructuras sociales evolucionan, y, en consecuencia, debe cambiar el contenido de la Economía y sus hipótesis y leyes.

Los llamados historicistas alemanes de finales del siglo pasado y principios de éste también mantuvieron esta postura del objeto cambiante de la Economía, como consecuencia de la variación que se da en la realidad que estudia aquélla. Son particularmente interesantes en este contexto Sombart y Max Weber (este último más conocido como sociólogo), últimos epígonos de esta corriente de pensamiento (la historicista) tan típicamente germánica. En su ya mencionada *Economía Política,* Oskar Lange escribe sobre estos autores: «Según Sombart y Weber cada época histórica tiene su propio espíritu, consistente en un conjunto de actitudes humanas psicológicas que dan a cada época su carácter peculiar. De ahí que la clave para la comprensión del desarollo económico no sea el modo de producción, sino las actitudes psicológicas que forman el espíritu de una época histórica.»

Creemos que esta breve exposición de la evolución histórica de las concepciones más importantes que se han dado sobre el contenido de la Economía, le habrá sido de utilidad al lector para completar su comprensión del objeto de estudio de esta disciplina. En la actualidad no se discute cuál es éste. Los economistas continúan aplicando sus hipótesis y sus técnicas de análisis a los temas que hemos señalado sin preocuparse demasiado de cuáles son sus áreas específicas de estudios. Más bien ocurre que otros científicos sociales, especialmente los científicos políticos, se quejan de que los economistas están empezando a ejercer un imperialismo intelectual al introducirse en el campo de los fenómenos y las instituciones políticas.

La tendencia entre los economistas es a considerar cada vez más los fenómenos económicos dentro del contexto social y político en el que se desarrollan, ya que el principal objeto de estudio de los economistas es el funcionamiento de la economía (como conjunto de recursos, instituciones y procesos, a través de los cuales se producen y distribuyen los bienes y servicios que los individuos desean), y ésta es una organización social; o, lo que es lo mismo, un conjunto de interacciones entre entes (individuos e instituciones) separados, que realizan elecciones sobre la utilización de unos recursos que son escasos y tienen usos alternativos para satisfacer unas necesidades y deseos, y de esta forma mejorar su condición.

ECONOMIA, ECONOMIA POLITICA, TEORIA ECONOMICA, ANALISIS ECONOMICO Y CIENCIA ECONOMICA

El lector sin duda habrá observado que hasta ahora hemos utilizado los términos Economía y Análisis Económico indistintamente como si fueran sinónimos. En realidad, estos términos no son exactamente sinónimos. Veamos el significado de cada uno de los términos señalados en este epígrafe.

En su monumental obra *Historia del Análisis Económico*, el gran economista austríaco J. Schumpeter (1883-1950) señala que lo que distingue al economista científico de todas las demás personas que piensan, hablan y escriben sobre temas económicos es el dominio de las técnicas económicas de análisis que él agrupa en tres: historia, estadística y teoría. Estas tres ramas constituyen el Análisis Económico. La afirmación de Schumpeter es compartida por los economistas, ya que obviamente es una concepción lógica.

El Análisis Económico estudia los temas que hemos visto en el Capítulo 1 que constituyen el campo de los fenómenos económicos. Para ello el economista utiliza la Teoría Económica constituida por el cuerpo de teorías e hipótesis explicativas sobre estos fenómenos elaborados a lo largo del tiempo, y por los modelos o esquemas simplificados de la realidad diseñados para representar ciertos aspectos de ésta y poder analizarlos más fácilmente. También emplea en el análisis los datos estadísticos o las series estadísticas (se entiende por serie estadística los datos para una misma variable económica, digamos los precios del trigo, durante una serie de años o de períodos de tiempo más cortos) en orden a explicar los fenómenos y conocer exactamente lo que se trata de explicar. Finalmente. el economista emplea los hechos económicos del pasado y del presente en su análisis, como experiencia útil para analizar los fenómenos que se propone explicar.

Así, pues, la Teoría Económica es el conjunto de teorías, hipótesis y modelos sobre el comportamiento de las variables económicas que se emplean en el análisis de los datos y de los hechos presentes y pasados. La teoría es necesaria para poder interpretar los datos y los hechos, ya que ésta provee los conceptos (precio, consumidor, demanda, oferta, etc.), las hipótesis de comportamiento de las variables y de los agentes económicos, y el marco o visión de la realidad (modelo) que hace posible el análisis y la explicación de aquéllos de forma sistemática y científica. Para formalizar las hipótesis, las teorías y los modelos se parte de supuestos (tales como que los empresarios tratan de maximizar los beneficios, o que los consumidores tratan de maximizar la utilidad que obtienen de su renta, y otros) que constituyen proposiciones cuyo contenido se toma como dado, y que no hay que explicar (corresponden a los axiomas de la Matemática y el economista no entra a explicarlos: en Economía no se pretende explicar por qué los propietarios de los factores tratan de obtener el mayor precio posible por ellos cuando los venden o ceden).

Partiendo de los supuestos y utilizando la Matemática, el economista formula sus hipótesis, teorías y modelos, que son absolutamente necesarios para poder interpretar y explicar los datos y los hechos. Sin la aplicación de estas teorías, los datos y los hechos constituirían un conjunto desordenado de cifras y fenómenos que no tendrían ningún significado o sentido. Este es el procedimiento que se sigue en toda ciencia. La experiencia nos enseña que los fenómenos de cualquier clase (económicos, mecánicos, eléctricos, biológicos, etc.) son cada uno de ellos ocurrencias individuales en el momento que suceden, y que tienen peculiaridades propias. Pero la experiencia nos enseña también que estas ocurrencias individuales tienen ciertas propiedades o aspectos en común, y que si éstas son descubiertas y formuladas en hipótesis y teorías, se habrá conseguido una enorme economía de esfuerzo intelectual, ya que ello permite aplicar éstas a la comprensión de ocurrencias similares en el pasado, en el presente e incluso en el futuro. La ciencia no es más que el descubrimiento de esos aspectos comunes a varias ocurrencias de un tipo de fenómenos y su formalización en hipótesis y teorías.

La Teoría Económica es, pues, el conjunto de hipótesis y teorías que tratan de explicar científicamente los fenómenos económicos. Pero a la hora de estudiar fenómenos concretos es necesario emplear técnicas de análisis y datos estadísticos. Estos métodos de análisis los provee la Econometría y la Estadística Teórica. La primera no es más que la aplicación de la Teoría Económica a la contrastación de las hipótesis de ésta y a la resolución de los problemas económicos empleando en el análisis la Teoría Estadística, las Matemáticas y los métodos computacionales (las técnicas de computar datos a través de ordenadores, técnicas que, en definitiva, son una aplicación de la Matemática y de la Estadística). Todo este aparato se aplica sobre los datos económicos ordenados por la Estadística Descriptiva.

Pero la Teoría Económica puede ser aplicada al estudio de hechos que o bien no sean fácilmente cuantificables, o para los que no se disponga de datos en el momento del análisis. El Análisis Económico está constituido, pues, por la Teoría Económica y por las técnicas de análisis (Econometría y Estadística) y puede ser aplicado al estudio de datos y hechos pasados, presentes y futuros.

Análisis Económico y Ciencia Económica son términos prácticamente sinónimos. Ambos incluyen todas las disciplinas que se ocupan de los fenómenos económicos: Historia Económica, Teoría Económica, Hacienda Pública (entendida ésta como la Teoría Económica del Sector Público), Sociología Económica, y lo que los anglosajones llaman Economía Aplicada, que incluye la Econometría y los Métodos Estadísticos, la Política Económica y la Estructura Económica.

En cuanto a los términos Economía y Economía Política generalmente se les considera prácticamente como sinónimos, incluyendo ambos las técnicas teóricas y estadísticas que hemos señalado forman parte del Análisis Económico y de la Ciencia Económica. Aunque a nadie le preocupa estas delimitaciones, ya que no tienen mayor utilidad, en general, se tiende a considerar a la Economía Política como algo más amplia en su contenido que la Economía, debido a las reminiscencias del concepto histórico de aquélla. Por otra parte, algunos autores incluso entienden que ambas son sinónimos de Teoría Económica. Esto es un poco exagerado, ya que la Teoría Económica, que constituye el núcleo central de las disciplinas económicas, es sólo una parte de la Economía. Nosotros las empleamos en su acepción amplia, de acuerdo con la concepción que hemos expuesto al principio de este Capítulo, si bien por la brevedad de este Curso de Economía trataremos fundamentalmente de hipótesis y teorías económicas.

Economía Política fue el primer término que se empleó a finales del siglo XVIII para denominar a esta disciplina, con el objeto de poner de manifiesto que se trataba del estudio de los principios de la economía del Estado, particularmente de las finanzas públicas. Posteriormente, el término de Economía Política se empleó para referirse a los tratados que se ocupaban de los problemas de la economía social, definiéndose aquélla como la ciencia de la economía social. Los clásicos ingleses lo utilizaron ampliamente, como igualmente lo hicieron Marx y Engel (1821-1896) siguiendo la tradición franco-inglesa. Los marginalistas iniciaron ya la utilización del término Economía en sustitución pura y simple de la acepción Economía Política; pero fue a partir de Marshall (1842-1924) y en su obra clásica *Principios de Economía* cuando se consagró definitivamente la denominación de Economía.

En la actualidad sigue siendo el término Economía el que tiene un uso más generalizado, ya que es el que más comúnmente se emplea por los autores de la corriente ortodoxa, que constituye la gran mayoría de los tratadistas. Pero es necesario señalar cuatro salvedades a esta especie de regla general. Se trata de cuatro grupos que abogan por la utilización del término Economía Política en lugar de Economía.

En primer lugar, la literatura marxista ortodoxa ha continuado y continúa (siguiendo a Marx) empleando el término de Economía Política; además, el nuevo movimiento constituido por los economistas insertos en la corriente de la Nueva Izquierda, también llamada radical en Estados Unidos, igualmente utiliza la acepción Economía Política. Para estos tratadistas el marco político y el juego de las fuerzas políticas en el que se desarolla la actividad económica condicionan decisivamente esta actividad.

En segundo lugar están los continuadores de las escuelas historicista alemana e institucionalista norteamericana de finales del siglo pasado y principios de éste, cuyos miembros como historiadores y reformadores sintieron la necesidad de emplear en su análisis un marco más amplio que el del mercado competitivo o monopolístico, considerando al sistema económico y sus instituciones como una variable que hay que explicar y no como un dato exógeno y en el que el economista no debe entrar.

En tercer lugar hay que mencionar al importante grupo de economistas de la llamada Teoría de la Elección Colectiva, que tratan de aplicar el Análisis Económico al estudio de las instituciones y de los procesos políticos. Al exponer el objeto de estudio de la Economía hablamos de este área de análisis como un campo importante que en la actualidad está adquiriendo un gran auge. Esta es la teoría de la llamada *Public Choice*.

Finalmente, un número creciente de economistas que podríamos llamar ortodoxos están expresando públicamente en sus escritos su frustración con la Teoría Económica ortodoxa, teoría que se ha intentado elaborar como un cuerpo de hipótesis explicativas de los hechos económicos con validez universal en el tiempo y en el espacio al modo de las ciencias naturales. Muchos autores empiezan a pensar que el análisis en términos puramente económicos, dejando fuera los demás factores sociales (institucionales, concepciones, creencias, etc.), y el afán, juzgado excesivo en muchos casos, de formalizar matemáticamente y generalizar las relaciones entre variables exclusivamente económicas, está llevando a una teorización enormemente sofisticada, de la que empiezan a sospechar que es en buena medida irrelevante, estéril e incluso equivocada y perjudicial para el futuro desarrollo de la Ciencia Económica. Estos autores mantienen la necesidad de tomar en cuenta las instituciones y estudiar también los determinantes socio-políticos de la actividad económica. En suma, abogan por la vuelta al viejo e inicial concepto de Economía Política sin por ello abandonar las consecuciones de la teoría ortodoxa.

LA ECONOMIA COMO CIENCIA SOCIAL

Junto con la Sociología, la Ciencia Política (entendida ésta no como la tradicional teoría filosófico-política del Estado o la Filosofía Política, sino como la ciencia que intenta explicar el comportamiento político de los individuos y de los grupos, y el funcionamiento de las instituciones), la Antropología y la Psicología Social, la Economía es considerada como una ciencia social.

Como actividad intelectiva humana, la ciencia en general es el cuerpo de teorías, hipótesis y métodos de análisis que permiten clasificar, comprender y descubrir los fenómenos. El tipo de conocimiento que propugna la ciencia se distingue de otras clases de saber (el filosófico, el histórico, etc.) por el empleo del método científico. Esto puede parecer una definición circular (ciencia es el saber que se adquiere por el empleo del método científico) que no nos enseña nada al incluir el objeto definido en la definición. No existe tal circularidad, ya que el método científico es universalmente entendido como el método que exige que las proposiciones que se formulen sean contrastables con la realidad y sólo se acepten las que no sean refutadas por ésta.

Pero, además, las proposiciones científicas han de ser generales; es decir, deben ser aplicables a un número amplio de casos individuales. Por eso las proposiciones de los historiadores sobre un hecho histórico concreto, aunque puedan ser contrastadas con los documentos, no se dice que sean científicas. De hecho, cuanto más general es una proposición mayor es su valor y su contenido científico. Una de estas proposiciones generales es la de que no se puede viajar a una velocidad superior a la de la luz. Las hipótesis tratan de formular aquellos aspectos que son comunes a un conjunto de fenómenos, haciendo abstracción de los detalles e intentando responder a la pregunta de por qué ocurren los fenómenos.

Los científicos se refieren al proceso de formular las preguntas sobre los fenómenos que se desean explicar de forma que las respuestas puedan ser contrastadas con los hechos de la realidad, y a esta contrastación objetiva y honesta, como al método científico. Este recurrir a la evidencia como elemento decisorio de la validez de una proposición es el que caracteriza al método científico de obtener conocimiento, por contraste con otros métodos de alcanzar aquél, tales como el de recurrir a una autoridad para decidir la verdad o falsedad de una proposición. No existen reglas establecidas sobre cómo deben formularse las cuestiones o preguntas, ni sobre cómo encontrar la evidencia para contrastarlas; lo que sí provee el método científico es un conjunto de criterios para responder a algunas preguntas. El criterio de contrastación empírica es, pues, la nota definitoria del método científico y, por ende, del conocimiento científico. Este criterio impone a los individuos que lo practican una enorme disciplina (el someter honestamente sus proposiciones a la contrastación con la evidencia empírica), a la que no están sometidos otros pensadores, tales como los filósofos, los poetas, los teólogos, los novelistas, que pueden especular libremente sobre los fenómenos sin más límites que su propia imaginación, sensibilidad, inteligencia e intuición.

Con esto no queremos decir que el conocimiento científico sea superior o inferior a otros tipos de conocimiento; lo único que señalamos es que aquél es distinto de éstos. Tampoco se puede decir que otros tipos de conocimiento no sean útiles o tengan poco valor intelectual (no parece que pueda afirmarse con justicia que las contribuciones de Spinoza, Kant, Hegel o Goethe al saber humano son de menor cuantía).

El método científico exige de las personas que lo practican el reunir los datos importantes que describen el fenómeno o el conjunto de fenómenos que se investiga. Después, los datos han de ser clasificados y ordenados de forma que le permitan al investigador explicar las relaciones y las fuerzas que están actuando dentro del sistema. La primera explicación tentativa es llamada hipótesis. Después de examinar la hipótesis, el investigador ha de diseñar experimentos que permitan contrastarla con la realidad observada. En las ciencias naturales (las ciencias que tienen por objeto de estudio los fenómenos naturales), los experimentos se llevan a cabo en laboratorios en los que se pueden controlar las circunstancias y las condiciones en las que tiene lugar el fenómeno y las consecuencias de cambios en las variables implicadas. Para cada experimento el investigador introduce un solo cambio en una de las condiciones. El efecto de cada cambio es anotado y comparado con los efectos que se podía esperar se dieran de acuerdo con la hipótesis formulada por el investigador o las hipótesis existentes con anterioridad. A menos que el cambio que se produce se ajuste al cambio esperado, la hipótesis propuesta ha de ser desechada como falsada o refutada por la evidencia.

El investigador continúa proponiendo nuevas hipótesis hasta que los resultados se ajusten consistentemente a la explicación propuesta. Cuando la hipótesis es finalmente aceptada se la puede formular como una ley o un principio. Los principios o leyes de la Física y de la Química han llevado siglos de someter a contrastación y de reformulación de las hipótesis. Pero incluso las hipótesis y teorías que no son falsadas por la evidencia empírica en un momento determinado, o incluso durante años, no puede decirse que sean verdaderas. Lo más que puede afirmarse sobre ellas es que por el momento no han sido falsadas. Generalmente, las hipótesis y las teorías sobre un campo de fenómenos, con el avance de la ciencia respectiva u otras ciencias afines, han de ser reformuladas o son incorporadas en otras hipótesis más generales. Esto es lo que ha ocurrido con la Física newtoniana, que ha pasado a ser una parte de la teoría de la relatividad formulada por Einstein.

La teoría es un medio por el cual la ciencia intenta explicar la realidad. Esta consiste en un conjunto de abstracciones sobre el mundo real, y postula un número más o menos reducido de relaciones entre las variables que integran el fenómeno o sistema de fenómenos sobre el que trata. A través de las teorías o modelos (éstos son abstracciones de la realidad similares a los planos geográficos o topográficos) sobre cómo se interrelacionan las variables, los científicos organizan la información que poseen sobre los fenómenos y la interpretan, ofreciendo explicaciones acerca de éstos. Sin teorías o hipótesis de algún tipo, los científicos no podrían trabajar; lo cual no quiere decir que éstas sean verdaderas. De hecho, los científicos trabajan a partir de los conceptos y de las teorías e hipótesis heredadas, tratando de encontrar nuevas hipótesis sobre aspectos todavía no explicados de los fenómenos o hipótesis más generales o que expliquen mejor los fenómenos; y en el curso de sus investigaciones algunas veces encuentran evidencia que contradice aquéllas, por lo que han de ser abandonadas. En la actualidad las teorías científicas no son aceptadas como leyes inmutables (éste es un concepto del siglo XVIII), sino como hipótesis que por el momento no han sido refutadas y que más pronto o más tarde serán refutadas y sustituidas por otras más generales. Los científicos aceptan que nunca se puede afirmar que una hipótesis o una teoría es verdadera, sino sólo que por el momento no ha sido refutada. Y así continúa indefinidamente el proceso del avance científico, que es acumulativo y que consiste en un tejer y destejer continuo.

Por otra parte, también se ha abandonado ya el concepto de ocurrencia determinística de los fenómenos (incluso de los fenómenos naturales), y con él la noción de leyes inmutables con validez general en cualquier época y lugar. Más bien se entiende la ocurrencia de los fenómenos en términos de las probabilidades que existen de que se produzcan. Asimismo, se conciben las leyes y las hipótesis como explicaciones parciales de los fenómenos; de esta forma se dice que tal ley explica tal fenómeno en un 70 o un 85 por 100.

Dentro de las ciencias sin duda unas están más avanzadas que otras. Las ciencias naturales y dentro de éstas las experimentales son con mucho las más desarrolladas (como ciencias, se entiende), gracias precisamente a la posibilidad de realizar experimentos controlados. Las ciencias sociales puede decirse que están en su infancia, lejos de haber encontrado su Copérnico y mucho menos su Galileo o su Newton. Estas estudian el comportamiento de los individuos en la sociedad en la que viven, así como las fuerzas y las relaciones que se dan en el sistema social, y este tema de estudio plantea muchos problemas y dificultades de todo tipo.

La cuestión fundamental que se plantea es la de si es posible construir una ciencia del comportamiento humano. Mientras que las ciencias naturales tienen por objeto de estudio la materia inanimada que está sujeta a las leyes de la naturaleza y que no tiene libre albedrío, las ciencias sociales estudian al hombre, que tiene una voluntad libre, y, en consecuencia, su comportamiento no puede estar sujeto a leyes inmutables. Esto es sin duda un problema importante, pero también los fenómenos naturales cambian a lo largo del tiempo, si bien lo hacen de forma muy lenta y predictible.

Las ciencias sociales se basan, no tanto en el estudio del comportamiento de individuos concretos como en el de grupos de individuos. La observación de éstos muestra que la generalidad de los individuos se comportan de manera estable. La llamada ley de los grandes números permite determinar con bastante precisión el comportamiento de un número de individuos que integran un grupo o colectivo, debido a que las actuaciones atípicas de algunos sujetos en una dirección son contrarrestadas por las actuaciones de otros en la dirección opuesta. Esto se cumple igualmente en los grupos humanos. Dados los hábitos de trabajo y sociales de una comunidad, la ley de los grandes números no nos permite predecir que tal individuo concreto tomará o no el autobús entre tal y tal hora, pero sí hace factible predecir un número bastante aproximado de los individuos que lo tomarán a esa hora. El comportamiento atípico de un individuo que prefiere no tomar el autobús para ir al trabajo aunque tenga que andar una hora, es contrarrestado por la conducta igualmente atípica del sujeto que, por no andar diez minutos, prefiere tomar el autobús. Esta regularidad en el comportamiento medio de los individuos (o del comportamiento del individuo medio) que integran los grupos sociales ante estímulos o situaciones concretas es la que hace posible la construcción de las ciencias sociales.

Al igual que las ciencias naturales, las ciencias sociales son elaboradas a partir de abstracciones de la realidad que permiten ordenar, clasificar, e interpretar la enorme masa de información de que se dispone, y elaborar hipótesis de comportamiento que expliquen la realidad. Como señala el economista norteamericano K. Boulding en su obra *La Economía como Ciencia:* «El principal papel de las ciencias sociales es ciertamente desarrollar aquellas abstracciones que nos son más útiles y que nos dan la información más significativa. Ciertamente es un principio fundamental el que el conocimiento es siempre obtenido por la pérdida ordenada de información; es decir, por medio de condensar, abstraer y poner números índices a la gran confusión de información que nos llega del mundo que nos rodea, y darles la forma que nos permite valorarlos y comprenderlos.» Y también como ocurre con las ciencias naturales, la función de las ciencias sociales es doble: por una parte, describir y explicar los fenómenos sociales, y por otra, predecir los fenómenos que pueden ocurrir, dadas unas determinadas circunstancias.

Dentro de las ciencias sociales, la más desarrollada sin duda es la Economía. La causa de este mayor avance de la Economía no es fácil de determinar. Quizá se deba a que las cuestiones económicas afectan más directa y dramáticamente a los individuos y a las sociedades, y por ello se le ha dedicado mayor esfuerzo intelectual; o quizá la explicación esté en el hecho fortuito de que Adam Smith tuvo la genialidad de sistematizar y desarrollar un conjunto de ideas que sentaron las bases de la Ciencia Económica en 1776.

Digamos, finalmente, que en la teorización económica generalmente se distingue entre Economía **Positiva** y Economía **Normativa**. En general, las hipótesis científicas son proposiciones sobre los hechos (es decir, sobre lo que es, sobre lo que ocurre) y no sobre lo que debería ser. Las proposiciones sobre lo que debería ser responden a unos criterios éticos, ideológicos o políticos sobre lo que se considera deseable o indeseable. Por ejemplo, la proposición «no es posible desintegrar un átomo» es una proposición positiva que no implica ningún juicio de valor. El posible desacuerdo sobre la veracidad de ésta entre individuos puede ser dirimido apelando a la evidencia empírica. Por el contrario, la proposición «los científicos no deberían desintegrar los átomos» es una proposición normativa que implica un juicio ético. Las posibles discrepancias entre los sujetos sobre esta cuestión no pueden solventarse recurriendo a los hechos, ya que en primer lugar habría que ponerse de acuerdo sobre lo que es bueno o malo, y en segundo lugar éstos pueden ser interpretados a su vez como buenos o malos, según los criterios éticos que se apliquen. Las hipótesis científicas son siempre proposiciones positivas, ya que la ciencia como tal sólo está interesada en explicar los fenómenos, y no entra a juzgar si son buenos o malos desde el punto de vista ético, ideológico o de otro tipo.

En su obra *Ensayos sobre Economía Positiva* Milton Friedman escribe: «La Economía **Positiva** es en principio independiente de cualesquiera juicios normativos o éticos concretos. Como dice (John Neville) Keynes, ésta trata de "lo que es", no de "lo que debería ser". Su función es proveer un sistema de generalizaciones que puedan ser utilizadas para hacer predicciones correctas sobre las consecuencias de cualquier cambio en las circunstancias. Su éxito o fracaso ha de ser juzgado por la precisión, la magnitud y la conformidad con la experiencia de las predicciones que ofrece. En resumen, la Economía **Positiva** es o puede ser, una ciencia "objetiva" en exactamente el mismo sentido que cualquier otra ciencia natural.» Lo que hasta ahora hemos llamado Economía corresponde a la Economía **Positiva** así definida.

A la Economía Normativa se la distingue de la Economía Positiva porque la primera trata de lo que debería ser, mientras que la segunda estudia lo que es. Por ejemplo, al estudiar la relación entre el mercado y el sector público se puede plantear la cuestión de si los individuos deberían o no tener la oportunidad de elegir los bienes que desean. La respuesta que se dé dependerá de la idea que se tenga sobre la importancia (o falta de ella) de la libertad individual. Otra cuestión similar se plantea al estudiar la agricultura y constatar el bajo nivel de renta de los agricultores. El considerar si debe o no debe aumentarse la renta de los agricultores depende de juicios de valor.

El problema principal con el que se enfrenta la Economía normativa es el de la determinación de lo que los individuos realmente desean, y, en consecuencia, el desarrollo de medios analíticos de concretar lo que los individuos realmente piensan sobre cómo debería ser la realidad de una cuestión específica (las preferencias de los individuos de una sociedad sobre si los agricultores o los profesores de universidad deberían o no disfrutar de una renta más elevada). En la Economía normativa se da un salto analítico desde la identificación de un problema a la prescripción de soluciones deseables para éste en términos de preferencias de los miembros de la sociedad o de los economistas. Estos también tienen sus preferencias y es prácticamente inevitable que evaluaciones subjetivas entren en la selección de las cuestiones que estudian y de cómo las investigan (qué información toman en consideración y cuál ignoran), así como en las soluciones que proponen.

Robbins mantiene que en la Economía Política (definida por él como la aplicación de las generalizaciones o teorías económicas que tienen status o carácter científico a la política económica del Gobierno) se apela o se debería apelar en buena medida a criterios éticos o de Filosofía social que más impliquen juicios de valor que juicios fácticos (sobre hechos). Por el contrario, en la Economía positiva o simplemente Economía (que estudia las implicaciones que el hecho de la escasez tiene para el comportamiento de los individuos) se debe apelar a los hechos (a la evidencia empírica). En resumen, lo que entendemos por Economía, Análisis Económico y Teoría Económica es Economía positiva. A la Economía Política nosotros la concebimos también como Economía positiva, si bien incluye elementos de Economía normativa, tal como señala Robbins.

EL METODO DE LA ECONOMIA

Ya hemos señalado que toda ciencia se caracteriza por ser un cuerpo de teorías o hipótesis elaboradas aplicando los criterios y las exigencias del método científico, y hemos indicado que el criterio de demarcación entre ciencia y otros tipos de conocimiento estriba en la exigencia de la contrastación de las hipótesis y teorías con la evidencia empírica.

Pues bien, las ciencias sociales, al igual que las ciencias naturales, buscan establecer principios que nos ayuden a comprender el mundo que nos rodea. Los economistas utilizan en la construcción de sus teorías el método científico y trabajan de la misma forma que lo hacen los científicos naturales. Así, diseñan conceptos para definir variables cuantificables (la demanda, el precio, el consumo, el ahorro, la oferta, etc.), reúnen y clasifican datos, y formulan relaciones matemáticas para simplificar y mejorar la comprensión de estos datos. Asimismo, las hipótesis son contrastadas con la evidencia empírica, a menudo diseñando métodos ingeniosos de contrastación y empleando variables sombra, o variables que por ser próximas se utilizan en lugar de las que se desean medir por no disponer de datos sobre éstas (por ejemplo, para medir el grado de actividad industrial en un período, a menudo se emplea el consumo de energía).

Pero el objeto de estudio de la Economía, como el de las demás ciencias sociales, es el comportamiento de los individuos en la sociedad, las relaciones entre los seres humanos en su funcionamiento en la sociedad; y éstos no siempre se comportan en la forma predictible y constante que lo hacen las variables físicas. Aunque el método científico es uno, tanto en las ciencias naturales como en las sociales, a éstas se les plantean problemas metodológicos especiales (y difíciles), derivados de la libertad y la capacidad de aprender que tiene su objeto de estudio, los individuos. Precisamente por estas dificultades, la discusión sobre los problemas de método que se le plantean a la Economía han tenido y siguen teniendo una gran importancia. Sin pretender ser exhaustivo veamos brevemente algunos de estos problemas.

Todo el mundo acepta que no existen diferencias importantes entre las proposiciones de las ciencias naturales (de la Física, por ejemplo) y las de la Economía Positiva, ni en cuanto a su carácter de constituir generalizaciones sobre los fenómenos y sus causas, ni en lo que respecta a su evaluación a través de recurrir a la evidencia empírica. Las generalizaciones sobre los fenómenos físicos o los económicos son esencialmente conjeturas que permiten realizar deducciones a partir de ellas, y que aunque están continuamente expuestas a la posibilidad de ser refutadas a través de la contrastación adecuada, no es posible, desde el punto de vista lógico, demostrar que son verdaderas de una forma definitiva y concluyente.

Tras las contribuciones de Popper y otros metodólogos, se acepta generalmente que el método que se emplea en todas las ciencias es el llamado método hipotético-deductivo; es decir, que el método de construcción de la ciencia es el de la deducción y no el de la inducción. Ciertamente que del estudio de los casos individuales se aprende, y puede que éste inspire en ocasiones a los científicos la formulación de hipótesis generales, pero desde el punto de vista lógico no es posible justificar la formulación de hipótesis (generalizaciones) a partir de casos concretos. El conocimiento científico propiamente dicho comienza en el momento en el que se formulan hipótesis (cualquiera que sea la fuente que haya inspirado el científico) que son contrastables, y de las que se pueden derivar una serie de relaciones con otras hipótesis, así como predicciones.

Pero existen diferencias metodológicas importantes entre las ciencias naturales y las sociales. Una de éstas estriba en el realismo de los supuestos. Como hemos señalado, los supuestos (que corresponden a los axiomas de las Matemáticas) son proposiciones que se toman como verdaderas (sin entrar a verificarlas) y de las que se parte para elaborar las hipótesis de comportamiento de las variables. Uno de estos supuestos lo constituye la proposición de que los empresarios pretenden o tienen como principal objetivo el maximizar los beneficios. Sobre él se ha construido la teoría neoclásica de la empresa. Como ha podido comprobarse empíricamente, no todos los empresarios pretenden maximizar los beneficios. La cuestión metodológica que se plantea es la de si es necesario que los supuestos sean totalmente verídicos para que la teoría construida sobre ellos sea válida, o si, por el contrario, es suficiente con que aquéllos se aproximen razonablemente a la realidad.

La cuestión es muy compleja y sobre ella se ha debatido ampliamente y se sigue debatiendo. Baste decir aquí que la postura dominante sobre este tema parece ser la mantenida por Friedman, que puede sintetizarse de la forma siguiente: una teoría es válida siempre y cuando lo sean las consecuencias o predicciones derivadas de ella que hacen referencia a los fenómenos que la teoría está destinada a explicar. El realismo o irrealismo de los supuestos de la teoría no sólo es irrelevante, sino que cuanto más amplia sea la clase de fenómenos a explicar más irreales habrán de ser los supuestos; y esto es función de la mayor diversidad de los casos concretos a los que la teoría debe aplicarse.

Otro problema que se plantea en las ciencias sociales y concretamente en Economía es la imposibilidad de realizar experimentos, instrumento éste que juega un papel muy importante en las ciencias naturales. Las dificultades prácticas y teóricas con las que se enfrenta el economista para realizar los llamados experimentos controlados son enormes. Obviamente, los economistas no pueden colocar a un grupo de individuos en un lugar aislado y experimentar con ellos. En lugar de éstos se emplean los experimentos parcialmente controlados, que consisten en observar cuidadosamente una situación, tomar los datos más relevantes, introducir un cambio (por ejemplo, un aumento del déficit presupuestario del Gobierno) y observar los cambios que se producen en las variables que se desea estudiar. Obviamente, este tipo de experimentos es muy imperfecto y tiene grandes dificultades para su realización, ya que con toda probabilidad cambiarán también otras variables que no controla el economista, y, en consecuencia, será muy difícil determinar qué efectos corresponden al cambio de qué variable.

Pero, además, el artificio de introducir la condición *céteris páribus* (muy utilizado por los economistas), que consiste en suponer que, excepto las que se están estudiando, todas las demás variables permanecen constantes, es muy restrictivo analíticamente hablando, ya que estas variables no permanecen constantes en la realidad. Ello reduce enormemente la validez de las relaciones que se determinan entre las variables y de las predicciones que se hacen a partir de aquéllas. Como veremos más adelante, al determinar la curva de demanda de un bien se establece la condición de que los gustos de los consumidores, la renta de éstos y los precios de los otros bienes permanecen constantes mientras se determina aquélla. Pero los gustos de los individuos cambian continuamente, como igualmente cambian otros factores. Los problemas que crean estos cambios son comparables a los que se les plantearían a los físicos si cada vez que realizan una observación relevante tuvieran que calcular de nuevo la tabla de los pesos atómicos de los distintos elementos.

Los cambios continuos y no completamente predictibles en los gustos y en las preferencias de los agentes económicos objeto de estudio hacen que en Economía no se disponga de coeficientes (que expresan las relaciones entre las variables) comparables o lejanamente parecidos al coeficiente (parámetro) que relaciona la velocidad de caída de un cuerpo hacia la tierra con su masa. De ahí que las predicciones que permite hacer la Economía sobre los fenómenos son más cualitativas que cuantitativas («si ocurre tal cosa, el precio del bien tal subirá», y no «si se produce tal evento, el precio de tal bien subirá a 100 ptas.»).

Por otra parte, la Economía tiene el problema metodológico de que su objeto de estudio (los individuos) aprenden de los conocimientos que elabora el Análisis Económico sobre los fenómenos, lo que da lugar a que éstos cambien su conducta. Los átomos no han cambiado sus hábitos de comportamiento cuando su conducta ha sido objeto de una generalización; pero los agentes económicos sí que cambian los suyos a medida que avanza el conocimiento económico de los fenómenos, con la finalidad de sacarle provecho a estos conocimientos. Las reacciones económicas de los individuos (por contraposición a las reacciones físicas de los elementos naturales) son elaboradas previamente en el cerebro humano, y a través de éste los individuos pueden sopesar alternativas y aprender de la experiencia y del conocimiento teórico. Ello hace muy difícil la generalización sobre el comportamiento humano a un nivel de concreción que haga aquélla significativa y útil a efectos explicativos y predictivos.

Otro problema que se le plantea a la Economía es el de los juicios de valor. La finalidad de toda ciencia es descubrir y formular hipótesis sobre la realidad, sobre lo que es, y no sobre lo que debe ser. Pero los científicos sociales, y entre ellos los economistas, son miembros de una sociedad que tiene unos valores éticos, morales y, en general, ideológicos que los individuos aprenden y absorben, muchas veces de una forma inconsciente. Además, los economistas como individuos pueden adquirir una ideología en el sentido concreto del término. De ahí que los economistas tengan siempre el peligro de permitir o dejar que juicios de valor se introduzcan en su análisis. Estos juicios de valor, que van a influenciar las áreas o cuestiones que el científico estudia, el tipo de preguntas que se hace, los conceptos que emplea y las hipótesis tentativas que formula, pueden restar (y de hecho le restan) objetividad al análisis de los fenómenos económicos, como lo hace con los demás fenómenos sociales.

Finalmente, señalemos también la no menos importante cuestión metodológica de si es o no posible construir una Ciencia Económica que, al estilo de las ciencias naturales, tenga validez universal en el tiempo y en el espacio. A este respecto, ya hemos visto al principio de este capítulo la postura marxista de que no es posible construir una Teoría Económica aplicable a todas las épocas y lugares, ya que las relaciones de producción cambian, y con ellas los fenómenos económicos.

Los marxistas, los historicistas y los institucionalistas mantienen que sólo es posible elaborar teorías aplicables a cada período histórico caracterizado por unas relaciones concretas de la producción. Los economistas marginalistas pensaron que, por el contrario, era posible construir una Teoría Económica que, por estar basada en las características más profundas de la naturaleza humana, tuviera un carácter general y fuera aplicable a toda época y lugar. Estas ambiciones posteriormente han sido atemperadas por las dificultades encontradas en la elaboración de una teoría tal. En la actualidad las pretensiones son más modestas, sin por ello abondonar la idea de encontrar relaciones entre las variables económicas que sean cuanto más generales mejor. Además, sin duda existe ya un núcleo de teorías económicas que es aplicable a todos los sistemas económicos y a todos los países. No hay una Teoría Económica especial para el capitalismo y otra para las economías de planificación central, aunque existan diferencias significativas en cuanto al marco legal e institucional de uno y otro sistema.

A otro nivel metodológico más concreto se plantean igualmente una gran cantidad de problemas que el economista ha de resolver en su análisis. Entre éstos están la búsqueda y selección de datos necesarios para analizar los problemas; la determinación del grado de error que aquéllos tienen y su fiabilidad, la elección y, en su caso, el desarrollo de las técnicas analíticas apropiadas al tratamiento de cada problema, la identificación y cuantificación de las variables más significativas en relación con el tema que se estudia y la interpretación de los resultados obtenidos en el análisis. De todos estos problemas posiblemente el más difícil sea el de la obtención y selección de los datos y la determinación de su grado de fiabilidad. Aunque la masa de datos económicos de que se dispone es enorme, sin embargo, su grado de fiabilidad es reducido en la mayoría de los casos. El sacar conclusiones a partir de datos poco fiables (o insuficientes) a través de su manipulación y análisis es una de las prácticas más generalizadas entre los economistas, como lo es entre otros científicos sociales.

Todos estos y otros problemas metodológicos constituyen serias dificultades para la construcción de una Teoría Económica científica y positiva. Pero hay, además, cuestiones más profundas que están planteándose con los avances recientes en la Teoría del Conocimiento o Epistemología, y que están poniendo en tela de juicio la utilidad del empirismo lógico, como método apropiado de análisis de los fenómenos económicos y con él los fundamentos epistemológicos y conceptuales de la Economía. La introducción del azar, el tiempo, el espacio, la información y otros conceptos en el análisis están llevando a conclusiones que hacen cuestionar la utilidad analítica de definir el comportamiento racional de los individuos en términos de maximización (en Economía se parte del supuesto de que los consumidores desean maximizar su utilidad, los empresarios sus beneficios, y los propietarios de los factores los ingresos que obtienen por la venta o cesión de éstos). La visión total del mundo como un mundo ordenado creado por individuos que maximizan alguna magnitud está siendo puesta en tela de juicio. Tal visión heredada del siglo XVIII ya no es compatible con la visión moderna del mundo en la que se acepta que el azar, la indeterminación y la irracionalidad son elementos importantes de la condición humana.

Por otra parte, están surgiendo nuevas ideas sobre las relaciones sociales en el campo de la Psicología Social. Quizá la Psicología dinámica ofrezca en un futuro próximo unos fundamentos más complejos y más amplios para una mejor comprensión del comportamiento de los individuos que el supuesto utilizado por los economistas de que aquéllos son utilitaristas y sólo buscan la maximización de su utilidad o de alguna magnitud.

Los problemas metodológicos señalados no han impedido, sin embargo, que la Economía se haya desarollado como un cuerpo de teorías e hipótesis y unos métodos de análisis que han mostrado una cierta eficacia y utilidad. La imposibilidad de realizar experimentos en Economía no es un problema exclusivo de esta ciencia. Tampoco en Astronomía se pueden efectuar experimentos, y ello no ha impedido su desarrollo como ciencia positiva. La observación paciente, continuada y detallada puede sustituir en buena medida a los experimentos, y esto es lo que se hace en Economía, aunque quizá con menos paciencia y profusión de lo que se debiera. Tampoco el cambio continuo de las variables económicas es un problema insoluble, ya que su solución es una cuestión técnica de desarrollar los medios de análisis adecuados a la complejidad de los fenómenos. El comportamiento de las variables de la naturaleza también cambia a lo largo del tiempo y los científicos han resuelto el problema formulando sus hipótesis en términos probabilísticos. Esto es lo que se está haciendo en Economía cuando se contrastan las hipótesis derivadas de la teoría utilizando métodos econométricos basados ampliamente en la Teoría de la Probabilidad.

Tampoco el problema de los juicios de valor es exclusivo de la Economía. La idea de que toda investigación científica implica elementos subjetivos importantes es ya generalmente aceptada en la Filosofía de la Ciencia. El ideal de una explicación puramente objetiva de la realidad, libre de juicios de valor y de elementos subjetivos, ha sido completamente abandonada incluso por los más ardientes defensores del punto de vista de la «ciencia pura». El metodólogo Popper ha señalado a este respecto que es necesario distinguir entre las cuestiones relativas al condicionamiento social o ideológico de una teoría científica (los factores que inspiran las hipótesis a los científicos) y las cuestiones relativas a la validez científica de ésta, al separar los contextos genético o de descubrimiento del contexto de validez o justificación de las teorías.

Los economistas aceptan esta distinción. Así, Schumpeter (1883-1950) distinguió dos etapas en la construcción científica de las hipótesis económicas. En la primera de estas etapas, a la que Schumpeter llama visión, los componentes ideológicos juegan un papel primordial a través de la influencia que tienen sobre los científicos en el momento en que éstos eligen los problemas que abordarán en su investigación, y proporcionándoles una vaga estructura conceptual para la selección de los datos y las variables que han de utilizar en el análisis. En la segunda etapa de la elaboración de las hipótesis económicas, las eventuales connotaciones valorativas de los elementos pertenecientes a la primera etapa desaparecen en el proceso de formulación, relación con otras hipótesis existentes y contrastación empírica. De esta forma, cualquiera que sea el factor o la fuente que haya inspirado una hipótesis a un científico, el proceso de manipulación de ésta la depura en parte de los elementos ideológicos que contenga. Finalmente, lo importante es la contrastación empírica de la hipótesis, que, si no es refutada por la evidencia, será tan válida como cualquier otra hipótesis.

AREAS Y RAMAS DE LA ECONOMIA

Generalmente, dentro de la Economía se suelen distinguir dos grandes áreas: la Microeconomía y la Macroeconomía. La primera se ocupa de estudiar el comportamiento en el mercado de los agentes económicos individuales (economías domésticas, empresas e incluso el Estado cuando éste actúa en el mercado) y de grupos de éstos (los demandantes o consumidores de un determinado bien o servicio en un área espacial concreta o en todo el país; las empresas que actúan en el mercado de un producto o de un factor; o que forman parte de una industria; los trabajadores que ofrecen su fuerza laboral en el mercado concreto; los sindicatos; las cooperativas de todo tipo; etc.).

También estudia la Microeconomía los efectos que el comportamiento de los agentes individuales y los grupos tiene sobre las cantidades producidas de bienes y servicios; las cantidades transaccionadas y los precios de éstas y sus variaciones, y las cantidades transaccionadas y los precios de los factores. En consecuencia, la Microeconomía estudia la determinación de los precios y de las cantidades compradas y vendidas en los distintos mercados de bienes y servicios de consumo, de los bienes capital y de los factores de la producción. De ahí que también se le llame Teoría de los Precios y Teoría del Valor.

La Macroeconomía es la parte de la Economía que se ocupa de estudiar el comportamiento de las magnitudes económicas agregadas a nivel de todo el país. Por ejemplo, en la Macroeconomía se analiza el comportamiento del gasto en consumo en el conjunto de la economía, del nivel general de precios, del nivel de empleo, de la inversión, del ahorro, del Producto Nacional y de la Renta Nacional, de la demanda y de la oferta de dinero, entre otras magnitudes agregadas. En el análisis macroeconómico se hace abstracción del comportamiento de los individuos concretos y se estudia el conjunto de éstos. Más adelante veremos cómo esta falta de conexión entre la Microeconomía y la Macroeconomía plantea problemas metodológicos importantes.

Existe una tercera área, la Teoría del Comercio Internacional, que se ocupa de estudiar los problemas monetarios y reales del comercio entre los países y sus efectos sobre el nivel de actividad económica de éstos, tanto a nivel sectorial como a nivel nacional. En ella se utilizan los instrumentos analíticos de la Microeconomía y de la Macroeconomía.

A su vez, dentro de la Microeconomía y de la Macroeconomía existen partes específicas. Relacionando éstas con las cuestiones económicas que en el Capítulo 1 vimos se le plantean a todas las sociedades, tenemos la siguiente clasificación:

a) Los aspectos económicos relacionados con la cuestión de qué bienes y servicios producir y en qué cantidades en un sistema de precios (o lo que es lo mismo, las cuestiones relacionadas con la asignación de recursos escasos entre usos alternativos a través del sistema de mercado) son estudiados por la Teoría del Consumo y por la Teoría de los Precios, que son parte de la Microeconomía.

b) Los aspectos de la cuestión quién, cómo o por qué métodos son producidos los bienes (por qué se utiliza un método y no otro en la producción de cada uno de los bienes) son tratados en la Teoría de la Producción, que también está incluida en la Microeconomía.

c) Los aspectos de la cuestión de cómo se distribuye la oferta de bienes y servicios de consumo entre los miembros de la sociedad en una economía de mercado son el objeto de estudio de la Teoría de la Distribución, también integrada en la Microeconomía.

d) Los aspectos relacionados con la cuestión de en qué medida están siendo utilizados eficientemente los recursos de una economía es el tema de estudio de la Economía del Bienestar. Los temas relativos a la eficiencia en la producción y en la distribución de los bienes y servicios constituyen un campo específico de análisis, como parte también de la Microeconomía.

e) Las cuestiones relativas a la medida en que los recursos de una economía están siendo empleados plena o totalmente o si existe desempleo de éstos son estudiados por la Teoría de la Determinación de la Renta Nacional y por la Teoría de los Ciclos, que forman el núcleo principal de la Macroeconomía.

f) Las cuestiones relativas a si la capacidad productiva de la economía está creciendo o permanece estancada en el tiempo es el objeto de estudio de las Teorías del Crecimiento y del Desarrollo, que están integradas en la Macroeconomía.

g) Finalmente, las cuestiones monetarias a nivel agregado, tales como la demanda de dinero, la oferta de dinero, el nivel general de precios y la inflación, son el campo de estudio de la Teoría Monetaria o Teoría del Dinero, que también está incluida en la Macroeconomía.

h) Estas son las ramas tradicionales y consagradas de la Teoría Económica ortodoxa. Todas ellas estudian el comportamiento de los agentes económicos (individuos, empresas, Gobierno y resto del mundo) en el mercado, y los efectos y consecuencias de aquél. Incluso las medidas de Política Económica del Gobierno son analizadas desde la perspectiva de sus implicaciones para el funcionamiento del mercado y sus repercusiones sobre el nivel de actividad económica y de empleo.

Pero una parte muy importante (que va del 25 al 55 por 100) de los recursos y de la Renta Nacional de las economías mixtas (que son la gran mayoría) es asignada y distribuida por mecanismos distintos al del mercado, principalmente por mecanismos políticos: las elecciones generales, regionales y municipales; las actua-

ciones de los partidos políticos; las leyes aprobadas por los parlamentos nacionales y regionales; las decisiones de los Gobiernos nacionales y regionales, y de las
corporaciones provinciales y municipales, y las resoluciones y actuaciones de la
Administración y de la burocracia. A través de estos mecanismos se deciden la totalidad de los ingresos y gastos públicos: la cuantía y la distribución de los impuestos y de los gastos públicos (la provisión de los bienes públicos).

El comportamiento en la esfera pública de los individuos en sus distintas
capacidades (como votantes, representantes elegidos, miembros del Poder Ejecutivo, burócratas), y el funcionamiento de las instituciones políticas, así como los
resultados de éstos, son el objeto de estudio de una, hasta cierto punto nueva, rama
de la Teoría Económica denominada Teoría de la Elección Pública. En definitiva,
esta rama del Análisis Económico trata de explicar en primer lugar la determinación de las reglas del juego (la Constitución y todas las normas de rango inferior)
y la creación de las instituciones de todo tipo que constituyen el marco dentro del
que actúan los agentes económicos, marco que la Teoría Económica ortodoxa
toma como dado; en segundo lugar, el comportamiento de los individuos en la
esfera pública y el funcionamiento de las instituciones y de los procesos políticos,
y en tercer lugar, los resultados de la existencia de esas normas e instituciones y
de ese comportamiento y funcionamiento.

La Teoría de la Elección Pública, también denominada Teoría Económica de
la Política, cae en realidad dentro de la clasificación que se hace en el párrafo siguiente a éste, ya que ésta consiste en la aplicación del aparato teórico y de los
instrumentos analíticos de la Teoría Económica (tanto Micro como Macro) a la
esfera pública. No obstante, hemos querido destacarla aquí por las importantes
contribuciones que ésta representa para la comprensión de un área tan amplia y
trascendental de las sociedades modernas. Más adelante estudiaremos la Teoría
de la Elección Colectiva con algún detalle.

En un plano distinto existen ramas de la Economía o del Análisis Económico
caracterizadas por el campo, el área, el sector económico o el conjunto de problemas que estudian. Cuando estas ramas adquieren un desarrollo científico de
cierta entidad generalmente se les da un título específico y se convierten en el
campo de especialización de algunos economistas. Sus hipótesis y teorías y sus
instrumentos analíticos son los mismos de la Teoría Económica, tanto Micro
como Macro y se emplean según las necesidades de sus cultivadores. Entre estas
ramas, que cada día se van haciendo más numerosas, podemos citar: La Economía
Agraria, la Economía Urbana, la Economía Laboral (que incluye el estudio de
los sindicatos), la Economía del Transporte, la Economía Industrial, la Economía de la Educación, la Economía de la Salud y de la Seguridad Social, la Economía de los Recursos del Medio Ambiente, la Teoría de la Elección Colectiva
y de la Democracia, y también puede incluirse aquí la Hacienda Pública como
la Teoría Económica del Sector Público.

BIBLIOGRAFIA SELECCIONADA

Samuelson, P.: *Curso de Economía Moderna,* op. cit., Cap. 1, págs. 3-14.
Lipsey, R.: *Introducción a la Economía Positiva,* op. cit., Cap. 1, págs. 3-18.
Barre, R.: *Economía Política,* op. cit.
Fenizio, F. di: *Economía Política,* Bosch, Casa Editorial, Barcelona, 1955. Introducción, pági-
nas 17-47, y Cap. II, págs. 91-106.

Lange, O.: «Objeto y Método de la Economía», incluido en *Lecturas sobre Teoría Económica*, seleccionadas por Barbé y Hortalá, Universidad de Barcelona, Facultad de Ciencias Económicas.

Robbins, L.: *Ensayo sobre la naturaleza y Significado de la Ciencia Económica*, Fondo de Cultura Económica, Méjico, 1951.

Keynes, J. N.: *The Scope and Method of Political Economy*, A. M. Kelley, 1965 (reimpresión).

Hutchison, T. W.: *The Significance and Basic Postulates of Economic Theory*, Mac Millan, Londres, 1938.

Friedman, M.: *La Metodología de la Economia Positiva*, Revista de Economía Política, mayo-diciembre, 1958.

Myrdal, G.: *El Elemento Político en el Desarrollo de la Teoría Económica*, Gredos, Madrid, 1967.

Mill, J. S.: *Essays on Some Unsettled Question of Political Economy*, reproducido en «Collected Works of J. S. Mill». University of Toronto Press, Tomo IV, 1967.

CAPITULO 4

ALGUNAS CONSIDERACIONES GENERALES

La Economía ha alcanzado un elevado nivel de formalización matemática. No obstante, dado que éste es un curso elemental de Economía, no vamos a emplear en la exposición del Análisis Económico más que algunos instrumentos matemáticos sencillos, de los que nos serviremos ampliamente para exponer de una forma mínimamente rigurosa y precisa la Teoría Económica elemental que constituye el objeto de este libro. Por esta razón, recomendamos muy encarecidamente al lector que lea con minuciosa atención los epígrafes de este Capítulo y del siguiente, y que haga un esfuerzo por comprender completamente los conceptos y las relaciones que en él se exponen.

Si el lector tiene la paciencia y dedica el tiempo suficiente para cumplir esta tarea, habrá realizado una magnífica inversión (en el sentido más estrictamente económico del término), que le reportará amplios dividendos en la lectura del resto de este libro. Sin una comprensión adecuada de los sencillos conceptos matemáticos aquí expuestos, al lector le resultará muy difícil entender los argumentos y los razonamientos que se emplean a lo largo de esta exposición.

En realidad, las Matemáticas que se necesita conocer para comprender la Economía a un nivel elemental no son más que un poco de Aritmética y la representación gráfica de relaciones funcionales entre dos variables. El lector ahorrará mucho tiempo si desde ahora se familiariza con la lectura e interpretación de gráficos. Pero quizá lo que más problemas y confusión le crea a la persona que se aproxima por primera vez al estudio de la Economía no sean ni la Aritmética ni la representación gráfica y la lectura de gráficos, sino la interpretación de las relaciones cuantitativas entre las magnitudes de las variables económicas. En este Capítulo y en el siguiente se hace un esfuerzo por exponer una interpretación detallada de algunas relaciones aritméticas y geométricas entre las magnitudes de las variables, interpretación que puede parecerle al lector farragosa y excesivamente larga. No es así; el entender con claridad estas relaciones es absolutamente imprescindible para comprender gran parte de los argumentos más complejos que se desarrollarán a lo largo de la exposición de la materia.

Pero al lector no debe inquietarle estas exigencias de conocimientos matemáticos. Los instrumentos matemáticos que vamos a utilizar en este Curso son sumamente sencillos y fácilmente dominables. Además, en este Capítulo y en el próximo vamos a exponer con todo detalle los instrumentos analíticos más importantes que utilizaremos en este libro.

En el Capítulo anterior hemos señalado que la Teoría Económica (que constituye la parte teórica del Análisis Económico o de la Economía) está integrada por un conjunto de teorías sobre las distintas parcelas de la actividad económica o los diversos campos de los fenómenos económicos. Así, veíamos que existe una teoría sobre el consumo o sobre el comportamiento de los consumidores, una teoría de la distribución de la renta (que trata de explicar cómo se determinan los ingresos o la renta de los individuos a través de la venta o cesión de los factores productivos que poseen), una teoría sobre la producción, una teoría del valor o de los precios, una teoría de la determinación del nivel de renta, una teoría de los ciclos económicos, una teoría del crecimiento económico, etc.

A su vez, cada una de estas teorías está compuesta por un conjunto de definiciones o conceptos, un conjunto de supuestos y una o más hipótesis de comportamiento. Las definiciones corresponden a la delimitación de los conceptos que describen las variables y los factores (en el sentido de agentes o sujetos pasivos) que intervienen en un fenómeno económico. Así, por ejemplo, si se desea estudiar cómo se determina el valor de un bien, primero habrá que empezar por identificar los agentes económicos que intervienen en el proceso por el que se llega a establecer este valor y conceptualizarlos, definiéndolos con precisión (en este caso serían los consumidores o demandantes, y los oferentes o productores y los comerciantes); y a continuación habrá que determinar igualmente las variables (o magnitudes que cambian de valor) que se observan en el proceso, darles un nombre y definirlas con exactitud (establecer los conceptos). En el caso que estamos considerando del estudio de la determinación del valor de un bien en las economías de mercado, este valor se expresa en la forma de un precio o cantidad de unidades monetarias. También se observa que las cantidades que desean comprar los diferentes consumidores del bien en cuestión a los distintos precios de éste pueden ser sumadas, ya que es realmente la suma de las cantidades que desean comprar todos los individuos (y no la de cada uno de ellos) la que tiene influencia sobre el valor del bien; a esa suma se le llama la demanda del bien. Por otra parte, el estudioso o analista del fenómeno se encontrará con que hay otros agentes que son los que desean vender el bien por un precio y que ofrecen distintas cantidades a los distintos precios (éstos son los productores u oferentes, cuyas ofertas a los distintos precios constituyen la oferta de un bien).

Los economistas han creado los conceptos económicos de consumidor, oferente, precio, oferta y demanda, y los han definido taxativamente como punto de partida para poder estudiar el fenómeno del valor de los bienes, ya que con ellos identifican y definen los agentes y las variables que los economistas entienden son los factores más importantes que intervienen en el fenómeno de determinación del valor de los bienes. Asimismo, los economistas han estudiado los factores que intervienen en la determinación de la demanda y de la oferta, igualmente identificando las variables que han considerado más importantes, dándoles un nombre y definiendo su contenido (conceptos).

Obviamente, la selección de estas variables es arbitraria, ya que sabemos que intervienen muchas más variables o factores en los fenómenos económicos de las que se seleccionan para el análisis de éstos. El economista (como todo científico) se encuentra aquí con dos problemas: uno, identificar y definir las variables o factores que intervienen en un fenómeno, y dos, seleccionar las que considera más importantes, a fin de explicar éste. El primero de los dos problemas es el más complicado y difícil. En general, el científico que analiza un fenómeno parte ya de un conjunto de conceptos correspondientes a las variables que otros científicos (que han tratado anteriormente el tema) han considerado como las más importantes. No obstante, puede ocurrir que intervengan en el fenómeno otro u otros factores que no habían sido descubiertos u observados anteriormente y para los que no existe una definición o conceptualización. Esto ocurre en toda investigación científica. De hecho, quizá uno de los problemas más importantes que, en opinión del autor de esta obra, tiene la Economía es la poca frecuencia con que en el Análisis Económico se introducen nuevos conceptos correspondientes a nuevas variables que se consideren útiles en el análisis y en la explicación de los fenómenos. Ciertamente, es difícil introducir nuevos conceptos en el análisis, ya que ello supone determinar y definir nuevas variables.

El segundo componente de las teorías económicas decíamos que lo constituye un conjunto de supuestos, que son proposiciones cuya validez se toma como dada y, en consecuencia, no se intenta someterla a contrastación. Estas proposiciones afirman modos de conducta de los agentes económicos. Quizá los dos supuestos más importantes que se utilizan en Economía son: a) que los individuos o agentes económicos actúan de forma racional (es decir, que son lógicos en el planteamiento de los problemas y en las soluciones de éstos que eligen), y b) que los individuos son utilitaristas o egoístas, y como consecuencia de ello tratan siempre de maximizar alguna magnitud. Los consumidores intentan maximizar la utilidad y satisfacción, del tipo que sea, que obtienen de su renta; los empresarios pretenden maximizar sus beneficios o cualquier otra magnitud como el crecimiento de la producción de la empresa, el control de una parte del mercado del producto que elaboran, etc.; y los propietarios de los factores de la producción tratan de maximizar las ventajas de toda clase que puedan obtener por la venta o cesión de los factores que poseen. Los oferentes de trabajo, por ejemplo, pueden estar unos principalmente interesados en los ingresos monetarios; otros en el interés del trabajo; otros en que el trabajo lo puedan realizar en el lugar en el que desean vivir por razones familiares, climatológicas, etc.; otros en el horario o la comodidad del trabajo. Generalmente, los individuos buscan una combinación de todas estas ventajas, según las preferencias y valoraciones de cada persona.

También son supuestos de la Economía los siguientes postulados:

1) Cada persona persigue una multitud de objetivos o de bienes, entendiendo por éstos cualquier cosa que sea deseada: objetos materiales (coches, tocadiscos, ropa, drogas, etc.), servicios (enseñanza, música, etc.), prestigio, poder, hacer que otras personas se sientan bien o mal, tener amigos, afecto, libertad, conocimiento, ocio, respeto por parte de los demás, tener un aspecto agradable, etc. Si un ente (algo que tenga entidad) es tal que los individuos prefieren tener alguna cantidad de él a no tener ninguna, entonces decimos que es un bien (en el sentido amplio que le hemos dado). La Economía no supone que el *homo economicus* objeto de su estudio sólo busque acumular una cantidad creciente de bienes materiales, sino que lo que supone es que el individuo busca alcanzar una serie de objetivos de todo tipo.

2) Para cada persona algunos bienes son escasos. Toda persona, por muy rica

que sea, encontrará que hay bienes que desearía tener en mayor cantidad y otros que desearía poseer y no los puede obtener.

3) Los individuos están dispuestos a sacrificar parte de algún o algunos bienes para obtener una cantidad de otro u otros bienes nuevos y/o mayor cantidad de los que ya tenía. Esto es consecuencia de la escasez y del hecho de que los individuos desean disfrutar una multiplicidad de bienes y servicios simultáneamente.

Todos estos supuestos de la Economía configuran un *homo economicus* y constituyen los puntos de partida del Análisis Económico. Sobre ellos se construye la teoría científica (o pretendidamente científica) de los fenómenos económicos. Su validez o veracidad se toma como dada.

El tercer componente de las teorías económicas lo constituyen las hipótesis de comportamiento de los agentes y de las variables económicas. Las hipótesis no son más que proposiciones que afirman la existencia de una relación entre las variables. Por ejemplo, una hipótesis económica es la que afirma que para un bien cualquiera, la cantidad demandada de éste depende de su precio, de tal manera que cuando sube el precio del bien se demanda menor cantidad, y cuando baja el precio se demanda mayor cantidad (los consumidores del bien demandan mayor cantidad). Las hipótesis son contrastables y contrastadas con la realidad, a partir de las predicciones o implicaciones que son derivadas de aquéllas a través de un proceso lógico de deducción.

Una vez que una hipótesis ha sido sometida a contrastación con la evidencia empírica y se ha mostrado consistente con los hechos (recordemos que las hipótesis no son confirmadas como verdaderas por la evidencia, sino que simplemente no son refutadas), aquélla pasa a formar parte de una teoría, que puede estar constituida sólo por esta hipótesis o por ésta y otras. Si, por el contrario, la hipótesis es contradicha por los datos empíricos, entonces el economista tiene dos alternativas: o abandonar o desechar totalmente la hipótesis, o reformarla a la luz de lo que la contrastación le ha enseñado. En este caso, el economista volvería otra vez al comienzo del proceso de elaboración de toda hipótesis, empleando los conceptos correspondientes a las variables ya definidas o los nuevos conceptos o variables diseñados por él, relacionando la hipótesis con los supuestos de los que parte, derivando predicciones a partir de la hipótesis, y contrastando éstas con la realidad.

A lo largo de este Curso de Economía hemos de exponer las hipótesis y derivar las implicaciones o deducciones que se pueden extraer de ellas para explicar los fenómenos. Para realizar, tanto la formulación de las relaciones entre variables que suponen las hipótesis como las deducciones que se obtengan de ellas, podemos utilizar distintos procedimientos: el verbal, el matemático y el geométrico, o una mezcla de los tres. Por supuesto, la Geometría es una parte de la Matemática; no obstante, nosotros distinguimos entre el método matemático y el geométrico, refiriéndonos al primero como el método que utiliza las técnicas matemáticas de los símbolos y las fórmulas, y al segundo como el método que emplea la representación gráfica.

Los tres métodos son evidentemente intercambiables, y, en principio, lo que se puede expresar con uno es posible exponerlo también con los otros dos, ya que los tres son partes de la lógica, y ésta es la que realmente se necesita para exponer y comprender la formulación de las relaciones funcionales entre las variables y la derivación de sus implicaciones. Nosotros utilizaremos fundamentalmente los métodos verbal y geométrico, por ser los más fáciles de entender para las personas que no estén familiarizadas con la Matemática, y porque realmente no necesitamos instrumentos analíticos más sofisticados en este curso elemental. No obstante, recordamos al lector que los economistas, como los demás científicos, recurren ampliamente al empleo de los poderosos instrumentos analíticos que la Matemática ofrece.

El lector debe tomar conciencia de que el razonamiento verbal tiene grandes limitaciones por lo laborioso que es, y porque en muchos casos es prácticamente imposible exponer sólo verbalmente (sin la ayuda de otro medio de expresión) las implicaciones lógicas que los supuestos de la teoría permiten deducir. De ahí que recurramos con mucha frecuencia al método de la representación geométrica. Dado que una gran parte de la Teoría Económica elemental, tanto tradicional como moderna, está constituida principalmente por relaciones funcionales sencillas entre dos o tres variables, el método geométrico nos será de gran utilidad, y por ello lo utilizaremos con profusión.

EL CONCEPTO DE RELACION FUNCIONAL

Las hipótesis de comportamiento de la Teoría Económica son hipótesis que postulan relaciones entre dos o más variables económicas. Por ejemplo, la cantidad de un bien que los consumidores desean comprar, entre otros factores, depende inversamente del precio de este bien; la cantidad de un bien que los productores desean vender, entre otros factores, depende directamente del precio de éste; el gasto en consumo que se realiza en la economía depende directamente de la Renta Nacional. La idea de que una variable (o ente cuya magnitud puede cambiar: el precio, la oferta, la demanda, la renta, etc.) depende de otra u otras variables, es una de las nociones básicas sobre las que se fundamenta el conocimiento científico. Puesto que el objetivo de éste es explicar los fenómenos, obviamente las relaciones que existan entre las variables que intervengan en ellos constituirán el instrumento explicativo por excelencia. La finalidad de toda ciencia es descubrir y formular estas relaciones funcionales entre las variables. De ahí la importancia que el concepto de relación funcional tiene en Economía.

No vamos a entrar en el concepto matemático de función. Digamos simplemente que el Análisis Matemático opera con variables. Lo más importante en el estudio de las variables no es el modo cómo varía cada una de ellas consideradas aisladamente, sino la manera en que aparecen relacionadas unas con otras. El Análisis Matemático no es, en resumen, otra cosa que el estudio de las relaciones existentes entre variables. Para expresar y representar una relación cualquiera entre variables en la Matemática se emplea el término técnico de función. Cuando el Análisis Matemático se aplica al estudio de los fenómenos reales, las magnitudes físicas y/o de otro tipo que en ellos aparecen se representan por medio de variables. Una relación cualquiera real o hipotética entre éstas tendrá, entonces, su corespondiente representación funcional.

Así pues, cuando los matemáticos desean expresar que un factor o variable depende de otro, lo formulan diciendo que el primero es una función del segundo. La representación simbólica de las funciones tiene una formulación o notación general. Supongamos que deseamos expresar la idea de que la variable y (la cantidad demandada de manzanas) está relacionada con o depende de alguna forma de la variable x (el precio por kg. de manzanas). Esta relación no especificada se expresa matemáticamente de la siguiente manera:

$$y = f(x)$$

que se lee «y es una función de x» o «y es igual a f — de — x».

El símbolo f sólo nos dice que existe una relación entre x e y, y que y depende de x. Pero también al escribir $y = f(x)$ estamos afirmando que si esta relación entre x e y se formaliza como una ecuación, entonces, dados unos valores de x, podríamos obtener los valores de y, ya que x es la varible independiente o variable explicativa de y, mientras que y es la varible dependiente de x o la variable cuyo comportamiento se desea explicar y que sabemos depende de x.

Evidentemente, la relación entre dos variables puede tomar gran número de formas, según la influencia que la variable independiente ejerza sobre la variable dependiente. Por ejemplo, la cantidad demandada de un bien es una función de su precio: $D_1 = f(P_1)$, y la cantidad demandada aumenta cuando el precio baja y disminuye cuando el precio sube. Esta es una función inversa, ya que la cantidad demandada (variable dependiente) varía inversamente a los cambios en el precio (variable independiente). Otra hipótesis es la constituida por la proposición de que la cantidad ofrecida de un bien es una función de su precio: $O_1 = f(P_1)$, y que la cantidad ofertada aumenta cuando el precio sube y disminuye cuando el precio baja. Esta es una función directa porque la variable dependiente (la cantidad ofertada) varía directamente o en el mismo sentido que la variable independiente (el precio).

Estas funciones directas e inversas pueden tomar muchas formas, según la magnitud del cambio que experimenta la variable dependiente por cada variación que se da en la variable independiente. Recuerde siempre el lector que los valores de la variable independiente se toman como dados, y que la función, si se formula en términos de una ecuación del tipo que sea, nos permite hallar los valores de la variable dependiente si se nos dan los valores de la variable independiente. A su vez la variable que aparece como independiente en una función concreta puede ser la variable dependiente en otra función.

Las funciones pueden tomar muchas formas de acuerdo con la magnitud del cambio que se produzca en la variable dependiente al variar la variable independiente. La función más sencilla es la llamada función lineal. Por ejemplo, supongamos que la función $y = f(x)$ toma la forma siguiente:

$$y = 3x$$

Esta nos dice que por cada unidad que aumente x, y aumentará en 3 unidades. Así, cuando $x = 1$, $y = 3$; cuando $x = 2$, $y = 6$; cuando $x = 3$, $y = 9$; y así sucesivamente. En este caso y es una función lineal directa de x. Si, por el contrario, tuviéramos la función $y = f(x)$ y ésta tomara la forma:

$$y = -\frac{1}{2}x$$

esta ecuación nos dice que por cada unidad que aumenta x, y disminuye en 0,5. Así, cuando $x = 1$, $y = -0,5$; cuando $x = 2$, $y = -1$; cuando $x = 3$, $y = -1,5$, y así sucesivamente. En este caso decimos que y es una función lineal inversa de x.

En ambos casos la variable dependiente varía siempre en la misma magnitud por cada cambio en una unidad que se dé en la variable independiente. En el primer caso, por cada aumento de una unidad en el valor de x, y incrementa de valor en 3 unidades. En el segundo caso, por cada aumento de una unidad que se dé en x, y disminuye en 0,5. Más adelante veremos cómo la representación gráfica de esta función lineal toma la forma de una línea recta. De ahí que se le llame función lineal.

También la función lineal puede tomar la forma siguiente:

$$y = 10 + 2x$$

Esta función sólo se diferencia de las dos anteriores en que y no es sólo igual al valor de x multiplicado por el coeficiente que la preceda, sino que es igual a x multiplicado por su coeficiente más una cantidad constante (en este caso 10). Si damos valores a x, a través de esta ecuación podemos obtener los correspondientes valores de y, tal como se muestra en la Tabla 4.1.

TABLA 4.1

x	y
0	10
1	12
2	14
10	30
50	110

Según la función formalizada en esta ecuación, cuando $x = 0$, el término $2x = 0$, y, en consecuencia, $y = 10$; cuando $x = 1$, $2x = 2$, y, en consecuencia, $y = 12$ $(10 + 2)$. La ecuación que representa a una función entre dos variables expresa la forma exacta en la que varía la variable dependiente al cambiar la variable independiente. Al número que precede a la variable independiente (el 2 en este caso) se le llama coeficiente o parámetro, magnitud que expresa la relación entre x e y. Las funciones lineales son representadas por ecuaciones de primer grado; es decir, por ecuaciones que no incluyen ningún miembro elevado a una potencia (al cuadrado, al cubo, etc.).

Otro tipo de función es la llamada función cuadrática, debido a que es representada por una ecuación de segundo grado o que incluye algún miembro elevado al cuadrado. Así, si la función $y = f(x)$ toma la forma:

$$y = 5 - 2x + x^2$$

decimos que es una función cuadrática, debido a que la ecuación que la representa incluye entre sus miembros a x^2. Pero esta ecuación no hace más que formular de manera precisa la relación que existe entre x e y. Así, si le damos valores a x obtenemos la siguiente Tabla 4.2.

TABLA 4.2

x	y
0	5
1	4
2	5
3	8
4	13
10	85
50	2.405

Cuando $x = 0$, $-2x = 0$, y $x^2 = 0$ (0 elevado a cualquier potencia es 0), y, en consecuencia, $y = 5$; cuando $x = 1$; $-2x = -2$ $(-2 \times 1 = -2)$ y $x^2 = 1$, (1 elevado a cualquier potencia es igual a 1), y, en consecuencia, $y = 4$ $(5 - 2 + 1 = 4)$; cuando $x = 2$, $-2x = -4$, y $x^2 = 4$, y, en consecuencia, $y = 5$ $(5 - 4 + 4 = 5)$; y cuando $x = 50$, $-2x = -100$, y $x^2 = 2.500$, y, en consecuencia, $y = 2.405$ $(5 - 100 + 2.500 = 2.405)$. Recomendamos al lector que calcule algunos valores de y al darle a x otros valores que no aparecen en la Tabla 4.2. Lo importante que se debe notar es que la función cuadrática expresa que la variable dependiente crece en mucha mayor magnitud que la independiente: exactamente crece en una magnitud igual al cuadrado del valor que tome la variable independiente (multiplicado además por el coeficiente que precede a la variable independiente).

Existen funciones cúbicas, de cuarto grado, etc., según el exponente al que esté elevado el miembro de la ecuación representativo de mayor grado exponencial. Existen también las llamadas funciones logarítmicas, las exponenciales y las trigonométricas. Nosotros no utilizaremos en este curso más que las funciones lineales, que obviamente son las más sencillas.

Por otra parte, las funciones pueden expresar la relación entre más de dos variables (a las funciones en las que sólo intervienen dos variables se les llama funciones de una variable, ya que existe una sola variable explicativa). Veremos, al hablar de la demanda de un bien determinado, cómo la cantidad demandada de éste es una función de su precio, del precio de los bienes sustitutivos y complementarios que éste tenga, de la renta de los consumidores, de la población y de otras variables más. Cuando existen dos o más variables explicativas en la función, a ésta se le llama función de dos, tres, cuatro, etc., variables, funciones que a su vez pueden ser lineales, cuadráticas, cúbicas, etc. En todas ellas tenemos siempre una variable dependiente o variable que se desea explicar en función de una o más variables que pueden afectar cada una de ellas de forma directa o inversa a la variable dependiente.

Por ejemplo, podemos formular la hipótesis de que la cantidad demandada de carne de ternera es una función del precio de ésta y del precio de la carne de cordero, $D_t = f(P_t, P_c)$. Esta relación funcional puede tomar la forma siguiente:

$$C_t = 100 - 0,3P_t + 0,1P_c$$

donde C_t es la cantidad demandada de carne de ternera, P_t el precio de ésta y P_c el precio de la carne de cordero. El signo negativo delante de P_t nos indica que la relación es inversa entre la cantidad demandada de carne de ternera y el precio de ésta (a mayor precio se demanda menos y a menor precio se demanda más); y el signo positivo delante de P_c indica que la relación entre la cantidad demandada de carne de ternera y el precio de la carne de cordero es directa: al aumentar el precio de la carne de cordero, la cantidad demandada de carne de ternera aumenta (debido a que los consumidores compran menos carne de cordero y la sustituyen comprando mayor cantidad de carne de ternera). A los coeficientes $-0,3$ y $0,1$ y al factor 100 se les llama parámetros.

El coeficiente $-0,3$ expresa la relación existente entre la cantidad demandada de carne de ternera y el precio de ésta: por cada peseta que aumenta el precio, disminuye la cantidad demandada en 300 gramos (0,3 de kg. si C está expresada en kgs.): mientras que el coeficiente 0,1 indica que por cada aumento de una peseta en el precio del kg. de carne de cordero, la cantidad demandada de carne de ternera aumenta en 100 gramos. La función formulada en términos de ecuación constituye una regla para pasar del valor de las variables independientes al de la variable dependiente.

Naturalmente, estamos suponiendo que ésta es la relación funcional exacta que existe entre las variables, relación que ha podido ser calculada por métodos estadísticos.

Generalmente, nosotros vamos a utilizar sólo la notación funcional $D = f(P)$, sin explicitar más la relación existente entre las variables. Aunque no conozcamos la forma precisa que toma la relación funcional entre dos variables, el formularla de esta manera general es útil, ya que en el análisis que realizamos aquí no es tan importante la forma exacta que toma esta relación como las características que tiene (si es directa o es inversa, y si la variable dependiente reacciona con mayor o menor intensidad ante variaciones en la variable o las variables independientes).

LA REPRESENTACION GRAFICA DE LAS RELACIONES FUNCIONALES

Las funciones pueden ser representadas geométricamente por medio de gráficos y diagramas, y éstos se construyen utilizando los ejes de coordenadas cartesianas. Veamos en primer lugar en qué consisten estos ejes de coordenadas cartesianas.

Los diagramas y los gráficos generalmente representan líneas, y las líneas están formadas por puntos (una línea se define por una sucesión de puntos). La mayor parte de las personas pueden localizar una ciudad en un mapa o una calle en un callejero si se les da la información de que ésta se encuentra en el cuadro E3. El mapa tendría las letras A, B, C, ..., en el borde inferior, y los números 1, 2, 3, ..., en el borde izquierdo, tal como se muestra en la Figura 4.1. La ciudad o la calle estaría localizada en el punto de confluencia de la columna E con la fila 3. El lector que haya practicado el juego de los barcos recordará que cuando en él se dispara, los obuses se supone que caen en el punto identificado por una letra y un número, al igual que se hace en los mapas.

FIGURA 4.1   FIGURA 4.2

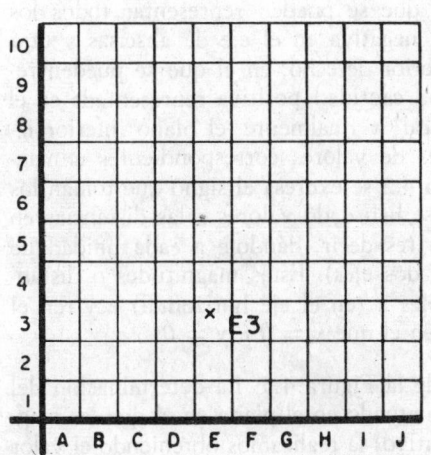

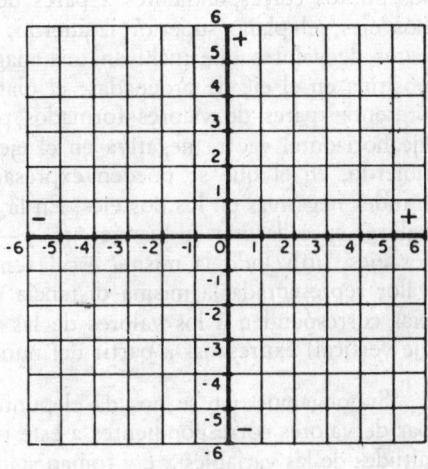

Este mismo principio es el que se utiliza para localizar un punto en el espacio descrito por unos ejes de coordenadas. Estos ejes se construyen trazando dos líneas que se corten perpendicularmente (formando ángulos rectos), líneas que son equivalentes a los bordes del mapa. A estas líneas se les llama ejes, y al punto en el que se cortan se les denomina origen de los ejes. Véase la Figura 4.2. Al eje vertical se le llama eje de ordenadas, y al eje horizontal se le denomina eje de abscisas. Estos ejes son conocidos como ejes de coordenadas cartesianas en honor del filósofo y matemático francés René Descartes (1586-1650) que fue su inventor.

La finalidad de los ejes es servir de instrumento gráfico para representar valores o magnitudes. En cualquier línea nosotros podemos representar valores, como hacemos con las reglas, con las que representamos distancias.

Pues bien, lo mismo se puede hacer con los ejes, pero con la ventaja inmensa de que no sólo representamos valores en una sola dimensión y, por lo tanto, únicamente podemos representar una variable (en el caso de la regla, la distancia, aunque igualmente podríamos representar kgs., grados de temperatura, o cualquier otra magnitud), sino que nos es posible representar dos variables, al tener dos dimensiones: la horizontal y la vertical.

Pero no sólo podemos representar valores en las líneas, sino que además los ejes, al cortarse, definen cuatro planos, lo que nos permite expresar todas las posibles combinaciones de los valores de dos variables. Veamos cómo. Al punto donde se cortan los ejes se le da el valor de cero. A partir de este punto 0 se dan a los ejes valores crecientes positivos y negativos: al eje horizontal o de abscisas se le dan valores crecientemente positivos hacia la derecha del punto cero, y crecientemente negativos a la izquierda de él; y al eje vertical o de ordenadas se le dan valores crecientemente positivos hacia arriba del punto cero, y crecientemente negativos hacia abajo de él, tal como se hace en la Figura 4.2.

Esto amplía enormemente las posibilidades de representar pares de valores, ya que los dos ejes, al cortarse y dárseles valores positivos y negativos en la forma en que se hace, definen cuatro planos: el plano superior derecho, que incluye todos los puntos correspondientes a pares de valores positivos (uno de cada eje) en los dos ejes; el plano superior izquierdo, en el que se pueden representar todos los pares de valores que incluyan una magnitud negativa en el eje de abscisas y otra positiva en el eje de ordenadas; el plano inferior derecho, en el que se pueden representar pares de valores formados por una cantidad positiva representada en el eje horizontal y otra negativa en el eje vertical; y finalmente, el plano inferior izquierdo, en el que se pueden expresar pares de valores correspondientes a magnitudes negativas en los dos ejes. En la Figura 4.2 se expresa el signo que toman los valores en cada uno de los ejes (+ y —), y se han dado valores a las distancias en los ejes, utilizando la misma escala en éstos (es decir, dándole a cada unidad de valor representada la misma distancia en los dos ejes). Estas magnitudes o distancias corresponden a los valores de las variables x (en el eje horizontal) e y (en el eje vertical) expresadas a partir del punto 0, en el que $x = 0$ e $y = 0$.

Supongamos que se nos da el punto P_1 de la Figura 4.3. La determinación del par de valores correspondientes a este punto (situado en el plano en el que las magnitudes de las variables x e y toman signo positivo) la realizamos obteniendo el valor de la distancia que le corresponde en el eje horizontal (3) y en el eje vertical (4). Así, vemos que el punto P_1 está situado sobre una línea recta vertical que está colocada a la distancia *03* a la derecha del eje *0y,* y sobre una línea recta horizontal que está situada a la distancia *04* por encima del eje *0x.* En consecuencia, el punto P_1 *(x, y)* corresponde al par de valores *(3,4).* Podemos llegar al punto P_1 partiendo del origen de los ejes (el punto *0*), moviéndonos la distancia *03* sobre el eje *0x,* y después ascendiendo por la línea *3P₁* (que es paralela al eje *0y*) en una distancia *04.*

FIGURA 4.3

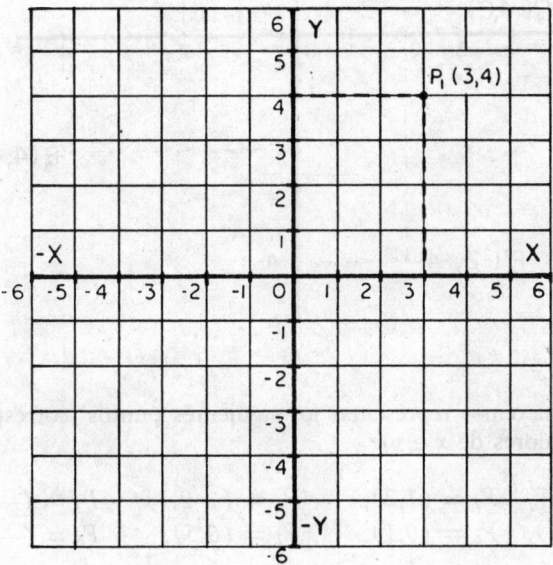

De hecho, si recorremos esas distancias sólo podemos alcanzar un punto, y éste es el punto P_1. Un par de valores dados de *x* e *y* (un valor de *x* y otro de *y*) sólo pueden llevarnos a un único punto situado en alguno de los cuatro planos o sobre alguno de los ejes. Dicho de otra forma, la localización del punto P_1 viene definida de forma inequívoca y única por el par de valores *(x, y)* que en este caso es *(3,4).* Los valores *3* y *4* son llamados las coordenadas del punto P_1. Dado que el valor *3* de la variable *x* y el valor *4* de la variable *y* representan distancias paralelas (las distancias *4P₁* y *3P₁*) a unos ejes que 'se cortan formando ángulos rectos, a estas coordenadas se les llama coordenadas rectangulares, para distinguirlas de otros tipos de coordenadas distintas de las cartesianas.

Si tenemos varios puntos, les podemos llamar P_1, P_2, P_3, ..., etc., y sus coordenadas son descritas por *(x₁ y₁), (x₂, y₂), (x₃, y₃),* etc. Si el punto en cuestión está situado a la izquierda del eje vertical, entonces indicamos esto colocando el signo — (menos) delante del valor de la coordenada *x;* y si el punto está colocado por debajo del eje horizontal, entonces colocamos el signo — delante del valor de la coordenada *y.*

FIGURA 4.4

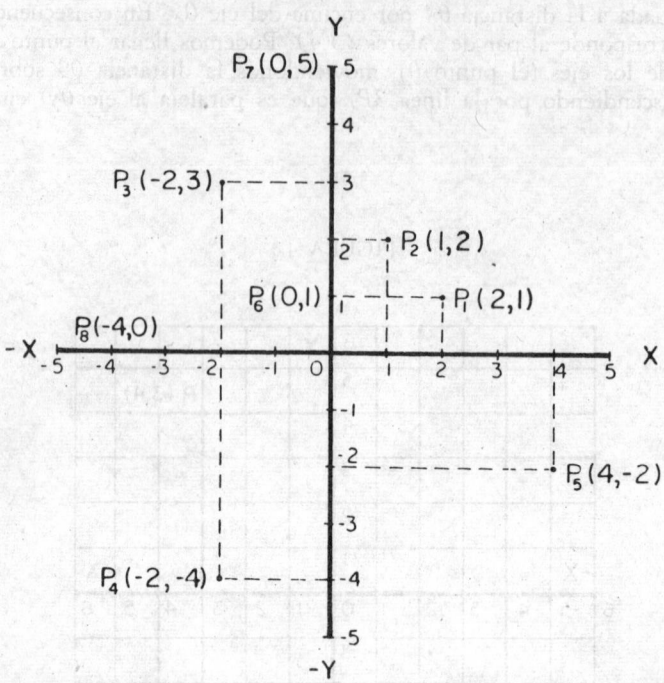

Supongamos que queremos representar los siguientes puntos (correspondientes cada uno a un par de valores de x e y):

$$P_1 = (2,1); \quad P_2 = (1,2); \quad P_3 = (-2,3); \quad P_4 = (-2,-4)$$
$$P_5 = (4,-2); \quad P_6 = (0,1); \quad P_7 = (0,5); \quad P_8 = (-4,0)$$

En la Figura 4.4 hemos representado estos puntos. El lector debería asegurarse de que comprende bien la representación de los puntos, y de que es capaz de representar cualquier otro par de valores de x e y. Todos los pares de valores que tengan signo positivo para x e y se representan en el cuadrante superior derecho; todos los puntos o pares de valores en los que el valor de la variable x tome signo negativo y el de la variable y tome signo positivo son representados en el plano superior izquierdo; todos los puntos correspondientes a pares de valores en los que x tome un valor positivo e y un valor negativo son representados en el cuadrante inferior derecho, y todos los pares de valores de x e y en los que ambas variables tomen valores negativos se representan en el plano inferior izquierdo.

Del mismo modo, todos los puntos del eje vertical representan pares de valores en los que y toma la magnitud correspondiente a cada punto, y x tiene valor cero; así, el punto $P_7 = (0,5)$. Todos los puntos del eje horizontal representan pares de valores en los que x toma el valor correspondiente a cada punto, e y tiene valor cero; así, el punto $P_8 = (-4,0)$. Véase la Figura 4.4.

En el epígrafe anterior hemos visto cómo toda relación funcional entre dos variables formulada en forma de una ecuación expresa una regla, por la que se obtiene el valor de la variable dependiente a partir de un valor dado de la variable independiente: la ecuación expresa exactamente en qué magnitud varía la primera al variar la segunda. Esto implica que para cada valor de la variable independiente existe, como mínimo, un valor de la variable dependiente, lo cual nos da una serie de pares de valores, uno correspondiente a *x* y otro correspondiente a *y*. Cada uno de estos pares puede ser representado en unos ejes de coordenadas.

Supongamos que tenemos una función cuya ecuación nos da los siguientes pares de valores:

TABLA 4.3

x	y
—6	—3
—4	—2
—2	0
—1	2
0	3
2	2
3	0
5	—2

Suponemos que la ecuación es tal que dándole valores a *x* desde — 6 hasta 5 obtenemos los correspondientes valores de *y*: cuando $x = -6, y = -3$; cuando $x = -4, y = -2$, etc.

FIGURA 4.5

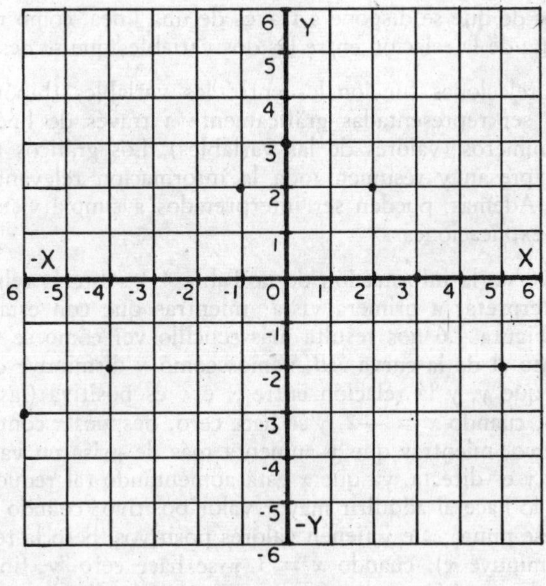

FIGURA 4.6

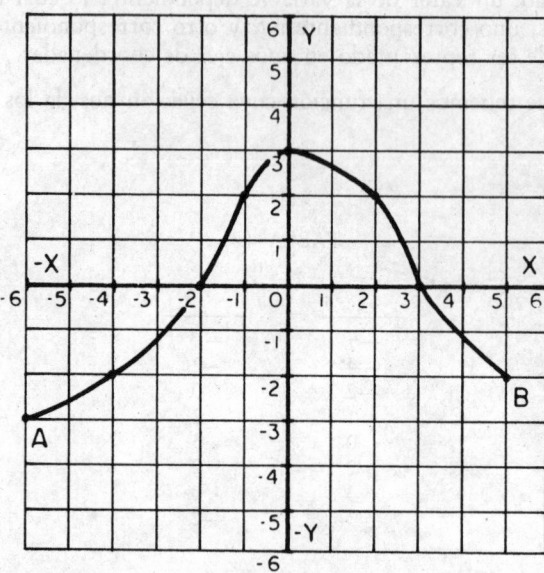

Estos pares de valores los representamos en los ejes de coordenadas por un conjunto de puntos (tantos como pares), tal como se hace en la Figura 4.5. Si unimos todos estos puntos, obtenemos la línea que aparece en la Figura 4.6. La línea se define como una sucesión de puntos. Al trazar esta línea a partir de sólo ocho puntos, sabiendo que la línea AB obviamente tiene muchos más de ocho puntos, hemos supuesto que disponemos de todos los pares de valores de x e y correspondientes a todos los puntos de la curva AB. Nunca se dispone de todos los pares de valores correspondientes a una línea representada en un gráfico; no obstante, se unen los puntos de que se dispone a través de una línea, como medio de obtener una visión más clara de la relación entre las dos variables que se desea analizar.

Así pues, las relaciones funcionales entre las variables (hipótesis de comportamiento) pueden ser representadas gráficamente a través de líneas que expresan relaciones entre números (valores de las variables). Los gráficos tienen la enorme ventaja de que expresan y resumen toda la información relevante de una forma concisa y precisa. Además, pueden ser interpretados a simple vista y evitan la necesidad de largas explicaciones.

Como puede verse, la información de la Tabla 4.3 sobre la relación entre x e y no es fácil de interpretar a primera vista; mientras que con esta información representada en la Figura 4.6 nos resulta más sencillo ver cómo se relacionan x e y. Partiendo del punto A de la curva AB, vemos cómo x disminuye de valor negativo más rápidamente que y, y la relación entre x e y es positiva (las dos disminuyen de valor negativo); cuando $x = -2$, y se hace cero; después x continúa disminuyendo de valor negativo, mientras que y aumenta más de prisa en valor positivo, y la relación entre x e y es directa, ya que x está aumentando (al reducir su valor negativo) e y también lo hace al adquirir mayor valor positivo; cuando $y = 3$, x se hace cero; a partir de ese punto, x e y tienen valores positivos, pero la relación es inversa (aumenta x y disminuye y); cuando $x = 3$, y se hace cero, y, finalmente, x sigue aumentando de valor positivo, mientras que y continúa disminuyendo, ya que ésta va adquiriendo valores negativos cada vez mayores (su valor es cada vez menor, debido a que va incrementando su magnitud negativa), y la relación entre *x* e *y* sigue siendo inversa.

Generalmente, utilizaremos el cuadrante superior derecho, en el que las dos variables toman valores positivos, ya que existen pocas variables económicas que sean concebibles en términos negativos. El precio de los bienes, la cantidad demandada y ofertada de éstos, los salarios, los costes totales y medios, la producción total, la Renta Nacional, etc., son variables que sólo pueden tener valores positivos o cero. Algunas otras variables, como la utilidad marginal, el coste marginal o el ingreso marginal (véase el Capítulo 5 para la definición de valor marginal) veremos que pueden tomar valores negativos, y para representarlos utilizaremos el cuadrante inferior derecho. A pesar de que sólo utilicemos dos de los cuadrantes de los cuatro determinados por los ejes de coordenadas, nosotros siempre dibujaremos éstos de tal manera que quede claro que entendemos que son cuatro los planos, alargando los ejes de *x* e *y* un poco a partir del punto 0 en la dirección en que toman valores negativos, como se hace en la Figura 4.7.

Cada tipo de función (o relación funcional entre dos variables), cuando se la representa gráficamente, da lugar a una línea con una forma determinada. Supongamos la función cuya ecuación es:

$$y = 2x$$

Esta es, como sabemos, una ecuación lineal que nos dice que por cada unidad que aumenta *x*, *y* incrementa de valor en dos unidades. La función es, pues, directa, ya que *x* e *y* cambian en el mismo sentido. Su representación gráfica sería la que muestra la Figura 4.7. Su representación toma la forma de una línea recta que arranca del origen de los ejes. Para constatar estas dos afirmaciones no tenemos más que dar valores a *x* de *0* a *4*: cuando *x = 0, y = 0* (por lo tanto, el primer punto de esta línea para valores no negativos de *x*, es el punto *(0,0)*; cuando *x = 1, y = 2*; cuando *x = 2, y = 4 (y = 2x = 2 × 2 = 4)*; cuando *x = 3*, — — *y = 6 (y = 2x = 2 × 3 = 6)*; y cuando *x = 4, y = 8 (y = 2x = 2 × 4 = 8)*. Uniendo estos cuatro puntos obtenemos una línea recta con pendiente positiva y constante.

FIGURA 4.7

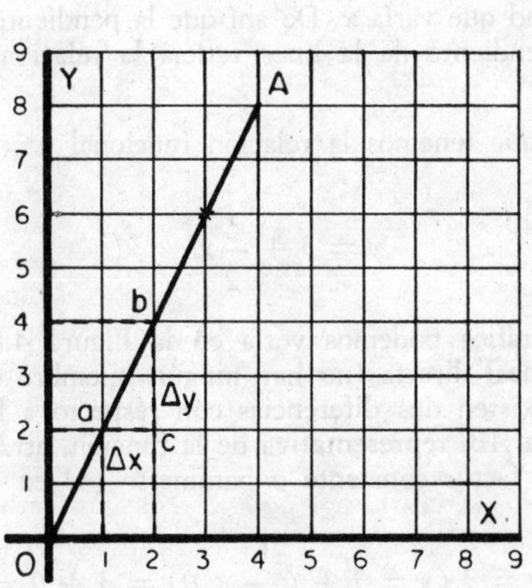

FIGURA 4.8

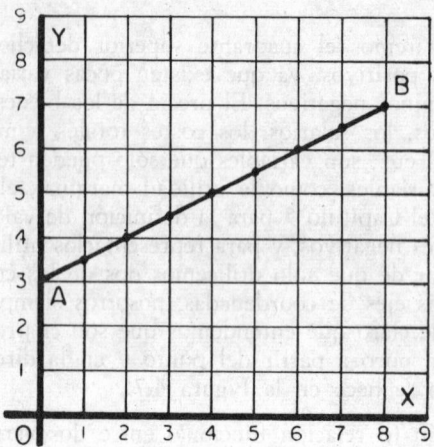

La pendiente de una línea en cualquiera de sus tramos la obtenemos como la razón entre el cambio que se produce en el valor de *y* cuando varía *x* (el cociente entre el cambio en el eje vertical y el cambio en el eje horizontal). En este caso, la pendiente de la línea *OA* en su tramo *ab* viene dada por la razón

$$\frac{\Delta y}{\Delta x} = \frac{2}{1} = 2$$

Δy es igual a la distancia *bc*, que llevada al eje vertical corresponde a dos unidades (al pasar de 2 a 4 en este eje); y Δx (el símbolo Δ corresponde a la letra griega delta y significa cambio en la variable a la que precede) es igual a la distancia *ac*, que llevada al eje horizontal corresponde a una unidad (al pasar *x* de un valor 1 a un valor 2). La relación entre *x* e *y*, descrita por la ecuación $y = 2x$ y representada por la línea *OA*, es directa, ya que cuando aumenta *x* se incrementa *y*. La magnitud en que cambia *y* al variar *x* es siempre la misma: *y* varía en dos unidades por cada unidad que varía *x*. De ahí que la pendiente de la línea *OA* sea constante, ya que la pendiente de la línea refleja la relación funcional entre las dos variables.

Supongamos ahora que tenemos la relación funcional $y = f(x)$, expresada por la ecuación:

$$y = 3 + \frac{1}{2}x$$

Su representación gráfica podemos verla en la Figura 4.8. Aquí también se trata de una función lineal directa (no hay ningún miembro elevado al cuadrado en la ecuación) Pero existen dos diferencias con respecto a la anterior ecuación. En primer lugar, la línea *AB*, representativa de la función, arranca del punto *(0,3)*, debido a que existe un factor constante o parámetro *(3)* en la ecuación que nos indica que cuando

$$x = 0, y = 3 \; (y = 3 + (\frac{1}{2} \times 0) = 3 + 0 = 3)$$

En segundo lugar, la pendiente de la línea AB es menor que 1, ya que el coeficiente $\frac{1}{2}$ delante de x nos indica que por cada unidad que aumenta x, y sólo incrementa en $\frac{1}{2}$. Como veremos, ésta suele ser la forma de la curva de oferta de los bienes, que relaciona la cantidad ofertada de un bien con su precio (una relación directa entre las variables).

Supongamos ahora la función representada por la ecuación:

$$y = 10 - \frac{1}{2}x$$

FIGURA 4.9   FIGURA 4.10

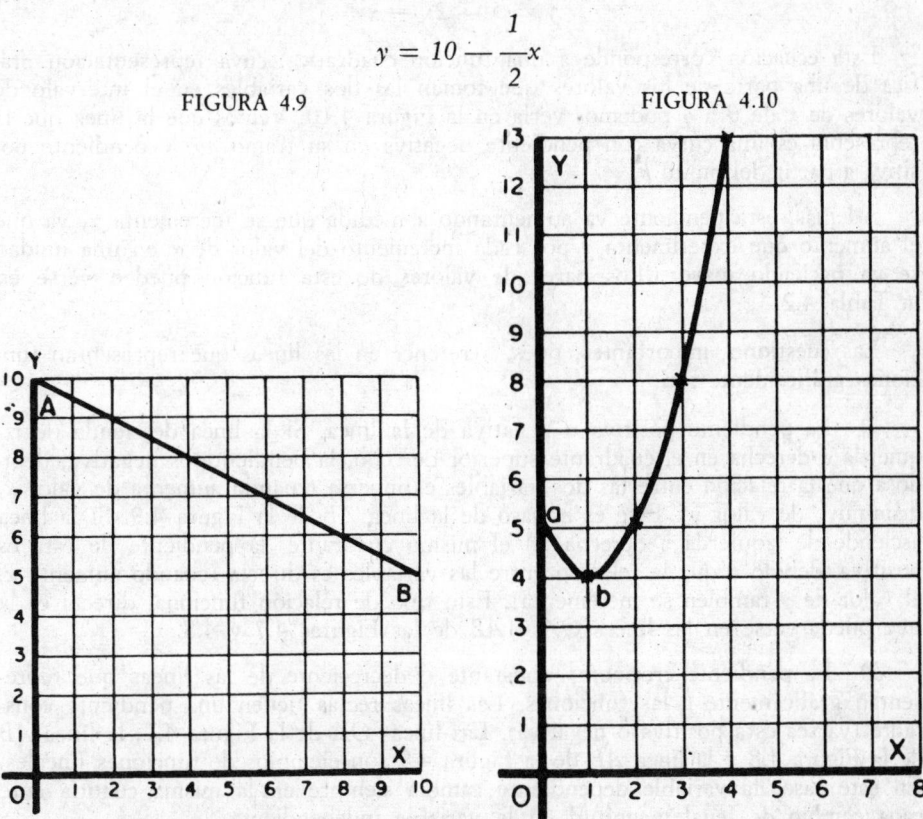

Esta es también la expresión de una función lineal inversa y con un término constante. Su representación gráfica la podemos ver en la Figura 4.9. La lína AB muestra cómo cuando $x = 0$, $y = 10$. Al dar valores crecientes de 1 a 10 a la variable x obtenemos valores cada vez más pequeños de y; ésta disminuye constantemente en la proporción de $\frac{1}{2}$ por cada 1 que aumenta x. En consecuencia, la pendiente es igual a $-\frac{1}{2}$

$$\left(\frac{\Delta y}{\Delta x} = \frac{-\frac{1}{2}}{1} = -\frac{1}{2} : \frac{1}{1} = -\frac{1}{2} \right)$$

Como veremos, ésta es la forma típica de la curva de demanda de los bienes y servicios, que expresa la relación funcional entre el precio de los bienes y las cantidades demandadas. No obstante, señalemos que existe la tradición en Economía de representar la variable dependiente (la cantidad demandada y la ofertada) en el eje de abscisas, y el precio o variable independiente en el eje de ordenadas; justamente lo contrario de lo que generalmente se hace en el análisis gráfico de otros fenómenos. Pero esto, como veremos, no afecta a la utilidad de los gráficos ni complica su empleo y utilización.

Supongamos ahora que tuviéramos la función representada por la ecuación

$$y = 5 - 2x + x^2$$

Esta ecuación corresponde a una función cuadrática, cuya representación gráfica de una parte de los valores que toman las dos variables en el intervalo de valores de x de 0 a 4 podemos verla en la Figura 4.10. Vemos que la línea que la representa es una curva con pendiente negativa en su tramo ab, y pendiente positiva a partir del punto b.

Además, esta pendiente va aumentando a medida que se incrementa x, ya que el aumento que experimenta y por cada incremento del valor de x en una unidad se va haciendo mayor. Los pares de valores de esta función pueden verse en la Tabla 4.2.

Las cuestiones importantes, pues, a retener en las líneas que representan funciones gráficamente son:

a)   La pendiente positiva o negativa de la línea. Si la línea desciende de izquierda a derecha en el cuadrante superior derecho, la pendiente es negativa, debido a que la relación entre las dos variables es inversa (cuando aumenta de valor x, disminuye de valor y). Este es el caso de la línea AB de la Figura 4.9. Si la línea asciende de izquierda a derecha en el mismo cuadrante, la pendiente de ésta es positiva, debido a que la relación entre las variables es directa (cuando aumenta x, el valor de y también se incrementa). Este tipo de relación funcional directa es la que puede verse en las líneas OA y AB de las Figuras 4.7 y 4.8.

b)   La pendiente creciente, constante o decreciente de las líneas que representan gráficamente a las funciones. Las líneas rectas tienen una pendiente constante (ya sea ésta positiva o negativa). Las líneas OA de la Figura 4.7, la línea AB de la Figura 4.8 y la línea AB de la Figura 4.9 son ejemplos de funciones lineales. En este caso, la variable dependiente cambia siempre en la misma cuantía ante cada cambio de igual magnitud en la variable independiente.

Las funciones no lineales (cuadráticas, cúbicas, logarítmicas, etc.) son representadas por líneas curvas, como consecuencia de que la variable dependiente no cambia siempre en la misma cuantía cuando se va aumentando o disminuyendo la variable independiente en cantidades iguales. La variación de aquélla puede hacerse mayor o menor ante cada cambio de igual magnitud en la variable independiente, cualquiera que sea el signo de la relación entre ellas (directa o inversa).

Así, la Figura 4.10 muestra una curva que a partir de su punto b va aumentando de pendiente (cuando x pasa de 1 a 2, y pasa de 4 a 5; pero cuando x pasa de 2 a 3, y aumenta de 5 a 8; y cuando x pasa de 3 a 4, y pasa de 8 a 12). La relación entre x e y es directa en este tramo de la curva. Recuérdese que las líneas no hacen más que representar la forma de la relación entre las variables que especifica la correspondiente ecuación. La Figura 4:11 muestra la curva correspondiente a una función no lineal directa. Cuando x pasa de *0* a *1*, y pasa de *0* a *a;* cuando x pasa de *1* a *2*, y aumenta de *a* a *b* (la distancia *Oa* es mayor que la distancia *ab*); cuando x pasa de *2* a *3*, y aumenta de *b* a *c* (la distancia *ab* es mayor que la distancia *bc*), y así sucesivamente.

FIGURA 4.11   FIGURA 4.12

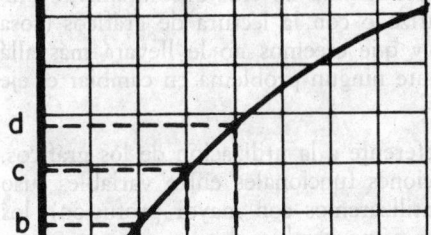
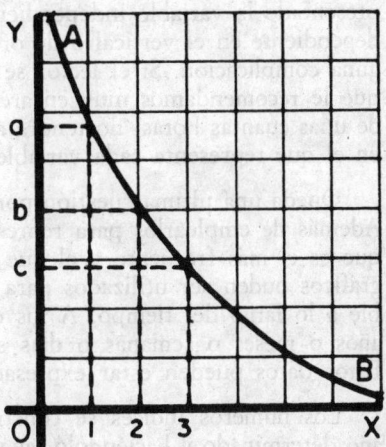

La Figura 4.12 representa una curva que va perdiendo pendiente al descender de izquierda a derecha. La relación entre x e y es inversa. Cuando x aumenta de *1* a *2*, y desciende de *Oa* a *Ob;* cuando x pasa de *2* a *3*, y disminuye de *Ob* a *Oc* (claramente la distancia *ba* es mayor que la distancia *bc*).

c) Finalmente, conviene tener en cuenta la posición de la línea en el plano. Aquí se plantea la cuestión de la escala a la que se representan las magnitudes. Cuando queremos representar la cantidad demandada de kgs. por año de carne de ternera en los países del Mercado Común a sus diferentes precios por kg., obviamente la escala a la que representaremos estas magnitudes será distinta de la que utilizaremos cuando deseamos representar la cantidad demandada de aviones Boeing 707 a distintos precios por unidad de avión. también en estos países. En el primer caso tendremos que representar cantidades demandadas en millones de kgs., mientras que en el segundo caso, las cantidades demandadas serán unas pocas de unidades y los precios varios cientos de millones de pesetas.

Obviamente, esto plantea problemas de la escala a la que se representan las magnitudes en los gráficos, pero estos problemas son fáciles de resolver. Se trata de encontrar la escala más adecuada a los fines analíticos que se pretenden. El lector puede comprobar por sí mismo cómo, dada una tabla de valores para dos variables representada a una escala cualquiera, si se reduce la escala a la que se representa la variable y en el eje vertical (se mantiene la misma escala en el eje horizontal), la línea resultante tendrá menor pendiente que la línea originaria. Si, por el contrario, se aumenta la escala (a cada unidad de valor de la variable y le asignamos la distancia de dos cuadros en lugar de uno), la línea resultante ganará pendiente. Lo mismo ocurre con el eje horizontal: si aumentamos la escala, la línea pierde pendiente; y si la reducimos gana pendiente (manteniendo constante la escala utilizada en el eje vertical).

En cualquier caso, dada una escala determinada, cuanto más separada esté la línea del eje de coordenadas, mayor será el valor de *y* para cada valor de *x*. Esto es cierto, tanto para las líneas que representan funciones directas como para las que representan funciones inversas. Debemos prevenir al lector de que al estudiar la demanda y la oferta a través de gráficos, seguiremos la práctica de representar la variable independiente (el precio) en el eje vertical y la variable dependiente (la cantidad demandada) en el eje horizontal. En toda la explicación que hemos realizado hasta ahora sobre la representación gráfica de las funciones, hemos representado la variable independiente (la *x*) en el eje horizontal o de abscisas, y la dependiente en el vertical o de ordenadas. Este cambio no crea absolutamente ninguna complicación. Si el lector se ha familiarizado con la lectura de gráficos (cosa que le recomendamos muy encarecidamente y que creemos no le llevará más allá de unas cuantas horas) no tendrá absolutamente ningún problema en cambiar el eje en el que representa cada variable.

Queda una última cuestión por señalar referente a la utilización de los gráficos. Además de emplearlos para representar relaciones funcionales entre variables (uso que es el más frecuente y el que nosotros utilizaremos con mayor profusión), los gráficos puden ser utilizados para representar cómo cambia el valor de una variable a lo largo del tiempo. A los datos para una variable referidos a una serie de años o meses o semanas o días se les denomina serie temporal de esa variable. Estos datos pueden estar expresados en valores absolutos o en números índices.

Los números índices se construyen tomando el valor de una variable en un año determinado y haciéndolo igual a 100 (éste es el año base o año de referencia). Después se calcula la variación porcentual experimentada por el valor de la variable en cada uno de los años siguientes con respecto al año base y se le añade a 100. Por ejemplo, supongamos que el kg. de carne de ternera de una clase ha tomado los siguientes valores el día 31 de diciembre de los siguientes años:

TABLA 4.4

Año	Precio en pesetas	N.º Indice 1975 = 100	Tasa de crecimiento anual
1975	350	100	
1976	400	114	14%
1977	480	137	20%
1978	550	157	14%
1979	650	185	18%

En la columna del índice con base en 1975 se muestra el crecimiento porcentual que con respecto a 1975 ha experimentado el precio de la carne de ternera en cada año. Así en 1976 el precio de la carne de ternera aumentó un 14 por 100 respecto a 1975; en 1976 el kg. de carne de ternera tenía un precio superior en un 37 por 100 al que tenía en 1975; en 1979 el precio del kg. de carne de ternera se había casi doblado con respecto a 1975 (había aumentado en un 85 por 100).

En la columna de la tasa de crecimiento anual se muestra el aumento porcentual que el precio del kg. de carne de ternera ha experimentado cada año con respecto al año precedente: en 1976 aumenta en un 14 por 100 respecto a 1975; en 1977 lo hace en un 20 por 100 en relación con 1976; en 1978 se incrementa en un 14 por 100 respecto de 1977, y en 1979 en un 18 por 100 con relación a 1978.

FIGURA 4.13   FIGURA 4.14

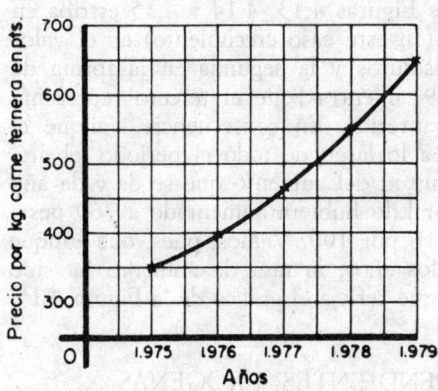
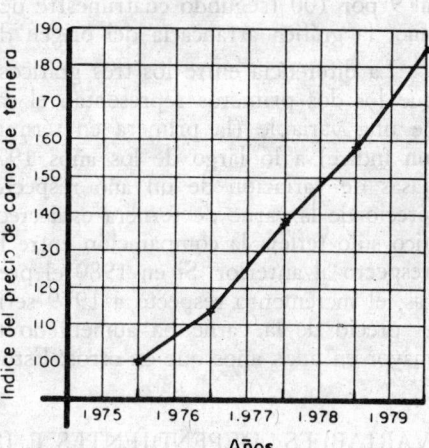

Los tres valores (precios absolutos, índice con base en 1975 y tasa de crecimiento anual) pueden ser representados en gráficos, tal como se hace en las Figuras
4.13 (valores absolutos del precio de la carne), 4.14 (índice con base 1975 = 100),
y 4.15 (tasa de crecimiento anual). En las dos primeras, la tendencia de las variables es al crecimiento continuado, cosa lógica, ya que el valor de cada año es comparado con el de 1975. Por el contrario, en la Figura 4.15 la magnitud de la variable desciende un año respecto al anterior (1978 respecto a 1977). Hay que notar

FIGURA 4.15

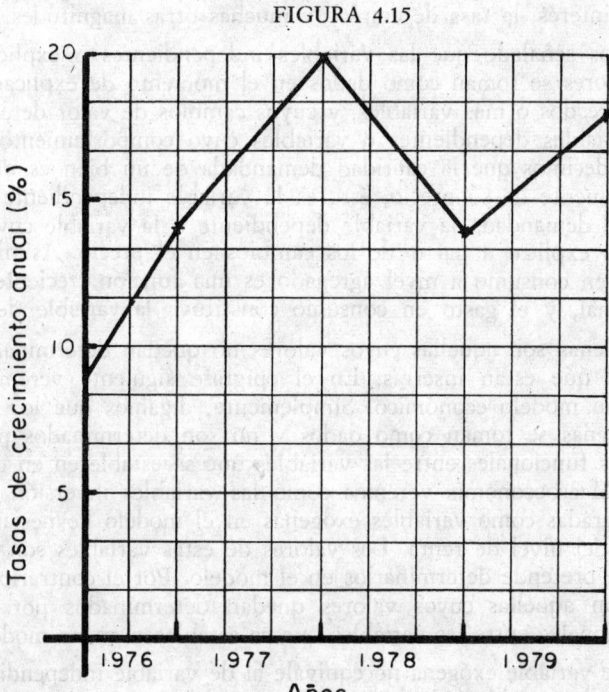

que la gráfica de la Figura 4.15 arranca de una tasa de crecimiento correspondiente al 9 por 100 (segundo cuatrimestre de 1976). Caso de empezar en enero de dicho año, la gráfica arrancaría del origen de coordenadas.

La diferencia entre los tres gráficos de las Figuras 4.13, 4.14 y 4.15 estriba en que los dos primeros representan el cambio (en este caso crecimiento) en el valor de una variable (la primera en términos absolutos y la segunda en la forma de un índice) a lo largo de los años 1975-1979, mientras que el tercero representa tasas de variación de un año respecto del anterior. En consecuencia, aunque el precio de la carne de ternera está creciendo a lo largo de todo el período, el gráfico sólo refleja la comparación entre la magnitud del aumento que se da cada año respecto al anterior. Si en 1980 el precio por kilo hubiera aumentado a 760 pesetas, el incremento respecto a 1979 sería del 16 por 100. Vemos, pues, que aunque el precio de la carne ha aumentado todos los años, la tasa de aumento ha sido mayor en unos años que en otros: Esto es lo que refleja el gráfico de la Figura 4.15.

VARIABLES: DEPENDIENTES E INDEPENDIENTES, EXOGENAS Y ENDOGENAS, STOCK Y FLUJO, DISCRETAS Y CONTINUAS

Prácticamente ya hemos explicado el significado del término variable. Se entiende por variable una magnitud o ente que puede cambiar de valor o tomar distintos valores y en cuyas variaciones estamos interesados, ya sea por su propia importancia o por el efecto e influencia que tienen sobre otras variables. Ejemplos de variables económicas son la cantidad demandada de un bien, la cantidad ofertada de un bien, los costes de producir una cantidad de unidades de un bien, el precio de un servicio, la inversión realizada en un período de tiempo, la Renta Nacional, la tasa de interés, la tasa de empleo y muchas otras magnitudes.

También hemos señalado que las variables independientes o explicativas son aquellas cuyos valores se toman como dados en el momento de explicar una relación funcional entre dos o más variables, y cuyos cambios de valor determinan los valores de las variables dependientes o variables cuyo comportamiento deseamos explicar. Cuando decimos que la cantidad demandada de un bien es una función o depende inversamente de su precio, ésta es la variable independiente o explicativa, y la cantidad demandada la variable dependiente o la variable cuyo comportamiento deseamos explicar a partir de los cambios en el precio. Asimismo, decimos que el gasto en consumo a nivel agregado es una función creciente o directa de la renta nacional, y el gasto en consumo constituye la variable dependiente.

Variables exógenas son aquellas cuyos valores no quedan determinados dentro del modelo en el que están insertas. En el epígrafe siguiente veremos lo que se entiende por un modelo económico. Simplemente, digamos que los valores de las variables exógenas se toman como dados y no son determinados por el conjunto de relaciones funcionales entre las variables que se establecen en un modelo. Por ejemplo, en Macroeconomía veremos cómo las variables inversión y exportaciones son consideradas como variables exógenas en el modelo keynesiano sencillo de determinación del nivel de renta. Los valores de estas variables son tenidos en cuenta, pero no se pretende determinarlos en el modelo. Por el contrario, las variables endógenas son aquellas cuyos valores quedan determinados por el sistema de relaciones funcionales entre las variables que se establecen en un modelo.

El concepto de variable exógena no equivale al de variable independiente. Aunque ésta puede ser la variable independiente en una relación funcional concreta, su valor puede quedar determinado dentro del modelo o conjunto de relaciones funcionales que lo definen. Tampoco son sinónimos los términos variable dependiente y variable endógena.

Las variables stock son aquellas que están referidas a un momento en el tiempo. Por ejemplo, la riqueza (el valor de los activos que un país posee: tierra, edificios, carreteras, maquinaria, etc.) es una variable stock. También lo son la población, las cantidades de los distintos factores y la oferta de dinero. Por el contrario, las variables flujo son aquellas variables que sólo tienen sentido referidas a un período de tiempo. Por ejemplo, el tráfico de coches no tiene sentido si no se expresa diciendo que pasan tantos coches por minuto, por hora o por día por un punto determinado. Ejemplos de variables económicas flujo son: la cantidad demandada de un bien (por mes, día o año), la cantidad producida, la renta, la inversión y el ahorro. Las variables stock han de ser medidas en algún momento en el tiempo, pero no tienen una dimensión temporal. Por el contrario, las variables flujo sólo pueden ser expresadas por unidad de tiempo: la cantidad demandada de un bien por mes, por día o por semana.

Existen otras variables que no son ni stock ni flujo. Por ejemplo, el precio de un bien no necesita de una dimensión temporal, pero tampoco es una magnitud stock. De hecho, el precio puede ser concebido como una razón entre dos flujos: un flujo de dinero que va de los compradores a los vendedores y un flujo (cantidad por unidad de tiempo) de bienes que va de los vendedores a los compradores. La variable gasto en consumo agregado como porcentaje de la Renta Nacional es también una razón entre dos flujos: el gasto en consumo y la Renta Nacional.

Por último, cabe señalar la diferencia entre variables discretas y continuas. Las primeras son aquellas cuyo aumento o disminución sólo tiene sentido referidos a cantidades concretas; por ejemplo, al medir el número de coches producidos por año, carece de significado el decir que ha sido de 4.000,1 automóviles; o bien, que el número de habitantes de una población es de 3.500,7. Más sencillamente, se trata de magnitudes cuya variación debe tener, como mínimo, un valor concreto, y que deben venir expresadas mediante números enteros. Las segundas son aquellas que pueden variar en una cantidad tan pequeña como se desee (lo que en Análisis Matemático se denomina un infinitésimo). Ejemplos de éstas son la temperatura (un grado es divisible en décimas, centésimas, cienmillonésimas, etc.), la altura y, en general, todas las que pueden expresarse mediante números no enteros.

Como puede suponerse, la mayoría de las magnitudes económicas son discretas; sin embargo, en la práctica se suelen tomar como continuas, debido a las interesantes propiedades que presentan las funciones construidas con variables de este último tipo, siendo una de las más importantes la posibilidad de definir valores marginales, concepto clave en la Microeconomía, como veremos más adelante.

MODELOS ECONOMICOS

El estudio de los fenómenos económicos presenta problemas muy difíciles de resolver, debidos en buena medida a que los economistas, al igual que los demás científicos sociales, no pueden realizar experimentos en laboratorios a través de los cuales contrastar sus teorías sobre el comportamiento de los individuos y de las variables. El laboratorio del economista es el propio sistema económico. Los experimentos que hubieran de realizar utilizando el sistema económico como campo de experimentación no serían aceptados ni aceptables para los individuos miembros de una sociedad, además de que resultarían enormemente costosos.

Por otra parte, los experimentos empleando el sistema económico en su conjunto no podrían ser realizados bajo condiciones controladas, ya que no sería posible hacer que permanecieran constantes unos factores o variables y excluir a otros. Los economistas, en consecuencia, no pueden aislar una comunidad de individuos y someterlos a diferentes políticas económicas para observar sus reacciones. Sólo pueden servirse de las observaciones hechas en el pasado sobre el comportamiento de los agentes y de las variables económicas para intentar predecir cómo reaccionarán los individuos ante nuevas políticas económicas.

Para suplir en parte la imposibilidad de utilizar laboratorios, los economistas contrastan sus teorías a través del uso de modelos. Los modelos son abstracciones o visiones simplificadas de la realidad realizados en orden a poder estudiar el comportamiento de determinadas variables. Los modelos muestran relaciones entre un número seleccionado de variables que se consideran más significativas para analizar el comportamiento de éstas en el contexto de un fenómeno concreto, y poder así realizar predicciones cuantitativas acerca de este comportamiento.

Un modelo económico consiste en un conjunto o grupo de relaciones, cada una de las cuales incluye, al menos, una variable que también aparece en, al menos, otra relación que también es parte del modelo. Por ejemplo, un modelo que nosotros veremos más ampliamente en capítulos posteriores, es el de la determinación del precio y la cantidad comprada y vendida de un bien. Formalmente, éste se especifica así:

$$D_1 = f(P_1)$$
$$O_1 = f(P_1)$$
$$D_1 = O_1$$

donde la cantidad demandada del bien $1(D_1)$ es una función inversa de su precio; la cantidad ofertada del bien 1 (O_1) es una función directa de su precio; y la condición de equilibrio (véase el Capítulo 8) de mercado del bien 1 se cumple cuando la cantidad demandada es igual a la cantidad ofertada.

FIGURA 4.16

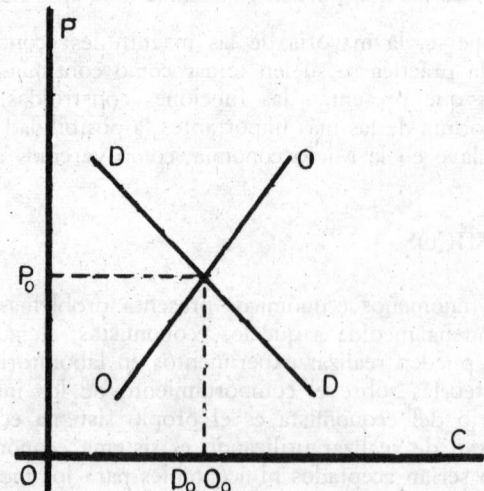

Si la cantidad demandada es una función decreciente del precio, la curva que representa esta función tendrá una pendiente negativa y decrecerá de izquierda a derecha, tal como muestra la curva de demanda *DD* de la Figura 4.16. Del mismo modo, si la cantidad ofertada del bien 1 es una función creciente del precio de este bien, entonces la curva de oferta que representa esta función tendrá una pendiente positiva (crecerá de izquierda a derecha), como puede verse en la Figura 4.16 que ocurre con la curva *OO*. Si las curvas de oferta y demanda cumplen estos requisitos, entonces tienen que cortarse necesariamente, determinando en el punto en el que se cortan el precio y la cantidad que se compra y se vende, y cumpliendo la condición de equilibrio $D_l = O_l$ del modelo.

En este modelo se emplean dos relaciones funcionales (las cantidades demandada y ofertada son ambas función del precio), una condición de equilibrio $(D_l = O_l)$, tres variables $(D_l, O_l$ y $P_l)$, y tres ecuaciones. En el modelo se supone que los demás factores que influencian o de los que dependen la demanda (tales como los precios de otros bienes sustitutivos del bien 1, la renta de los consumidores, sus gustos o preferencias, la población, etc.) y la oferta (los precios de otros productos, los precios de los factores de la producción, el estado de la tecnología, etc.). permanecen constantes (se utiliza la condición *céteris páribus*). De esta forma, el economista trata de crear las condiciones del experimento controlado de laboratorio.

Una vez que el modelo es construido, se introduce un cambio en una de las variables y se observan los efectos sobre los valores de todas las variables empleadas en el modelo. El resultado observado le puede permitir al economista predecir de qué manera y en qué cuantía aproximada un cambio similar en alguna de las variables del modelo puede afectar a las demás variables. Por ejemplo, con el modelo sencillo de determinación del precio y la cantidad comprada y vendida arriba expuesto, se puede predecir que cualquier fenómeno que haga reducir la oferta (una mala cosecha, si el bien 1 es un producto agrícola) producirá, *céteris páribus,* un aumento del precio y una reducción en la cantidad comprada y vendida del bien 1; asimismo, un impuesto que grave el bien 1, tenderá a aumentar el precio del bien para los consumidores, reducirá los ingresos netos de los productores y hará disminuir la cantidad comprada y vendida del bien 1.

En los modelos los economistas utilizan lo que conocen o lo que creen que conocen sobre el comportamiento de los individuos, la tecnología o las instituciones, en orden a poder hacer predicciones sobre el comportamiento de los sujetos y de las variables, predicciones que serán más o menos precisas y específicas según lo que se conozca sobre el fenómeno que se desea estudiar. Técnicamente el modelo tiene unas exigencias. El modelo ha de tener tantas ecuaciones (expresión de relaciones funcionales) como incógnitas haya en el sistema que se desea modelizar; es decir, deben definirse a través de ecuaciones tantas relaciones funcionales como variables endógenas incluya el modelo. A medida que avanza el conocimiento económico algunos modelos son desechados y sustituidos por otros más precisos y completos. A pesar de sus imperfecciones, los modelos están arrojando luz sobre el comportamiento de los elementos individuales del sistema de relaciones definido por aquéllos, lo cual sirve de ayuda a los economistas en sus intentos de comprender la lógica subyacente a la economía y al comportamiento de los agentes y de las variables económicas.

En la actualidad se construyen gran cantidad de modelos para explicar y predecir sectores o áreas de la economía e incluso el conjunto de ésta. Por ejemplo, se puede construir un modelo para predecir las ventas de la industria del automóvil. En este modelo se partiría del supuesto de que la tasa (el porcentaje) de crecimiento de las ventas de coches depende de factores tales como: la estructura por edad y renta de la población, la seguridad en el empleo y la disponibilidad de crédito (la mayor o menor facilidad con la que los individuos pueden obtener crédito y el tipo de interés que se paga por él), los costes de la gasolina y de las reparaciones y del mantenimiento de los coches, el peaje de las autopistas y los precios de los coches importados. También dependerían las ventas de los precios de los distintos modelos de coches; los cuales a su vez dependerían de los salarios, de los costes de la energía, de los materiales y de las piezas; de los impuestos; y del tipo de interés de los créditos. Asimismo, los precios de los coches pueden depender del volumen de producción de las empresas del ramo, ya que dentro de unos márgenes de producción, el fabricar más coches puede que reduzca el coste por coche.

Se puede construir un modelo que tome en consideración todas estas condiciones. Pero debido a que un modelo es siempre una visión simplificada de la realidad (equivalente a lo que es un mapa o un plano respecto de la realidad), deben dejarse fuera de él muchos factores o variables que pueden tener una influencia sobre las ventas. Por ejemplo, las innovaciones tecnológicas que pueden reducir los costes, nuevas actitudes de los consumidores sobre el gasto y el ahorro, o una nueva legislación que afecte a las condiciones de compras y ventas. El omitir estas otras influencias permite al economista predecir el efecto del cambio en una sola variable sobre las ventas de coches: una mejora en las condiciones del crédito, un aumento en el coste de la gasolina o un incremento en la tasa de desempleo. Pero estas predicciones generalmente no son muy precisas.

Aunque el avance de la Teoría Económica, la mejora de la cantidad y calidad de los datos estadísticos, y los enormes progresos en las técnicas de computación y simulación han permitido construir modelos útiles sobre gran número de sectores económicos, sobre las exportaciones y las importaciones, y sobre la economía en su conjunto, no obstante la simplificación excesiva de la realidad que implican hace que aquéllos sean todavía muy rudimentarios (a pesar de su complejidad) y estén lejos de poder predecir con cierta precisión el comportamiento de las variables económicas.

APENDICE AL CAPITULO 4
ALGUNOS TIPOS DE FUNCIONES USUALES EN ECONOMIA

Sin ánimo de profundizar en la representación gráfica de funciones, mostraremos en este Apéndice algunos tipos de éstas que suelen presentarse con más frecuencia en las exposiciones geométricas de la Economía, a fin de que el lector interesado pueda familiarizarse con ellas.

1) La recta de 45°

Esta función presenta la interesante propiedad de que, en toda su extensión, el valor de la abscisa es igual al de la ordenada. Su representación analítica es $x = y$, siendo por tanto su pendiente igual a 1. Como veremos posteriormente, se trata de un artificio geométrico muy utilizado en Macroeconomía. Su representación gráfica, como puede observarse en la Figura 4.17 es una recta que, partiendo del origen de coordenadas divide al cuadrante en dos partes iguales; y su denominación se debe a que el ángulo que forma esta recta con el eje horizontal es de 45°.

FIGURA 4.17   FIGURA 4.18

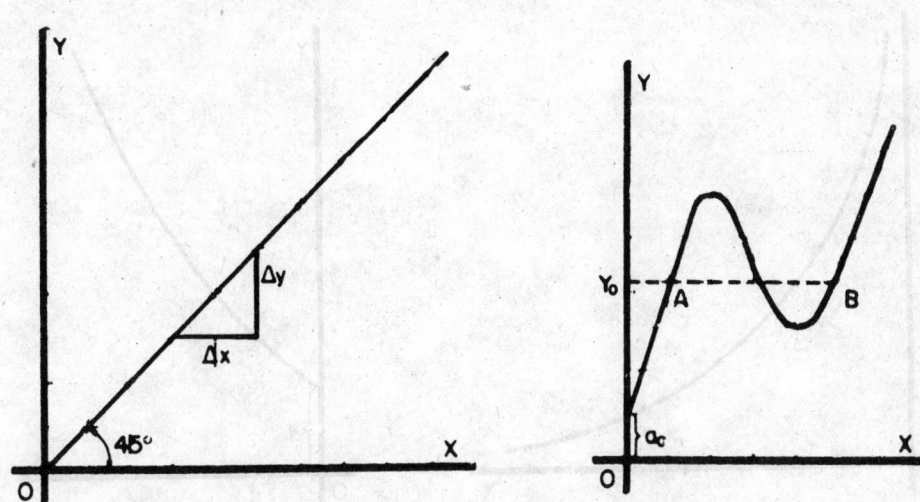

2) La función cúbica

Su expresión general es $y = a_0 + a_1x + a_2x^2 + a_3x^3$, y deriva su nombre del hecho de que la máxima potencia a la que aparece elevada la variable independiente es el cubo (x^3). Su gráfica puede verse en la Figura 4.18. Se suele utilizar, en el tramo *AB* para la representación de movimientos cíclicos de una magnitud económica (decimos que una variable tiene un movimiento cíclico cuando, periódicamente toma un valor concreto). En la figura, la variable *y*, en el tramo *AB*, describe un ciclo completo. Por último, cabe señalar que a_0, a_1, a_2, a_3 son parámetros cuyo valor se obtiene mediante el empleo de técnicas estadísticas.

3) La hipérbola

Su representación analítica es

$$x \cdot y = a, \quad \text{o bien,} \quad y = \frac{a}{x}$$

Esta función presenta la propiedad de que el producto de la variable dependiente por la independiente es igual a una constante, *a*. Su representación gráfica podemos verla en la Figura 4.19; aunque está incompleta, ya que simultáneamente aparecería otra gráfica idéntica en el tercer cuadrante del plano (si $x \cdot y = a$, $(-x) \cdot (-y) = a$). A cada una de las curvas así trazadas se les llama ramas de la hipérbola; pero en Economía sólo se toma la rama trazada en el primer cuadrante. Se utiliza mucho en Microeconomía, ya que las curvas de indiferencia e isocuantas adoptan esta forma.

FIGURA 4.19   FIGURA 4.20

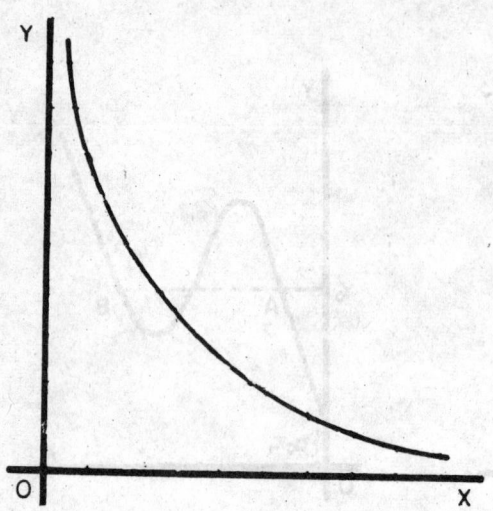
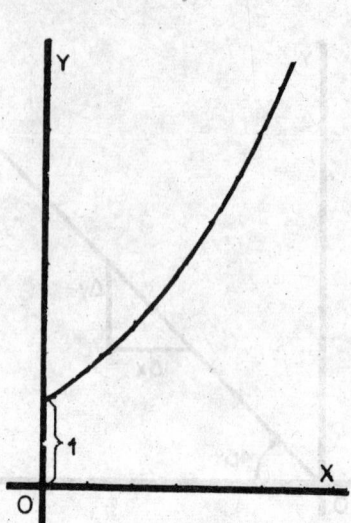

4) La función exponencial

Su representación analítica es $y = b^x$, siendo b una constante positiva. Se emplea para representar la evolución de magnitudes que experimentan un crecimiento acumulativo, como la población. Una propiedad de esta función es que, en el punto de corte con el eje vertical, la variable dependiente toma el valor 1, sea cual fuere el valor de b, ya que cualquier número positivo elevado a 0 (y recordemos que, sobre el eje OY, éste es el valor que toma la variable x) vale la unidad. Como podemos ver en la Figura 4.20, la pendiente de esta recta es creciente; por tanto, frente a aumentos del mismo valor de la variable x, la variable y crecerá cada vez más rápidamente.

Unas palabras, por último, sobre el cálculo de números índices y tasas de crecimiento. En cuanto a los primeros, lo usual es referirlos a un valor inicial que igualaremos a 100, y al que llamaremos base. La serie de números índices así obtenidos nos expresará el crecimiento (o disminución) de la magnitud que estudiamos con referencia a la base. En el ejemplo de la Tabla 4.4 hacíamos corresponder a 100 el valor 350, y calculábamos las restantes cifras en base a este valor. En cuanto a la operatoria, se trata de sencillas reglas de tres; por ejemplo, en el caso del índice correspondiente a 1978,

$$350 \ldots\ldots\ldots\ldots 100 \qquad x = \frac{550 \times 100}{350} = 157$$
$$550 \ldots\ldots\ldots\ldots x$$

o, más directamente, dividimos el valor de 1.978 por el valor base y lo multiplicamos por 100.

$$x = \frac{550}{350} \cdot 100 = 157$$

Las tasas de crecimiento proporcionales nos indican la proporción o porcentaje en que ha crecido. una magnitud Se definen como

$$\frac{\Delta Y}{Y} = \frac{Y_0 - Y_1}{Y_0}$$

es decir, como una fracción entre el crecimiento de la magnitud (ΔY) y su valor inicial. Evidentemente, estas tasas carecen de sentido si no se refieren a un período de tiempo; así se habla de tasas de crecimiento anuales, mensuales o diarias. Son muy utilizadas en el estudio de la evolución temporal de magnitudes, tales como precios, Renta Nacional, etc.

BIBLIOGRAFIA SELECCIONADA

Lipsey, R.: *Introducción a la Economía Positiva,* op. cit., págs. 19-55.
Clower, R. W., y Due, J. F.: *Microeconomía,* Tecnos, Madrid, 1978, Cap. 1.
Ackley, G.: *Teoría Macroeconómica,* Unión Tipográfica Editorial Hispano-Americana; Méjico, 1968, págs. 3-20 (para exposición del concepto de modelo).
Yamane, T.: *Matemáticas para Economistas,* Ariel, Barcelona, 1968, Cap. 2.
Allen, R.G.D.: *Análisis Matemático para Economistas,* Aguilar, Madrid, 1956, Cap. II y V.
Chiang, A. C.: *Métodos Fundamentales de Economía Matemática.* Amorrortu, Buenos Aires, 1967, Capítulo 2.

CAPITULO 5

EL CONCEPTO DE CAMBIO MARGINAL
Y SU APLICACION EN ECONOMIA

EL CONCEPTO DE CAMBIO MARGINAL

En el Análisis Económico tiene una enorme importancia el concepto de «la magnitud del cambio que se produce en una variable como consecuencia del cambio que se da en otra variable». Por ejemplo, sabemos que el coste total de producir un bien varía con las cantidades producidas del mismo: cuanto mayor sea la cantidad de unidades del bien que se producen, mayor será el coste total de producción (esta relación la expresamos por la función $CT = f(Q)$, en la que CT es el coste total y Q la cantidad de unidades del bien producidas).

Como veremos más adelante en distintos contextos, la cuestión de cuánto aumenta el coste total al incrementar la producción en una cantidad determinada, es una cuestión de la mayor importancia, cuya respuesta es muy útil para resolver gran número de problemas económicos. Evidentemente, el cambio de la cantidad producida (digamos, por ejemplo, de zapatos) puede tomar muchos valores y cada uno de estos valores dará lugar a un cambio concreto (y distinto de los demás) en el coste total. El concepto de cambio marginal, en nuestro ejemplo de producir zapatos, hace referencia o se define como el aumento que experimenta el coste total al producir un par más de zapatos.

Formulado así, el concepto de cambio marginal puede parecer vago. El lector pensará que al decir «producir una unidad más del bien» estamos refiriéndonos a otra cantidad de producción que nos sirve de referencia, ya que el adverbio más es uno de los términos de una comparación («producir en octubre una unidad más que en septiembre. Si la producción en septiembre fue de 5.000 pares de zapatos, en octubre se producirían 5.001 pares).

Sin embargo, el concepto de cambio marginal es muy preciso. En el caso de los zapatos, el coste marginal lo definimos como el aumento que experimenta el coste total al producir un par más de zapatos. No especificamos la cantidad de pares de zapatos producidos de la que partimos para incrementarla en un par, ya que esa cantidad inicial puede ser cualquiera. Formalmente se define el coste marginal como:

$$CMa_n = CT_n - CT_{n-1}$$

Esta formulación, que dice que el coste marginal de producir n unidades de un bien es igual al coste total de producir n unidades menos el coste total de producir $n-1$ unidades, es la más general que podemos hacer; n puede ser cualquier cantidad. Con el segundo miembro de la igualdad (igualdad que en realidad es una identidad, ya que se trata de una definición de coste marginal a partir del concepto de coste total) expresamos el aumento que experimenta el coste total al pasar de producir $n-1$ unidades a producir n unidades (al aumentar en una unidad la producción, ya que cualquiera que sea la cantidad $n-1$, si le sumamos a ésta una unidad, tendremos n unidades).

También podemos mirar la cuestión de esta otra manera: si al coste total de producir n unidades le restamos el coste total de producir $n-1$ unidades (el coste de producir una unidad menos del bien de que se trate), tendremos necesariamente el coste de producir esa unidad extra en que aumenta la producción al pasar de $n-1$ unidades a n unidades.

Supongamos que los costes totales de producir 50 pares de zapatos por día fueran 60.500 pesetas, y que al producir diariamente 51 pares los costes totales pasarán a ser 61.750 pesetas. Nuestra definición formal de coste marginal nos dice que:

$$CMa_{51} = 61.750 - 60.500 = 1.250$$

1.250 pesetas sería el coste incremental o marginal (en el sentido de «en el margen entre 50 y 51») al pasar de producir 50 pares de zapatos por día a producir 51 pares igualmente por día.

En general, para cualquier función $x = f(z)$, podemos calcular el cambio incremental por medio de la razón siguiente:

$$\frac{el\ cambio\ en\ x}{el\ cambio\ en\ z}$$

Cuando el cambio en z es muy pequeño, hablamos de cambio marginal en x al variar z.

El concepto de cambio marginal corresponde en realidad a la noción de derivada del Cálculo Diferencial. Quizás el lector recuerde que la derivada de una variable respecto de otra variable no es más que el cambio que experimenta la primera al darse un cambio en la segunda, siendo el cambio de esta segunda variable tan pequeño que tiende a cero. Pongamos un ejemplo; supongamos que el Gráfico 5.1 representa la distancia en kilómetros que ha recorrido un vehículo en el eje de ordenadas, y el tiempo que ha estado viajando o rodando el vehículo en el eje de abscisas. La curva *OA* expresa la relación entre el tiempo de viaje y los kilómetros: cada punto representa un número de kilómetros recorridos y un tiempo de viaje.

FIGURA 5.1

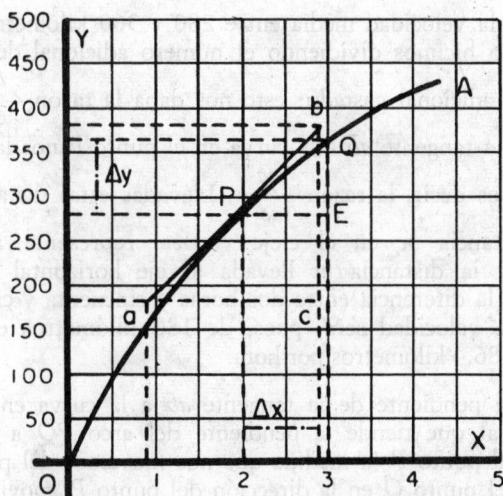

El punto *P* de la curva tiene como coordenadas dos horas de viaje y 280 kilómetros de distancia recorridos. Llamemos a estas magnitudes *x* e *y* respectivamente, con lo que las coordenadas serán *(x, y)*. Al pasar del punto *P* de la curva al punto *Q,* las magnitudes serían tres horas de viaje y 360 kilómetros recorridos; en la notación anterior, sus coordenadas serían $(x + \Delta x, y + \Delta y)$ ya que Δx sería el aumento del tiempo de viaje de una hora a dos horas (1 hora), y Δy sería el aumento de la distancia recorrida de 280 a 360 kilómetros (80 kms.).

Ahora bien, si queremos hallar la velocidad a la que viaja el coche nos encontramos con que esta velocidad la podemos calcular de dos formas: bien como la velocidad media durante un período de tiempo determinado o, lo que es lo mismo, durante el recorrido de un número concreto de kilómetros, o bien en un momento determinado (la cantidad de Km/hora que nos marcaría el indicador de velocidad en ese momento dado).

La pendiente del arco *PQ* (el tramo *PQ*) de la curva nos la daría la razón $\dfrac{QE}{PE}$ que es igual a $\dfrac{\Delta y}{\Delta x}$. Esta sería la velocidad media para el recorrido de la distancia entre el kilómetro 280 y el kilómetro 360. Como la diferencia entre esas dos magnitudes es de 80 kilómetros, y la diferencia entre el tiempo que tardamos en recorrer 280 kilómetros y 360 kilómetros es de una hora (habíamos tardado dos horas en recorrer 280 kilómetros y tres horas en recorrer 360 kilómetros), podemos decir que hemos viajado a una velocidad media de 80 Km/hora durante ese trayecto.

Pero la forma de la curva nos indica que no hemos recorrido ese trayecto a la misma velocidad todo el tiempo, sino que hemos ido reduciendo velocidad continuamente (la curva va perdiendo pendiente gradualmente, lo que indica que el número de kilómetros recorridos por cada minuto que estamos en marcha es cada vez menor). Si quisiéramos hallar la velocidad en un momento concreto, ésta la obtendríamos calculando la pendiente de la curva *OA* en el punto de ésta correspondiente a ese momento. Por ejemplo, supongamos que deseamos saber a qué velocidad viajábamos en el momento en que se cumplían dos horas exactas de viaje. Podemos hallar la pendiente de la curva OA trazando una línea recta que sea tangente a la curva en el punto P, y ella nos dará la velocidad en ese momento.

Cuando calculamos la velocidad media entre 280 y 360 kilómetros y durante la tercera hora de viaje lo hicimos dividiendo el número adicional de kilómetros recorridos por el tiempo adicional gastado: esto nos daba la razón $\frac{\Delta y}{\Delta x}$. del mismo modo, la pendiente de la tangente ab a la curva en el punto P nos la da la razón de las distancias bc y ac; es decir, la razón $\frac{bc}{ac}$. Llevadas estas distancias a los ejes de coordendas, la distancia bc en el ejeje vertical representa 180 kilómetros ($365 - 185 = 180$), y la distancia ac llevada al eje horizontal representa dos horas y cinco minutos (la diferencia entre dos horas y cincuenta y cinco minutos, y cincuenta minutos). La velocidad será, pues, de 180 kilómetros en dos horas y cinco minutos, es decir, 86,4 kilómetros por hora.

Matemáticamente la pendiente de la tangente ab a la curva en el punto P se define como el límite al que tiende la pendiente del arco PQ a medida que el punto Q se aproxima al punto P (a medida que nos movemos del punto Q al P es como si trasladáramos el punto Q en la dirección del punto P, moviéndonos dentro de la curva OA). Esto significa que la pendiente de la línea tangente ab a la curva OA en el punto P es el límite (o valor. El concepto de límite en Matemáticas es muy abstracto y no vamos a exponerlo aquí. Retengamos la noción de valor límite al que tiende una variable cuando otra tiende a cero) al que tiende la razón $\frac{\Delta y}{\Delta x}$ cuando el valor de Δx tiende a cero (al ir haciéndose Δx cada vez más pequeño al aproximar Q a P hasta que tienden estos puntos a confundirse en un sólo punto que es P).

El lector, sin duda, se hará el razonamiento de que cuando Δx se haga cero, Δy también será cero, ya que al fundirse el punto Q con el P ambos puntos tendrán los mismos valores en los ejes. Efectivamente, cuando Δx se haga cero, Δy también será cero y nos encontramos con la razón $\frac{0}{0}$. Este resultado no nos es demasiado útil. El lector ha de hacer un esfuerzo de abstracción si hemos de llegar a una conclusión significativa. El lector ha de aceptar que si la razón $\frac{\Delta y}{\Delta x}$ nos da la pendiente del arco PQ de la curva, a medida que los dos puntos P y Q se aproximan más y más (lo que es lo mismo que decir Δx tiende a cero), la pendiente de este arco tiende a convertirse en la pendiente de la tangente a la curva OA en el punto de ésta en que los puntos P y Q se aproximen entre sí hasta llegar a fusionarse.

Es evidente por el diagrama de la Figura 5.1 que la tangente a la curva OA en el punto P tiene una pendiente de valor superior a cero, y también que este valor no es infinito (hemos visto que el valor de la pendiente de la tangente es $\frac{bc}{ac}$, que traducido a velocidad era de 86,4 kilómetros por hora). En consecuencia, el límite al que tiende $\frac{\Delta y}{\Delta x}$ cuando Δx tiende a cero es una magnitud medible.

Podríamos realizar la misma operación con cualquier otro arco de la curva OA, y obtendríamos la pendiente de otra tangente a la curva en otro punto de ésta. Claramente en el caso de la curva de la Figura 5.1 cada tangente tendría una pendiente distinta, ya que la curva va perdiendo pendiente continuamente a medida que los valores de los ejes se van haciendo mayores. En el ejemplo de los kilómetros recorridos y el tiempo de viaje representados por esta curva, su pendiente indica que la velocidad va disminuyendo continuamente, ya que el aumento en el eje vertical se va haciendo continuamente menor para cada incremento concreto del valor de x.

Matemáticamente esta idea de cambio en una variable (y) al cambiar otra variable (x) en una cantidad infinitesimal se expresa como «el límite al que tiende la razón $\dfrac{\Delta y}{\Delta x}$ cuando Δx tiende a cero» y su notación es

$$\text{Límite}_{\Delta x \to 0} \frac{\Delta y}{\Delta x}$$

Consideremos dos ejemplos. Un coche viaja del punto P al punto Q. El coche habrá tardado un tiempo t en viajar la distancia s hasta llegar al punto P, y un tiempo adicional Δt en recorrer la distancia Δs para ir del punto P al Q. La velocidad media del coche en recorrer la distancia PQ es $\dfrac{\Delta s}{\Delta t}$, y la velocidad del coche en el punto P viene dada por $\text{límite}_{\Delta t \to 0} \dfrac{\Delta s}{\Delta t}$. Esta formulación es exactamente igual a la anterior; sólo hemos sustituido Δy por Δs y Δx por Δt.

El segundo ejemplo es el siguiente: si un cambio en el precio de un bien de p a $p + \Delta p$ da lugar a un cambio de cantidad demandada de x a $x + \Delta x$, la elasticidad (este concepto lo definiremos en el Capítulo 9) media de la curva de demanda en el tramo correspondiente al intervalo de precio que va de p a $p + \Delta p$ se define como $\dfrac{p}{x} \cdot \dfrac{\Delta x}{\Delta p}$. Del mismo modo, definimos la elasticidad de la curva de demanda en el punto de ésta correspondiente al precio p como $\text{límite}_{\Delta p \to 0} \dfrac{p}{x} \cdot \dfrac{\Delta x}{\Delta p}$, fórmula que, al ser p y x unas cantidades definidas y fijas, es igual a

$$\frac{p}{x} \text{límite}_{\Delta p \to 0} \frac{\Delta x}{\Delta p}$$

Volvamos a utilizar los símbolos del diagrama de la Figura 5.1. El cálculo de la pendiente de la curva OA en el punto P lo efectuaríamos a través de la fórmula $\text{límite}_{\Delta x \to 0} \dfrac{\Delta y}{\Delta x}$. Esta fórmula es pesada de manejar y de escribir, por lo que en Matemáticas ha sido sustituida simplemente por $\dfrac{dy}{dx}$, que se lee «la primera derivada de y con respecto a x».

Pero debe recordarse que los símbolos d, x e y no son empleados aquí en su sentido normal. Así como $\dfrac{\Delta y}{\Delta x}$ es simplemente la razón (el cociente) de dos cantidades pequeñas pero medibles (Δy y Δx) cada una de las cuales tiene su propia entidad, $\dfrac{dy}{dx}$ por el contrario no significa dy dividido por dx. Como hemos visto, esta fórmula significa pura y simplemente el valor al que tiende la razón $\dfrac{\Delta y}{\Delta x}$ cuando Δx tiende a cero. No es en sí una razón (ya que ni dy ni dx tienen significado propio o existencia separada), sino que es el límite al que tiende una razón.

El concepto de cambio marginal no es más que un remedo del concepto matemático de derivada. Lo que hace el economista es sustituir la idea de límite por la de un cambio de una unidad en la variable independiente. Así decimos que el coste marginal es el incremento de los costes totales al producir una unidad más de un bien. Haciendo un símil con el ejemplo del viaje, los costes totales corresponden a los kilómetros recorridos, la cantidad de unidades producidas (la producción total) corresponde al tiempo de viaje (podemos equiparar los minutos de viaje con las unidades producidas), y los costes marginales a la velocidad media entre dos puntos cualesquiera de la curva; es decir, a $\dfrac{\Delta y}{\Delta x}$, haciendo x igual a un minuto en lugar de una hora, como se expresa en el diagrama. En puridad de conceptos, los costes marginales serían iguales a la pendiente de la tangente ab a la curva OA en el punto P o en cualquier otro punto (a la derivada de y respecto de x, $\dfrac{dy}{dx}$). Como veremos, los valores de un buen número de variables económicas se expresan en términos de la pendiente de curvas.

Para aplicar con propiedad el concepto de derivada a los costes totales en relación con la producción, ésta tendría que variar de forma continua (es decir, tendría que pasar la producción por todos los valores, incluyendo fracciones infinitesimales de unidad del bien que fabricáramos). Como esto no es posible, en Economía se recurre al cambio más pequeño posible en la cantidad producida: el cambio en una unidad del bien. Por otra parte, este problema de la indivisibilidad de las unidades de los bienes se puede soslayar recurriendo a la magnitud (al concepto cuantificable) de unidades producidas por unidad de tiempo. Así, si producimos 2.526 pares de zapatos en tres días, podemos hacer la ficción de que hemos producido 841.5 pares de zapatos por día. Este método de emplear la producción por día, o el de tomar bloques de unidades (según las exigencias de la producción) y considerarlos como la unidad mínima de cambio de la variable, cuya influencia marginal sobre otra variable queremos calcular, son los métodos (también se les puede llamar el truco) que los economistas tienen de atacar el problema de medir el cambio marginal de las variables económicas, cambio marginal que juega un papel fundamental en la Teoría Económica ortodoxa o neoclásica.

El concepto de límite puede parecer vago, pero en realidad no lo es. El lector que tenga curiosidad puede consultar cualquier manual de Matemáticas en el que se trate el Cálculo Diferencial e Infinitesimal para comprobarlo. El concepto de cambio marginal está tomado del concepto de derivada. Lo que ocurre es que las variables económicas (producción, precios, etc.) son variables discontinuas; es decir, son variables que cambian a saltos (al subir de 650 a 725 pesetas por kilo, el precio de la carne no pasa por todos los precios intermedios, sino que salta del primero al segundo). En consecuencia, y en puridad de conceptos, el Cálculo Diferencial no es aplicable al cálculo económico. No obstante, el economista utiliza el supuesto de que las variables económicas varían de forma continua, y en consecuencia aplica en su análisis los poderosos instrumentos matemáticos del Cálculo Diferencial. En realidad, al trazar una curva de demanda o de costes que tome la forma de una línea curva continua, estamos suponiendo que tenemos todos los pares de valores de precio y cantidad demandada o de costes y cantidad producida correspondientes a todos los puntos de la curva. De hecho, debido a que las variables económicas son discontinuas, no disponemos más que de unos pocos pares de valores que representan puntos de una hipotética curva que realmente no conocemos, y que nosotros trazamos uniendo esos puntos en el diagrama.

Pero volvamos al concepto de cambio marginal. Vemos, pues, que existe un método matemático preciso para tratar los problemas que surgen en la cuestión de en qué medida cambia una variable al variar otra variable de la que aquélla depende.

Difícilmente podemos exagerar la importancia que una comprensión cabal del concepto de cambio marginal tiene para el estudio de la Economía. Recomendamos al lector que se asegure de haberlo entendido a fondo. Tres notas conviene retener del concepto de cambio marginal:

1) Se trata del cambio incremental o marginal que experimenta una variable al aumentar en una unidad otra variable de la que depende la primera. El aumento en una unidad en esta segunda variable se entiende que puede ser a partir de cualquier cantidad inicial de ésta; si se trata de la producción de zapatos, al pasar de producir 200 pares por día a producir 201 pares, o de 345.000 pares por mes a 345.001 igualmente por mes, o de producir 2.425.785 pares al año a producir 2.425.786 pares también al año. La primera cantidad de todos estos casos correspondería a la magnitud $n - 1$, y la segunda cantidad a la magnitud n de la fórmula que define el coste marginal.

2) Ello no significa que el coste marginal de producir 345.001 pares de zapatos sea el coste de producir la última unidad (en este caso el trescientos cuarenta y cinco mil y un avo par de zapatos). El coste marginal de producir 345.001 pares de zapatos es la variación en el coste total al pasar de producir 345.000 pares al mes a producir 345.001 pares al mes. Esta variación en los costes totales es distinta para cada incremento de la producción (al pasar de producir una cantidad a producir esa cantidad más una unidad) porque la relación entre los factores de la producción cambia para cada cantidad total de producción.

Conviene considerar más ampliamente esta nota del valor marginal de una variable. No es correcta la idea de que el coste marginal de producir 6 pares de zapatos por día es el coste de producir la sexta unidad. A este respecto véase la Tabla 5.1 del epígrafe siguiente. En la columna de la derecha se muestran los costes marginales de pasar de producir una cantidad de pares de zapatos por día a producir esa misma cantidad incrementada en una unidad del producto. Aquí podemos ver claramente que el coste marginal no es el coste de producir la última unidad: el número de unidades producidas es una tasa de producción por día y los costes marginales de la Tabla 5.1 muestran cómo afecta a los costes totales el aumentar la producción en una unidad por día.

La producción de cada cantidad diaria implica una determinada combinación de los factores. Al aumentar la producción de una tasa a otra, se habrá incrementado el número de unidades de uno o varios de los factores productivos empleados. Con este incremento de las unidades de factores, se cambian necesariamente las proporciones en que se combinan los factores en la producción, lo que da lugar a una variación en los costes totales. De ahí que el coste marginal de producir seis pares de zapatos por día no sea el coste de producir el sexto par, sino la variación que se opera en los costes totales como consecuencia del cambio que se da en las combinaciones de los factores, cambio introducido al aumentar la producción de cinco a seis pares diarios, y tener que incrementar la cantidad de factores variables permaneciendo la maquinaria y las instalaciones constantes.

Veamos otro ejemplo que posiblemente aclare el concepto de cambio marginal. Supongamos un establecimiento comercial que emplea cuatro dependientes. Sus ventas totales diarias son de 200.000 pesetas, y en consecuencia la media de ventas diarias por dependiente es de 50.000 pesetas, si bien algunos dependientes venden cantidades superiores a la media y otros cantidades inferiores. Imaginemos que se toma un quinto dependiente y que las ventas totales aumentan a 220.000 pesetas diarias. Es erróneo inferir de estas cifras que el quinto dependiente es menos productivo que los cuatro anteriores sólo porque las ventas marginales son 20.000 pesetas diarias, cantidad inferior a la media previa a su llegada que era de 50.000 pesetas.

Muy bien puede ocurrir que si anotamos las ventas de cada uno de los dependientes, el último dependiente contratado diariamente realiza ventas por valor de 80.000 pesetas (o por cualquier otro valor), cantidad superior a la de cualquiera de los otros vendedores. Quizás debido a su aspecto agradable y a su personalidad, el quinto dependiente ha hecho posible que el establecimiento venda 20.000 pesetas más diariamente gracias a que haya conseguido convencer para que compren a algunos clientes que de otra forma se habrían marchado sin comprar. Pero está claro que además les ha debido quitar clientes a otros dependientes, ya que sus ventas son de 80.000 pesetas diarias.

Sus ventas son de 80.000 pesetas diarias, pero esta cifra no puede ser considerada como las ventas marginales del quinto dependiente o como las ventas marginales de la quinta persona empleada. Las ventas marginales con un quinto vendedor son de 20.000 pesetas diarias, y las ventas medias son de 44.000 pesetas por día cuando hay cinco vendedores. Puede que las 80.000 pesetas de ventas del quinto dependiente provengan de clientes que éste les ha quitado a los otros vendedores, mientras que éstos han atraído a otros clientes y les han vendido las 20.000 pesetas de ventas marginales. Cualquier combinación de ventas es posible. Lo que importa resaltar es que la expresión «ventas marginales con una quinta persona» no se puede interpretar como las ventas que ha efectuado el quinto vendedor o cualquier otro de los vendedores, sino que ha de entenderse como el cambio en las ventas totales al pasar de emplear cuatro dependientes a emplear cinco dependientes.

En Economía no se le pone un adjetivo a las 80.000 pesetas de ventas por día del quinto dependiente. De hecho, en la mayoría de los casos esta magnitud no puede ser detectada o cuantificada. Imagínese una barca de pesca con cuatro pescadores que, trabajando ocho horas, obtienen una cantidad determinada de pescado. Si se añade un quinto pescador al equipo y la cantidad de pesca aumenta en una determinada cantidad, difícilmente podemos atribuir ésta a la quinta persona, ya que cada uno de los pescadores realiza una de las faenas y trabaja formando un equipo con los demás. No es posible ni tiene sentido intentar atribuir una cantidad de pesca al quinto pescador. La única magnitud que tiene significado es el cambio en la cantidad total de pesca capturada al pasar de cuatro a cinco pescadores que faenan en la barca.

3)   Al afirmar que cuando aumenta la producción de x a $x + 1$ el coste marginal tiene el valor de y, no estamos suponiendo que exista una relación causal entre estas dos variables. Si existe o no una relación de causa-efecto entre ellas y en qué dirección va la causalidad (desde la producción al coste marginal, o desde éste a la

producción) no es una cuestión que nos interese en este estadio de nuestro análisis. Simplemente decimos que existe una relación, en el sentido de que las variables x e y se mueven en la misma dirección (cuando aumenta una aumenta la otra), o en direcciones opuestas (cuando aumenta una disminuye la otra). Puede que en ocasiones exista esa relación de causa-efecto entre las variables analizadas, en cuyo caso lo explicitaremos.

Distinto es el caso de la relación entre los valores totales y marginales de una misma variable. Si definimos el coste marginal:

$$CMa_{n+1} = CT_{n+1} - CT_n$$

y hemos definido el coste total de una forma, evidentemente al variar el coste total de una manera, el coste marginal necesariamente tomará los valores correspondientes determinados por la fórmula. Del mismo modo, si el coste marginal toma unos valores, los costes totales tomarán los valores que la definición de aquél implica. Esta relación definicional es lo que se llama una tautología, que por sí no explica nada de la realidad, ya que sólo expresa lo que hemos definido (si definimos $2 + 2 = 4$, obviamente $4 - 2 = 2$). Esto lo veremos ampliamente más adelante en este Capítulo.

La importancia del análisis que emplea el concepto de cambio marginal estriba en que existe un elemento común a todos los problemas de toma de decisiones, elemento común que puede expresarse en la pregunta aparentemente trivial de si vale la pena o no realizar una acción. El consumidor que está considerando si compra un determinado libro, la empresa que está estudiando la posibilidad de introducir una mejora en la calidad del producto que fabrica, o el organismo de la Administración Pública que está considerando patrocinar otro nuevo proyecto de investigación, tienen todos que plantearse la misma pregunta: si la acción en cuestión valdrá la pena llevarla a cabo, en el sentido de que las ventajas, satisfacciones o beneficios de todo tipo que proporcione serán superiores a los costes. Dados unos recursos escasos con usos alternativos, esta pregunta es, en último análisis, el meollo del problema económico, como ya hemos visto. De ahí que el concepto de cambio marginal sea tan utilizado en el Análisis Económico.

Aplicaciones del Concepto de Cambio Marginal en Economía

Además de su aplicación a los costes (coste marginal), el concepto de cambio marginal nos lo vamos a encontrar referido a los siguientes casos:

$$UMa_n = UT_n - UT_{n-1}$$

donde para un consumidor dado la utilidad marginal de consumir n unidades de un bien es igual a la utilidad total de consumir n unidades menos la utilidad total de consumir $n - 1$ unidades (la utilidad marginal de consumir 12 cigarrillos al día es igual a la utilidad total de consumir 12 cigarrillos al día menos la utilidad de consumir 11 cigarrillos diariamente).

$$IMa_n = IT_n - IT_{n-1}$$

donde el ingreso marginal de vender n unidades de un bien es igual al ingreso total de vender n unidades menos el ingreso total de vender $n - 1$ unidades de dicho bien.

$$GMa_n = GT_n - GT_{n-1}$$

donde el gasto marginal de comprar n unidades de un bien es igual al gasto total de comprar n unidades menos el gasto total de comprar $n - 1$ unidades de dicho bien.

$$PMaF_n = PTF_n - PTF_{n-1}$$

donde el producto marginal físico de n unidades de un factor de la producción es igual al producto total físico de n unidades del factor menos el producto total físico de $n - 1$ unidades del factor, manteniendo los demás factores constantes

$$VPMa_n = VPT_n - VPT_{n-1}$$

donde el valor del producto marginal de utilizar n unidades de un factor de la producción es igual al valor del producto total de estas n unidades del factor, menos el valor del producto total de emplear $n - 1$ unidades de dicho factor. Se entiende por valor del producto total de utilizar n unidades de un factor al número de unidades o fracción de unidad del bien o servicio que se elabora con el empleo de n cantidad del factor (naturalmente, en combinación con otros factores cuyas cantidades se supone que se mantienen constantes), multiplicadas por el precio que dicho bien o servicio alcanza en el mercado. Supongamos que al utilizar 5 hombres se producen 500 pares de zapatos por día, que al aumentar el número de aquéllos a 6 la producción es de 570 pares de zapatos diarios, y que el fabricante vende estos 70 pares de zapatos a 1.000 pesetas par. El producto marginal físico de pasar de 5 a 6 hombres $(PMaF_6)$ será de 70 pares de zapatos, y el valor del producto marginal $(VPMa_6)$ sería de 70.000 pesetas. Naturalmente simplificamos las cosas y suponemos que las cantidades de los demás factores de la producción (cuero, maquinaria, instalaciones, etc.) no varían.

$$PMaC = \frac{\Delta C}{\Delta Y}$$

donde la propensión marginal a consumir $(PMaC)$ se define como el cambio que experimenta el gasto en consumo agregado (ΔC) al variar la renta en una magnitud dada (ΔY)

$$PMaM = \frac{\Delta M}{\Delta Y}$$

donde la propensión marginal a importar se define como el cambio que se produce en el valor de las importaciones de un país al variar (aumentar o disminuir) la renta en una determinada cantidad.

RELACIONES ARITMETICAS ENTRE LOS VALORES TOTALES, MEDIOS Y MARGINALES DE LAS VARIABLES ECONOMICAS

Estas relaciones constituyen otro de los instrumentos importantes de análisis que vamos a emplear con frecuencia en este Curso de Economía. De ahí la importancia de que el lector adquiera desde el comienzo un conocimiento exacto de estas relaciones y de sus implicaciones.

Como hemos señalado, gran parte del Análisis Económico está basado en la utilización del valor marginal de las variables económicas. Veamos ahora cómo está relacionado aritméticamente el valor marginal de una variable con los otros dos valores de ésta que generalmente se utilizan: a saber, el valor total y el valor medio.

Supongamos una empresa que produce zapatos, e imaginemos que la Tabla 5.1 expresa su producción y costes.

Podemos representar gráficamente la relación entre la cantidad producida de pares de zapatos y los costes totales contenida en la Tabla 5.1, tal como se hace en la Figura 5.2.

TABLA 5.1

Pares de zapatos producidos por día	Costes		
	Totales	*Medios*	*Marginales*
0	0	0	—
1	1.000	1.000	1.000
2	1.900	950	900
3	2.700	900	800
4	3.400	850	700
5	4.000	800	600
6	4.700	783	700
7	5.500	785	800
8	6.400	800	900
9	7.400	822	1.000
10	8.600	860	1.200

Esta figura expresa la relación entre los costes totales y el número de zapatos producidos por día. La altura de cada barra indica los costes totales del número de pares producidos por día al que corresponden. La parte superior sombreada de cada barra muestra la magnitud en la que ésta es más alta que la barra anterior, correspondiente esta última a una unidad menos de producción. La parte sombreada de cada barra representa, pues, el incremento de los costes totales subsiguiente a la producción de un par más de zapatos por día.

Podríamos trazar una línea continua que uniera la esquina derecha de la parte superior de todas las barras (correspondiente cada esquina al punto que representa en el plano un número de pares de zapatos producidos por día y unos costes totales). Eso lo hacemos en la Figura 5.2 y obtenemos la línea OA. Asimismo, representamos esta línea en la Figura 5.3 a una escala mayor.

Ambas curvas OA de las Figuras 5.2 y 5.3 incluyen como puntos de ellas todos los pares de valores de zapatos producidos por día y de costes totales de producción de la Tabla 5.1. Los tramos o segmentos de las curvas OA entre cada dos puntos correspondientes a pares de valores de la Tabla 5.1 podemos considerar que representan los costes de fracciones de unidad. Así, el tramo de la línea OA de la Figura 5.3 entre el punto g (que representa el primer par de valores de la Tabla 5.1) y el punto h (correspondiente al segundo par de valores) podemos interpretarlo como que representa el incremento sucesivo que van experimentando los costes totales al producir 1,25 unidades por día, 1,50 unidades por día, 1,75 unidades por día, etc., hasta completar la segunda unidad de pares de zapatos por día. Este es el problema que ya hemos señalado de la indivisibilidad de los bienes y que se puede soslayar al considerar que se producen cantidades fraccionadas del bien no divisible por unidad de tiempo. Si producimos 4 unidades del bien en tres días, podemos interpretar este hecho como que se ha producido a una tasa de 1,25 unidades por día.

FIGURA 5.2

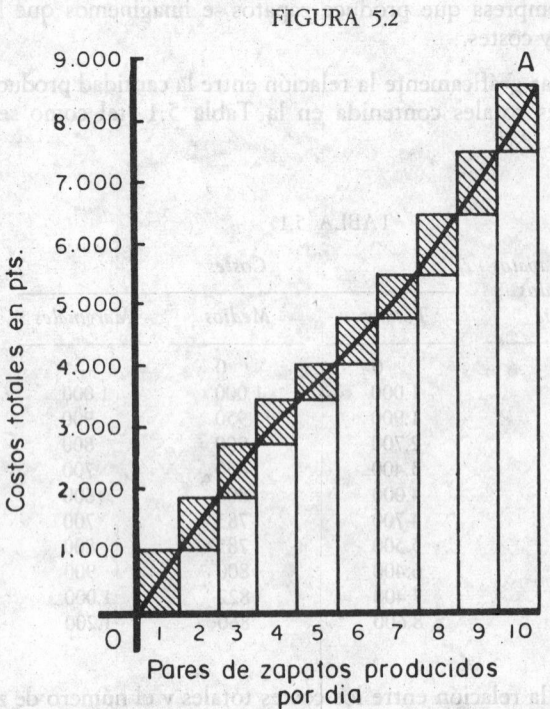

Pares de zapatos producidos
por dia

En una primera aproximación digamos que los costes totales son todos los costes incurridos diariamente al producir una cantidad de pares de zapatos por día. Más adelante definiremos con precisión el concepto de costes totales. De momento sólo nos interesan las relaciones entre los tres valores de los costes. Costes medios son los costes totales divididos por el número de unidades producidas. Así, cuando producimos 3 pares de zapatos diarios los costes totales son 2.700 pesetas, que divididos entre 3 nos dan la cantidad de 900 pesetas por par de zapatos (a una tasa de producción de tres pares de zapatos por día, el coste medio por par de zapatos es de 900 pesetas).

Los costes marginales, en la Tabla 5.1, son las diferencias entre los costes totales de producir dos cantidades diferentes de pares de zapatos por día. Insistimos en que este concepto simple de cambio, diferencia o incremento en los costes totales asociado con una unidad más de producción (cualquiera que sea la cantidad inicial de producción de la que se parta) es el coste marginal.

Los valores de los costes totales los hemos seleccionado arbitrariamente (responden a unas hipótesis de comportamiento de los costes que veremos en los Capítulos 21 y 22), pero ello no tiene ninguna importancia para nuestros fines de determinar cómo cambian cuantitativamente unas magnitudes al variar otras. Cualesquiera que sean los valores totales, los valores medios y los marginales se comportarán en consonancia con aquéllos. Las definiciones que hemos dado de costes totales, costes medios y costes marginales nos dan la clave del comportamiento de estas magnitudes. Los costes totales de la Tabla 5.1 aumentan continuamente al ir incrementando la producción diaria de pares de zapatos. Partiendo de las cifras de costes totales, que suponemos correctas, vemos cómo los costes medios van disminuyendo hasta llegar a la producción de 6,7 pares de zapatos por día. A partir de una producción de 6,7 pares por día los costes medios aumentan igualmente de forma continua. Por su parte, los costes marginales disminuyen hasta la producción de 5 unidades, y aumentan continuamente a partir de la producción diaria de 6 partes (empiezan a aumentar antes que los medios).

Veamos la relación entre los valores medios y los marginales. Si aumentamos la producción en una unidad de 8 a 9 pares de zapatos, el aumento de los costes totales (los costes marginales) es mayor que los costes medios de producir 8 unidades. En la Tabla 5.1 vemos que los costes medios aumentan de 800 a 822 pesetas. Esto es lógico: si la última unidad producida añade a los costes totales una cantidad mayor de la que representaban los costes medios antes de aumentar la producción, evidentemente los costes medios aumentarán necesariamente. Si la cantidad media de dinero que tienen en el bolsillo las 20 personas que hay en un aula (la suma de la cantidad de dinero que tiene cada una, dividida por 20) es de 100 pesetas, y entra en la clase una persona más que lleva en el bolsillo 163 pesetas, obviamente la cantidad media aumentará a 103 pesetas (el valor marginal tira hacia arriba del valor medio). Si, por el contrario, el valor marginal es inferior al medio, éste bajará necesariamente (el valor marginal tira hacia abajo del medio).

Pero puede ocurrir que los valores marginales estén aumentando y los valores medios estén todavía disminuyendo. En la Tabla 5.1 vemos que al pasar de producir 5 unidades a producir 6 unidades, los costes marginales aumentan de 600 a 700 pesetas, mientras que los costes medios disminuyen de 800 a 783 pesetas. La razón estriba en que aunque los costes marginales aumentan, sin embargo, el valor marginal de 700 pesetas es todavía inferior al valor medio de 783 pesetas. En consecuencia, aunque la adición a los costes totales aumente de valor, el valor medio sigue disminuyendo. Si la cantidad media de dinero que tienen las 20 personas que hay en un aula es de 100 pesetas y entra una persona con 58 pesetas en el bolsillo, la media bajará a 98 pesetas. Si seguidamente entra otra persona en la clase con 76 pesetas, la media todavía bajará a 97 pesetas. Al ser todavía el nuevo valor marginal incrementado inferior al medio, tira de éste hacia abajo, aunque aquél esté aumentando.

Si el coste marginal está creciendo mientras que el medio está todavía disminuyendo, llegará un momento (habrá una cantidad de producción) en el que los dos tipos de costes se igualarán necesariamente. A partir de esa cantidad de producción y al aumentarla, el coste marginal será superior al coste medio. Cuando están disminuyendo los dos tipos de costes, el marginal es siempre inferior (y disminuye en mayor cuantía) que el medio, y cuando los dos están aumentando, el marginal es siempre superior (y aumenta en mayor cuantía) que el medio. Esto es auto-evidente: para que el valor medio disminuya, el valor marginal ha de ser inferior al medio; y al revés, para que el valor medio aumente, el marginal ha de ser superior a éste. El valor morginal tira del medio en una dirección u otra.

También puede observarse en la Tabla 5.1 la relación que existe entre los costes totales por una parte, y los medios y los marginales por otra. Entre las unidades 1 y 5 de producción diaria, los costes totales aumentan siempre al pasar de una cantidad de producción a otra superior, pero lo hacen menos que proporcionalmente al aumento en la producción (si producir la primera unidad cuesta 1.000 pesetas, la segunda cuesta sólo 900 pesetas, etc.). De ahí que los costes marginales sean positivos pero decrecientes y los medios (que siempre han de ser positivos, ya que los costes totales siempre serán positivos) también son decrecientes. A partir de seis unidades de producción los costes totales empiezan a aumentar más que proporcionalmente al incremento en la producción. De ahí que los costes marginales sean positivos y crecientes, y los medios sean también crecientes. Si los costes totales fueran los mismos (no variaran) al producir una cantidad que al producir la cantidad inmediatamente superior, los costes marginales serían igual a cero; y si los costes totales de producir una cantidad de pares de zapatos fueran inferiores a los costes totales de producir esa misma cantidad más una unidad, entonces los costes marginales serían negativos. Al lector le puede resultar difícil imaginarse unos costes marginales negativos; no obstante, pueden darse si al aumentar la producción se mejora mucho la combinación de factores. Más adelante veremos cómo, además del coste marginal negativo, pueden existir el gasto marginal negativo, la utilidad marginal negativa o el ingreso marginal negativo.

Por otra parte, los costes totales los podemos calcular a partir de los costes medios simplemente multiplicando los costes medios por el número de unidades producidas. Esto es lógico, ya que hemos visto cómo los costes medios se obtienen a partir de los costes totales dividiendo éstos por el número de unidades producidas. También de la definición de costes marginales se infiere que se pueden obtener los costes totales a partir de los marginales simplemente sumando los costes marginales de todas las unidades que componen la cantidad de producción cuyos costes totales queremos hallar. Así, si sumamos todos los valores de la columna de costes marginales obtendremos 8.600 pesetas, que es la cantidad de costes totales al producir 10 pares de zapatos.

De todo esto podemos sacar tres reglas sobre las relaciones entre los valores totales, medios y marginales de una variable:

1) El valor de los costes totales, medios y marginales es el mismo para la primera unidad de bien producida, siempre que el coste total de producir cero unidades del bien sea cero. Obsérvese que esta condición se cumple en la Tabla 5.1. Si el producir cero unidades implicara un coste, al producir una unidad y aumentar los costes totales, los costes marginales serían menores que éstos, ya que los costes marginales sólo recogerían el incremento de los totales al pasar de producir cero unidades a producir una unidad.

2) El valor total de una variable es siempre la suma de los valores marginales de ésta.

3) Para que el valor medio aumente es necesario que el valor marginal sea superior al medio; para que el valor medio permanezca constante, el valor marginal ha de ser igual al valor medio; y para que el valor medio disminuya, es necesario que el valor marginal sea inferior al valor medio.

Estas reglas sobre las relaciones entre los valores totales, medios y marginales de una variable son las más generales que podemos formular al respecto. Estas relaciones son relaciones puramente aritméticas que se desprenden necesariamente de la definición que hacemos de cada una de las magnitudes, y no implican ninguna relación de causa-efecto entre las magnitudes. Recomendamos al lector que estudie cuidadosamente y comprenda claramente estas relaciones, ya que ello le será muy rentable y le ayudará grandemente a comprender muchas de las cuestiones que veremos a lo largo de este libro.

Relaciones Gráficas entre los Valores Totales, Medios y Marginales de las Variables Económicas

Dado que en este Curso de Economía nos servimos fundamentalmente de gráficas en el análisis de las cuestiones, veamos gráficamente cómo se relacionan las tres magnitudes de una misma variable. En la Figura 5.3 representamos en unos mismos ejes de coordenandas los valores de los costes totales, costes medios y costes marginales. Podemos representar las tres magnitudes en un mismo diagrama porque los tres tipos de costes están expresados en pesetas y a cada cantidad de unidades producidas por día le corresponde un coste total, un coste marginal y un coste medio.

La curva de costes totales expresa la relación que existe entre el número de unidades producidas por día y los costes totales incurridos en su elaboración. Así, cuando producimos 7 pares de zapatos por día la Tabla 5.1 nos indica que los costes totales son 5.500 pesetas; nos vamos al gráfico y encontramos que hay un punto de la curva de costes totales que representa esos dos valores. Todos los demás pares de valores de cantidad de producción y costes totales están igualmente representados por la curva de la Figura 5.3. A cero unidades producidas los costes totales son cero; de ahí que la curva de costes totales arranque del origen de los ejes de coordenadas.

Podemos hallar los costes medios a partir de la curva de costes totales simplemente trazando una línea recta desde el origen de los ejes hasta el punto de la curva de costes totales para cuyo nivel de producción queremos calcular los costes medios. La pendiente de una línea que es tangente en un punto a la curva de costes totales sabemos que se obtiene como la razón entre el valor que corresponde a dicho punto en el eje de ordenadas y el valor que representa en el eje de abscisas. Así vemos en la Figura 5.3 que la línea recta Oa que une el origen de los ejes con el punto a de la curva de costes totales tiene una pendiente que viene dada por la razón $\dfrac{5.250}{6.7} = 784$.

Como puede observarse, la pendiente de la línea que una el origen de los ejes con cualquier punto de la curva viene dada por los costes totales divididos por la cantidad de unidades producidas correspondientes a ese punto en los ejes, magnitud ésta que se obtiene exactamente de la misma manera que lo hacíamos en el cálculo aritmético de los costes medios.

Para el lector algo versado en Matemáticas, el coste medio de una cantidad determinada de unidades producidas corresponde a la tangente del ángulo formado por la línea que une el origen de los ejes con el punto correspondiente de la curva de costes totales y el eje de abscisas (los costes medios correspondientes al punto a de la curva de costes totales se obtienen como la tangente del ángulo α). Obsérvese que los costes medios los obtenemos como la pendiente de la línea que une el origen de los ejes con el punto correspondiente de la curva de costes totales, y no como la pendiente de la curva de costes totales en ese punto. Como sabemos, el coste medio es el coste total dividido por el número de unidades producidas, y esta magnitud la obtenemos simplemente tomando el punto de la curva de costes totales correspondiente a la cantidad de producción cuyos costes medios deseamos calcular, hallando en los ejes el par de valores de costes totales y cantidad producida correspondientes, y dividiendo los costes totales por el número de unidades producidas. La pendiente de la línea recta que une el origen de los ejes con ese punto de la curva representa exactamente esta magnitud.

FIGURA 5.3

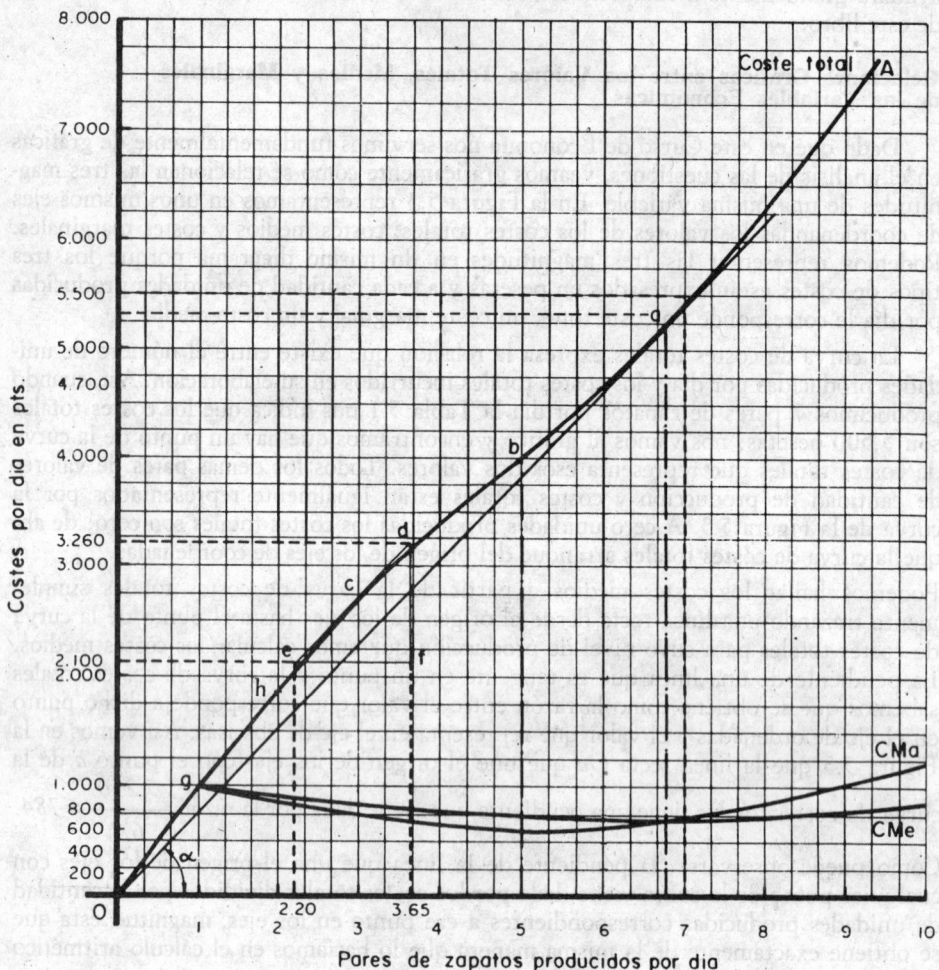

Los costes marginales podemos igualmente calcularlos a partir de la curva de costes totales. Como hemos visto ampliamente en el primer epígrafe de este Capítulo, los costes marginales para un nivel de producción dado son iguales a la pendiente de la tangente a la curva de costes totales en el punto de ésta correspondiente a dicho nivel de producción; lo que equivale a decir que los costes marginales para un nivel de producción son expresados por la pendiente de la curva de costes totales en su punto correspondiente a ese nivel de producción.

Así, los costes marginales para el nivel de producción de tres unidades diarias los obtenemos a partir de la curva de costes totales de la Figura 5.3, trazando la tangente *ed* a la curva de costes totales en el punto *c*. La pendiente de esta línea tangente nos la da la razón de la distancia *df* (en el eje vertical) sobre la distancia *ef* (en el eje horizontal): $\dfrac{df}{ef}$ (que es igual a $\dfrac{dCT}{dQ}$; es decir, a la primera derivada de los costes totales respecto de la cantidad producida cuando se fabrican tres pares de zapatos diarios). La distancia *df* llevada al eje vertical tiene el valor de 1.160 (la diferencia entre 3.260 y 2.100), y la distancia *ef* llevada al eje horizontal tiene el valor de 1,45 (la diferencia entre 3,65 y 2,20). La razón o cociente de estas dos magnitudes nos da 800 ($\frac{1.160}{1,45}$ = 800) que es exactamente el coste marginal que vemos en la Tabla 5.1 al producir tres pares de zapatos por día.

La relación entre las tres curvas puede verse en la Figura 5.3. La curva de costes totales asciende continuamente, pero puede observarse que en el tramo que va de cero unidades a cinco unidades de producción la curva va perdiendo pendiente continuamente, lo que significa (en el sentido de que representa) que los costes totales aumentan pero en cantidades cada vez más pequeñas por cada incremento de una unidad de producción diaria. Esto se refleja en que los costes marginales son positivos pero decrecientes. En el punto *b* de la curva de costes totales se da una inflexión en la curva, cambiando éste de tener una pendiente decreciente a tomar una pendiente creciente. Justamente ese punto *b* de inflexión de la curva de costes totales corresponde al punto más bajo de la curva de costes marginales, curva ésta que hasta ese nivel de producción (de 5 unidades) va aumentando su pendiente negativa (va decreciendo), y a partir de ese punto empieza a ascender (adquiere una pendiente positiva), como puede verse en la Figura 5.3 y más claramente en la Figura 5.4. Recordemos que la pendiente de la curva de costes totales en cada uno de sus puntos representa los costes marginales.

Del mismo modo, la línea de menor pendiente que une el origen de los ejes con un punto de la curva de costes totales puede verse en la Figura 5.3, que es la línea *Oa* que une el origen de los ejes con el punto *a* de la curva de costes totales; ese punto corresponde justamente al nivel de producción de 6,7 unidades por día, que es el nivel de producción al que los costes medios son los más bajos posibles, para el ejemplo de la producción de zapatos representada por la Tabla 5.1 se entiende. Todas las líneas que unen el origen de los ejes con los puntos de la curva a la izquierda y a la derecha del punto *a* tienen una pendiente superior a la de la línea *Oa*. El lector puede comprobar esta afirmación representando la curva de costes totales a una escala todavía mayor y trazando las líneas que unen el origen de los ejes con el punto *a* y con algunos de los puntos a la izquierda y a la derecha de éste.

Los valores de los costes medios para las distintas cantidades de unidades producidas los podemos representar igualmente por medio de una curva. Esta curva de costes medios, que puede verse en la Figura 5.3, está trazada a la misma escala que la de la curva de costes totales. Del mismo modo, representamos en esta Figura 5.3 los valores de los costes marginales en la forma de la curva de costes marginales que se indica en la Figura 5.3. Estas dos curvas arrancan del punto *g* correspondiente a los costes de 1.000 pesetas y a una unidad de producción por día, ya que antes de producir la primera unidad no existen ni costes medios ni costes marginales.

Obviamente estas dos curvas son casi planas (tienen muy poca pendiente), ya que las dos representan el coste por unidad (una el coste medio y la otra el coste marginal), cantidad muy pequeña por comparación con la cantidad que representan los costes totales, acumulados además al ir incrementando la producción. El valor que toman los costes marginales oscila sólo entre un máximo de 1.200 pesetas (cuando se pro-

FIGURA 5.-

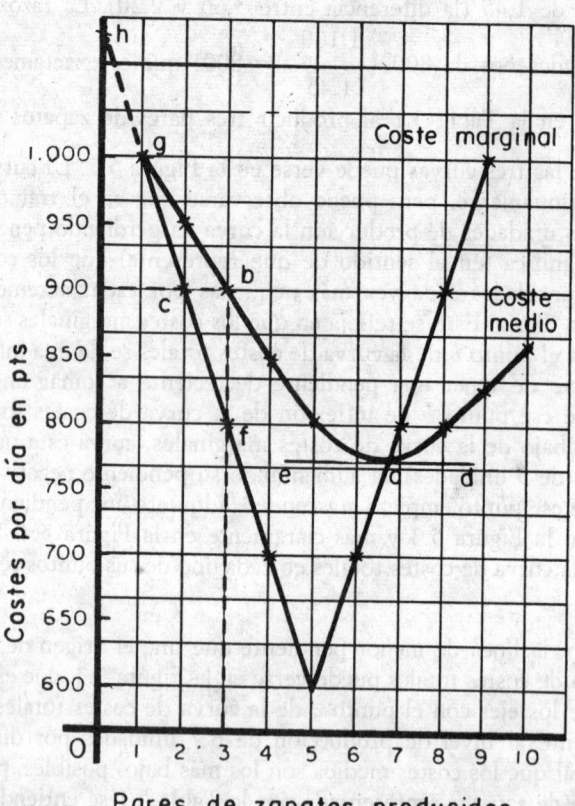

Pares de zapatos producidos por día

ducen 10 unidades) y 600 pesetas (cuando se producen 5 unidades por día). Por su parte, el valor de los costes medios oscila entre márgenes aún más reducidos: un máximo de 1.000 pesetas cuando se produce una unidad y un mínimo de 705 cuando se producen 6,7 unidades por día. Evidentemente estas diferencias tan pequeñas en los valores representadas a una escala tan reducida han de dar unas curvas muy planas.

En la Figura 5.4 hemos representado el coste marginal y el coste medio a una escala mayor para poder apreciar las relaciones entre las curvas que los representan. Las dos curvas arrancan del mismo punto en el plano: el punto correspondiente a 1.000 pesetas de costes y a una unidad de producción, ya que no se incurre en ninguno de los dos tipos de costes si se producen cero unidades. Hasta el nivel de producción de 5 unidades por día el coste marginal desciende más de prisa que el coste medio, y como consecuencia lógica de ello, la curva de coste marginal va por debajo de la curva de coste medio.

Volviendo a relacionar estas curvas con la curva de costes totales, la mayor pendiente negativa de la curva de costes marginales respecto de la curva de costes medios, representa el hecho de que en ese tramo (de 0 a 5 unidades de producción) la curva de costes totales pierde pendiente más rápidamente de lo que lo harían las sucesivas líneas que unieran el origen de los ejes con los puntos de la curva de costes totales desde el punto O hasta el punto b. Justamente en la cantidad de producción correspondiente al punto b de la curva de costes totales, la curva de costes marginales tiene su inflexión: de descender pasa a ascender (de tener una pendiente negativa cambia a tener una pendiente positiva).

Aun cuando la curva de costes marginales empieza a ascender en el nivel de producción de 5 unidades por día, la curva de costes medios sigue descendiendo casi hasta el nivel de producción de 6 unidades. Ya hemos explicado que ello se debe a que aunque los costes marginales estén creciendo, todavía son bastante inferiores a los costes medios, por lo que éstos seguirán bajando aun cuando los costes marginales estén ya creciendo. Pero una vez que los costes marginales están creciendo y los medios siguen disminuyendo, es inevitable que, al continuar aumentando la producción, los dos tipos de costes se igualen, ya que a medida que suben los marginales se va reduciendo necesariamente la diferencia entre éstos y los costes medios. La Figura 5.4 muestra que se igualan a un nivel de producción ligeramente inferior a 7 unidades por día. De hecho, se igualan a un valor de 705 pesetas, ya que a un nivel de producción de 6 unidades por día los costes medios (783) son superiores a los costes marginales (700), mientras que a una tasa de producción de 7 unidades diarias los costes medios (785) son ya inferiores a los costes marginales (800).

'El punto de la curva de costes medios en el que se cruza con la curva de costes marginales es necesariamente el punto más bajo de la curva de costes medios (el punto donde ésta pasa de tener una pendiente negativa a tener una pendiente positiva). En realidad en ese punto (el punto a) la curva de costes medios tiene una pendiente de cero (la tangente a dicha curva en este punto es totalmente plana u horizontal; como puede verse es la línea ed de la Figura 5.4, lo que implica que la variación en el eje vertical sería cero y la variación en el eje horizontal sería ∞). A partir del punto en el que se cortan las curvas de costes marginales y costes medios, la curva de costes medios necesariamente ha de empezar a ascender, ya que tiran de ella hacia arriba los costes marginales. Por la misma razón, cuando las dos curvas están ascendiendo, la curva de costes marginales va por encima de la curva de costes medios, ya que los costes marginales han de crecer más rápidamente que los costes medios para que éstos aumenten.

Finalmente, señalemos otra relación muy importante entre la curva de costes totales y las de costes medios y marginales que, como las relaciones anteriores, no hace más que reflejar gráficamente la relación aritmética entre los valores totales, y los medios y marginales de una variable. Los costes totales se pueden obtener de la curva de costes medios hallando el área del rectángulo formado por los dos ejes y las líneas rectas trazadas desde cada uno de los ejes al punto de la curva de costes medios correspondiente a la cantidad de producción, cuyos costes totales queremos calcular. Así, si queremos hallar los costes totales correspondientes a 3 unidades de producción por día, no tenemos más que trazar las líneas que unen este punto con los ejes y hallar el área del rectángulo, cuyos lados son 900b, b3, 03 y 0900. Como se sabe, el área de un rectángulo se obtiene multiplicando la base por la altura; en nuestro caso $900 \times 3 = 2.700$. Es evidente que este cálculo corresponde a la operación aritmética de multiplicar el número de unidades producidas por el coste medio.

Del mismo modo, recordemos que los costes totales de producir una determinada cantidad, por definición, se obtienen a partir de los costes marginales sumando todos los costes marginales correspondientes a las distintas cantidades de producción desde cero hasta la cantidad de que se trate (si se trata de la cantidad de producción 4, habrá que sumar los costes marginales al pasar de 0 a 1, de 1 a 2, de 2 a 3 y de 3 a 4).

Gráficamente se pueden también calcular los costes totales a partir de la curva de costes marginales, calculando el valor del área de la figura geométrica formada por el tramo de la curva de costes marginales correspondiente a la cantidad de producción de que se trate, la distancia correspondiente a esa cantidad de producción en el eje horizontal, el punto del origen de los ejes y la totalidad del eje vertical que utilizamos en el gráfico. Así, si queremos hallar los costes totales para una producción igualmente de 3 pares de zapatos por día, tenemos que calcular el área de la figura geométrica determinada en el gráfico por los puntos *3, f, c, g, 1.000* y *O*.

Aquí se plantea el pequeño problema de que la curva de costes marginales comienza en el punto correspondiente a 1.000 pesetas de costes y una unidad de producción, y, por lo tanto, la figura geométrica que hemos señalado no estaría cerrada, por lo que no podríamos calcular su área. Este problema surge como consecuencia del carácter discontinuo de las variables económicas, ya que entendemos que hasta producir una unidad de pares de zapatos no se ha incurrido en coste alguno. De hecho, podemos suponer que se han ido produciendo costes por cada fracción del par de zapatos (cosa que en realidad estamos suponiendo, como ya hemos indicado, al representar los costes por una curva continua). En puridad de conceptos, la representación en un diagrama de los valores de la Tabla 5.1 no sería más que un conjunto de 10 puntos correspondientes a los diez pares de valores para cada clase de costes. Nosotros hemos unido esos 10 puntos para darle más fuerza gráfica a la representación; pero al hacerlo, hemos actuado como si dispusiéramos de todos los pares de valores de costes y cantidades correspondientes a todos los puntos de cada curva de costes.

En el caso de la curva de costes medios a partir de la cual obtenemos los costes totales, como hemos visto este problema no se plantea, ya que no necesitamos que la curva corte al eje de ordenadas. Cuando se trata de calcular los costes totales a partir de la curva de costes marginales, el problema de que es*ɑ curva no corte al eje de ordenadas lo soslayamos suponiendo que la curva arranca del punto 1.000 pesetas de costes y 0 unidades de producción. De esta forma, la figura geométrica determinada por los puntos *1.000 g f 3 O* queda cerrada, y en consecuencia podemos hallar su área. En realidad y para ser exactos en el cálculo deberíamos prolongar la curva de costes marginales hasta que corte al eje vertical y hallar el área de la figura *O 3 f c g h*. El área de esta figura nos daría exactamente el valor de los costes totales. Para el lector versado en Matemáticas, los costes totales serían iguales a la integral del área debajo de la línea *f c g h*.

Hemos completado así el análisis aritmético y geométrico de las relaciones entre las magnitudes total, media y marginal de una variable. Recordemos que éstas son relaciones puramente matemáticas: hemos definido cada magnitud, y a partir de estas definiciones hemos extraído todas las implicaciones que se desprenden de ellas. En definitiva éste es el método que se sigue en la Matemática. Lo único que hemos hecho ha sido extraer las conclusiones lógicas en términos cuantitativos de las definiciones que previamente hemos establecido. Estas relaciones no implican causalidad; son meras tautologías y no hipótesis de comportamiento. Como tales relaciones matemáticas, son perfectamente generales y generalizables a los valores totales medios y marginales de todas las variables. Como veremos más adelante (y de ahí la importancia de haberlas comprendido bien) además del caso de los costes que hemos visto, estas relaciones las aplicaremos a la utilidad total, media y marginal; al gasto total, medio y marginal; al ingreso total, medio y marginal; y al producto físico total, medio y marginal. En todas ellas rigen exactamente los principios que hemos expuesto aquí.

BIBLIOGRAFIA SELECCIONADA

Samuelson, P.: *Curso de Economía Moderna,* op. cit., Cap. 24.
Lipsey, R.: *Introducción a la Economía Positiva,* op. cit., págs. 39-43.
Stigler, G.: *Teoría de los Precios,* ed. Revista de Derecho Privado, Madrid, 1962, Cap. 3.
Baumol, W.: *Economic Theory and Operations Analysis,* Prentice-Hall, Londres, 1961, Cap. 3.
Yamane, T.: *Matemáticas para Economistas,* op. cit., Cap. 3.
Allen, R.G.D.: *Análisis Matemático para Economistas,* op. cit., Cap. 6.
Chiang, A. C.: *Métodos Fundamentales de Economía Matemática,* op. cit., Cap. 6.

II
LA DETERMINACION DE LOS PRECIOS

(Microeconomía)

Visión general
del sistema de precios

ANALISIS DE EQUILIBRIO GENERAL Y ANALISIS DE EQUILIBRIO PARCIAL

En este Capítulo iniciamos el estudio de la Microeconomía, que, como hemos indicado en el Capítulo 3, se ocupa del análisis de los mercados concretos de los bienes y servicios, y de los factores de la producción; es decir, estudia cómo el sistema económico de mercado funciona en los mercados individuales de bienes y factores. Su objeto de análisis es, pues, el comportamiento de las economías domésticas (individuos y familias), de las empresas y de las instituciones estatales cuando actúan individualmente o en grupo dentro del mercado de cada uno de los bienes y factores concretos, comportamiento que da lugar a la determinación y a las variaciones de los precios y de las cantidades transaccionadas de éstos. Esta doble faceta del objeto de estudio de la Microeconomía (el comportamiento de los agentes económicos, y de los precios y las cantidades) no son más que dos aspectos del mismo fenómeno: el funcionamiento del mercado.

En definitiva, la Microeconomía se ocupa fundamentalmente de la determinación de los precios. De ahí que aquélla sea primordialmente una teoría de los precios de mercado. El análisis del comportamiento de los precios y de las cantidades transaccionadas de los bienes y servicios, y de los factores puede hacerse desde dos perspectivas o enfoques: una, la del llamado análisis de equilibrio general; y otra la del conocido como análisis de equilibrio parcial.

En el análisis de equilibrio general se parte de la idea (nada irrealista por lo demás) de que la demanda de un bien concreto cualquiera depende de, o está relacionada con los precios y las cantidades compradas y vendidas de todos los bienes y servicios y de los factores productivos existentes en la economía. Piénsese, por ejemplo, en la demanda de pisos en Valencia. No cabe duda de que la cantidad de pisos que se demanda en un período determinado en esta ciudad y los precios que los individuos están dispuestos a pagar por ellos están relacionados o tienen que ver con los precios de los coches, de los muebles, de la educación de los niños, de la ropa, de los alimentos y de otros bienes y servicios, con los sueldos y salarios que se pagan en Valencia, con los precios de otros factores de la producción, con el valor de la riqueza existente en Valencia, y con la cantidad de dinero efectivo (dinero legal y depósitos bancarios) que haya en esta ciudad.

Pero los sueldos y salarios y los demás ingresos obtenidos por la venta de factores dependen en buena medida (como veremos en la Teoría de la Distribución) de la demanda de los bienes y servicios que producen los sectores productivos valencianos (agricultura, industria y servicios), demanda que a su vez dependerá del nivel de actividad económica en Valencia, en las demás regiones españolas y, en menor medida, en el resto del mundo.

Vemos, pues, que en mayor o menor grado, las cantidades demandadas y los precios de los distintos bienes y servicios y de los factores son afectados por los precios de los demás bienes y servicios, ya que, por un lado, todos los bienes y servicios están compitiendo en alguna medida por la renta o poder de compra de los individuos; y, por otro, la renta de éstos depende de los precios y de las cantidades que se demanden de los factores de la producción que poseen (tierra, capital y trabajo), lo que a su vez depende de la demanda de los bienes y servicios en cuya elaboración participan dichos factores.

Se trata con este análisis de determinar, a través de un sistema de ecuaciones, los precios y las cantidades de todos los bienes y servicios, y de los factores productivos que permitirían alcanzar el equilibrio en todos los mercados. La teoría del equilibrio general ha sido desarrollada para tomar en consideración la característica fundamental de la estructura de las economías modernas de que existe una interdependencia entre todas sus partes.

Por su propia naturaleza, el análisis de equilibrio general es enormemente difícil, complejo y necesariamente técnico, por lo que no lo utilizaremos en este curso introductorio. Baste decir aquí que este tipo de análisis fue iniciado formalmente por el economista francés Leon Walras (1834-1910) a finales del siglo pasado, para mostrar cómo la cuestión de qué producir puede depender de la distribución de la renta, y ésta a su vez puede depender de los bienes que se produzcan y de cómo se produzcan. Debido a esta interdependencia de todas las partes y sectores de una economía de mercado, se ha acusado a los economistas de circularidad en sus razonamientos al describir el funcionamiento del mecanismo interdependiente de los precios.

Walras analizó este problema de la interdependencia y mostró que no existe tal razonamiento circular, sino simplemente una interdeterminación mutua de las variables económicas, enfoque que se conoce como el de equilibrio general. El lector posiblemente recordará que es posible determinar el valor de cada una de las incógnitas incluidas en un sistema de ecuaciones simultáneas siempre que se dé un número suficiente de relaciones independientes entre sí (siempre que existan tantas ecuaciones independientes como incógnitas haya en el sistema). Walras demostró que pueden ser determinados simultáneamente todos los precios y las cantidades transaccionadas en un sistema económico, gracias a que es posible formular un número suficiente de ecuaciones independientes de oferta y demanda (correspondientes a relaciones funcionales entre las cantidades demadadas y las ofertadas de todos los bienes y servicios y factores, y sus precios). La demostración de Walras constituye una de las grandes consecuciones de la Teoría Económica, a pesar de los inconvenientes y problemas que se le están encontrando en la actualidad al concepto de equilibrio, tanto general como parcial.

El problema principal con el que se tropieza cualquier persona que desee comprender los fenómenos económicos es el de cómo enfrentarse analíticamente o cómo enfocar su estudio, dada la aparente complejidad e interdependencia de aquéllos. Un enfoque posible es el de aceptar que el mundo es complejo, y que no se puede evitar esta complejidad. Si se es realista, hay que admitir que la demanda de mantequilla no sólo depende de su precio, sino también de los precios de la margarina, de las manzanas, de la carne de ternera, de los coches y de prácticamente todos los demás bienes y servicios, y de los factores productivos. Este enfoque toma en serio las ecuaciones walrasianas y sus interdependencias, y no intenta reducirlas a una forma más simple o a un análisis más sencillo.

Por su parte el análisis de equilibrio parcial, generalmente asociado con el nombre del economista inglés de principios de este siglo, Alfred Marshall (1842-1924), arranca de la idea de que si bien es cierto que la demanda de un bien depende en algún grado del precio de casi todos los demás bienes y servicios, no es menos cierto que sólo los precios de unos pocos de éstos (evidentemente el número de éstos varía para los distintos bienes) tienen un efecto de suficiente importancia como para tomarlos en cuenta a efectos analíticos al estudiar la demanda de un bien.

Así, por ejemplo, cuando se trata de estudiar la demanda de la carne de pollo, es obvio que, además del precio de ésta, van a tener una incidencia directa e importante sobre las cantidades demandadas de carne de esta ave en un momento determinado, otros factores tales como el precio de la carne de cerdo, de la carne de ternera, de la carne de cordero, y de los distintos tipos de pescado, así como la renta de los individuos y sus preferencias. Sin duda, los precios de los demás bienes y servicios añadirían algo a la explicación del comportamiento de la demanda de carne de pollo, pero seguramente lo harían en tan pequeña medida que pueden ser dejados fuera de nuestro análisis sin afectar sustancialmente a la capacidad explicativa de éste.

En consecuencia, el enfoque del análisis del equilibrio parcial propugna en aras de la simplificación del análisis (economía de medios) y sin que ello redunde en detrimento de la capacidad explicativa y predictiva de éste, que al estudiar el mercado de un bien, servicio o factor sólo se tengan en cuenta y se incluyan en el análisis las variables que afecten de forma importante y directa al comportamiento de aquél.

Este segundo enfoque, más pragmático y muy arraigado en la tradición inglesa, arguye que para resolver problemas prácticos es necesario encontrar la forma de seccionar (o dividir en secciones) el sistema complejo de Walras. El analista debe poder concentrarse en las pocas variables que él considera importantes para estudiar un fenómeno concreto, e ignorar las variables que le parezcan que no son muy relevantes. Expresado en términos económicos, al estudiar un fenómeno, el economista debe utilizar sus recursos disponibles y limitados de tiempo y capacidad intelectual de la manera más eficiente posible, lo que implica que sólo tome en consideración las variables imprescindibles para obtener respuestas suficientemente precisas.

En el ejemplo del estudio de la demanda de la mantequilla, el economista pragmático tomaría en consideración el precio de ésta, probablemente el nivel de renta, el precio de la margarina y el tamaño de la población. Pero ignoraría miles y miles de otras variables que en principio podrían tener alguna influencia sobre aquélla (el precio de la carne de ternera, el nivel de salarios, el tipo de interés que se paga por el uso del capital, las tarifas aduaneras sobre la mantequilla importada y sobre otros productos, y otras variables). Las variables que el economista excluiría en el análisis no siempre permanecerían constantes. Por ejemplo, una ley que prohiba el empleo de colorantes artificiales en la elaboración de la margarina podría tener importantes consecuencias, debido a que reduciría la demanda de margarina y aumentaría la demanda de mantequilla. Aunque el número de las variables que se toman en consideración en el análisis de equilibrio parcial no es rígidamente fijo, no obstante, siempre constituye una pequeña fracción del número de variables que forman parte del sistema walrasiano de equilibrio general.

EL ANALISIS DE OFERTA Y DEMANDA

El principal instrumento analítico que ha sido inventado por los economistas para simplificar el mundo económico es el análisis de oferta y demanda, llevado a su máximo desarrollo por Alfred Marshall. La oferta y la demanda constituyen los auténticos instrumentos que permiten al economista estudiar sistemáticamente las variables que él considera importantes en el análisis de un problema concreto. La oferta y la demanda le permiten al economista utilizar sus recursos limitados de una forma eficiente en orden a conseguir respuestas suficientemente precisas a las cuestiones que se propone explicar. Aunque al análisis de oferta y demanda se le llama análisis de equilibrio parcial, quizá un nombre más adecuado para él sería el de análisis práctico de equilibrio general.

A un nivel, el análisis de oferta y demanda es simplemente un lenguaje o sistema de clasificación que permite determinar cómo la variable x interviene en la función de demanda de un bien, cómo la variable y afecta a la función de oferta de éste, y cómo la variable z influye en ambas funciones. La clasificación de los animales ha constituido un lenguaje útil en Zoología, y muchos otros lenguajes han sido extremadamente útiles en otros campos científicos. Este papel de clasificar las variables según afecten a la demanda, a la oferta, o a ambas es enormemente importante.

El lenguaje de la oferta y la demanda ha sido especialmente fructífero en la resolución de los problemas económicos y en el avance del conocimiento de los fenómenos económicos, gracias al supuesto que se emplea en el análisis de oferta y demanda de que muchas variables afectan a la oferta o a la demanda, pero no a ambas simultáneamente. Este supuesto no es simplemente una parte de un lenguaje, sino que además constituye una condición impuesta sobre el comportamiento de las variables. La mayor significación empírica de esta distinción entre las variables que sólo afectan a la demanda, las que sólo afectan a la oferta, y las que afectan a la oferta y a la demanda simultáneamente, estriba en permitirle al analista alcanzar conclusiones acerca de los efectos que los cambios en las distintas variables tienen sobre los precios y las cantidades transaccionadas a partir de relativamente poca información. Posiblemente el análisis de oferta y demanda constituye el instrumento analítico más poderoso del Análisis Económico, y la parte más lograda de la Teoría Económica. Volveremos a hablar de esta cuestión al final del Capítulo 8.

Nosotros en este texto sólo vamos a utilizar el análisis de equilibrio parcial, sin que por ello deba pensar el lector que nuestro análisis va a desmerecer en calidad intelectual, en rigor cietífico o en utilidad práctica. El análisis o la teoría del equilibrio general se suele estudiar por los economistas en los cursos avanzados de Economía, e incluso principalmente por las personas interesadas primordialmente en los aspectos teóricos del Análisis Económico y concretamente en este campo.

FACTORES DE LOS QUE DEPENDE LA DEMANDA DE UN BIEN

Pasamos a considerar la demanda de un bien o servicio de consumo. El objetivo que nos proponemos no es otro que desarrollar los criterios racionales que nos permitan determinar de manera fundada la demanda de un bien o servicio cualquiera bajo el enfoque del equilibrio parcial. Se entiende por demanda de un bien las cantidades que las economías domésticas desean comprar de dicho bien a los distintos precios de éste. La demanda es una magnitud flujo; es decir, cuando hablamos de demanda no nos referimos a una compra aislada, sino a un flujo continuado de compras: una cantidad determinada por día, por semana, por mes o por año.

Por otra parte, la demanda la entendemos como una propensión a comprar por parte de los individuos; es decir, las cantidades que los individuos desean o están dispuestos a comprar a los distintos precios, pero no las que realmente compran. La cantidad que se desea comprar y la cantidad que efectivamente se compra pueden ser distintas, como veremos más adelante. La demanda de un bien representa siempre las cantidades que de éste desean comprar los consumidores a los distintos precios.

Podemos formular seis hipótesis sobre los principales factores que juegan un papel importante en la determinación de la demanda de un bien por parte de los consumidores:

1) La demanda de un bien depende de los gustos y de las preferencias de los individuos. Estos gustos varían de un lugar a otro y de una época a otra. En Economía, a menudo los gustos se toman como factores o variables exógenas que responden a las necesidades y a los deseos básicos de los seres humanos, y que por lo tanto el economista no puede entrar a explicar. Digamos, no obstante, que sin duda los gustos y las preferencias de los individuos son fuertemente influenciados por la publicidad, que es también una actividad económica. Los llamados economistas radicales consideran que los gustos de las personas son determinados en buena medida por la publicidad que hacen las grandes empresas y que la Teoría Económica ortodoxa, por ser un producto de la sociedad capitalista, ha preferido ignorar el estudio de los factores que explican las preferencias y los gustos de las personas, por lo que es una teoría incompleta en esta área.

2) La demanda de un bien depende del tamaño de la población existente en el país que analizamos. Cuanto mayor sea la población, mayor será la demanda de todos los bienes, incluido el que estamos analizando. La población también es tomada por los economistas como un dato, como un factor exógeno al sistema económico, que no hay que explicar en el análisis económico al estudiar la demanda de los bienes y servicios.

3) La demanda de un bien depende de la renta *per cápita* existente en la sociedad que estudiamos. Se entiende por renta *per cápita* la Renta Nacional (los ingresos percibidos por todos los factores de la producción, incluidos los beneficios de los empresarios), dividida por el número de habitantes. Cuanto más elevada sea la renta *per cápita*, se puede esperar que sea mayor la demanda de los bienes normales. Llamamos bienes normales a aquellos bienes que los individuos prefieren tener en mayor cantidad cuando aumenta su renta. Existen los llamados bienes inferiores que no cumplen esta regla, sino que los individuos consumen menos de ellos al aumentar su renta. Ejemplo de estos bienes son el tocino, los garbanzos, y la moto. Los aumentos en la renta *per cápita* dan lugar a cambios en la estructura de la demanda de los consumidores.

4) La demanda de un bien depende de la distribución de la renta que se dé en el país que consideremos. La renta *per cápita* no nos dice nada sobre cómo está distribuida la renta entre los miembros de la comunidad cuya demanda estamos analizando. La renta puede estar distribuida de muchas formas: desde una gran concentración de la renta en unas pocas personas, hasta una distribución próxima a igualitaria entre los miembros de la sociedad, pasando por todas las posibilidades intermedias. Cuanto más concentrada esté la renta en unos pocos sujetos, mayor será la demanda de bienes de lujo y menor será la demanda de bienes normales; mientras que cuanto más igualitariamente distribuida esté la renta entre los miembros de la comunidad, mayor será la demanda de los bienes ordinarios (alimentos, vivienda, vestido, educación, etc.).

5) La demanda de un bien depende de los precios de los bienes sustitutivos y complementarios que éste tenga. Un bien es sustitutivo de otro cuando satisface las mismas necesidades o deseos de los individuos que éste. La carne de pollo es un sustitutivo de la carne de cerdo. El grado en que un bien es sustitutivo de otro varía: los cigarrillos Winston son un sustitutivo casi perfecto de los cigarrillos Marlboro, mientras que la malta es un sustitutivo pobre del café. Si aumenta el precio de un bien sustitutivo, se puede esperar que aumente la demanda del bien que estudiamos, y al revés, ya que, respecto al otro, nuestro bien se hace más barato y más caro, respectivamente. Los bienes son complementarios entre sí cuando hay que consumirlos conjuntamente para obtener satisfacción. Así, el café y el azúcar, el coche y la gasolina, el piso y los muebles. Se puede esperar que cuando aumenta el precio de un bien complementario del bien que estamos analizando, la demanda de éste generalmente disminuirá, ya que sólo de esta forma el consumidor mantiene el mismo nivel de gasto en los dos bienes.

6) La demanda de un bien depende de su precio. Como veremos más adelante en este Capítulo, dado que las necesidades y deseos de los individuos, generalmente, pueden ser satisfechos con diversos bienes, y que la renta de los sujetos es limitada, las personas comprarán mayor cantidad del bien que analizamos cuando baja su precio y no varían los precios de los demás bienes sustitutivos, o suben los precios de éstos mientras que el de aquél permanece constante. En los dos casos, nuestro bien se ha hecho más barato, en términos relativos, que los bienes sustitutivos suyos. Por la misma razón, la demanda del bien que estudiamos disminuirá si aumenta su precio o baja el de sus sustitutivos.

Estos seis son los factores más importantes que en la formulación más general del fenómeno puede decirse que afectan a la demanda de un bien o servicio de consumo.

LA FUNCION DE DEMANDA Y SU REPRESENTACION GRAFICA: LA CURVA DE DEMANDA

En el epígrafe anterior hemos visto cómo la demanda de un bien o servicio depende de o está relacionada con un conjunto de factores que ejercen una influencia sobre ella, y que determinan sus características. Podemos expresar esta relación de una manera formal diciendo que la demanda de un bien es una función de los gustos de los individuos, de la población del área geográfica que estamos tomando en consideración, de la renta *per cápita* de los sujetos, de la distribución de la renta, de los precios de los bienes sustitutivos y complementarios del bien cuya demanda estudiamos, y del precio de éste. Matemáticamente esta relación se expresa con la siguiente formulación:

$$D_1 = f\ (P_1, P_2, P_3, P_4, P_5, ..., P_n, R_p, D_r, P, G)$$

Esta es la llamada función de demanda, en este caso del bien 1.

Supongamos que deseamos analizar la demanda de carne de pollo en la ciudad de Valencia. D_1 sería la demanda de carne de pollo en Valencia ciudad y constituye la variable dependiente; es decir, la variable cuyo comportamiento deseamos explicar. El símbolo f y el paréntesis no significa otra cosa que nuestra afirmación de que D_1 (la demanda de carne de pollo) depende de alguna forma de las variables incluidas en el paréntesis. P_1 sería el precio de la carne de pollo; P_2 el precio de la carne de ternera; P_3 el precio de la carne de cerdo, P_4 el precio del mero, P_5 el precio del lenguado. Los puntos suspensivos y la P_n indican que aquí incluimos los precios de todos los demás bienes sustitutivos y complementarios que entendemos tienen una influencia sobre D_1. El subíndice n no es más que un número indeterminado que corresponde al índice del último bien que incluimos en la función. R_p representa la renta *per cápita* en Valencia, D_r la distribución de la renta, P la población, y G los gustos o preferencias de los habitantes de Valencia. Todas éstas constituyen las variables independientes o explicativas de D_1.

Al decir nosotros que D_1 es una función de P_1, P_2, etc., sólo estamos afirmando que existe una relación funcional entre D_1 y las demás variables, y que las variaciones de estas variables (valga la redundancia) tienen un efecto o determinan los valores que toma D_1. Pero no estamos diciendo nada sobre la forma concreta que toma la relación entre D_1 y cada una de las variables independientes. Si, por ejemplo, la ecuación

$$D_1 = 10.000 - 0,2P_1 + 0,1P_2 + 0,02P_3$$

correspondiera a la función de demanda del bien 1, sabríamos la forma exacta en la que se relaciona la cantidad demandada del bien 1 con su precio y con el precio de los bienes 2 y 3, que obviamente serían sustitutivos. Pero para nuestros fines no es preciso explicar la función de demanda, ya que precisamente lo que pretendemos es llegar a determinar la curva de demanda de carne de pollo en Valencia por un procedimiento racional y razonado, que nos permita aprender cómo se determina la función de demanda de un bien cualquiera sin disponer de los datos numéricos correspondientes.

El siguiente paso en nuestro proceso de análisis es la representación gráfica de la función de demanda de la carne de pollo en Valencia. Ya hemos señalado que toda función puede ser representada gráficamente por medio de unos ejes de coordenadas.

Antes de efectuar la representación gráfica de nuestra función de demanda, digamos una vez más que se entiende por demanda de un bien la cantidad de ese bien que las economías domésticas desean comprar durante un período de tiempo determinado. La demanda es, pues, una variable flujo; es decir, cuando hablamos de demanda no hablamos de una compra aislada, sino de un flujo continuado de compras durante un período de tiempo: una cantidad determinada por día, por semana, por mes o por año.

Evidentemente si se nos diera un conjunto de valores para los precios y las cantidades demandadas de carne de pollo como los expresados en la Tabla 6.1.

TABLA 6.1

Precio en pesetas por kilogramo	Cantidad demandada de carne de pollo por mes en kilogramos
500	5.000
400	10.000
300	17.500
250	22.500
200	29.000
150	35.000
100	45.000

no tendríamos más que representarlos en unos ejes de coordenadas, tal como se hace en la Figura 6.1 y tendríamos así la curva de demanda de carne de pollo en Valencia, sin que con este ejercicio hubiéramos aprendido nada sobre cómo se fija o determina dicha curva.

FIGURA 6.1.

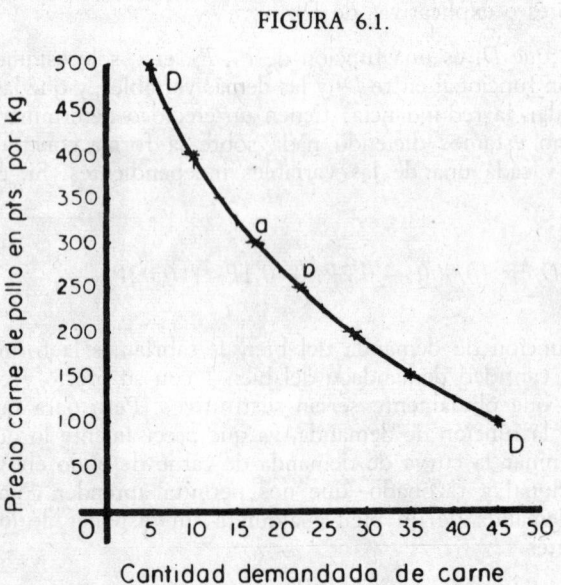

Cantidad demandada de carne de pollo por mes en miles de kgs.

La representación de los pares de valores la hemos hecho poniendo en el eje vertical o de ordenadas el precio de la carne de pollo, y en el eje horizontal o de abscisas la cantidad demandada por período de tiempo. Esta es la manera convencional de representar las funciones de demanda, si bien generalmente cuando se utilizan gráficos para expresar otras funciones se suele poner la variable dependiente en el eje de ordenadas y la variable independiente en el eje de abscisas. No se sabe muy bien por qué en el caso de la demanda y de la oferta es tradicional representar la variable independiente en el eje de ordenadas y la dependiente en el eje de abscisas.

Al representar la función de demanda de la forma que se hace en la Figura 6.1, *a priori* estamos ya utilizando dos puntos de partida:

1) Empleamos un gráfico con sólo dos dimensiones, y por lo tanto sólo representamos dos variables, a saber, el precio y la cantidad demandada de carne de pollo.

2) La curva de demanda tiene una pendiente negativa; es decir, estamos suponiendo una relación inversa entre precio y cantidad: cuanto mayor es el precio de la carne de pollo menor es la cantidad demandada por los consumidores, y al revés. Esta relación constituye la llamada ley de la demanda. Evidentemente el ejemplo numérico lo hemos diseñado nosotros y podríamos haberlo hecho de tal manera, que la relación entre las dos variables fuese directa o tomara cualquier otra forma de las muchas posibles. Esta relación inversa la explicaremos más adelante (Caps. 14 y 15) y constituye la esencia de la Teoría del Consumo.

En cuanto a que empleemos un gráfico con sólo dos dimensiones, lo hacemos por razones de conveniencia analítica, ya que un gráfico de tres dimensiones resulta muy difícil de manejar y de visualizar en él las relaciones entre las variables. Pero el representar en el gráfico sólo el precio de la carne de pollo de entre las múltiples variables explicativas que hemos incluido en la función de demanda de este producto, no significa que no las tengamos en cuenta al determinar la curva de demanda de carne de pollo. El ignorarlas no sería realista.

Por razones de economía de medios y de eficacia en desarrollar un aparato analítico manejable y útil en la explicación del comportamiento de los consumidores, el economista, como hacen otros científicos, recurre a la simplificación y al ingenio. Para resolver el problema de la representación de una función compleja, con múltiples variables, se recurre al supuesto de que todas las variables excepto el precio de la carne de pollo permanecen constantes. Este supuesto constituye la famosa condición *céteris páribus,* que los economistas gustan de emplear en el análisis económico. Su utilidad no es más que la de simplificar el análisis sin quitarle valor científico o explicativo.

Suponemos, pues, que, al tratar de determinar la curva de demanda de la carne de pollo de la ciudad de Valencia, se mantienen constantes el precio de la carne de ternera, el precio de la carne de cerdo, la renta *per cápita,* etc. Sólo permitimos que varíe el precio de nuestro producto. Se trata de determinar la curva que represente las cantidades que se demandan a los distintos precios: una cantidad por cada precio. Esta relación única entre cada precio y cada cantidad la representamos por una serie de puntos en el cuadrante positivo del gráfico, que unidos nos dan la curva de demanda.

Pero aunque en principio aceptemos que la relación es inversa entre precio y cantidad demandadada, la curva puede tomar infinidad de formas aún cuando descienda de izquierda a derecha. La curva de demanda, que no es más que la representación de la función de demanda, puede tener una pendiente mayor o menor (estar más o menos inclinada en el plano), y puede estar situada más cerca o más lejos del origen de los ejes. Estas dos son las principales características de la curva de demanda que nos interesan aquí para nuestros fines. Otras características serían si la línea es una recta o una curva y si corta a alguno de los ejes. Todas estas características de la curva de demanda representan aspectos de la relación entre las variables precio y cantidad, y todas conjuntamente la definen de forma precisa.

Hemos señalado que no ignoramos las variables que no aparecen representadas en el gráfico, sino que suponemos que permanecen constantes durante el período de tiempo necesario para determinar la curva de demanda. Formalmente este supuesto se expresa de la siguiente forma:

$$D_1 = f(P_1)$$
$$R_p = R^o{}_p$$
$$D_r = D^o{}_r$$
$$P = P^o$$
$$G = G^o$$

$$P_2, P_3, P_4, P_5 \ldots, P_n = P^o{}_2, P^o{}_3, P^o{}_4, P^o{}_5, \ldots, P^o{}_n$$

El superíndice o de las variables significa que éstas permanecen constantes al nivel que se adopta. Supongamos, por ejemplo, que el precio de la carne de ternera es de 650 pesetas el kilogramo, el de la carne de cordero es 540 pesetas el kilogramo, el de la carne de cerdo es de 450 pesetas el kilogramo, el del mero es de 500 pesetas el kilogramo y el del lenguado es de 550 pesetas el kilogramo. A las demás variables concretas no les asignamos valores, pero igualmente cada una tiene un valor que suponemos constante por el momento.

La mera existencia de varios bienes que son buenos sustitutivos de la carne de pollo, aún cuando sus precios permanezcan constantes, tiene un gran efecto sobre la pendiente de la curva de demanda de carne de pollo. La fijación de la curva en el plano consiste en determinar, en nuestro caso de una manera razonada, la cantidad que los habitantes de Valencia desearían comprar a cada precio de la carne de pollo. Esto es lo mismo que decir que pretendemos determinar como variará la cantidad demandada al subir o bajar el precio, cosa que en definitiva es lo que representa la curva de demanda.

Pues bien, manteniendo los precios de los bienes sustitutivos constantes a un cierto nivel, y haciendo variar sólo el precio de la carne de pollo, si aumentamos éste, por ejemplo, de 300 pesetas kilogramo a 375 pesetas kilogramo estamos haciendo la carne de pollo más cara en relación con los demás bienes sustitutivos, aunque éstos no hayan variado de precio. A sensu contrario, si bajamos el precio de la carne de pollo de 300 pesetas kilogramo a 250 pesetas kilogramo, estamos haciendo la carne de pollo más barata en términos relativos respecto de los otros bienes.

Este encarecimiento o abaratamiento relativo del bien que estudiamos respecto de sus sustitutivos es la clave del fenómeno de la demanda. Los precios absolutos en sí no nos dicen nada, si no es en relación con lo que valen otros bienes sustitutivos, ya que como personas tenemos unas necesidades limitadas de alimentos totales. Si el precio de un bien sube, nuestra reacción inmediata será reducir la cantidad demandada de ese bien y aumentar la de otro u otros bienes que pueden igual o similarmente cubrir nuestras necesidades y cuyos precios no han variado. Si el precio baja, nuestra reacción será la de desear comprar más unidades de dicho bien y reducir nuestras compras de los demás bienes sustitutivos cuyos precios no han variado.

En el caso de la carne de pollo, al precio de 300 pesetas kilogramo los habitantes de Valencia desean comprar 17.500 kilogramos, debido a que esa es la cantidad que ellos prefieren adquirir, dados los precios de los bienes sustitutivos, la renta media, la población de la ciudad y las preferencias de los individuos por todos los bienes que sirven para preparar el segundo plato de una comida. Los precios absolutos de estos bienes implican una estructura de precios relativos que dan lugar a una estructura de la demanda de tales bienes por parte de los individuos según los gustos y la renta de éstos. En esa estructura, y según nuestro ejemplo numérico, los individuos de Valencia desean comprar 17.500 kilogramos de carne de pollo cuando el precio de ésta es 300 pesetas kilogramo.

Si el precio de la carne de pollo sube a 375 pesetas kilogramo, este bien se hace más caro en términos relativos con respecto a sus bienes sustitutivos, aún cuando en términos absolutos éstos sigan siendo más caros. La estructura de la demanda de los ciudadanos de Valencia cambiará: algunos individuos que antes de la subida del precio compraban una cantidad determinada de carne de pollo a la semana, ahora comprarán una cantidad menor de este bien, al mismo tiempo que compran más de los otros bienes sustitutivos; y otros sujetos que al precio de 300 pesetas compraban alguna cantidad de pollo, ahora dejarán de comprar este producto, pasándose a comprar los sustitutivos. El resultado será que al precio de 375 pesetas los consumidores valencianos desearían comprar aproximadamente 11.666 kilogramos de carne de pollo. El fenómeno opuesto ocurrirá si el precio de la carne de pollo baja de 300 a 250 pesetas kilogramo.

Así pues, el que un bien tenga sustitutivos hace que la curva de demanda de este bien tenga una pendiente menor; es decir, que la curva de demanda sea más plana. Como puede verse en la Figura 6.1, la pendiente muestra cómo varía la cantidad demandada del bien que estudiamos al variar su precio, y es obvio que cuanto más fuertemente varíe la cantidad demandada al subir o bajar el precio, más plana será la curva. Recuérdese que la curva no es más que la representación del fenómeno, y que nunca el fenómeno ocurre de una determinada manera porque la curva tiene una forma.

De esta manera concluimos que cuantos más y mejores sustitutivos tiene un bien, menor es la pendiente de su curva de demanda, y que cuantos menos y peores sustitutivos tiene un bien mayor será la pendiente de su curva de demanda. Del mismo modo, el que un bien tenga bienes complementarios hace que su curva de demanda tenga una mayor pendiente (ya que la cantidad demandada del bien que analizamos responde menos a variaciones en su precio).

La razón de este fenómeno es muy simple: el individuo que desea comprar un bien que tiene uno o más bienes complementarios (que debe consumir inevitablemente de forma conjunta), planea el gasto total en estos dos bienes, y los compra todos más o menos simultáneamente. El que suba el precio, digamos de la gasolina, cuando el sujeto tiene ya comprados el coche y sus accesorios y el garaje, y tiene suscrita la póliza del seguro del coche, tendrá una repercusión escasa en la cantidad demandada de gasolina por parte de dicho individuo, ya que el aumento del gasto que esta subida implica representa sólo una pequeña parte del gasto total que hace en ese conjunto de bienes complementarios. Esto es lo que vemos que ocurre en la realidad. Con los muebles sucede algo parecido, ya que tienen a los pisos como bienes complementarios. En este caso puede que los individuos demanden muebles de menor calidad al subir sus precios, pero no reducen sustancialmente la cantidad demandada de éstos.

La renta *per cápita*, la distribución de la renta, la población y los gustos, aun cuando permanezcan constantes, afectan fundamentalmente a la posición de la curva de demanda en el plano, y en menor grado a la pendiente de ésta. Cuanto más elevada sea la renta *per cápita*, más igualitaria sea su distribución y más numerosa sea la población del área geográfica cuyo mercado del bien estudiamos, más lejos del origen de los ejes estará la curva de demanda del bien que analizamos, suponiendo que éste sea un bien normal. Lo mismo ocurre con las preferencias: *céteris páribus,* cuanto más de moda esté un bien o más preferido de la población sea, más a la derecha de los ejes de coordenadas estará la curva de demanda del bien que estudiamos.

Evidentemente, si suponemos que la carne de pollo es un bien normal, cuanto mayor sea la renta *per cápita* y más igualitariamente distribuida esté, mayor será la cantidad de carne de pollo que se demandará en Valencia a cada precio de aquélla, y más a la derecha en el plano está situada la curva de demanda. *A sensu contrario,* el fenómeno opuesto hará que la curva de demanda esté localizada más cerca del origen de los ejes de coordenadas.

Hemos completado así el proceso razonado de determinación de la curva de demanda de carne de pollo en la ciudad de Valencia. El procedimiento es generalizable a cualquier otro bien o servicio en cualquier mercado. Le hemos dedicado tanto espacio porque es absolutamente esencial comprender el camino seguido en la determinación de la curva de demanda de los bienes y lo que ésta significa exactamente, si se desea dominar mínimamente el Análisis Económico. Alguien anónimo ha escrito que se puede hacer de un papagayo un economista competente: todo lo que tiene que aprender el papagayo son las palabras oferta y demanda.

Digamos, por último, que es necesario distinguir entre la demanda de un bien por parte de un individuo o una familia, y la demanda de ese mismo bien por los individuos de un área geográfica o que actúan en el mercado determinado de dicho bien. Obviamente la función de demanda de un individuo o una familia sería:

$$D_I = f(P_1, P_2, P_3, \ldots, P_n, R, B, G)$$

siendo R su renta o flujo de ingresos por período del tiempo procedente de cualquier fuente, B el valor de su riqueza o conjunto de activos físicos y financieros que posea, y G sus gustos o preferencias.

También conviene distinguir entre la demanda por parte de un individuo o grupo de individuos de un bien específico (los cigarrillos Sombra o los coches medianos marca «Renault») y la demanda de un bien genérico (cigarrillos en general, coches en general, o zapatos en general). Es evidente que los cigarrillos Sombra tienen muchos sustitutivos bastante perfectos, mientras que los cigarrillos en general no tienen sucedáneos. En la función de demanda de cigarrillos Sombra, si deseamos tomar en cuenta todas las variables explicativas importantes, hemos de incluir necesariamente los precios de las demás marcas de cigarrillos. Por el contrario, en la función de demanda de cigarrillos en general no podríamos incluir precios de bienes sustitutivos próximos, ya que no los tienen. En general los bienes específicos suelen tener muchos sustitutivos, mientras que los genéricos no los tienen.

Insistimos en la enorme importancia que tiene el haber comprendido debidamente el proceso seguido en la determinación de la curva de demanda de la carne de pollo, así como su generalización a cualquier otro bien o servicio. La curva de demanda de un bien no es más que la representación gráfica de las distintas cantidades que de un bien desean comprar por período de tiempo un individuo o un grupo de individuos a los diferentes precios de aquél.

La curva de demanda no nos dice nada sobre la cantidad del bien que realmente compran los sujetos que analizamos. Sólo nos indica que, dados los precios existentes de los bienes sustitutivos y complementarios del bien que consideramos, dada la renta de los individuos que intervienen en el mercado de éste, y dados sus gustos o preferencias por el bien cuya demanda analizamos y por los demás bienes que entran en la función de demanda de éste, los sujetos tienen una estructura de demanda de todos estos bienes. Parte de esa estructura de la demanda conjunta de ese grupo de bienes (que a su vez es parte de la estructura global de la demanda de todos los bienes y servicios por parte del individuo o grupo de individuos) es la demanda de carne de pollo.

La curva de demanda de este bien que hemos determinado sólo expresa las cantidades de carne de pollo que los habitantes de Valencia desean comprar a los distintos precios de aquélla, dados todos los factores mencionados y la estructura de su demanda. Desean comprar esas cantidades porque éstas son las que expresan la satisfacción que los individuos obtienen de consumir carne de pollo en esas cuantías a los diferentes·precios de ésta, dados todos los demás factores.

La curva de demanda está construida como si hubiéramos preguntado a cada uno de los individuos «al precio de 500 pesetas kilogramo, ¿cuánta carne de pollo desea usted comprar por semana?, ¿y al precio de 450 pesetas kilogramo?» y así sucesivamente hasta 100 pesetas kilogramo, y hubiéramos anotado sus respuestas. Después, hubiéramos sumado todas las cantidades que se desean comprar a cada precio, y así hubiéramos obtenido la serie de valores de la Tabla 6.1. El procedimiento que hemos seguido, por el contrario, ha sido muy laborioso porque deseábamos exponer el camino lógico que se debe seguir para determinar la curva de demanda de un bien cualquiera.

La representación de estos pares de valores es lo que en Economía llamamos la curva de demanda de mercado de un bien: la representación gráfica de las cantidades resultantes de sumar la cantidad del bien que cada individuo que participa en el mercado que estudiamos, desea comprar a cada precio. Del mismo modo se podría construir la curva de demanda de carne de pollo por parte de un individuo, una familia o cualquier otro grupo de individuos. Estas no serían la curva de demanda de mercado de la carne de pollo, sino las curvas de demanda de pollo de la persona o personas de que se trate. Obviamente, la curva de demanda que más interesa para fines de análisis económico es la de mercado. Dentro de éste se puede hacer referencia a distintos mercados; así, podemos referirnos al mercado local de un bien, al mercado regional (si por las razones que sea existe una cierta unidad de mercado para ese producto), al mercado nacional, o al mercado mundial.

Gráficamente, la obtención de la curva de demanda de mercado (ya sea este un barrio, una ciudad, una región, un país o el mundo entero) es muy fácil: se suman horizontalmente las curvas de demanda individuales. La Figura 6.2 muestra esta operación. El diagrama a) de esta figura corresponde a la curva de demanda del sujeto I. Esta curva nos dice que a precios superiores a 300 pesetas kilogramo el individuo I no demanda ninguna cantidad de carne de pollo; a 300 pesetas kilogramo desea comprar un kilogramo por mes; y a medida que baja el precio, la persona en cuestión aumenta la cantidad demandada en la cuantía que puede verse en el diagrama a), hasta llegar a demandar 4 kilogramos por mes cuando el precio de la carne de pollo cae a 50 pesetas kilogramo.

El diagrama b) muestra la curva ·de demanda de un segundo individuo (el sujeto II) con unas preferencias algo distintas a las del sujeto I. Este segundo individuo desea comprar un kilogramo por mes cuando el precio de la carne de pollo está a 450 pesetas kilogramo, y aumenta su cantidad demandada a medida que baja el precio hasta llegar a 5 kilogramos por mes cuando el precio de la carne de pollo desciende a 50 pesetas.

La curva de demanda de mercado (para los dos individuos) la representa el diagrama c) de la Figura 6.2. Como puede comprobarse fácilmente, en este diagrama lo que hacemos es simplemente represeatar, por medio de una curva de demanda, la suma de las cantidades que los sujetos demandan a cada precio. Así, al precio de 450 pesetas se demanda sólo un kilogramo (el demandado por el sujeto II); al precio de 350 pesetas kilogramo la demanda de mercado es de 2 kilogramos de carne de pollo por mes (los 2 kilogramos demandados por el individuo II, ya que el individuo I todavía no demanda nada a ese precio); al precio de 150 pesetas kilogramo se demandan 6,66 kilogramos por mes (2,66 Kgs. demandados por el sujeto I, y 4 Kgs. demandados por el sujeto II); y al precio de 50 pesetas kilogramo se demandan 9 kilogramos por mes (4 demandados por el individuo I, y 5 por el individuo II).

La misma operación de sumar horizontalmente las curvas de los demandantes individuales es realizable para cualquier número de sujetos, barrios, ciudades, regiones y países, obteniendo de esa forma la curva de demanda de mercado para el ámbito de éste que se desee analizar.

FIGURA 6.2

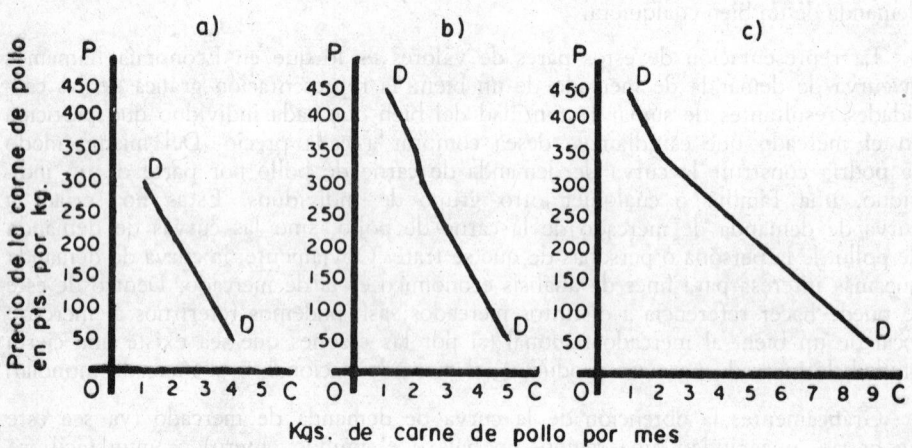

Kgs. de carne de pollo por mes

Insistimos en que en la elaboración de la curva de demanda se supone que los precios les vienen dados a los individuos y que éstos no los pueden cambiar. Lo que el sujeto sí puede hacer y hace, ya que en principio es libre y nadie le puede obligar a nada, es decidir la cantidad que desea comprar a cada precio. Como veremos más adelante, la cantidad que efectivamente compra y a qué precio será uno de los pares de valores expresados por su curva de demanda (ya que en ésto el sujeto es soberano a pesar de la influencia de la publicidad), pero su determinación se hará por medio de la interrelación de las curvas de la oferta y la demanda.

Conviene, asimismo, decir que si para construir la curva de demanda de un bien cualquiera se ha elegido el precio de éste como la única variable explicativa que incluimos en el gráfico, cuando se podía emplear cualquier otra de las variables explicativas alguna de las cuales posiblemente sea más importante para explicar las variaciones de la cantidad demandada del bien (por ejemplo, la renta de los sujetos), no se debe a que pensemos que el precio sea la variable explicativa más importante. La razón una vez más es de conveniencia a efectos analíticos. Por una parte, el precio absoluto del bien que analizamos al tomar distintos valores en el gráfico, al mismo tiempo que mantenemos constantes los valores de los demás factores explicativos, adquiere valores relativos que expresan el coste de oportunidad en el que se incurre al comprar una unidad de ese bien en términos de la cantidad que el sujeto deja de comprar de los demás bienes, todo ello traducido en gasto de renta. En consecuencia, los distintos precios absolutos del bien expresados en la curva de demanda recogen la información que los individuos necesitan para tomar sus decisiones de compras.

Por otra parte, el representar la función de demanda por medio de la curva de demanda del mercado no significa que entendamos que el precio sea el determinante más importante de la demanda. Lo hacemos así, porque estamos intentando desarrollar una teoría de los factores que determinan el precio de mercado de los bienes, y a este fin es conveniente tener el precio como una de las dos variables que empleamos en el análisis.

DESPLAZAMIENTOS DE LA CURVA DE DEMANDA

Una vez que hemos visto cómo se determina la curva de demanda de un bien cualquiera, podemos abandonar el supuesto restrictivo de que todas las variables independientes de la función de demanda de un bien, excepto su precio, permanecen constantes. Suponer que efectivamente todos esos factores permanecen constantes no es realista, ya que sabemos y observamos que en la vida real estas variables cambian de valor continuamente. Pero la utilización de este artificio analítico nos ha sido de gran utilidad para avanzar en la formulación de una teoría de la determinación y de los cambios de los precios, como veremos enseguida.

Procedamos sistemáticamente. Supongamos que aumenta el precio de un bien sustitutivo: imaginemos que el precio de la carne de cerdo sube de 450 pesetas a 550 pesetas kilogramo. De momento no entramos a considerar la causa o las causas de esta subida. El efecto inmediato de la subida del precio de la carne de cerdo será que la carne de pollo sea ahora relativamente más barata a todos los precios.

Es importante entender este abaratamiento relativo de la carne de pollo a todos los precios. Si la carne de pollo tuviera un precio de 500 pesetas kilogramo, al subir el precio de la carne de cerdo a 550 pesetas kilogramo, la primera sería ahora más barata en términos absolutos. Pero, incluso a los precios inferiores a 500 pesetas, la carne de pollo será ahora más barata en relación con la de cerdo. Veamos por qué. Cuando el precio de los dos tipos de carne era de 450 pesetas kilogramo, estaban en una relación de intercambio de un kilogramo de carne de cerdo por un kilogramo de carne de pollo. Después de la subida, con el dinero correspondiente al precio de un kilogramo de carne de cerdo se puede comprar un kilogramo y 222 gramos de carne de pollo. También lo podemos mirar desde otro ángulo: después de la subida del precio de la carne de cerdo, con 450 pesetas se puede comprar un kilogramo de pollo u 818 gramos de carne de cerdo. Obviamente, aunque su precio no haya variado, la carne de pollo se ha abaratado en relación con la carne de cerdo.

Este razonamiento se puede utilizar para cualquier otro precio de la carne de pollo. Así, cuando, por ejemplo, el precio del cerdo era de 450 pesetas kilo y el de la carne de pollo era de 200 pesetas kilo, un kilo de pollo equivalía a 444,4 gramos de carne de cerdo. Al subir el precio de ésta a 550 pesetas kilo, un kilo de carne de pollo equivale sólo a 363 gramos de carne de cerdo. Este abaratamiento relativo de la carne de pollo con respecto a la carne de cerdo es fácilmente medible, porque los dos precios están expresados en unidades monetarias, lo que nos permite constatar con facilidad la cantidad que hay que sacrificar de carne de pollo para obtener una determinada cantidad de carne de cerdo, y al revés.

De estos cálculos sacamos la importante conclusión de que, al subir el precio de un bien sustitutivo del nivel al que lo habíamos mantenido constante mientras determinábamos la curva de demanda del bien que analizamos, a otro nivel superior, el bien que estamos estudiando se hace relativamente más barato a todos sus precios con relación al bien sustitutivo. Como consecuencia de este abaratamiento relativo de la carne de pollo respecto a la carne de cerdo, se puede esperar que a cada precio de la carne de pollo algunos consumidores que antes consumían una determinada cantidad de cada uno de los dos bienes por semana, ahora sustituyan parte de sus compras de carne de cerdo por un incremento en sus compras de carne de pollo; y otros consumidores que antes de la subida consumían una cantidad determinada de carne de cerdo y ninguna de pollo, ahora reduzcan su consumo de la primera y consuman algo de pollo.

El resultado, pues, que se puede esperar estriba en que la cantidad demandada de carne de pollo a cada uno de los precios de ésta aumente. Gráficamente esto lo representamos a través de un desplazamiento de la curva de demanda de mercado de la carne de pollo hacia la derecha en el plano, ya que se trata en realidad de una reestructuración de la demanda global de estos dos bienes por parte de los consumidores, que da lugar a una nueva curva de demanda de carne de pollo. En la Figura 6.3 puede verse la representación gráfica de este desplazamiento de la curva de demanda de

FIGURA 6.3

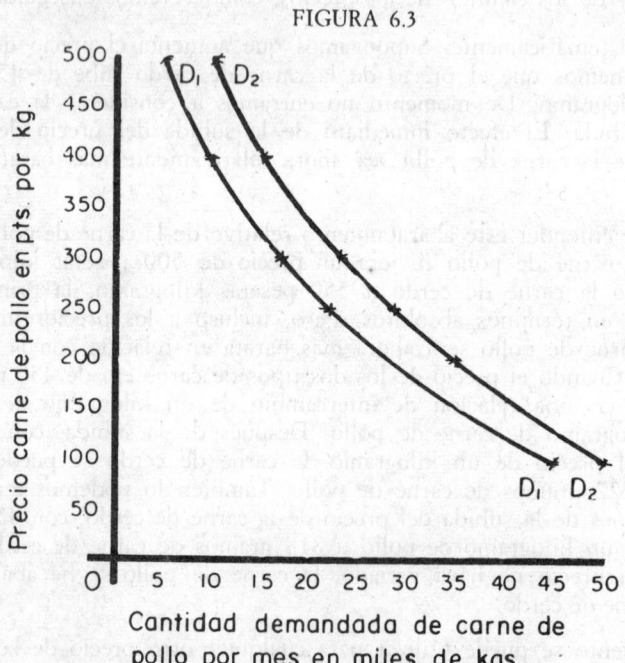

Cantidad demandada de carne de
pollo por mes en miles de kgs.

D_1D_1 a D_2D_2. La nueva curva de demanda de la carne de pollo en la ciudad de Valencia sería D_2D_2, que indica que al precio de 300 pesetas kilo de carne de pollo, cuando el precio de la carne de cerdo era de 450 pesetas kilo, los consumidores demandaban o deseaban comprar 17.500 kilos de carne de pollo (D_1D_1). Tras la subida del precio de la carne de cerdo a 550 pesetas kilo los consumidores desean comprar 22.500 kilos de carne de pollo (D_2D_2) al mismo precio.

En la Figura 6.3 hemos representado un desplazamiento paralelo de la curva de demanda (las dos curvas D_1D_1 y D_2D_2 son paralelas). Puede que el desplazamiento de la curva de demanda no sea exactamente paralela, ya que, como hemos señalado, la subida del precio de la carne de cerdo ha dado lugar a que los consumidores reestructuren su demanda de carne de pollo.

Puede que con la nueva relación de precios, los consumidores aumenten la cantidad de carne de pollo que desean comprar en mayor cantidad a precios bajos de ésta que a precios altos. La Figura 6.4 representa este posible cambio en la forma de la curva de demanda, aun cuando se haya desplazado hacia la derecha, como postula nuestra hipótesis. La nueva curva de demanda D_2D_2 no es paralela a la curva original D_1D_1: el desplazamiento de la curva de demanda no ha sido paralelo. El fenómeno opuesto o cualquier otro puede ocurrir, que dé lugar a que, tras el desplazamiento hacia la derecha, la curva de demanda tenga una pendiente distinta de la que tenía originariamente.

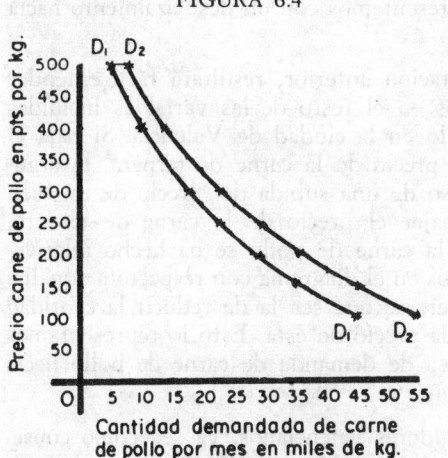

FIGURA 6.4

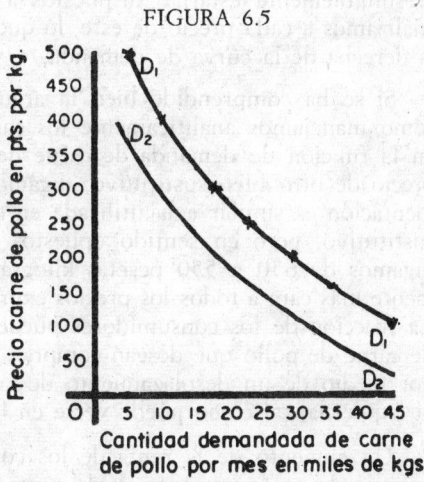

FIGURA 6.5

La conclusión que sacamos de esta larga disquisición es importante y debemos subrayarla: un aumento del precio de un bien sustitutivo da lugar a un cambio de la demanda del bien que analizamos, y este cambio lo representamos por medio de un desplazamiento de su curva de demanda hacia la derecha en el plano. El desplazamiento puede o no ser paralelo. Obsérvese que hablamos de un cambio de la demanda y no de la cantidad demandada. Con un cambio en la demanda queremos decir que el consumidor ha variado la cantidad que desea comprar de un bien a cada precio de éste, y ésto lo representamos por un desplazamiento en la curva de demanda. Mientras que por un cambio en la cantidad demandada nos referimos a un movimiento dentro de su curva de demanda, como cuando pasa del punto *a* al punto *b* en la Figura 6.1.

La distinción entre variación en la demanda y variación en la cantidad demandada es importante. Dado el sistema de representación que empleamos, que es el más útil que se ha encontrado para fines analíticos, el cambio de la cantidad demandada de un bien se produce como consecuencia de una variación en su precio, mientras que una variación de la demanda de un bien ocurre cuando cambian una o varias de las demás variables incluidas en la función de demanda del bien en cuestión. Digamos que con nuestro aparato analítico podemos representar muy bien las reacciones de los consumidores de un bien ante cambios en las variables que influencian su demanda de éste.

En este estadio de nuestro análisis estamos suponiendo que la cantidad que el individuo desea comprar de un bien es la única variable que él controla y que él decide libremente. Los valores de las demás variables incluidas en su función de consumo de ese bien le vienen dadas, y él reacciona frente a los cambios en aquéllas variando la cantidad que desea comprar del bien que analizamos. Ante un cambio en el precio de éste, el individuo o el grupo de individuos varían su cantidad demandada, moviéndose dentro de su curva de demanda.

No olvidemos que la curva de demanda está diseñada precisamente para indicar la cantidad que el individuo o el grupo de individuos desean comprar de un bien a cada uno de los precios de éste, suponiendo que las demás variables que integran su función de demanda de ese bien permanecen constantes. Al subir el precio de un bien sustitutivo, los individuos reducirían la cantidad demandada de este bien sustitutivo (se moverían hacia arriba dentro de su curva de demanda de éste), y presumiblemente estarían dispuestos a comprar una cantidad mayor del bien que analizamos a cada precio de éste, lo que representamos con un desplazamiento hacia la derecha de la curva de demanda.

Si se ha comprendido bien la argumentación anterior, resultará fácil entender cómo manejamos analíticamente los cambios en el resto de las variables incluidas en la función de demanda de carne de pollo en la ciudad de Valencia. Si baja el precio de otro bien sustitutivo, digamos el precio de la carne de ternera, la argumentación es similar a la utilizada en el caso de una subida del precio de un bien sustitutivo, pero en sentido opuesto. Al bajar el precio de la carne de ternera, digamos de 650 a 550 pesetas kilogramo, la carne de pollo se ha hecho relativamente más cara a todos los precios expresados en el diagrama con respecto a aquélla. La reacción de los consumidores puede esperarse que sea la de reducir la cantidad de carne de pollo que desean comprar a cada precio de ésta. Esto lo representamos por medio de un desplazamiento de la curva de demanda de carne de pollo hacia la izquierda, tal como puede verse en la Figura 6.5.

Un aumento de la renta de los consumidores valencianos, ya sea como consecuencia de un incremento de la renta *per cápita* o como resultado de una distribución más igualitaria de la renta, dará lugar (si el bien es normal) a que aquéllos deseen comprar una cantidad mayor de carne de pollo a cada uno de los precios de ésta. La representación gráfica de este fenómeno lo hacemos igualmente por medio de un desplazamiento hacia la derecha de la curva de demanda de este bien. La razón de que se dé ese aumento de la cantidad demandada de carne de pollo a cada uno de los precios estriba en que, al disponer de una renta mayor, algunos de los individuos que ya consumían alguna carne de pollo a los distintos precios, consumirán más de muchos bienes, entre ellos la carne de pollo; y otros que antes no consumían ninguna carne de pollo por resultarle cara, ahora pueden costearla. Una disminución de la renta dará lugar a un desplazamiento hacia la izquierda de la curva de demanda de la carne de pollo.

Lo mismo ocurrirá con los cambios en la población y en los gustos o preferencias. Si los expertos en dietética descubren que la carne de pollo tiene un poder nutritivo muy elevado por tal o cual razón, y la gente es convencida de ello a través de una campaña publicitaria, la curva de demanda de la carne de pollo se desplazará hacia la derecha de forma más o menos paralela a la posición de la curva de demanda que tenían antes del descubrimiento. Lo contrario ocurrirá si se pone de moda que es de mal gusto servir carne de pollo a los invitados.

Hemos tratado tan minuciosamente la determinación de la curva de demanda de un bien y los cambios de ésta aún a riesgo de ser reiterativos, porque es de capital importancia para comprender mínimamente el Análisis Económico el entender claramente lo que expresa una curva de demanda, cómo se la determina y cómo se la utiliza en el estudio de los fenómenos económicos. El lector que no haya comprendido bien esto, que no sepa distinguir entre un cambio en la demanda y un cambio en la cantidad demandada, le recomendamos que vuelva a leer despacio este capítulo o que consulte otro manual solvente que trate el tema.

Ahora ya podemos manejar analíticamente todas las variables independientes que forman parte de la función de demanda. Hemos visto cómo representamos los efectos que sobre la curva de demanda tiene un cambio en cada una de ellas por separado. El lector se preguntará, no obstante, qué ocurrirá con la curva de demanda de carne de pollo en la ciudad de Valencia si, como puede suceder en la realidad, se producen simultáneamente un aumento de la renta real de los consumidores, un incremento del precio de la carne de ternera y del precio de la carne de cerdo, y un cambio en los gustos de los consumidores en contra de la carne de pollo (quizá como consecuencia de que la carne de pollo de granja resulta insípida).

El efecto final del cambio simultáneo en todas estas variables sobre la curva de demanda será la resultante de sumar o acumular los efectos del cambio de las variables que tienden a mover la curva de demanda en una dirección, y restarle los efectos del cambio en las variables que hacen cambiar la posición de la curva de demanda en la dirección opuesta. Así, el aumento de la renta real (no sólo en términos absolutos sino en poder adquisitivo) de los consumidores desplazará la curva de demanda de la carne de pollo hacia la derecha en mayor o menor medida según sea mayor o menor el incremento de la renta real.

Del mismo modo, el aumento del precio de la carne de ternera y de la carne de cerdo, si los precios de los demás bienes sustitutivos y complementarios de la carne de pollo y el precio de ésta no varían, harán que la curva de demanda de pollo se traslade más aún hacia la derecha. Por el contrario, el cambio de los gustos de los consumidores en contra de la carne de pollo hará que la curva de demanda se traslade hacia la izquierda en mayor o menor grado según sea la intensidad del cambio en los gustos. La posición donde quedará situada finalmente la curva de demanda de carne de pollo la obtendríamos después de determinar cuantitativamente el efecto que sobre aquélla tendrá el cambio de cada una de las variables indicadas.

Señalemos que la condición o el supuesto de *céteris páribus*, en lo que respecta a los precios de los bienes sustitutivos y complementarios del bien que analizamos, tiene sentido en una situación de estabilidad o cuasi-estabilidad de los precios; es decir, de ausencia de inflación. Se entiende por inflación, como veremos en Macroeconomía, un aumento continuado del nivel general de precios; es decir, un proceso de aumento de los precios de la mayoría de los bienes y servicios. En esta situación, si suben simultáneamente los precios de la carne de pollo, de ternera, de cerdo, de cordero, del mero, de la merluza, etc., entonces el efecto que hemos descrito no tendría que darse necesariamente. Habríamos de calcular el cambio relativo del precio de cada uno de los bienes para determinar el resultado final. Si los precios absolutos de todos estos bienes aumentaran en un 20 por 100, no habría cambio alguno en los precios relativos, y sus curvas de demanda no se desplazarían en ninguna dirección. Pero si el precio de la carne de cerdo aumenta en un 10 por 100 y el de la carne de pollo lo hace en un 20 por 100, ésta se ha hecho relativamente más cara: es como si el precio de la carne de pollo no hubiera variado y el de la carne de cerdo hubiera bajado en un 10 por 100. El efecto sería un desplazamiento de la curva de demanda de la carne de pollo hacia la izquierda.

Recuérdese que es muy importante a efectos analíticos, y en consecuencia, para llegar a conclusiones correctas, mantener la consistencia lógica en los pasos que se siguen en el análisis. A lo largo de la exposición de este capítulo hemos procurado señalar en todo momento el bien cuya curva de demanda estábamos estudiando (la carne de pollo). Hemos determinado su curva de demanda y los desplazamientos de ésta. Los demás bienes cuyos precios hemos incluido en la función de demanda de la carne de pollo también tienen cada uno su función de demanda y su correspondiente curva de demanda, que puede ser determinada siguiendo el mismo procedimiento. Y al suponer que se da un aumento del precio de la carne de cerdo (sin entrar a explicar las causas de ese aumento) para ver su efecto sobre la curva de demanda de la carne de pollo, dicho aumento daría lugar a una reducción de la cantidad demandada de carne de cerdo (a un movimiento dentro de la curva de demanda este bien como consecuencia de la subida de su precio) como puede verse en la Figura 6.6.

FIGURA 6.6

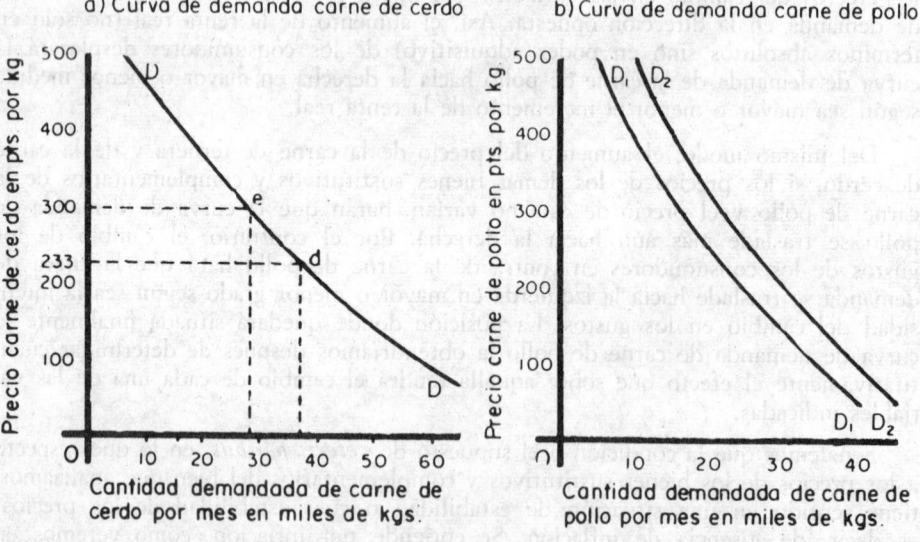

a) Curva de demanda carne de cerdo   b) Curva de demanda carne de pollo

Supongamos que inicialmente tenemos la curva de demanda de carne de cerdo del diagrama a) la de la Figura 6.6, y la curva de demanda de la carne de pollo representada en el gráfico b) de la misma Figura. Si por alguna razón, el precio de la carne de cerdo subiera de 233 a 300 pesetas kilogramo, la cantidad demandada de este bien se reduciría de 36.600 kilogramos por mes, a 29.000 kilogramos por mes: los consumidores de carne de cerdo se moverían dentro de su curva de demanda de carne de cerdo DD del punto d al punto e, ya que sólo se ha producido un cambio en el precio de este bien, mientras que las demás variables de la función de demanda de carne de cerdo suponemos que permanecen constantes.

Este aumento del precio de la carne de cerdo da lugar a un desplazamiento de la curva de demanda del bien que veníamos analizando (la carne de pollo) de D_1D_1 a D_2D_2. Ha aumentado la demanda de carne de pollo y ha disminuido la cantidad demandada de carne de cerdo. La variable que ha desencadenado el proceso de cambio ha sido el aumento del precio de la carne de cerdo. Lo que originariamente estábamos analizando era la curva de demanda de carne de pollo, y por esta razón no hemos querido representar más que la demanda de este bien. Conviene, pues, expresar con un gráfico el fenómeno que estamos analizando en cada momento, como se hace en la Figura 6.6, distinguiendo cuando se trata de un movimiento dentro de la misma curva de demanda (una variación en la cantidad demandada debida a un cambio en el precio del bien), y cuando hablamos de un desplazamiento de la curva de demanda (una variación de la demanda debida a un cambio en una o varias de las variables que integran la función de demanda de un bien).

BIBLIOGRAFIA SELECCIONADA

Samuelson, P.: *Curso de Economía Moderna,* op. cit., Cap. 4, págs. 63-81.

Lipsey, R.: *Introducción a la Economía Positiva,* op. cit., Caps. 9-10, págs. 121-142.

Barre, R.: *Economía Política,* op. cit.

Di Fenizio, F.: *Economía Política,* op. cit., Cap. 3, págs. 113-128.

Friedman, M.: *La Teoría de Precios,* Alianza Editorial, Madrid, 1966, Cap. 2.

Stigler, G.: *La Teoría de los Precios,* ed. Revista de Derecho Privado, Madrid, 1962, Cap. 4.

Becker, G.: *Teoría Económica,* Fondo de Cultura Económica, Méjico, 1978, Cap. 2, sección 3.

Lancaster, K.: *Economía Moderna 1,* op. cit., Cap. 4.

Clower, R. W., y Due, J. F.: *Microeconomía,* op. cit., Cap. 3.

Bilas, R.: *Teoría Microeconómica,* op. cit., Cap. 2.

CAPITULO 7

LA OFERTA

FACTORES DE LOS QUE DEPENDE LA OFERTA

Del mismo modo que hicimos en el Capítulo anterior con la demanda, en este Capítulo nos proponemos examinar cómo se determina la oferta de un bien o servicio de consumo bajo el enfoque del análisis de equilibrio parcial. En el análisis que hicimos de la demanda en el capítulo precedente no entramos a considerar, más que de forma parcial, las razones por las que la curva de demanda tiene una pendiente negativa cuando representamos en un gráfico las cantidades demandadas y los precios de un bien. Tampoco aquí vamos a analizar en detalle los factores que hay detrás de la curva de oferta de un bien. Esto lo haremos en los Capítulos 17 al 22, que constituyen la parte dedicada al estudio de la Teoría de la Producción. Por el momento sólo nos proponemos desarrollar mínimamente los instrumentos analíticos (las curvas de la oferta y la demanda) necesarios para exponer una teoría simple de los precios de mercado.

Según estimaciones del Banco de España, publicadas en su Informe Anual de 1981, en este año la producción nacional de bienes y servicios en España fue de 16.126.800.000.000 de pesetas; es decir, 16 billones 126.800 millones de pesetas, valorados al coste de factores (sin incluir los impuestos indirectos) y en pesetas de 1981.

Utilizando las cifras de producción para 1980, último año para el que existen datos desglosados en el momento de escribir este Capítulo, el Producto Interior Bruto en este año de 1980 fue de 14.453.528.100.000 pesetas, al coste de factores y en pesetas de este año.

Por qué se produjeron bienes y servicios en las cantidades correspondientes a estos valores en 1980, y por qué los servicios prestados por el comercio y la hostelería representaron el 18,47 por 100 del Producto Interior Bruto y no otro porcentaje cualquiera, son sólo dos de las muchas cuestiones que se pueden plantear sobre la oferta de bienes y servicios. Por qué y cómo se tomaron las decisiones que llevaron a esta distribución de la producción total del país son las cuestiones que le interesan a la Economía.

La distribución de la producción en 1980 por tipos de bienes y servicios fue la siguiente:

TABLA 7.1

PRODUCTO INTERIOR BRUTO 1980

	Valor en millones de Ptas. corrientes	% del total
Agricultura, ganadería, selvicultura y pesca	1.069.320	7,40
Energía y agua	567.393	3,92
Extracción y transformación de minerales no energéticos y productos derivados. Industria química	854.172	5,91
Industria transformadora de los metales	1.127.521	7,80
Otras industrias manufactureras	1.605.789	11,11
Construcción	1.100.406	7,62
Comercio, restaurantes y cafés	2.669.695	18,47
Transportes y comunicaciones	1.013.177	7,01
Instituciones financieras y seguros	696.218	4,82
Otros servicios destinados a la venta	2.177.182	15,06
Servicios no destinados a la venta de las Administraciones Públicas	1.456:241	10,07
Otros servicios no destinados a la venta	116.412	0,81
TOTAL PIB	14.453.528	100.00

Pero aún hay muchas más cuestiones importantes, como por ejemplo, a qué se debe que el PIB en pesetas constantes de 1970 (es decir, en pesetas constantes, o deflactando los valores del PIB en pesetas de cada año con el índice de subida de los precios también en cada año) creciera de la siguiente forma:

TABLA 7.2

PIB EN MILES DE MILLONES DE PTAS. DE 1970

1969	1970	1971	1972	1973	1974
2.283,0	2.394,5	2.527,2	2.744,1	2.965,3	3.141,1

1975	1976	1977	1978	1979	1980
3.182,4	3.286,5	3.388,3	3.472,9	3.478,3	3.529,4

Recuerde el lector que tanto el PIB que hemos dado anteriormente para 1980 (14.453,5) como para 1981 (16.126,8) estaban expresados en miles de millones de pesetas de 1977 y 1979, respectivamente, y que al no estar deflactadas las cifras, éstas son muy superiores a las que damos en la Tabla 7.2 (la diferencia entre ellas la constituye obviamente el efecto de la subida de los precios).

O la cuestión de por qué entre 1979 y 1980 la producción de las siguientes industrias creció en los porcentajes que se dan en la Tabla 7.3.

TABLA 7.3

	Crecimiento porcentual entre 1979 y 1980
Producción agrícola, ganadería, caza y silvicultura... ...	8,9
Industria transformadora de metales	2,0
Construcción	— 2,0
Comercio	1,3
Comunicaciones	1,3
Enseñanza destinada a la venta	— 0,6
Hostelería, restaurantes y cafés	— 6,0

Vemos, pues, que la producción de unas industrias representa un porcentaje mayor (o menor) que la de otras en la producción total; que unas industrias aumentan su producción (se expanden) de un año para otro, y que, en cambio, otras industrias la reducen (se contraen); y que, aunque no lo mostremos con estadísticas, dentro de cada industria unas empresas crecen y prosperan y otras languidecen o incluso cierran. Estas cuestiones y otras tales como por qué se producen bienes y se cultivan cosechas, qué es la automatización y a qué se debe, y por qué el mismo producto es elaborado utilizando métodos de producción distintos en los diferentes países, constituyen aspectos de la cuestión más general de qué es lo que determina la oferta de los bienes y servicios.

En este Capítulo responderemos sólo en parte a estas cuestiones. Posteriormente en la Teoría de la Producción lo haremos con mayor profundidad y detalle. Las decisiones sobre qué bienes y servicios producir, cómo producirlos y cuánto producir de cada uno de ellos (qué cantidad) las toman las empresas.

La cantidad de un bien que las empresas desean vender es lo que entendemos por la oferta de un bien. Al decir «que las empresas desean vender» estamos simplificando un poco la realidad, al suponer que las empresas son los únicos productores y oferentes de bienes y servicios de consumo. Sabemos que el Estado y muchos individuos también producen y ofrecen bienes. Debemos señalar, sin embargo, que en Economía no equiparamos empresa y sociedad mercantil, sino que entendemos por empresa la unidad de producción que organiza la combinación de factores de forma orientada a la actividad productiva. Las empresas son las unidades que toman decisiones sobre la producción y la venta de bienes y servicios.

Para que los consumidores puedan comprar bienes y servicios alguien tiene que ofrecerlos y venderlos. Los vendedores deciden qué bienes llevar al mercado y cuánto de cada uno de ellos ofrecen a cada precio. Al igual que la demanda, la oferta es una variable flujo; se trata de una cantidad de un bien por día, por semana, por mes o por año. También, como ocurre con la demanda, la oferta es un concepto del tipo «si..., entonces...»: si el precio de las patatas es de x, entonces los oferentes desean vender la cantidad y.

Los oferentes están integrados por los productores y por los comerciantes. Los primeros elaboran físicamente los bienes y los segundos añaden a los bienes el servicio de ofrecerlos en el lugar y en la forma en que los consumidores desean comprarlos. De ahí que los bienes valgan más caros en los comercios que en las fábricas que los elaboran. También se puede considerar que los comerciantes venden a los consumidores los servicios de poner los bienes en los lugares y en la forma que éstos los desean comprar, y que cobran sus honorarios a través de una adición a los precios de fábrica de los bienes que venden. Todos los agentes que participan en la distribución de los bienes (transportistas, agentes publicitarios y comerciantes mayoristas y minoristas) de esta forma añaden valor a los bienes y son considerados en el Análisis Económico como parte del proceso productivo. De ahí que en Economía se hable sólo de los oferentes o productores de los bienes y servicios. En este Capítulo suponemos que todos los bienes que se producen se venden, por lo que no distinguiremos aquí entre bienes producidos y bienes vendidos.

Podemos formular cuatro hipótesis generales sobre los factores que determinan la oferta de un bien:

1) La oferta de un bien depende de los objetivos que se propongan alcanzar las empresas productoras.

Las empresas pueden trazarse diversos objetivos: maximizar sus beneficios (en una primera aproximación digamos que los beneficios son la diferencia entre los ingresos y los costes), alcanzar el mayor volumen posible de ventas, captar una parte o fracción del mercado de un bien, minimizar los riesgos de incurrir en pérdidas en su actividad productiva, una combinación de algunos de estos objetivos, u otras metas. Obviamente el objetivo que se propongan alcanzar las empresas condicionará el tipo de bienes que produzcan. Así, si en un momento determinado muchas empresas prefieren no correr riesgos elevados, se producirán más bienes cuya venta esté asegurada, y menos bienes cuya venta sea problemática.

En el Análisis Económico se utiliza el supuesto de que las empresas persiguen fundamentalmente el objetivo de maximizar sus beneficios. Este supuesto de la maximización de beneficios ha sido muy fructífero desde el punto de vista analítico, ya que de él se pueden derivar una serie de hipótesis de comportamiento de las empresas que han permitido elaborar la teoría de los precios del Análisis Económico tradicional. Más adelante veremos cómo este supuesto ha sido y es criticado, y cómo se han utilizado otros supuestos alternativos sobre los objetivos de las empresas, que han permitido formular nuevas hipótesis sobre la actuación de éstas.

2) La oferta de un bien depende del grado de desarrollo de la tecnología. La tecnología es la aplicación de los conocimientos científicos a los métodos de producción. Los avances de la Química han permitido el desarrollo de los plásticos y de las fibras sintéticas, entre otros productos. Los desarrollos de la Física Cuántica han hecho posible la utilización de la energía atómica para producir electricidad y. otros tipos de energía:

Los progresos de la tecnología han dado lugar a una reducción drástica de los costes de producción en términos reales · de gran cantidad de bienes y servicios, lo que ha llevado a un aumento de su oferta. Piénsese, por ejemplo, que un coche o un frigorífico es más barato hoy en términos reales que hace treinta años. También puede mirarse este mismo fenómeno desde el ángulo de la productividad del trabajo: la tecnología ha producido un gran incremento de la productividad por hora trabajada, lo que ha llevado a una reducción de los costes y a un aumento de los salarios reales, aumento que ha dado lugar a un incremento de la capacidad adquisitiva de los trabajadores de todo tipo. De esta forma ha aumentado enormemente la demanda de gran cantidad de bienes y servicios, lo que ha hecho más atractiva su producción, y a su vez ha permitido emplear en su elaboración técnicas de fabricación en serie que han reducido sus costes drásticamente.

3) La oferta de un bien depende del precio de éste y del precio de otros bienes.

Puede esperarse que, *céteris páribus,* cuanto más alto sea el precio de un bien mayor será la cantidad de éste que las empresas desearán ofertar. Si se acepta el supuesto de que los bienes y servicios son producidos por las empresas con la finalidad principal de obtener beneficios, y dado que la rentabilidad relativa de la producción de los distintos bienes afecta a la rentabilidad de las industrias que los producen, entonces podemos predecir que las empresas tenderán a producir en mayores cantidades los bienes cuya producción resulte más rentable. Las nuevas empresas y las ya establecidas que busquen nuevos productos que fabricar tenderán, *céteris páribus,* a introducirse en aquellas industrias que ofrezcan mayores posibilidades de obtener beneficios. Se entiende por industria el conjunto de empresas que elaboran un producto genérico: la industria del automóvil, del calzado, de la construcción, siderúrgica, electrónica, del transporte, de los electrodomésticos, etc.

En cierto sentido cada producto está compitiendo con todos los demás por atraer la atención del empresario o productor cuyo objetivo es obtener beneficios. Dado que la rentabilidad relativa de la producción de un bien es el factor primordial para los empresarios, y que el precio relativo de un producto con respecto a los demás bienes es un determinante importante de la rentabilidad, podemos concluir que el precio del producto que analizamos y el de los demás productos son factores determinantes de la oferta del primero. Cuanto más elevado sea el precio del producto que estudiamos, *céteris páribus,* más rentable puede esperarse que sea su producción y, en consecuencia, mayor será su oferta.

Del mismo modo, cuanto mayores sean los precios de otros bienes distintos del que analizamos, más atractivo será producir los primeros y menos rentable fabricar el segundo. Evidentemente, hablamos de precios en términos relativos, ya que no tiene sentido comparar los precios absolutos. También debemos señalar que los precios relativos cambian como consecuencia de variaciones no homogéneas en los precios absolutos. De ahí que cuanto más aumente el precio absoluto de un bien, *céteris páribus,* más atractivo será producirlo, y cuanto más aumenten los precios absolutos de los demás bienes, mientras que el del nuestro permanezca constante, menos atractivo será producir este último.

La hipótesis de que cuanto mayor es el precio de un bien mayor es su oferta constituye lo que se ha llamado la ley de la oferta.

4) La oferta de un bien depende de los costes de los factores que intervienen en su elaboración.

Podemos esperar que si aumentan los precios de los factores más importantes en la producción de un bien, la oferta de éste disminuya. Este efecto contractivo sobre la oferta actúa a través de la influencia anticipada que los precios de los factores tienen sobre los beneficios. Un aumento en el precio de un factor tiene dos efectos: por una parte eleva los costes y reduce la rentabilidad de producir los bienes en cuya elaboración interviene, haciendo las actividades productivas o las industrias que lo emplean relativamente menos rentables que las que no lo utilizan, y por otra hace variar los precios relativos de los factores, lo que dará lugar a cambios en las técnicas de producción en favor de las técnicas que utilizan menos cantidad de ese factor y más de los otros cuyos precios no han variado o han variado menos.

El primer efecto conducirá a que se reduza la oferta de los productos elaborados por las industrias que ahora son menos rentables en términos relativos, y
aumente la oferta de los bienes producidos por las industrias relativamente más
rentables. El segundo efecto puede hacer que, al realizarse cambios en las técnicas
de producción, estos cambios lleven a la introducción de una nueva tecnología,
lo que a su vez puede dar lugar a un aumento de la oferta de los bienes cuyos costes
de producción han sido reducidos por ésta.

En resumen, pues, la oferta de un bien está relacionada positivamente con su
precio, y negativamente con los precios de los demás bienes y con los precios de
los factores productivos que se utilizan o se pueden utilizar en su elaboración. También depende positivamente del grado de desarrollo de la tecnología y su efecto
sobre los costes de producción del bien en cuestión (cuanto más desarrollada esté
aquélla y mayor sea la reducción de los costes que produzca, mayor será la oferta).
Finalmente, la oferta de un bien depende de los objetivos de los empresarios: algunos objetivos llevan a niveles de producción elevados, mientras que otros conducen a la reducción de ésta.

LA FUNCION DE OFERTA Y SU REPRESENTACION GRAFICA

En las páginas anteriores hemos expuesto cómo la oferta de un bien o servicio
depende de o está relacionada con un conjunto de factores que la determinan.
Nadie produce y ofrece bienes por el placer de hacerlo, sino que lo hace con la
finalidad de obtener unas ganancias, unos beneficios para ser más exactos en la
utilización de los términos económicos. Esta motivación básica de la actividad de
producir y ofertar da lugar a que estos factores ejerzan una influencia determinante
sobre la oferta. La relación entre la oferta de un bien y estos factores la podemos
formular a través de una relación funcional que llamamos la función de oferta.

$$O_1 = f(P_1, P_2, P_3, ..., P_n, l_1, l_2, l_3, ..., l_m, G, T)$$

O_1 es la oferta del bien 1 (supongamos, de carne de pollo); $P_1, P_2, ..., P_n$ son los
precios de los demás bienes que tengan un efecto inmediato sobre la oferta del
bien 1. Si el bien 1 es la carne de pollo, se puede esperar que 2, 3, ..., n sean bienes afines, tales como la carne de pavo, la carne de cerdo, la carne de ternera y la
carne de cordero, ya que los productores de carne de pollo probablemente son granjeros de profesión que disponen de la tierra donde están instaladas las granjas y
que producen parte de los alimentos que consumen los animales que crían, y sobre
todo que conocen los problemas y la técnica de criar animales.

Se puede esperar que aunque suban los precios de los ordenadores electrónicos
mientras que el precio de la carne de pollo permanezca constante o incluso baje,
los granjeros avícolas no van a cambiar de criar pollos a fabricar ordenadores. De
ahí que los bienes que suelen incluirse en la función de oferta de un bien son los
productos afines a éste.

Debemos señalar, sin embargo, que esto no tiene que ser necesariamente así.
Es cierto que gran parte de la producción de nuevos productos es realizada por
las grandes empresas existentes que amplían su actividad a líneas de producción
afines. Pero también es frecuente encontrar empresas multi-producto y multi-in-
dustria, especialmente en la actividad manufacturera. Quizá pueda decirse que cuan-

to más evolucionada sea una sociedad y su economía, más fácilmente cambian los empresarios de producir un artículo a producir otro. El objetivo de aquéllos es obtener beneficios y su habilidad especial no estriba principalmente en conocer un procedimiento técnicamente eficiente de producir un bien, sino en poseer la capacidad de montar un procedimiento económicamente eficiente de elaborarlo y comercializarlo, del que la eficiencia técnica en la producción es sólo un componente.

l_1, l_2, ..., l_m son los precios de los factores de la producción que se emplean en la elaboración del bien *1*. En nuestro ejemplo, se trataría de los precios de la tierra en la que establecer las modernas granjas avícolas, los costes de la construcción de las naves y de las instalaciones, los precios de la maquinaria que se emplea (incubadoras, etc.), los precios de los distintos tipos de pienso que se utiliza para alimentar y engordar los pollos, los costes de vacunación y demás tratamientos veterinarios y los sueldos de las personas que han de cuidar de las granjas.

G es el objetivo o los objetivos que las empresas productoras de carne de pollo se proponen alcanzar. Lo más probable es que se fijen como meta el maximizar los beneficios, pero también puede que se propongan popularizar el pollo de granja entre el público, aunque ello les suponga obtener inmediatamente menores beneficios, o conseguir desarrollar un pollo de granja que tenga el sabor que tiene el pollo criado libremente en el campo y que al mismo tiempo engorde una cantidad determinada por período de tiempo concreto. Finalmente, *T* es el estado de la tecnología en el momento de formular la función de producción: en nuestro ejemplo, principalmente, el conocimiento genético del pollo.

Como en el caso de la función de demanda, la función de oferta que hemos formulado sólo nos dice que la cantidad ofrecida del bien *1* está relacionada de alguna manera con las variables incluidas en el paréntesis. Supongamos que explicitamos esta función en lo que se refiere a la relación de la oferta de carne de pollo con su precio y con el precio de los demás bienes que le afectan, y que esta función toma la forma de la ecuación siguiente:

$$O_p = -1.000 + 150P_p - 10P_t - 15P_c - 35P_d - 30P_v$$

donde O_p es la oferta de carne de pollo, P_p es el precio de este tipo de carne, P_t es el precio de la carne de ternera, P_c es el precio de la carne de cordero, P_d es el precio de la carne de cerdo y P_v es el precio de la carne de pavo.

Esta ecuación muestra en cuántas unidades varía la oferta de carne de pollo al cambiar su precio y/o el precio de los demás bienes que pueden atraer el interés de los empresarios como bienes sustitutivos que producir en lugar de la carne de pollo. Si damos los valores siguientes en pesetas $P_p = 350$, $P_t = 650$, $P_c = 540$, $P_d = 450$, y $P_v = 300$; entonces $O_p = -1.000 + (150 \times 350) - (10 \times 650) - (15 \times 540) - (35 \times 450) - (30 \times 300) = -1.000 + 52.500 - 6.500 - 8.100 - 15750 - 9.000 = 52.500 - 39.350 = 12.150$ kilos. Es decir, al precio de 350 pesetas kilo, y dados los precios demás bienes, se ofertarían 12.150 kilos de carne de pollo.

Asimismo, podemos ver cómo por cada aumento de 1 peseta en el precio de la carne de pollo, su oferta aumenta en 150 kilos, mientras que por cada aumento de 1 peseta en el precio de la carne de ternera, la oferta de carne de pollo disminuye en 10 kilos.

Obviamente en esta función no estamos tomando en consideración ni los precios de los factores ni el estado de la tecnología, que son factores de primordial importancia para las empresas a la hora de tomar decisiones sobre las cantidades que desean ofertar. Como veremos en el Capítulo 20, estos factores son estudiados dentro de la función de producción de los bienes y servicios.

Representación Gráfica de la Función de Oferta

La función de oferta puede ser representada gráficamente. Una vez más, como cuando determinamos la curva de demanda, si dispusiéramos de los pares de valores correspondientes a las distintas cantidades de carne de pollo ofertadas a los diversos precios en la ciudad de Valencia, tal como se expresan en la Tabla 7.4,

TABLA 7.4

Precio en Ptas. por Kg.	Cantidad ofertada de carne de pollo por mes en Kgs.
100	0
150	9.000
200	16.000
250	22.500
300	28.000
400	38.000
500	45.000

no tendríamos más que representarlos en unos ejes de coordenadas, como se hace en la Figura 7.1. Pero este ejercicio de representar pares de valores en unos ejes de coordenadas no nos ayudaría demasiado a aprender cómo se determina una curva de oferta. Digamos que también en el caso de la oferta, y en contra de lo que generalmente se hace en la representación gráfica de relaciones funcionales, se representa la variable independiente precio en el eje de ordenadas y la variable dependiente cantidad ofertada en el eje de abscisas.

FIGURA 7.1

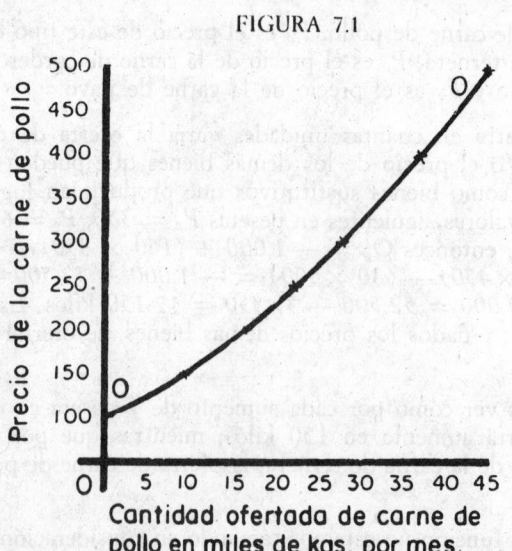

Cantidad ofertada de carne de pollo en miles de kgs. por mes.

La representación de la función de oferta de la manera que la hacemos en la Figura 7.1 implica que, como en el caso de la demanda, partimos de dos puntos:

1) Utilizamos un gráfico que sólo tiene dos dimensiones: la vertical en la que representamos el precio y la horizontal en la que expresamos la cantidad ofertada de carne de pollo. Todas las demás variables que incluimos en la función de oferta de este bien no están representadas en el gráfico, aunque, como veremos, tienen una influencia sobre la pendiente y la posición en el plano de la curva de oferta.

2) La curva de oferta tiene una pendiente positiva; es decir, estamos suponiendo una relación directa entre el precio y la cantidad ofertada. Es obvio que los valores de la Tabla 7.4 los hemos escogido arbitrariamente nosotros, y que podíamos haber seleccionado cualesquiera otros valores. No obstante, hemos escogido valores que reflejen la relación positiva entre precio y cantidad ofertada, ya que ésta recoge el principio de que normalmente los vendedores escogen ofertar cantidades más pequeñas de un bien a un precio bajo de éste, y cantidades mayores a precios altos. Este principio que generalmente subyace a las decisiones de los oferentes o vendedores es conocido como la ley de la oferta.

No vamos a explicar aquí en detalle las causas de la relación directa entre precio y cantidad ofertada, ya que aquéllas son analizadas detenidamente en los Capítulos 19, 20, 21 y 22. No obstante, digamos que se debe fundamentalmente a la ley de los rendimientos decrecientes. La empresa productora dispone a corto plazo de una cantidad fija de los factores bienes capital (planta y equipo), que están diseñados para producir unas cantidades del producto dentro de unos márgenes de variación limitados. Aumentar la producción más allá de estos márgenes lleva a costes de producción más elevados por cada unidad adicional de producto elaborada. Para producir mayores cantidades a costes más elevados, la empresa ha de recibir precios más altos. Si el precio del bien es bajo los oferentes reducirán su producción.

Volvamos a la función de oferta. La hipótesis que formulamos anteriormente era que la oferta de un bien es una función del precio de este bien y de los precios de otros bienes, de los precios de los factores de la producción, de los objetivos de las empresas y del estado de la tecnología. En la Figura 7.1 hemos representado en un gráfico la relación entre la oferta de un bien y su precio, suponiendo todos los demás factores constantes a un nivel dado. Una vez más, debemos señalar que el que seleccionemos el precio del bien como la única variable independiente que representamos en el diagrama de la curva de oferta, no significa que entendamos que aquél sea el determinante más importante de la oferta de dicho bien. Lo hacemos porque para nuestros fines analíticos de explicar los precios de mercado de los bienes y servicios es muy útil relacionar la cantidad ofrecida de cada bien (con todos los factores que la determinan) a través de un precio. Y ello por dos razones:

1) Como hemos visto en el caso de la demanda, analíticamente resulta un procedimiento práctico utilizar en el gráfico sólo el precio del bien que analizamos como variable independiente, ya que a través de él se puede representar muy bien la influencia que cada uno por separado y conjuntamente tienen los demás factores sobre la oferta. Manteniendo a éstos constantes a un nivel determinado mientras construimos la curva de oferta y permitiéndoles variar después, por este procedimiento conseguimos expresar con precisión el efecto que cada uno de estos factores tiene sobre la curva de oferta, que representa la relación entre la cantidad ofrecida y el precio.

2) En segundo lugar, al reducir la influencia de todos los factores que determinan la oferta de un bien a la relación entre el precio y la cantidad ofertada de éste,

estamos diseñando uno de los dos poderosos instrumentos analíticos constituidos por la oferta y la demanda, que nos van a permitir determinar los precios de mercado de los distintos bienes y servicios. La explicación y predicción del precio o valor de mercado de los bienes, como común denominador a todos éstos, hacen posible la comprensión de un área importante de los fenómenos económicos de las sociedades no comunistas: el área de la producción y la distribución de bienes y servicios decididas por el mecanismo del mercado.

Posteriormente abandonaremos el supuesto restrictivo de que sólo el precio del bien afecta a la cantidad ofertada de éste, y veremos cómo podemos tratar analíticamente los cambios en los precios de los demás bienes que compiten con el bien cuya oferta tratamos de determinar en cuanto a atraer el interés de los empresarios; en los precios de los factores de la producción que se utilizan en la elaboración del bien que analizamos; en los objetivos que persiguen las empresas que lo fabrican, y en el estado de la tecnología.

La curva de oferta pude decirse que representa la cantidad de un producto que un grupo de empresas ofertaría por unidad de tiempo a los diferentes precios de aquél bajo ciertas condiciones. También se puede concebir la curva de oferta de un bien como la representación de los precios que las empresas productoras del bien exigirían para ofertar las distintas cantidades de éste. En consecuencia, las curvas de oferta también muestran los flujos (o cantidades por período de tiempo) alternativos que llegarían al mercado bajo determinadas circunstancias (tales como el nivel de tecnología y las curvas de oferta de los factores de la producción).

El supuesto de que, excepto el precio de la carne de pollo, todas las demás variables explicativas o independientes incluidas en la función de oferta permanecen constantes se expresa formalmente así

$$O_I = f(P_I) \quad \left| \quad \begin{array}{l} P_i = P^o_i = (i = 2, 3, \ldots, n) \\ l_i = l^o_i \, (i = 1, 2, 3, \ldots, m) \\ G = G_o \\ T = T_o \end{array} \right.$$

que nos indica que O_I es una función únicamente de P_i al nivel P^o_i, l_i al nivel l^o_i, G al nivel G_o y T al nivel T_o.

La curva de oferta de la Figura 7.1, que representa gráficamente la función de oferta, expresa la cantidad que los productores desean producir y vender a los distintos precios del bien. Como hacíamos en el caso de la demanda, cuando decimos oferta nos referimos a la totalidad de la curva de oferta. Un cambio de la oferta significa, en consecuencia, un desplazamiento de la curva de la oferta. Por el contrario, un cambio en la cantidad ofertada significa un cambio dentro de la misma curva como consecuencia de una variación en el precio. La oferta cambia como consecuencia de una variación en una o varias de las demás variables.

Cuando seguimos el proceso de determinación de la curva de demanda, señalamos que manteníamos constantes los valores de las variables de la función de demanda, con la excepción del precio del bien que analizábamos, pero que aquéllas tenían una influencia sobre la pendiente de la curva de demanda (el grado de reacción de la cantidad demandada a las variaciones en el precio), y sobre la posición de la curva en el plano. No vamos a analizar aquí la pendiente de la curva de oferta y su posición en el plano porque, como veremos en los Capítulos 22 al 23, estas características de la curva de oferta del mercado de un bien dependen de las curvas de costes de las empresas que producen el bien, y del número de empresas que lo elaboran y de las cantidades del producto que fabrican.

Por el momento bástenos saber que la pendiente de la curva de oferta del mercado de la carne de pollo (la medida en que la cantidad ofertada varía al subir o bajar el precio de la carne de pollo), será distinta según el período de tiempo que se considere. En el llamado corto plazo (período de tiempo en el que la empresa tiene una cantidad fija de maquinaria e instalaciones), la curva de oferta tendrá mayor pendiente cuanto más intensamente se haga sentir la ley de los rendimientos decrecientes o costes crecientes en las empresas productoras. Insistimos en que esta cuestión no debe preocupar por el momento al lector.

La posición de la curva de oferta de mercado en el plano dependerá del número de empresas productoras del bien y de las cantidades de éste que produzcan. La curva de oferta de mercado de la carne de pollo no es más que la suma de las curvas de oferta de todas las empresas que crían pollos para venderlos. Si al precio de 300 pesetas kilo, la empresa A desea vender 1.000 kilos mensuales, la empresa B desea vender 750 kilos y la empresa C desea vender 1.250 kilos, esto significa que al precio de 300 pesetas, la cantidad ofrecida es de 3.000 kilos al mes. Igual procedimiento seguiríamos para obtener las cantidades totales ofertadas a cada uno de los demás precios, lo que nos daría las combinaciones de precios y cantidades ofertadas que representadas gráficamente constituirían la curva de oferta de mercado de carne de pollo.

Quizá al lector le parezca que existe una cierta contradicción entre, por una parte, la afirmación que hacíamos en el epígrafe primero de este Capítulo, en el sentido de que la oferta de un bien sería mayor cuanto más elevado fuera su precio, más bajos fueron los precios de otros bienes y más bajos fueran los precios de los factores de la producción que se emplean en su elaboración; y por otra, la aseveración que acabamos de hacer de que la pendiente de la curva de oferta de mercado de un bien depende de las curvas de costes de las empresas que lo fabrican, y que la posición de dicha curva depende del número de empresas existentes en la industria.

No existe tal contradicción. Lo que ocurre es que todavía no tenemos a nuestra disposición suficientes instrumentos analíticos para explicar adecuadamente esta cuestión. Recomendamos al lector un poco de paciencia. La pendiente de las curvas de oferta la estudiaremos con detenimiento en la Teoría de la Producción. Así como al estudiar la determinación de la curva de demanda analizamos en detalle los factores de los que depende su pendiente, aquí sólo diremos que a corto plazo la pendiente de la curva de oferta depende de la intensidad mayor o menor con que entre en juego la ley de los rendimientos decrecientes o costes crecientes: cuanto más crezcan los costes marginales a corto plazo mayor será la pendiente de la curva de oferta (en el Capítulo 23 veremos la relación de las curvas de costes con la curva de oferta). A largo plazo la pendiente de la curva de oferta(la forma en que la oferta de un bien reaccionaría ante cambios en el precio de éste) dependerá igualmente del comportamiento de los costes. Pero en el largo plazo son los precios de los factores (crecientes, constantes o decrecientes), las posibles economías de escala, y la tecnología los que van a determinar el comportamiento de los costes.

Los costes de producción nos explican la pendiente de la curva de oferta de un bien, y el número de empresas que lo elaboran determina la posición de la curva de oferta en el plano (su situación más a la izquierda o a la derecha del origen de los ejes).

Al igual que vimos ocurría con la curva de demanda del mercado de un bien, la curva de oferta de mercado de un producto se puede obtener sumando horizontalmente las curvas de oferta de todas las empresas que lo elaboran: si al precio de 500 pesetas por unidad de producto la empresa A oferta 5.000 unidades por mes, la empresa B oferta 7.000 y la empresa C oferta 2.500, un punto de la curva de oferta de mercado será el correspondiente a 14.500 unidades del producto al precio de 500 pesetas por unidad. La misma operación de sumar las cantidades ofertadas por todas las empresas del ramo a cada precio nos daría los demás puntos de la curva de oferta de mercado (véase la Figura 6.2 y el procedimiento empleado allí para obtener la curva de demanda de mercado).

DESPLAZAMIENTOS DE LA CURVA DE OFERTA

Repetimos una vez más que la curva de oferta de mercado no representa más que las cantidades que los productores desean vender a los distintos precios durante un período de tiempo concreto. Esta curva no nos dice nada ni sobre la cantidad que efectivamente venden, ni sobre el precio al que la venden. Al construir la curva hemos supuesto que los demás factores que tienen una influencia sobre la oferta permanecen constantes.

Pero estos otros factores cambian en el tiempo, y sus cambios darán lugar a desplazamientos de la oferta hacia la izquierda o hacia la derecha. Un cambio de la oferta o, lo que es igual, un desplazamiento de la curva de oferta de mercado de un bien puede deberse a los siguientes factores:

1) Cambios en los costes de producción del bien.

2) Cambios en los precios de otros productos.

3) Cambios en las expectativas de los productores sobre el precio del bien.

4) Cambios en el número de oferentes del bien.

Veamos la influencia que cada uno de estos factores tienen sobre la oferta.

Cambios en los Costes de Producción

El coste de producir o proveer un bien o servicio puede reducirse bien por mejoras en la tecnología, o a causa de una disminución en el precio de los factores de la producción que se emplean en su elaboración. En el caso de la carne de pollo los costes de producirla disminuirían bien porque se descubriera un híbrido de varias razas de pollos que creciera más rápidamente que los conocidos hasta ahora, bien porque se encontrara un nuevo tipo de pienso que los hiciera engordar más kilos de carne por kilo de alimentación, o bien porque el precio de uno o más de los distintos tipos de piensos que se utilizan para alimentar a los pollos bajara. En los tres casos se produciría un desplazamiento de la curva de oferta hacia la derecha como el representado en la Figura 7.2. La curva de oferta $O_1 O_1$ se desplaza a la posición representada por la curva $O_2 O_2$, que constituye la nueva curva de oferta.

En el ejemplo representado por la Figura 7.2, antes del descubrimiento del nuevo híbrido de pollo, los productores de carne de pollo ofrecían 22.500 kilos de ésta por mes cuando el precio era de 250 pesetas kilo. Después del descubrimiento, a ese mismo precio desean vender 37.500 kilos por mes. A cada precio los oferentes desean vender una cantidad mayor de la que ofrecían antes.

FIGURA 7.2

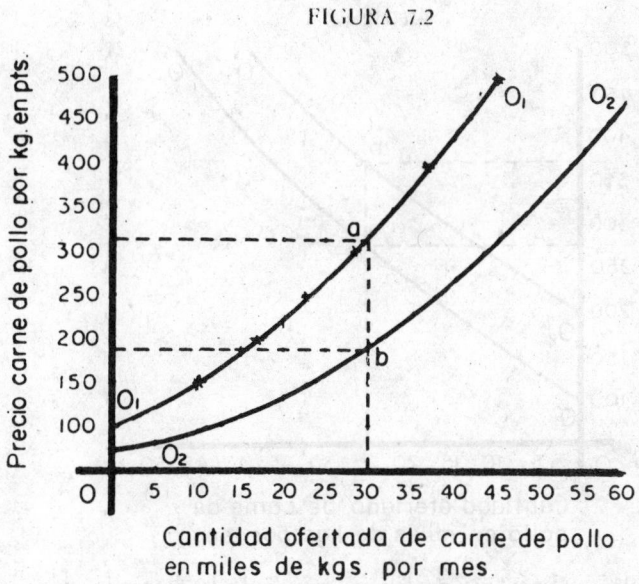

Cantidad ofertada de carne de pollo
en miles de kgs. por mes.

También se puede leer el gráfico desde otro eje, y decir que cada una de las cantidades de carne de pollo es ofertada a un precio menor: así, para ofrecer 30.000 kilos de carne por mes, antes del descubrimiento exigían un precio de 310 pesetas por kilo y ahora sólo exigen 185 pesetas kilo, como puede verse en la Figura 7.2 al pasar del punto a al b en el plano. Un ejemplo llamativo de cómo una nueva tecnología ha afectado a la oferta lo constituye el desarrollo de circuitos electrónicos en miniatura. Estos minicircuitos han hecho posible fabricar las pequeñas calculadoras de bolsillo a costes bajísimos. De ahí los precios tan reducidos a los que se venden estos aparatos.

Un encarecimiento de los costes de producción (una subida de los precios de los factores de la producción) hará que la curva de oferta se desplace hacia la izquierda, como se representa en la Figura 7.3. El desplazamiento de la curva expresa el hecho de que tras el encarecimiento de uno de los factores importantes de la producción, los oferentes exigirán por cada cantidad un precio más elevado del que pedían antes de la subida del precio del factor. Así, para ofrecer 25.000 kilos de carne de pollo por mes antes los oferentes pedían 275 pesetas por kilo, y ahora exigen 375 pesetas, pasando del punto a al b en el plano. La curva de oferta O_1O_1 se ha trasladado a la posición ocupada por la curva O_2O_2 que representa la nueva curva de oferta. También se puede decir que cuando aumentan sus costes de producción, a un precio determinado se ofrece menor cantidad del producto.

Un ejemplo bien conocido de los efectos que tiene sobre la oferta de los bienes la subida de los precios de los factores que se emplean en su fabricación lo constituye el continuo incremento del precio del petróleo desde 1974. La curva

de oferta de la mayoría de los productos industriales se ha desplazado continuamente hacia la izquierda, y los consumidores hemos tenido que pagar precios más
elevados por muchos bienes. Los desplazamientos de la curva de oferta hacia la
derecha o hacia la izquierda no tienen que ser necesariamente paralelos.

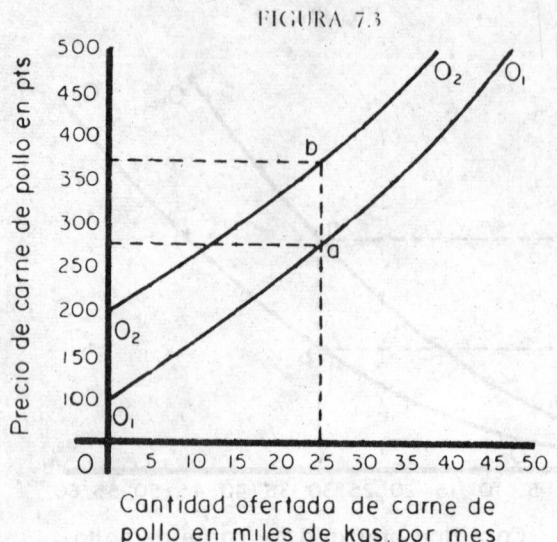

FIGURA 7.3

Conviene señalar que todavía no hemos estudiado la determinación de los precios de los bienes y servicios, y que, en consecuencia, quizá el lector no esté en condiciones de comprender estas afirmaciones o que incluso le produzcan confusión.
El desplazamiento de la curva de oferta de un bien hacia la izquierda no significa
necesariamente que se produzca menos de ese bien. Lo que sí implica necesariamente es que los oferentes exigen un precio mayor del que pedían antes de la subida del petróleo por cada cantidad de producto que ofertan. El que los oferentes
terminen o no produciendo y vendiendo de un bien una cantidad mayor de la que

FIGURA 7.4

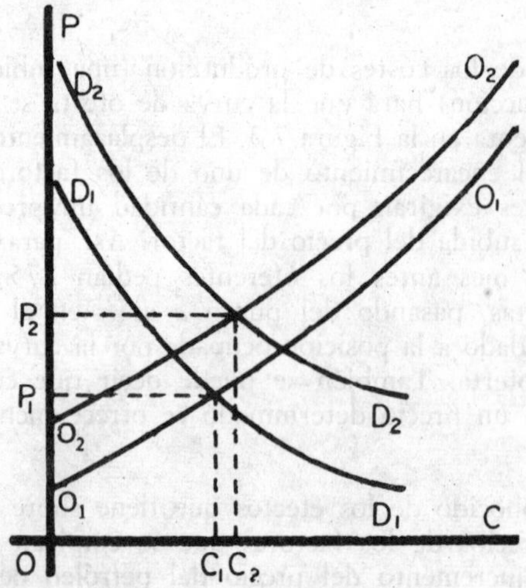

vendían antes de la subida del precio del petróleo depende (como veremos en el próximo Capítulo) de la medida en que se desplace hacia la derecha la curva de demanda de ese bien (como consecuencia, por ejemplo, del aumento de la renta real de los consumidores).

Como puede verse en la Figura 7.4, un desplazamiento suficientemente grande de la curva de demanda de D_1D_1 a D_2D_2 puede hacer que, incluso con la nueva curva de oferta O_2O_2, no sólo el precio, sino también la cantidad comprada y vendida puedan ser mayores que antes de que se desplazara la curva de oferta como consecuencia de una subida del precio de un factor de la producción. Esto es lo que ha ocurrido con productos tales como la gasolina. Lo que nos interesa resaltar aquí es que los desplazamientos hacia la izquierda de las curvas de oferta no implican necesariamente que se ofrezca menor cantidad. Como tampoco los desplazamientos de las curvas de oferta hacia la derecha implican que se produzca más de los bienes correspondientes. Los empresarios, productores u oferentes tienen sus curvas de oferta que dependen de los factores que hemos visto, y que representan las cantidades que están dispuestos a vender a los distintos precios.

Si su curva de oferta se desplaza hacia la izquierda, esto significa que exigirán un precio mayor por cada cantidad ofrecida. Pero estarán dispuestos a ofertar la cantidad que se les demande siempre que se les pague el precio que ellos piden, dados sus costes a ese nivel de producción. Dicho con otras palabras: los empresarios estarán dispuestos a moverse dentro de su nueva curva de oferta tan arriba como el mercado les pida a través de la demanda.

El aumento del precio del petróleo ha hecho que suban simultáneamente los costes de producción de gran cantidad de productos industriales. Analíticamente este hecho lo estudiamos diciendo que las curvas de oferta de todos los bienes en cuya elaboración se utiliza el petróleo se han desplazado hacia la izquierda. Los consumidores o demandantes de estos productos tenían su correspondiente curva de demanda para cada uno de ellos. Como consecuencia del desplazamiento de las curvas de oferta hacia la izquierda, han subido los precios de todos estos productos y en principio tendrían que haber disminuido las cantidades compradas y vendidas de todos ellos. Esto último no ha ocurrido en una magnitud considerable por tres razones:

a) Los productos industriales e incluso los agrícolas y los servicios en cuya elaboración y provisión se emplea el petróleo, son tan numerosos y representan un porcentaje tan alto del total de los bienes y servicios que demandamos, que si los consideramos como un grupo de bienes, prácticamente no tienen sustitutivos, ya que son la mayoría de los bienes utilizados y deseados en las sociedades modernas. Esto significa que la curva de demanda de mercado de todos estos bienes conjuntamente sería muy pendiente (la cantidad demandada responde muy poco a subidas en el precio). Por eso al desplazarse la curva de oferta hacia la izquierda, ha subido el precio considerablemente, mientras que la cantidad demandada ha bajado muy poco.

b) Pero, además, al ser tan numerosos los productos industriales y agrícolas en cuya elaboración se emplea el petróleo de alguna forma, casi ninguno de ellos tiene sustitutivos cuyos costes de producción no hayan sido afectados por la subida del precio del petróleo. Esto significa que la curva de oferta de cada uno de ellos se ha trasladado hacia la izquierda, haciendo subir el precio y disminuir la cantidad comprada y vendida de cada bien al cruzarse con la correspondiente curva de demanda más hacia arriba y hacia la izquierda de ésta.

En el Capítulo anterior vimos cómo la subida del precio de un bien (como consecuencia en este caso del desplazamiento hacia la izquierda de la curva de oferta) daría lugar a un desplazamiento hacia la derecha de la curva de demanda del bien o de los bienes que sean sustitutivos del primero, ya que éstos se habrían hecho más baratos relativamente hablando a todos sus precios con respecto al bien cuyo precio ha subido. Las curvas de oferta de estos bienes no se habrían desplazado en absoluto y, en consecuencia, los precios y las cantidades compradas y vendidas de ellos habrían aumentado al cortar las nuevas curvas de demanda a las curvas originales de oferta en un punto más hacia la derecha y hacia arriba de éstas.

Pero las curvas de oferta de todos los bienes en cuya producción se emplea el petróleo se han desplazado hacia la izquierda simultáneamente, en mayor o menor medida según el componente de los costes que represente el petróleo. En consecuencia, los precios de todos estos bienes han aumentado simultáneamente, y por ello los precios absolutos han subido, pero los relativos no han variado mucho. De ahí que no se hayan producido desplazamientos de la curva de demanda de estos productos. Quizá haya habido pequeños desplazamientos hacia la derecha de la curva de demanda de algunos de los productos que, siendo sustitutivos más o menos próximos de otros bienes, sus precios relativos se hayan hecho ahora más bajos (sus precios absolutos hayan aumentado, pero en menor medida que los de otros), como consecuencia de que el petróleo sea un componente proporcionalmente menos importante de sus costes.

c) El aumento no sólo de los precios, sino también de las cantidades compradas y vendidas de muchos bienes y servicios en cuya producción se emplea el petróleo se debe a los desplazamientos hacia la derecha de sus curvas de demanda como consecuencia de los aumentos de la renta real de los consumidores.

La tasa de aumento de los salarios (entendemos por tasa de aumento el porcentaje de crecimiento por período de tiempo, en este caso de los salarios) es también un factor importante del coste de la oferta de los bienes y servicios. Si los salarios aumentan, *céteris páribus,* se puede esperar que se produzcan cantidades menores de los bienes a cada precio: las curvas de oferta se trasladan hacia la izquierda con los aumentos de los salarios, como ocurre con los incrementos de los precios de los demás factores de la producción.

Cambios en los Precios de Otros Productos

Muchos productores pueden elaborar más de un producto. Lógicamente éstos preferirán producir la combinación de productos que les sea más rentable en términos de beneficios. En el ejemplo que hemos venido utilizando, si sube el precio de los huevos mientras que el de la carne de pollo permanece constante, entonces los granjeros destinarán un número mayor de polluelas a poner huevos, y, en consecuencia, no las destinarán a producir carne. La curva de oferta de huevos se desplazaría hacia la derecha y la de la carne de pollo hacia la izquierda.

Las Expectativas de los Empresarios

Las expectativas sobre los cambios en los precios de los productos son un importante factor en el comportamiento de los productores u oferentes. La oferta de un bien o servicio cambiará si el precio de éste no ha aumentado todavía, pero se espera que lo haga en el futuro. Las expectativas de los productores harán cambiar la oferta. Si los productores de carne de pollo esperan que el precio de ésta aumente en un futuro próximo, mantendrán los pollos más tiempo de lo que normalmente lo hacen, reduciendo así la oferta en ese momento y aumentándola en un momento posterior: la curva de oferta se desplaza primero hacia la izquierda y después hacia la derecha. Muchas empresas incluso toman préstamos e invierten en maquinaria o compran materias primas sobre la base de lo que esperan que ocurra con los precios en períodos de tiempo de meses o incluso años.

El Número de Productores

Cuando el precio de un bien o de varios de los bienes que producen las empresas de una industria (en nuestro ejemplo, el precio de la carne de pollo, de los huevos de gallina y del estiércol) son rentables, se puede esperar que otros empresarios entren en la industria para producirlos. Esto hará desplazarse hacia la derecha la curva de oferta de esos bienes. El fenómeno opuesto puede ocurrir: que los precios de los bienes sean poco rentables y algunos productores abandonen la industria, dando lugar a un desplazamiento hacia la izquierda de la curva de oferta. Al construir la curva de oferta y utilizar la condición o supuesto de *céteris páribus,* suponíamos que no aumentaría el número de productores. Al abandonar este supuesto, el fenómeno puede ocurrir.

Resumiendo, lo importante que conviene retener de este Capítulo son los determinantes de la oferta de los bienes y servicios, y el procedimiento de fijación o determinación de la curva de oferta de éstos. Asimismo, es importante saber distinguir entre un cambio en la cantidad ofrecida (movimiento dentro de la curva de oferta del bien como consecuencia únicamente de una variación en el precio de éste), y un cambio en la oferta (desplazamiento de la curva de oferta como consecuencia de una variación en los costes de producción, en los precios de otros productos, en las expectativas de los empresarios y/o en el número de éstos que hay en la industria).

Para someter a prueba su comprensión de estas cuestiones, el lector puede tratar de responder a la pregunta: ¿qué sucederá con la oferta de coches si ocurre alguno de los siguientes hechos?:

a)   Un aumento en el precio de los camiones.

b)   Una disminución en el precio del acero.

c)   La introducción de una nueva técnica más eficiente en la línea de ensamblaje.

d)   Un aumento en el deseo de los fabricantes de coches de ser bien considerados por la sociedad en lugar de maximizar los beneficios.

e)   Un aumento en el precio de los coches.

Una vez más, como hicimos al estudiar la demanda, hemos hablado del comportamiento de los empresarios oferentes y de la oferta, como si aquéllos y ésta fueran agentes económicos que toman decisiones, como si estuvieran en el mismo plano de tener una voluntad de actuación y efectivamente actuaran. Es evidente que los que toman decisiones son los productores (los consumidores en el caso de la demanda). La oferta y la demanda se comportan (en el sentido de que varían) de una manera determinada debido a que los individuos que las protagonizan realizan acciones que llevan a esos cambios. No obstante, personificamos a la oferta y a la demanda porque nos son necesarios y útiles como instrumentos analíticos muy poderosos para estudiar, comprender, explicar y predecir los fenómenos del mercado: los precios y las cantidades transaccionadas. Agentes económicos (consumidores, productores, Estado) y variables económicas (precios, cantidades, oferta, demanda, etc.) los mezclamos en el análisis, si bien mantenemos claro cuáles son las unidades económicas que toman decisiones.

BIBLIOGRAFIA SELECCIONADA

Samuelson, P.: *Curso de Economía Moderna,* op. cit., Cap. 4, págs. 64-82.
Lipsey, R.: *Introducción a la Economía Positiva,* op. cit., Cap. 8, págs. 96-101.
Reynolds, L. G.: *Introducción a la Economía,* Tecnos, Madrid, 1968, Cap. 5, págs. 121-146.
Barre, R.: *Economía Política,* op. cit.
Lancaster, K.: *Economía Moderna* 1, op. cit., Cap. 4.
Bilas, R.: *Teoría Microeconómica,* op. cit., Cap. 2.
Clower, R. W., y Due, J. F.: *Microeconomía,* op. cit.
Marshall, A.: *Principios de Economía,* Aguilar, Madrid, 1957.

LA DETERMINACION DEL PRECIO Y LA CANTIDAD DE EQUILIBRIO

Tras analizar detalladamente y por separado los dos lados del mercado (la demanda y la oferta), ahora podemos estudiar la determinación de los precios y de las cantidades transaccionadas. En la curva de demanda hemos incluido todos los factores determinantes de la demanda, y en la curva de la oferta los del lado de la oferta. Pero la curva de demanda de un bien nos dice sólo las cantidades de éste que los consumidores desean comprar a cada precio del bien. No nos dice nada ni sobre el precio que realmente pagan, ni sobre la cantidad que realmente compran, aunque sabemos que a un precio determinado comprarán la cantidad que indica su curva de demanda, o que, mirada la cuestión desde otro lado, para que compren una cantidad determinada de las que están incluidas en el intervalo del eje horizontal de su curva de demanda, el precio habrá de ser el que indique su curva de demanda para esa cantidad.

Los consumidores comprarán sólo la cantidad que deseen a cada precio, y nadie les puede obligar ni les obliga a comprar una cantidad mayor de la que desean adquirir a cada precio. Tampoco se les puede obligar a pagar un precio mayor del que indique su curva de demanda para una determinada cantidad. Si la curva de demanda está bien construida, incluirá todas las cantidades y precios que tengan sentido para los consumidores. Así, al precio de 5.000 pesetas por kilo de carne de pollo seguramente no se demandaría ninguna cantidad de este bien. Por eso no incluimos en el diagrama este precio, como tampoco incluimos la cantidad de 5.000.000 de kilos de carne de pollo por mes en el eje horizontal de la curva de demanda de carne de pollo en la ciudad de Valencia. En los ejes representamos valores normales y significativos para fines analíticos.

Igual ocurre con la oferta: los productores no ofertarán más que las cantidades que desean vender a los distintos precios, y eso y sólo eso es lo que representa la curva de oferta de un bien. *Sensu stricto,* es pues, erróneo decir que a los consumidores se les obliga a pagar un precio más elevado del que desean pagar por éste o aquel bien. Cuestión distinta es que les gustara o prefirieran pagar un precio más bajo del que indica su curva de demanda para una cantidad determinada de un bien.

Recordemos también que, tanto para los consumidores como para los oferentes, al determinar sus curvas de oferta y demanda, los precios les venían dados, es decir, ellos no los determinaban. Ambos grupos, consumidores y productores, podían controlar y determinar las cantidades que deseaban comprar y vender, respectivamente, a cada precio, pero no fijaban éste, ya que no está en sus manos hacerlo. Podemos mirar la cuestión desde otro punto de vista: si los consumidores decidieran (y se atuvieran a su decisión) el precio que desean pagar en el mercado por unidad de un bien concreto, tendrían que abandonar toda posibilidad de determinar la cantidad que desearan comprar, ya que ésta no podría ser otra que la que los oferentes desearan venderles a ese precio (estos se situarían en un punto de su curva de oferta correspondiente al precio que fijaran los consumidores).

Del mismo modo, si los oferentes como grupo fijan un precio a su bien, no pueden decidir al mismo tiempo la cantidad que venderán todos ellos conjuntamente, ya que esa cantidad no será otra que la que los demandantes deseen adquirir a ese precio (la cantidad indicada por la curva de demanda de los consumidores para ese precio). Cuestión distinta es que un productor individualmente considerado fije el precio de su producto a un nivel en torno al del mercado y venda todo lo que produce por representar su producción una parte pequeña de la oferta total.

En realidad, se puede concebir la curva de demanda como una frontera entre los precios que están dispuestos a pagar los consumidores y los que no están dispuestos a pagar por las distintas cantidades: para cada cantidad la curva de demanda señala en el eje de ordenadas el precio máximo que en circunstancias normales pagarán los consumidores por cada cantidad del bien. Por supuesto que estarían encantados de pagar un precio menor que el que determina su curva de demanda para cada cantidad, y puede que en algunas ocasiones lo consigan por razones que veremos más adelante, pero se puede esperar que el mecanismo y el juego del mercado no les brinden muchas oportunidades de hacerlo. La curva de demanda es, pues, una frontera: todos los puntos situados por encima de ella y a su derecha representan para cada cantidad un precio que los consumidores no están dispuestos a pagar; los puntos del plano delimitado por los ejes de coordenadas situados a la izquierda de la curva de demanda representan precios para las distintas cantidades inferiores a los que la utilidad (traducida en pesetas) que obtienen del consumo de éstas les permitirían pagar, y que, en consecuencia, preferirían pagar. Pero el mercado generalmente tenderá a obligarles a pagar precios más elevados que éstos. De ahí que su curva de demanda represente esa frontera de los precios máximos que están dispuestos a pagar.

De igual modo, la curva de oferta representa la frontera de los precios mínimos que exigen los oferentes para ofertar las distintas cantidades. Los precios representados por los puntos por encima y a la izquierda de la curva representan precios superiores a sus costes para cada cantidad, y, en consecuencia, los productores los preferirían, ya que les reportarían mayores beneficios, pero que la competencia de los demás productores en el mercado generalmente no les permitirá obtener. Los puntos situados por debajo de la curva de oferta y a la derecha de ésta representan precios inferiores a los costes de producción para cada cantidad de producto, y, por lo tanto, no aceptables para los oferentes. La curva de oferta sirve exactamente de frontera entre estos dos conjuntos de precios, y representan los precios mínimos que los productores aceptan o a los que desean vender sus productos.

La curva de demanda de los consumidores para un bien determinado, como veremos más adelante, representa la utilidad o la satisfacción traducidas a pesetas (precio) que para ellos tiene consumir las distintas cantidades de un bien, y por eso no están dispuestos a pagar más que esos precios, dado un conjunto de factores que conocemos. La curva de oferta de los productores de un bien representa los costes de producción igualmente traducidos a pesetas (precio), incluyendo en esos costes un margen de beneficios de producir las distintas cantidades de ese bien, y por ello no están dispuestos a ofertarlas y venderlas más que cuando se le paguen los correspondientes precios que indica su curva. Puede que en ocasiones los productores vendan su producto a un precio inferior a sus costes, pero esta situación será excepcional y no es suficientemente significativa ni expresiva de la realidad como para que el Análisis Económico se ocupe de ella a nivel microeconómico. También puede ocurrir que en otras ocasiones vendan su producto a un precio superior al que indica su curva de oferta para esa cantidad; como veremos en los Capítulos 24 al 26, la competencia que se da en los mercados entre las empresas hace que este fenómeno no sea ni general ni siquiera frecuente.

FIGURA 8.1

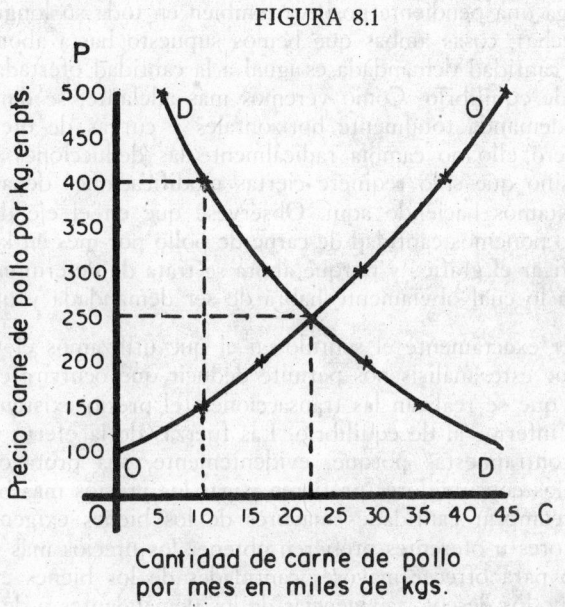

Cantidad de carne de pollo
por mes en miles de kgs.

Ahora ya podemos ver cómo se determinan el precio y la cantidad transaccionada de un bien en el mercado. Si ponemos en un mismo gráfico las curvas de oferta y demanda de carne de pollo en Valencia, como se hace en la Figura 8.1, vemos cómo sólo hay un precio y una cantidad de carne de pollo con los que los demandantes y los oferentes estarían satisfechos: el precio de 250 pesetas kilo y la cantidad de 22.500 kilos. Sólo a este precio la cantidad que los demandantes desean comprar coincide con la cantidad que los oferentes desean vender. O lo que es lo mismo, sólo para la cantidad de 22.500 kilos de carne de pollo por mes coinciden los consumidores y los productores en pagar y percibir respectivamente el precio de 250 pesetas por kilo, y, en consecuencia, estarán satisfechos y no desearán que cambien ni el precio ni la cantidad transaccionada. A este precio de 250 pesetas kilo y a esa cantidad de 22.500 kilos por mes se les llama el precio y la cantidad de equilibrio. Por esta intersección de las curvas de oferta y demanda quedan determinados el precio de mercado de un bien y la cantidad efectivamente transaccionada del mismo, variables éstas que en el análisis de la demanda y de la oferta por separado estaban por determinar: el precio era tomado como una variable exógena y la cantidad era sólo la deseada.

El concepto de equilibrio está tomado de la Física y significa que un cuerpo se mantiene en una posición estable debido a que las fuerzas que actúan sobre él empujándolo en distintas direcciones se contrarrestan entre sí y, en consecuencia, el cuerpo no se mueve o no cambia de posición. Evidentemente, el equilibrio puede ser más o menos estable según que las fuerzas contrapuestas se contrarresten más o menos eficaz y permanentemente. De ahí que se hable de equilibrio estable y de equilibrio inestable.

En Economía utilizamos el concepto de equilibrio en este mismo sentido: sólo a ese precio y a esa cantidad las fuerzas contrapuestas del mercado representadas por la oferta y la demanda se contrarrestan y cesan las presiones para cambiar el precio o la cantidad comprada y vendida. Siempre que la curva de demanda tenga una pendiente negativa en toda su longitud (descienda de izquierda a derecha) y la curva de oferta tenga una pendiente positiva también en toda su longitud (ascienda de izquierda a derecha), cosas ambas que hemos supuesto hasta ahora, sólo habrá un precio al que la cantidad demandada es igual a la cantidad ofertada. De ahí que se le llame precio de equilibrio. Como veremos más adelante, se dan casos extremos de curvas de demanda totalmente horizontales y curvas de oferta completamente verticales, pero ello no cambia radicalmente las deducciones que podemos sacar del análisis, sino que sólo requiere ciertas modificaciones de algunas de las afirmaciones que estamos haciendo aquí. Obsérvese que en el eje de abscisas de la Figura 8.1 ya sólo ponemos cantidad de carne de pollo por mes en kilos. Lo hacemos así para simplificar el gráfico y porque ahora se trata de determinar la cantidad transaccionada, para lo cual obviamente habrá de ser demandada y ofertada.

Para comprender exactamente el sentido en el que utilizamos el término equilibrio, veamos lo que este análisis nos permite deducir que ocurrirá en el mercado cuando el precio al que se realizan las transacciones (el precio existente en el mercado) es superior o inferior al de equilibrio. Las fuerzas de la oferta y la demanda decimos que son contrapuestas porque, evidentemente, sus protagonistas tienen intereses opuestos: los consumidores prefieren pagar los precios más bajos posibles, y sobre todo para comprar cantidades mayores de los bienes exigen precios más bajos; y los productores u oferentes prefieren obtener los precios más altos posibles y en cualquier caso para ofrecer mayores cantidades de los bienes exigen precios más altos. De ahí que los deseos y exigencias de los demandantes y de los oferentes se muevan en direcciones opuestas. Dado que los consumidores tienen en sus manos el poder de comprar o dejar de comprar y comprar más o comprar menos cantidad de cada bien, y que los oferentes pueden decidir ofertar o no ofertar y ofertar mayor o menor cantidad de cada bien, cada parte utilizará su poder en el mercado para intentar mover los acontecimientos en su favor.

EL MECANISMO POR EL QUE EL MERCADO TIENDE AL EQUILIBRIO

Supongamos que por alguna razón en Valencia se fijara el precio de mercado de la carne de pollo a 400 pesetas (por ejemplo, porque los propietarios de las granjas avícolas se pusieran de acuerdo entre ellos para vender el pollo a ese precio que incluiría unos márgenes para los comerciantes). Como puede verse en la Figura 8.2, a este precio la cantidad demandada o cantidad que los consumidores desean comprar es de 10.000 kilos al mes. De acuerdo con sus costes, y dados los demás factores que afectan a la oferta, los productores a ese precio desearían vender y ofertarían 38.000 kilos de carne de pollo al mes. Evidentemente, la cantidad que se transaccionaría (que se compraría y vendería) sería 10.000 kilos, ya que a los consumidores no se les puede obligar a comprar más que la cantidad que desean adquirir a ese precio.

FIGURA 8.2

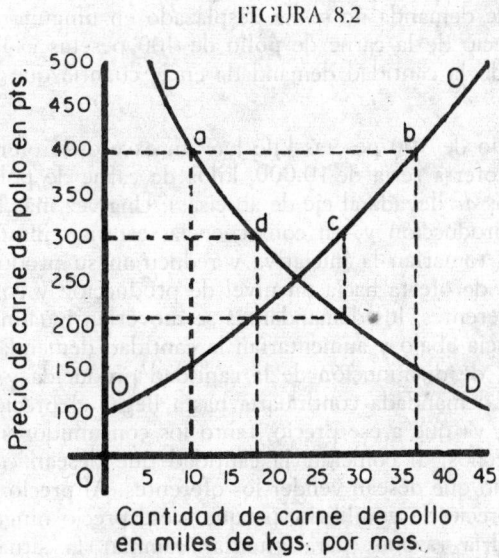

Cantidad de carne de pollo
en miles de kgs. por mes.

Habría, pues, un exceso de oferta que en la Figura 8.2 viene representado por la distancia entre los puntos *a* y *b*, que trasladada al eje horizontal sería igual a 28.000 kilos por mes (38.000 kilos por mes que ofrecen los productores a ese precio, menos 10.000 kilos por mes que compran los consumidores). Como consecuencia de ese exceso de oferta, los productores no estarían satisfechos y el mercado no estaría en equilibrio. Los productores tomarían la iniciativa, ya que serían ellos los insatisfechos con la situación, y harían lo único lógico que pueden hacer: reducir la cantidad ofertada.

La reducción de la cantidad que ofrecen significa un movimiento dentro de su curva de oferta OO hacia abajo, lo que implica que sus costes de producir cada kilo de carne de pollo disminuyen, siempre que, como hemos supuesto, su curva de oferta represente sus costes de producción y éstos sean crecientes. Suponemos que no se ha producido cambio alguno en ninguno de los demás factores que inciden en la curva de oferta y que, por lo tanto, ésta no se desplaza en ninguna dirección.

Al reducir la cantidad producida y bajar sus costes de producción por kilo, los oferentes pueden vender la nueva cantidad que produzcan al precio que señale su curva de oferta para esa nueva cantidad de producción, precio que, evidentemente, será inferior a 400 pesetas. Supongamos que reducen su producción a 28.000 kilos por mes y que ofrecen esa cantidad en el mercado (han pasado del punto *b* al *c* dentro de su curva de oferta). Para comprar esta cantidad de carne de pollo por mes los consumidores no están dispuestos a pagar más que 200 pesetas por kilo, como indica la curva de demanda. Pero los productores, dados sus costes, para vender los 28.000 kilos exigen 300 pesetas por kilo.

Los demandantes al precio de 300 pesetas kilo sólo desean comprar 18.000 kilos por mes y ésta es la cantidad que comprarán y que efectivamente se transaccionará, ya que los consumidores son los que deciden qué cantidad comprar a ese precio. Los demandantes se han movido dentro de su curva de demanda del punto *a* al *d,* ya que lo único que ha variado ha sido el precio de la carne de pollo. Supongamos que no se ha producido cambio alguno en los demás factores que determinan la demanda (renta, gustos, precios de otros bienes sustitutivos, etc.) y que, por lo tanto, la curva de demanda no se ha desplazado en ninguna dirección. Simplemente al bajar el precio de la carne de pollo de 400 pesetas a 300 pesetas por kilo, ellos han aumentado la cantidad demandada en la cuantía que indica la curva de demanda.

Pero todavía al precio de 300 pesetas kilo hay un exceso de oferta sobre la demanda. Este exceso de oferta sería de 10.000 kilos de carne de pollo por mes (la distancia entre los puntos *dc* llevada al eje de abscisas). Una vez más los productores no venderían toda su producción y, en consecuencia, estarían insatisfechos. También una vez más, éstos tomarían la iniciativa y reducirían su producción, moviéndose dentro de su curva de oferta hacia un nivel de producción y costes más bajos. Al bajar el precio los oferentes, los demandantes se moverían igualmente dentro de su curva de demanda hacia abajo y aumentarían la cantidad demandada. El proceso de reducción del precio, de disminución de la cantidad producida y ofertada, y de aumento de la cantidad demandada continuaría hasta llegar al precio de equilibrio de 250 pesetas por kilo, ya que a ese precio, tanto los consumidores como los productores estarían satisfechos, al coincidir la cantidad que desean comprar los demandantes con la cantidad que desean vender los oferentes. Al precio de 250 pesetas kilo se le llama, pues, precio de equilibrio, porque a ese precio ninguno de los dos grupos de agentes tendría razones para intentar cambiar la situación. Habrían cesado las presiones de unos u otros para cambiar el precio o la cantidad, ya que a ese precio no existe exceso de oferta. A todos los precios superiores a 250 pesetas por kilo habrá una presión hacia abajo sobre el precio producida por el exceso de oferta.

Consideremos ahora el caso opuesto. Supongamos que los productores fijaran el precio de la carne de pollo en 150 pesetas kilo. A este precio los oferentes desearían vender 9.000 kilos de carne de pollo al mes, mientras que los consumidores desearían comprar 34.000 kilos igualmente por mes. Véase la Figura 8.3. En este caso se daría un exceso de demanda de 25.000 kilos por mes, representada por la distancia *a b* trasladada al eje de abscisas. El mercado no estaría, pues, en equilibrio. La cantidad que efectivamente se transaccionaría sería 9.000 kilos por mes, ya que éste es el número de kilos de carne de pollo que habría disponibles en el mercado por ser la cantidad que los oferentes desean vender a ese precio, dados sus costes. Los demandantes no tienen ningún poder sobre los productores para obligarles a ofertar una mayor cantidad a ese precio.

Pero los comerciantes observarían que la carne de pollo se les agotaba rápidamente y que muchos clientes suyos se marcharían de las carnicerías sin haber podido comprar la cantidad de carne de pollo que deseaban obtener. En consecuencia, aumentarían sus pedidos de carne de pollo a los mataderos y éstos los pasarían a los granjeros. Estos aumentarían su producción, cosa que les llevaría algún tiempo, y, en consecuencia, se moverían dentro de su curva de oferta hacia arriba del punto *a* al *c* en la Figura 8.3, lo que les aumentaría sus costes de producción por kilo de carne. Supongamos que ahora envían al mercado 16.000 kilos de carne de pollo por mes. Para ofertar esa cantidad los granjeros exigen 200 pesetas por kilo, como indica su curva de oferta. Pero a ese precio los consumidores desean comprar 27.500

kilos por mes; el aumento del precio de 150 pesetas a 200 pesetas kilo les habría hecho moverse dentro de su curva de demanda del punto *b* al *d*, reduciendo su cantidad demandada de 34.000 a 27.500 kilos por mes. Las curvas de oferta y demanda no se desplazan en ninguna dirección, ya que suponemos que se mantienen constantes los factores que hacen desplazarse a éstas. Sólo hemos hecho variar el precio de la carne de pollo.

FIGURA 8.3

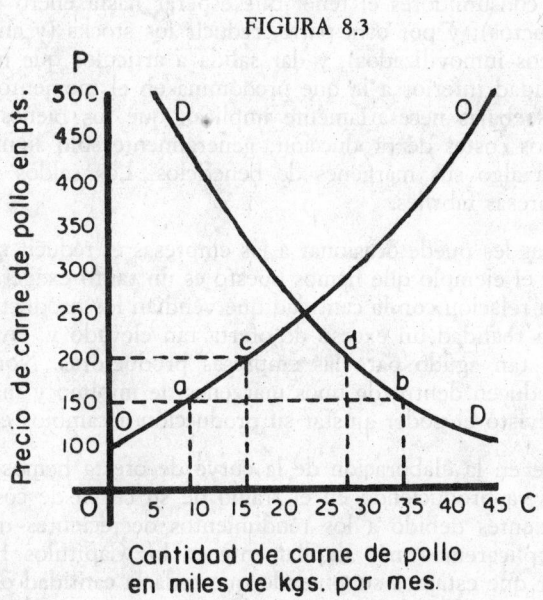

Cantidad de carne de pollo
en miles de kgs. por mes.

Aun a este precio habría un exceso de demanda de 11.500 kilos por mes representada por la distancia *cd* llevada al eje horizontal. La presión sobre el precio seguiría empujando éste al alza. El proceso continuaría hasta que se llegara al precio de 250 pesetas kilo al que, una vez más, la cantidad que los demandantes desean comprar es igual a la cantidad que los productores desean vender. A este precio habría equilibrio entre las fuerzas de la oferta y las de la demanda, y nadie desearía cambiar la situación, en tanto en cuanto no variara alguna de las demás variables que afectan a la demanda y a la oferta.

Obsérvese, y esto es importante, que en ningún momento hemos dicho que los productores venderían su producto a precios inferiores a sus costes de producción, representados por su curva de oferta, cuando había exceso de oferta. Con frecuencia el estudiante de Economía comete el error de entender y decir que los productores, para dar salida al exceso de oferta, venden su producto a precios inferiores a sus costes. Esto puede que lo hagan los agricultores que recogen una cosecha de productos perecederos, o las empresas que utilicen procesos de producción que hagan difícil el ajuste de su nivel de producción con rapidez a las fluctuaciones de la demanda o que representen una parte importante de la oferta total. Pero si, como ocurre en la mayoría de los casos, los productos pueden ser almacenados y conservados durante tiempo, las empresas hacen frente al exceso de oferta aumentando temporalmente sus existencias para a continuación reducir su producción. Generalmente existen varias empresas en una industria, y, en consecuencia, el exceso de oferta se distribuye entre ellas según el tamaño de su volumen de producción y ventas. Vender los productos a precios inferiores a sus costes sería ruinoso para las empresas y no podrían hacerlo más que en contadas y excepcionales circunstancias, y no con cada fluctuación del mercado.

Los saldos o rebajas no son más que técnicas o estrategias de promoción de ventas en las que se pretende, por una parte, aumentar éstas (en gran medida por el efecto psicológico sobre los consumidores, y también por la discriminación de precios que supone para los consumidores el tener que esperar hasta enero o agosto para adquirir ciertos productos); y por otra parte, reducir los stocks (y en consecuencia los recursos financieros inmovilizados), y dar salida a artículos que han pasado de moda y/o son de calidad inferior a la que predomina en el momento. En ninguno de los dos casos las rebajas necesariamente implican que los bienes se vendan a precios inferiores a los costes de producción; generalmente sólo significan que los comerciantes reducen algo sus márgenes de beneficios. Los saldos son poco frecuentes entre las empresas fabriles.

Mayores problemas les puede ocasionar a las empresas el reducir su producción. Pero recordemos que el ejemplo que hemos puesto es un tanto exagerado en cuanto al exceso de oferta en relación con la cantidad que vendían los productores. Generalmente no se da en la realidad un exceso de oferta tan elevado y, en consecuencia, el problema no será tan agudo para las empresas productoras. Normalmente las empresas fabriles producen dentro de unos márgenes de mínimo y máximo de producción, y tienen previsto el poder ajustar su producción a cambios en los pedidos.

Insistimos en que en la elaboración de la curva de oferta hemos supuesto que las empresas estaban ya produciendo en el tramo de su curva de costes en el que se daban costes crecientes debido a los rendimientos decrecientes de los factores variables. Esto lo explicaremos más ampliamente en los Capítulos 19 a 22. También debemos señalar que estamos suponiendo que toda la cantidad de un bien que se produce se vende, y que la oferta reacciona casi instantáneamente a cambios en la cantidad demandada y en la demanda, como veremos en el siguiente epígrafe de este Capítulo; es decir, que las empresas pueden ajustar automáticamente su nivel de producción a los pedidos que reciben de los comerciantes o de los clientes. Sólo en los casos señalados los oferentes venderán sus productos a cualquier precio que puedan obtener (precios que pueden ser inferiores a los costes de producción), pero estos casos constituyen excepciones a la generalidad. En el Capítulo 13 abandonaremos el supuesto de que la oferta se ajusta automáticamente a los cambios en los precios y consideraremos el caso de que la oferta tarde un período de tiempo en ajustarse a los cambios de la demanda. Por el momento suponemos que lo hace, bien automáticamente o bien en un período de tiempo suficientemente corto como para no ser significativo a efectos analíticos.

Podemos sacar varias conclusiones de esta teoría simple de los precios. En primer lugar, digamos que si la curva de demanda es continua (por contraposición a discontinua; es decir, que para cada precio existe una cantidad que los consumidores desean comprar. De hecho, sabemos que los precios no varían de forma continua, sino a saltos, como todos tenemos la triste experiencia de haber sufrido), y desciende de izquierda a derecha, y si igualmente la curva de oferta es continua y asciende de izquierda a derecha, entonces existe un solo precio de equilibrio, o precio al que la cantidad que los compradores desean adquirir es igual a la cantidad que los productores desean vender.

Es muy importante entender la diferencia entre cantidad que se desea comprar y cantidad que efectivamente se compra, y lo mismo con la oferta. Obviamente la cantidad que se compra es igual a la que se vende, ya que lo que unos compran es exactamente lo que otros venden, pero esto no significa que el mercado de un bien esté en equilibrio. La cuestión es si la cantidad que se compra es o no igual a la cantidad que se desea comprar, y que la cantidad que se vende es o no igual a la cantidad que se desea vender. Hemos visto que puede no serlo y que, dadas las formas de la curva de oferta y demanda, sólo existe un precio al que se cumple esa condición para oferentes y demandantes. En este sentido, el precio de equilibrio es único. A este precio no existe ni exceso de oferta ni exceso de demanda. Este precio de equilibrio no es ni bueno ni malo desde el punto de vista ético. No puede hablarse de precio justo, ya que no tiene implicaciones éticas o morales. Es simplemente el precio al que se igualan la oferta y la demanda.

La segunda conclusión que sacamos es que cuando existe un exceso de oferta de un bien, su precio tiende a bajar mientras exista ese exceso, y si existe un exceso de demanda su precio tenderá a subir mientras dure tal exceso de demanda.

Con estas afirmaciones no queremos decir ni que el mercado alcance realmente el equilibrio ni siquiera que necesariamente tienda a él. Por lo que respecta a la cuestión de si un mercado alcanza o no el equilibrio, hemos de decir que este análisis lo hemos realizado bajo el supuesto de que, con la excepción del precio del bien, todos los demás factores que incluimos en las funciones de oferta y demanda de aquél permanecen constantes. Sabemos que en la vida real continuamente se producen cambios en muchas de estas variables que dan lugar a desplazamientos de la curva de demanda y/o de la curva de oferta que harán que el proceso de variación del precio hacia el equilibrio se vea interrumpido. Pero los efectos de los cambios de esas variables no invalidan la utilidad de este poderoso aparato analítico. En el siguiente epígrafe, como hicimos cuando estudiamos las curvas de oferta y demanda, relajaremos este supuesto y permitiremos que cambien todas esas variables para estudiar sus efectos y ver cómo podemos manejarlos analíticamente con un instrumental analítico tan simple como el que hemos desarrollado hasta aquí. Lo más probable es que nunca se alcance el precio y la cantidad de equilibrio en el mercado de los distintos bienes, debido a los continuos cambios en las demás variables. No obstante, el poder explicativo de este aparato analítico es muy considerable.

Por lo que respecta a la cuestión de si el precio se mueve o no en la dirección del precio de equilibrio la estudiaremos en el Capítulo 13. Allí veremos cómo bajo ciertas condiciones de las curvas de demanda y oferta, el proceso del cambio del precio puede llevar a éste en la dirección opuesta a la del precio de equilibrio. En general, no obstante, el proceso que hemos descrito aquí es válido para la mayoría de los bienes y servicios.

CAMBIOS EN LA DEMANDA Y EN LA OFERTA Y SUS EFECTOS SOBRE EL PRECIO Y LA CANTIDAD DE EQUILIBRIO

Hemos visto cómo se determina el precio de mercado y la cantidad transaccionada por la intersección de las curvas de demanda y de oferta, suponiendo que durante el proceso de ajuste del mercado para alcanzar el equilibrio los demás factores que afectan a la demanda y a la oferta permanecían constantes. Una vez más, esta técnica de reducir el número de variables que en un primer momento introducimos en el análisis para poder manejarlos mejor y sentar las bases del aparato analítico, nos ha dado resultado. Ahora podemos proseguir nuestro acercamiento a la realidad e introducir los cambios en las demás variables que con frecuencia sabemos ocurren en la vida real.

Supongamos que se hubiera alcanzado el equilibrio en el mercado de la carne de pollo en la ciudad de Valencia al precio de 250 pesetas por kilo, con una cantidad de carne de pollo transaccionada de 22.500 kilos por mes. Supongamos que por alguna razón sube el precio de la carne de cerdo. Como sabemos, esto daría lugar a un desplazamiento de la curva de demanda de la carne de pollo hacia la derecha, que pasaría de ser D_1D_1 a ser D_2D_2: la nueva curva de demanda puede o no ser paralela a la curva inicial. Los efectos del desplazamiento de la curva de demanda pueden verse claramente en la Figura 8.4.

Como puede observarse, el precio se ha elevado de 250 a 285 pesetas, y la cantidad comprada y vendida ha aumentado de 22.500 kilos por mes a 26.000 kilos igualmente por mes.

FIGURA 8.4

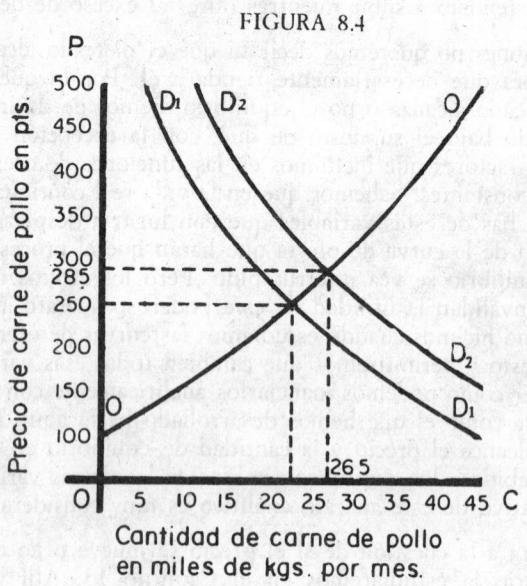

Cantidad de carne de pollo
en miles de kgs. por mes.

De aquí concluimos que todo cambio en alguna de las variables que producen un desplazamiento de la curva de demanda de un bien hacia la derecha, dará lugar a un aumento del precio y de la cantidad comprada y vendida de este bien. Recuérdese que suponemos que partíamos de una situación de equilibrio del mercado de este bien y que todos los demás factores que afectan a la demanda y los que afectan a la oferta permanecen constantes (obviamente con la excepción del precio del bien que analizamos).

Supongamos ahora que cambian los gustos en contra de la carne de pollo debido, por ejemplo, al descubrimiento por los científicos especialistas en nutrición de que el pollo aumenta el colesterol en la sangre. Ello daría lugar a un desplazamiento de la curva de demanda hacia la izquierda. Como puede verse en la Figura 8.5, la nueva curva de demanda sería D_2D_2, y el desplazamiento habría dado lugar a una reducción, tanto del precio (de 250 a 200 ptas. kg.) como de la cantidad transaccionada (cantidad comprada y vendida que pasa de 22.500 kilos por mes a 16.500 kilos). Al igual que en el caso anterior, la nueva curva de demanda D_2D_2 puede o no ser paralela a la curva de demanda originaria D_1D_1.

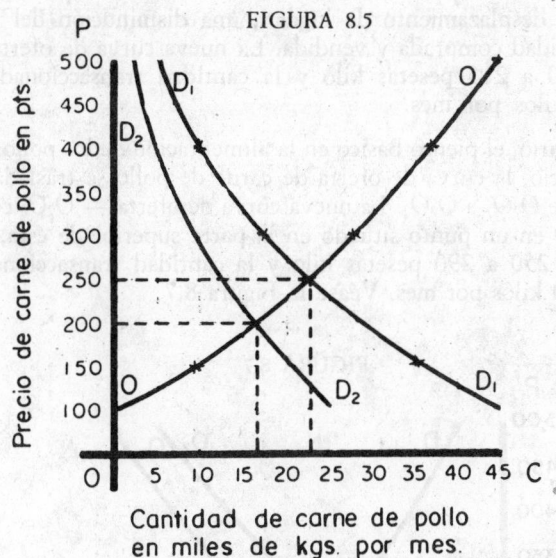

FIGURA 8.5

Cantidad de carne de pollo
en miles de kgs. por mes.

La generalización que podemos formular a partir del ejemplo anterior es que el cambio de una o varias de las variables que producen un desplazamiento de la curva de demanda de un bien hacia la izquierda (suponiendo todas las demás variables de la función de demanda y las de la función de oferta constantes), dará lugar a una disminución, tanto del precio del bien como de la cantidad transaccionada.

Los efectos que sobre el precio y la cantidad comprada y vendida de equilibrio tendrán los cambios en la oferta son también fáciles de determinar con nuestros instrumentos analíticos de las curvas de oferta y demanda. Si, por ejemplo, se descubriera un nuevo tipo de pienso que no fuera más caro que los utilizados hasta ahora y que hiciera engordar a los pollos proporcionalmente más que aquéllos, la curva de oferta de carne de pollo se trasladaría hacia la derecha. Como vemos en

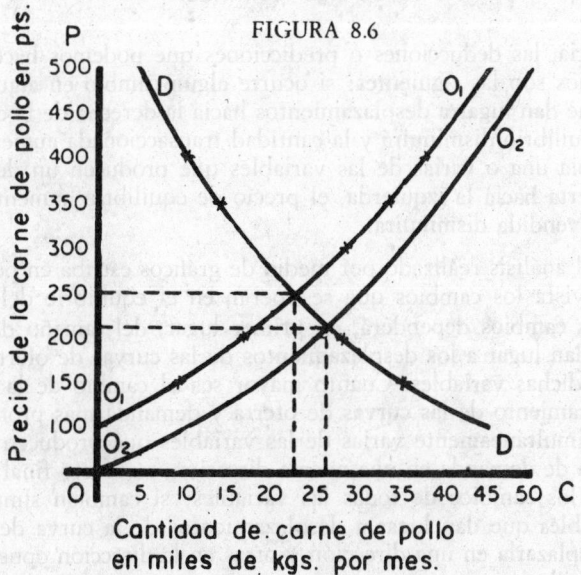

FIGURA 8.6

Cantidad de carne de pollo
en miles de kgs. por mes.

la Figura 8.6, este desplazamiento da lugar a una disminución del precio y a un aumento de la cantidad comprada y vendida. La nueva curva de oferta es O_2O_2 y el precio pasa de 250 a 215 pesetas kilo y la cantidad transaccionada aumenta de 22.500 a 26.500 kilos por mes.

Si, por el contrario, el pienso básico en la alimentación de los pollos por alguna ra zón subiera de precio, la curva de oferta de carne de pollo se trasladaría hacia la iz quierda, pasando de O_1O_1 a O_2O_2. La nueva curva de oferta — O_2O_2 cortaría a la cur va de demanda DD en un punto situado en la parte superior de ésta, con lo que el precio aumenta de 250 a 290 pesetas kilo y la cantidad transaccionada disminuye de 22.500 a 20.000 kilos por mes. Véase la Figura 8.7.

FIGURA 8.7

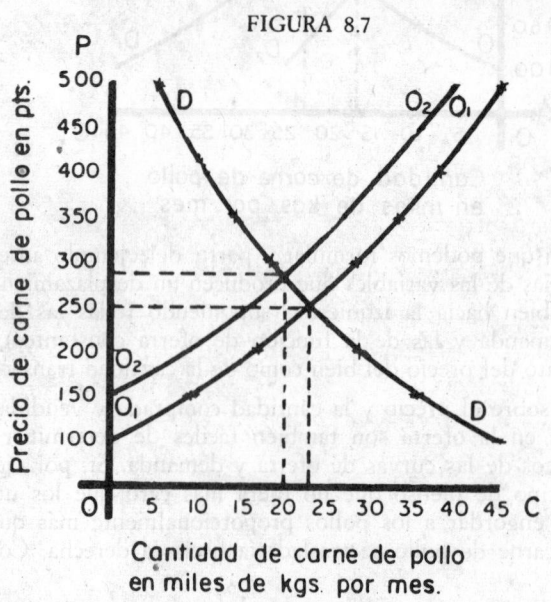

Cantidad de carne de pollo
en miles de kgs. por mes.

En consecuencia, las deducciones o predicciones que podemos hacer de nuestra teoría de los precios son las siguientes: si ocurre algún cambio en alguna o algunas de las variables que dan lugar a desplazamientos hacia la derecha de la curva de ofer ta, el precio de equilibrio disminuirá y la cantidad transaccionada aumentará. Si, por el contrario, cambia una o varias de las variables que producen un desplazamiento de la curva de oferta hacia la izquierda, el precio de equilibrio aumentará y la can tidad comprada y vendida disminuirá.

La utilidad del análisis realizado por medio de gráficos estriba en permitirnos ob servar a primera vista los cambios que se operan en el equilibrio del mercado. La magnitud de estos cambios dependerá, en primer lugar, del tamaño del cambio de las variables que dan lugar a los desplazamientos de las curvas de oferta y demanda y del número de dichas variables. Cuanto mayor sea el cambio de la variable que produce el desplazamiento de las curvas de oferta y demanda más pronunciado será éste; si cambian simultáneamente varias de las variables que producen un desplaza miento de la curva de demanda en una misma dirección, su efecto final será la suma de los efectos de los cambios de todas las variables; si cambian simultáneamente varias de las variables que dan lugar a desplazamientos de la curva de oferta, pero unas tienden a desplazarla en una dirección y otras en la dirección opuesta, entonces la posición final de la curva de oferta será la resultante de sumar las fuerzas que la empujan en una dirección y restarle a esta suma la suma de las fuerzas que tienden a moverla en la dirección opuesta.

El efecto de todos estos cambios sobre el precio y la cantidad de equilibrio nos lo dará la intersección de la nueva curva de oferta con la curva de demanda originaria, si ésta no se ha desplazado; o la intersección de la nueva curva de demanda con la curva de oferta originaria, si ésta no se ha desplazado; o la intersección de las nuevas curvas de oferta y demanda que se determinan tras los cambios.

La magnitud de los cambios que se producen en el precio y en la cantidad de equilibrio dependerá, en segundo lugar, de la pendiente de las curvas de oferta y demanda. No podemos decir exactamente en qué medida subirá el precio de un bien en respuesta a un cambio en la demanda si no conocemos previamente la pendiente de las curvas de oferta y demanda. Lo que sí podemos decir es que, *céteris páribus,* cuanto mayor sea la pendiente de las curvas de oferta y demanda, mayor será el cambio en el precio, y al revés. No obstante esta limitación, ya que con frecuencia no sabemos con exactitud la pendiente de las curvas, aunque (como hemos visto en los dos Capítulos anteriores), sí podemos deducirla de forma aproximada, es muy útil saber que el efecto general de un aumento de la demanda será el de incrementar simultáneamente el precio de equilibrio y la cantidad transaccionada. O que el aumento de la oferta hará bajar el precio y aumentar la cantidad comprada y vendida.

Cuando cambian simultáneamente la oferta y la demanda, los efectos sobre el precio y la cantidad de equilibrio son más difíciles de predecir. Por ejemplo, si aumenta la oferta mientras que la demanda disminuye es obvio que el precio disminuirá, ya que los dos cambios lo empujan en la misma dirección a la baja. Pero la nueva cantidad de equilibrio dependerá de la medida en que el aumento en la oferta sea contrarrestado por la disminución en la demanda. El aumento en la oferta tenderá a aumentar la cantidad transaccionada, pero la disminución de la demanda tenderá a reducirla.

FIGURA 8.8

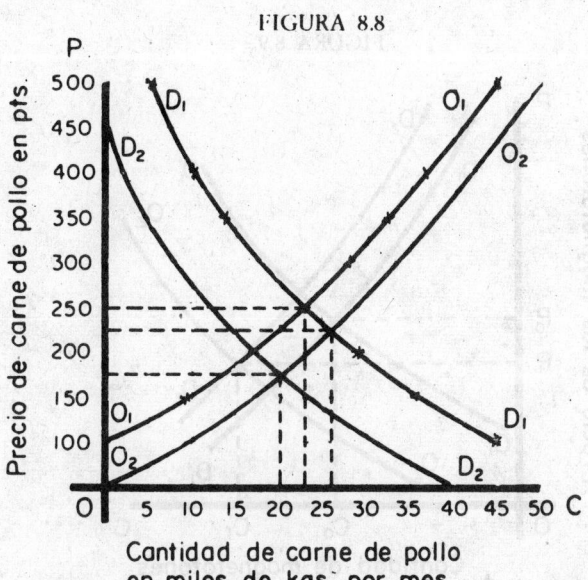

Cantidad de carne de pollo
en miles de kgs. por mes.

En la Figura 8.8 podemos apreciar cómo el aumento de la oferta que da lugar a un desplazamiento de la curva de oferta de O_1O_1 a O_2O_2, hace disminuir el precio de equilibrio de 250 a 225 pesetas y aumentar la cantidad transaccionada de 22.500 a 26.500 kilos por mes. A su vez, la disminución de la demanda produce el desplazamiento de la curva de demanda de D_1D_1 a D_2D_2, una nueva disminución del precio de 225 a 175 pesetas kilo y una disminución de la cantidad comprada y vendida de 26.500 a 20.000 kilos por mes, cantidad inferior a la originaria de 22.500 kilos por mes. Obviamente la reducción de la cantidad transaccionada se debe en este caso a que el desplazamiento hacia la izquierda de la curva de demanda es mayor que el desplazamiento hacia la derecha de la curva de oferta. Es fácil representar el caso opuesto, o aquél en el que el desplazamiento de una curva es igual en magnitud al desplazamiento de la otra (en este caso la cantidad transaccionada no variaría, aunque el precio de equilibrio disminuiría).

Del mismo modo, si la oferta disminuye y la demanda aumenta, el precio debe subir necesariamente, pero la nueva cantidad de equilibrio dependerá de la magnitud relativa de los cambios. Si la disminución de la oferta es mayor que el aumento de la demanda, la cantidad de equilibrio será menor que antes del cambio; pero si la reducción de la oferta es menor que el aumento de la demanda, la cantidad de equilibrio será mayor, por las mismas razones que hemos visto en el caso anterior.

Finalmente, y dentro del examen de las distintas posibilidades, es concebible que la oferta y la demanda aumenten simultáneamente. En este caso la nueva cantidad de equilibrio aumentará necesariamente, y este incremento será obviamente mayor que si sólo hubiera aumentado la oferta o la demanda. En cuanto al precio, el resultado final dependerá de si el aumento de la demanda tira de él hacia arriba más de lo que el aumento de la oferta tira de él hacia abajo. Del mismo modo, si la oferta y la demanda disminuyen simultáneamente la cantidad de equilibrio disminuirá necesariamente. Por lo que respecta al precio, éste bajará si la reducción de la demanda es superior a la disminución de la oferta; y el precio subirá si la reducción de la oferta es mayor que la disminución de la demanda.

FIGURA 8.9

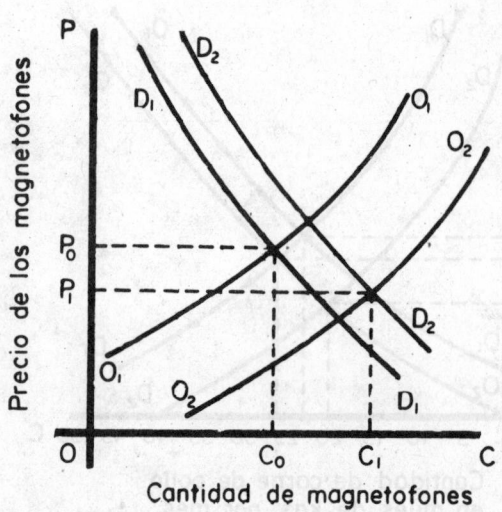

Cantidad de magnetofones

La Figura 8.9 podría muy bien representar lo que ha ocurrido en el mercado de los magnetófonos en los últimos diez años. Antes de los últimos avances tecnológicos en la fabricación de este producto, el precio de equilibrio era P_o y la cantidad transaccionada era C_o. Con la reducción de los costes de la nueva tecnología, la curva de oferta se ha trasladado hacia la derecha con un desplazamiento muy pronunciado; la nueva curva de oferta podría ser O_2O_2. Al mismo tiempo, la demanda ha aumentado también como consecuencia del incremento de la renta real de los consumidores, y la curva de demanda se ha desplazado de D_1D_1 a D_2D_2. El resultado final es que la cantidad de equilibrio ha aumentado enormemente de C_o a C_1. El precio de equilibrio ha bajado de P_o a P_1, debido a que el tirón hacia arriba del aumento de la demanda ha sido más que compensado por el tirón hacia abajo del incremento de la oferta.

Como señalamos en su momento, las expectativas de los vendedores y de los compradores también juegan un papel importante en la determinación de la oferta y la demanda. Si los compradores de un bien esperan que el precio de éste baje postpondrán sus compras, con lo que la curva de demanda de ese bien se desplazará hacia la izquierda y el precio efectivamente bajará. Las expectativas de que los precios bajen pueden también causar un aumento de la oferta; los vendedores lanzarán al mercado sus existencias para tratar de obtener lo que puedan por ellas, con lo que la oferta aumentará y los precios efectivamente disminuirán. Del mismo modo, las expectativas de que los precios van a subir pueden hacer que la demanda aumente al intentar acumular provisiones los compradores y aumentar así su demanda. También los vendedores, si piensan que los precios van a subir, reducirán la cantidad que enviarán al mercado y la almacenarán a la espera de la subida, haciendo así disminuir la oferta y aumentar los precios. Es interesante observar que en economía las expectativas de los compradores y de los vendedores se convierten algunas veces en realidad. Si éstos esperan que los precios suban y se comportan como si fueran a subir, los precios efectivamente subirán. Las cotizaciones de los títulos valores en bolsa constituye el caso más obvio de estas profecías autoconfirmantes.

El análisis que hemos expuesto en este capítulo sobre el equilibrio del mercado puede parecer claramente definido sobre el papel. Debemos señalar que en la realidad los fenómenos pueden ser más complejos de lo que los hemos presentado aquí. En el mundo real el *céteris* (todo lo demás) generalmente no es *páribus* (constante). Las condiciones están continuamente cambiando, haciendo así que las curvas de oferta y demanda se desplacen hacia la izquierda y hacia la derecha en un movimiento incesante. La información a menudo no es transmitida con suficiente rapidez de unos mercados a otros, lo que da lugar a desaprovisionamientos en unos mercados y a excedentes en otros.

Antes de que todos los ajustes se hayan podido producir en un mercado tras el cambio de alguna o algunas variables, las condiciones pueden haber cambiado de nuevo, y el mercado puede que cambie la dirección de su proceso de ajuste y empiece a moverse hacia otro nuevo equilibrio. Lo que queremos decir con esto es que el mercado es dinámico y que por ser dinámico difiere algo del mercado estático que hemos supuesto en este análisis. No obstante, los principios que rigen para los dos tipos de mercado (el estático y el dinámico) son los mismos. El partir del supuesto de que la economía es estática nos permite utilizar el supuesto de *céteris páribus* y analizar los procesos de ajuste de la economía real, que es dinámica.

Los economistas emplean el análisis de estática comparada, que consiste en partir de una situación de equilibrio, introducir un cambio en una o más de las variables implicadas, y analizar las consecuencias del cambio por medio de comparar la situación antes del cambio con la situación después del cambio de la variable o variables. Este tipo de análisis, a falta de un análisis dinámico que se continúa intentando elaborar, se ha mostrado muy útil. Nosotros únicamente hemos utilizado, en este Capítulo y en los dos anteriores, este análisis de estática comparada. En el Capítulo 13 emplearemos algunos elementos del análisis dinámico del mercado.

Otra causa por la que el equilibrio del mercado puede no alcanzarse es la rigidez de los precios. No siempre los precios responden con la rapidez que hemos supuesto a los cambios en las condiciones del mercado. Especialmente los precios no son flexibles a la baja. El poder monopolista de las empresas que fijan los precios, los salarios mínimos establecidos por ley, y otros factores pueden impedir que los precios bajen, aun cuando la deficiencia de la demanda requiera que bajen. Esta situación ocurre con cierta frecuencia y puede conducir a períodos prolongados de desequilibrio.

La inflación generalizada es otro factor que puede entorpecer el que los mercados alcancen el equilibrio de precio y cantidad transaccionada. Como hemos señalado al analizar la oferta y la demanda y el mecanismo de determinación de los precios, el precio de un bien, aunque se denomine en términos absolutos (en pesetas), expresa el valor relativo de éste frente a otros bienes. Por otra parte, en las funciones de demanda y oferta incluíamos variables que al cambiar pueden dar lugar a variaciones en los precios; pero los cambios se debían siempre a factores reales (por contraposición a factores monetarios), tales como un cambio en los gustos, en la tecnología, en los precios de los factores de la producción (producidos por el aumento o la reducción de la oferta) y en la renta. La espiral inflacionaria implica subidas que no están producidas por estos factores reales, sino por razones de defensa de los individuos y de los grupos frente a los demás en su lucha por mantener cada uno su nivel de renta.

En una situación de estabilidad monetaria la subida de los precios de unos productos y la baja de los precios de otros en el mercado expresa (sobre todo en el caso de los productos manufacturados) la valoración que hacen los individuos de esos bienes y los cambios en los costes de producción. Con la subida generalizada y continuada de los precios de todos los bienes, los precios pierden en buena medida su función de señalizadores que indican a los empresarios qué bienes producir en mayor o menor cantidad, impidiendo de esta forma que la oferta responda con eficiencia a los cambios en las condiciones del mercado. Por su parte, los consumidores no ven con claridad las variaciones en los precios relativos (ante tantas variaciones de los precios absolutos) y, en consecuencia, no pueden ajustar adecuadamente su demanda a las condiciones del mercado. De esta manera se hace más difícil que los mercados alcancen el equilibrio. En cierto modo esta teoría de los precios supone estabilidad del nivel general de precios, si bien prevee (explica y predice) la subida de los precios de bienes concretos.

También los desabastecimientos y los excedentes pueden impedir que se alcance el equilibrio en algunos mercados. Cuando los grandes almacenes hacen sus pedidos de regalos de Navidad, ellos buscan el equilibrio entre la oferta y la demanda. Para ello hacen prospecciones del mercado, toman en consideración los hábitos de compras de los consumidores en los años anteriores, y tratan de evaluar la predisposición del público para comprar regalos, en un esfuerzo por predecir la demanda de regalos.

A pesar de estas previsiones y análisis científicos, cuando pasa Navidad, Año Nuevo y Reyes y hacen balance, la mayoría de los grandes almacenes se encuentran con que tienen un excedente de algunos productos, mientras que de otros habrían podido vender más unidades de haber estado abastecidos. La razón de que se produzcan excedentes es simplemente que al comienzo de la temporada de ventas los almacenes fijan los precios de los productos de regalo y no los cambian hasta después de las fiestas, en que hacen las rebajas para dar salida a los productos que, por haberles marcado un precio más alto que el de equilibrio, no han vendido. Los desabastecimientos o escaseces de determinados productos se les ocasionan porque es complicado y costoso subir los precios al nivel de equilibrio en plena temporada de ventas, aun cuando observen que se les van a agotar estos artículos. El resultado es que el mercado de estos productos no alcanza el equilibrio.

Finalmente, señalemos que otros mercados no alcanzan el equilibrio debido a la intervención del Gobierno que fija precios mínimos para unos bienes y precios máximos para otros. Estudiaremos algunos de estos casos en el Capítulo 12. Por todas estas razones, muchas transacciones de bienes se realizan a precios que no son los de equilibrio.

Digamos por último que el análisis de estática comparada que hemos desarrollado en estos tres capítulos sobre los precios y las cantidades de equilibrio y las tendencias en los movimientos de estas variables es más útil por las predicciones cualitativas que permite hacer sobre éstas que por su empleo en estudios cuantitativos de los mercados. Ciertamente se han realizado y se continúan realizando con intensidad creciente estudios cuantitativos sobre los mercados de los más diversos productos, pero, como ocurre con la mayoría de los fenómenos sociales, éstos son demasiado complejos como para formalizarlos matemáticamente. Se han hecho avances en esta dirección y quizá con el tiempo se desarrollarán técnicas estadísticas y matemáticas que permitan obtener resultados precisos.

No obstante, y a pesar de las limitaciones que hemos señalado, el modelo sencillo de oferta y demanda (que como todo modelo es una visión simplificada de la realidad) que hemos expuesto tiene un considerable poder explicativo y predictivo de la realidad. De hecho, la mayor parte de las decisiones que toman los agentes o grupos de agentes (empresas, asociaciones de consumidores, asociaciones de empresarios, sindicatos y Gobierno) se basan en estudios en cuya elaboración se ha empleado este modelo sencillo. Posiblemente no sea exagerado decir que este modelo constituye la parte más lograda de la Teoría Económica.

Conviene también señalar que la teoría de los precios que hemos desarrollado en este Capítulo se refiere a mercados competitivos, en los que ni los compradores ni los vendedores pueden determinar o fijar el precio unilateralmente, debido a que ninguno de ellos constituye una parte importante de la demanda o de la oferta. Esto es cierto en lo que se refiere a los compradores, ya que se trata de millones de individuos cada uno de los cuales adquiere una pequeñísima fracción de las compras totales. En este sentido se dice que los precios les vienen dados a los consumidores, o que éstos son precio-aceptantes. Pero en el caso de los productores esta competitividad no es tan general. Con frecuencia una sola o unas pocas empresas producen una parte importante de la oferta total de un producto, y ello hace que las decisiones de éstas sobre el precio del bien que elaboran y sobre las cantidades que ofrecen puedan afectar significativamente al precio de mercado y a las cantidades compradas y vendidas de aquél. Como veremos en los Capítulos 24 al 26, la existencia del poder monopolístico de algunas empresas en los mercados de ciertos bienes hará necesario abandonar la hipótesis que hemos empleado en el Capítulo 7 de que se da siempre una relación simple entre el precio de mercado de los bienes y la oferta de las empresas.

Una vez expuesta esta primera aproximación a la teoría de los precios, en las dos partes siguientes de este libro trataremos con mayor profundidad la demanda o Teoría del Consumo, y la oferta o Teoría de la Producción. Esta última nos permitirá analizar en detalle la determinación de los precios de los bienes en los distintos tipos de mercado según el grado de competencia que se da entre los productores.

BIBLIOGRAFIA SELECCIONADA

Samuelson, P.: *Curso de Economía Moderna*, op. cit., Cap. 4, págs. 64-82.

Lipsey, R.: *Introducción a la Economía Positiva*, op. cit., Cap. 9, págs. 102-110.

Walsh, V.: *Introducción a la Microeconomía Contemporánea*, Vicens-Vives, Barcelona, 1974, Capitulo 19.

Barre, R.: *Economía Política*, op. cit.

Lancaster, K.: *Economía Moderna* 1, op. cit., Cap. 4.

Clower, R. W., y Due, J. F.: *Microeconomía*, op. cit., Cap. 3.

Bilas, R.: *Teoría Microeconómica*, op. cit., Cap. 2.

Marshall, A.: *Principios de Economía*, Aguilar, Madrid, 1957. Libro III.

CAPITULO 9

LA ELASTICIDAD DE LA DEMANDA
Y DE LA OFERTA (I)

ELASTICIDAD DE LA DEMANDA: SU CONCEPTO

En los tres capítulos precedentes hemos hablado continuamente del grado de respuesta de la cantidad demandada y de la cantidad ofertada de un bien a variaciones en el precio de éste. Es decir, al moverse los consumidores dentro de su curva de demanda o los oferentes dentro de su curva de oferta como consecuencia de una subida o de una bajada del precio del bien que se analiza, la cantidad demandada o la cantidad ofrecida aumentaba o disminuía. Pero con una misma variación en el precio, la magnitud en que estas cantidades cambiaban vimos que puede ser muy distinta, según fuera la pendiente de las curvas.

La Pendiente de las Curvas de Demanda y Oferta y su Relación con el Grado de Respuesta de las Cantidades Demandadas y Ofertadas ante Cambios en el Precio

En las Figuras 9.1 a 9.4 representamos gráficamente esta proposición. En la Figura 9.1 vemos una curva de demanda DD que tiene relativamente poca pendiente (es relativamente plana). Esta podría muy bien ser la curva de demanda de mercado de la carne de cerdo o de cigarrillos Marlboro (bienes que tengan muchos y buenos sustitutivos). Con la curva de oferta O_1O_1 el equilibrio se establece al precio P_o y a la cantidad transaccionada C_o. Si se produjera un desplazamiento hacia la derecha de la curva de oferta hasta O_2O_2 (en el caso de los cigarrillos Marlboro, debido, por ejemplo, a la introducción de un nuevo tipo de maquinaria que abarata la elaboración de aquéllos), el nuevo equilibrio se determinaría al precio P_1 y a la cantidad C_1.

Comparemos este cambio en el precio y en la cantidad transaccionada con la variación de estas magnitudes ante un cambio de la oferta (desplazamiento de la curva de oferta de mercado de O_1O_1 a O_2O_2) de igual tamaño representada en la Figura 9.2. La curva de demanda que aparece en esta Figura 9.2 muy bien podría ser la curva de demanda de mercado del café, bien éste que no tiene sustitutivos

próximos y que su consumo crea un cierto hábito o dependencia de él en los individuos que lo toman. El desplazamiento de la curva de oferta de café de O_1O_1
a O_2O_2 puede deberse, por ejemplo, a que se hayan puesto en cultivo nuevas tierras
que antes no cultivaban cafetales. Con el desplazamiento de la curva de oferta (aumento de la oferta), el precio ha disminuido de P_o a P_1 y la cantidad comprada y vendida
ha aumentado de C_o a C_1

FIGURA 9.1   FIGURA 9.2

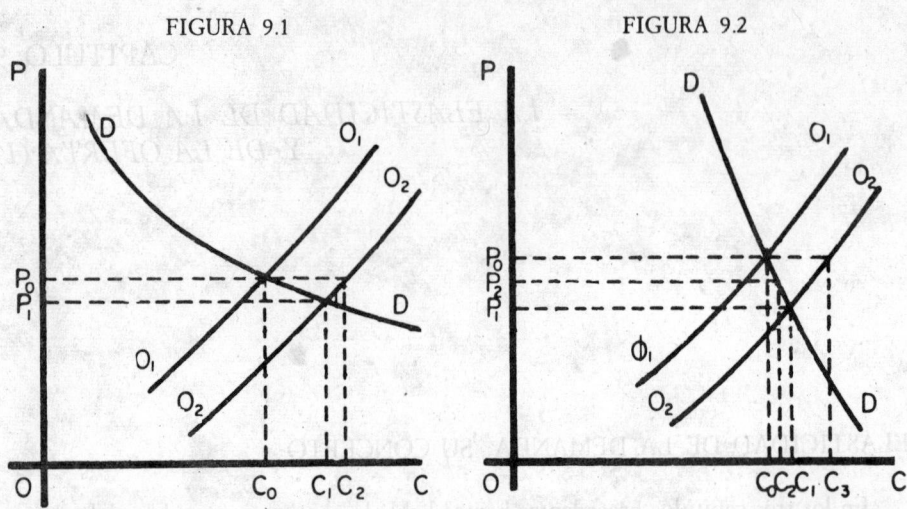

A simple vista puede verse que las variaciones en el precio y en la cantidad son
muy distintas en tamaño en las Figuras 9.1 y 9.2, aun cuando la curva de oferta
tiene la misma pendiente y su desplazamiento es de igual magnitud en las dos Figuras. Es evidente que la cantidad comprada y vendida ha aumentado prácticamente el doble en la Figura 9.1 de lo que ha hecho en la Figura 9.2 (la distancia
C_oC_1 de la Figura 9.1 es casi el doble de la distancia C_oC_1 en la Figura 9.2). Del
mismo modo, el precio ha disminuido mucho menos en el caso de los cigarrillos
Marlboro o de la carne de cerdo, de lo que ha hecho en el caso del café (la distancia P_oP_1 de la Figura 9.1 es un medio de la distancia P_oP_1 de la Figura 9.2).

Vemos, pues, que teniendo las curvas de oferta igual pendiente en las dos Figuras y con un desplazamiento de éstas de la misma magnitud, la cantidad demandada responde o varía mucho más intensamente (en términos cuantitativos se entiende) en el caso de la Figura 9.1 (la carne de cerdo o los cigarrillos Marlboro) de lo
que lo hace en el caso de la Figura 9.2 (el café).

Del mismo modo, las Figuras 9.3 y 9.4 representan desplazamientos hacia la
izquierda de la curva de demanda (disminuciones de la demanda), mientras que la
oferta permanece constante. Si las curvas D_1D_1 de las Figuras 9.3 y 9.4 representaran ambas la demanda de carne de cerdo, el desplazamiento podría deberse a una
disminución del precio de la carne de pollo, por ejemplo. Con un desplazamiento
de igual magnitud en la curva de demanda en ambas Figuras, el efecto de éste sobre
la cantidad y el precio de equilibrio sería considerablemente distinto en los dos
diagramas. En el primero, el precio disminuiría menos que en el segundo (la distancia P_oP_1 de la Figura 9.3 es menor que la distancia P_oP_1 de la Figura 9.4), mientras que la cantidad de equilibrio disminuiría más en el primero que en el segundo
(la distancia C_1C_o de la Figura 9.3 es mayor que la distancia C_1C_o de la Figura 9.4).

Si se observan con un poco de detenimiento las Figuras 9.3 y 9.4 notaremos que la causa de estas diferencias en las variaciones del precio y de la cantidad estriba en la pendiente de la curva de oferta. La pendiente de la curva de oferta de la Figura 9.3 es menor (es más plana) que la pendiente de la curva de la Figura 9.4 (es más inclinada). Si ambas representaran hipotéticas curvas de oferta de carne de cerdo, la diferencia en la pendiente indicaría que aunque los costes de producción son crecientes (al aumentar la cantidad producida, el coste por unidad se hace mayor) en los dos casos, sin embargo, en el caso representado por la Figura 9.4 los costes crecerían bastante más deprisa que en el representado por la Figura 9.3.

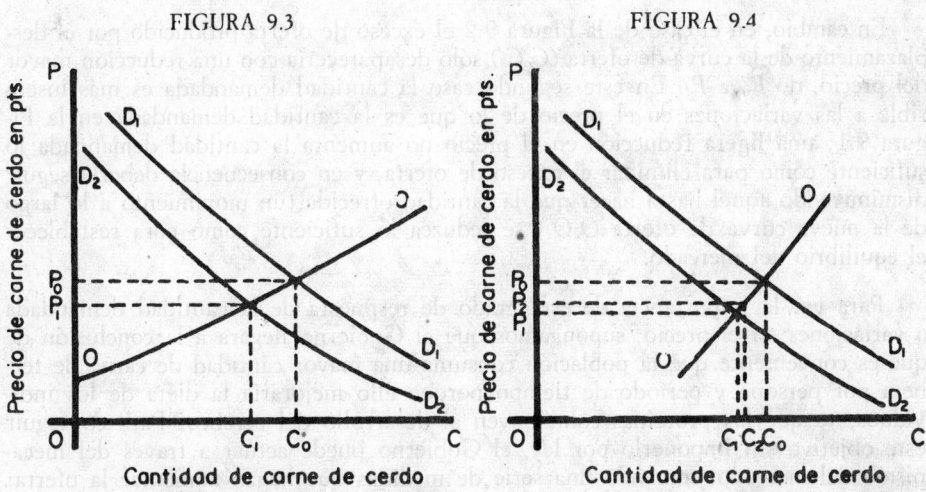

Hemos visto dos casos de variación de la oferta con curvas de demanda de distinta pendiente y con curvas de oferta de igual pendiente y desplazamientos de la misma magnitud. El resultado ha sido que la respuesta de la cantidad demandada ha sido más intensa ante las variaciones en el precio en el caso de la Figura 9.1 que en el de la Figura 9.2. Incluso cuando el precio ha disminuido en mayor cuantía en la Figura 9.2 que en la Figura 9.1, la cantidad demandada ha aumentado más en la primera Figura que en la segunda. Esta diferencia en el grado de respuesta se hace aún más palpable si disminuimos el precio en la Figura 9.2 exactamente en la misma cuantía de lo que ha bajado el precio en la Figura 9.1 tras el desplazamiento de la curva de oferta. Obsérvese que si en la Figura 9.2 disminuimos el precio de P_o a P_2 (reducción ésta del precio igual a la representada por la bajada de éste de P_o a P_1 en la Figura 9.1), la cantidad demandada sólo aumenta de C_o a C_2, cantidad obviamente muy inferior a la representada por la distancia C_oC_1 de la Figura 9.1.

Algo similar ha ocurrido en las Figuras 9.3 y 9.4. En estos dos diagramas mantenemos constantes la pendiente de la curva de demanda y la magnitud del desplazamiento de ésta. Sin embargo, la respuesta en la cantidad ofrecida en un caso y en otro es distinta: más intensa en la Figura 9.3 que en la 9.4. La diferencia entre estos dos diagramas estriba sólo en la pendiente de la curva de oferta, que es menor para la curva de oferta del primero que para la del segundo. Si reducimos el precio en el diagrama de la Figura 9.4 sólo en la misma cuantía que ha descendido en la Figura 9.3 tras el desplazamiento de la curva de demanda (la distancia P_oP_2

de la Figura 9.4 es igual a la distancia P_oP_1 de la Figura 9.3), vemos que la cantidad ofertada disminuye de C_o a C_2, magnitud que es mucho menor que la disminución C_oC_1 de la Figura 9.3.

Este grado de respuesta de la cantidad demandada y de la cantidad ofertada a variaciones en el precio es de la mayor importancia en el análisis de los fenómenos económicos. En el caso de la Figura 9.1, si partimos del precio de equilibrio P_o y se produce el desplazamiento de la curva de oferta de O_1O_1 a O_2O_2, al precio P_o se daría un exceso de oferta representado por la distancia C_oC_2, y sólo haría falta una ligera reducción del precio hasta P_1 para que desapareciera ese exceso de oferta y el mercado volviera al equilibrio.

En cambio, en el caso de la Figura 9.2 el exceso de oferta producido por el desplazamiento de la curva de oferta (C_oC_3) sólo desaparecería con una reducción mayor del precio, de P_o a P_1. En este segundo caso la cantidad demandada es más insensible a las variaciones en el precio de lo que es la cantidad demandada en la Figura 9.1; una ligera reducción en el precio no aumenta la cantidad demandada lo suficiente como para eliminar el exceso de oferta, y en consecuencia debería seguir disminuyendo aquél hasta hacer que la cantidad ofrecida (un movimiento a lo largo de la nueva curva de oferta O_2O_2) se reduzca lo suficiente como para restablecer el equilibrio del mercado.

Para ver la importancia de este grado de respuesta de la cantidad demandada a variaciones en el precio, supongamos que el Gobierno llegara a la conclusión de que es conveniente que la población consuma una mayor cantidad de carne de ternera por persona y período de tiempo porque ello mejoraría la dieta de los individuos, ya que las proteínas contribuyen al desarrollo del cerebro. Para conseguir este objetivo sin imponerlo por ley, el Gobierno puede actuar a través del mecanismo del mercado, tomando una serie de medidas que hagan aumentar la oferta: por ejemplo, podría dar subvenciones para instalaciones o adquisición de vacas para cría a los granjeros que crían terneros, o darles algunos beneficios fiscales, o ayudarles con asistencia técnica en la cría de ganado vacuno para carne, o facilitarles créditos a un tipo de interés bajo, o simplemente pagarles una cantidad de dinero por kilo de carne que vendieran.

Si el Gobierno tiene éxito con estas medidas y los granjeros crían un número mayor de terneros, la oferta aumentará y la curva de oferta de carne de ternera se trasladará hacia la derecha, como ocurre en las Figuras 9.1 y 9.2. Si la curva de demanda de mercado de la carne de ternera fuera la representada en la Figura 9.1, la producción extra que habría llegado al mercado haría bajar el precio; pero, debido a que la cantidad demandada es muy sensible a las variaciones en el precio, sólo es necesario una pequeña reducción de éste para restaurar el equilibrio perturbado por el aumento de la oferta. En consecuencia, la política del Gobierno habrá tenido el efecto de producir un aumento considerable en la producción y en las ventas (consumo) de carne de ternera y una ligera reducción en el precio de ésta.

Si la curva de demanda de la carne de ternera fuera la representada en la Figura 9.2, que muestra un grado pequeño de respuesta de la cantidad demandada a los cambios en el precio, el aumento de la oferta también da lugar a un exceso de carne de ternera ofertada en el mercado al precio inicial de P_o (C_oC_3), que hace que éste tienda a bajar, pero la cantidad demandada por los consumidores no aumenta mucho en respuesta a esta reducción del precio. En consecuencia, el precio continuará bajando hasta que los granjeros, desanimados por los precios cada vez más bajos, reduzcan la cantidad ofertada hasta casi el nivel que ofrecían (OC_o)

antes de recibir los incentivos a la producción (aunque se moverían dentro de su nueva curva de oferta O_2O_2). En consecuencia, los efectos de las medidas del Gobierno de estímulo a la producción habrían consistido en provocar una reducción grande en el precio de la carne de ternera, y un incremento pequeño en la cantidad producida y vendida.

Si comparamos los dos casos representados por las Figuras 9.1 y 9.2 vemos que la política del Gobierno tiene exactamente los mismos efectos en ambas situaciones por lo que respecta a los granjeros que crían terneros: los desplazamientos de la curva de oferta de carne de ternera son idénticos. Pero los efectos de aquélla sobre el precio y la cantidad de equilibrio son muy distintos en un caso que en otro, debido al grado de respuesta de la cantidad demandada por los consumidores a los cambios en los precios. Si el objetivo del Gobierno es aumentar la cantidad producida y consumida de carne de ternera, ésta política habrá sido un éxito en el caso de que la curva de demanda de carne de ternera sea como la representada en la Figura 9.1, y un fracaso si la curva de demanda de este bien es la que se expresa en la Figura 9.2. Pero si, por el contrario, el Gobierno se proponía conseguir que el precio de la carne de ternera bajara sustancialmente, entonces ocurrirá que la política habrá sido un fracaso si la curva de demanda de carne de ternera tiene la forma de la curva de la Figura 9.1, y habrá sido un éxito si aquélla tiene la pendiente de la curva de la Figura 9.2.

Es obvio, pues, que la pendiente o la forma de la curva de demanda es un factor de gran importancia para el Análisis Económico, con el que se pretende alcanzar conclusiones correctas. Veremos también cómo la forma de la curva de demanda de los bienes tiene una gran importancia para los consumidores y para los productores, debido a las implicaciones que ésta tiene para el gasto de los consumidores y el ingreso de los productores (obviamente estas dos magnitudes son la misma: lo que los unos gastan es lo que los otros ingresan).

Vemos, pues, la enorme importancia que tiene a efectos analíticos la medida en que la cantidad demandada de un bien responde a las variaciones de su precio. Pero emplear continuamente el concepto de «grado de respuesta de la cantidad demandada a cambios en el precio» es un poco tedioso y nada económico en términos de brevedad expositiva. Además, se plantean otros tres problemas en el uso de este concepto, tal como lo hemos formulado, que son de mayor importancia que el anterior, a saber:

1) En el Análisis Económico nos interesa comparar el grado de respuesta de la demanda de muy diversos bienes ante cambios en sus precios. Si utilizamos el valor absoluto de los precios y de las cantidades de bienes y servicios tales como cerillas, carne de ternera, coches Seat modelo 127, butacas de cine, chaquetas de sport de caballero, yates de una marca y especificación, y aviones marca Boeing modelo 747, tendremos problemas en la comparación. Es difícil que si empleamos los valores absolutos podamos hacer comparaciones significativas entre los datos de la demanda de cajas de cerillas, de la demanda de kilos de carne de ternera y de la demanda de yates de una marca y especificación por año, si éstas fueran, por ejemplo, las que aparecen en la Tabla 9.1.

TABLA 9.1

DEMANDA POR MES

Demanda de cajas de cerillas		Demanda de carne de ternera en kilogramos		Demanda de yates de una marca y especificación	
Precio Ptas.	Cantidad	Precio Ptas.	Cantidad	Precio pesetas	Cantidad
6	1.954.000	1.000	25.400	10.500.000	5
5	1.987.000	850	37.500	9.000.000	15
4	2.015.000	600	54.800	7.000.000	30

El precio disminuye y la cantidad comprada aumenta en los tres casos, pero los valores absolutos de estas magnitudes son tan dispares que no nos permiten compararlos entre sí y sacar conclusiones que tengan utilidad analítica. Imaginémonos que, como ocurre en la realidad, además de esta diversidad, los precios de unos bienes suben y los de otros bajan, con las cantidades demandadas moviéndose en el sentido opuesto al de los precios correspondientes. El mismo problema se plantea con la magnitud de la respuesta de la cantidad ofrecida de los distintos bienes a variaciones en sus precios.

2) En las páginas anteriores hemos asociado la pendiente de las curvas de oferta y demanda con el grado de respuesta de la cantidad ofrecida y demandada a variaciones en el precio, y decimos que cuanto mayor es la pendiente de aquéllas menor es la respuesta de la cantidad ofrecida y demandada a variaciones en el precio. Por esto, al comparar las curvas de demanda de las Figuras 9.1 y 9.2, a simple vista concluíamos que la cantidad demandada era más sensible a las variaciones en el precio en la Figura 9.1 que la de la Figura 9.2.

Pero la pendiente de una curva que represente pares de valores de dos variables en unos ejes de coordenadas depende de la escala a la que representemos estos valores en el eje de ordenadas y en el eje de abscisas. Supongamos la siguiente tabla de valores:

TABLA 9.2

Precio	Cantidad Demandada
10	50
9	80
8	120
7	170
6	220
5	300
4	370
3	460
2	550

Estos pares de valores son representados por las Figuras 9.5, 9.6 y 9.7. En cada una de ellas se utiliza una escala distinta de la que se utiliza en las otras dos (se recordará que la escala es la longitud que se le asigna en los ejes de coordenadas a cada unidad o grupo de unidades que representamos en ellos). Así, en la Figura 9.5 asignamos la longitud de un lado de un cuadrado (que tiene 60 milímetros) a cada unidad de precio y a cada 50 unidades de cantidad deman-

dada; en la Figura 9.6 asignamos la longitud del lado de un cuadrado a cada unidad
de precio y a cada 100 unidades de cantidad demandada (reducimos la escala a
la que representamos las unidades demandadas a la mitad: con la misma longitud
del eje horizontal representamos el doble de unidades que en la Figura 9.5), y
finalmente en la Figura 9.7 asignamos la longitud del lado de un cuadrado a cada
dos unidades de precio (reducimos la escala a la que representamos las unidades
de precio a la mitad: con la misma longitud del eje vertical representamos el doble
de unidades de precio que en las Figuras 9.5 y 9.6), y cada 50 unidades de cantidad
demandada.

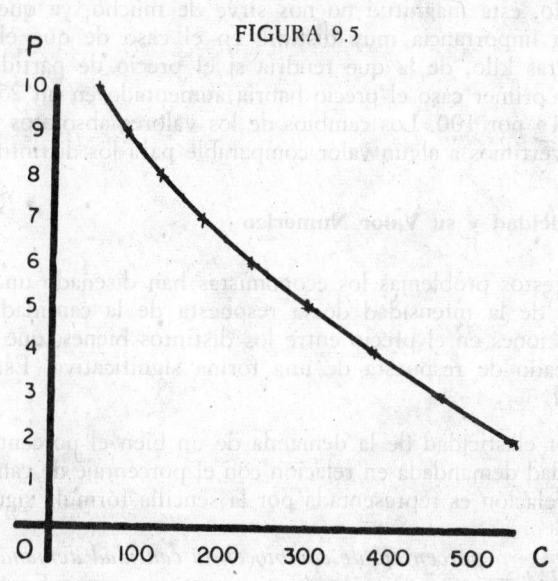

FIGURA 9.5

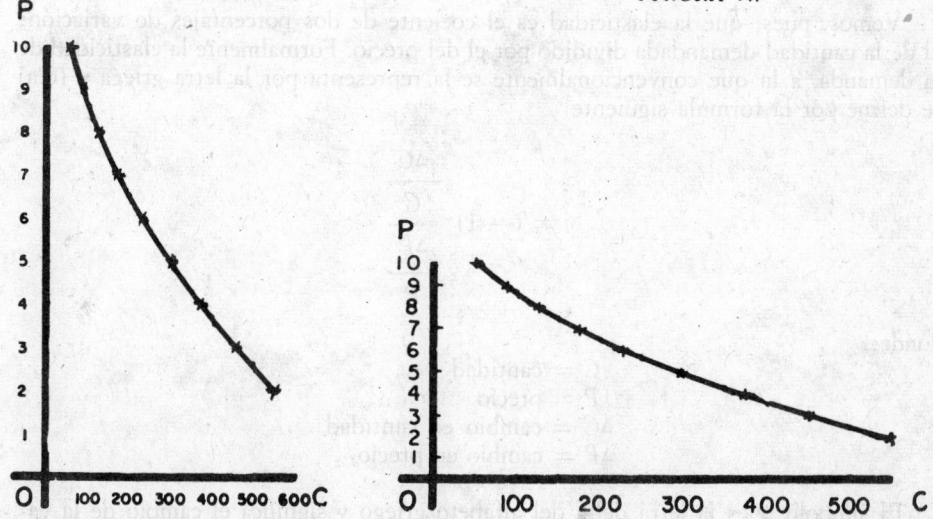

FIGURA 9.6   FIGURA 9.7

Vemos, pues, la influencia que tiene la escala a la que se representen las variables en los ejes de coordenadas sobre la pendiente de la curva de demanda. Lo mismo ocurre con la curva de oferta. De ahí que no podamos comparar el grado de respuesta de la cantidad demandada y ofertada de distintas curvas simplemente basándonos en las pendientes aparentes de las curvas; es necesario conocer previamente la escala a la que están representadas las variables. La diversidad de valores que toman éstas para los distintos bienes hacen imperativo utilizar distintas escalas, y, en consecuencia, no pueden compararse las curvas.

3) El conocer el valor absoluto de la variación del precio y de la cantidad no nos dice demasiado sobre el grado de respuesta de la cantidad demandada ante cambios en el precio. Si decimos que el precio de la carne de ternera ha subido en 100 pesetas kilo, esta magnitud no nos sirve de mucho, ya que la subida del precio tendría una importancia muy distinta en el caso de que el precio inicial fuera de 400 pesetas kilo, de la que tendría si el precio de partida hubiera sido 750 pesetas. En el primer caso el precio habría aumentado en un 25 por 100 y en el segundo en un 13 por 100. Los cambios de los valores absolutos nos dicen muy poco si no los convertimos a algún valor comparable para los distintos bienes.

Concepto de Elasticidad y su Valor Numérico

Para obviar todos estos problemas los economistas han diseñado un instrumento o unidad de medida de la intensidad de la respuesta de la cantidad demandada y ofrecida ante variaciones en el precio entre los distintos bienes, que permite poder comparar dicho grado de respuesta de una forma significativa. Este concepto es el de la elasticidad.

Se entiende por elasticidad de la demanda de un bien el porcentaje relativo de cambio de la cantidad demandada en relación con el porcentaje de cambio del precio de ese bien. Esta relación es representada por la sencilla fórmula siguiente:

$$Elasticidad = \frac{porcentaje\ de\ cambio\ en\ la\ cantidad\ demandada}{porcentaje\ de\ cambio\ en\ el\ precio}$$

Vemos, pues, que la elasticidad es el cociente de dos porcentajes de variación: el de la cantidad demandada dividido por el del precio. Formalmente la elasticidad de la demanda, a la que convencionalmente se la representa por la letra griega η (eta) se define por la fórmula siguiente:

$$\eta = (-1)\ \frac{\dfrac{\Delta C}{C}}{\dfrac{\Delta P}{P}}$$

donde:

C = cantidad
P = precio
ΔC = cambio en cantidad
ΔP = cambio en precio

El símbolo Δ es la letra delta del alfabeto griego y significa el cambio de la variable a la que precede. Multiplicamos el cociente por menos uno para obtener un valor positivo de este cociente, ya que, al ser negativa la relación entre precio y cantidad demandada (cuando el primero aumenta la segunda disminuye, y al revés), el resultado del cociente es necesariamente negativo (si el numerador $\dfrac{\Delta C}{C}$ es positivo, el denominador $\dfrac{\Delta P}{P}$ será negativo, y al revés). De ahí que multiplicando la cantidad negativa que resulte de realizar las operaciones del cociente por (-1), convertimos a ésta en positiva (cualquier número negativo multiplicado por (-1) se convierte en positivo: $(-4) \times (-1) = 4$).

En adelante no utilizaremos el (-1) e ignoraremos el signo negativo de la elasticidad, ya que lo que nos proponemos medir es el grado de respuesta de la cantidad demandada de cualquier bien o servicio a variaciones en su precio, tal como lo representa la curva de demanda. Para este fin, como veremos inmediatamente, lo que nos interesa es el valor absoluto del cociente.

Pero veamos la fórmula de la elasticidad un poco más en detalle:

$$\frac{\dfrac{\Delta C}{C}}{\dfrac{\Delta P}{P}} = \frac{\Delta C}{C} : \frac{\Delta P}{P}$$

Lo único que hemos hecho aquí ha sido poner el numerador ($\dfrac{\Delta C}{C}$) y el denominador ($\dfrac{\Delta P}{P}$) de la fracción en forma de una división (el símbolo: significa «dividido por») que es igual a la fracción del lado izquierdo de la igualdad. Supongamos la siguiente tabla de valores que representados en unos ejes de coordenadas, nos darían dos puntos de la curva de demanda de melocotones:

TABLA 9.2

DEMANDA DE MELOCOTONES

Precio en Ptas.	Cantidad demandada por mes en Kgs.
80	2.000
40	4.000

Si aplicamos nuestra fórmula para obtener la elasticidad, partiendo de los valores 80 y 2.000 pesetas kilo por mes, el resultado sería:

$$\eta = \frac{2.000}{2.000} : \frac{40}{80} = \frac{1}{1} : \frac{1}{2} = 2$$

Las operaciones que hemos realizado son las siguientes:

$$\Delta C = 4.000 - 2.000 = 2.000$$
$$C = 2.000$$
$$\Delta P = 40 - 80 = - 40$$
$$P = 80$$

Ignorando el signo negativo de P, hemos simplificado, dividiendo el numerador y el denominador de la primera fracción ($\dfrac{2.000}{2.000}$) por 2.000 y nos ha dado $\dfrac{1}{1}$; e igualmente dividiendo la segunda fracción ($\dfrac{40}{80}$) por 40, nos ha dado $\dfrac{1}{2}$. Como recordará el lector, para dividir un quebrado por otro se multiplican en cruz los miembros de éstos; es decir, se multiplica el numerador del primero por el denominador del segundo *(1 × 2 = 2)*, con lo que obtenemos el numerador del quebrado o fracción resultante; y después se multiplica el denominador del primero por el numerador del segundo *(1 × 1 = 1)* y obtenemos el denominador del quebrado resultante de la división. Este sería $\dfrac{2}{1}$, que es igual a 2 (todo número dividido por la unidad es igual a este mismo número).

Partiendo, pues, del precio más elevado y de la cantidad menor de las dos éxpresadas en la Tabla 9.2, la elasticidad sería 2. Pero calculemos la elasticidad partiendo del precio 40 y de la cantidad demandada 4.000. Aplicando nuestra fórmula tendríamos:

$$\eta = \frac{2.000}{4.000} : \frac{40}{40} = \frac{1}{2} : \frac{1}{1} = \frac{1}{2} = 0,5$$

La elasticidad sería de 0,5 frente al valor de 2 que obtuvimos partiendo de los valores iniciales de la Tabla 9.2. Obviamente no tiene sentido que la elasticidad cambie tanto de valor simplemente porque la calculamos partiendo de unos valores u otros. Para evitar este problema en la aplicación de nuestra fórmula simple, lo que hacemos es utilizar valores medios como bases a partir de las cuales calcular los porcentajes de cambio del precio y de la cantidad demandada.

Así, en los cálculos que nos dieron $\eta = 2$, en lugar de

$$\eta = \frac{2.000}{2.000} : \frac{40}{80} = 2, \qquad \text{obtendremos} \qquad \eta = \frac{2.000}{3.000} : \frac{40}{60} = 1$$

Como puede observarse, los numeradores de las dos fracciones son los mismos (ΔC y ΔP), pero los denominadores ahora son la media de sumar el valor inicial y el valor final, y dividirlos por dos

$$(C = \frac{4.000 + 2.000}{2} = 3.000, \qquad \text{y} \qquad P = \frac{40 + 80}{2} = 60)$$

De esta forma, los cambios porcentuales los reformulamos pasando de ser:

$$\text{cambio porcentual en la cantidad demandada} = \frac{\text{cambio en la cantidad}}{\text{cantidad inicial}}$$

a ser:

$$\text{cambio porcentual en la cantidad demandada} = \frac{\text{cambio en la cantidad}}{\text{cantidad media}}$$

Del mismo modo, para el precio el valor pasaría de ser:

$$\text{cambio porcentual en el precio} = \frac{\text{cambio en el precio}}{\text{precio inicial}}$$

a ser:

$$\text{cambio porcentual en el precio} = \frac{\text{cambio en el precio}}{\text{precio medio}}$$

La elasticidad será, pues:

$$\text{elasticidad} = \frac{\text{cambio en la cantidad}}{\text{cantidad media}} : \frac{\text{cambio en el precio}}{\text{precio medio}}$$

Para poder expresar esta nueva fórmula de la elasticidad de una manera precisa, podemos numerar los precios y las cantidades para no confundirlos, y así tendremos:

$$P_1 = \text{precio inicial}$$
$$P_2 = \text{precio nuevo}$$
$$C_1 = \text{cantidad inicial}$$
$$C_2 = \text{cantidad nueva}$$

A partir de esta especificación, el cambio en el precio y en la cantidad demandada serán:

$$\Delta P = P_1 - P_2$$
$$\Delta C = C_1 - C_2$$

Puesto que el valor medio de dos números es la suma de éstos dividida por 2, tenemos que:

$$\text{Precio medio} = (P_1 + P_2)/2 \text{ (el símbolo / significa dividido por)}$$

$$\text{Cantidad media} = (C_1 + C_2)/2$$

Sustituyendo estas dos expresiones en nuestra ecuación inicial de la elasticidad de la demanda,

$$(\eta = \frac{\Delta C}{C} : \frac{\Delta P}{P}),$$

tenemos la fórmula siguiente:

$$\eta = \frac{C_1 - C_2}{(C_1 + C_2)/2} : \frac{P_1 - P_2}{(P_1 + P_2)/2}$$

y cancelando el 2, que está dividiendo en el numerador y en el denominador de la fracción, tenemos:

$$\eta = \frac{C_1 - C_2}{C_1 + C_2} : \frac{P_1 - P_2}{P_1 + P_2}$$

fórmula ésta que es la que debemos retener para efectos de calcular la elasticidad de la demanda de un bien cualquiera. La primera fórmula es también correcta; no existe más diferencia entre ellas que el haber precisado los valores de la cantidad demandada y del precio a partir de las cuales obtenemos o calculamos los cambios porcentuales de estas magnitudes.

Volvamos al ejemplo de los melocotones. Aplicando nuestra fórmula de la elasticidad, y partiendo de $P_1 = 80$ y $C_1 = 2.000$, si el precio baja a 40 pesetas, tenemos:

$$\eta = \frac{2.000 - 4.000}{2.000 + 4.000} : \frac{80 - 40}{80 + 40} = \frac{-2.000}{6.000} : \frac{40}{120} = \frac{-1}{3} : \frac{1}{3} = \frac{-3}{3} = -1$$

Como se recordará, ignoramos el signo negativo y tenemos que la elasticidad de la demanda de melocotones cuando el precio baja de 80 a 40 pesetas kilo tiene un valor igual a la unidad.

Si partimos ahora de la situación en que $P_1 = 40$ y $C_1 = 4.000$, y el precio sube a 80 pesetas, aplicando nuestra fórmula, tenemos

$$\eta = \frac{4.000 - 2.000}{4.000 + 2.000} : \frac{40 - 80}{40 + 80} = \frac{2.000}{6.000} : \frac{-40}{120} = \frac{1}{3} : \frac{-1}{3} = \frac{3}{-3} = -1$$

El resultado es el mismo: la elasticidad es la misma independientemente de que la calculemos a partir de una subida del precio o de una bajada de éste. Evidentemente, este resultado único de una $\eta = 1$ tiene mayor sentido que cuando la elasticidad podía tomar el valor 2 y 0,5 según desde qué valores iniciales la calculáramos. Si partimos de $P = 80$ pesetas, al bajar éste a $P = 40$, el precio ha descendido en un 50 por 100, mientras que si pasa de 40 a 80 pesetas resulta que ha aumentado en un 100 por 100. Lo mismo ocurre con la cantidad demandada. Es evidente que esta disparidad del valor del cambio porcentual ante un mismo cambio en términos absolutos distorsiona el valor de la elasticidad. De ahí que para evitar esta influencia empleemos los valores medios de las magnitudes iniciales y finales.

Con la fórmula de la elasticidad se trata, pues, de obtener el porcentaje de variación de la cantidad demandada al variar el precio en un porcentaje determindo. Esta unidad de medida permite comparar con facilidad, rapidez y precisión cómo reaccionan los consumidores a las variaciones en los precios. Recordemos que los consumidores no pueden decidir el precio que pagarán por un bien, pero en cambio sí pueden decidir la cantidad que comprarán de éste a cada precio.

Los posibles Valores de la Elasticidad

La demanda de un bien es elástica cuando su elasticidad es superior a la unidad ($\eta > 1$; el símbolo $>$ significa «mayor que»: η es mayor que 1); es decir, cuando el porcentaje de variación de la demanda es mayor que el porcentaje de variación del precio. Obviamente, decir que $\eta > 1$ es lo mismo que decir $\dfrac{\Delta \% \ cantidad}{\Delta \% \ precio} > 1;$

y para que esta fracción sea superior a la unidad, el numerador ha de ser mayor que el denominador ($\Delta\% \ cantidad > \Delta\% \ precio$). Esto significa que la cantidad demandada varía en un porcentaje mayor de lo que hace el precio.

Si, por ejemplo, en el caso de los melocotones tuviéramos la siguiente tabla de valores:

TABLA 9.3

Precio en Ptas.	Cantidad en Kgs. por mes
80	2.000
40	6.000

la demanda de melocotones será elástica.

$$\eta = \frac{4.000}{4.000} : \frac{40}{60} = \frac{1}{1} : \frac{2}{3} = \frac{3}{2} = 1,5; \ \eta > 1$$

obviamente, el aumento porcentual de la cantidad demandada de melocotones es muy superior al porcentaje de disminución del precio.

La cantidad demandada al pasar 2.000 a 6.000 kilos por mes ha aumentado en un 200 por 100, y el precio al bajar de 80 a 40 pesetas kilo ha disminuido en un 50 por 100. En caso de que el lector no lo recuerde, estos porcentajes los obtenemos aplicando la sencilla regla de tres siguiente:

$$\left. \begin{array}{l} 2.000 \ es \ a \ 100 \\ como \ 6.000 \ es \ a \ x \end{array} \right\}$$

multiplicamos 6.000 por 100 y el resultado lo dividimos por 2.000. Efectuando las operaciones, obtenemos 300; pero como habíamos hecho 2.000 = 100 y por lo tanto 100 era la base o punto de referencia, tenemos que restarle 100 a 300 para obtener el porcentaje de aumento de la cantidad demandada respecto a la cantidad inicial. Dicho con otras palabras, la cantidad demandada de melocotones ha aumentado en dos veces (200 por 100) respecto a la cantidad inicial. Esta operación se llama hacer un número índice con base 100 en la cantidad que se toma como punto de partida o de referencia, como vimos en el Capítulo 4.

Si la elasticidad fuera sencillamente $\dfrac{\Delta \% \ cantidad}{\Delta \% \ precio}$, entonces nuestros cálculos

de la elasticidad de la demanda de melocotones nos darían $\eta = \dfrac{200}{50} = 4;$ la elas-

ticidad sería igual a 4. Pero ya hemos visto los problemas que aquella fórmula plantea y la necesidad de calcular el porcentaje de incremento de la cantidad demandada y del precio, tomando como puntos de referencia o cifras base, no la cantidad o el precio iniciales, sino la media del valor inicial y del valor final de cada una de estas magnitudes.

Así, en nuestro ejemplo de la demanda de melocotones y aplicando la fórmula más precisa de obtener la elasticidad, nuestros cálculos serán los siguientes:

Aumento porcentual de la cantidad demandada:

> 4.000 es a 100
> como 6.000 es a x

realizando las operaciones, obtenemos:

> 4.000 es a 100
> como 6.000 es a 150

El aumento porcentual de la cantidad demandada ha sido de 50 (50 por 100 de aumento). La cifra de 4.000 la obtenemos sumando 2.000 (cantidad inicial) y 6.000 (cantidad demandada final) y dividiendo el resultado por dos; es decir, hemos obtenido la media de las dos cantidades.

Disminución porcentual del precio:

> 60 es a 100
> como 40 es a x

realizando las operaciones, obtenemos:

> 60 es a 100
> como 40 es a 66,66

La disminución porcentual del precio ha sido, pues, de 33,34 (33,34 por 100). La cifra de 60 la hemos obtenido igualmente sumando el precio inicial (80 pesetas) y el precio final (40 pesetas), y dividiendo el resultado por 2 ($\frac{80 + 40}{2} = 60$).

Aplicando ahora nuestra fórmula de la elasticidad, tendremos:

$$\eta = \frac{\Delta \% cantidad\ demandada}{\Delta \%\ precio} = \frac{50}{33,34} = 1,5$$

Vemos, pues, que llegamos al mismo resultado si realizamos correctamente los cálculos que prescribe la fórmula de la elasticidad

$$\frac{C_1 - C_2}{C_1 + C_2} : \frac{P_1 - P_2}{P_1 + P_2}$$

Repetimos que se dice que la demanda de un bien es elástica cuando su elasticidad es superior a la unidad ($\eta > 1$).

Del mismo modo, se dice que la demanda de un bien es inelástica cuando su elasticidad es inferior a la unidad ($\eta < 1$; el símbolo $<$ significa «menor que»); es decir, el cambio porcentual en la cantidad demandada es menor que el cambio porcentual en el precio ($\Delta \%\ cantidad < \Delta \%\ precio$, condición necesaria para que

$\dfrac{\Delta \% \ cantidad}{\Delta \% \ precio} < 1$). Volviendo a nuestro ejemplo de los melocotones, si los valores fueran:

TABLA 9.4

Precio	Cantidad
80	2.000
40	3.000

realizando los cálculos que efectuamos en el caso anterior, tendríamos:

$$cambio\ porcentual\ en\ cantidad = \frac{1.000}{2.500} \times 100 = 40$$

$$cambio\ porcentual\ en\ precio = \frac{40}{60} \times 100 = 66,66$$

$$\eta = \frac{40}{66,66} = 0,6$$

Este método de calcular el cambio porcentual poniendo en el numerador el incremento de la cantidad o el del precio, y en el denominador el valor medio de la cantidad inicial y final o de los precios inicial y final, y multiplicar este cociente por 100 pueden crearle confusión al lector. Pero, si se observa con detenimiento, no es más que el método ordinario de obtener el cambio porcentual en una magnitud cualquiera, con la única diferencia de que empleamos como base (denominador) el valor medio de las magnitudes (cantidad y precio) inicial y final en lugar del valor inicial de aquéllas. En realidad corresponde a la fórmula que hemos expuesto:

$$\eta = \frac{C_1 - C_2}{(C_1 + C_2)/2} : \frac{P_1 - P_2}{(P_1 + P_2)/2}$$

con la sola diferencia de que multiplicamos cada lado de la división por 100 para obtener por separado los porcentajes de cambio de la cantidad demandada y del precio.

Volviendo al ejemplo, tenemos que la elasticidad de la demanda de melocotones para estos valores de la cantidad demandada y del precio es menor que la unidad (0,6) y en consecuencia decimos que es inelástica.

Un caso especial que merece consideración es el de elasticidad unitaria o elasticidad igual a la unidad. Se dice que la demanda de un bien tiene una elasticidad unitaria cuando el cambio porcentual en la cantidad demandada es igual al cambio porcentual en el precio:

$$\eta = \frac{\Delta \% \ C}{\Delta \% \ P} = 1; \quad \Delta \% \ C = \Delta \% \ P$$

Si los valores de la tabla de demanda de melocotones fueran:

TABLA 9.5

Precio	Cantidad
80	2.000
40	4.000

entonces:

$$cambio\ porcentual\ en\ cantidad = \frac{2.000}{3.000} \times 100 = 66,66$$

$$cambio\ porcentual\ en\ precio = \frac{40}{60} \times 100 = 66,66$$

$$\eta = \frac{66,66}{66,66} = 1$$

Más adelante veremos la importancia y la utilidad que para los agentes económicos afectados o interesados tiene conocer la elasticidad de la demanda de un bien. Sólo diremos aquí que los muy diferentes efectos que podían tener las medidas del Gobierno que consideramos al principio de este Capítulo dependían en realidad de la elasticidad de la curva de demanda de la carne de ternera, ya que la pendiente de ésta se halla estrechamente relacionada con su elasticidad.

Respecto a los melocotones, supongamos que la elasticidad de su demanda fuera 1,5. Esta información sería muy útil para los agricultores que los cultivan y para los comerciantes mayoristas que los distribuyen a los minoristas, ya que les permitiría fijar un precio aproximado al de equilibrio, lo cual tendría una enorme importancia para ellos.

Imaginémonos que éstos tuvieran un exceso de oferta (debido a una buena cosecha) al precio existente en el mercado. Obviamente tendrían que deshacerse de los melocotones en un período corto de tiempo para evitar que se les pudrieran. Si los oferentes de melocotones conocieran, aunque sólo fuera de forma aproximada, que la elasticidad de la curva de demanda de éstos era 1,5 sabrían que por cada 1 por 100 que redujeran el precio, la cantidad demandada (y en consecuencia vendida) aumentaría en un 1,5 por 100.

De esta forma, los oferentes de melocotones sabrían que si querían aumentar sus ventas en un 50 por 100, tendrían que reducir su precio en un 33 por 100 (33 está en la misma proporción con respecto a 50 de lo que lo está 1 con 1,5). Generalmente no se conoce el valor cuantitativo exacto de la elasticidad de la demanda de un bien. No obstante, el conocer el valor aproximado de ésta es de gran utilidad para los agentes económicos interesados.

En algunos libros el lector encontrará que los cambios porcentuales de la cantidad demandada y del precio se calculan a partir de los valores iniciales de éstos. En nuestro último ejemplo numérico de la demanda de melocotones, utilizando este método de definir el cambio porcentual por referencia a los valores iniciales, tendríamos:

$$cambio\ porcentual\ en\ cantidad = \frac{2.000}{2.000} \times 100 = 100$$

$$cambio\ porcentual\ en\ precio = \frac{40}{80} \times 100 = 50;$$

$$\eta = \frac{100}{50} = 2$$

Vemos, pues, que el valor numérico de la elasticidad varía considerablemente según que se utilice un método u otro de cálculo. Para cambios muy pequeños en la cantidad y en el precio, el empleo de un método u otro no tiene importancia, ya que la diferencia en los resultados será reducida.

En realidad el concepto de elasticidad es utilizado adecuadamente cuando se trata de cambios muy pequeños en las variables. No obstante, se emplea con cambios grandes en las variables como un instrumento para obtener el grado medio de respuesta de la cantidad demandada al pasar de un precio a otro. Es muy probable que la respuesta de la demanda sea distinta a los diferentes precios intermedios entre el precio inicial y el nuevo precio. Por otra parte, y como hemos visto, es preferible utilizar un método de cálculo que haga que el valor numérico de la elasticidad sea independiente de la dirección en que consideremos el cambio de las magnitudes (independientemente de que calculemos ésta a partir de una bajada o de una subida del precio).

Puede, sin embargo, que para los oferentes, para el Gobierno y para los consumidores sea más útil en algún momento calcular la elasticidad a partir de los valores iniciales, ya que ellos están más interesados en los aspectos prácticos de la cuestión que en las sutilezas técnico-estadísticas de los cálculos. No cabe duda de que si al bajar el precio de 80 a 40 pesetas kilo (una reducción del 50 por 100), la cantidad demandada (y vendida) aumenta de 2.000 a 4.000 kilos por mes, entonces por cada 1 por 100 que reduzcan los oferentes su precio, la cantidad que venderán aumentará en un 2 por 100. En consecuencia, si desean aumentar sus ventas en un 50 por 100 respecto a las que están realizando, tendrán que reducir el precio de los melocotones en un 25 por 100. De ahí que algunos autores prefieran utilizar este método de cálculo de la elasticidad, a pesar de que tenga el inconveniente que hemos visto.

La conclusión que sacamos es que las distintas demandas tienen diferentes elasticidades, y que cuanto mayor es el valor numérico absoluto de la elasticidad de la demanda de un bien, mayor es el grado de respuesta de la cantidad demandada de este bien a variaciones en su precio.

Asimismo, la elasticidad como unidad de medida nos dice que para todos los valores de la elasticidad menores que la unidad, la cantidad demandada varía en menor proporción (menor porcentaje) que el precio; que para todos los valores de la elasticidad superiores a la unidad, la cantidad demandada varía en mayor proporción (mayor porcentaje) que el precio; y que para el valor de la elasticidad de la unidad, la cantidad demandada varía en la misma proporción que el precio.

Esta conclusión también se puede expresar de la siguiente manera: cuando el porcentaje de cambio de la cantidad demandada es mayor que el porcentaje de variación del precio, la elasticidad tendrá un valor superior a la unidad. Cuando $\eta > 1$, decimos que la demanda es elástica para esos valores de cantidad y precio; cuando $\eta < 1$, decimos que la demanda es inelástica; y cuando $\eta = 1$, decimos que la demanda es de elasticidad unitaria. Al ser la elasticidad una unidad de medida que es independiente de las unidades en que se expresan las cantidades y los precios, se pueden comparar las elasticidades de la demanda de los diversos bienes.

ELASTICIDAD Y CURVAS DE DEMANDA

Hemos visto el concepto de elasticidad referido a la demanda y el método de cálculo de aquélla. Veamos ahora cómo se relaciona la elasticidad con las curvas de demanda. Si se ha comprendido bien lo que entendemos por elasticidad y cómo se calcula, no le resultará difícil al lector comprender lo que sigue.

En definitiva, al utilizar unas tablas de valores para el precio y la cantidad demandada de melocotones, hemos estado hablando de dos puntos de las distintas curvas de demanda de melocotones. Sabemos que una curva de demanda no es más que la representación gráfica de una tabla de valores que expresa las cantidades de un bien que se demandan a los diferentes precios de éste. En consecuencia, podemos calcular la elasticidad de la demanda de un bien para dos pares de valores a través de calcular la elasticidad de la curva de demanda de éste entre los dos puntos que representan dichos pares de valores. Como veremos, también es posible calcular la elasticidad de la curva de demanda en un punto de ésta. La primera es llamada la elasticidad de un arco de la curva de demanda (un tramo de ésta), y la segunda es conocida por la elasticidad en un punto de la curva.

Supongamos que tenemos la siguiente tabla de demanda de un bien:

TABLA 9.6

Precio	Cantidad	Elasticidad
12	1	
10	2	3,67
8	3	1,8
6	4	1,0
4	5	0,56
2	6	0,27

Podemos representar esta tabla de valores en un gráfico y tendremos la curva de demanda de la Figura 9.8. Al lector no debe inquietarle el que la curva de demanda sea una línea recta: hablamos de curvas de demanda siempre que se representen pares de valores de precio y cantidad, cualquiera que sea la forma que tengan estas curvas (rectilíneas o curvilíneas).

Nuestra fórmula simplificada de la elasticidad era:

$$\eta = \frac{\Delta C/C}{\Delta P/P}$$

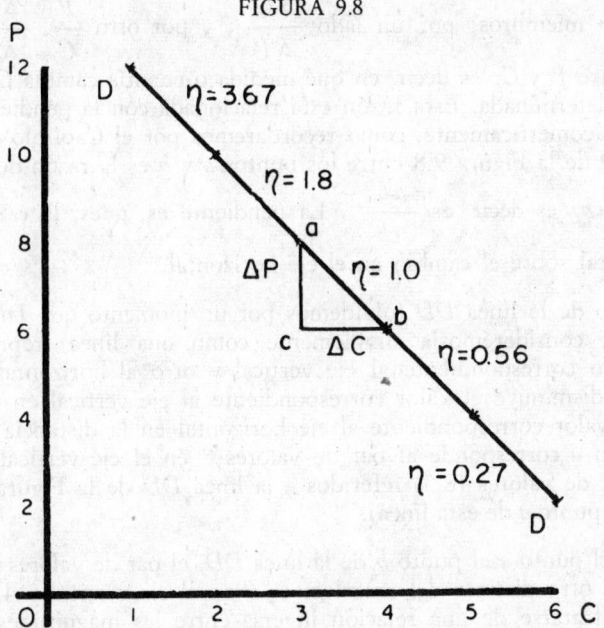

FIGURA 9.8

Matemáticamente hablando, esta igualdad es en realidad una identidad (ya que es una definición que nosotros hacemos, y en consecuencia, no puede ser de otra manera), y sería más correcto formularla de la siguiente manera:

$$\eta \equiv \frac{\Delta C/C}{\Delta P/P}$$

donde el símbolo $\equiv$ significa «idéntico a». No obstante, utilizaremos sólo el signo de igualdad, ya que no necesitamos entrar en tecnicismos.

Nuestra fórmula podemos expresarla también de la siguiente manera, sin que deje de mantenerse la igualdad:

$$\eta = \frac{\Delta C}{C} : \frac{\Delta P}{P} = \frac{\Delta C \times P}{\Delta P \times C}$$

Recordemos que dos quebrados se dividen entre sí multiplicando sus miembros en cruz: el numerador del quebrado o fracción resultante se obtiene multiplicando el numerador del primero por el denominador del segundo, y el denominador se halla multiplicando el denominador del primero por el numerador del segundo.

Pero, asimismo:

$$\eta = \frac{\Delta C . P}{\Delta P . C} = \frac{\Delta C}{\Delta P} \cdot \frac{P}{C}$$

(El símbolo · significa «multiplicado por».)

Tenemos, pues, que hemos descompuesto la fórmula de la elasticidad en dos componentes o miembros: por un lado $\dfrac{\Delta C}{\Delta P}$, y por otro $\dfrac{P}{C} \cdot \dfrac{\Delta C}{\Delta P}$ es la razón del cambio entre P y C; es decir, en qué medida o cuantía cambia C al variar P en una cantidad determinada. Esta razón está relacionada con la pendiente de la curva de demanda. Geométricamente, como recordaremos por el Capítulo 5, la pendiente de la línea DD de la Figura 9.8 entre los puntos a y b es la razón de la distancia ac y la distancia cb; es decir, es $\dfrac{ac}{cb}$. La pendiente es, pues, la razón del cambio en el eje vertical sobre el cambio en el eje horizontal.

Cada punto de la línea DD (olvidemos por un momento que DD es una curva de demanda y considerémosla simplemente como una línea) representa un par de valores, uno correspondiente al eje vertical y otro al horizontal. Al pasar del punto a al b, disminuye el valor correspondiente al eje vertical en la distancia ac, y aumenta el valor correspondiente al eje horizontal en la distancia cb. Numéricamente el punto a corresponde al par de valores 8 en el eje vertical y 3 en el horizontal (el par de valores (8,3) referidos a la línea DD de la Figura 9.8 describen exactamente el punto a de esta línea).

Al pasar del punto a al punto b de la línea DD, el par de valores que especifican dicho punto es otro distinto del anterior: es 6 en el eje vertical y 4 en el horizontal (6,4). Por tratarse de una relación inversa entre las magnitudes representadas en los ejes, al pasar de un punto a otro de la curva DD necesariamente ha de aumentar la distancia que corresponde a un eje y disminuir la que corresponde al otro. En nuestro caso, al aumentar la distancia correspondiente al eje horizontal de 3 a 4 (cb) la distancia representada en el eje vertical disminuye de 8 a 6 (ac).

Pues bien, si la pendiente de la curva de demanda DD entre los puntos a y b es $\dfrac{\Delta P}{\Delta C}$, y el primer elemento de la fórmula de la elasticidad es $\dfrac{\Delta C}{\Delta P}$, está claro que existe una relación entre estas dos razones: la razón $\dfrac{\Delta C}{\Delta P}$ es la recíproca o la inversa de la pendiente de la curva de demanda de que se trate. Y si $\dfrac{\Delta C}{\Delta P}$ es la recíproca de la pendiente, es evidente que $\dfrac{\Delta C}{\Delta P}$ no cambiará de valor más que cuando cambie la pendiente de la curva de demanda, y que lo hará en la misma proporción que ésta, pero en sentido inverso.

El segundo componente de la fórmula de la elasticidad, $\dfrac{P}{C}$, está relacionado con el punto de la curva del que partimos para medir la elasticidad. Así, si partimos del punto a en la curva de demanda DD de la Figura 9.8, $P = 8$ y $C = 3$ $(\dfrac{8}{3})$. Podemos, pues, concluir que la elasticidad de una curva de demanda no está relacionada exclusivamente con el valor de la pendiente de ésta, sino que también depende de los valores de P y C en el punto de la curva de demanda del que partimos al producirse el cambio en el precio y en la cantidad demandada.

Con esta información podemos ver ahora cómo la forma de las curvas de demanda expresan el grado de elasticidad de las demandas que representan. Si la curva de demanda fuera una línea recta, como la que aparece en la Figura 9.8, tendríamos que el componente $\dfrac{\Delta C}{\Delta P}$ de la fórmula de la elasticidad permanecería constante al pasar de un punto cualquiera de ésta a otro, ya que la pendiente de la curva, al ser ésta una línea recta, es la misma en todos sus puntos.

No ocurrirá lo mismo con el segundo componente de la fórmula de la elasticidad $\dfrac{P}{C}$, que tendrá el valor más elevado en el punto donde arranca la curva (punto donde $P = 12$ y $C = 1$), ya que en ese punto es donde el precio (que es el numerador de la fracción $\dfrac{P}{C}$) tiene su valor más alto, al mismo tiempo que la cantidad demandada C (que es el denominador de la fracción $\dfrac{P}{C}$) tiene su valor más bajo. En consecuencia, la fracción $\dfrac{P}{C}$ en ese punto tomará su valor máximo en la línea DD. De hecho $\dfrac{P}{C}$ tomaría valor infinito en el punto en que la línea DD corta al eje de ordenadas. Si $\dfrac{\Delta C}{\Delta P}$ permanece constante en todos los puntos de la curva de demanda DD y $\dfrac{P}{C}$ toma su valor más alto posible en el punto $P = 12$ y $C = 1$, claramente la elasticidad será la más elevada en ese punto de la curva.

Hemos hablado hasta aquí de elasticidad como la respuesta de la cantidad demandada a un cambio en el precio, lo que implica que la elasticidad la obtenemos para un tramo de la curva de demanda entre dos puntos (correspondientes a dos precios y dos cantidades). Esta elasticidad, que mide el grado de respuesta de la cantidad comprada a una variación en el precio entre dos puntos de la curva de demanda, es la llamada elasticidad de arco (a la distancia entre dos puntos de una curva se le llama arco). También se puede calcular la elasticidad de la curva de demanda en un punto de ésta. Aquí no veremos cómo se obtiene esta elasticidad en un punto por el carácter técnico que encierra su cálculo. No obstante, digamos solamente que la elasticidad de la curva de demanda en un punto de ésta se obtiene matemáticamente como:

$$\eta = \frac{dC}{dP} \cdot \frac{P}{C}$$

donde el primer miembro del lado derecho de la igualdad es la primera derivada de la cantidad demandada respecto del precio. Por el Capítulo 5 el lector recordará que $\dfrac{dC}{dP}$ es la inversa de la pendiente de la línea en un punto, $\dfrac{dP}{dC}$. Asimismo, recordará que la derivada permitía obtener la pendiente de la línea en un punto como el límite al que tendía ΔP cuando ΔC se hacía cero. Este concepto es perfectamente aplicable al cálculo de la elasticidad de la curva de demanda en un punto de ésta, por contraposición a la elasticidad de la curva en un arco (entre dos puntos de ésta), en cuyo caso utilizamos $\dfrac{\Delta C}{\Delta P}$, ya que ΔP no hacemos que se aproxime a cero.

En el caso de la elasticidad de la curva de demanda en un arco (por ejemplo, el arco ab de la Figura 9.10), aquélla la obtenemos como $\dfrac{\Delta C}{\Delta P} \cdot \dfrac{P}{C} = \dfrac{cb}{ac} \cdot \dfrac{P}{C}$; aquí nos interesa calcular en cuánto cambia la cantidad demandada al pasar el precio de P_o a P_1 y en consecuencia no hacemos que la distancia P_oP_1 se aproxime a cero. Por el contrario, hallamos la elasticidad de la curva de demanda en un punto porque nos interesa ver en qué proporción está el cambio en C respecto al cambio en P exactamente en ese precio y en esa cantidad concretas.

A medida que vamos descendiendo de izquierda a derecha a lo largo de la curva de demanda DD de la Figura 9.8, la razón $\dfrac{P}{C}$ va disminuyendo de valor, ya que el precio va haciéndose cada vez menor, mientras que la cantidad demandada va aumentando. En consecuencia, al ir disminuyendo el valor del numerador e ir aumentando simultáneamente el valor del denominador, la fracción $\dfrac{P}{C}$ va haciéndose más pequeña. Esto explica las diferentes elasticidades que vemos en la Tabla 9.6 y en la Figura 9.8. En esta Figura puede verse que al pasar el precio de 12 a 10 y la cantidad de 1 a 2, la elasticidad es 3,67. En el tramo siguiente de la curva de demanda DD, al pasar el precio de 10 a 8 y la cantidad de 2 a 3, la elasticidad es 1,8.

La razón de esta disminución ya la hemos expuesto: la razón $\dfrac{\Delta C}{\Delta P}$ es de una unidad de cantidad por dos de precio y permanece constante a lo largo de toda la curva de demanda, ya que ésta es una línea recta. Sin embargo, la fracción $\dfrac{P}{C}$ ha disminuido de $\dfrac{12}{1} = 12$ a $\dfrac{10}{2} = 5$. Y así sucesivamente. El lector puede calcular las distintas elasticidades que se dan en la Tabla 9.6 y en la Figura 9.8 como un ejercicio que le permita comprobar si ha comprendido adecuadamente el concepto de elasticidad y el método de su cálculo.

De aquí concluimos que una curva de demanda que tome la forma de una línea recta tiene una elasticidad que va desde cero (en el punto donde corta al eje de la cantidad) hasta infinito (infinito se representa por el símbolo ∞) en el punto en que corta el eje del precio. La elasticidad de valor infinito la podemos obtener fácilmente:

$$\eta = \frac{\Delta C}{\Delta P} \cdot \frac{P}{C} = \frac{1}{2} \cdot \frac{14}{0} = \infty$$

Lo mismo ocurre con la elasticidad cero:

$$\eta = \frac{\Delta C}{\Delta P} \cdot \frac{P}{C} = \frac{1}{2} \cdot \frac{0}{7} = 0$$

Entre esos dos extremos de 0 a ∞ la elasticidad toma toda una serie de valores intermedios. Con frecuencia el lector que se aproxima a la Economía por primera vez comete el error de concluir que una curva de demanda que sea una línea recta debe tener la misma elasticidad en todos sus tramos. Ya hemos visto que no es así, y por qué.

La curva de demanda que tenga la forma de una línea recta es poco frecuente por las razones que veremos en los Capítulos 14 y 16. En consecuencia, veamos la relación entre la elasticidad y las curvas de demanda que efectivamente toman la forma de líneas curvas. Una vez más, aplicamos nuestra fórmula de la elasticidad $\dfrac{\Delta C}{\Delta P} \cdot \dfrac{P}{C}$ al estudio de la curva de demanda. Supongamos que la curva de demanda que queremos analizar es la representada por la curva DD de la Figura·9.9.

FIGURA 9.9

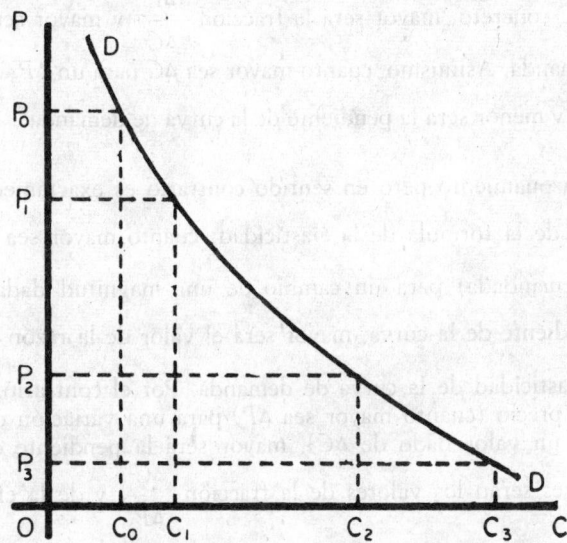

Ya sabemos cómo calcular la elasticidad matemáticamente; ahora sólo nos interesa considerar cómo la pendiente de una curva de demanda nos da una idea aproximada de su elasticidad. Por una parte, el componente $\dfrac{P}{C}$ de la fórmula de la elasticidad va haciéndose continuamente más pequeño al movernos hacia abajo y hacia la derecha de la curva de demanda, y en consecuencia este factor tiende a reducir la elasticidad de la curva de demanda cuando nos movemos hacia abajo en la curva, y a aumentarla cuando nos movemos hacia arriba dentro de la curva. Obviamente, cuanto mayor sea la pendiente de la curva de demanda, más rápidamente perderá valor $\dfrac{P}{C}$ al movernos hacia abajo dentro de la curva de demanda. De ahí que cuanto mayor sea la pendiente de la curva de demanda, menor puede esperarse que sea su elasticidad por lo que respecta al componente $\dfrac{P}{C}$.

Por otra parte, tenemos el componente $\dfrac{\Delta C}{\Delta P}$ de la fórmula de la elasticidad.

Como sabemos, $\dfrac{\Delta C}{\Delta P}$ es la inversa de la pendiente de la curva de demanda $\dfrac{\Delta P}{\Delta C}$,

y por consiguiente ambas magnitudes se mueven en direcciones opuestas

($\dfrac{\Delta C}{\Delta P}$ es la recíproca de $\dfrac{\Delta P}{\Delta C}$ del mismo modo que $\dfrac{2}{4}$ es la recíproca de $\dfrac{4}{2}$).

Obviamente, cuanto mayor sea la pendiente de la curva, mayor será la razón $\dfrac{\Delta P}{\Delta C}$.

En el caso de una curva de demanda con pendiente negativa (característica que por el momento aceptamos), ΔP y ΔC varían necesariamente en sentidos opuestos: cuando P aumenta, C disminuye, y al revés. La cuestión está entonces en saber en qué medida aumenta P cuando C disminuye en una cuantía determinada. Cuanto mayor sea ΔP para un ΔC concreto, mayor será la fracción $\dfrac{\Delta P}{\Delta C}$ y mayor será la pendiente de la curva de demanda. Asimismo, cuanto mayor sea ΔC para un ΔP concreto, menor será la razón $\dfrac{\Delta P}{\Delta C}$ y menor será la pendiente de la curva de demanda.

Este mismo razonamiento pero en sentido contrario es exactamente aplicable al componente $\dfrac{\Delta C}{\Delta P}$ de la fórmula de la elasticidad: cuanto mayor sea ΔC (el cambio de la cantidad demandada) para un cambio de una magnitud dada en el precio, menor será la pendiente de la curva, mayor será el valor de la razón $\dfrac{\Delta C}{\Delta P}$, y mayor será también la elasticidad de la curva de demanda. Por el contrario, cuanto mayor sea el cambio del precio (cuanto mayor sea ΔP) para una variación determinada de la cantidad (para un valor dado de ΔC), mayor será la pendiente de la curva de demanda, y menores serán los valores de la fracción $\dfrac{\Delta C}{\Delta P}$ y de la elasticidad de la curva de demanda.

En los párrafos precedentes hemos hablado de la pendiente de una curva y de la elasticidad como si ambas no pudieran tener más que un valor en toda la longitud de cada curva o que cada curva no pudiera tener más que una pendiente y una elasticidad en toda su longitud. Evidentemente, esto no es correcto. Una curva de demanda que efectivamente tome la forma de línea curva (caso que es con mucha diferencia el más frecuente) tiene una pendiente distinta en cada uno de sus puntos. Para comprobarlo el lector sólo tiene que trazar una línea que sea tangente a la curva de demanda en un punto, y después trazar otra tangente a cualquier otro punto de aquélla. La pendiente de la curva en un punto es la pendiente de la tangente a la curva en dicho punto llevada a los ejes de coordenadas.

Esta tangente es una línea recta cuya pendiente, como sabemos por la figura 9.8 que representa una curva de demanda con forma rectilínea, la podemos hallar como la razón $\dfrac{\Delta P}{\Delta C}$, razón que es constante a lo largo de toda la línea por ser ésta una recta. Trazando varias tangentes de este tipo, el lector podrá comprobar fácilmente cómo toda curva de demanda que no sea rectilínea tiene una pendiente distinta en cada uno de sus puntos.

Pero además, la pendiente tiende a ser menor a medida que nos movemos hacia abajo y hacia la izquierda dentro de una misma curva de demanda, como puede igualmente comprobarse con facilidad. Véase la Figura 9.9. En esta Figura cuando el precio baja de P_o a P_1, la cantidad demandada aumenta sólo de C_o a C_1, mientras que cuando el precio baja de P_2 a P_3 la cantidad demandada aumenta de C_2 a C_3.

Poniendo todos estos argumentos juntos, nos encontramos con los siguientes resultados:

a) Dadas las fórmulas de la elasticidad $\dfrac{\Delta C}{\Delta P} \cdot \dfrac{P}{C}$ y la pendiente negativa de la curva de demanda típica, así como su forma convexa (combada hacia el origen de los ejes de coordenadas), cuanto mayor pendiente tenga una curva de demanda menor podemos esperar que sea su elasticidad; y al revés, cuanto más plana sea una curva de demanda mayor podemos esperar que sea su elasticidad.

Por supuesto y como hemos visto, esta pendiente depende de la escala a la que representamos las variables precio y cantidad, pero para una escala de representación dada que sea igual para varias curvas de demanda, esta conclusión es correcta. Incluso cuando la escala no es la misma entre las distintas curvas de demanda, los economistas suelen representarlas de forma que cuanto mayor sea la respuesta relativa de la cantidad demandada a cambios relativos en el precio, más plana sea la curva correspondiente. De esta manera les resulta más fácil entenderse con sus colegas y con el público ilustrado, ya que todo el mundo espera que cuanto más plana sea una curva de demanda (menos pendiente tenga), mayor será su elasticidad, y al revés.

b) Las curvas de demanda suelen tener distintas elasticidades en sus diferentes puntos. Esto lo podemos ver claramente en el caso de la curva de demanda rectilínea, cuya elasticidad va de infinito (en el punto en el que corta al eje de ordenadas) a cero en el punto en que corta al eje de abscisas. Entre estos dos valores extremos, la elasticidad de una curva de demanda rectilínea toma todos los valores posibles. Algo similar ocurre con las curvas de demanda normales (que son efectivamente líneas curvas): éstas suelen tener diversas elasticidades en los distintos puntos de las curvas. No obstante, no se puede descartar que una curva de demanda tenga la misma elasticidad en todos sus puntos.

c) Existen tres casos límites de elasticidad: elasticidad unitaria, elasticidad cero y elasticidad infinito.

Una representación gráfica de curvas con distintas elasticidades la podemos ver en las Figuras 9.10 a la 9.14. La Figura 9.10 representa una curva de demanda elástica $(\eta > 1)$. Suponiendo una escala de representación normal, vemos cómo una reducción del precio de P_o a P_1 hace aumentar la cantidad demandada de C_o a C_1 (obviamente la distancia P_oP_1 es menor que la distancia C_oC_1). La Figura 9.11 muestra una curva de demanda inelástica $(\eta < 1)$; una reducción del precio de P_o a P_1 produce un aumento de la cantidad demandada de C_oC_1 $(P_oP_1 > C_oC_1)$.

La Figura 9.12 representa una curva de demanda totalmente elástica o de elasticidad infinita $(\eta = \infty)$; según esta curva, al precio P_o los demandantes están dispuestos a comprar toda la cantidad que se les ofrezca de un bien, pero a un precio superior a P_o no comprarían absolutamente nada de ese bien. La Figura 9.13 muestra el caso opuesto de una curva de demanda de elasticidad cero $(\eta = 0)$; los consumidores están dispuestos a comprar la cantidad C_o del bien en cuestión cualquiera que sea el precio de éste (recuérdese cómo calculábamos los valores ∞ y 0 de la elasticidad).

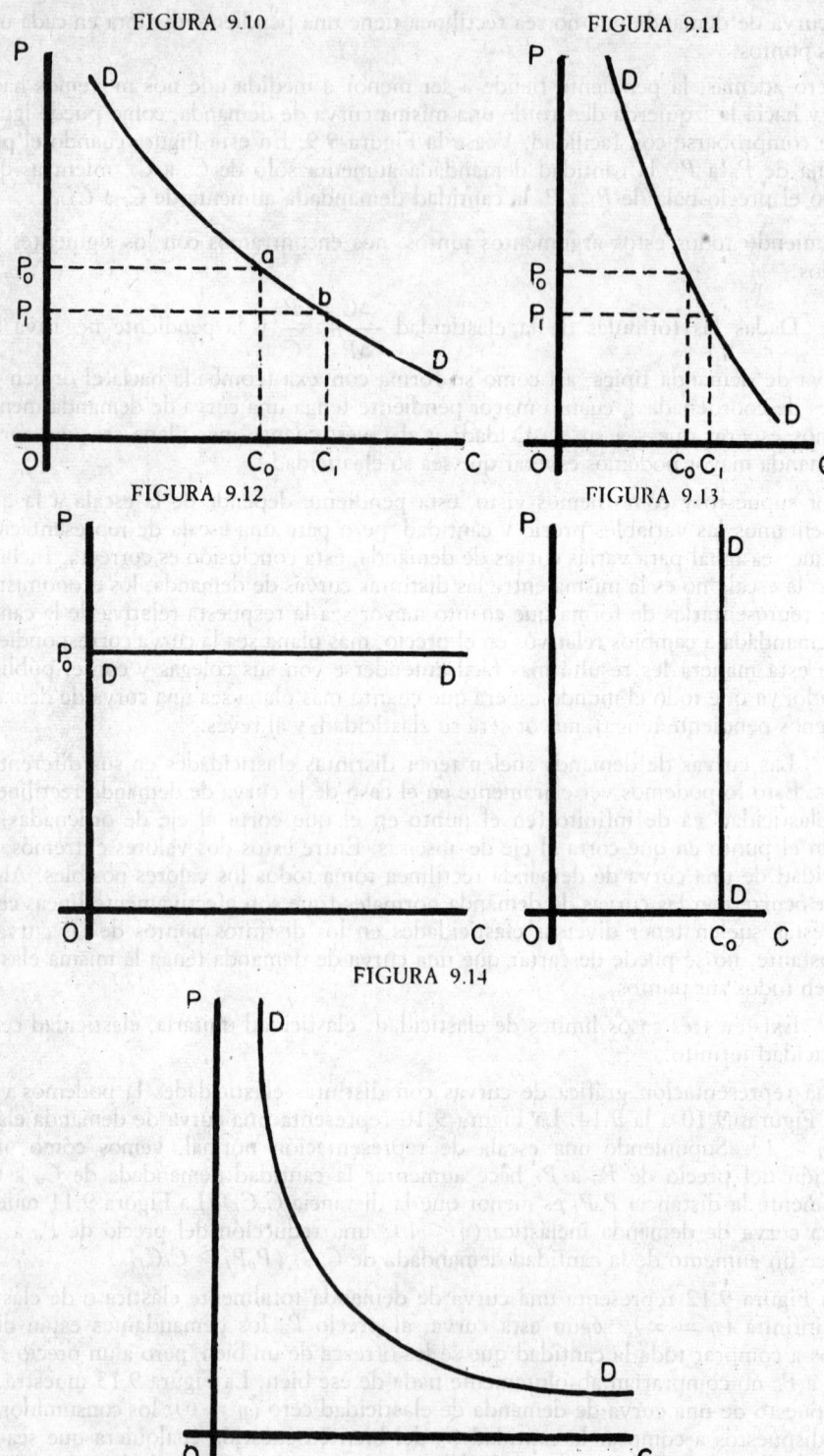

FIGURA 9.10

FIGURA 9.11

FIGURA 9.12

FIGURA 9.13

FIGURA 9.14

Finalmente, la Figura 9.14 representa una curva de elasticidad unitaria en todos sus puntos; en Geometría esta curva se la conoce como la hipérbola equilátera (para esta curva, Δ% cantidad = Δ% precio al pasar de cualquier punto a cualquier otro de la misma). Familiarizarse con la forma de las curvas de demanda según su elasticidad es muy útil a efectos de comprender con precisión el Análisis Económico que se hace en lo que sigue.

BIBLIOGRAFIA SELECCIONADA

Samuelson, P.: *Curso de Economía Moderna*, op. cit., Cap. 19, págs. 431-436.
Lipsey, R.: *Introducción a la Economía Positiva*, op. cit., Cap. 10, págs. 111-128.
Reynolds, L. G.: *Introducción a la Economía*, op. cit., Cap. 5.
Lancaster, K.: *Economía Moderna 1*, op. cit., Cap. 5.
Bilas, R.: *Teoría Microeconómica*, op. cit., Cap. 2.
Becker, G.: *Teoría Económica*, op. cit., Cap. 3.
Stigler, G.: *La Teoría de los Precios*, op. cit., Cap. 4.
Walsh, V. C.: *Introducción a la Microeconomía Contemporánea*, op. cit., Cap. 18, págs. 241-247.
Friedman, M.: *Teoría de los Precios*, op. cit., Cap. 2, págs. 30-34.
Barre, R.: *Economía Política*, op. cit.

CAPITULO 10

LA ELASTICIDAD DE LA DEMANDA Y DE LA OFERA (II)

LA UTILIDAD DE LA ELASTICIDAD DE LA DEMANDA DE LOS BIENES PARA LOS PRODUCTORES

Ya hemos visto que para los oferentes (agricultores o mayoristas o ambos) de melocotones que en un momento determinado tienen una oferta abundante de este producto perecedero, sería de una gran utilidad el conocer la elasticidad de la demanda de melocotones. Ello les permitiría determinar la magnitud en la que tendrían que bajar el precio de su producto para que la cantidad demandada de melocotones aumentara en la cuantía suficiente para absorber su oferta.

Supongamos que la curva *DD* de la Figura 10.1 es la curva de demanda de melocotones y que el precio existente en el mercado es el de 40 pesetas kilo, al cual se venden 13.000 kilos de melocotones al mes. Este precio en principio se habría determinado por la intersección de las curvas de oferta y demanda. El proceso de determinación de este precio muy bien habría podido ser el siguiente: los mayoristas tienen agentes de compras que visitan las zonas agrícolas que producen la mayor parte de los melocotones que se cultivan en el país, y evalúan la calidad y la cuantía aproximadas de la cosecha próxima. Con estas estimaciones y los datos sobre las posibles cosechas de otras frutas que pueden competir con los melocotones (peras, manzanas, melones, etc.), los mayoristas determinan unos márgenes para los precios que sus agentes de compras ofrecerán a los agricultores, según la calidad de la cosecha de cada uno de éstos.

Generalmente el acuerdo sobre el precio por kilo entre el agricultor y el mayorista se efectúa unos dos meses antes de que el melocotón haya madurado y sea recogido del árbol. Además, el acuerdo incluye el compromiso por parte del mayorista de comprarle al agricultor toda la cantidad que produzca al precio convenido y efectuar la recogida de los melocotones por cuenta propia, y por parte del agricultor de vender la totalidad de su cosecha al mayorista.

De esta forma el mayorista corre el riesgo de que, si la cosecha es muy abundante, se ha comprometido a adquirir unas cantidades a las que, para venderlas, tenga que fijar un precio de venta inferior al que había previsto establecer cuando acordó el precio de compra con los agricultores. También puede ocurrir el fenómeno contrario: que el mayorista haya acordado un precio con el agricultor en función de la cosecha esperada y después resulte que ésta sea inferior a la prevista, con lo que el mayorista al vender a los minoristas podrá fijar un precio más alto del que había calculado que cargaría de acuerdo con el precio que él acordó con los agricultores.

Naturalmente el mayorista se fijará unos márgenes dentro de los cuales negociar el precio por kilo de melocotones con los agricultores, y otros márgenes dentro de los cuales irá vendiendo sus existencias de melocotones a los minoristas. Obviamente el agricultor tratará de obtener el mayor precio posible por su producto, para lo cual, si actúa de una forma racional, esperará a recibir la oferta de precio por kilo de varios agentes de compras. Con esta información y con los datos que tiene sobre las perspectivas de la cosecha en general en cuanto a cuantía y calidad, venderá su producto al mejor postor.

Por su parte el mayorista fijará unos precios de compra, teniendo en cuenta que a éstos habrá de añadir la comisión de los agentes de compras, los gastos de recolección, los gastos de transporte, los costes de almacenamiento (que incluirán los costes de mano de obra, la amortización de sus instalaciones, los intereses del capital circulante propio que utiliza, los posibles costes financieros de pagar intereses de préstamos bancarios, su sueldo y los demás costes de teléfono, electricidad, etc., de la empresa), el valor de la cantidad de melocotones que por término medio se le estropean por tonelada, y su margen de beneficios.

Tras pagar el precio acordado a los agricultores y añadir estas partidas, el mayorista fija un precio de venta a los minoristas. Del mismo modo, éstos cargan a este precio los costes de transporte, la amortización de sus instalaciones, los costes de mano de obra (los sueldos de posibles dependientes, más su sueldo propio), los intereses del capital circulante, el valor del porcentaje de melocotones que se le estropean, los intereses de préstamos y su margen de beneficios. La cantidad resultante es el precio al que los melocotones se ofrecen a los consumidores en los establecimientos comerciales.

Por su parte cada consumidor, dados todos los factores que hemos visto influyen en su demanda de este producto, tendrá su tabla de demanda de melocotones, que representada gráficamente nos daría su curva de demanda. Sumadas horizontalmente (sumadas las cantidades que a cada precio comprarían los distintos consumidores) estas curvas de demanda individuales, obtendríamos la curva de demanda de mercado para los melocotones. Dada esta curva de demanda agregada y el precio fijado por los minoristas, los consumidores comprarán la cantidad de melocotones correspondiente a ese precio y nada más que esa cantidad. Los comerciantes fijan los precios, pero no pueden determinar la cantidad que venderán; y los consumidores no pueden decidir el precio que pagarán, pero sí pueden decidir la cantidad que comprarán.

La cantidad que efectivamente se transaccione puede o no ser la cantidad que los mayoristas tienen almacenada. Supongamos que la curva de demanda de melocotones es la curva DD de la Figura 10.1. Si el precio que se fija en los comercios es de 40 pesetas por kilo y la cantidad que los mayoristas tienen almacenada es de 20.000 kilos, evidentemente habrá un exceso de oferta de 7.000 kilos por mes durante la temporada en que se vende el melocotón, ya que los consumidores a ese precio sólo comprarán 13.000 kilos por mes. Dado que se trata de un producto perecedero (que sólo se puede mantener almacenado durante un período de tiempo corto sin que se estropee), y que la cantidad producida y ofertada no puede variar más que de año a año (con la cosecha), la curva de oferta de melocotones para un período determinado será casi totalmente vertical o inelástica; es decir, en cada temporada habrá una cantidad de melocotones (la que haya dado la cosecha), y esta cantidad habrá que venderla. Decimos que la curva de oferta será casi completamente vertical y no completamente vertical, porque una parte de los melocotones se utiliza para hacer conservas y mermeladas, y si los precios del melocotón como fruta natural suben suficientemente, algunos de los melocotones que se emplean para hacer conservas irán a parar a los mercados de fruta natural (suponiendo que el precio del melocotón en conserva no varía).

FIGURA 10.1

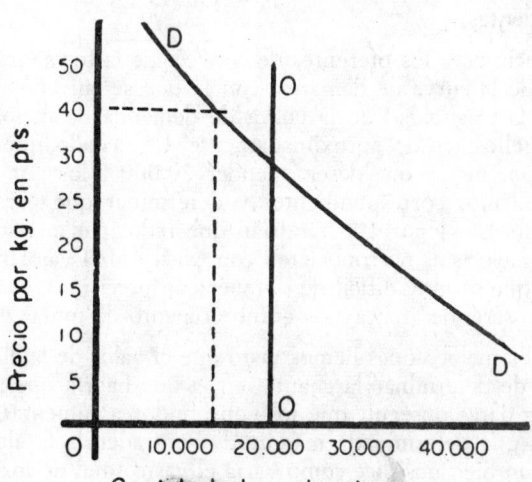

Evidentemente los propietarios de los melocotones (bien los mayoristas si éstos han comprado la cosecha en el árbol, o los agricultores si éstos han decidido venderlos cuando ya están maduros los melocotones), tratarán de obtener el mayor precio posible por kilo, pero, como hemos visto, se encuentran con dos datos que no pueden cambiar (ya que no dependen de ellos): la cantidad existente de melocotones y la curva de demanda de mercado que determina el precio que los consumidores pagarán para cada cantidad. El primer dato (la cosecha existente) lo representamos gráficamente por medio de una curva de oferta totalmente inelástica o vertical, que indica que la cantidad ofertada no varía al cambiar el precio. Si la cantidad que los mayoristas tienen almacenada es de 20.000 kilos, la tabla de oferta estaría representada por la curva de oferta OO de la Figura 10.1. Dado que el precio al que se venden los melocotones en el mercado es de 40 pesetas, existe un exceso de oferta de 7.000 kilos por mes, como hemos visto.

El mercado no estaría, pues, en equilibrio. Obsérvese que por tratarse de un bien cuya producción no puede aumentarse en un período corto de tiempo, la cantidad ofertada no aumenta inmediatamente al subir el precio. A largo plazo (un período de tiempo de unos diez años), si el precio de los melocotones se mantiene alto con respecto al de otros productos agrícolas, los agricultores plantarían nuevos melocotones (reduciendo así la cantidad de tierra dedicada a otros cultivos), y la curva de oferta tendría la forma normal de que aumenta la cantidad ofertada al subir el precio del bien. La cantidad transaccionada sería, pues, de 13.000 kilos por mes y el precio sería de 40 pesetas por kilo.

Volviendo al problema del que partíamos al comienzo de este epígrafe de que se diera un exceso de oferta, a los mayoristas se les plantearía la importante cuestión de decidir en qué medida bajar el precio del kilo de melocotones como para que el mercado absorbiera su excedente de este producto. La cuestión es importante para los mayoristas, porque se trata para ellos de reducir el precio sólo en la cantidad necesaria, ya que si lo reducen más de lo necesario perderían dinero. Según la Figura 10.1, tendrían que reducir el precio en 11 pesetas, para que los minoristas lo fijaran en 29 pesetas kilo. Si los mayoristas lo redujeran en 15 pesetas y los minoristas lo fijaran consiguientemente en 25 pesetas para los consumidores, evidentemente darían salida a su excedente de 7.000 kilos, pero habrían perdido 4 pesetas por kilo, ya que reduciéndolo sólo en 11 pesetas también se habrían deshecho de sus excedentes.

De ahí la importancia para los oferentes de conocer de la forma más aproximada posible la elasticidad de la curva de demanda con la que se enfrentan. Si los mayoristas conocieran que la elasticidad de la curva de demanda de melocotones, en el tramo relevante para ellos, es de aproximadamente 1,35, dado que a 40 pesetas venden 13.000 kilos por mes y que desean vender 20.000 kilos por mes, entonces podrían realizar los cálculos correspondientes y determinar que para aumentar la cantidad vendida en un 42,44 por 100 tendrían que reducir el precio en un 31,88 por 100. Aunque los mayoristas no conocieran con exactitud el valor numérico de la elasticidad (magnitud que es muy difícil de obtener con precisión), el tener una idea aproximada de ésta les sería de gran ayuda en el momento de tomar decisiones.

En el ejemplo de los melocotones hemos visto que el valor de la elasticidad tiene importancia a efectos de determinar la cuantía en la que habría que reducir el precio de los melocotones para conseguir que los consumidores aumentaran la cantidad comprada de éstos en una determinada magnitud. Pero además la elasticidad de la curva de demanda de un bien nos dice cómo varía el gasto total de los consumidores al cambiar el precio y la cantidad comprada de este bien. Dado que el gasto de los consumidores en un bien constituye el ingreso de los productores de este bien y el de los comerciantes que intervienen en su venta al público, el conocer cómo variará este gasto es una cuestión importante para los agentes económicos que han de tomar las decisiones sobre la producción y venta del bien en cuestión.

Como veremos, puede ocurrir que al subir el precio de un bien, la cantidad total de dinero que los consumidores se gasten en él disminuya. Del mismo modo, una reducción en el precio de un bien no implica necesariamente que los ingresos de los productores de ese bien disminuyan. El cambio que se produce en los ingresos de los productores de un bien al variar el precio de éste depende de la reacción de la cantidad demandada. De ahí que la elasticidad de la curva de demanda de un bien nos sirva para predecir qué ocurrirá con el gasto de los consumidores al variar el precio y la cantidad demandada de este bien.

RELACION ENTRE ELASTICIDAD DE LA DEMANDA Y EL GASTO DE LOS CONSUMIDORES

Obviamente el gasto que realizan los consumidores en un bien constituye los ingresos de los productores de dicho bien (incluyendo en los productores todos los agentes económicos que participan en la elaboración, distribución y comercialización del producto). Por esta razón en adelante emplearemos indistintamente el término gasto de los consumidores e ingreso de los productores, debiendo el lector recordar que ambos hacen referencia a la misma magnitud.

El gasto total que los consumidores realizan en un bien se obtiene multiplicando la cantidad comprada (el número de unidades adquiridas) por el precio del bien. Es decir:

$$GT = P \times C$$

siendo GT el gasto total, P el precio y C la cantidad comprada.

El gasto medio obviamente es el precio, ya que $GMe = \dfrac{GT}{C}$; como

$GT = P \times C$, entonces $P = \dfrac{GT}{C}$; luego $GMe = P$

donde GMe es el gasto medio. Esto es lógico, ya que en principio todas las unidades del mismo bien se compran al mismo precio.

El mecanismo del mercado es tal que no es posible discriminar cobrando un precio por unidad de un bien en un lugar y otro precio distinto (más alto o más bajo) por unidad de ese mismo bien en otro lugar. La razón por la que esta discriminación no es posible es simplemente que los individuos a los que se les cobre el precio más alto se irían a comprar el bien al lugar donde se cobre el precio más barato por el bien. Tampoco se puede discriminar según individuos, cobrándole un precio a unos individuos y otro precio a otros individuos por el mismo bien y en el mismo lugar, ya que para poder llevar a cabo esta discriminación haría falta introducir un sistema de control de las compras de ese bien por cada individuo, que sería muy costoso y engorroso. De no introducir este control los individuos a los que se le cobrara un precio más alto podrían pedir a los que se les cobra el precio más bajo que les hicieran las compras del bien a cambio de alguna compensación.

Por ejemplo, se podía obligar a cada individuo a llevar una cartilla en la que el comerciante que le hiciera la venta le anotara las compras que aquél realizara del bien. Además, sería necesario que se emitieran tantos tipos de cartillas como precios diferentes se desearan cobrar, distribuirlas entre los individuos siguiendo algún criterio en la discriminación de unos frente a otros (por ejemplo, el color del pelo, la estatura, etc.), y que fuera obligatorio para cada individuo el comprar un número mínimo de unidades del bien.

Por una parte, el sistema de control necesario para poder implementar la discriminación sería enormemente costoso por las siguientes razones:

a) Habría que emplear a miles de personas para llevar a cabo la confección y distribución de las cartillas y realizar el control de las cantidades compradas, personas que habrían de ser funcionarios que percibirían sus sueldos y añadirían peso al lastre de la burocracia estatal. Evidentemente ninguna empresa privada estaría interesada en llevar a cabo esta actividad de control, a no ser que se contrataran por el Estado los servicios de una empresa privada pagándole unas cantidades por ellos que le permitieran a ésta obtener beneficios.

b) Los ciudadanos del país tendrían que destinar una cantidad considerable de tiempo a retirar las cartillas, renovarlas y someterlas al control de compras.

c) Los comercios que vendieran el bien en cuestión tendrían que destinar una mayor cantidad de personal a controlar las cartillas y anotar en ellas las compras de sus propietarios. Posiblemente los compradores también tendrían que perder tiempo haciendo cola en los establecimientos comerciales.

Por otra parte, la obligatoriedad de comprar una determinada cantidad de un bien por los individuos, que sería necesaria para poder llevar a cabo la discriminación va en contra del principio fundamental para el funcionamiento del mecanismo del mercado que es la total libertad de los individuos de comprar o no comprar un bien, de decidir la cantidad que compran a los distintos precios y de realizar las compras del bien en el lugar que prefieran.

Por estas razones el precio por unidad de un mismo bien ha de ser básicamente el mismo en todos los mercados o lugares de venta del país. Observamos, sin embargo, que el precio de un mismo bien puede variar de unos lugares a otros, aunque las diferencias no suelen ser muy grandes. Las causas de estas diferencias entre ciudades de un mismo país, son:

1) Los costes de transporte del lugar de producción a los distintos puntos de venta varían en función de la distancia, y de los medios de transporte que llegan a los diversos lugares (ferrocarril, barco, avión, camión, etc.), ya que unos medios de transporte son más baratos que otros.

2) Los impuestos locales sobre productos específicos, sobre ventas en general, o sobre locales comerciales pueden ser más elevados en unos lugares que en otros y, como veremos, aquéllos son repercutidos en mayor o menor medida sobre los precios de los productos.

3) La amortización o el alquiler de los locales en los que se instalan los establecimientos comerciales (factores ambos que dependen fundamentalmente de los precios de los solares y estos precios a su vez dependen de la abundancia o escasez de los solares) suelen variar de unas ciudades a otras. También pueden variar algo los salarios de unos lugares a otros por la relativa falta de movilidad de la mano de obra. Estas diferencias en los precios de los factores productivos empleados en la comercialización de los productos son repercutidos en el precio del bien.

Las diferencias en el precio de un mismo bien dentro de una ciudad se deben fundamentalmente a:

1) La falta de información de los consumidores sobre los precios en los distintos barrios y comercios de la ciudad, ya que posiblemente si los individuos conocieran estas diferencias algunos de ellos se trasladarían de unos distritos a otros para realizar sus compras en los lugares en los que los precios del bien son más baratos, con lo que los precios tenderían a igualarse en todos los distritos.

2) El coste de oportunidad que, en términos de tiempo dedicado a realizar las compras del bien, supone para los individuos el trasladarse del barrio en el que viven a otro en el que comprar el bien. Para muchos individuos la comodidad de comprar cerca de su domicilio representa una mayor utilidad que la que podrían obtener del dinero ahorrado al realizar las compras del bien en otro distrito. En definitiva el consumidor está pagando en dinero por esta comodidad, hecho que se traduce en que su curva de demanda se sitúa más alejada del origen de los ejes de coordenadas.

Evidentemente al hablar de distintos precios para un mismo bien nos referimos a los bienes que son exactamente los mismos: melocotones de un tipo y calidad, una clase de pescado, o los zapatos de una marca determinada. Si el bien genérico puede ser diferenciado en clases y marcas, las diferencias en el precio pueden deberse a la diferencia de calidad entre tipos o marcas.

El gasto marginal de comprar una cantidad de unidades de un bien lo definimos como la diferencia en el gasto total al pasar de comprar $n-1$ unidades a comprar n unidades

$$GMa_n = GT_n - GT_{n-1}$$

donde GMa es el gasto marginal.

Veamos ahora cómo existe una relación entre los tres tipos de gasto (el total, el medio y el marginal) de los consumidores en un bien y la elasticidad de su curva de demanda de ese bien. Supongamos que la Tabla 10.1 representa las compras de pares de zapatos de una marca determinada que realiza una familia por año a los distintos precios de éstos. Obviamente los valores que aparecen en la Tabla 10.1 han sido asignados arbitrariamente por el autor y están pensados para ilustrar claramente las relaciones entre la elasticidad de la demanda y los gastos de los consumidores.

Si observamos la Tabla 10.1 veremos que el gasto total de esta familia (o el ingreso total de los productores de esta marca de zapatos procedente de las ventas a esta familia) en los zapatos de que se trate es siempre el número de pares comprados multiplicado por el precio al que compran cada cantidad de pares. El número de pares que la familia en cuestión compra (aquí estamos suponiendo que la cantidad que desean comprar a los distintos precios efectivamente la compran) a cada precio es exactamente el que corresponde a la utilidad que para ellos tienen las distintas cantidades de pares de zapatos, dados los precios de éstos y suponiendo constantes los precios por par de zapatos de las demás marcas, la renta de la familia y los gustos de sus miembros. La cantidad comprada de pares de zapatos aumenta al disminuir el precio por par, como corresponde a la demanda de un bien normal.

TABLA 10.1

Precio en ptas. por par de zapatos	Pares de zapatos comprados por año	GASTOS EN PESETAS		
		Totales	Medios	Marginales
11.000	0	0	0	—
10.000	1	10.000	10.000	+ 10.000
9.000	2	18.000	9.000	+ 8.000
8.000	3	24.000	8.000	+ 6.000
7.000	4	28.000	7.000	+ 4.000
6.000	5	30.000	6.000	+ 2.000
5.000	6	30.000	5.000	0
4.000	7	28.000	4.000	— 2.000
3.000	8	24.000	3.000	— 4.000
2.000	9	18.000	2.000	— 6.000
1.000	10	10.000	1.000	— 8.000

Podemos representar los gastos totales por año de la Tabla 10.1 en un diagrama, poniendo en el eje de ordenadas los gastos totales y en el eje horizontal el número de unidades de pares de zapatos. La Figura 10.2 muestra esta representación en la forma de la curva de gastos totales. Esta curva arranca del origen de los ejes, porque obviamente cuando la familia compra cero pares de zapatos se gasta en ellos cero pesetas. La curva tiene una parte ascendente que muestra cómo el gasto total aumenta al incrementar el número de pares de zapatos comprados, pero observamos que esta pendiente positiva va perdiendo valor, debido al hecho de que los gastos totales aumentan menos que proporcionalmente por cada incremento de un par de zapatos comprados. El lector puede comprobar esta pérdida de pendiente de la curva de gastos totales simplemente trazando líneas tangentes a distintos puntos de la curva, comenzando por la izquierda de ésa.

FIGURA 10.2

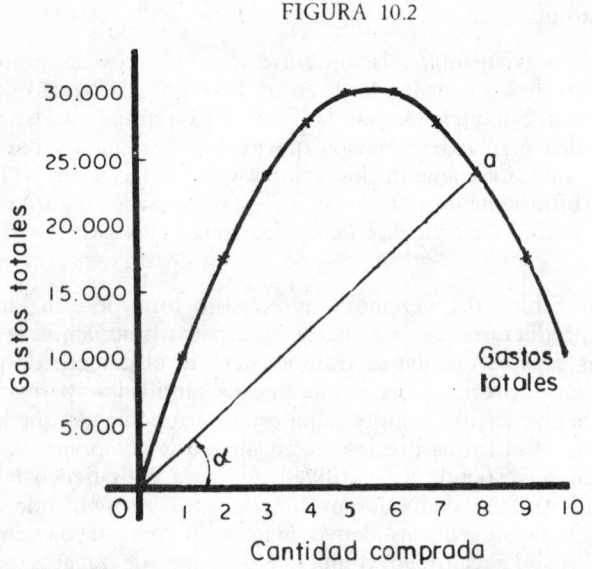

La curva alcanza, o tiene un punto de máximo valor de los gastos totales entre las unidades 5 y 6 de pares de zapatos comprados. Aquí volvemos a tropezar con el problema de la indivisibilidad del bien zapatos, que sólo podemos comprar por pares y no por fracciones de un par. La curva de gastos totales debería ser una recta entre el número de pares 5 y 6, según la Tabla 10.1. No obstante, la hemos dibujado como una curva en ese tramo, porque según la tendencia de los costes totales, si la variable par de zapatos fuera continua (se pudiera fraccionar), entonces la curva de costes totales entre las unidades 5 y 6 de zapatos superaría el gasto total de 30.000 pesetas.

Finalmente, la curva de gastos totales, a partir de ese punto máximo toma una pendiente negativa (al comprar más pares, el gasto total se hace menor), y esta pendiente se va haciendo mayor a medida que aumentamos el valor del eje horizontal (aumenta el número de pares de zapatos comprados). El aumento progresivo (en términos absolutos) de la pendiente negativa de la curva de gastos totales refleja una vez más la disminución más que proporcional de los gastos totales al incrementar el número de pares comprados, tal como muestra la Tabla 10.1.

La línea DD de la Figura 10.3 representa la curva de demanda de zapatos de la marca en cuestión por parte de la familia. Esta curva de demanda es una línea recta, debido a que los valores que le hemos dado a los precios y a las cantidades compradas han sido elegidas con el objeto de que la curva de demanda sea una línea recta para fines ilustrativos. Esta curva de demanda es al mismo tiempo la curva de gastos medios, ya que el precio es por definición el gasto medio, como hemos visto. Recordemos que, como vimos en el Capítulo 6, esta curva de demanda la podemos derivar de la curva de gastos totales simplemente trazando sucesivas líneas rectas desde el origen de los ejes a puntos de la curva de gastos totales, avanzando de izquierda a derecha, y hallando la pendiente de cada una de esas líneas.

Así, si queremos hallar el gasto medio o precio a partir del punto *a* de la curva de gastos totales, trazamos la línea recta O*a* y calculamos su pendiente (la tangente del ángulo α). Esta nos viene dada por la razón $\dfrac{24.000}{8}$ (la razón entre el valor de la curva de gastos totales en el eje de ordenadas y su valor en el eje de abscisas), que es igual a 3.000. Este valor es exactamente el precio por par de zapatos al comprar 8 pares por año. Del mismo modo, el gasto total lo obtenemos a partir de la curva de demanda o de gastos medios, hallando el área del cuadrado o paralelogramo formado por los ejes y las líneas que unen éstos con el punto de la curva de demanda para el que deseamos obtener los gastos totales. Esta área se halla multiplicando la base (unidades compradas) por la altura (precio).

FIGURA 10.3

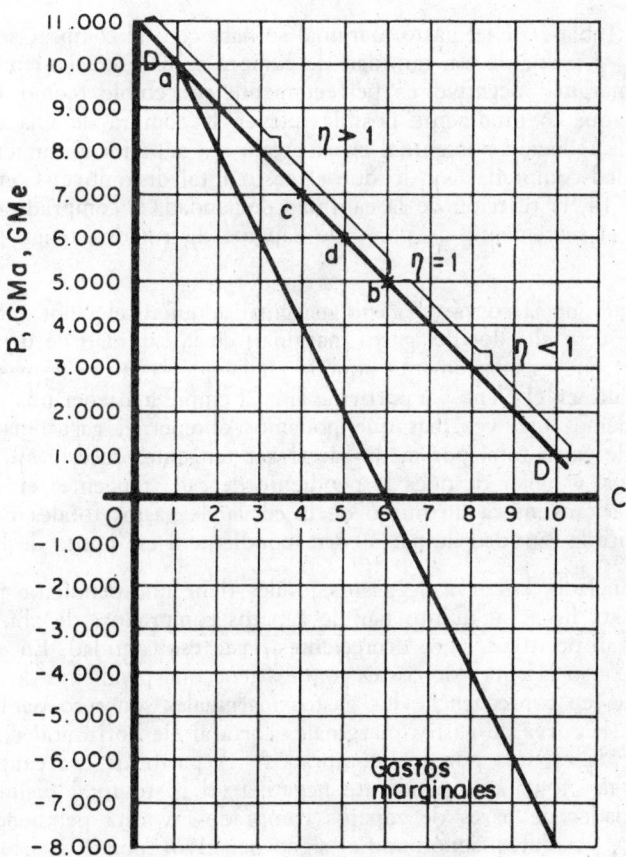

Cantidad de zapatos

Finalmente, podemos representar los gastos marginales en el mismo gráfico en el que hemos representado los gastos medios. Como puede verse en la Figura 10.3, la curva de gastos marginales va por debajo de la curva de gastos medios (que es la curva de demanda). Como vimos ampliamente en el Capítulo 5, mientras que el valor medio de una variable esté disminuyendo, el valor marginal es necesariamente inferior al medio.

En la Figura 10.3 vemos que las curvas de gasto medio y marginal son divergentes (se van separando cada vez más). Esto es lógico, ya que al disminuir progresivamente el gasto medio la diferencia entre los dos tipos de gasto se va haciendo progresivamente mayor. Recomendamos al lector que vuelva a leer el epígrafe del Capítulo 5 «Relaciones Aritméticas entre los Valores Totales, Medios y Marginales de las Variables Económicas».

La curva de gastos marginales arranca del punto *a* del plano (que es también un punto de la curva de gasto medio o curva de demanda), porque el valor marginal sólo tiene sentido al pasar del gasto total en una cantidad de unidades compradas al gasto total en esa cantidad más una unidad. Como no tiene sentido hablar de unidades negativas compradas (una compra de menos un par de zapatos no es concebible), entonces, el primer gasto marginal surge cuando se pasa de cero a una unidad comprada.

Como indica la Tabla 10.1, el gasto marginal se hace cero al comprar seis pares de zapatos al año, y a partir de esa cantidad de compra se hace crecientemente negativo. Un gasto marginal negativo es perfectamente concebible (como lo es el coste marginal), ya que es totalmente posible que en la compra de una cantidad mayor de un bien, la redución porcentual en el precio sea superior al aumento porcentual de la cantidad comprada, con lo que el gasto total disminuye. Como veremos en el Capítulo 14, la reacción de la cantidad demandada y comprada depende de la utilidad que el incremento de pares de zapatos disfrutados tenga para los individuos.

Conviene resaltar que la curva de gasto marginal adquiere el valor cero en el eje vertical (se hace cero el valor del gasto marginal) en la cantidad de 6 unidades compradas, cantidad que es exactamente aquélla en la que la curva de gasto total tiene su punto más alto en el plano y a partir de la cual empieza a tener una pendiente negativa. Recordemos una vez más que podemos obtener el gasto marginal a partir de la curva de gasto total por medio de trazar tangentes sucesivas a ésta en sus diferentes puntos, y hallar después la pendiente de cada tangente; el valor de la pendiente de cada tangente a un punto de la curva de gastos totales nos daría el gasto marginal para la cantidad de pares correspondiente a ese punto de la curva.

Como hemos señalado, la curva de gastos totales tiene una pendiente positiva, pero decreciente hasta llegar al quinto par de zapatos comprados; de ahí que los costes marginales sean positivos, pero decrecientes hasta esa cantidad. En el tramo entre las unidades 5 y 6 la curva de costes totales tiene una pendiente de cero(es totalmente plana), y, en consecuencia, los gastos marginales son cero para ese intervalo de compras (la curva de gastos marginales corta al eje horizontal en la cantidad de seis pares de zapatos por año comprados). A partir de esa cantidad, la curva de gastos totales toma una pendiente negativa (el gasto total disminuye al aumentar las cantidades de pares de zapatos comprados) y esta pendiene va en aumento en términos absolutos (ignorando el signo negativo), por lo que los gastos marginales son negativos y se hacen cada vez mayores en términos absolutos. Del mismo modo, se pueden obtener los gastos totales a partir de la curva de gastos marginales. Por ejemplo, si deseamos hallar los gastos totales a partir de la curva de gastos marginales de la Figura 10.3 para la cantidad comprada de seis pares de zapatos, calculamos el área de la figura determinada por los puntos O6a11.000.

Hemos visto que la curva de demanda es al mismo tiempo la curva de gasto medio. El precio es por definición el gasto medio de los consumidores, ya que en general el mercado no puede discriminar (cuando estudiemos el monopolio veremos cómo en determinadas circunstancias es posible la discriminación de precios). Si la curva de demanda tiene una pendiente negativa (la familia sólo está dispuesta a comprar una cantidad mayor de pares cuando se le baje el precio por par), característica ésta que hemos aceptado como general para las curvas de demanda (el hecho fundamental de que los consumidores sólo compran mayor cantidad de un bien cuando su precio es menor), entonces el gasto marginal ha de ser necesariamente menor que el gasto medio o precio para cada cantidad comprada.

La razón ya la hemos expuesto, pero vamos a considerar la cuestión desde otro ángulo. Si para que la familia de nuestro ejemplo compre ocho pares de zapatos por año en vez de siete el precio ha de bajar de 4.000 a 3.000 pesetas el par, nos encontramos que sobre el gasto total están actuando dos fuerzas contrapuestas: por una parte la cantidad positiva a añadir al gasto total de comprar siete pares de zapatos representada por la compra del octavo par de zapatos al precio de 3.000 pesetas, y por la otra la cantidad negativa a sustraer del mismo gasto total representada por las 1.000 pesetas menos de precio que la familia paga ahora por los siete pares de zapatos que antes compraba a 4.000 pesetas el par y ahora compra a 3.000 pesetas el par (ya que ahora compra los ocho pares al mismo precio todos de 3.000 pesetas par).

El efecto que sobre los gastos totales de la familia en zapatos tendrá el aumento de sus compras de 7 a 8 pares, al bajar el precio por par de 4.000 a 3.000 pesetas, lo podemos expresar así:

	Pesetas
Gasto adicional por la compra del octavo par de zapatos a 3.000 pesetas	+ 3.000
Reducción del gasto en 1.000 pesetas por par para los siete pares que antes compraba a 4.000 pesetas par y ahora compra a 3.000 pesetas par	— 7.000
Total	— 4.000

Según estos cálculos, los gastos totales de la familia han disminuido en 4.000 pesetas, a pesar de comprar un par más de zapatos. En la Tabla 10.1 comprobamos que efectivamente los gastos totales han disminuido de 28.000 pesetas cuando compraban siete pares a 24.000 pesetas cuando adquieren ocho pares. Hemos visto, pues, cómo es posible que comprando más unidades de un bien los consumidores se gasten menor cantidad de dinero en ese bien; y, en consecuencia, que los productores de un bien, vendiendo (y produciendo y, por lo tanto, generalmente incurriendo en mayores costes totales) una mayor cantidad de unidades de un bien, obtengan menor cantidad de ingresos totales.

Asimismo, en el ejemplo numérico vemos que el gasto marginal (— 4.000 pesetas) es muy inferior al gasto medio o precio (+ 3.000). El precio o gasto medio nunca puede ser negativo, ya que no tiene sentido el que una persona pague — 1.000 pesetas por un par de zapatos en un comercio.

Insistimos en la enorme importancia que tiene el comprender claramente que si el gasto medio o precio (que en el caso de las curvas de demanda, digamos que es la magnitud que de las tres —gasto total, medio y marginal— lleva la iniciativa o la que cambia primero) disminuye continuamente al aumentar progresivamente la cantidad comprada, entonces el gasto marginal ha de ser necesariamente inferior al precio para toda la longitud de la curva de demanda. Pero además, y esto también es importante, a medida que aumenta la cantidad comprada, y dado que para que ésta aumente es condición necesaria de las curvas de demanda que el precio disminuya también continuamente (para aumentar la cantidad comprada en una unidad o en un bloque de unidades, los consumidores se puede decir que exigen un precio inferior), la diferencia entre el gasto medio y el marginal se va haciendo continuamente mayor a medida que disminuye el precio y aumenta la cantidad comprada. Esto lo podemos comprobar aritméticamente en la Tabla 10.1.

FIGURA 10.4

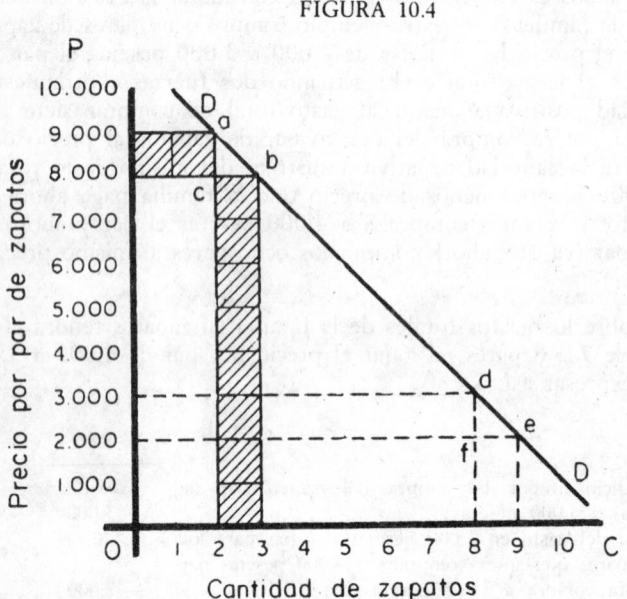

Sabemos que el gasto total lo podemos hallar a partir de la curva de gasto medio o curva de demanda simplemente obteniendo el área del cuadrado o paralelogramo formado por los ejes y las líneas que unen a éstos con el punto de la curva de demanda que corresponde a la cantidad de unidades compradas cuyos gastos totales queremos calcular. Esta operación la repetimos para obtener los costes totales correspondientes a cualquier otro punto de la curva de demanda. Para hallar geométricamente la diferencia entre los gastos totales de dos cantidades de unidades compradas, sólo tenemos que calcular la diferencia entre las áreas de los dos paralelogramos correspondientes a las dos cantidades. Así, en la Figura 10.4 la diferencia entre los gastos totales de comprar 2 y 3 unidades nos viene dada por la diferencia entre el área del paralelogramo determinado por los puntos *9.000a2O* y el área del paralelogramo definido por los puntos *8.000b3O*.

A simple vista puede observarse que el área del paralelogramo determinado por los puntos *8.000c2O* es común a los dos paralelogramos cuyas áreas deseamos comparar. En consecuencia, la diferencia entre los dos está en que el paralelogramo

8.000b3O incluye el área representada por el paralelogramo *cb32*, paralelogramo éste que no forma parte del paralelogramo *9.000a2O*, mientras que no incluye el área del paralelogramo *9.000ac8.000*, que, por el contrario, forma parte de este segundo. Si el área del paralelogramo *2cb3* es mayor que la del *9.000ac8.000*, entonces el gasto total aumenta al pasar de comprar 2 unidades a comprar 3 unidades, el gasto marginal es positivo y $\eta > 1$. Si, por el contrario, el área del paralelogramo *9.000ac8.000* fuera mayor que la del *3cb2*, entonces al comprar 3 unidades en lugar de 2, el gasto total disminuiría ,el gasto marginal sería negativo y $\eta < 1$. Esto es lo que ocurre al pasar de comprar 8 unidades a comprar 9. En la Figura 10.4 vemos que el área de la figura geométrica determinada por los puntos *3.000d8O* es mayor que el área del paralelogramo *2.000e9O*, ya que el paralelogramo *3.000df2.000* es mayor que el *8fe9* (la cantidad en que se reduce el gasto total es mayor que la magnitud en que éste aumenta).

En definitiva, el área de los paralelogramos *2cb3* y *8fe9* representan en cada caso la adición a los gastos totales que constituye el comprar una unidad más al nuevo precio más bajo, mientras que el área de los paralelogramos *9.000ac8.000* y *3.000df2.000* representa en cada caso la reducción del gasto total constituido por la compra a un precio inferior de las unidades que anteriormente se adquirían a un precio superior. El área del paralelogramo *2cb3* es $1 \times 8.000 = 8.000$ (la base por la altura), y el área del paralelogramo *9.000ac8.000* es $2 \times 1.000 = 2.000$ (igualmente la base por la altura). Como el primer paralelogramo representa una adición a los gastos totales y el segundo una reducción de éstos, el resultado es que los gastos totales aumentan en 6.000 pesetas al pasar de comprar 2 a comprar 3 unidades, los gastos marginales son $+6.000$ y $\eta > 1$. Del mismo modo, el área del paralelogramo *8fe9* es $1 \times 2.000 = 2.000$ y la del paralelogramo *3.000df2.000* es $8 \times 1.000 = 8.000$; como el primero representa la adición y el segundo la reducción de los gastos totales, éstos disminuyen en 6.000, los gastos marginales son pues $— 6.000$ y $\eta < 1$.

El lector sin duda habrá observado que en los dos casos el área de los triángulos *acb* y *dfe* no es contabilizada en los cálculos y es como si se perdiera en el vacío. Una vez más aquí se plantea el problema de la discontinuidad de la variable par de zapatos. Los pares de zapatos no los podemos comprar por fracciones de par (son indivisibles). Por esta razón tenemos que pasar de comprar 2 pares a comprar 3 y de comprar 8 a 9, respectivamente. Como la curva de demanda la representamos como una línea continua, estamos suponiendo en realidad que los pares de zapatos son indivisibles o fraccionables. En puridad de conceptos, tendríamos que pasar del punto *a* de la curva de demanda al punto siguiente de esta curva (en lugar de saltar al *b*), trazar igualmente las líneas que unieran este punto con los ejes, y hallar la diferencia entre las áreas del paralelogramo *9.000a2O* y la del paralelogramo formado por esas líneas y los ejes. Repitiendo esta operación para todos los puntos de la curva de demanda entre los puntos *a* y *b*, entonces el área del triángulo *acb* sería contabilizada. Así, pues, ignoramos esta área por la necesidad de operar con unidades de pares de zapatos y no con fracciones de par.

Debemos señalar también que con frecuencia no es posible calcular el gasto marginal o ingreso marginal en el sentido que lo hemos definido de

$$GMa_n = GT_n — GT_{n-1}$$

debido a que generalmente no se dispone de cifras tan detalladas sobre las compras. Es poco probable que los vendedores dispongan de los datos sobre los ingresos totales de vender 250.000 pares de zapatos y los de vender 250.001 pares. Normalmente van a disponer de datos para cambios grandes en las cantidades vendidas (tales como pasar de 250.000 a 300.000 pares vendidos por año). Para calcular el gasto marginal se recurre a la ficción de que estos 50.000 pares constituyen un bloque comparable a los cinco bloques de 50.000 unidades cada uno que constituyen los 250.000 pares que se vendían anteriormente, y sobre ello se calcula el gasto o ingreso marginal.

No siempre los gastos totales de los consumidores o los ingresos totales de los vendedores disminuyen al bajar el precio y aumentar la cantidad comprada y vendida de un bien. De hecho, lo que ocurra con los gastos totales depende de la elasticidad de la curva de demanda del bien en cuestión en el tramo correspondiente. Si al bajar el precio en un porcentaje determinado la cantidad comprada aumenta en un porcentaje mayor, los gastos totales aumentarán. Si, por el contrario, al bajar el precio en un porcentaje concreto, la cantidad comprada o demandada (insistimos en que al hablar de gasto estamos suponiendo que los consumidores a un precio determinado efectivamente compran la cantidad que desean comprar según su curva de demanda) aumenta en un porcentaje menor que el de reducción del precio, entonces el gasto total disminuye. Finalmente, si el porcentaje de variación del precio es el mismo que el de variación de la cantidad comprada, el gasto total no varía.

Pero recordemos que la elasticidad de la curva de demanda en un tramo no es más que la razón del cambio porcentual de la cantidad demandada sobre el cambio porcentual de variación en el precio. Si al bajar el precio en un 10 por 100, la cantidad demandada aumenta en un 20 por 100, esto significa que $\eta = 2$ y que la curva de demanda es elástica en ese tramo ($\eta = \dfrac{\Delta \% C}{\Delta \% P} = \dfrac{20}{10} = 2$) y el gasto total aumenta.

Si al bajar el precio de un bien en un 10 por 100, la cantidad demandada por período de tiempo aumenta en un 5 por 100, la curva de demanda es inelástica en ese tramo ($\eta = \dfrac{\Delta \% C}{\Delta \% P} = \dfrac{5}{10} = 0,5$) y el gasto total disminuye. Y si al bajar el precio de un bien de una magnitud a otra y la reducción es de un 10 por 100, y como consecuencia, la cantidad demandada aumenta de una magnitud a otra y el aumento es del 10 por 100, la elasticidad de la curva de demanda en ese tramo es unitaria

$$(\eta = \frac{\Delta \% C}{\Delta \% P} = \frac{10}{10} = 1)$$

y el gasto total no varía.

Cuanto mayor sea la elasticidad de una curva de demanda en un tramo concreto mayor será el aumento en el gasto total al bajar el precio en ese tramo, y cuanto más inelástica sea la curva mayor será la reducción del gasto total al disminuir el precio. Existe, pues, una relación cuantitativa entre la elasticidad de una curva de demanda y la variación del gasto total de los consumidores al cambiar el precio y la cantidad comprada.

Volviendo a las Figuras 10.3 y 10.4, podemos ver que la curva de demanda DD de la Figura 10.3 muestra distintas elasticidades en sus diferentes tramos. Desde el punto en el que la curva de demanda DD corta al eje vertical hasta el punto b

la curva tiene una elasticidad superior a la unidad $(\Delta \% C > \Delta \% P)$ y, en consecuencia, el gasto marginal es positivo. Este decrece continuamente, porque la elasticidad, aunque superior a la unidad en todos los puntos de ese tramo de la curva de demanda, está haciéndose progresivamente menor (recuerde el lector la explicación que dábamos en el Capítulo 9 de la elasticidad de un curva de demanda rectilínea). Asimismo, en la Figura 10.2 podemos ver que el gasto total aumenta al comprar mayor número de unidades, aunque el incremento es cada vez menor.

En el punto b de la curva de demanda de la Figura 10.3 la elasticidad es la unidad $(\Delta \% C = \Delta \% P)$, el gasto marginal se hace cero y el gasto total alcanza su valor máximo. Finalmente, en el tramo de la curva de demanda desde el punto b hacia la derecha, la elasticidad es menor que la unidad $(\Delta \% C < \Delta \% P)$, el gasto marginal se hace negativo y el gasto total decrece. Véanse las Figuras 10.2 y 10.3.

Insistimos en que una elasticidad superior a la unidad para un un tramo de la curva de demanda, como, por ejemplo, el tramo cd de la curva DD de la Figura 10.3, significa que $\Delta \% C > \Delta \% P$ en este tramo; lo que implica que la reducción en el gasto que supone el comprar las 4 unidades que antes se compraban a 7.000 pesetas par ahora se compren a 6.000 pesetas par (-4.000), es más que compensada por el aumento del gasto que supone el comprar el quinto par a 6.000 pesetas $(+6.000)$. El gasto total aumenta en 2.000 pesetas. De las dos fuerzas que actúan sobre el gasto total al bajar el precio y aumentar la cantidad comprada, cuando la elasticidad es superior a la unidad es más potente la del incremento del gasto producido por la cantidad adicional que se compra al nuevo precio, y el gasto total aumenta; cuando la elasticidad es inferior a la unidad, es más potente la de la reducción del gasto producido por la compra de las unidades de la cantidad inicial al nuevo precio más bajo, y el gasto total disminuye; y cuando la elasticidad es unitaria, las dos fuerzas (la de aumento del gasto y la de reducción del gasto) son igual de potentes y se contrarrestan entre sí, con lo que el gasto total no varía.

La misma argumentación es válida para el caso de un aumento del precio con la consiguiente reducción de la cantidad comprada:

1) Si la curva de demanda tiene una elasticidad superior a la unidad en ese tramo $(\Delta \% C > \Delta \% P)$, el gasto total disminuye. La reducción del gasto producida por la menor cantidad comprada es mayor que el aumento del gasto producido por el mayor precio al que se compra el menor número de unidades.

2) Si la curva de demanda tiene una elasticidad inferior a la unidad en ese tramo $(\Delta \% C < \Delta \% P)$, el gasto total aumenta. La reducción del gasto producida por la compra de un menor número de unidades del bien es más que compensada por el aumento del gasto que implica la compra de las unidades de la nueva cantidad a un precio más alto, aunque ésta sea más reducida.

3) Si la curva de demanda es de elasticidad unitaria $(\Delta \% C = \Delta \% P)$, el gasto total no varía. El aumento del gasto que supone el comprar la nueva cantidad a un precio superior es exactamente compensado por la reducción del gasto que implica el comprar una cantidad menor de unidades.

De esta forma hemos completado el análisis de la relación que existe entre la elasticidad de la demanda y los gastos de los consumidores, o, lo que es lo mismo, los ingresos de los productores. Esta relación nos resultará enormemente importante al estudiar el comportamiento de las empresas en los distintos tipos de mercado. Distintas curvas de demanda (todas ellas respondiendo a la relación inversa entre precio y cantidad) tienen diferentes elasticidades; asimismo, generalmente una misma curva tiene distintas elasticidades en sus distintos tramos e incluso puntos, si bien es posible, aunque excepcional, que una curva de demanda tenga la misma elasticidad en toda su longitud.

Esto da lugar a variaciones en los gastos totales de los consumidores al variar el precio. Los consumidores, ni como grupo ni individualmente, se proponen de una manera consciente aumentar o reducir el gasto que realizan en un bien cuando disminuye o aumenta el precio de éste. El efecto que tengan el aumento o la reducción del precio de un bien sobre el gasto de los consumidores en este bien es la consecuencia de la forma que tenga la curva de demanda de éste (la elasticidad, para ser más precisos); y la forma de la curva de demanda depende (como veremos) de la utilidad marginal que para ellos tenga el aumentar su consumo de $n — 1$ unidades a n unidades del bien.

Importancia de la Elasticidad de la Demanda

Los efectos que las variaciones de los precios de los bienes tengan sobre los gastos de los consumidores en estos bienes, o, lo que es igual, los ingresos de los proveedores, dan una enorme importancia a la elasticidad de las curvas de demanda en sus diversos tramos, ya que a través de ella se pueden calcular dichos efectos. Evidentemente para una empresa que está considerando la subida del precio de su producto, le es de primordial importancia conocer aproximadamente la elasticidad de la curva de demanda de su producto, ya que si ésta es elástica en el tramo relevante para ella sus ingresos totales pueden disminuir en lugar de aumentar. O si está contemplando el reducir el precio, es igualmente importante saber si la curva de demanda con la que se enfrenta es inelástica, ya que entonces no le conviene hacerlo porque sus ingresos totales disminuirían.

Esto explica el famoso caso de los productores de café brasileño que en una ocasión quemaron parte de sus cosechas o las tiraron al mar. Los cafeteros sabían que la curva de demanda del café a nivel mundial era (y es) inelástica; al ser ellos en esa época prácticamente los únicos oferentes, podían deducir que reduciendo la oferta de café en el mundo el precio de éste subiría porcentualmente más de lo que se reduciría la cantidad comprada, con lo que sus ingresos totales aumentarían a pesar de vender una cantidad menor. Debemos recordar que al analizar la subida del precio de un bien y su efecto sobre la cantidad comprada de éste suponemos que los precios de los bienes sustitutivos y complementarios permanecen constantes. En una situación de inflación generalizada habría que considerar el tamaño relativo de la subida del precio del bien que estudiamos.

El mismo caso se plantea con el petróleo. Los países productores de petróleo saben que la curva de demanda de este producto energético por parte de los países industrializados es, a corto plazo, muy inelástica. Gran parte de las industrias dependen vitalmente del petróleo como fuente de energía, ya que la maquinaria que emplean funciona con productos energéticos derivados del petróleo. Del mismo modo, los individuos valoran altamente el uso del automóvil. El sistema de calefacción de las viviendas generalmente funciona con fuel-oil. Y una parte sustancial de los medios de transporte (aviones, camiones, etc.) emplean el petróleo. Por estas y otras razones, la curva de demanda de petróleo de los países industrializados es inelástica, y, en consecuencia, los países productores saben que la cantidad demandada de petróleo disminuye muy poco al subir el precio, con lo que sus ingresos totales por la venta de este producto aumentan grandemente. Los países exportadores de petróleo se han puesto de acuerdo entre ellos para actuar como un solo oferente y han aumentado el precio enormemente desde diciembre de 1973. Los resultados de estas subidas de los precios han sido los que predice el Análisis Económico.

Pero, como veremos, el conocer la elasticidad de la demanda de los bienes, aunque sólo sea de forma aproximada, es también importante en otros contextos. Si el Gobierno decide gravar un producto es importante determinar en qué medida pagarán el impuesto los consumidores y/o los productores, y en qué cuantía disminuirá la cantidad consumida del bien, ya que, además de obtener ingresos, el Gobierno puede perseguir con la implantación del gravamen el que se produzca una reducción drástica en el consumo del mismo (por razones de salud de los ciudadanos, por ejemplo).

Del mismo modo, si un país tiene un déficit en su balanza de pagos (sus ingresos procedentes del resto del mundo son inferiores a sus pagos al resto del mundo) y contempla la posibilidad de una devaluación de su moneda para aumentar sus ingresos procedentes del exterior (al abaratarse sus productos en el extranjero) y reducir sus pagos al exterior (al hacerse más caros los productos extranjeros en el país), es evidente que para los responsables de la política económica será de capital importancia el conocer, siquiera sea de manera aproximada, la elasticidad de la demanda exterior de los productos que exporta el país y la de la demanda interior de los productos que importa. Si resulta que la demanda exterior de sus exportaciones es inelástica (tiene una elasticidad inferior a la unidad), sus ingresos procedentes de las ventas al extranjero disminuirán, además de por el menor valor de su moneda en las monedas de otros países, porque el gasto total medio en sus respectivas monedas que los compradores extranjeros realizan en sus bienes se hará menor. El resultado puede en este caso ser el contrario al que perseguía el Gobierno al devaluar su moneda. Algo similar puede ocurrir con los pagos al exterior: si la elasticidad de la curva de demanda interior de la mayoría o de los principales productores extranjeros que importa el país es inferior a la unidad, al aumentar el precio interior de éstos en la moneda del país y disminuir poco la cantidad demandada, los gastos del país pueden aumentar en lugar de disminuir. El resultado de la devaluación en cualquiera de los dos casos sería que el déficit de la balanza de pagos aumentaría en lugar de reducirse.

BIBLIOGRAFIA SELECCIONADA

Samuelson, P.: *Curso de Economía Moderna,* op. cit., Cap. 24.
Lipsey, R.: *Introducción a la Economía Positiva,* op. cit., Cap. 10.
Reynolds, L. G.: *Introducción a la Economía,* op. cit., Cap. 5.
Bilas, R.: *Teoría Microeconómica,* op. cit., Cap. 2.
Lancaster, K.: *Economía Moderna,* op. cit., págs. 127-135.
Stigler, G.: *La Teoría de los Precios,* cp. cit., Cap. 3.
Walsh, V. C.: *Introducción a la Microeconomía Contemporánea,* op. cit., págs. 241-254.
Barre, R.: *Economía Política,* op. cit.

CAPITULO 11

*LA ELASTICIDAD DE LA DEMANDA
Y DE LA OFERTA (III)*

FACTORES DE LOS QUE DEPENDE LA ELASTICIDAD-PRECIO DE LA DEMANDA

Al lector le puede parecer que existe una relación de causa-efecto entre la pendiente de una curva de demanda, su elasticidad y los cambios en los gastos totales, medios y marginales que la curva implica. No existe tal relación de causa-efecto. La forma de la curva, su elasticidad y los cambios en los distintos tipos de gastos de los consumidores o ingresos de los productores no son más que tres maneras de considerar la cuestión de la cuantía en la que los demandantes de un bien varían la cantidad demandada al cambiar el precio de éste. La curva de demanda no representa otra cosa que las cantidades que los consumidores desean comprar de un bien a los distintos precios de éste. Si efectivamente las compran, entonces entran en juego los gastos de los consumidores y los ingresos de los productores. La pendiente de una curva de demanda, la elasticidad de ésta y los gastos de los consumidores correspondientes a dicha curva no son más que tres consecuencias o implicaciones de la magnitud en la que los demandantes (cuya demanda representa la curva) responden a cambios en el precio del bien.

Pero las cantidades que los individuos desean comprar y compran de un bien a los distintos precios (lo que determina la forma de la curva de demanda, su elasticidad y los gastos) dependen de ciertas características del bien, como vimos al estudiar la determinación de una curva de demanda. La pendiente generalmente negativa de la curva de demanda de los bienes (la relación inversa entre precio y cantidad demandada), como veremos en los Capítulos 15 y 16, se justifica por la llamada utilidad marginal decreciente, pero el valor numérico concreto de la pendiente de la curva de demanda de un bien determinado (el que sea más plana o más inclinada), y, en consecuencia, su grado de elasticidad, dependen de unos factores que son los que vamos a considerar en este epígrafe. Se trata, pues, de explicar por qué la utilidad marginal disminuye más deprisa en el caso de unos bienes que en el de otros; o, lo que es lo mismo, por qué los consumidores reaccionan más intensamente (cambiando la cantidad que demandan) a las variaciones en los precios de unos bienes que a las variaciones en los precios de otros; o, lo que es igual, por qué la cantidad demandada de unos bienes aumenta o disminuye porcentualmente más que la de otros ante un cambio porcentual determinado de los precios de todos esos bienes. Esta es la cuestión que hemos de explicar. El Análisis Económico trata de explicar el comportamiento de variables económicas objetivables (precios, cantidades compradas, gastos, ingresos, etc.) a través de explicar el comportamiento de los individuos que tienen libertad de decidir sobre sus actos.

En este epígrafe se habla de elasticidad-precio para referirnos al concepto de elasticidad que hemos visto hasta ahora (es decir, $\dfrac{\Delta \% C}{\Delta \% P}$) para distinguirla de otros conceptos de elasticidad como la elasticidad-renta y la elasticidad cruzada que veremos en el siguiente epígrafe de este capítulo. El lector debe recordar que cuando se emplea el término elasticidad sin más connotaciones nos estamos refiriendo a la elasticidad-precio. Por el contrario, el uso de los otros dos conceptos de elasticidad lo haremos con la correspondiente especificación.

Los factores más importantes que tienen influencia sobre el grado de elasticidad de la demanda de un bien son:

1) La existencia y disponibilidad de bienes sustitutivos.

2) La existencia y disponibilidad de bienes complementarios.

3) La proporción del gasto total o de la renta de los consumidores que las compras del bien representan.

4) El carácter del bien: si se trata de un bien necesario o un bien de lujo.

5) La longitud del período de tiempo que se emplee en la determinación de la curva de demanda.

Veamos cada uno de ellos.

La Existencia y Disponibilidad de Bienes Sustitutivos

El factor que mayor importancia tiene en la elasticidad de un bien es el hecho de que éste tenga o no bienes sustitutivos, el número de sustitutivos y el grado de sustituibilidad que tienen con el bien que analizamos, y la disponibilidad o facilidad con que puedan adquirirse los sustitutivos, y los precios de éstos en relación con el precio del bien que consideramos.

El simple hecho de que exista otro bien que pueda también servir a los consumidores para saciar la necesidad o el deseo que les satisface el bien o servicio que analizamos, hará que la curva de demanda de éste, *céteris páribus,* sea más elástica o menos inelástica que si no tuviera ningún sustitutivo. *Céteris páribus,* cuantos más sustitutivos tiene un bien o servicio más elástica será su curva de demanda. Si los consumidores tienen fácilmente a su alcance en el mercado varios otros productos que les sirven para el mismo fin que el bien que estamos considerando, un cambio muy pequeño en el precio de este producto puede dar lugar a una reducción grande en la cantidad demanda del mismo. Por ejemplo, un pequeño cambio en el precio de la Fanta puede dar lugar a que los consumidores cambien a beber Mirinda, Schweppes, Coca-Cola, etc. O un aumento pequeño en el precio del jabón Palmolive puede hacer que los consumidores reduzcan grandemente la cantidad que compran de unidades de este jabón de tocador y cambien a comprar otras marcas de jabón como Lux, La Toja, etc. En consecuencia, la demanda de estos bienes será muy elástica.

Pero debemos distinguir entre la demanda de un bien genérico y la demanda de una marca o variedad de este bien. La demanda del bien genérico siempre será menos elástica que la de una marca o variedad dentro de éste. Así, la demanda de zapatos será mucho menos elástica que la demanda de zapatos Lotusse o la demanda de jabón será mucho menos elástica que la demanda de jabón Lux; o la demanda de tabaco, en general, será mucho menos elástica que la demanda de cigarrillos Ducados o Winston. De hecho, la demanda de un bien genérico como el tabaco puede ser bastante inelástica, ya que no tiene ningún sustitutivo próximo que pueda reemplazar el tabaco frente a los fumadores. La diferencia entre un bien genérico y las marcas o variedades dentro de éste estriba en que el primero o no tiene sustitutivos o tiene muy pocos e imperfectos, mientras que los segundos son todos sustitutivos entre sí. El calzado, la vivienda, la ropa y los productos alimenticios son ejemplos obvios de bienes genéricos que no tienen sustitutivos y que, en consecuencia, sus curvas de demanda son muy inelásticas; pero dentro de cada uno de ellos hay infinidad de marcas y variedades, con lo que las demandas de carne de ternera y la de los trajes de caballero Cortefiel son bastante elásticas.

Al otro extremo están los bienes y servicios que son absolutamente únicos. Cuando no existe sustitutivo de un bien o servicio de primera necesidad, los consumidores tienen que adquirirlo sin tener en cuenta el precio. La demanda de los servicios del único cirujano de corazón que existe en una ciudad es prácticamente inelástica para las personas con enfermedades del corazón operables. Otros bienes y servicios que tienen pocos sustitutivos son la sal, el azúcar, la insulina y los servicios de los dentistas. Para estos bienes y servicios la demanda es relativamente inelástica con respecto a variaciones en el precio. Los individuos necesitan consumir una cierta cantidad de estos bienes y servicios, pero más allá de esa cantidad necesaria la utilidad marginal de éstos para los individuos disminuye grandemente.

Existe toda una gama de bienes y servicios que va desde los bienes y servicios que tienen cantidad de sustitutivos muy próximos, fácilmente obtenibles y con precios similares a los de aquéllos, hasta los bienes o servicios que no tienen absolutamente ningún sustitutivo que pueda realizar la misma función que aquéllos. Los primeros, *céteris páribus,* tienen una demanda muy elástica y los segundos tienen una demanda muy inelástica. Entre estos dos extremos se sitúan la mayoría de los bienes y servicios, estando más próximos a uno u otro extremo según que tengan mayor o menor número de sustitutivos, que los sustitutivos que tengan sean más o menos próximos, la mayor o menor facilidad con que se puedan obtener los sustitutivos (la marihuana es un sustitutivo bueno del hachís, pero puede ser difícil obtenerla), y que los precios de los sustitutivos sean más o menos próximos (el coche es un sustitutivo de la bicicleta como medio de transporte, pero la diferencia en los precios de uno y otra los hace poco sustitutivos entre sí).

Hemos utilizado el supuesto de *céteris páribus* para indicar que lógicamente para poder comparar la elasticidad de la demanda (que es lo mismo que decir la curva de demanda) de dos bienes en cuanto a una característica de éstos, por ejemplo el número de sustitutivos, tenemos que suponer que en las demás características estos dos bienes son iguales o similares, ya que de otra forma difícilmente los podemos comparar. Por ejemplo, la sal y el diamante son bienes que no tienen sustitutivos; sin embargo, la sal tiene una demanda prácticamente del todo inelástica y los diamantes una demanda con una elasticidad superior a la unidad. Las

razones de esta diferencia en la elasticidad están en que, por una parte, la sal es
un bien necesario y los diamantes son un lujo, y por otra, el gasto en sal representa una fracción muy pequeña del gasto total de los individuos, mientras que
el gasto en diamantes (de realizarlo) generalmente representa una fracción importante del gasto total de los individuos que los compran. Del mismo modo, dos
bienes pueden tener cinco sustitutivos cada uno, pero si los cinco sustitutivos del
bien A son sustitutivos casi perfectos de éste, mientras que los del B son sustitutivos poco adecuados, obviamente la demanda del bien A será más elástica que la
del bien B.

La Existencia y Disponibilidad de Bienes Complementarios

Cuantos más bienes complementarios tiene un bien, *ceteris páribus,* más inelástica es la demanda de éste. La razón de ello es muy simple: cuantos más bienes
hay que consumir para poder disfrutar de un bien, mayor es el gasto total que el
consumidor del bien en cuestión tiene que realizar en la totalidad de los bienes
que se consumen conjuntamente, y menor será la fracción de ese gasto total que
representará el gasto en el bien que estamos considerando. Como el consumidor
habrá previsto este gasto total en su presupuesto, las variaciones en el precio del
bien que analizamos tendrán una repercusión menor sobre la cantidad demandada
de éste que si el bien en cuestión no tuviera bienes complementarios. Este es el
caso de la gasolina y el de los muebles, bienes ambos que tienen una demanda
relativamente inelástica, debido a que además de no poseer sustitutivos, representan una fracción relativamente pequeña del gasto total de los individuos. En el
caso de la gasolina, el gasto en ésta es una fracción pequeña del gasto total en el
automóvil: el precio del coche, las reparaciones de éste, el seguro de accidentes,
los impuestos sobre el vehículo, el garaje, el peaje de las autopistas y el carburante.
Lo mismo ocurre con los muebles como parte del gasto total en la vivienda (en el
piso, en los electrodomésticos, en los muebles, en las cortinas y en los objetos de
decoración).

La demanda de coches es más elástica que la de gasolina, porque representa
una fracción mucho mayor del gasto total en el uso del automóvil, y porque el pago
de éste se puede fraccionar menos que el de la gasolina. Igualmente ocurre con el
piso en relación con los muebles, en cuanto que el gasto en éste constituye con
mucho la parte más importante del gasto total en la vivienda, entendiendo ésta
como el conjunto de piso, muebles, etc.

La Proporción del Gasto Total o de la Renta Gastada por los Consumidores que Constituye el Gasto en el Bien que se Analiza

La elasticidad de la demanda de un bien está directamente relacionada con la
porción de la renta del consumidor que éste se gasta en dicho bien. Cuanto mayor
es la fracción que el gasto en un bien representa del gasto total de los consumidores
que lo adquieren *(céteris páribus)* más elástica se puede esperar que sea la demanda de este bien. Y, *a sensu contrario,* cuanto menor es la fracción que el gasto en
un bien representa en el gasto total de los consumidores, más inelástica será la
demanda de ese bien.

La cantidad demandada de sal varía muy poco al subir su precio, debido a que
además de ser un bien necesario y no tener sustitutivos, los consumidores gastan en
ella una fracción muy pequeña de sus gastos diarios en consumo. Lo mismo ocurre

con la cantidad demandada de pan, leche, azúcar, bolígrafos, lápices, papel higiénico, jabón de tocador, patatas, aceite, cerillas, pasta de dientes, ajos, etc. La demanda de estos bienes es muy inelástica. En cambio, la demanda de coches, pisos, tocadiscos, trajes de caballero o abrigos de señora puede esperarse que sea más elástica, si bien la demanda de trajes de caballero será más inelástica que la de coches. Recuerde el lector que nos referimos a bienes genéricos; seguramente la demanda de trajes de caballero Cortefiel es más elástica que la demanda de coches en general. De ahí que deban compararse siempre bienes homogéneos: o se compara la demanda de trajes de caballero con la demanda de coches, o se compara la demanda de trajes de caballero Cortefiel con la demanda de coches Seat.

El Carácter de un Bien: si se Trata de un Bien Necesario o de un Bien de Lujo

Algunos bienes constituyen necesidades básicas de los individuos. Este es el caso de muchos productos alimenticios (leche, huevos) que son necesarios para una dieta adecuada, o el de los medicamentos que son necesarios para tratar enfermedades. Además de que muchos de estos bienes no tienen sustitutivos adecuados, su carácter de bienes necesarios hace que su demanda sea inelástica. Los servicios de los médicos, de los cirujanos y los de los talleres de reparación de automóviles en general tienen también una demanda relativamente inelástica, aunque los servicios de un médico concreto o de un taller determinado seguramente tienen una demanda elástica, a no ser que el médico en cuestión tenga una gran reputación.

En definitiva, la reputación de un médico lo que hace es convertirlo en un cuasi-monopolista de la oferta de unos determinados servicios médicos (los correspondientes a la especialidad del doctor concreto), y acercar la demanda de sus servicios a la demanda total de servicios médicos en esa rama de la Medicina y en la ciudad de que se trate. Esta demanda total de servicios médicos es bastante inelástica, mientras que la demanda de los servicios de un médico que no tenga una especial reputación es bastante elástica. Si un médico concreto, por su habilidad en el diagnóstico y el tratamiento de las enfermedades en el campo de la medicina interna o en alguna área de ésta, se convierte en el médico más famoso en esa especialidad, la curva de demanda de sus servicios se transforma, pasando de ser la curva de demanda de un médico entre muchos a ser prácticamente la curva de demanda de los servicios médicos en esa área.

Como su oferta de servicios es reducida, ya que no puede recibir más que un número limitado de enfermos por día, y la curva de demanda de sus servicios es muy inelástica y está situada bastante a la derecha en el plano, sus honorarios serán altos. Si éstos representan o no el precio de equilibrio para ese mercado es otra cuestión. Si el número de enfermos que le piden hora de consulta es superior al que el médico puede recibir, sus honorarios serán inferiores al precio de equilibrio. Si, por el contrario, tiene menos peticiones de las que puede atender en su jornada normal de trabajo, sus honorarios serán superiores al precio de equilibrio del mercado.

La Longitud del Período de Tiempo que Cubre la Curva de Demanda

El período de tiempo que se ha tomado en consideración al fijar la curva de demanda es otro factor que tiene influencia sobre la elasticidad de la demanda de un bien. Si el período de tiempo es corto, los consumidores tendrán menos tiempo para buscar y obtener un sustitutivo del bien que estamos analizando, cualquiera que sea el número de sustitutivos que tenga éste y su grado de sustituibilidad. Si se nos estropea un neumático en una autopista a las once de la noche y necesitamos reemplazarlo debido a que la rueda de repuesto no está en buenas condiciones, compraremos un nuevo neumático en la gasolinera más próxima, aunque su precio sea más elevado que el que pagaríamos en la ciudad. Para ese período de tiempo tan corto la utilidad marginal del neumático es suficientemente elevada como para justificar un precio más alto de lo normal. Lo mismo ocurre con los veraneantes que se encuentran con que el precio de un bien es más alto en su lugar de veraneo de lo que les cuesta en la ciudad más próxima.

En períodos más largos de tiempo los consumidores pueden ajustar sus compras de los bienes con mayor libertad ante cambios en los precios de éstos. En el caso de algunos productos nuevos los consumidores necesitan tiempo para aprender a usarlos, por lo que hasta que esto ocurre la utilidad marginal de aquéllos es baja, y, en consecuencia, la demanda es pequeña e inelástica. Con el paso del tiempo y cuando los consumidores se han familiarizado y acostumbrado a los nuevos productos, la demanda de éstos se hace mayor y. la cantidad demandada responde más intensamente a los cambios en los precios. En ocasiones el disfrute de algunos productos de lujo requiere incluso un cambio en la forma de vida de sus usuarios, y esto lleva tiempo.

Resumiendo, podemos decir que, *céteris páribus,* cuanto más largo sea el período de tiempo para el que se considera la demanda de un bien (la cantidad demandada la podemos considerar por día, por semana, por mes, etc.), más elástica será la curva de demanda de este bien. Y, *a sensu contrario,* cuanto más corto sea el período para el que se considere la demanda de un bien más inelástica será la curva de demanda.

OTRAS ELASTICIDADES DE LA DEMANDA: ELASTICIDAD-RENTA Y ELASTICIDAD CRUZADA

El concepto de elasticidad es susceptible de ser utilizado para medir el grado de respuesta de la cantidad demandada de un bien a cambios en otras variables de las que depende aquélla. Al estudiar la demanda de un bien vimos que en su función de demanda se incluyen, además de su precio, los precios de los bienes sustitutivos y complementarios y la renta de los consumidores, entre otras variables. Del mismo modo que se puede medir el grado de respuesta de la cantidad demandada de un bien a las variaciones en su precio, podemos también medir la intensidad de la respuesta de la cantidad demandada de éste ante variaciones en la renta de los consumidores y ante cambios en los precios de los bienes complementarios y sustitutivos. El valor numérico de estas respuestas es muy útil para los productores de los bienes, ya que les permite prever en qué medida aumentará la cantidad demandada de sus productos al aumentar la renta de los consumidores, o al bajar o subir el precio de los bienes que son complementarios o sustitutivos de los que ellos ofrecen.

Elasticidad-renta de la Demanda

La elasticidad-renta de la demanda de un bien se define como el cambio porcentual de la cantidad demandada de éste al variar la renta de los consumidores en un porcentaje determinado. Formalmente:

$$elasticidad\text{-}renta = \frac{\Delta \% \ cantidad \ demandada}{\Delta \% \ en \ renta}$$

Como hicimos con la elasticidad-precio, transformamos esta fórmula en otra basada en valores medios. Así:

$$elasticidad\text{-}renta = \frac{C_1 - C_2}{(C_1 + C_2)/2} : \frac{Y_1 - Y_2}{(Y_1 + Y_2)/2} = \frac{C_1 - C_2}{C_1 + C_2} : \frac{Y_1 - Y_2}{Y_1 + Y_2}$$

donde C_1 es la cantidad inicial demandada, C_2 la nueva cantidad demanda, Y_1 la renta inicial e Y_2 la nueva renta.

Si el numerador de la fracción ($\Delta \% C$) es mayor que el denominador ($\Delta \% Y$), entonces decimos que la elasticidad-renta del bien que analizamos es superior a la unidad, o que la demanda de este bien es elástica con respecto a la renta. Naturalmente el valor de la elasticidad-renta de los bienes para los que ésta es superior a la unidad es distinta para los distintos bienes. Así, la elasticidad-renta de la demanda de conversaciones telefónicas y de periódicos, revistas y libros es superior a la de los productos alimenticios. Y dentro de éstos, la elasticidad-renta de la carne de ternera es mayor que la de la carne de pollo (posiblemente ésta tenga una elasticidad-renta igual a la unidad).

Si el numerador ($\Delta \% C$) es igual al denominador ($\Delta \% Y$), la elasticidad-renta es unitaria, y el gasto de los consumidores en los bienes cuya elasticidad-renta sea la unidad aumenta en la misma proporción que se incrementa su renta. Si el numerador es menor que el denominador la elasticidad-renta de los bienes de que se trate es menor que la unidad, lo que implica que el gasto de los consumidores en estos bienes aumente proporcionalmente menos (pero aumenta) de lo que se incrementa la renta. Este es el caso de muchos productos alimenticios como los huevos, la leche, etc. Finalmente está el caso de la elasticidad-renta negativa (en el que el $\Delta \% C$ es negativo y el $\Delta \% Y$ es positivo). Estos son los bienes inferiores (tocino, garbanzos, muebles de mala calidad, etc.).

Para la mayoría de los bienes y servicios el aumento de la renta de los consumidores lleva a un incremento de las compras totales de aquéllos por parte de los demandantes. Estos son los llamados bienes normales o los bienes de los que los individuos prefieren tener mayores cantidades a tener cantidades menores. En relación con la renta, a los bienes que los individuos compran en mayores cantidades al aumentar su renta se les llama bienes superiores, y para ellos la elasticidad-renta tiene signo positivo, ya que la cantidad demandada y la renta se mueven en la misma dirección .

A los bienes cuyas compras por los consumidores disminuyen al aumentar su renta se les llama bienes inferiores. Entre éstos podemos citar el tocino, los garbanzos, la moto (que es sustituida por el coche), los tejidos de fibras sintéticas (que son sustituidos por los de fibras naturales). Al hablar de los bienes inferiores es tradicional citar el caso de los agricultores irlandeses en el sigo XIX, que cuando las cosechas eran malas (Irlanda era entonces un país casi exclusivamente agrícola) y sus ingresos disminuían, consumían mayor cantidad de patatas, y cuando las cosechas eran buenas reducían su consumo de aquéllas. La explicación de este fenómeno es muy simple: cuando las cosechas eran buenas y sus ingresos eran mayores de lo normal, los agricultores podían permitirse el lujo de comer alguna carne, además de las patatas que tradicionalmente constituían el componente básico de su dieta. Pero cuando las cosechas eran malas y sus ingresos descendían, no podían costear el comprar carne y, en consecuencia, tenían que aumentar su consumo de patatas para compensar la reducción del consumo de carne. Para estos bienes inferiores la elasticidad-renta de su demanda es negativa (cuando aumenta la renta disminuye la cantidad demandada, y al revés).

FIGURA 11.1

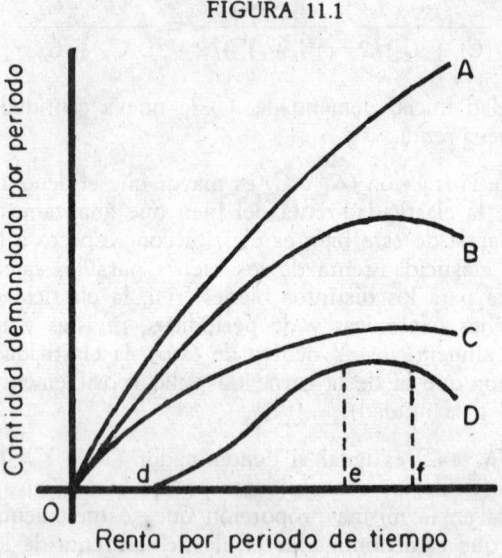

Podemos representar en un gráfico la relación entre la cantidad comprada de un bien por período de tiempo y el nivel de renta de los consumidores igualmente por período de tiempo, suponiendo constantes los valores de las demás variables que entran en la función de demanda de este bien, tal como se hace en la Figura 11.1. En esta Figura se representan distintas curvas que responden a diferentes relaciones entre las compras por los consumidores y la renta de éstos. La curva *OA* representa el caso de un bien cuyas compras por período de tiempo aumentan continuamente al incrementar la renta (a todos los niveles de renta). Este caso es posiblemente el más frecuente cuando se analiza la demanda total de los bienes: los espectáculos de todo tipo, los viajes, los coches, los juguetes, las conversaciones telefónicas, las comidas en restaurantes, las vacaciones, los electrodomésticos, etc.

La curva *OB* corresponde a la relación entre cantidad comprada y renta para el caso de bienes cuyas compras aumentan al subir la renta hasta llegar a un cierto nivel de ésta a partir del cual las compras disminuyen al incrementarse la renta. Este sería el caso de los bienes inferiores, tales como el tocino, etc. La curva *OC* responde al caso de los bienes cuyas compras aumentan con la renta hasta un cierto nivel de ésta en el que aquéllas se estabilizan. Aquí podemos incluir los productos básicos de alimentación y vestido. Finalmente, la curva *OD* corresponde a bienes que hasta llegar a cierto nivel de renta (el nivel *d*) no se consumen en absoluto (su elasticidad-renta es nula para el tramo de renta Od); después en los niveles de renta que van de d a e su elasticidad-renta es positiva; a continuación, en los niveles de renta entre e y f la elasticidad-renta vuelve a ser nula, aunque se consume una cantidad de estos bienes ($\Delta \% C = 0$); y, finalmente, para los niveles de renta superiores a f su elasticidad-renta es negativa. Estas curvas que relacionan las cantidades demandadas de los bienes con los niveles de renta se les llama curvas de Engel (1827-96) en honor del economista que las diseñó e introdujo en el Análisis Económico.

Recordemos que cuando analizamos la demanda de los bienes, los cambios de la renta los representábamos por medio de desplazamientos de la curva de demanda. La representación de la relación entre el nivel de renta y la cantidad demandada de un bien que hacemos en la Figura 11.1 no contradice en absoluto la que hacíamos en los gráficos de la demanda. Existe una relación entre las dos representaciones: las curvas o las partes de las curvas de la Figura 11.1 que tienen pendiente positiva (al aumentar la renta aumenta la cantidad demandada) corresponden a desplazamientos hacia la derecha de las correspondientes curvas de demanda, desplazamientos que serán mayores cuanto mayor sea la pendiente de la curva que expresa la relación cantidad comprada-renta. Las partes planas de las curvas de la Figura 11.1 indican que no se produce ningún desplazamiento de la curva de demanda. Y las partes decrecientes de estas curvas corresponden a desplazamientos de las curvas de demanda respectivas hacia la izquierda, desplazamientos que igualmente serán mayores cuanto mayor sea en términos absolutos la pendiente negativa de aquéllas.

La elasticidad-renta de la demanda de los bienes es importante para los industriales que los producen. En los países industrializados la tendencia secular de la renta a aumentar ha hecho que se incrementen enormemente las ventas de coches, viviendas de vacaciones (la segunda vivienda) y objetos de distracción en casa (televisores en color y en blanco y negro, equipos estereofónicos, magnetófonos y juegos). Para estos bienes la elasticidad-renta es elevada y positiva. En cambio, es baja para la mayoría de los productos alimenticios y prendas de vestir. Sin duda el aumento de la renta no explica la totalidad del fenómeno del boom de las ventas de algunos productos. También la mejora cualitativa de aquellos, la reducción de sus precios reales debido a los avances tecnológicos y las modas obviamente también han jugado un papel.

Las fluctuaciones a corto plazo de la renta también afectan a la demanda. Los períodos de recesión y de prosperidad causan cambios en las ventas, cambios que varían de unos bienes a otros según la elasticidad-renta de la demanda de los bienes. En los períodos de recesión y disminución de la renta se producen reducciones drásticas en las compras de muchos bienes de consumo duraderos (coches, muebles y electrodomésticos de todo tipo). De ahí que la producción y el empleo en las industrias que producen estos bienes disminuyan fuertemente en los períodos de recesión y aumenten en los períodos de auge y expansión de la actividad económica general. Por el contrario, el gasto en los bienes de consumo no duraderos (alimentos, ropa, objetos de limpieza e higiene) permanece bastante estable durante las fluctuaciones.

El distinto grado de respuesta de la demanda de los diferentes bienes a los cambios en la renta explica en buena medida la continua reasignación de los recursos entre las actividades productivas, y también explica en parte el porqué en todas las épocas se dan industrias deprimidas y en declive junto a otras industrias prósperas y en expansión. Las industrias cuyos productos tienen una elasticidad-renta elevada han visto incrementarse continuamente sus ventas, y sus beneficios han sido altos, con lo que nuevas empresas han entrado en ellas y las empresas existentes han ampliado su capacidad productiva. Por el contrario, otras industrias cuyos productos tienen una elasticidad-renta negativa han visto reducirse progresivamente sus ventas, sus beneficios han disminuido y muchas empresas han tenido que cerrar.

Elasticidad Cruzada de la Demanda

Otro tipo de elasticidad, siempre utilizando el mismo concepto, es el que relaciona la cantidad demandada de un bien con el precio de otro bien. Si el precio de la pintura aumenta podemos esperar que la cantidad demandada de este producto disminuya y, en consecuencia, que se vendan menos brochas y pinceles. Al hacerse más caro pintar las viviendas y los locales comerciales, la gente pintará sus casas con menor frecuencia, con lo que la curva de demanda de brochas se trasladará hacia la izquierda.

La elasticidad cruzada de la demanda se define como el cambio porcentual en la cantidad demandada de un bien en relación con el cambio porcentual del precio de otro bien:

$$elasticidad \ \ cruzada = \frac{\Delta \ \% \ en \ la \ cantidad \ demandada \ del \ bien \ A}{\Delta \ \% \ en \ el \ precio \ del \ bien \ B}$$

El cálculo de la elasticidad cruzada de la demanda es similar al de la elasticidad-precio y al de elasticidad-renta, pero en este caso cada uno de los dos miembros de la fracción se refieren a un bien distinto:

$$elasticidad \ cruzada \ del \ bien \ A = \left\{ \frac{C_1 - C_2}{C_1 + C_2} \right\} : \left\{ \frac{P_1 - P_2}{P_1 + P_2} \right\}$$

donde A es un bien y B es otro.

En el caso de la pintura y las brochas, la elasticidad cruzada tiene signo negativo, ya que cuando aumenta el precio de la primera disminuye la cantidad demandada de las segundas, y al revés. Pero la elasticidad cruzada entre dos bienes no siempre tiene signo negativo. Los precios mayores de la pintura pueden producir un aumento de las ventas de papel para empapelar paredes. En este caso la elasticidad cruzada del papel para empapelar paredes respecto de la pintura tiene signo positivo. *A sensu contrario,* una disminución del precio del papel para empapelar paredes puede llevar a una reducción de la demanda (un desplazamiento hacia la izquierda de la curva de demanda) de pintura, y dado que el cociente de dos números negativos es positivo, la elasticidad cruzada de la pintura respecto del papel para empapelar paredes tiene signo positivo.

Cuando dos bienes son complementarios la elasticidad cruzada entre ellos tiene signo negativo. Un aumento del precio de los coches producirá una reducción en las ventas de coches y de gasolina. Pero la complementariedad no siempre funciona en las dos direcciones con la misma intensidad. Así, tendría que darse una reducción muy grande en el precio de la gasolina para que aumentaran de forma significativa las compras de coches. La razón es obvia: el gasto en gasolina representa una fracción pequeña del gasto total en el vehículo y su mantenimiento, mientras que el gasto en la compra del coche constituye con mucho la fracción más importante del gasto total en el vehículo.

Cuando dos bienes son sustitutivos la elasticidad cruzada entre ellos tiene signo positivo: un aumento en el precio de uno de ellos lleva a un incremento de la demanda del otro (un desplazamiento de su curva demandada hacia la derecha).

Los bienes sustitutivos tienen características similares, pero el que uno sustituye a otro en la satisfacción de una necesidad o un deseo de un consumidor depende de los gustos de éste. De ahí que la elasticidad cruzada sea un instrumento muy útil para medir el grado de sustituibilidad real o el grado de relación entre los diferentes bienes y servicios. Una elasticidad cruzada alta entre dos bienes indica que existe una relación estrecha entre el precio de un bien y la cantidad demandada de otro: una subida del precio de aquél producirá un aumento significativo en la cantidad demandada de éste.

El valor de la elasticidad cruzada puede ir de cero a infinito. Cuanto mayor sea la complementariedad entre dos bienes mayor será la disminución en la cantidad demandada de uno de los bienes al subir el precio del otro en una magnitud dada, y mayor será el valor negativo de la elasticidad cruzada entre ellos. Cuanto mayor sea el grado de sustituibilidad entre dos bienes mayor será el aumento de la cantidad demandada de uno de los bienes ante un aumento dado del precio del otro, y mayor será el valor positivo de la elasticidad cruzada entre ellos.

Como vimos al hablar del punto de partida del análisis de equilibrio general, en teoría las cantidades y los precios de todos los bienes están interrelacionados (en mayor o menor medida) dentro de un sistema económico. En consecuencia, la elasticidad cruzada entre dos bienes cualquiera debería en principio tener algún valor absoluto (positivo o negativo). Si se analiza minuciosamente la demanda, por ejemplo, de tebeos, ésta tiene alguna relación con el precio del carbón a través del efecto que éste tiene sobre el nivel general de actividad económica y el nivel de renta. No obstante, como señalamos entonces, para fines prácticos es más útil el análisis de equilibrio parcial. De ahí que cuando la complementariedad o la sustituibilidad entre dos bienes es muy pequeña se dice que la elasticidad cruzada entre estos dos bienes es cero.

ELASTICIDAD DE LA OFERTA

El concepto de elasticidad es igualmente utilizado para medir el grado de respuesta de la cantidad ofertada de un bien a variaciones en el precio de éste; es decir, en qué medida reaccionan los productores de un bien variando su producción de éste cuando cambia el precio. Cuando estudiamos la determinación de la curva de oferta de un bien señalamos que la relación entre el precio y la cantidad ofrecida es positiva (a mayor precio de un bien se ofrece mayor cantidad) sin explicar las razones últimas del signo positivo de esta relación, si bien indicamos que se debía a la ley de los rendimientos decrecientes. Por esta razón la elasticidad de la oferta tiene signo positivo, ya que tanto el numerador como el denominador del cociente que es la fórmula de la elasticidad son positivos.

Formalmente la elasticidad de la oferta, al igual que la elasticidad de la demanda, se expresa por la siguiente ecuación:

$$\varepsilon_o = \frac{C_1 - C_2}{C_1 + C_2} : \frac{P_1 - P_2}{P_1 + P_2} = \frac{\Delta \% C}{\Delta \% P}$$

donde ε_o es la elasticidad de la oferta (ε es la letra griega epsilon).

Supongamos que disponemos de la tabla de oferta de un hipotético mercado de bolsos en el que se ofertan dos tipos de bolsos: uno de cuero confeccionado a mano y otro de vinilo (el vinilo es una fibra sintética) fabricado a máquina. Las cantidades que aparecen en la Tabla 11.1 son el número de cada clase de bolso que se produce y se pone a la venta en un mercado concreto por período de tiempo (un mes) a los distintos precios.

TABLA 11.1

Precio en Ptas.	Cantidad de bolsos de cuero ofertados por mes (unidades)	Elasti-cidad	Cantidad de bolsos de vinilo ofertados por mes (unidades)	Elasticidad
5.000	28		9.000	
4.000	26	0,33	7.000	1,125
3.000	24	0,28	5.000	1,167
2.000	22	0,22	3.000	1,25
1.000	20	0,14	1.000	1,5

En la Tabla 11.1 puede verse el valor numérico de la elasticidad de la oferta de cada uno de los dos tipos de bolsos para cada dos cantidades y precios. No obstante, calculemos algunos de estos valores a título de ilustración. Supongamos que sube el precio de las dos clases de bolsos de 4.000 a 5.000 pesetas unidad. Dado el aumento de la oferta que se produce en cada uno de ellos, la elasticidad de la oferta de bolsos de cuero será:

$$\varepsilon_c = \frac{26 - 28}{26 + 28} : \frac{4.000 - 5.000}{4.000 + 5.000} = \frac{-2}{54} : \frac{-1.000}{9.000} = \frac{-18.000}{-54.000} = 0,33$$

Este valor de la elasticidad de 0,33 significa que por cada aumento de un 1 por 100 en el precio de los bolsos de cuero, la cantidad ofertada aumentará en un 0,33 por 100. $\Delta \% C < \Delta \% P$ y, en consecuencia, la oferta es inelástica para esos valores de la cantidad y el precio.

La elasticidad de la oferta de bolsos de vinilo será:

$$\varepsilon_v = \frac{7.000 - 9.000}{7.000 + 9.000} : \frac{4.000 - 5.000}{4.000 + 5.000} = \frac{-2.000}{16.000} : \frac{-1.000}{9.000} = \frac{-18.000}{-16.000} = 1,125$$

La oferta de bolsos de vinilo es, pues, elástica ($\Delta \% C > \Delta \% P$) para este intervalo de precios. Por cada aumento en el precio de un 1 por 100, la cantidad ofertada aumentara en un 1,125 por 100. La oferta de bolsos de vinilo es más elástica que la de bolsos de cuero para ese intervalo de precios. Se dice que la oferta es elástica en un tramo de los precios cuando $\varepsilon > 1$; se dice que es inelástica cuando $\varepsilon < 1$, y se dice que es de elasticidad unitaria cuando $\varepsilon = 1$.

FIGURA 11.2

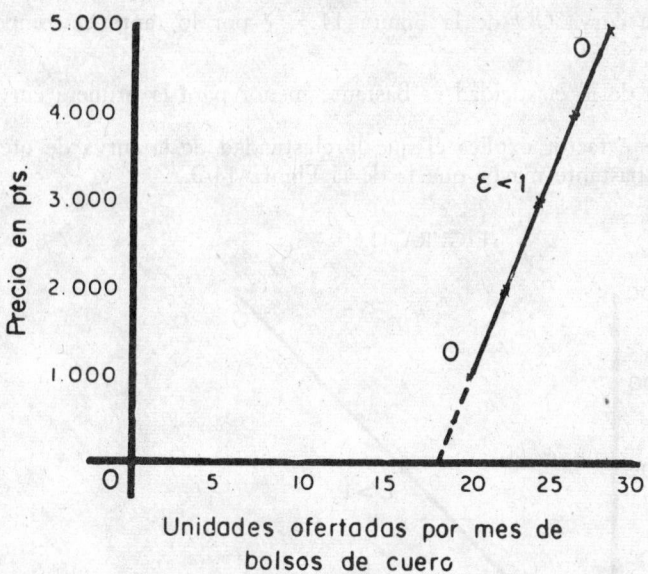

Unidades ofertadas por mes de
bolsos de cuero

Podemos representar gráficamente las cantidades ofertadas de bolsos de cuero y de bolsos de vinilo a los diferentes precios de éstos, tal como se hace en las Figuras 11.2 y 113, respectivamente. Como puede verse en la Tabla 11.1, la oferta de bolsos de cuero es inelástica ($\varepsilon < 1$) para todos los tramos de precios, mientras que la oferta de bolsos de vinilo es elástica ($\varepsilon > 1$) igualmente para todos los tramos de precios. Esta diferencia en la elasticidad de las dos ofertas se refleja en la pendiente de las curvas de oferta correspondientes. Así, la curva de oferta OO de la Figura 11.2 tiene una mayor pendiente que la curva de oferta OO de la Figura 11.3.

Esto significa que a igual variación porcentual del precio, la cantidad ofertada cambia porcentualmente bastante menos en la Figura 11.2 que en la 11.3. La pendiente de las dos curvas de oferta es positiva, pero la pendiente de la curva OO de la Figura 11.2 es mayor que la de la curva OO de la Figura 11.3. Así pues, como en el caso de las curvas de demanda, cuanto mayor es la pendiente de una curva de oferta menor es su elasticidad.

Las dos curvas de oferta las hemos trazado rectilíneas, con lo que el componente $\dfrac{\Delta C}{\Delta P}$ de la fórmula de la elasticidad ($\dfrac{\Delta C}{\Delta P} \cdot \dfrac{P}{C}$) es la inversa de la pendiente de las curvas y por lo tanto permanece constante. El lector recordará por el Capítulo 5 que la pendiente de una línea se obtiene como el cociente del cambio en el eje vertical sobre el cambio en el eje horizontal. Debido a la costumbre de representar la variable dependiente (cantidad ofertada) en el eje horizontal y la independiente (precio) en el vertical, la pendiente y la elasticidad de las curvas de oferta y demanda son inversas. Por el contrario, el componente $\dfrac{P}{C}$ cambia continuamente, ya que es la razón de dos valores totales (el precio y la cantidad correspondientes a un punto determinado de la curva de oferta), que aunque se mueven en la misma dirección, sin embargo, cambian en distintas proporciones según la pendiente de la curva. La curva de oferta OO de la Figura 11.2 tiene una mayor pendiente $\dfrac{\Delta P}{\Delta C}$ que la curva OO de la Figura 11.3, y por lo tanto el componente $\dfrac{\Delta C}{\Delta P}$ de la fórmula de la elasticidad es bastante menor para la primera curva que para la segunda. Este factor explica el que la elasticidad de la curva de oferta de la Figura 11.3 sea bastante mayor que la de la Figura 11.2.

FIGURA 11.3

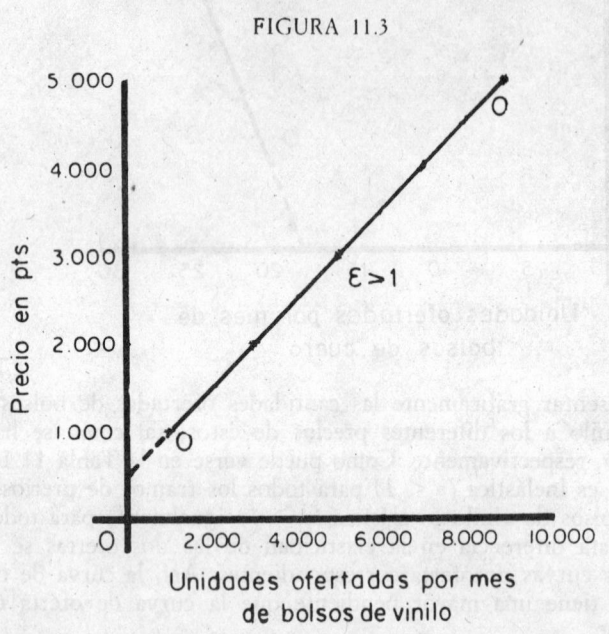

Por su parte, el componente $\dfrac{P}{C}$ de la fórmula de la elasticidad en el caso de la Figura 11.2 se va haciendo cada vez mayor al movernos hacia arriba dentro de la curva de oferta. Esto se debe a que al aumentar el precio y la cantidad, $\Delta P > \Delta C$ (de acuerdo con la pendiente de la curva), con lo que al pasar de un punto de la curva a otro más a la derecha, el valor absoluto de P se ha hecho proporcionalmente mayor que el valor absoluto de C. De ahí que la fracción $\dfrac{P}{C}$ haya aumentado de valor. Si $\dfrac{\Delta C}{\Delta P}$ permanece constante (por ser la curva de oferta que hemos trazado una línea recta) y la razón $\dfrac{P}{C}$ aumenta de valor al movernos hacia arriba en la curva de oferta, este aumento en $\dfrac{P}{C}$ explica el incremento de la elasticidad (dentro de su inelasticidad) de la curva de oferta OO de la Figura 11.2 al ascender dentro de ella.

Por el contrario, el componente $\dfrac{P}{C}$ se va haciendo cada vez más pequeño en el caso de la curva de oferta OO de la Figura 11.3 al movernos hacia arriba dentro de ella. Esto se debe a que la pendiente de esta curva ($\dfrac{\Delta P}{\Delta C}$) es menor que la de la curva OO de la Figura 11.2 y, además, es tal que $\Delta P < \Delta C$ al aumentar el precio y la cantidad. De ahí que el valor de la razón $\dfrac{P}{C}$ vaya disminuyendo, al aumentar P proporcionalmente menos que C. Ello explica que siendo $\dfrac{\Delta C}{\Delta P}$ constante, la elasticidad de la curva de oferta OO de la Figura 11.3 vaya disminuyendo a medida que se asciende dentro de ella.

Es interesante notar que si prolongamos hacia abajo las dos curvas de oferta de las Figuras 11.2 y 11.3, la de la Figura 11.2 cortaría al eje horizontal a la derecha del origen de los ejes, y la de la Figura 11.3 cortaría el eje vertical por encima del origen de los ejes. Este fenómeno se explica por el hecho de que la curva de oferta de bolsos de cuero es inelástica, lo que significa que la cantidad ofrecida responde muy poco a las variaciones en el precio. Por el contrario, la oferta de bolsos de vinilo responde con una cierta flexibilidad a los cambios en el precio (su curva de oferta es elástica) y, por ello, hasta que no se alcanza el precio de 500 pesetas por bolso no se ofrece ninguna cantidad.

Las Figuras 11.4, 11.5 y 11.6 muestran tres casos de elasticidad de la oferta. La curva de oferta P_oO de la Figura 11.4 es totalmente elástica o de elasticidad infinito. A cualquier precio inferior a P_o los productores no ofrecen ninguna unidad del bien, pero al llegar al precio P_o la cantidad ofrecida pasa de cero a una cantidad indefinidamente grande, lo que indica que al precio P_o los productores ofertarían cualquier cantidad que se les demandara. Al movernos hacia la derecha de la curva de oferta P_oO, ΔC es positivo y $\Delta P = 0$, con lo que $\dfrac{\Delta C}{\Delta P} = \infty$; aunque $\dfrac{P}{C}$ tenga un valor positivo, al multiplicar esta fracción por infinito, el valor resultante es infinito. Posiblemente no exista ningún bien hecho por el hombre que tenga una oferta tan flexible. No obstante, la curva de oferta de lápices se puede decir que prácticamente es infinitamente elástica. Las curvas de oferta de elasticidad infinito se les representa como líneas horizontales que arrancan del eje vertical a cualquiera que sea el precio establecido del bien.

La Figura 11.5 supuesta el caso también extremo, pero opuesto al anterior, de una curva de oferta totalmente inelástica o de elasticidad cero: la cantidad ofertada no cambia al subir o bajar el precio, y en consecuencia $\Delta C = 0$, mientras que $\Delta P > 0$ (tiene un valor positivo), por lo que $\dfrac{\Delta C}{\Delta P} = 0$; en consecuencia, aunque $\dfrac{P}{C} > 0$, $\dfrac{\Delta C}{\Delta P} \cdot \dfrac{P}{C} = 0$. Para algunos bienes y servicios la oferta es fija, no cambia. Por ejemplo, el número de cuadros pintados por Velázquez no puede variar. Pero también ocurre que la oferta de algunos productos no puede variar en un período corto de tiempo. Este es el caso de muchos productos agrícolas; tras recolectar una cosecha, los agricultores disponen de una cantidad determinada de los productos que han de lanzar al mercado y tratar de venderla, cualquiera que sea el precio de éstos. Para los productos industriales la oferta nunca es tan inelástica.

La Figura 11.6 muestra el caso de dos curvas de oferta de elasticidad unitaria. Las dos curvas OO_1 y OO_2 tienen una elasticidad igual a la unidad, ya que toda curva de oferta que sea rectilínea y parta del origen de los ejes tiene una elasticidad unitaria. La razón de este fenómeno es muy simple: como hemos visto el componente $\dfrac{\Delta C}{\Delta P}$ es la razón de dos cambios (ΔC y ΔP), y el componente $\dfrac{P}{C}$ es la razón de dos valores absolutos (P y C). Pero al tratarse de una línea recta que parte del origen, $\dfrac{\Delta C}{\Delta P} = \dfrac{P}{C}$, ya que como puede verse en la curva de oferta OO_2, la razón $\dfrac{aC_o}{OC_o}$ ($\dfrac{P}{C}$ en el punto a de la curva) es igual a la razón $\dfrac{ac}{bc}$ ($\dfrac{\Delta P}{\Delta C}$ al pasar del punto a al b de la curva de oferta). Si

$$\frac{P}{C} = \frac{\Delta P}{\Delta C} \quad \text{y} \quad \varepsilon_o = \frac{\Delta C}{\Delta P} \cdot \frac{P}{C},$$

entonces

$$\varepsilon_o = \frac{C}{P} \cdot \frac{P}{C} = 1.$$

Y esto es cierto cualquiera que sea la pendiente de la curva de oferta rectilínea que parta del origen de los ejes. La causa de que la elasticidad sea igual en las dos curvas OO_1 y OO_2 es que el mayor valor de $\dfrac{\Delta C}{\Delta P}$ de la curva OO_1 es compensado por el mayor valor de $\dfrac{P}{C}$ en la curva OO_2.

FIGURA 11.4   FIGURA 11.5

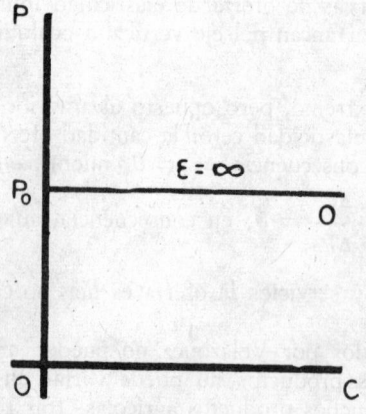

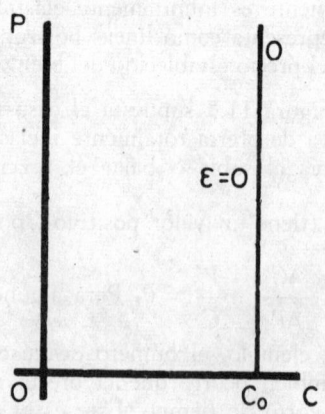

Si la curva de oferta no partiera del origen de los ejes, entonces $\dfrac{P}{C}$ no sería

igual a $\dfrac{\Delta P}{\Delta C}$, ya que este último miembro es el valor marginal de P al aumentar C

en una unidad, valor que corresponde a la pendiente de la curva de oferta en ese

tramo; mientras que $\dfrac{P}{C}$ es el valor medio de P para la cantidad C, valor que se

obtiene trazando una línea recta desde el origen de los ejes a ese punto de la curva, y hallando la pendiente de esa línea. Expresémoslo de esta otra forma: si la curva de oferta rectilínea no arranca del origen de los ejes, arrancará bien de un punto del eje de ordenadas o bien de un punto del eje de abscisas. Si arranca de un punto del eje de abscisas, en ese punto, $C > 0$ y $P = 0$ y el valor de la fracción

$\dfrac{P}{C}$ será cero (toda fracción con numerador cero es igual a cero). Al movernos hacia

arriba dentro de la curva, P toma valores positivos y crecientes y C aumenta igual-

mente; en consecuencia, $\dfrac{P}{C}$ deja de ser cero y va tomando valores positivos y

crecientes. Como $\dfrac{\Delta P}{\Delta C}$ es siempre positiva y constante a lo largo de toda la curva,

entonces $\dfrac{\Delta P}{\Delta C}$ no puede ser igual a $\dfrac{P}{C}$. De ahí que la elasticidad de una curva

de oferta rectilínea que no parta del origen de los ejes no pueda ser igual a la unidad. Esto es lo que hemos visto que ocurre con las curvas de oferta de las Figuras 11.2 y 11.3.

FIGURA 11.6   FIGURA 11.7

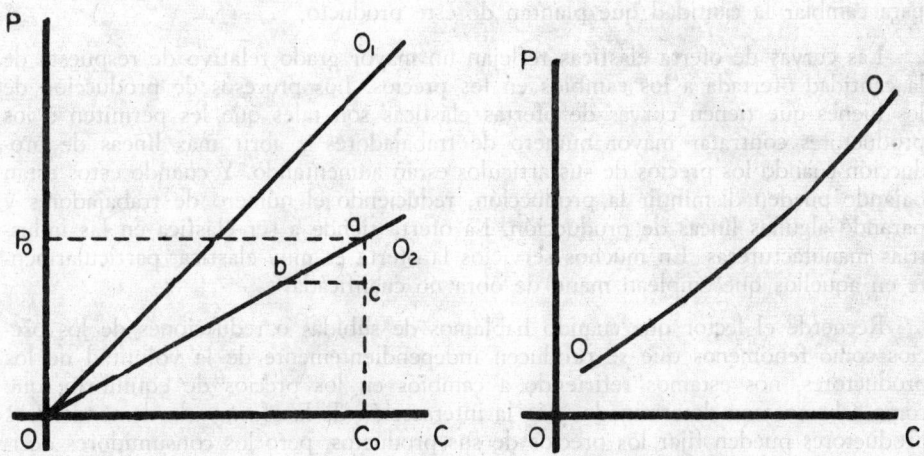

La forma rectilínea de las curvas de oferta que hemos visto no es, sin embargo, la más frecuente. Si las hemos trazado así ha sido por razones ilustrativas. Normalmente las curvas de oferta son curvilíneas, como la representada en la Figura 11.7, que implican costes marginales crecientemente crecientes (valga la redundancia), en las que la pendiente de las curvas crece. Esto implica que $\dfrac{\Delta C}{\Delta P}$ se va haciendo menor al movernos hacia arriba dentro de las curvas ($\dfrac{\Delta P}{\Delta C}$ se va haciendo mayor), y $\dfrac{P}{C}$ va creciendo. El efecto de estos cambios en los dos componentes de la fórmula de la elasticidad habría que calcularlo para cada tramo de la curva de oferta.

El clasificar las curvas de oferta como elásticas o inelásticas nos permite sacar algunas conclusiones sobre la naturaleza de la oferta de los distintos bienes. En general, podemos decir que las curvas de oferta inelásticas reflejan una capacidad de respuesta relativamente pequeña por parte de los productores ante cambios en los precios de sus productos. Por alguna razón, los productores no pueden sacar todo el provecho posible de las subidas de los precios, a través de aumentar su producción en la misma proporción que han subido los precios. Al decir provecho queremos significar los beneficios normales que obtienen los productores por unidad de producto al vender la cantidad que fabrican. Aun cuando sus costes marginales sean crecientes, al subir el precio de su producto, sus beneficios por unidad se mantendrían constantes, pero sus beneficios totales aumentarían al vender mayor cantidad de unidades.

Por otra parte, la inelasticidad de las curvas de oferta significa también que cuando los precios bajan, los productores no pueden reducir drásticamente su producción. Quizá el ejemplo más representativo de las implicaciones de las curvas de oferta inelásticas lo constituya el caso del agricultor que a la hora de sembrar decide la producción para ese año y no puede cambiar sus planes de producción hasta que llegue otra vez la época de sembrar. Si un año los agricultores siembran demasiados o demasiado pocos melones, tienen que esperar hasta el año siguiente para cambiar la cantidad que plantan de este producto.

Las curvas de oferta elásticas reflejan un mayor grado relativo de respuesta de la cantidad ofertada a los cambios en los precios. Los procesos de producción de los bienes que tienen curvas de ofertas elásticas son tales que les permiten a los productores contratar mayor número de trabajadores y abrir más líneas de producción cuando los precios de sus artículos están aumentando. Y cuando éstos están bajando pueden disminuir la producción, reduciendo el número de trabajadores y parando algunas líneas de producción. La oferta tiende a ser elástica en las industrias manufactureras. En muchos servicios la oferta es muy elástica, particularmente en aquellos que emplean mano de obra no cualificada.

Recuerde el lector que cuando hablamos de subidas o reducciones de los precios como fenómenos que se producen independientemente de la voluntad de los productores, nos estamos refiriendo a cambios en los precios de equilibrio, que como sabemos son determinados por la intersección de la oferta y la demanda. Los productores pueden fijar los precios de sus productos, pero los consumidores deciden la cantidad que compran. Ya conocemos el proceso de ajuste de los mercados. Los precios de los bienes pueden subir por un desplazamiento hacia la derecha de las curvas de la demanda de aquéllos.

FACTORES DE LOS QUE DEPENDE LA ELASTICIDAD DE LA OFERTA

Cuatro son los factores que determinan la elasticidad de la oferta de un bien: la longitud del período de tiempo para el que se considere la oferta, la tecnología, la disponibilidad de los factores de producción y las expectativas de los empresarios.

La Longitud del Período de Tiempo para el que se Considere la Oferta

El pastelero que cuece una hornada de pasteles, al final de la jornada se encuentra con que su oferta de pasteles, en los últimos minutos en que tiene abierto su establecimiento, es totalmente inelástica. Antes que dejar de vender algunos de estos pasteles (suponiendo que se estropean de un día para otro), le convendría venderlos a cualquier precio. Vemos, pues, que el tiempo es un factor importante en la determinación de la elasticidad de la oferta.

Si hacemos suficientemente corto el período de tiempo para el que consideramos la oferta, las curvas de oferta de casi todos los bienes se hacen inelásticas. Cuanto más corto sea el período de tiempo considerado más difícil les resultará a los productores aumentar la cantidad ofertada, ya que les faltarán factores de la producción para seguir aumentando ésta (materias primas, mano de obra o maquinaria). Por otra parte, si hacemos el período de tiempo suficientemente largo, prácticamente no existe ningún límite al aumento de la producción y oferta de un bien concreto, ya que se pueden atraer trabajadores de otras industrias, adquirir materias primas en competencia con otras industrias pagando sueldos y precios más altos (suponiendo que la economía esté en pleno empleo), y aumentar la maquinaria instalada. Si existe desempleo, las empresas que produzcan el bien no tendrán que competir con otras empresas para obtener los factores, sino sólo contratarlos.

En Economía se suelen distinguir tres períodos de tiempo cuando se analiza el comportamiento de la oferta.

a) El período de tiempo inmediato, también llamado el muy corto plazo. En el ejemplo del pastelero este período estaría representado por esos minutos que no son suficientes para cocer otra hornada, ya que la jornada de trabajo se acaba.

b) El corto plazo o período de tiempo que no es suficientemente largo como para ampliar las instalaciones y aumentar la maquinaria (la capacidad productiva instalada). En el caso de los pasteles, este período sería aquel en el que el panadero puede aumentar su producción hasta donde lo permite el horno que tiene instalado. Puede aumentar su producción empleando mayor número de trabajadores que le ayuden, comprando más harina, azúcar y demás materias primas, y haciendo funcionar el horno más horas. Lo importante de este período es que se define como aquél lapso de tiempo que no es suficiente, en términos de tiempo, como para variar todos los factores de la producción, y, en consecuencia, por lo menos uno de ellos permanece constante, de tal forma que entra en juego la ley de los rendimientos decrecientes. Generalmente el factor que se mantiene fijo es el equipo y la maquinaria por ser el que más tiempo lleva incrementarlo.

c) El largo plazo que se define como aquel período de tiempo suficiente para variar todos los factores de la producción, especialmente la maquinaria y equipo, pero suponiendo la tecnología constante (es decir, que no se produce ninguna innovación revolucionaria en la técnica de fabricar el producto de que se trate). En el caso del pastelero, se trataría del período de tiempo suficiente que le permitiera ampliar su planta (instalación de nuevos hornos, construcción de un nuevo edificio ,etc.).

La longitud de estos períodos de tiempo varían según las industrias. Es evidente que el período inmediato es más corto para un impresor que tenga las planchas de una publicación hechas que para un productor de acero de un tipo determinado al que una colada le lleva varias horas. Del mismo modo, el corto plazo será más corto para un restaurante, cuyo dueño puede recurrir a los miembros de su familia para que le ayuden a servir y a cocinar, que para una fábrica de ordenadores que emplea trabajadores altamente cualificados y que no puede encontrar de un día para otro. Asimismo, el largo plazo será más corto para una empresa productora de calzado que para una empresa que produce electricidad, ya que ampliar la capacidad productiva instalada le llevaría más tiempo a la segunda que a la primera. Por esta razón el plazo es relativo y se define siempre en función de las características de la actividad productora de que se trate.

Algunas veces se emplea también el llamado muy largo plazo, o período de tiempo suficiente para que cambie la tecnología y, en consecuencia, los métodos de producción que se emplean en la elaboración de los bienes. También este período es distinto para las diferentes industrias, ya que debido a los avances casi erráticos de la ciencia, en cada momento hay industrias que experimentan cambios tecnológicos más rápidos y más drásticos que otras. Así, actualmente la industria de la electrónica está experimentando cambios tecnológicos más importantes que la industria del automóvil o la del acero.

FIGURA 11.8

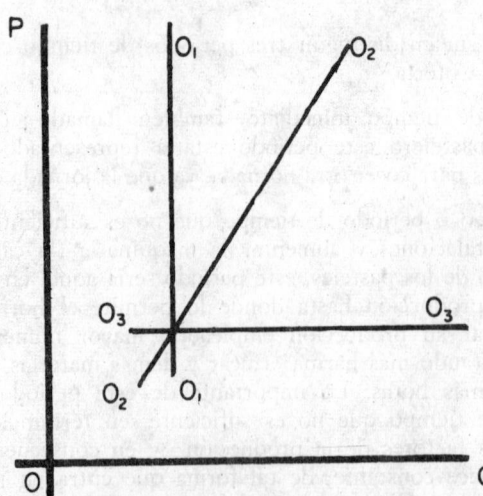

En todo caso y cualquiera que sea la longitud de cada uno de estos períodos para una industria concreta, la curva de oferta de ésta será más elástica en el corto plazo que en el plazo inmediato, y en el largo plazo que en el corto plazo. La Figura 11.8 muestra tres curvas de oferta, cada una correspondiente a un período de tiempo: la O_1O_1 al plazo inmediato, la O_2O_2 al corto plazo y la O_3O_3 al plazo largo. Muy bien pudieran ser estas curvas las curvas de oferta del panadero del ejemplo anterior, o las de cualquier agricultor. La curva O_1O_1 es perfectamente inelástica: el agricultor que recoge una cosecha de tomates, melocotones u otros productos perecederos tiene que venderlos cualquiera que sea el precio que le paguen por ellos. Tampoco puede llevar más cantidad del producto al mercado cuando el precio es alto.

Pero en el período de aproximadamente un año (según el tiempo que exija cultivar una cosecha del producto de que se trate), la curva de oferta del agricultor se hará más elástica y se aproximará a la forma de la curva a corto plazo O_2O_2 de la Figura 11.8. Si los precios de los tomates son favorables, los agricultores plantarán mayor cantidad de tierra de tomates en la temporada siguiente. Esto podrán hacerlo sin necesidad de aumentar los recursos productivos de que disponen (la extensión de tierra y la maquinaria que poseen), ya que lo único que necesitan hacer es destinar a cultivar tomates una parte de la tierra que antes empleaban en otros cultivos y un mayor número de las horas de trabajo de los obreros y de la maquinaria. De esta forma, a corto plazo la curva de oferta toma una pendiente positiva y se hace menos inelástica reflejando el hecho de que la oferta es receptiva a los aumentos de los precios.

Si las ventas de tomates continúan creciendo y los precios siguen aumentando durante dos o tres años, los agricultores puede que incrementen sus recursos productivos, adquiriendo más tierra y comprando nueva maquinaria. De esta forma, la curva de oferta se hace mucho más elástica de lo que lo era a corto plazo. Si, por el contrario, los precios de los tomates disminuyen continuamente a lo largo de un período de varios años, los agricultores dejarán de cultivarlos y destinarán la tierra, la maquinaria, la mano de obra y los recursos financieros empleados en fertilizantes y demás productos utilizados en el cultivo de tomates a otras cosechas. Incluso si los precios de los demás productos agrícolas también decrecen en términos absolutos o relativos (con respecto a los precios de los productos industriales y/o de los servicios), los agricultores que cultivaban los tomates puede que abandonen la agricultura y se dediquen a otras actividades. En parte esto es lo que ha ocurrido y sigue ocurriendo en el campo español.

Concluimos, pues, que a largo plazo las curvas de oferta se hacen aún más elásticas, ya que la cantidad producida y ofertada puede expandirse o contraerse casi ilimitadamente, debido a la movilidad casi total que a largo plazo tienen los factores productivos para pasar de una actividad productiva a otra. A corto plazo algunos factores de la producción tienen poca movilidad (capacidad o posibilidad real de cambiar de un uso a otro), pero a largo plazo todos los factores tienen movilidad. Ya hemos visto cómo la tierra tiene movilidad al podérsela emplear en multitud de cultivos distintos dentro de su uso agrícola, pero además se la puede utilizar para solares de viviendas, de locales comerciales, de plantas industriales y para fincas de recreo. Incluso la maquinaria y el equipo industrial, que es el factor con menos movilidad a corto plazo por estar diseñada para fabricar un determinado producto, a largo plazo se hace movible a través de la amortización que la convierte en dinero o recursos financieros. Y estos recursos constituyen el factor de la producción con mayor grado de movilidad, ya que se puede trasladar a cualquier parte y comprar lo que se desee. Las implicaciones de la movilidad de los factores la volveremos a ver con más detalle en la Teoría de la Producción y en la Teoría de la Distribución.

A largo plazo las curvas de oferta se aproximan a ser casi completamente elásticas, tal como representa la curva O_3O_3 de la Figura 11.8. No obstante, las curvas de oferta no llegarán a ser totalmente elásticas si se han de utilizar recursos más caros que den lugar a un aumento de los costes de producción. Así, si los agricultores para aumentar la producción de tomates han de comprar tierras más caras o si la mayor demanda de fertilizantes (que da lugar a un desplazamiento de la curva de demanda de éstos hacia la derecha) produce un aumento de sus precios, los agricultores tendrán que repercutir este incremento de los costes en los precios que cobren por sus productos, con lo que la curva de oferta no será totalmente horizontal.

La Tecnología que se Emplea en la Producción

En el ejemplo de los bolsos la elasticidad de la oferta de bolsos de cuero hechos a mano era menor que la unidad (la curva de oferta era inelástica), mientras que la elasticidad de la oferta de bolsos de vinilo hechos a máquina era mayor que la unidad (la curva de oferta era elástica). Estos datos los elegimos adrede para reflejar el hecho de que generalmente y para cualquier período de tiempo dado, será mucho más fácil incrementar la producción y oferta de bolsos hechos a máquina que la de bolsos hechos a mano. Para producir más de éstos es necesario encontrar los artesanos que sepan hacerlos y ponerlos a trabajar. Por el contrario, para aumentar la producción de bolsos confeccionados a máquina sólo habrá que utilizar la maquinaria más intensamente y/o más horas por día. Evidentemente unas tecnologías son más flexibles que otras en lo que respecta a la posibilidad de cambiar el nivel de producción. Curiosamente la tecnología de la producción de automóviles es bastante flexible, como puede verse por los cambios considerables que se dan en la producción de un año a otro e incluso de un mes a otro de esta industria.

La Disponibilidad de Recursos Productivos

La disponibilidad de los recursos productivos que emplean las industrias concretas puede afectar a la elasticidad de las curvas de oferta. Cuando los recursos son abundantes, la cantidad de producción es generalmente más receptiva a los cambios en los precios de los productos que cuando los recursos necesarios para su elaboración son escasos. Si para aumentar la producción de carbón es necesario explotar una veta más pobre, o para aumentar la producción de mineral de hierro es necesario utilizar métodos más caros de purificar el mineral bruto, entonces para que se dé un aumento de la oferta será necesario un incremento sustancial del precio de estos productos.

Las Expectativas de los Productores

Las empresas están controladas y gobernadas por seres humanos, y éstos toman decisiones sobre la base de las expectativas que tienen sobre el curso futuro de los acontecimientos. El hecho de que suba el precio de un bien puede que no sea suficiente para que los productores de éste se decidan a aumentar la producción; generalmente aquéllos aumentan la producción cuando creen que los precios continuarán elevándose durante un tiempo y no ante una subida aislada. Del mismo modo, una reducción repentina de los precios de los productos puede que no lleve a una disminución significativa de la producción, a menos que los empresarios crean que los precios van a permanecer bajos.

Las empresas no siempre ajustan su producción a los señalizadores del mercado que son los cambios de los precios, y cuando no lo hacen la oferta puede seguir siendo inelástica durante un período de tiempo. Concluimos, pues, que, *céteris páribus,* cuanto más optimistas sean las expectativas de los empresarios o productores de un bien sobre el futuro más elástica será la oferta de éste. Y, *a sensu contrario,* cuanto más pesimistas sean las expectativas de los empresarios más inelástica será la oferta.

LA ELASTICIDAD DE LA OFERTA Y EL EQUILIBRIO DEL MERCADO

Por sí sola la oferta no nos da suficiente información como para entender y explicar el funcionamiento de los mercados de los distintos bienes. Como hemos visto en el Capítulo 8, para comprender el comportamiento de los precios y de las cantidades transaccionadas de los diferentes bienes y servicios es necesario conocer, además, las características de la demanda. Los economistas, desde Alfred Marshall, comparan la oferta y la demanda con las dos hojas de unas tijeras: por sí sola ninguna de las dos hojas corta, sino que son necesarias ambas hojas para cortar, ya que la acción de cortar tiene lugar en el punto donde se unen las dos hojas. Del mismo modo, por separado ni la oferta ni la demanda determinan el precio de equilibrio de un bien; cuando se enfrentan éstas y en el punto donde la curva de oferta corta a la curva de demanda, se determinan el precio y la cantidad de equilibrio para el mercado del bien de que se trate.

Cuando la cantidad que los productores están dispuestos a ofertar de un bien es exactamente suficiente para hacer frente a la demanda de aquellas personas o consumidores que están dispuestos a comprar de ese mismo bien decimos que el mercado ha alcanzado el equilibrio. El precio de equilibrio de un bien es el precio que atrae el número adecuado de compradores y vendedores como para que en el mercado de este bien no se den ni excedentes ni desabastecimientos del bien en cuestión. Es el precio al que la cantidad del bien que los consumidores desean comprar es exactamente igual a la que los productores desean vender.

Pero no todo el mundo estará satisfecho con el precio de equilibrio. Algunos productores del bien puede que encuentren que el precio que deben aceptar es más bajo que el que esperaban obtener; las alternativas que tienen estos productos son: aceptar el precio y esperar que vengan mejores tiempos, o abandonar el negocio. Por su parte, algunos consumidores potenciales del bien puede que encuentren el precio del bien más alto del que habrían deseado pagar por él; las alternativas que tienen son: pagar el precio o abstenerse de consumirlo.

La Figura 11.9 muestra tres diferentes posiciones de equilibrio en un mismo mercado a lo largo de un período de tiempo de varios años. La curva de oferta $O_I O_I$ del período inmediato representa la cantidad limitada (C_I) de un bien disponible en un momento determinado. Los compradores han de pagar el precio P_I, determinado por la intersección de la curva de demanda DD con la curva de oferta $O_I O_I$. Los consumidores que no deseen pagar este precio han de renunciar a consumir el bien. Pero los vendedores saben que existe una demanda de éste insatisfecha y, con la rapidez que les sea posible (dependiendo de las características del proceso de producción del bien), tomarán las medidas necesarias para aumentar la oferta de éste, ya que su negocio consiste precisamente en vender cuanta mayor cantidad mejor. La respuesta de los productores del bien al precio elevado que es P_I es mostrada por la curva de oferta a corto plazo $O_2 O_2$. Al nuevo punto de equilibrio determinado por la intersección de la curva de demanda (que no ha cambiado) con la curva de oferta O_2O_2 se venderá una cantidad mayor del bien (C_2); los consumidores que estén dispuestos a pagar el precio P_2 podrán adquirir el bien.

FIGURA 11.9

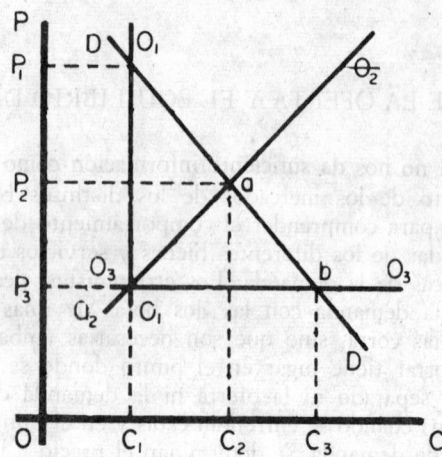

No obstante, todavía existen compradores potenciales (nuevos consumidores y/o los que antes compraban una cantidad al precio P_2 y que habrían deseado comprar más unidades si el precio fuera más bajo), como lo demuestra el hecho de que exista el tramo de la curva de demanda a la derecha del punto a. Los productores aumentan su oferta todavía más en el curso del tiempo, y su curva de oferta a largo plazo pasará a ser la curva O_3O_3. Con esta nueva curva de oferta el equilibrio se establecerá en el punto b.

Vemos, pues, que a medida que los productores ajustan su producción a lo largo de períodos sucesivamente más extensos de tiempo, el precio de equilibrio desciende de P_1 a P_3 y la cantidad transaccionada aumenta de C_1 a C_3. De esta forma un mayor número de consumidores estarán satisfechos, y mayores cantidades de bienes estarán disponibles en el mercado a precios más bajos. Recordamos al lector que al decir precios más bajos nos referimos a los precios relativos (al precio de un bien comparado con el de otros bienes y con los salarios por hora de trabajo), ya que, debido a la inflación, los precios absolutos rara vez bajan; prácticamente sólo bajan los precios de los productos agrícolas de temporada que además son perecederos, y los de algunos productos industriales cuyas técnicas de producción (bien la tecnología, bien las materias primas) han sufrido una revolución. Con la inflación, los precios absolutos de los bienes han de subir continuamente para mantener su valor relativo.

IMPLICACIONES DE LA ELASTICIDAD DE LA OFERTA

El entender adecuadamente el concepto de elasticidad nos ayuda enormemente a comprender el comportamiento de los precios. A medida que la oferta de los bienes se hace más elástica, los consumidores se benefician de una producción mayor y los precios se hacen más estables. Los aumentos de la demanda por parte de los consumidores estimularán una respuesta adecuada por parte de los productores.

No todas las empresas responderán con la misma rapidez o en la misma magnitud a los aumentos de la demanda. Algunas empresas habrán alcanzado el límite de su capacidad de producción y por unas razones u otras no podrán expandir su *output* (esta palabra es inglesa y significa producción, en el sentido de sacar unidades del bien o servicio que proveen). Otras empresas podrán continuar ampliando su capacidad productiva instalada, y nuevas empresas entrarán a producir el bien de que se trate. Estas diferencias en el grado de respuesta de las empresas a los cambios en la demanda de los consumidores se dan también entre las industrias. Obviamente este análisis es igualmente aplicable a los aumentos de la demanda representados, como sabemos, por medio de desplazamientos de las curvas de demanda hacia la derecha.

ASPECTOS MICROECONOMICOS Y MACROECONOMICOS DE LOS AJUSTES DE LA OFERTA

El proceso de ajuste de la oferta a un cambio de la demanda puede ser considerado desde dos perspectivas: la microeconómica y la macroeconómica.

Cuando examinamos la forma en que las empresas concretas responden a los cambios en la demanda, estamos considerando el proceso de ajuste de la oferta desde una perspectiva microeconómica o de análisis microeconómico. Cuando la industria es competitiva (no existe ningún grado de monopolio por parte de una o varias empresas), las empresas ajustarán su producción más rápidamente, tanto aumentando su producción cuando la demanda aumenta como reduciéndola cuando la demanda disminuye.

Si las condiciones son, en general, favorables en la industria (los beneficios son altos), nuevas empresas entrarán en ésta; y si las condiciones son adversas, empresas establecidas en la industria la abandonarán. En las industrias competitivas o donde existe competencia entre las empresas, éstas deben reaccionar con rapidez si desean evitar perder clientes en favor de otras empresas. Una respuesta rápida en la oferta por parte de las empresas sólo es posible si la información sobre el proceso de producción de los bienes es fácilmente adquirible por todas las empresas, y si el capital y la mano de obra se mueven con facilidad de unas empresas a otras y de unas industrias a otras.

Otra perspectiva desde la que considerar el proceso de ajuste de la oferta a los cambios en la demanda es la macroeconómica o de análisis macroeconómico. En este análisis el interés se centra en el nivel general de precios. También desde esta perspectiva los ajustes de la oferta se efectuarán más rápidamente en las industrias competitivas que en las que se da algún grado de monopolio. Si factores tales como el poder monopolístico de alguna empresa, la falta de movilidad de los factores o las restricciones del Gobierno (estableciendo precios mínimos o máximos para los productos, por ejemplo) hacen más lento el proceso de ajuste de la oferta, entonces los precios pueden permanecer durante tiempo más altos o más bajos de lo que serían si no se dieran estos factores.

Por ejemplo, si el Gobierno establece una tarifa arancelaria sobre las corbatas de seda importadas para evitar la competencia en el país de las corbatas de seda extranjeras baratas, los productores nacionales de estas corbatas estarán protegidos de la competencia exterior. Puede que al no tener competencia éstos no expandan su oferta a corto plazo, y en consecuencia podrán cargar precios más altos que si no existiera la tarifa aduanera. Las empresas que producen corbatas de seda a costes elevados podrán seguir en el negocio, y las que producen a costes más bajos obtendrán beneficios altos, ya que como consecuencia de la tarifa aduanera los competidores extranjeros son eliminados.

Una oferta inelástica puede conducir a precios muy bajos en un mercado. Así, en algunas áreas rurales los salarios son muy bajos, debido a que los trabajadores que viven en ellas no pueden trasladarse con facilidad a otras áreas. Esto significa que los trabajadores no pueden responder con rapidez a los bajos salarios por medio de reducir su oferta de trabajo, y por ello aceptan salarios menores de los que se pagan en otras áreas.

Los precios que son rígidamente altos o bajos producen transferencias de renta a favor de unas industrias y en contra de otras. En algunas industrias se produce menor cantidad de bienes de la que los consumidores comprarían si los precios fueran más bajos: y en otras los precios y los costes son mantenidos artificialmente bajos y, en consecuencia, recursos productivos son asignados a producir bienes de bajo valor (que los valoran poco los consumidores). En el ejemplo de las corbatas de seda, se producirá menor cantidad de éstas de la que los consumidores comprarían si no existiera la tarifa aduanera.

BIBLIOGRAFIA SELECCIONADA

Samuelson, P.: *Curso de Economía Móderna*, op. cit., Cap. 20.
Lipsey, R.: *Introducción a la Economía Positiva*, op. cit., Cap. 10.
Walsh, V. C.: *Introducción a la Microeconomía contemporánea*, op. cit., págs. 241-246 y 256-257.
Bilas, R.: *Teoría Microeconómica*, op. cit., Cap. 2.
Stigler, G.: *La Teoría de los Precios*, op. cit., Cap. 3.
Barre, R.: *Economía Política*, op. cit.

INTRODUCCION

En este Capítulo nos proponemos aplicar la teoría elemental de los precios que hemos desarrollado hasta ahora al análisis de tres cuestiones importantes: el control de precios y salarios por el Gobierno, la incidencia de algunos impuestos y el comportamiento de los precios agrícolas. La finalidad de este ejercicio de aplicación de la Teoría de los Precios es poner de manifiesto la utilidad de esta teoría y familiarizar al lector con su aplicación.

Como hemos señalado en el Capítulo 3, la finalidad de toda teoría es doble: por una parte, explicar los fenómenos ya ocurridos, y por otra, predecir cómo se comportarán las variables analizadas bajo determinadas condiciones claramente especificadas. La teoría elemental de la determinación de los precios por la oferta y la demanda constituye un aparato analítico de un enorme poder de explicación y predicción, que se puede aplicar a la mayor parte de los fenómenos económicos que observamos en la vida real. Hemos visto cómo de ella se pueden derivar gran cantidad de proposiciones acerca de los efectos que tienen sobre los precios y las cantidades transaccionadas las variaciones de la oferta y la demanda. Estas proposiciones son meras deducciones de la teoría, deducciones que pueden ser contrastadas con la realidad.

Una de las hipótesis más importantes que se derivan de esta teoría de la determinación de los precios en una economía de mercado es la de que los precios que se dan en el mundo real están relativamente próximos a los precios de equilibrio la mayor parte del tiempo, y que si el precio de equilibrio de un bien es alterado por alguna circunstancia, el precio que se haya establecido a un nivel de desequilibrio se moverá con una cierta rapidez hacia el nuevo precio de equilibrio.

Por otra parte, también hemos visto cómo el sistema de precios constituye un medio de orientar la producción. Los cambios en los precios señalizan o indican a los empresarios los cambios en la demanda de los consumidores. Precios más altos de un bien indican que se demanda más de ese bien, lo que induce a los empresarios a aumentar la producción de éste. Precios más bajos de un bien indican que los consumidores demandan menos de éste, y ello induce a los empresarios a disminuir la producción. Las fuerzas del mercado orientan los recursos productivos hacia las actividades que producen los bienes necesarios para satisfacer los gustos cambiantes de los consumidores.

Pero en ocasiones los resultados que produce el mecanismo del mercado no son satisfactorios para la sociedad o para grupos de individuos concretos. De ahí que el Gobierno intervenga para cambiar o paliar estos resultados. Unas veces interviene directamente, como cuando fija por decreto precios máximos o precios mínimos, y otras indirectamente, bien gravando con impuestos determinadas actividades productivas y productos y servicios, bien subvencionando ciertas actividades o productos, o bien por otros medios. En este Capítulo vamos a aplicar la teoría sencilla de la determinación de los precios al análisis de la intervención o interferencia del Gobierno en el mecanismo del mercado para ver los efectos que ésta tiene.

CONTROL DE PRECIOS Y SALARIOS

Generalmente en tiempos de guerra, pero también a menudo en épocas de paz, los Gobiernos se interfieren con el proceso de ajuste de los mercados a través de fijar por Decreto o por Ley los precios máximos o mínimos a los que se transaccionarán ciertos bienes y servicios. En épocas de guerra, cuando los recursos productivos son necesarios para la producción de material bélico, el Gobierno se ve obligado a reducir y mantener baja la producción de bienes de consumo. Para impedir que los precios de éstos suban, el Gobierno recurre a fijar precios máximos de tal manera que los consumidores no puedan competir entre ellos por conseguirlos a través de ofrecer precios más altos. En épocas de paz y por diversas razones algunas veces los Gobiernos fijan precios mínimos por debajo de los cuales no pueden venderse determinados bienes. Ambos tipos de controles de los precios tienen amplias consecuencias económicas.

Precios Máximos

Los precios máximos, también llamados techos o precios tope son establecidos por los Gobiernos cuando se piensa que los precios de equilibrio serían más altos de lo deseable.

Supongamos que el Gobierno decidiera establecer un precio máximo a la leche, argumentando que es un producto alimenticio de primera necesidad que conviene tomen cuantos más ciudadanos mejor.

Imaginémonos, además, que el precio de equilibrio de la leche fuera P_o de la Figura 12.1 y la cantidad fuera C_o. Si el Gobierno estableciera el precio máximo por litro de leche a un nivel superior a P_o la medida no tendría ninguna consecuencia, ya que el precio de equilibrio P_o es inferior al precio máximo y, por lo tanto, sería legal; el litro de leche seguiría vendiéndose a P_o.

Pero si el Gobierno estableciera el precio máximo a cualquier nivel inferior a P_o, por ejemplo, a P_1, el mercado de la leche no podría alcanzar el equilibrio. Al precio P_1 los productores ofertarían la cantidad C_1, mientras que los consumidores desearían comprar la cantidad C_2. La cantidad que efectivamente se vendería sería C_1, ya que no se puede obligar a los productores a vender una cantidad mayor que ésta. En consecuencia, habría un exceso de demanda representado por la distancia C_1C_2.

El exceso de demanda o escasez del producto plantea la cuestión de cómo distribuir éste entre los demandantes. Una forma de hacerlo es simplemente venderlo a los consumidores a medida que vayan llegando al establecimiento o establecimientos expendedores. Pero este sistema daría lugar a que muchos demandantes se quedaran sin el producto y a que se formaran largas colas a la puerta de los comercios. Otra forma de distribuirlo es a través de cartillas de racionamiento; a cada individuo se le entrega una cartilla que le da derecho a comprar por día o por el período de que se trate la cantidad del bien que se asigne por persona. En el momento de adquirir su ración se le estampilla la cartilla o se le corta el correspondiente cupón, y de esta forma el individuo no puede volver a adquirir la cantidad del bien que corresponde a ese día o a ese cupón. Esta es la forma que generalmente se utiliza en tiempos de escasez, ya que obviamente es la más justa y la más práctica de implementar.

FIGURA 12.1

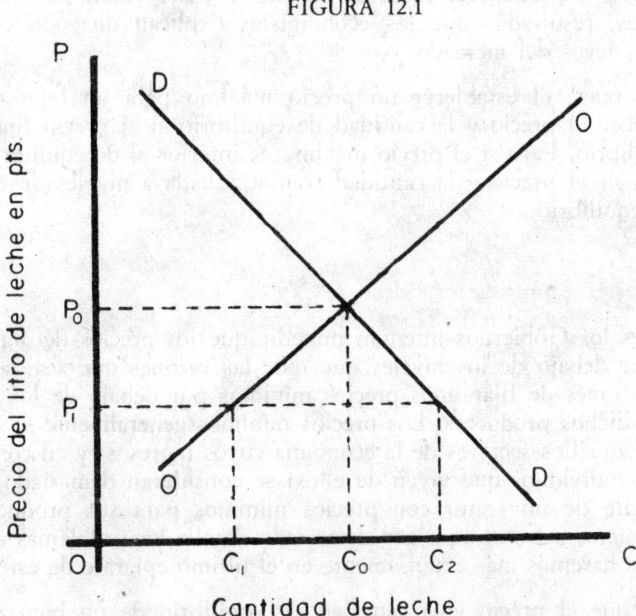

Cantidad de leche

La escasez y el racionamiento generalmente conducen a la aparición de un mercado negro de los productos racionados. Un mercado negro es un mercado ilegal en el que se compran y venden bienes fuera de los canales de distribución y a precios superiores a los precios máximos legales. Estos mercados son muy frecuentes en los tiempos de guerra. En nuestro país y después de la Guerra Civil se dio el famoso estraperlo; éste no era más que un mercado negro en el que se vendían productos que estaban racionados a precios muy superiores a los máximos establecidos por el Gobierno. Los productos más importantes que se vendían en él eran: aceite, azúcar, harina, café y arroz.

Los precios máximos pueden ser efectivos para períodos cortos de tiempo, manteniendo los precios bajos aun cuando el exceso de demanda sea grande. Esto es particularmente cierto en tiempo de guerra, cuando la gente está dispuesta a soportar de buen grado los controles del Gobierno por motivos patrióticos.

Pero si los precios máximos se mantienen en vigor durante un período largo de tiempo, las fuerzas del mercado pueden finalmente forzar la subida de los precios de los productos controlados. Dado que la imposición de un precio máximo limita los beneficios en la industria controlada, las empresas dentro de ésta no tendrán incentivos para invertir en ampliar su capacidad productiva instalada para aumentar la producción. Por el contrario, los recursos productivos serán transferidos de esta industria a otras en las que los beneficios sean mayores. La producción en la industria a cuyo producto el Gobierno le ha fijado un precio máximo disminuirá a medida que la maquinaria y el equipo productivo de las empresas se deteriora, y, en consecuencia, la escasez del producto se hará mayor. Finalmente, cuando los controles son levantados y se deja libertad a los precios, éstos suben más drásticamente de lo que habrían hecho si no hubieran existido controles. De ahí que los Gobiernos generalmente prefieren dejar que los precios sean fijados por el mercado, excepto en períodos de emergencia nacional. En estos últimos años los Gobiernos de algunos de los países occidentales han intentado combatir la inflación a través de establecer controles de precios. Los resultados no han sido muy satisfactorios, resultados que los economistas explican diciendo que no se pueden forzar las leyes del mercado.

Resumiendo, pues, el establecer un precio máximo para un bien no tendrá ningún efecto sobre el precio y la cantidad de equilibrio si el precio fijado es superior al de equilibrio. Pero si el precio máximo es inferior al de equilibrio, tendrá el efecto de reducir el precio y la cantidad transaccionada a niveles de éstos inferiores a los de equilibrio.

Precios Mínimos

Algunas veces los Gobiernos intentan impedir que los precios de algunos productos caigan por debajo de los niveles que, por las razones que sea, se consideran deseables, a través de fijar unos precios mínimos por debajo de los cuales no se deben vender dichos productos. Los precios mínimos generalmente se fijan para los productos de aquéllos sectores de la economía cuyos ingresos (y en consecuencia las rentas de los individuos que viven de ellos) se consideran damasiado bajos. El caso más frecuente de un sector con precios mínimos para sus productos es la agricultura. No vamos a tratar aquí con demasiado detalle los problemas de la agricultura, ya que lo haremos más extensamente en el último epígrafe de este capítulo.

Supongamos que el precio y la cantidad de equilibrio de un bien cualquiera son P_o y C_o como se representa en la Figura 12.2. Si se establece un precio mínimo inferior a P_o para este bien (supongamos que se fija el precio P_1) la medida no tendrá ningún efecto, ya que P_o es superior a P_1, y en consecuencia P_o será legal. Pero si, por el contrario, se fija el precio mínimo al nivel de P_2 entonces a ese precio se producirá un exceso de oferta. Al precio P_2 los consumidores desean comprar la cantidad C_1, mientras que los oferentes desean vender C_2. La cantidad que efectivamente se venderá será C_1, ya que no se les puede obligar a los consumidores a comprar más de lo que desean adquirir a ese precio. En consecuencia, habrá un exceso de producción que no se podrá vender representado por la distancia C_1C_2 en el eje horizontal.

El problema que se plantea en el caso de los precios mínimos es el de los excedentes. Un ejemplo común en muchos países es el de la leche. El precio mínimo se fija con la finalidad de estabilizar los precios y los ingresos de los granjeros que la producen. La curva de demanda de leche es muy inelástica por tratarse de un producto de primera necesidad, no tener sustitutivos, y representar una fracción pequeña del gasto total de los consumidores. Los productores venden al precio mínimo lo que el mercado absorbe y los excedentes se los venden a precios más bajos a los fabricantes de productos derivados de la leche(queso, leche condensada y en polvo, mantequilla y helados). La demanda de leche por parte de los fabricantes de productos lácteos es más elástica que la de los consumidores, y, en consecuencia, aquéllos están dispuestos a comprar el exceso de oferta de leche si el precio de ésta es suficientemente bajo. Las cooperativas de productores de leche maximizan, pues, sus ingresos vendiendo parte de su producción a un precio alto en el mercado de leche fresca con demanda inelástica, y el resto en el mercado de los productos lácteos que tiene una demanda elástica. No obstante, y a pesar de esta segmentación del mercado, en muchos países miembros de la CEE se dan excedentes de leche y de mantequilla.

FIGURA 12.2

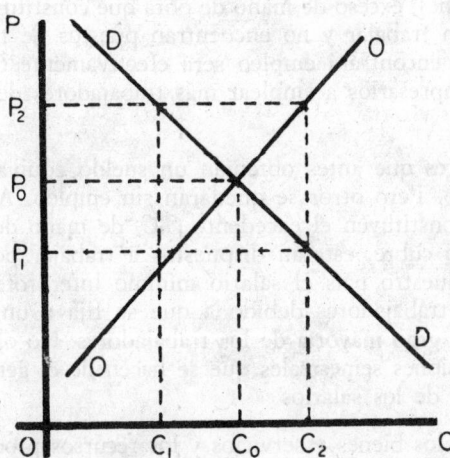

En general, el precio mínimo garantiza unos beneficios mínimos a las empresas que integran la industria afectada, pero también tiene otras consecuencias. El precio artificialmente alto estimula a las empresas a expandir su producción y, en consecuencia, éstas atraerán recursos productivos a la industria. Los precios mínimos tienden a estimular un crecimiento de la producción y a crear excedentes que no tienen salida. Ello constituye una mala asignación de los recursos, ya que la cantidad de producción (y los recursos utilizados en ella) no reflejan realmente los deseos de los consumidores.

En resumen, la fijación de un precio mínimo por el Gobierno para un bien no tendrá ningún efecto si aquél es inferior al precio de equilibrio; pero si es superior al precio de equilibrio, dará lugar a que se reduzca la cantidad comprada y vendida del bien.

Salarios Mínimos

Un ejemplo ya clásico de la interferencia del Gobierno en los procesos de ajuste del mercado lo constituye la fijación de salarios mínimos. En nuestro país el Gobierno fija el salario mínimo interprofesional que se revisa cada seis meses de acuerdo con la variación del índice del coste de la vida. Esta práctica se sigue en la mayoría de los países occidentales.

En la parte correspondiente a la Teoría de la Distribución estudiaremos en detalle la forma de las curvas de oferta y demanda de trabajo. Por el momento aceptamos que la curva de demanda de trabajo tiene una pendiente negativa (a sueldos más altos se demanda menor cantidad de horas de trabajo y, por lo tanto, de trabajadores, y a sueldos más bajos se demanda mayor cantidad de trabajo), y que la oferta de trabajo tiene una pendiente positiva (cuanto más altos son los sueldos, mayor es la cantidad ofertada de trabajo). En este caso, el salario mínimo lo podemos analizar de la misma forma que estudiamos la fijación de un precio mínimo.

Supongamos que el salario de equilibrio fuera el determinado por la intersección de la oferta de trabajo y la demanda de trabajo representadas en la Figura 12.2. Si se establece un salario mínimo inferior al nivel de P_o la medida no tendría ningún efecto sobre el mercado laboral. Pero si el salario mínimo fuera el correspondiente al nivel P_2 se produciría el exceso de mano de obra C_1C_2 (como vimos en el caso anterior con la leche), exceso de mano de obra que constituye paro (trabajadores que desean y necesitan trabajar y no encuentran puestos de trabajo). La cantidad de mano de obra que encontrará empleo será efectivamente C_1, ya que no se les puede obligar a los empresarios a emplear más trabajadores de los que desean emplear a ese salario.

Algunos trabajadores que antes obtenían un sueldo equivalente a P_o verán su sueldo aumentado a P_2. Pero otros se quedarán sin empleo. Algunos de los trabajadores en paro que constituyen el excedente C_1C_2 de mano de obra y que el subsidio de desempleo no cubre, estarán dispuestos a trabajar por salarios inferiores al mínimo legal. En nuestro país el salario mínimo interprofesional no afecta directamente a muchos trabajadores debido a que se fija a un nivel más bajo del sueldo que perciben la gran mayoría de los trabajadores. No obstante, tiene importancia porque las revisiones semestrales que se hacen de él generalmente sirven de pauta para las subidas de los salarios.

Resumiendo, pues, los bienes y servicios y los recursos productivos son escasos, y, en consecuencia, se hace necesario utilizar algún sistema de distribución de los primeros entre los individuos que han de disfrutarlos, y de los segundos entre los bienes y servicios que se haya decidido producir. El mecanismo de precios lleva a cabo la distribución de los bienes y servicios y la asignación de los recursos. Pero en ocasiones los Gobiernos consideran que los precios de algunos bienes y servicios y de algunos factores son más altos o más bajos de lo que (por razones políticas, de justicia social o de otro tipo) se considera deseable.

Para corregir esta situación los Gobiernos fijan precios máximos y precios mínimos que fuerzan el mercado. Estos esfuerzos de los Gobiernos por controlar los mercados generalmente dan lugar a la aparición de excedentes cuando se fijan precios mínimos, y a escaseces y desabastecimientos cuando se fijan precios máximos. En el primer caso será necesario arbitrar una fórmula para deshacerse de los excedentes, y en el segundo será necesario recurrir a otro método de distribuir los bienes y factores distinto al del mercado.

El sistema de precios de mercado iguala la cantidad demandada y la cantidad ofrecida, y, en consecuencia, si, por las razones que sea, los Gobiernos se interfieren con el funcionamiento del mercado y fijan los precios de algunos bienes a niveles distintos a los de equilibrio, entonces será necesario arbitrar otros mecanismos para igualar la oferta y la demanda. La Teoría de los Precios nos permite sacar estas conclusiones, que por lo demás no son más que simples deducciones de aquélla. De ahí que sea importante aplicarla con rigor para determinar con precisión los efectos a corto y a largo plazo de la implantación de controles de precios y salarios en orden a poder decidir, con conocimiento de causa, si las posibles ventajas son superiores o inferiores a los inconvenientes.

LA INCIDENCIA IMPOSITIVA

Otro campo importante de aplicación de la Teoría de los Precios es el de los efectos que los impuestos sobre las ventas y los impuestos sobre productos específicos tienen sobre los precios y las cantidades compradas y vendidas de los bienes sobre los que aquéllos recaen, así como su incidencia (es decir, quién los paga en último extremo y en qué proporción).

Uno de los campos más controvertidos de la Economía y, por supuesto, de la Hacienda Pública (la disciplina que estudia la economía del sector público, o que se ocupa del análisis económico de las actividades del sector público y sus implicaciones para el conjunto de la economía) es el de los efectos económicos de los impuestos. La cuestión fundamental que los economistas se plantean es la de determinar cuál es la forma más eficiente y más equitativa de que los individuos paguen por los bienes y servicios que les facilita el Estado.

Los impuestos de todo tipo constituyen con gran diferencia la fuente de ingresos más importante del Estado. Pero además de utilizarlos como medio de obtener los recursos financieros necesarios para cubrir sus gastos, el Estado emplea los impuestos como instrumentos de política económica. Concretamente, los impuestos sobre las ventas y sobre los productos específicos (whiskey, tabaco, gasolina, etc.) se utilizan también como medio de reducir el consumo agregado los primeros (con la finalidad de reducir la demanda agregada como medio de luchar contra la inflación), y de disminuir el consumo de los bienes gravados los segundos (con el objeto de reducir los efectos nocivos de los segundos sobre la salud de la población). La reducción del consumo de gasolina se pretende para aliviar el déficit de la balanza comercial con el exterior.

Los hacendistas consideran que una de las características deseables de un impuesto es que éste produzca al Estado el máximo posible de ingresos y al mismo tiempo cree la menor perturbación o interferencia posible con el funcionamiento del mercado; es decir, que afecte lo menos posible o cambie mínimamente la asignación de los recursos entre las distintas industrias (y en consecuencia, entre la producción de los distintos bienes) que realiza el mercado. Este es el llamado principio de la neutralidad impositiva; es decir, que los impuestos sean lo más neutros posible en cuanto a la asignación de recursos que efectúa el mecanismo de los precios.

Junto a este principio existen otros principios de la imposición diseñada por los hacendistas con la finalidad de determinar las características de los impuestos que hagan a éstos lo más eficaces posible y lo más equitativos posible según los criterios imperantes en la sociedad en cada momento. Uno de estos principios es el de la capacidad de pago referente al sistema de distribución de la carga impositiva entre los ciudadanos, y que establece que cada individuo debe pagar impuestos en proporción a la renta que obtenga. Otro es el llamado principio del beneficio, según el cual los individuos deben pagar impuestos en proporción al beneficio que obtienen de los bienes y servicios que provee el Estado (y que éste financia con los impuestos).

Pues bien, una fuente importante de ingresos impositivos (los ingresos procedentes de la recaudación de impuestos) la constituyen los impuestos sobre las ventas en general y sobre las ventas de determinados productos en particular. La obligación legal de pagar estos impuestos unas veces recae sobre los productores de los bienes o servicios (los productores son los sujetos pasivos del impuesto), y otras sobre los compradores (los compradores son los sujetos pasivos del impuesto) que los transfieren al Estado por mediación de los comerciantes, los cuales los recaudan de los consumidores en el momento en que éstos realizan las compras de los bienes y los ingresan en el Ministerio de Hacienda.

Pero el sujeto pasivo del impuesto o la persona física o jurídica sobre la que recae la obligación legal de pagar el impuesto no siempre es la que efectivamente paga el impuesto. Formalmente lo paga (físicamente ingresa el dinero en Hacienda), pero lógicamente tratará de trasladar el impuesto a otra u otras personas para que sean éstas las que *de facto* (no *de iure*) lo paguen. La medida en que el sujeto pasivo del impuesto lo pueda trasladar a otros agentes económicos dependerá, como veremos, de la elasticidad de las curvas de oferta y demanda de los bienes concretos.

La Teoría de los Precios nos permite determinar en qué medida los distintos impuestos se interfieren con la asignación de los recursos a través de sus efectos sobre los precios y las cantidades vendidas de los bienes gravados, así como sobre el gasto de los consumidores y sobre los beneficios de las empresas que los producen.

Los impuestos sobre los productos pueden ser específicos o *ad valorem*. Un impuesto específico es aquel que grava un bien con una cantidad fija por unidad del bien; por ejemplo, si se grava con 10 pesetas cada cajetilla de 20 cigarrillos de tabaco negro vendida estaremos ante un impuesto específico. Un impuesto *ad valorem* es aquel que grava un bien con un porcentaje fijo del valor de éste; así, si se grava con un 20 por 100 el precio de cada litro de whiskey vendido, se trata de un impuesto *ad valorem*. El primero toma como base del impuesto el número de unidades vendidas del bien cualquiera que sea el precio al que se venda éste, mientras que el segundo toma como base del impuesto el valor por unidad del bien cualquiera que sea el número de unidades que se vendan.

Los Efectos de los Impuestos sobre los Precios y las Cantidades

El efecto inmediato de estos dos impuestos es trasladar la curva de oferta del bien gravado hacia la izquierda, o lo que es lo mismo, hacia arriba, en la cuantía del impuesto. Si el impuesto es específico la curva de oferta se traslada de forma paralela a la curva de oferta que existía antes de la implantación del gravamen. La Figura 12.3 representa este fenómeno.

La razón de que el desplazamiento de la curva de oferta sea paralelo es muy simple: si antes del impuesto los productores para vender la cantidad C_o del bien, dados sus costes, exigían el precio P_o, al imponerse un gravamen de la cuantía representada por la distancia ab, los productores para ofrecer esa misma cantidad C_o

del bien pedirán el precio P_o más el impuesto; es decir, exigirán el precio P_1, ya que desde su punto de vista el impuesto tiene el carácter de un coste adicional que, si no lo incluyen en el precio, constituiría una pérdida para ellos. Recordemos que entre los productores incluimos los fabricantes y los comerciantes. Dado que el impuesto es por unidad del producto, y la curva de oferta representa los distintos precios a los que se desean vender las diferentes cantidades, y dentro de cada una de estas cantidades todas y cada una de las unidades se venden al mismo precio, el desplazamiento de la curva es paralelo a sí misma: cualquiera que sea el precio, siempre se le añade a éste la misma cantidad (el tamaño en unidades monetarias del impuesto por unidad).

FIGURA 12.3

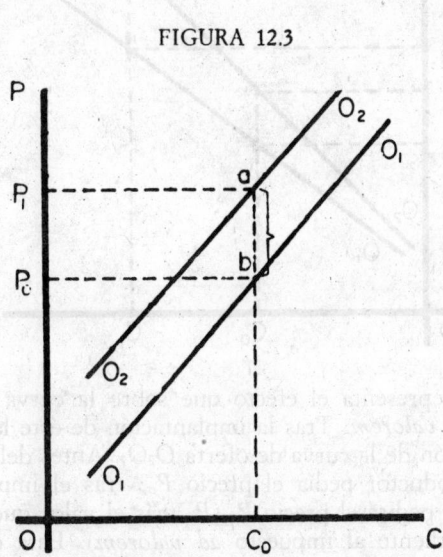

Si el impuesto por cajetilla de tabaco es de 10 pesetas la distancia *ab* tendrá un valor en el eje vertical de 10 pesetas. Si antes del impuesto los productores para vender 20.000 cajetillas de tabaco negro (C_o) pedían un precio de 25 pesetas por cajetilla, debido a que esas 25 pesetas incluían sus costes por cajetilla para ese nivel de producción más sus beneficios normales, tras gravarse la cajetilla con 10 pesetas aquéllos pedirían las 25 pesetas más las 10 pesetas del impuesto (35 ptas), ya que de no hacerlo y seguir pidiendo P_o (25 ptas.) verían sus beneficios reducidos o incluso tendrían pérdidas si su margen de beneficios por cajetilla fuera inferior al 40 por 100 de los costes de ésta. Los productores aumentarán siempre en 10 pesetas el precio al que desean vender las distintas cantidades: si en lugar de 25 pesetas P_o fuera de 40 pesetas, ellos pedirían 50 pesetas. De ahí el desplazamiento paralelo de la curva de oferta.

Cuando se trata de un impuesto *ad valorem* el desplazamiento de la curva de oferta es divergente: la nueva curva de oferta divergirá de la curva de oferta inicial, separándose cada vez más de ésta a medida que el precio del bien es mayor, ya que el impuesto es un porcentaje fijo de éste y, en consecuencia, cuanto mayor es el precio del bien mayor será el tamaño del impuesto en pesetas. Si el tamaño del impuesto es el 10 por 100 del precio del bien, cuando éste es de 25 pesetas el impuesto representaría la cantidad de 2,5 pesetas por unidad, pero cuando el precio del bien es de 50 pesetas, el impuesto representará 5 pesetas por unidad. La cantidad absoluta de pesetas que represente el impuesto a cada precio del bien habrá que añadirla a éste para obtener la nueva curva de oferta.

FIGURA 12.4

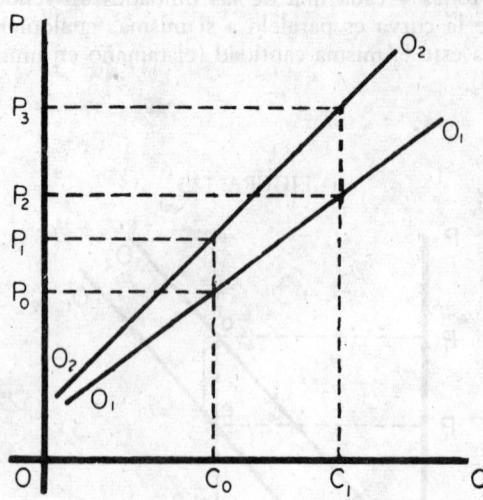

La Figura 12.4 representa el efecto que sobre la curva de oferta de un bien tiene un impuesto *ad valorem*. Tras la implantación de éste la curva de oferta O_1O_1 se traslada a la posición de la curva de oferta O_2O_2. Antes del impuesto para ofrecer la cantidad C_o el productor pedía el precio P_o; tras el impuesto para esa misma cantidad el productor pedirá el precio P_1 (P_o más el valor que representa el porcentaje de P_o correspondiente al impuesto *ad valorem*). Para ofrecer la cantidad de unidades del producto C_1 antes del impuesto el productor pedía el precio P_2 y tras la introducción del gravamen exige el precio P_3 (P_2 más el valor en pesetas que representa el porcentaje de P_2 correspondiente al impuesto). Evidentemente la distancia P_2P_3 es mayor que la distancia P_oP_1 en el eje vertical. La nueva curva de oferta seguirá siendo rectilínea, porque la curva de oferta original era también rectilínea. La curva de oferta de un bien se hace bastante más inelástica al gravarse éste con un impuesto, cosa que ocurre en mucha menor medida con el impuesto específico. El lector puede someter a prueba su comprensión del concepto de elasticidad de la oferta demostrando cómo toda curva de oferta situada a la izquierda y paralelamente a otra tiene una elasticidad inferior a esta segunda.

La curva de demanda del producto gravado no sufrirá ningún cambio con la implantación del impuesto, ya que suponemos que no ha variado ninguno de los factores de los que depende aquélla (no han variado ni los precios de los bienes sustitutivos o complementarios, ni la renta de los consumidores, ni los gustos de éstos). Si los oferentes ahora piden un precio más alto por la cantidad de unidades que antes del impuesto compraban a un precio, los consumidores simplemente se moverán hacia arriba dentro de su curva de demanda y reducirán la cantidad demandada.

Una vez que hemos visto el efecto que un impuesto tiene por separado sobre la curva de la oferta y sobre la curva de demanda (sobre ésta no tiene ningún efecto), podemos analizar las consecuencias que aquél tendrá sobre el precio y la cantidad comprada y vendida. Las Figuras 12.5 y 12.6 representan el equilibrio del mercado de dos bienes antes y después de introducir un impuesto específico de exactamente la misma cuantía sobre los bienes cuyas curvas de oferta y demanda representamos en las dos Figuras.

FIGURA 12.5   FIGURA 12.6

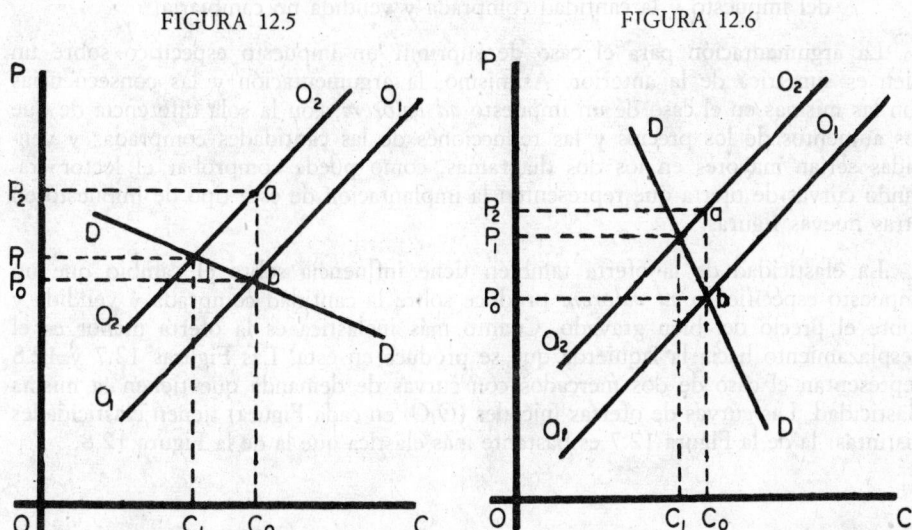

Supongamos que los valores en los ejes de las dos Figuras son los mismos. En la Figura 12.5 el impuesto hace trasladarse la curva de oferta de O_1O_1 a O_2O_2. Como consecuencia de este desplazamiento la cantidad comprada y vendida disminuye de C_o a C_1 y el precio aumenta de P_o a P_1. Lo mismo ocurre en la Figura 12.6: la cantidad comprada disminuye de C_o a C_1 y el precio aumenta de P_o a P_1. A simple vista podemos observar que el aumento del precio ha sido mucho mayor en el caso de la Figura 12.6 que en el de la Figura 12.5 (la distancia P_oP_1 de la Figura 12.5 es mucho menor que la distancia P_oP_1 de la Figura 12.6. Por el contrario, la reducción en la cantidad comprada y vendida ha sido mucho menor en el caso de la Figura 12.6 que en el de la Figura 12.5 (la distancia C_oC_1 de la Figura 12.5 es mucho mayor que la distancia C_oC_1 de la Figura 12.6).

La causa de estas diferencias en las variaciones del precio y de la cantidad estriba sólo en la distinta elasticidad de las curvas de demanda, ya que las curvas de oferta tienen exactamente la misma elasticidad en los dos gráficos y el tamaño del impuesto es el mismo en los dos casos (el tamaño del impuesto se mide por la distancia vertical entre las dos curvas de oferta).

Podemos, pues, concluir que al implantar un impuesto específico sobre un bien, los efectos serán los siguientes:

a) Se produce una disminución de la cantidad comprada y vendida del bien.

b) El precio del bien sube.

c) Cuanto mayor sea la elasticidad de la demanda del bien mayor será la disminución de la cantidad comprada y vendida y menor será el aumento del precio.

d) A *sensu contrario,* cuanto más inelástica sea la curva de demanda del bien
    mayor será el aumento del precio de éste y menor será la reducción de la
    cantidad comprada y vendida.

e) Si la curva de demanda fuera totalmente elástica el precio del bien no va-
    riaría y se reduciría la cantidad comprada y vendida, y si la curva de de-
    manda fuera totalmente inelástica el precio del bien subiría en la totalidad
    del impuesto y la cantidad comprada y vendida no cambiaría.

La argumentación para el caso de suprimir un impuesto específico sobre un
bien es simétrica de la anterior. Asimismo, la argumentación y las consecuencias
son las mismas en el caso de un impuesto *ad valorem,* con la sola diferencia de que
los aumentos de los precios y las reducciones de las cantidades compradas y vendidas serían mayores en los dos diagramas, como puede comprobar el lector trazando curvas de oferta que representen la implantación de este tipo de impuesto en
otras nuevas figuras.

La elasticidad de la oferta también tiene influencia sobre el cambio que un
impuesto específico o *ad valorem* produce sobre la cantidad comprada y vendida y
sobre el precio del bien gravado. Cuanto más inelástica es la oferta menor es el
desplazamiento hacia la izquierda que se produce en ésta. Las Figuras 12.7 y 12.8
representan el caso de dos mercados con curvas de demanda que tienen la misma
elasticidad. Las curvas de ofertas iniciales (O_1O_1 en cada Figura) tienen elasticidades
distintas: la de la Figura 12.7 es bastante más elástica que la de la Figura 12.8.

FIGURA 12.7   FIGURA 12.8

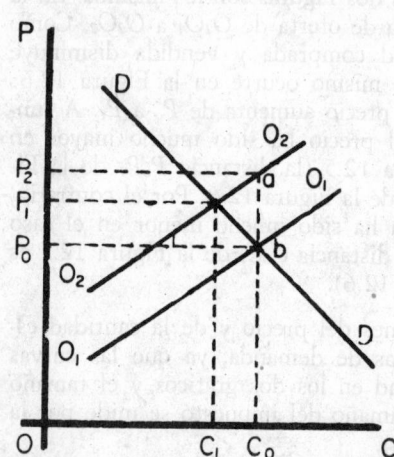

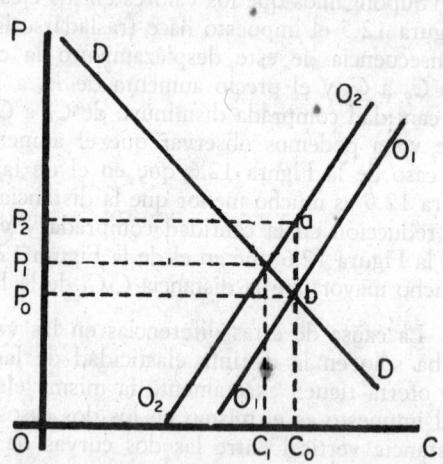

La implantación de un gravamen específico de igual cuantía representada por
la distancia *ab* en las dos Figuras da lugar a desplazamientos distintos de la curva
de oferta en cada caso. El desplazamiento más pequeño de la Figura 12.8 se explica porque, como hemos señalado anteriormente, desde el punto de vista del
productor la implantación de un gravamen específico tiene el mismo significado que
un aumento del coste de producción en la cuantía del impuesto. Si antes del impuesto, dada su curva de oferta, el productor al precio P_o (igual a la distancia bC_o)

ofertaba la cantidad C_o, tras imponerse un gravamen específico por la cuantía *ab*, el productor exigirá el precio P_o más el gravamen para seguir ofertando la misma cantidad C_o. De ahí que para obtener cada uno de los puntos de la nueva curva de oferta nosotros tengamos que añadir el impuesto a cada precio al que antes se ofertaba cada cantidad. Como esta adición es vertical, cuanta más pendiente tenga la curva de oferta menor será el desplazamiento de ésta (en el sentido paralelo); y al revés, cuanto más plana sea la curva de oferta mayor será el desplazamiento en la dirección paralela. En realidad, esta afirmación es aplicable, tanto a las curvas de oferta como a las curvas de demanda.

La implantación de un impuesto específico en el caso de la Figura 12.7 da lugar a una reducción de la cantidad comprada y vendida de C_o a C_1 y a una subida del precio de P_o a P_1. Lo mismo ocurre en el caso de la Figura 12.8, pero tanto la disminución de la cantidad comprada y vendida como el aumento del precio son menores que en la Figura 12.7. Puesto que la curva de demanda tiene la misma elasticidad en las dos Figuras, la causa de estos cambios más reducidos estriba en que la curva de oferta es más inelástica en la Figura 12.8 que el Figura 12.7.

Concluimos, pues, que al gravar un bien con un impuesto específico, *céteris páribus*, cuanto más elástica sea la curva de oferta de ese bien mayor será la reducción en la cantidad comprada y vendida y mayor será el aumento de su precio. En los casos extremos, si la curva de oferta del bien fuera totalmente elástica el precio del bien subiría en la totalidad de la cuantía del impuesto, y la cantidad comprada y vendida disminuiría; y si la curva de oferta fuera totalmente inelástica ni el precio ni la cantidad variarían, ya que la curva de oferta no se trasladaría. Estas deducciones analíticas son igualmente válidas para el caso de la implantación de un impuesto *ad valorem* sobre un bien concreto.

Estas son las conclusiones que la Teoría de los Precios nos permite hacer sobre los efectos que los impuestos específicos y *ad valorem* tendrán sobre las cantidades compradas y vendidas y sobre los precios de los bienes privados.

La Incidencia de los Impuestos

Otra cuestión importante que se plantea es la de quién paga realmente estos impuestos y en qué proporción. Se llama incidencia impositiva a las fracciones relativas del impuesto que pagan los compradores y los productores (si los compradores pagan el 70 por 100 del impuesto y los productores el 30 por 100 restante, el impuesto incide mucho más intensamente sobre los consumidores que sobre los productores).

La Teoría de los Precios también puede sernos de gran utilidad para dilucidar esta cuestión, cuestión que es importante por las implicaciones económicas y políticas que tiene. Volviendo a las Figuras 12.5 y 12.6 podemos ver claramente la incidencia del impuesto en cada caso. En la Figura 12.5 la cuantía del impuesto es representada por la distancia *ab* igual a la distancia P_oP_2 en el eje vertical). Pero el precio de mercado del bien gravado sólo ha aumentado de P_o a P_1 (la distancia P_oP_1); es decir, los consumidores sólo pagan la cantidad P_oP_1 de la cuantía P_oP_2 del impuesto (aproximadamente una cuarta parte de éste). El resto lo pagan los productores, ya que el Estado lo cobra en su totalidad.

Por el contrario, en la Figura 12.6, con un impuesto específico de igual cuantía, los consumidores pagan la porción P_oP_1 de la totalidad P_oP_2 del impuesto, y los productores pagan el resto, que es sólo la distancia P_1P_2 ($P_0P_1 + P_1P_2 = P_0P_2$) y que constituye aproximadamente un tercio de la cuantía del impuesto.

El que en un caso los consumidores paguen el 25 por 100 de la cuantía del impuesto y en el otro paguen el 66 por 100 de éste, mientras que los productores en un caso paguen el 75 por 100 y en el otro el 33 por 100 se debe a la elasticidad de la curva de demanda del bien gravado. En el caso de la Figura 12.5, al ser relativamente elástica la curva de demanda, los productores no pueden trasladar el impuesto hacia adelante a los consumidores más que en un 25 por 100. Aquéllos preferirían trasladarles a éstos la totalidad del impuesto, pero ello no les es posible. Si se empeñaran en cargar el precio P_2, que es la suma del precio P_0 más el impuesto, para mantener el nivel de ingresos y beneficios que obtenían antes de que se gravara el bien, según la curva de demanda de nuestro diagrama, no venderían absolutamente ninguna cantidad del bien, ya que a ese precio los demandantes no comprarían nada.

Incluso si intentaran cargar un precio inferior a P_2, pero superior a P_1 se encontrarían con que no venderían parte de su producción, ya que, por ejemplo, al precio P_3 el lector puede comprobar que los productores tendrían excedentes que no venderían, lo que evidentemente les ocasionaría pérdidas. Dada la forma de su curva de oferta (sus curvas de costes), dada la forma de la curva de demanda, y dada la cuantía del impuesto, el mercado tenderá al precio P_1, con la distribución de la incidencia impositiva que conlleva. Más adelante veremos cómo tras el impuesto a los productores les conviene vender su producto al precio P_1 y en la cantidad C_1. Esta argumentación es igualmente aplicable al caso de un impuesto *ad valorem;* los efectos serían los mismos sólo que más acentuados.

Concluimos, pues, que dada la forma de la curva de oferta, cuanto más elástica sea la curva de demanda de un producto gravado con un impuesto específico o *ad valorem,* menor será la fracción del impuesto que pagan los consumidores y mayor la que pagan los productores (menor será la incidencia de este impuesto sobre los consumidores y mayor será la incidencia sobre los productores). *A sensu contrario,* cuanto menos elástica sea la curva de demanda, mayor será la fracción del impuesto que pagan los consumidores y menor será la porción que pagan los productores (la incidencia es mayor sobre los consumidores que sobre los productores). En Hacienda Pública también se utiliza el término traslación que significa la posibilidad de trasladar en mayor o menor cuantía a otros sujetos económicos el impuesto del que uno es el sujeto pasivo. En este caso, vemos que cuanto más elástica es la curva de demanda menos pueden trasladar los productores el impuesto a los consumidores. Si la curva de demanda del bien fuera totalmente elástica el impuesto lo pagarían en su totalidad los productores, y si la curva de demanda fuera totalmente inelástica lo pagarían íntegramente los consumidores.

El mismo análisis podemos repetirlo en las Figuras 12.7 y 12.8. La curva de demanda tiene la misma pendiente y ocupa la misma posición en el plano en las dos Figuras. La cuantía del impuesto es representada por la distancia *ab* equivalente a la distancia P_0P_2 en el eje vertical en ambas Figuras. En la Figura 12.7, tras el impuesto, el precio sube de P_0 a P_1, magnitud que representa alrededor de un 60 por 100 de la cuantía del impuesto. Los consumidores pagan, pues, aproximadamente un 60 por 100 del impuesto, mientras que los productores pagan el 40 por 100 restante. Por el contrario, en la Figura 12.8, el aumento del precio constituye sólo un 40 por 100 de la cuantía del impuesto, y, en consecuencia, los productores pagan el 60 por 100 restante hasta completar la totalidad del impuesto. Del mismo modo, este análisis es aplicable a los impuestos *ad valorem;* en el caso de este impuesto igualmente los efectos de éste son los mismos que en el de los impuestos específicos, sólo que más acentuados.

Del análisis anterior podemos concluir que al gravar un bien con un impuesto específico o *ad valorem,* dada la curva de demanda de éste, cuanto más elástica sea la curva de oferta del bien mayor será la fracción del impuesto que pagarán los consumidores y menor será la que pagarán los productores; y *a sensu contrario,* cuanto menor sea la elasticidad de la curva de oferta menor será la fracción del impuesto que pagarán los consumidores y mayor será la que pagarán los productores. Si la curva de oferta fuera totalmente elástica el impuesto lo pagarían en su totalidad los consumidores, y si la curva de oferta fuera totalmente inelástica lo pagarían íntegramente los productores.

Vemos, pues, que lo que a primera vista parece ser una cuestión sencilla (que el impuesto sobre un producto lo pagan los consumidores del mismo), no lo es tanto, y que con la ayuda de la Teoría de los Precios se pueden deducir conclusiones importantes para los agentes económicos del sistema. La cuestión se complica aún más si el impuesto específico o *ad valorem* es implantado sobre sólo uno o varios bienes y no sobre todas las ventas, ya que la subida de los precios de los bienes gravados daría lugar a desplazamientos de las curvas de demanda de los bienes sustitutivos y complementarios de éstos, con los consiguientes efectos que ya conocemos sobre la reasignación de recursos entre todos los bienes implicados. Si el impuesto es general sobre las ventas, este efecto de reasignación de los recursos entre las diferentes industrias se daría en mucho menor grado, ya que los precios de todos los bienes subirían simultáneamente, si bien unos lo harían en mayor proporción que otros, y ello tendría consecuencias sobre la asignación de los recursos.

La Capacidad Recaudatoria de los Impuestos

Queda finalmente otra cuestión importante de los impuestos específicos y *ad valorem.* Se trata de la capacidad que tienen de proporcionar ingresos al Estado o a los entes menores (autonómicos o locales) que los establecen. También en este aspecto la Teoría de los Precios permite efectuar predicciones útiles. Hemos señalado que generalmente la principal función de un impuesto es proporcionar ingresos al Estado. El impuesto específico sobre un producto tiene como base la cantidad de unidades vendidas del bien. En consecuencia, cuantas más unidades del bien se vendan mayor será la recaudación del Fisco por este concepto.

Si el impuesto sobre el tabaco negro es de 10 pesetas por cajetilla, obviamente el Estado recaudará más si se venden 10.000.000 de cajetillas diarias que si se venden 5.000.000 de cajetillas por día. En consecuencia, desde el punto de la recaudación al Estado le interesa que el impuesto reduzca lo menos posible la cantidad comprada del bien gravado. Hemos visto que el impuesto específico da siempre lugar a una reducción de la cantidad comprada y vendida del bien gravado respecto a la cantidad que se compraba antes de la imposición del gravamen, excepto cuando las curvas de demanda y/o de oferta eran totalmente inelásticas. Estos dos casos son demasiado excepcionales para tener relevancia a efectos prácticos.

Las Figuras 12.5, 12.6, 12.7 y 12.8 nos muestran que, dada una curva de oferta, cuanto más inelástica es la curva de demanda de un bien menor será la reducción que se produce en la cantidad comprada del bien al gravar éste con un impuesto específico o *ad valorem.* En consecuencia, se puede predecir que cuanto más inelástica sea la curva de demanda de un bien, mayores serán los ingresos que un impuesto específico o *ad valorem* sobre éste produce al Estado, y que cuanto más elástica sea la curva de demanda, menor será la recaudación que se obtendrá con ese impuesto. Asimismo, cuanto más inelástica es la curva de oferta de un bien menor será la reducción de la cantidad comprada y vendida de un bien que producirá un impuesto específico o *ad valorem* sobre éste. En consecuencia, dada una curva de demanda, cuanto más inelástica sea la curva de oferta de un bien mayor será la recaudación que un impuesto específico o *ad valorem* proporcionará al Estado; y *a sensu contrario,* cuanto mayor sea la elasticidad de la curva de oferta, *céteris páribus,* menores serán los ingresos que el Estado obtendrá por medio de este impuesto.

Obviamente, en el análisis que hemos realizado de los efectos de los impuestos específicos y *ad valorem* sobre bienes concretos y de los impuestos generales sobre las ventas, se pueden combinar las elasticidades de las curvas de oferta y demanda para sacar conclusiones. Si la curva de demanda es inelástica y la oferta elástica, la subida del precio del bien gravado será mayor que si las dos curvas fueran elásticas. Asimismo, el Estado recaudará mayores ingresos si las dos curvas son inelásticas que si la curva de demanda fuera inelástica, pero la curva de oferta fuera elástica.

Los impuestos *ad valorem* tienen la ventaja sobre los impuestos específicos de que los ingresos del Estado aumentan automáticamente con los incrementos de los precios. Por supuesto, también disminuyen automáticamente con la caída de los precios, pero este fenómeno es poco frecuente. Los impuestos sobre las ventas, tanto los específicos como los *ad valorem,* son especialmente aptos para ser utilizados por los entes a nivel inferior al Estado, tales como los Estados dentro de un Estado federal, las comunidades autónomas y los municipios. Los bienes más comúnmente gravados con impuestos específicos son los cigarrillos, los licores y la gasolina, debido a que la demanda de éstos es inelástica (y por lo tanto son buenas fuentes de ingresos fiscales), y, en consecuencia, el impuesto tiene un efecto reducido sobre la producción.

LOS PRECIOS AGRICOLAS: TENDENCIAS Y FLUCTUACIONES

Según los datos estimados por el Banco de España y publicados en su Informe Anual correspondiente a 1979, en este año de 1979 el sector agrario y pesquero (en la Contabilidad Nacional se agrupan estas dos actividades productivas en un solo sector) produjo el 7,93 por 100 del Producto Interior Bruto al coste de los factores (es decir, contabilizando el valor de la producción a partir de los pagos a todos los factores que han intervenido en ésta, incluyendo los beneficios de las empresas. Sumando los impuestos indirectos —el impuesto general sobre las ventas y los impuestos específicos— al PIB al coste de los factores se obtiene el PIB a precios de mercado). Dado que la pesca representa sólo alrededor del 8,5 por 100 del sector «agricultura y pesca», a efectos ilustrativos podemos tomar este sector de la Contabilidad Nacional (que como veremos en la parte correspondiente a la Macroeconomía es un sistema articulado de cuentas, a través de las cuales se contabilizan las magnitudes macroeconómicas) como si sólo hiciera referencia a la agricultura.

Para producir el 8 por 100 de los bienes y servicios que se elaboraron y prestaron en el país en 1979, la agricultura empleó el 19,6 por 100 de la mano de obra ocupada en España en ese año. El valor de la producción por persona empleada y año fue, pues, muy inferior en la agricultura al que se dio en los sectores productivos. Así, el sector industrial empleando el 26,3 por 100 de la población ocupada produjo el 27,4 por 100 del PIB; el sector servicios, ocupando sólo el 41,3 por 100 de la que estuvo empleada ese año, produjo el 54,7 por 100 del PIB, y el sector de la construcción dio empleo al 10,3 por 100 de la población ocupada y produjo el 8,3 por 100 del PIB.

El valor de la producción por persona empleada en la agricultura estuvo en un 57 por 100 por debajo del valor medio de la producción tomando el conjunto de todos los sectores (obviamente para estar en la media, produciendo el 8 por 100 del PIB debía haber empleado al 8 por 100 de la población ocupada). El valor del PIB por persona empleada en la agricultura fue de 40.835 pesetas, mientras que en el sector servicios fue de 130.450 pesetas. El valor de la producción por persona ocupada en la agricultura sólo fue el 31 por 100 del valor de aquélla por persona empleada en el sector servicios.

Esta enorme diferencia en el valor de la producción por persona empleada no sólo se da en España. Ocurre también, aunque en menor grado, en casi todos los países industrializados. En Estados Unidos, país que tiene un suelo muy rico y en el que la agricultura está altamente tecnificada (hasta el extremo de que se dice que USA exporta tecnología fundamentalmente a través de vender al exterior aviones y trigo), en el año 1962 el sector agrícola producía el 4 por 100 del PIB y empleaba el 8 por 100 de la mano de obra ocupada (en la actualidad la agricultura emplea el 5 por 100 de la mano de obra total del país). También la mayoría de los países miembros del Mercado Común tienen este problema; de ahí que la política agraria común sea la única área de la política económica común que han conseguido poner en marcha, y que aquélla sea enormemente compleja y constituya un continuo campo de batalla entre los países.

La baja productividad (valor de la producción por hora trabajada) de la mano de obra en la agricultura se traduce necesariamente en jornales bajos para las personas que trabajan por cuenta ajena, y en rentas o ingresos generalmente bajos para los agricultores propietarios. Obviamente se entiende que los jornales y los ingresos son bajos por comparación con los que se obtienen en otros sectores de la actividad económica. Naturalmente existen agricultores que obtienen ingresos altos por hectárea de tierra y en relación con los recursos que utilizan, debido a que cultivan productos cuya demanda es grande en relación con la oferta de éstos, lo que hace que los precios sean elevados. De ahí que, en general, la elevación de la renta o ingresos de los agricultores sea una constante en la política económica de los Gobiernos de la mayoría de los países.

Por otra parte, continuamente escuchamos en las noticias y leemos en la prensa los problemas de los productores de patatas que ven podrírseles la cosecha y no la pueden vender, de los naranjeros que se les ha helado la naranja y piden ayuda al Gobierno, de los agricultores del Midi francés que vuelcan las camiones que transportan frutas y verduras españolas a los países comunitarios, porque éstas les hacen la competencia, y un largo etc.

Las causas de los problemas de la agricultura pueden agruparse en dos:

a) Por una parte está la cuestión de fondo de que de un lado la demanda de la mayoría de los productos alimenticios tiene una elasticidad-renta muy baja. Es un hecho que la gente aumenta su consumo de alimentos en bastante menor proporción que se incrementa su nivel de renta. Y desde luego no desea incrementar su demanda de productos alimenticios en la misma proporción que expande su consumo de productos industriales y de servicios. De otro lado, la oferta de productos alimenticios ha aumentado enormemente en los últimos cincuenta años, especialmente en años recientes, como consecuencia de la mejora en las variedades de las semillas que se plantan (se han desarrollado variedades de especies híbridas de maíz, trigo, etc., que rinden muchos más kilos por hectárea cultivada, gracias al avance de la genética de las plantas); de la mejora de los fertilizantes (que cada vez son más adecuados al tipo de suelo y a la clase de cultivo, gracias al enorme desarrollo de la Química Inorgánica); al desarrollo y mejora de la maquinaria; al descubrimiento de herbicidas y pesticidas eficaces contra prácticamente todas las hierbas indeseables y contra todas 'as plagas que antaño afligían a las cosechas y, por ende, a los agricultores (gracias igualmente al avance de la Química); a la introducción del regadío en grandes extensiones de tierra; al desarrollo de especies de animales que dan más carne y/o más leche que sus antecesores (gracias al tratamiento hormonal de los animales); al descubrimiento de vacunas contra las enfermedades de estos animales, y al desarrollo de nuevos y mejores piensos para la alimentación de los animales.

Todos estos factores, a los que ha dado en llamárseles la revolución verde, han hecho que la curva de oferta agregada de los productos agrícolas se haya desplazado continua y pronunciadamente hacia la derecha. Esto no quiere decir que no existan productos cuya curva se haya desplazado en pequeña cuantía. Tampoco está en contradicción este aumento de la productividad física de la tierra con la reducida productividad del trabajo en la agricultura por comparación con la de otros sectores.

Efectivamente, la productividad de la hectárea de tierra en términos de unidades físicas de los productos cultivados ha aumentado enormemente. Pero los precios de los productos agrícolas han disminuido a lo largo del tiempo en términos reales. De ahí que la productividad por persona empleada medida en pesetas (cantidad de unidades físicas de los productores que aquélla ayuda a cultivar multiplicada por el precio de éstos) no haya aumentado en la medida en que ha crecido en otras actividades productivas.

El aumento reducido de la demanda de productos alimenticios a nivel mundial al incrementar la renta *per cápita* de la población es un hecho, a pesar de que existen millones de seres humanos subalimentados o que incluso mueren de hambre. Ello se explica porque los países con población subalimentada no tienen los recursos o los medios de pago internacionales para poder pagar por las importaciones de productos alimenticios, debido a que no exportan otros productos en suficiente cantidad.

Esta tendencia secular a la baja de los precios agrícolas en **general** la podemos representar gráficamente. La Figura 12.9 muestra cómo la curva de demanda se ha desplazado de D_1D_1 a D_2D_2, mientras que la curva de oferta ha experimentado un desplazamiento mayor que aquélla pasando de O_1O_1 a O_2O_2. Como consecuencia de la baja elasticidad de las curvas de demanda y de oferta a largo plazo de la totalidad de productos alimenticios y del desplazamiento mayor de la curva de oferta, el precio de los productos agrícolas ha bajado en términos reales de P_o a P_1. Recordemos que estamos hablando de la oferta de todos los productos agrícolas, y no de la de un producto o unos pocos productos. Para un producto concreto vimos que la oferta a largo plazo podía ser casi totalmente elástica, ya que siempre es posible cambiar el uso de la tierra de un cultivo a otro.

Para la totalidad de los productos agrícolas la curva de oferta es inelástica también a largo plazo. En el diagrama de la Figura 12.9 los avances de la técnica etcétera, los representamos por medio de desplazamientos hacia la derecha de la curva de oferta. Evidentemente, en la Figura 12.9 y en el eje horizontal se representa un hipotético índice de la oferta de todos los productos alimenticios, y en el eje vertical se representa igualmente un índice de los precios de todos los productos agrícolas.

FIGURA 12.9

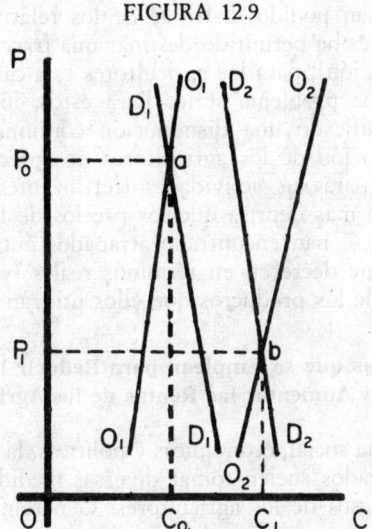

Asimismo, en la Figura 12.9 representamos el fenómeno de que la renta total real de los agricultores ha disminuido secularmente. La cantidad comprada y vendida ha aumentado, pasando de C_o a C_1, pero los precios han disminuido en mayor proporción de lo que aquélla se ha incrementado. En consecuencia, el área formada por el paralelogramo P_oaC_oO es mayor que el área P_1bC_1O.

b) La segunda causa de los problemas de los agricultores reside en las enormes fluctuaciones de los precios de los productos agrícolas. Ya hemos visto que para productos agrarios concretos la curva de oferta de éstos es más receptiva a los cambios en los precios a corto y medio plazo de lo que lo es en el plazo inmediato. Para un período de unos pocos meses la oferta puede decirse que es totalmente inelástica. Ello se debe a que en la agricultura la longitud del período de tiempo considerado juega un papel más importante en la elasticidad de la oferta del que juega en otras industrias. La rigidez del ciclo vegetativo de las plantas y de los animales hace que la oferta de estos productos sea altamente inelástica para el período de tiempo que las cosechas y los animales necesitan para criarse. La oferta de cualquier producto agrario es el resultado de decisiones tomadas con varios meses de antelación al momento de ofertarse el bien y de las cambiantes e impredictibles condiciones climáticas durante el período del cultivo. De ahí que cuando se produce una buena cosecha, dado que la demanda de los productos alimenticios es inelástica, el precio del bien baje drásticamente.

Por otra parte, si un año el precio de un producto es elevado, los agricultores puede que planten ese año mayores cantidades de tierra de ese producto, con lo que al año siguiente habrá una oferta abundante y los precios bajarán drásticamente. Esto produce a los agricultores una gran incertidumbre sobre sus futuros ingresos, con todas las implicaciones que ésto tiene para sus planes de consumo y de inversiones en su empresa. Las fluctuaciones de la oferta no planeadas por los oferentes, como es el caso de la oferta de muchos productos agrícolas, dan lugar a variaciones de los precios en el sentido opuesto a las variaciones de la oferta: cuanto mayor es la oferta menores son los precios. Esto es lo que ocurre a los productos agrícolas.

Mientras que para los consumidores, en general, ha representado una ventaja el que la curva de oferta de muchos productos agrícolas concretos sea muy elástica (ya que gracias a ello han podido disfrutar de los relativamente bajos precios de estos productos, lo que les ha permitido destinar una fracción cada vez más pequeña de su renta a la alimentación), para los agricultores esta característica de su curva de oferta ha constituido una problema serio. Para éstos, los precios agrícolas relativamente bajos han significado una disminución continua en su renta real. Para agravar más aún la situación de los agricultores, los precios de los productos manufacturados esenciales para sus actividades (fertilizantes, maquinaria, herbicidas, etcétera) han aumentado más deprisa que los precios de los productos agrícolas. A menudo los agricultores se han encontrado atrapados entre la tenaza de unos precios de sus productos que decrecen en términos reales (y en ocasiones incluso absolutos) y unos precios de los productos que ellos utilizan en continua subida.

Algunos de los Programas que se Emplean para Reducir las Fluctuaciones de los Precios Agrícolas y Aumentar las Rentas de los Agricultores

Por razones de justicia social, económicas y políticas, la mayoría de los Gobiernos de los países industrializados suelen tomar diversas medidas encaminadas a aumentar y estabilizar los ingresos de los agricultores. Generalmente los Gobiernos prestan atención especial a los problemas de los agricultores, debido a que constituyen un grupo electoral importante, ya que los sistemas de representación parlamentaria generalmente priman a las áreas rurales frente a las urbanas (hacen falta muchos menos votos para elegir un diputado por Cuenca que por Barcelona), y a que pueden crear problemas de desabastecimientos de productos alimenticios a los que el resto de la población es muy sensible.

Los programas de ayuda a los agricultores suelen tomar una de estas cuatro formas:

FIGURA 12.10

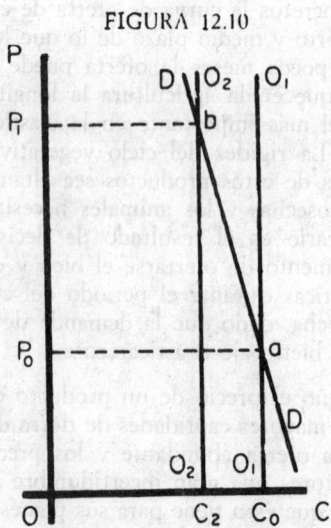

a) Programas encaminados a estimular o aumentar la demanda de productos agrícolas y a reducir los costes reales de su producción. En algunos países el Gobierno realiza campañas de información sobre la dieta más adecuada, estimulando así a los ciudadanos a consumir determinados productos alimenticios.

Más importantes son las medidas encaminadas a reducir los costes de producción. Aquí caben toda una gama de medidas: dar a los agricultores asesoramiento técnico en el tratamiento de los cultivos (formas de cultivar determinadas cosechas, métodos de combatir plagas, análisis de las tierras para determinar su composición, tipos de fertilizantes más adecuados para los distintos cultivos, tipos de cultivos más aptos para cada clase de tierra, etc.); facilitarles simientes seleccionadas y tratadas; darles subvenciones para convertir tierras de secano en regadío y comprar maquinaria; facilitarles créditos a largo plazo y a bajo tipo de interés para construir viviendas, establos, silos y todo tipo de instalaciones y para adquirir nuevas tierras y maquinaria, y otros tipos de ayuda.

Estas medidas, combinadas con otras de sostenimiento y garantía de los precios de los productos, contribuyen a aumentar los ingresos brutos y netos de los agricultores. En principio, el aumento de la producción y la reducción de los costes ocasionan un desplazamiento hacia la derecha de la curva de oferta, lo que llevaría a una reducción de los precios de los productos y también de los ingresos totales de los agricultores si la curva de demanda de aquéllos es inelástica. Pero si los precios de los productos no disminuyen debido a que el Gobierno los garantiza, los ingresos de los agricultores aumentarán (tanto los ingresos brutos por la venta de una mayor cantidad como los netos o beneficios por la reducción de los costes por unidad de producto).

b) Otra medida que se utiliza en ocasiones por los Gobiernos es la de limitar la extensión de tierra que se puede plantar de un cultivo. La finalidad de esta medida es reducir la oferta de tal manera que suban los precios y aumenten los ingresos brutos y netos de los agricultores. La figura 12.10 representa este caso. Si antes de la limitación la oferta de un producto concreto por año era por término medio la representada por la curva de oferta O_1O_1, el precio se establecería al nivel de P_o, y los ingresos de los agricultores estarían representados por el área del rectángulo P_oaC_o. Con la limitación del área de cultivo la oferta se traladaría a O_2O_2, con lo que el precio subiría a P_1 y los ingresos serían los correspondientes al área del rectángulo P_1bC_2O, área que evidentemente es mayor que la del rectángulo P_oaC_oO. No sólo aumentarían los ingresos brutos, sino que además, al producir menor cantidad ($C_2 < C_o$), sus costes disminuirían, con lo que los ingresos netos aumentarían proporcionalmente más que los brutos.

c) Para algunos productos el Gobierno establece un precio mínimo al que se compromete a comprar a los agricultores toda la cantidad de dichos productos que los agricultores deseen venderle. Supongamos que la demanda y la oferta de un producto fueran las representadas por las curvas DD y OO, respectivamente, de la Figura 12.11. El precio de equilibrio que se establecería en el mercado sería P_o. El Gobierno les garantiza a los agricultores el precio P_1; éstos venden en el mercado la cantidad C_1, que es la que los demandantes están dispuestos a comprar al precio P_1, y el resto hasta la totalidad de la oferta se lo compra el Gobierno a ese mismo precio. Esto es lo que se hace en España con los cereales: El Gobierno fija un precio del trigo y de la cebada para cada cosecha. Los agricultores venden parte de su producción a los fabricantes de harina y piensos y parte al Gobierno. Este almacena sus compras en su red de silos en todo el país, y después los va vendiendo a los fabricantes de harina y piensos. De esta forma el Gobierno contribuye a distribuir la oferta a lo largo de todo el año y a mantener sus precios a un nivel mínimo.

FIGURA 12.11

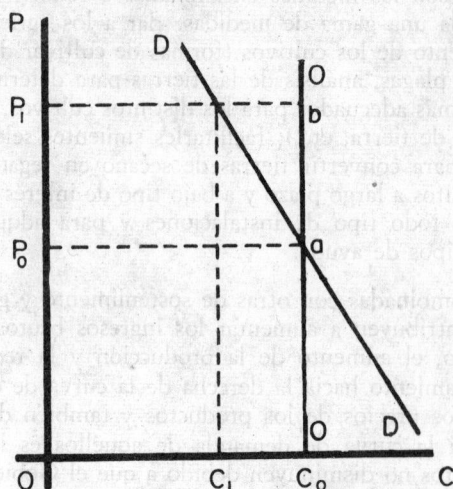

d) En ocasiones el Gobierno garantiza igualmente los precios de algunos productos, dejando que los agricultores vendan éstos al precio que el mercado marque y abonándoles la diferencia hasta completar el precio garantizado. Gráficamente supongamos que las curvas de oferta OO y demanda DD de la Figura 12.11 corresponde al producto cuyo precio ha garantizado el Gobierno al nivel de P_1. Los agricultores venderían en el mercado la cantidad C_o al precio P_o, obteniendo los ingresos totales representados por el paralelogramo OC_oaP_o; después el Gobierno, previa comprobación de la veracidad de las ventas, les abonaría la cantidad P_oP_1 por unidad vendida y, en consecuencia, la cantidad total correspondiente al área P_oabP_1 (es decir, el complemento del precio P_oP_1 multiplicado por el número de unidades del producto vendidas OC_o).

Todos estos programas (y otros que pueden diseñarse) de ayuda a la agricultura sólo pueden contribuir, en mayor o menor medida, a paliar los problemas de los agricultores. Las bajas elasticidad-precio y elasticidad-renta de la mayoría de los productos agrícolas, las fuertes fluctuaciones de la oferta de los productos no planeadas o no proyectadas por los agricultores, la rigidez de la oferta a corto plazo y el carácter perecedero de muchos productos agrarios hacen muy difícil estabilizar los precios agrícolas y aumentar y mantener el nivel de renta de los agricultores.

Por otra parte, las subvenciones, subsidios y ayudas de todo tipo representan una carga enorme para el Estado, que además ha de financiarlas con los ingresos procedentes de los impuestos pagados por todos los ciudadanos, entre los que los agricultores representan sólo una minoría. Muchos ciudadanos se preguntan si los agricultores no están recibiendo privilegios que otros sectores de la población no disfrutan.

Hemos visto tres campos (el control de precios y salarios por el Gobierno, los efectos de los impuestos sobre las ventas y los impuestos sobre los bienes específicos y los problemas de los precios y las rentas agrícolas) en cuyo análisis es muy útil la Teoría de los Precios. La aplicación de ésta permite determinar correctamente los efectos de las distintas medidas del Gobierno, lo cual tiene una enorme importancia, dada la trascendencia que aquéllas tienen. Es fundamental conocer las consecuencias que se van a derivar de las posibles medidas de política económica que se pueden adoptar para tomar las decisiones de forma fundada y consciente. Puede que con este análisis no se consigan determinar cuantitativamente los efectos de las medidas de política económica expuestas en este Capítulo, pero el mero conocimiento de la dirección correcta en la que se producirán los cambios de las variables constituye de por sí una importante ayuda a la hora de tomar las decisiones sobre aquéllas. La Teoría de los Precios es de una gran utilidad para derivar correctamente las implicaciones y los efectos de las distintas medidas de política económica.

BIBLIOGRAFIA SELECCIONADA

Samuelson, P.: *Curso de Economía Moderna*, op. cit., Cap. 20, págs. 461-439.
Lipsey, R.: *Introducción a la Economía Positiva*, op. cit., Cap. 11, págs. 129-154.
Allan, C. M.: *La Teoría de la Tributación*, Alianza Editorial, Madrid, 1974, págs. 51-68.
Lancaster, K.: *Economía Moderna 1*, op. cit., Cap. 14.
Friedman, M.: *Teoría de los Precios*, op. cit., Cap. 3.
Schultz, T.: *La Organización Económica de la Agricultura*, Fondo de Cultura Económica, Méjico, 1956.
Clark, C.: *Las Condiciones del Progreso Económico*, Alianza Editorial, Madrid, 1971.
Jervis, F. R. J.: *Price Control*, Hutchinson; Scientific and Technical Publications, Londres, s. f.
Watson: *Política Económica*, Gredos, Madrid.

CAPITULO 13

ANALISIS DINAMICO DEL MERCADO

ANALISIS ESTATICO Y ANALISIS DINAMICO

En el análisis que hemos realizado en los Capítulos 8 y 12 sobre los efectos que los cambios en la demanda tienen sobre el precio y la cantidad transaccionada de los bienes hemos supuesto dos cosas:

a) La oferta reacciona con bastante rapidez ante los cambios de la demanda. Obviamente no suponíamos que la oferta aumenta instantáneamente ante un incremento de la demanda, pero sí que la oferta se ajusta (aumenta o disminuye) en un plazo corto de tiempo a los cambios de la demanda.

b) El precio y la cantidad transaccionada de los bienes y servicios tienden a moverse en la dirección del precio y de la cantidad de equilibrio. Tras un cambio en la oferta y/o en la demanda de un bien, el precio de éste tiende a variar hacia el nuevo nivel de equilibrio. No afirmábamos que los mercados alcanzaran necesariamente el equilibrio, sino simplemente que el precio y la cantidad transaccionada se mueven en la dirección del equilibrio. Podían producirse cambios en las condiciones de la oferta y/o de la demanda que hicieran que el equilibrio no se alcanzara y que el precio y la cantidad variaran la dirección de su cambio.

Por otra parte, el procedimiento que hemos seguido en el análisis de los mercados ha sido, primero mostrar cómo las fuerzas de la oferta y la demanda (la forma ascendente de la primera y descendente de la segunda) empujan el precio y la cantidad transaccionada de cada bien hacia sus valores de equilibrio; y segundo, partiendo de una posición de equilibrio en el mercado de un bien, hemos introducido un cambio en alguno de los factores que determinan a la oferta y/o la demanda, y hemos supuesto que el mercado alcanzaba un nuevo equilibrio. De esta forma hemos podido estudiar las diferencias que se han producido en el precio y en la cantidad transaccionada de los bienes y servicios entre la primera situación de equilibrio y la segunda. Pero no hemos prestado atención al proceso de cambio que han seguido las variables entre las dos situaciones de equilibrio.

Es decir, nos hemos limitado al estudio de la determinación de las posiciones de equilibrio estático y a la comparación de dos posiciones de equilibrio antes y después de que se haya producido un cambio en algún parámetro. Este es el llamado método de la Estática Comparativa. Al utilizar este método no tenemos en cuenta dos cuestiones importantes:

1) El camino y la trayectoria que siguen las variables en el tiempo durante el período que dura el paso de una posición de equilibrio a otra.

2) La cuestión de si un mercado que por alguna razón deja de estar en equilibrio, volverá o no a la situación de equilibrio (a la nueva situación de equilibrio se entiende, ya que si la posición de equilibrio inicial fue perturbada, ello necesariamente tuvo que deberse a un cambio en alguno de los factores que determinan la oferta y/o la demanda).

Las teorías basadas en el análisis de equilibrio estático comparativo son muy útiles para poder predecir qué valores tomarán las variables precio y cantidad en un mercado cuando se hayan producido completamente los efectos de algún cambio. Estas permiten predecir en qué dirección se moverán las variables relevantes en respuesta a algún cambio. Además, al comparar dos situaciones distintas, tales como las de dos industrias con demandas que tengan distintas elasticidades, no es necesario que las dos industrias estén en equilibrio, sino simplemente que no se distancien de éste de una forma sistemática. De ahí que la Estática Comparativa tenga un amplio campo de aplicación. Pero las teorías basadas en ésta no pueden ser empleadas para predecir la trayectoria que seguirá el mercado durante el proceso de cambio de una posición de equilibrio a otra posición de equilibrio, ni para predecir si una determinada posición de equilibrio será o no alcanzada.

El análisis de estas dos cuestiones constituye el objeto de estudio de la Economía Dinámica. Esta estudia por una parte el camino o la trayectoria que siguen las variables económicas en el tiempo al cambiar de una posición de equilibrio a otra, y por otra la estabilidad (o falta de ella) de los procesos de ajuste de las variables económicas.

La Economía Dinámica es, pues, la parte de la Economía que se ocupa de analizar el movimiento de los sistemas económicos a través del tiempo. El término «sistema económico» lo empleamos aquí en un sentido amplio y puede referirse a un mercado concreto (el mercado de un bien o un factor determinado), a una empresa, a la economía en su conjunto, o incluso a un conjunto de economías interrelacionadas.

También puede considerarse a la Economía Dinámica como un tipo de análisis (en lugar de como una parte de la Economía) que complementa el análisis realizado con los instrumentos de la Estática Comparativa, a través de rastrear y estudiar las trayectorias específicas y concretas que siguen las variables en el tiempo al cambiar, y de determinar si (dado un período de tiempo suficientemente largo) estas variables tenderán o no a converger hacia ciertos valores de equilibrio. En el Análisis Estático y de Estática Comparativa se supone que el proceso de ajuste económico debe inevitablemente llevar al equilibrio.

Se entiende por equilibrio la constelación o el conjunto de variables seleccionadas que están ajustadas unas a otras de tal manera que no prevalece ninguna tendencia inherente al cambio en el modelo que aquéllas constituyen. Naturalmente las variables que entran en el modelo están interrelacionadas. Al hablar de variables seleccionadas se sobreentiende que existen otras variables que también intervienen en el fenómeno que se estudia y que no han sido incluidas en el modelo. En consecuencia, el equilibrio que se está considerando en cada momento puede ser relevante sólo en el contexto del conjunto concreto de variables elegidas, y si se amplía el modelo para que éste incluya otras variables, el estado de equilibrio que se daba cuando el modelo era más reducido puede que no se cumpla.

Por otra parte, la interrelación que existe entre las variables de un modelo implica que para que se pueda dar el equilibrio todas las variables que intervienen en aquél han de permanecer estacionarias (es decir, no cambiar de valor) simultáneamente. Además, la situación estacionaria de cada variable debe ser compatible con la de cada una de las demás variables, ya que si alguna o algunas de las variables cambian de valor, producirán cambios en las demás variables en una reacción en cadena y no se podrá decir que existe equilibrio en el modelo.

El término «inherente» que hemos empleado en la definición del estado de equilibrio implica que la situación estática de las variables está basada en el contrabalanceo de las fuerzas internas del modelo, mientras que los factores externos se supone que permanecen constantes. En términos técnicos, esto significa que los parámetros y las variables exógenas son tratadas como si permanecieran constantes. Cuando los factores externos cambian, puede resultar un nuevo equilibrio definido a partir de los nuevos valores de los parámetros; pero al definir el nuevo equilibrio los nuevos valores de los parámetros se suponen constantes y que permanecen inalterados.

En esencia, el equilibrio de un modelo concreto se define como aquella situación caracterizada por una ausencia de tendencia al cambio de las variables. De ahí que se le llame Estática al análisis de equilibrio. En un modelo de equilibrio estático el problema principal estriba en determinar el conjunto de valores de las variables endógenas que satisfagan la condición de equilibrio del modelo. Como recordará el lector por el Capítulo 4, el modelo sencillo de determinación del precio en el mercado de un bien lo formulamos de la siguiente forma:

$$D_1 = a - bP_1$$
$$O_1 = -c + dP_1$$
$$D_1 = O_1$$

donde el signo menos delante del parámetro b indica la relación funcional inversa existente entre la demanda del bien 1 y su precio, y el signo más delante del parámetro d muestra la relación funcional directa entre la oferta del bien 1 y su precio. Se supone que los parámetros a, b, c y d tienen valores superiores a cero. De esta forma, cuando se representa gráficamente la función de demanda, la curva de demanda cortará al eje de abscisas en el punto correspondiente al valor a, y la curva tendrá la pendiente $-b$ (que es menor que cero, al ser inversa la relación entre la cantidad demandada y el precio). En la Figura 13.1 puede verse cómo cuando el precio es cero $(P = 0)$, la cantidad demandada tiene la magnitud a (la curva de demanda corta al eje de abscisas en el punto a).

Del mismo modo, cuando se representa gráficamente la función de oferta, la curva de oferta cortará al eje de cantidades ofertadas en el punto $-c$ (cuando $P = 0$), y la pendiente de la curva de oferta tendrá el valor d y será positiva.

FIGURA 13.1

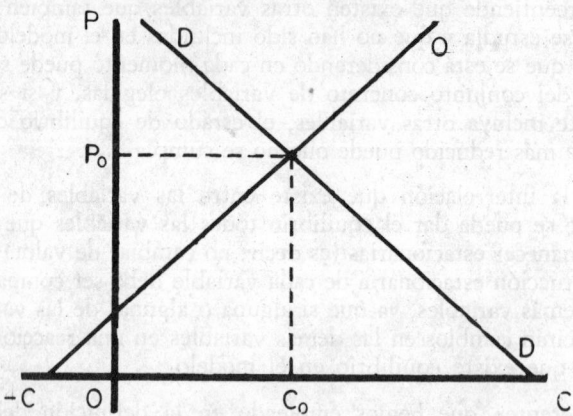

El hecho de que el equilibrio de un modelo implique la ausencia de tendencia al cambio de las variables puede inducir al lector a pensar que el estado de equilibrio constituye un estado deseable o ideal, ya que sólo en un estado ideal los agentes económicos carecerán de motivaciones para desear cambiar el valor de las variables. Esta conclusión no tiene que ser cierta necesariamente. El equilibrio puede ser una situación deseable en el caso del mercado de un bien como medio de evitar los desabastecimientos o los excedentes, o desde el punto de vista de la empresa que en ese nivel de producción y ventas maximiza los beneficios. Pero en otras ocasiones la situación de equilibrio puede ser no deseable, como veremos en Macroeconomía que ocurre con la renta de equilibrio cuando se determina ésta a un nivel inferior al de pleno empleo (con desempleo de la mano de obra y de la capacidad productiva instalada de las empresas).

Así pues, cuando en Economía se emplea el enfoque estático o no dinámico en el análisis de un fenómeno, se estudia el sistema de variables o modelo en términos del equilibrio de éstas o del sistema. En este análisis se realizan tres operaciones:

a)   Se especifican las relaciones funcionales entre las variables que intervienen en el sistema (la demanda es una función directa del precio, la oferta es una función inversa del precio, etc.).

b)   Se establecen las condiciones que el sistema debe satisfacer para que pueda darse el equilibrio. Ejemplos de estas condiciones son: que la oferta sea igual a la demanda; que el coste marginal sea igual al ingreso marginal (como veremos al estudiar el equilibrio de la empresa); que el valor del producto marginal sea igual al precio del factor de la producción (como veremos al considerar la demanda de factores de la producción por parte de las empresas), o que el ahorro sea igual a la inversión (como veremos al estudiar la determinación del nivel de renta nacional de equilibrio).

c)   Se examinan las características del sistema cuando está en equilibrio: el valor de las variables, el valor de los parámetros, etc.

Este equilibrio no está referido al tiempo (no tiene una dimensión temporal); es decir, es estático, en el sentido de que no cambia por el mero paso del tiempo, a menos que cambie alguna de las relaciones establecidas en el modelo o sistema. Si se produce un cambio en alguna de las relaciones funcionales (un aumento de la demanda o una disminución de la oferta), entonces se producirá una reacción en cadena o se pondrá en marcha un proceso de cambio de todas las variables incluidas en el modelo, proceso que durará hasta que éstas alcancen los valores que les corresponden según los parámetros para obtener el nuevo equilibrio. El estudio y análisis de las diferencias entre los nuevos valores de las variables y los que tenían éstas antes de producirse el cambio (la comparación de los valores que se daban en el equilibrio inicial con los que se obtienen en el nuevo equilibrio) constituye el método de la Estática Comparativa.

Pero el supuesto de que las variables no cambian de valor a menos que se produzca una variación en alguna de las relaciones funcionales es irrealista. En la realidad todo está cambiando con el tiempo. No obstante, el enfoque estático ha sido extremadamente útil en la clarificación y en la solución de muchos problemas económicos. De hecho, el enfoque básico de intentar definir una situación de equilibrio para el sistema que se estudia ha llevado o ha desembocado en el enfoque dinámico del análisis de los fenómenos económicos y, por ende, a la Economía Dinámica.

La esencia de cualquier análisis dinámico en Economía estriba en que éste se ocupa del estudio del cambio de las variables a través del tiempo. La Economía Dinámica establece relaciones entre variables que se supone que cambian a lo largo del tiempo, y estudia la trayectoria de éstas en su proceso de cambio en el tiempo. La Estática Comparativa estudia los resultados de los cambios, pero no la trayectoria seguida por las variables, mientras que la Dinámica está interesada primordialmente en esa trayectoria seguida por las variables y en el movimiento de los sistemas en el tiempo, para lo cual se emplean variables que dependen explícitamente del tiempo.

La ventaja de la Economía Dinámica no reside en que en ella se abandona la noción de equilibrio, sino en el hecho de que existen muchos problemas económicos cuya esencia estriba en que implican cambios de las variables a lo largo del tiempo. De hecho, uno de estos problemas consiste en determinar si la posición de equilibrio estático será alcanzada. El supuesto que se establece en el Análisis Estático Comparativo de que el proceso de ajuste económico entre las variables debe inevitablemente conducir al equilibrio, es abandonado en el Análisis Dinámico. En consecuencia, con este tipo de análisis se puede hacer frente a la importante cuestión de si el equilibrio es o no alcanzable en lugar de suponer que lo es. De hecho, el Análisis Dinámico estudia el comportamiento de los mercados de bienes, servicios y factores concretos, y de la economía en su conjunto en situaciones de desequilibrio.

Una característica del Análisis Dinámico es la de que se pone fecha a las variables (la demanda en el período 1, la oferta en el período 2, etc.), con lo que se introduce en el análisis la consideración explícita del tiempo. Esta introducción del tiempo en el análisis puede hacerse de dos formas:

a) Considerando el tiempo como una variable continua. Este es el caso cuando le está ocurriendo algo a la variable que se estudia en cada momento en el tiempo (por ejemplo, la suma que se presta a interés compuesto está creciendo de valor continuamente).

b) Considerando al tiempo como una variable discreta, que cambia a saltos, sin pasar por todos los valores intermedios (esta cuestión la hemos tratado ya en varias ocasiones). En este caso la variable sufre sólo un cambio dentro de un período de tiempo. Por ejemplo, el interés es añadido al principal sólo al final de cada seis meses, con lo cual éste sólo cambia de valor una vez cada seis meses.

Cada uno de estos conceptos del tiempo será más útil que el otro según el contexto en el que se emplee, pero el concepto de tiempo como variable continua puede siempre ser considerado como el límite al que tiende el tiempo como variable discreta o discontinua cuando los períodos de tiempo se hacen muy cortos.

El Análisis Dinámico es muy técnico y, en consecuencia, nosotros no lo vamos a utilizar más que para considerar los retardos en la reacción de la oferta ante cambios en el precio, y aun esto lo haremos a nivel muy elemental. No obstante, hemos expuesto estas someras ideas sobre Economía Dinámica para que el lector tenga noción de que existe este tipo de análisis, que por lo demás está adquiriendo creciente importancia.

LAS FLUCTUACIONES DEL MERCADO

Ya hemos señalado que en el Análisis Estático o de Estática Comparativa suponemos que la oferta reacciona casi instantáneamente a los cambios de la demanda, y que tras la perturbación que implican estos cambios, el precio y la cantidad transaccionada tienden a moverse en la dirección de un nuevo equilibrio. Asimismo, en este análisis no se estudia la trayectoria que siguen las variables durante el proceso de cambio (se estudia sólo el principio y el final de la historia), ni se contempla la posibilidad de que no se alcance de nuevo el equilibrio.

En la vida real sabemos que en los mercados de algunos bienes se dan situaciones de desequilibrio (exceso de oferta o exceso de demanda) y que los precios fluctúan. La causa de este fenómeno puede residir en parte en los posibles cambios continuos de la demanda (en la posición y en la forma de la curva de demanda). Pero esto no suele ocurrir con la generalidad de los bienes, ya que la demanda de la gran mayoría de los bienes no fluctúa (en el sentido de aumentar y disminuir repetidas veces), sino que es más o menos estable a corto y medio plazo, tendiendo a aumentar o disminuir lentamente. Por supuesto, existen los bienes cuya demanda depende de la moda; pero aun en estos casos su demanda aumenta grandemente una vez (cuando se ponen de moda). Después disminuye al cabo de un tiempo (cuando el bien pasa de moda) y no vuelve a aumentar a menos que tras unos años el bien vuelva a ponerse de moda.

La causa principal de las fluctuaciones que se dan en los mercados de algunos bienes reside principalmente en el retardo que se da en la oferta para hacer frente a los cambios de la demanda. Criar una ternera hasta ponerla en condiciones de llevarla al matadero exige más de un año; un melocotonero necesita tres o cuatro años desde el momento en que se planta hasta que está en condiciones de dar melocotones; montar una nueva fábrica o ampliar la ya existente lleva tiempo. En general, lleva tiempo el aumentar la producción de cualquier bien, y el período de tiempo que se necesita para incrementar la producción varía grandemente de unos bienes a otros.

Existe un retardo (un período o lapso de tiempo) entre el momento en que los productores toman la decisión de producir una mayor cantidad de un bien y el momento en el que este incremento de la producción llega al mercado. La longitud de este retardo depende, entre otros, de dos factores fundamentales:

a) La existencia o no de capacidad productiva instalada en las empresas que no esté siendo utilizada y la magnitud del desempleo o no utilización de esa capacidad productiva. Las empresas pueden no estar trabajando a plena capacidad, pero este desempleo puede tomar cualquier valor: el 20 por 100 de la capacidad, el 30 por 100, el 35 por 100 o el 10 por 100. Naturalmente el concepto de pleno empleo de una fábrica es algo elástico: la fábrica puede estar trabajando veinticuatro horas al día y trescientos sesenta y cinco días al año, con tres turnos de trabajadores por día de ocho horas cada uno; o puede trabajar dos turnos; o un turno. El pleno empleo de una fábrica depende del tipo de proceso productivo que se emplee en ella. Existen fábricas que cuando están funcionando han de hacerlo todo el tiempo, debido a que no es posible apagar los hornos sin producir trastornos y grandes pérdidas. Pero para la mayoría de las fábricas no plantea problemas el parar las máquinas y volver a ponerlas en marcha. Estas pueden trabajar el número de horas que se desee por día, y su período normal de trabajo será de ocho horas diarias durante cinco días a la semana.

Pero, además, se puede estar utilizando toda la maquinaria o sólo parte de ella: una fábrica de tejidos puede estar empleando todos sus telares o sólo algunos de ellos (y en este último caso caben distintas posibilidades).

b) El período de tiempo que lleva aumentar o expandir la capacidad productiva instalada. Esta capacidad productiva, también llamada factores fijos de la producción (como veremos en la Teoría de la Producción) constituye el determinante principal de la capacidad de respuesta de la oferta a corto y medio plazo ante cambios en la demanda, ya que los demás factores de la producción (mano de obra, energía y materias primas), llamados factores variables, son más fáciles de adquirir en un período corto de tiempo. Montar una nueva maquinaria, ampliar unas instalaciones, criar una planta, un árbol o un animal llevan tiempo necesariamente. Esta es la razón de que se dé el llamado retardo de la oferta entre un cambio en el deseo de producir más de bienes concretos y un cambio en la producción de estos bienes.

Formalmente el retardo más sencillo de la oferta se expresa por la función:

$$O_{1_t} = f\ (P_{1_{t-1}})$$

donde la oferta del bien *1* en el período *t* es una función del precio de este bien en el período *t — 1* (es decir, en el período anterior). El período generalmente es de un año, aunque puede ser más corto o más largo. Este es el caso de muchos productos agrícolas, cuya oferta en un período no depende del precio del bien en ese período, sino del precio de éste en el período anterior (en este caso se dice que el retardo es de un período de tiempo). A menudo los agricultores deciden la cantidad de tierra que plantarán de un producto (y, en consecuencia, la oferta que habrá de éste al año siguiente a partir del precio que rige para tal producto en el momento en el que toman la decisión de plantar. Más complicado es el caso de los productos industriales, cuya oferta suele sufrir un retardo distribuido a lo largo de varios años, en los cuales la oferta va aumentando paulatinamente hasta alcanzar el nivel de producción planeado por los empresarios. Ocurre entonces que la totalidad de la reacción de la oferta ante un solo cambio en el precio se implementa tras varios años.

Las fluctuaciones del mercado son causadas principalmente por las rigideces a corto y medio plazo de la oferta ante un cambio inicial de la demanda; es decir, las fluctuaciones en el mercado de algunos bienes son producidas por la respuesta inadecuada o a destiempo de la oferta a los cambios en la demanda. Este retardo se da con frecuencia en al oferta de productos agropecuarios debido a las exigencias de tiempo que el ciclo vegetativo de las plantas y de los animales implica.

Cuando estudiamos los problemas de los precios agrícolas en el Capítulo 12 hablamos de sus enormes fluctuaciones. Ahora podemos explicarlas mejor gracias a que introducimos un retardo en la oferta.

FIGURA 13.2

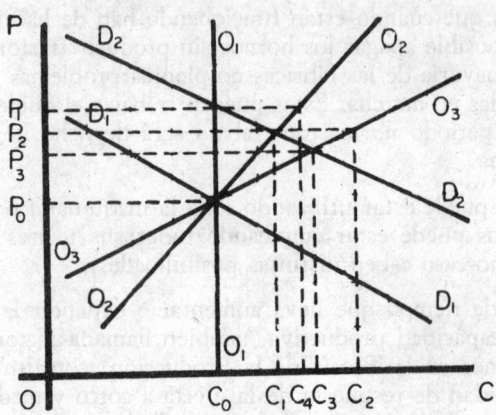

Imaginémonos el mercado de las judías verdes. En un momento determinado habrá una oferta totalmente rígida o inelástica, cuya magnitud corresponderá a la cantidad que haya dado la cosecha de ese año. Supongamos que esta oferta es la representada por la curva de oferta O_1O_1 de la Figura 13.2. También habrá en ese momento una curva de demanda de judías verdes que podemos suponer será relativamente elástica dado que las judías verdes tienen sustitutivos en otras verduras (acelgas, espinacas, guisantes, coles de Bruselas, etc.) e incluso en las patatas. Esta curva de demanda muy bien podría ser la representada por la línea D_1D_1 de la Figura 13.2. La cantidad ofertada sería C_o y se establecería el precio de equilibrio P_o (determinado por la intersección de la curva de demanda D_1D_1 y la de oferta O_1O_1).

Supongamos que se produce un aumento de la demanda, desplazándose la curva de demanda de D_1D_1 a D_2D_2 tal como puede verse en la Figura 13.2. En el plazo inmediato o en el muy corto plazo (si se entiende por éste el período de tiempo inferior al necesario hasta la nueva cosecha de judías verdes), la cantidad ofertada no puede aumentar, ya que se necesitará que pase el tiempo requerido para plantar nuevas judías, cultivarlas, cosecharlas y lanzarlas al mercado. En consecuencia, no habrá una respuesta de la oferta al aumento de la demanda y la totalidad del impacto de éste lo recibirá el precio de las judías verdes, que subirá hasta P_1.

No obstante, a medio plazo (el período de tiempo que exige el ciclo vegetativo de las judías verdes) la oferta se hará algo más elástica, ya que los agricultores, ante la subida del precio de las judías verdes, plantarán una mayor extensión de tierra de este cultivo. La oferta pasará a ser O_2O_2 a medio plazo. El precio bajará a P_2 (determinado por la interacción de la curva de oferta O_2O_2 y la nueva curva de demanda D_2D_2), y la cantidad comprada y vendida aumentará a de C_o a C_1.

A largo plazo la curva de oferta de judías verdes se hará aún más elástica, ya que los agricultores pueden destinar a este cultivo mayor cantidad de tierras, maquinaria, etc. Suponiendo que a largo plazo su curva de oferta tomará la forma de la curva O_3O_3 de la Figura 13.2, los agricultores al precio P_2 desearían vender y producirían la cantidad C_2; pero no podrían vender esa cantidad porque a ese precio (P_2) los consumidores no estarían dispuestos a comprar más que la cantidad C_1. Los agricultores reducirían su producción y, finalmente, quizá se establecería el equilibrio al precio P_3, y la cantidad transaccionada sería C_3.

Vemos, pues, cómo al aumentar la demanda y ser rígida la oferta en el muy corto plazo, el precio sube considerablemente. Ante este precio tan elevado los agricultores planean producir para el año siguiente y producen una cantidad bastante mayor de judías verdes (C_4). Puede que el equilibrio se establezca al precio P_3 y con la cantidad C_3, pero puede ocurrir que las fluctuaciones continúen, planteándosenos la cuestión de si el mercado alcanzará o no el equilibrio.

EL TEOREMA DE LA TELARAÑA

El Teorema de la Telaraña (como parte de la Economía Dinámica) se emplea para estudiar los mercados en los cuales los precios de los bienes en un período de tiempo determinado tienen poca influencia sobre las cantidades producidas de éstos en ese período. En el caso de los productos agrícolas, los precios de un período sólo determinan las ofertas que se realizan en el período siguiente. Esta misma proposición se puede formular diciendo que las ofertas en el período próximo dependen de los precios en el período actual, mientras que las cantidades ofertadas en la actualidad dependen de los precios existentes en el período anterior. Expresada de forma general, la proposición afirma que la oferta en un período de tiempo cualquiera depende del precio en el período anterior. La longitud del período de tiempo depende del tiempo que se tarde en aumentar la producción, y varía para los distintos bienes.

En el Capítulo 12, al estudiar el comportamiento fluctuante de los precios agrícolas, suponíamos que la oferta planeada por los agricultores no cambiaba y que las fluctuaciones de los precios eran producidas por los cambios exógenos en la oferta, cambios que no eran planeados por los agricultores (por las condiciones climatológicas, por ejemplo). En la Teoría Dinámica suponemos que los planes de producción de los agricultores se cumplen, pero que lo hacen con un retardo de un período de tiempo. El Teorema de la Telaraña permite analizar cómo los cambios de la oferta planeados por los productores dan lugar a oscilaciones en el comportamiento del mercado de un bien concreto (el precio y la cantidad transaccionada), así como determinar la trayectoria que siguen las variables a lo largo de períodos sucesivos de tiempo.

La implementación de todas las decisiones relativas a la producción lleva tiempo. Por esta razón, la oferta que de un bien llega al mercado en cualquier momento o período de tiempo es siempre el resultado de decisiones que han sido tomadas en períodos anteriores (en el pasado); del mismo modo, las decisiones sobre la producción que se toman en un momento sólo tienen efecto sobre la oferta que llega al mercado en algún momento en el futuro. De esta forma, la oferta se ajusta a los cambios en el precio con un retardo, cuya longitud en términos de tiempo, varía de unos bienes a otros. En los casos en los que el retardo temporal de la oferta es corto, a menudo éste puede ser ignorado en el análisis; pero en muchos casos en los que el retardo es de una duración mayor, éste tiene una importancia crucial en el estudio del comportamiento de los respectivos mercados.

Supongamos el caso de un producto cuya oferta sufre el retardo más sencillo (desde el punto de vista analítico, se entiende), que es el de un período

$$O_t = f (P_{t_{t-1}})$$

Este retardo simple supone que el precio del producto en el período t no tiene ningún efecto sobre la oferta del mismo en el período t, y que el ajuste de la oferta del bien al precio de éste en el período t se realiza de una sola vez en el período $t + 1$. Esto es lo que suele ocurrir con la oferta de los productos agrícolas cuyo cultivo requiere unos meses (patatas, todo tipo de verduras, melones, sandías. tomates, pimientos, cebada, maíz, trigo, centeno, remolacha, etc.). Los agricultores toman en cuenta el precio de mercado de estos productos existente en un período al decidir la cantidad de tierra que plantarán de tales productos en ese período. De esta forma, la oferta del período próximo (del año próximo) depende del precio existente en el período presente, y la oferta del período actual depende del precio del año pasado.

FIGURA 13.3

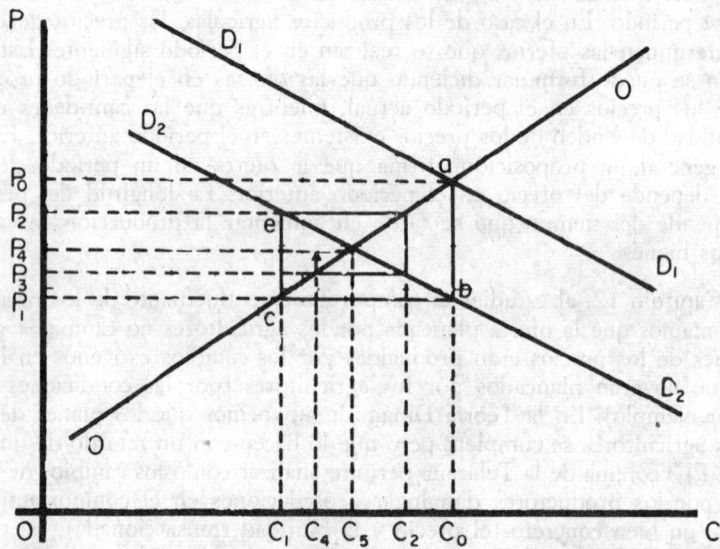

La Figura 13.3 muestra un mercado de un bien cuya oferta está sujeta a un retardo de un período de tiempo. La curva de demanda D_1D_1 representa la relación entre las cantidades demandadas del producto en el período 1 y los diferentes precios del bien también en el período 1. Por su parte, la curva de oferta representa la relación entre el precio existente en el período $t — 1$ y la oferta en el período t (entre el precio existente en un año y la oferta que llegará al mercado al año siguiente). El precio que iguala la oferta con la demanda es P_o, al cual se comprará y venderá la·cantidad C_o.

Supongamos que por alguna razón la demanda del producto disminuye y la curva de demanda se desplaza hacia la izquierda de D_1D_1 a D_2D_2. Dado que el precio que había prevalecido antes del desplazamiento de la curva de demanda era P_o, los agricultores (que generalmente no sabrán que la demanda ha disminuido) planearán (y tomarán las medidas pertinentes) para producir la cantidad C_o. Esta llegará al mercado al año siguiente cuando la demanda es la representada por la curva D_2D_2. Pero para comprar la cantidad C_o los consumidores sólo estarán dispuestos a pagar el precio P_1 (tal como señala su curva de demanda).

El precio P_1 será el que prevalecerá en el mercado en el período de tiempo en el que la cantidad C_o ha llegado a aquél. Pero, dada la curva de oferta de los agricultores, al precio P_1 sólo les interesa producir la cantidad C_1. En consecuencia, reducirán la extensión de tierra que dedicarán al cultivo del producto en cuestión (planearán) para reducir la cantidad producida a C_1 en el período siguiente. Al año siguiente llegará al mercado sólo la cantidad C_1, con lo que el precio subirá a P_2, ya que éste es el precio que los consumidores están dispuestos a pagar por esta cantidad del producto.

Una vez más, al subir el precio de P_1 a P_2, los productores planearán cambiar su producción (de acuerdo con su curva de oferta) de C_1 a C_2, cantidad ésta que llegará al mercado al año siguiente.

La cantidad C_2 hará bajar el precio a P_3 en este período, a lo cual responderán los agricultores reduciendo la oferta al período siguiente hasta C_4. El proceso de oscilaciones de la cantidad ofertada y del precio continuaría, siguiendo la espiral que hemos trazado en línea continua, hasta alcanzar el precio P_4 y la cantidad C_5 de equilibrio. El precio y la cantidad oscilarán alrededor de sus valores de equilibrio en una serie de fluctuaciones cada vez más pequeñas. Si no ocurre ninguna nueva perturbación, el mercado alcanzará finalmente el equilibrio.

FIGURA 13.4

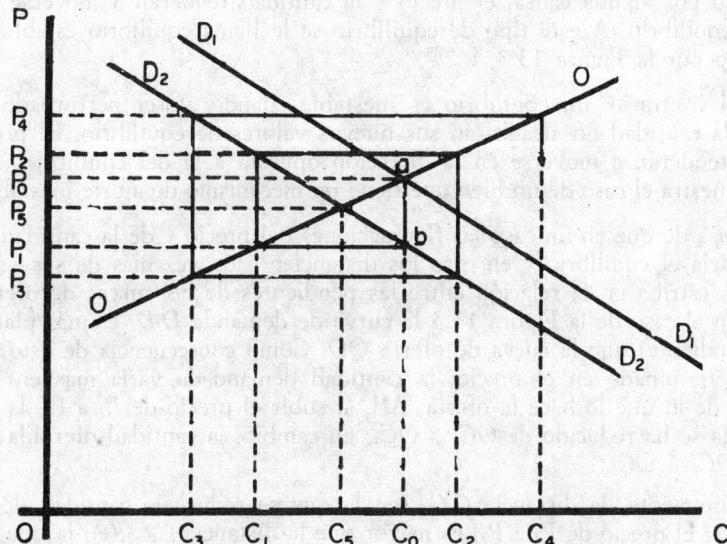

La Figura 13.4 muestra el mercado de otro bien cuya oferta en un período es igualmente una función del precio en el período precedente, mientras que la demanda de un período es una función del precio en ese mismo período. En un momento determinado, el equilibrio se establecería al precio P_o y con la cantidad C_o.

Pero supongamos que por alguna razón, la demanda del bien disminuye y la curva de demanda se desplaza hacia la izquierda de D_1D_1 a D_2D_2. Al regir el precio P_o en un período, los agricultores planean producir la cantidad C_o.

Pero con la nueva demanda, los consumidores sólo comprarán esta cantidad al precio P_1, y el precio efectivamente bajará al nivel de P_1, ya que éste es el que los consumidores están dispuestos a pagar para comprar la cantidad C_o (que por otra parte los productores tendrán que vender, ya que no pueden almacenarla por mucho tiempo). Al bajar el precio del bien a P_1, los agricultores planearán reducir su producción a C_1, plantando una extensión menor de tierra del producto, y haciendo que al año siguiente efectivamente (salvo factores exógenos como una sequía o un año excepcionalmente bueno desde el punto de vista climatológico) llegue al mercado la cantidad C_1.

Al llegar la cantidad C_1 al mercado al año siguiente, el precio subirá a P_2 (tal como señala la curva de demanda D_2D_2 para la cantidad C_1). Una vez más, los agricultores, ante este precio relativamente elevado (P_2), planearán producir la cantidad C_2. Cuando al año siguiente llega esta cantidad del producto al mercado, su precio bajará a P_3. A este precio los productores sólo desean vender la cantidad C_3 (dada la curva de oferta OO), con lo que al año siguiente ofertarán C_3. De nuevo el precio subirá a P_4, y los oferentes planearán ofrecer la cantidad C_4 al año siguiente. En este caso, las fluctuaciones del precio y de la cantidad continuarían indefinidamente, alejándose los valores de éstos cada vez más de sus valores de equilibrio P_5 y C_5. Hemos trazado con una línea continua el proceso de fluctuaciones de las variables para poder así visualizarlo mejor.

Vemos, pues, que existe una diferencia entre el caso del bien cuya curva de oferta es representada en la Figura 13.3, y el del producto de la Figura 13.4. En el primero, el mercado tiene un mecanismo de ajuste estable; es decir, que si el equilibrio es perturbado por alguna causa, el precio y la cantidad tenderán a moverse hacia su nivel de equilibrio. A este tipo de equilibrio se le llama equilibrio estable y es representado por la Figura 13.3.

Por el contrario, un equilibrio es inestable cuando al ser perturbado éste, el precio y la cantidad no alcanzarán sus nuevos valores de equilibrio. El precio y la cantidad tenderán a moverse en la dirección opuesta a la del equilibrio. La Figura 13.4 muestra el caso de un bien que tiene un mecanismo de ajuste inestable.

La causa de que en un caso las fluctuaciones del precio y de la cantidad muevan a éstos hacia el equilibrio y en otro los distancien cada vez más de sus valores de equilibrio, estriba en la relación entre las pendientes de las curvas de oferta y demanda. En el caso de la Figura 13.3 la curva de demanda D_2D_2 es más plana (tiene menor pendiente) que la curva de oferta OO. Como consecuencia de esto, ante un cambio determinado en el precio, la cantidad demandada varía más en términos absolutos de lo que lo hace la oferta. Así, al subir el precio de P_1 a P_2, la cantidad demandada se ha reducido de OC_o a OC_1; en cambio, la cantidad ofertada aumenta sólo de OC_1 a OC_2.

Evidentemente, la distancia C_1C_o (en la que se reduce la cantidad demandada al aumentar el precio de P_1 a P_2) es mayor que la distancia C_1C_2 (en la que aumenta la cantidad ofertada).

En consecuencia, cada oscilación del precio en un período hace cambiar a la cantidad ofertada en el período siguiente menos de lo que cambia la cantidad demandada, con lo cual la magnitud de las fluctuaciones del precio se va haciendo cada vez más pequeña, y éste ha de tender necesariamente hacia el nivel de equilibrio. Esta es la llamada una telaraña convergente, ya que el desequilibrio inicial se resuelve en una nueva posición de equilibrio. Esta telaraña representa un sistema con un retardo de un período en la oferta y que tiende al equilibrio. La condición para que la telaraña (la trayectoria seguida por el precio y la cantidad a lo largo del tiempo) sea convergente estriba en que la elasticidad de la demanda sea mayor que la elasticidad de la oferta. Esta condición puede ser fácilmente comprobada por el lector en la Figura 13.3; la curva de demanda es más plana que la de oferta. Así, vemos que:

$$\frac{ab}{cb} = \text{pendiente de la curva de oferta}$$

$$\frac{ec}{cb} = \text{pendiente de la curva de demanda}$$

$$\frac{ab}{cb} > \frac{ec}{cb}$$

En consecuencia (dado que el componente $\dfrac{\Delta C}{\Delta P}$ de la fórmula de la elasticidad es la inversa de la pendiente de las curvas de oferta y demanda), la elasticidad de la curva de demanda es mayor que la elasticidad de la curva de oferta. Esta es la condición básica para que se dé una telaraña convergente y un equilibrio estable.

En el caso de la Figura 13.4 la telaraña es divergente y el equilibrio inestable. En ésta el punto inicial de equilibrio es el punto a. Al producirse un cambio en la demanda, el punto de equilibrio para el período siguiente es el b. Pero los puntos sucesivos de ajuste producen una divergencia cada vez mayor entre la oferta y la demanda, divergencia que hace que la cantidad y el precio se alejen cada vez más de sus valores de equilibrio. La telaraña inestable implica una curva de demanda con pendiente superior (elasticidad inferior) a la de la curva de oferta. Si las curvas de oferta y demanda tuvieran igual pendiente y la oferta en el período t dependiera del precio en el período $t-1$, entonces la telaraña sería circular y el precio y la cantidad oscilarían indefinidamente entre dos valores.

La telaraña divergente o explosiva no es tan rara como pudiera parecer a primera vista. Las oscilaciones cada vez mayores de los precios de muchos productos agropecuarios son reducidas o paliadas gracias a la actuación de las cooperativas agrícolas y a los programas de apoyo del Gobierno. La creación de stocks de los productos, la asignación de fondos por el Gobierno para constituir los stocks y mantener los precios y la imposición de cuotas de producción constituyen medidas destinadas a hacer que el flujo de las cantidades de los productos que llegan al mercado fluctúe en menor cuantía, y están diseñadas para hacer frente a los problemas especiales que plantean los mercados inestables de muchos de los productos agropecuarios.

CONCLUSIONES

Hemos visto cómo la introducción del retardo de un solo período en la reacción de la oferta ante cambios en el precio da lugar a fluctuaciones en los mercados e incluso puede destruir el mecanismo de ajuste de éstos. Estas fluctuaciones son causadas por las rigideces a corto y a medio plazo de la oferta ante un cambio inicial en las condiciones de la demanda. En el caso de algunos bienes se da un retardo en la oferta cuando se produce un cambio en la demanda, y puede transcurrir un cierto período de tiempo antes de que la oferta se ajuste a las variaciones de la demanda.

El Teorema de la Telaraña analiza la situación en algunos mercados en los que el precio que prevalece en un período de tiempo tiene poca influencia sobre la cantidad que se ofrece en ese período, o en los que la oferta en un período determinado es una función del precio del bien en el período anterior. La telaraña convergente significa que el desequilibrio inicial desaparece y se alcanza un nuevo equilibrio; la telaraña divergente o explosiva, por el contrario, muestra que el sistema competitivo de precios no tiende necesariamente a eliminar ese desequilibrio inicial, sino que incluso puede magnificarlo. Con el Teorema de la Telaraña se puede hacer frente analíticamente a la importante cuestión de si los precios y las cantidades producidas finalmente alcanzarán valores a los que permanecerán constantes, o si, por el contrario, continuarán oscilando indefinidamente.

El análisis dinámico nos permite ofrecer una explicación teórica de las fluctuaciones de los precios y de las cantidades de algunos bienes, y muestra que existen algunos problemas para los que no es posible dar una explicación satisfactoria con la teoría estática o de Estática Comparativa. Si el mercado de un bien está en equilibrio, la oferta de este bien que llega al mercado será la misma de un año para otro, y el precio de mercado será tal que los consumidores estarán dispuestos a comprar exactamente la cantidad disponible. Pero si el equilibrio es perturbado por alguna razón, la producción planeada cambiará y en el período siguiente será superior o inferior a la del período precedente, con lo que se inicia un proceso de fluctuaciones del precio y de la cantidad cuya trayectoria podemos analizar con el Análisis Dinámico.

El Teorema de la Telaraña constituye un modelo sencillo de este tipo de análisis que permite predecir si el desequilibrio es estable o inestable. Digamos también que los instrumentos analíticos de la oferta y la demanda, como hemos visto en este Capítulo, pueden ser empleados con provecho en el análisis, no sólo de situaciones estáticas, sino también en el de las condiciones dinámicas de cambio de las variables.

BIBLIOGRAFIA SELECCIONADA

Samuelson, P.: *Curso de Economía Moderna*, op. cit., apéndice de Cap. 22.
Lipsey, R.: *Introducción a la Economía Positiva*, op. cit., Cap. 12.
Bilas, R.: *Teoría Microeconómica*, op. cit., Cap. 2.
Lancaster, K.: *Economía Moderna I*, op. cit., Caps. 6 y 7.
Lancaster, K.: *Introducción a la Microeconomía Moderna,* Bosch, Casa Editorial, Barcelona, 1971, Cap. 3.
Clower, R. W., y Due, J. F.: *Microeconomía*, Tecnos, Madrid, 1978, Cap. 8.

LA DEMANDA
(La Teoría del Comportamiento del Consumidor)

CAPITULO 14

DEMANDA Y UTILIDAD

LA SOBERANIA DEL CONSUMIDOR Y SUS IMPLICACIONES

En el Capítulo 6 se estudió la determinación de las curvas de demanda, los factores de los que depende su forma (su pendiente y su posición en el plano), y las causas que pueden dar lugar a desplazamientos de las curvas. Entonces señalamos que aceptábamos intuitivamente la llamada ley de la demanda, que afirma que cuanto mayor es el precio de un bien menor es la cantidad demandada del mismo, y al revés, o lo que es lo mismo, que al aumentar el precio de un bien disminuye la cantidad de éste que los consumidores desean comprar, y que al disminuir el precio la cantidad demandada aumenta.

Esta especie de la ley de la naturaleza (ya que se observa que se cumple para la inmensa mayoría de los bienes) implica que las curvas de demanda tengan una pendiente negativa; es decir, que desciendan de izquierda a derecha, reflejando así la relación inversa entre el precio de un bien y la cantidad demandada de éste. El objeto de estudio de este capítulo y del siguiente, que juntos integran el epígrafe del programa que llamamos «La Demanda» o la Teoría de la Demanda del Consumidor o la Teoría del Comportamiento del Consumidor, es precisamente esta relación inversa entre la cantidad demandada de un bien y su precio. El campo de estudio de esta teoría consiste en la investigación y el análisis de los principios económicos que subyacen a este comportamiento de los consumidores, comportamiento que se pretende comprender y explicar.

Los teóricos de la Economía han buscado siempre determinar las causas o los factores que explican el comportamiento de los consumidores (y por ende de la cantidad demandada y de la demanda de los bienes) recogido por la función de demanda. Al estudiar ésta afirmamos que generalmente el aumento del precio de un bien da lugar a una reducción de su cantidad demandada, y que la disminución del precio lleva a un incremento de su cantidad demandada (movimiento dentro de la curva de demanda); que el aumento del precio de cualquier bien sustitutivo del que analizamos da lugar a un aumento de la demanda del bien que estudiamos, y

que la disminución del precio de cualquier bien sustitutivo lleva a una reducción
de la demanda (desplazamientos de la curva de demanda); que la subida del precio
de un bien complementario del que se analiza da lugar a una disminución de la
demanda de éste, mientras que la reducción del precio de un bien complementario
lleva a un aumento (desplazamientos de la curva de demanda); y que el cambio de
los gustos de los consumidores a favor o en contra de un bien hace aumentar o
disminuir la demanda de éste (desplazamientos de la curva de demanda igualmente).

En la Teoría Económica se han intentado explicar los fenómenos obvios y observables que recoge la función de demanda en términos de la estructura de los
deseos de los consumidores.

Recordemos que la función de demanda de un individuo toma la forma:

$$D_1 = f(P_1, P_2, P_3, \ldots, P_n, R, G)$$

Sin explicitar la relación exacta que existe entre la cantidad demandada del bien
y las variables dentro del paréntesis, sabemos que los consumidores tienen una estructura de su demanda. Los consumidores desean un conjunto de bienes y servicios
simultáneamente, y cada uno de los bienes y servicios lo desean con una intensidad
determinada, lo que se traduce en el precio que están dispuestos a pagar por él; o lo
que es lo mismo, en las cantidades de otros bienes que están dispuestos a sacrificar
para obtener una unidad más de cada uno de los bienes. Este conjunto de bienes y
servicios que cada individuo desea y la valoración relativa que éste hace de cada uno
de los bienes en términos de los demás bienes constituyen la estructura de la demanda de los diferentes consumidores. Tal estructura podemos representarla como un
entramado de relaciones formado por los bienes y servicios deseados, las cantidades
que se desean comprar, y los valores relativos que los bienes y servicios tienen para
los individuos (el precio que cada individuo está dispuesto a pagar por cada uno de
los bienes para adquirir las distintas cantidades de éstos; este precio es calculado en
términos de las unidades o fracciones de unidad de los demás bienes que el individuo está dispuesto a sacrificar por una unidad más de cada uno de los demás bienes
y servicios).

Como sabemos por el Capítulo 6, la demanda de mercado de un bien está formada por la suma de las demandas de todos los individuos que habitan el área espacial en la que se vende el bien en cuestión. Asimismo, la estructura global de la demanda de todos los bienes y servicios por parte de los individuos de una comunidad
será el resultado de sumar las estructuras de todos los sujetos, lo que nos dará los
bienes y servicios que se desea consumir y las cantidades que de cada uno de ellos se
está dispuesto a comprar a los distintos precios de éstos, lo que implica la valoración
que la sociedad en su conjunto hace de cada uno de los diferentes bienes (valoración
que es expresada por las cantidades de éstos que se compran y por su relación con
los demás bienes también en términos de las cantidades de éstos que se adquieran
por comparación con las que se compran de los primeros).

Los individuos han de decidir (elegir) qué bienes y servicios desean consumir o
disfrutar, ya que la gama o variedad de bienes y servicios disponibles en el mercado
es tan amplia que a los sujetos les resulta imposible económicamente adquirirlos todos
simultáneamente o incluso a lo largo del tiempo. La capacidad adquisitiva o la renta
disponible de los individuos es limitada (obviamente la magnitud de la renta disponible varía de unos sujetos a otros por las razones que vimos en el Capítulo 2). Por
otra parte, no solamente cada individuo ha de elegir en cada momento los bienes y

servicios concretos que desea comprar, sino que además ha de decidir las cantidades de esos bienes que está dispuesto a adquirir a los distintos precios.

De hecho los consumidores se enfrentan cada día con un conjunto desconcertante de precios y de cantidades de bienes y servicios, incluso entre los artículos más necesarios para la vida. En cualquier supermercado encontramos cientos de productos alimenticios entre los que poder escoger, y en los grandes almacenes vemos bienes suficientes para satisfacer los deseos y necesidades de casi cualquier persona. De alguna forma los consumidores terminan eligiendo entre todos estos bienes y servicios, y este acto de elegir lo realizan en múltiples ocasiones cada día.

La rama de la Economía que estudia el comportamiento de los consumidores en su actividad de decidir qué bienes y servicios comprar y en qué cantidades constituye la Teoría de la Elección del Consumidor. Esta teoría es importante porque intenta explicar cómo expresan libremente los individuos sus preferencias en los mercados. Como vimos en el Capítulo 2, en un sistema económico de mercado las decisiones de millones de consumidores implementadas en miles de tiendas y almacenes determinan la producción de los bienes y servicios que se elaboran en una economía, producción que a su vez determina el nivel de empleo y la renta de las economías domésticas.

Como en toda teoría, en la Teoría de la Elección del Consumidor se pretende determinar y formular en hipótesis las pautas del comportamiento de los consumidores en su actividad de elegir todo tipo de bienes y servicios. En esta teoría se busca formular generalizaciones lo más amplias posibles (tanto por el número de individuos como por la variedad de bienes y servicios a los que las generalizaciones son aplicables). Si observamos con atención el comportamiento de los individuos en su faceta de consumidores, veremos que existen ciertas pautas o patrones que la mayoría de los sujetos siguen cuando eligen los bienes y servicios que deciden consumir, ya sean éstos carne de ternera o caviar, pantalones vaqueros o abrigos de visón, cerveza o coches. Los economistas buscan determinar esas pautas, descubrir y formular los principios que subyacen y explican las elecciones de los consumidores, elecciones que constituyen el comportamiento de éstos.

Estos principios son de fundamental importancia para comprender y explicar el funcionamiento del sistema económico de libre mercado competitivo. Las elecciones de los consumidores guían las decisiones de los productores sobre qué bienes y servicios producir, cómo ha de realizarse su producción y quién los disfrutará finalmente. Sin saberlo, los consumidores están continuamente enviando señales a los productores a través de los bienes y servicios que compran y de los que no compran, así como de las cantidades mayores o menores que adquieren de cada uno de los bienes y servicios que compran. De esta forma, los consumidores están indicándoles continuamente a los productores-empresarios cómo asignar los recursos escasos de la economía entre los diferentes usos alternativos de éstos.

En el modelo de sistema puro de mercado el poder de decisión está en manos de los consumidores. Los consumidores son soberanos en el sentido de que tienen la posibilidad de elegir libremente los bienes y servicios que desean consumir, naturalmente dentro de las posibilidades económicas de cada individuo, posibilidades económicas que a su vez dependen por una parte de esas elecciones de los consumidores (a través de la influencia que éstas ejercen sobre los precios y las cantidades de los diferentes factores productivos que se intercambian en los mercados de éstos). Como sabemos, el otro factor del que dependen los ingresos o la renta de los consumidores (en una sociedad en la que el Estado no realizara una redistribución de la renta) es la distribución de la riqueza que se dé en la economía; la riqueza toma principalmente la forma de propiedad de factores de la producción.

La soberanía de los consumidores implica que éstos tienen el control final sobre las decisiones que determinan lo que se hace con los recursos escasos de la sociedad. Las decisiones de los consumidores sobre cómo gastar su dinero (su renta) determinan en último análisis todas las elecciones económicas que se realizan en la sociedad: todas las elecciones referentes a la producción y todas las elecciones referentes a la distribución de la renta. Toda persona que dispone de renta y la gasta está ejerciendo una influencia sobre los bienes que se producen; y toda persona que produce (o que posee factores productivos que se emplean en la producción) recibe renta o poder adquisitivo que puede gastar en comprar bienes y servicios, y al gastarla influencia o coadyuva a determinar los bienes que se producen.

Hemos señalado ya que en el mundo real no se dan economías que funcionen totalmente tal como se las describe en el modelo implícito en la soberanía del consumidor y en la mano invisible. Por una parte, sabemos que en las sociedades modernas la distribución de la renta entre los individuos no depende exclusivamente de factores económicos, sino que en buena medida es determinada por factores políticos.

Como hemos visto en el Capítulo 2, si no existieran interferencias de ningún tipo, el mercado realizaría la distribución de la renta de la siguiente forma: cada individuo es propietario o poseedor de una cantidad determinada de uno o más factores productivos (en las sociedades modernas la gran mayoría de los individuos sólo posee su fuerza o capacidad laboral); todas esas cantidades sumadas constituyen la oferta total de cada uno de los factores. Asimismo, existe una demanda total de cada factor formada por la suma de las demandas de todas las empresas que fabrican los bienes y/o servicios en cuya elaboración se emplea dicho factor. La damanda del factor por las empresas a su vez depende de la demanda que los consumidores hagan de estos bienes y/o servicios. La oferta y la demanda totales de un factor determinan su precio de mercado y la cantidad de éste que se transacciona (que se compra y vende). La renta de cada individuo dependerá, pues, de la cantidad de factor o factores que éste posea, de los precios que éstos alcancen, y de la fracción que vende de la cantidad que posee.

Pero es bien sabido que los factores políticos juegan un papel importante en la distribución de la renta. Los distintos grupos perceptores de rentas (los empresarios, los trabajadores, los agricultores, los maestros, etc.) se organizan en grupos de presión y utilizan su poder político y económico para intentar que el Gobierno tome medidas legislativas y/o de política fiscal y/o monetaria que redunden en un aumento de la porción de la renta nacional que percibirán por el simple juego del mercado. De otro lado y muy relacionada con la anterior interferencia con el mecanismo de distribución de la renta por el mercado, está la política redistributiva (y en consecuencia la redistribución general) de la renta que realiza el Gobierno a través de la política fiscal, y cuyas decisiones se toman por mecanismos y procedimientos políticos. Nos referimos en este segundo caso a las medidas encaminadas a alcanzar la redistribución de la renta que para la sociedad en su conjunto se proponga el Gobierno como objetivo.

La distribución final de la renta (efectuada por la distribución de ésta que realiza el mercado, y por la redistribución realizada por el Estado a través de la recaudación de impuestos y la provisión de bienes y servicios públicos gratuitos o cuasi gratuitos) entre los individuos tiene una gran influencia sobre la estructura de la demanda agregada de todos los bienes y servicios en una economía. De esta forma, se está afectando a la estructura de la demanda, ya que si bien los consumidores tienen la libertad de gastar como deseen una (la mayor) parte de su renta (la renta privada menos los impuestos y más las transferencias que perciben del Estado en forma de dinero), otra parte de su renta (la transferida al Estado en forma de impuestos) la han de gastar en los bienes y servicios públicos que la comunidad decide colectivamente que se provean.

Por otra parte son los productores los que toman la iniciativa sobre los bienes y servicios que se proveen, ya que los consumidores sólo pueden limitarse a comprar o dejar de comprar los productos que las empresas lanzan al mercado. Es cierto que los consumidores tienen una gran influencia sobre los bienes que se producen, ya que las empresas (en su búsqueda de obtener beneficios) producen los bienes y servicios que saben o creen adivinar, que los consumidores desean comprar en un momento determinado o en el futuro. Pero también es necesario admitir que las decisiones de las empresas de producir nuevos artículos ejercen una influencia sobre la formación de las preferencias de los consumidores.

Finalmente, la publicidad realizada por las empresas constituye un factor de gran importancia en la determinación de los gustos y de las elecciones y decisiones de comprar de los consumidores. Vemos, pues, que la soberanía de los consumidores está sujeta a serias limitaciones. No obstante, en último extremo los consumidores deciden los bienes y servicios que desean comprar y por ello, en los sistemas económicos de la mayoría de los países, las elecciones de los consumidores sobre qué bienes comprar realmente ejercen una influencia muy importante sobre las decisiones acerca de los bienes y servicios que se producen, y en consecuencia sobre qué recursos se destinan a qué fines y qué cantidades de bienes y servicios obtendrá cada individuo.

Cuanto más competitivos sean los mercados en una economía y más amplios sean los derechos de propiedad privada, más soberanos serán los consumidores y mayor será el poder último que los consumidores ejercen sobre las decisiones económicas de la sociedad. Con ello no queremos decir que la soberanía del consumidor sea o no deseable. Afirmar una cosa u otra exige emplear un juicio de valor, juicio que el economista, como científico social, no debe emitir. También debemos señalar que el sistema de mercado no funciona de una forma tan simple como la que hemos descrito aquí y en el Capítulo 2. Debido a que la elaboración de los bienes requiere tiempo, su producción ha de ser planeada con antelación, y ello en ocasiones lleva a que se dé un exceso de producción o escaseces de algunos bienes. Las decisiones iniciales de qué bienes y servicios producir y en qué cantidades las toman los productores o empresarios, pero los consumidores en último extremo (y a través de sus compras) determinan si las decisiones han sido o no las correctas. En un sistema de mercado libre las decisiones sobre la producción de los bienes y la asignación de los recursos son tomadas independientemente por los productores y los distribuidores en respuesta a las señalizaciones de los consumidores.

Si los consumidores no tuvieran libertad de expresar sus preferencias en un mercado competitivo, las decisiones habrían de ser tomadas por medio de algún otro mecanismo. En las economías de planificación central la oficina de planificación ha de dar a las empresas un conjunto de directrices que especifiquen los bienes y servicios que se han de producir, la calidad y las características de éstos, así como las cantidades de cada bien que se elaboran. De esta forma se sustituye al mercado y a las indicaciones que los consumidores transmiten a los empresarios en este tipo de sistema. El plan especifica los bienes y las cantidades de éstos que se producen, quiénes disfrutan de los bienes y en qué cuantía, y cómo se combinan los recursos en su producción. Todo está planificado de tal manera que los recursos adecuados lleguen a los lugares convenientes en el momento apropiado. De ahí que la planificación de toda la producción constituya un ejercicio tan complicado y que se den defectos e ineficiencias que reducen la productividad de los recursos.

Pero incluso en estos sistemas económicos las preferencias y las elecciones de los consumidores no pueden ser ignoradas ya que en último extremo se trata de satisfacer las necesidades y deseos de los individuos. De ahí que cada vez se deje mayor libertad a los consumidores en las economías de los países comunistas. Independientemente del aspecto ideológico de la cuestión, la libertad de los consumidores para expresar sus preferencias introduce en el sistema económico un elemento de racionalidad y de eficiencia en cuanto a los bienes que se producen y a la asignación que se realiza de los recursos escasos de las sociedades.

LA DEMANDA DE BIENES Y SERVICIOS

Cuando compramos un bien concreto lo que en realidad compramos es un conjunto muy específico de características, propiedades o cualidades que satisfacen una o varias necesidades y/o deseos nuestros. Cuando entramos en un estanco y pedimos un paquete de «Winston» hemos realizado previamente un conjunto de elecciones: hemos decidido adquirir un paquete de tabaco; el tabaco ha de ser rubio y no negro; y dentro de los diferentes tipos de cigarrillos rubios hemos seleccionado uno con filtro y con un determinado sabor que conocemos y preferimos a otros sabores. Si el estanquero nos diera un paquete de «Lark» no lo aceptaríamos, a pesar de que los cigarrillos «Lark» pueden servir igualmente para satisfacer nuestro deseo de fumar, y hasta es posible que si éstos tienen menor cantidad de nicotina (tal como afirma la publicidad) sean incluso menos perjudiciales para nuestra salud.

Las distintas personas desean combinaciones diferentes de características; de ahí que los distintos individuos reaccionen de diferentes formas ante un mismo dato. Algunas personas que desean alcanzar un cierto *status* social están dispuestas a pagar un precio muy alto por un coche marca «Rolls Royce», mientras que otras que también pueden permitirse pagar el precio de este automóvil, no lo hacen porque consideran que es ridículo pretender alcanzar prestigio social a través de un coche. A una persona le puede encantar un pastel de trufa, mientras que otra le horrorizan las calorías de éste.

No todas las posibles propiedades de un bien o servicio son necesariamente relevantes para su adquisición por los consumidores. Por ejemplo, el whiskey sirve también como desinfectante (debido al elevado contenido de alcohol que encierra), pero esta cualidad puede decirse que no tiene ninguna importancia para los compradores; o un abogado puede ser un magnífico jugador de tenis, pero esta habilidad suya no es tomada en consideración por los demandantes de sus servicios de asesoramiento legal. No es necesario, pues, tomar en consideración todas las propiedades de los bienes y servicios a efectos de analizar su demanda. Sólo hay que tener en cuenta aquellas propiedades que afectan o ejercen una influencia sobre la decisión del consumidor. El conjunto de propiedades que pueden afectar a la elección que realiza un consumidor constituye las características de los bienes y servicios.

Dado que las características son aquellas propiedades que inducen a los consumidores a desear un bien o servicio, es posible que algunas cosas no tengan características. Tales cosas no son demandadas por los consumidores y en consecuencia no son bienes vendibles. Algunos bienes pueden tener una sola característica. Por ejemplo, las pastillas de las distintas marcas de aspirina tienen todas una sola propiedad: cada pastilla contiene 0,5 gramos de ácido acetilsalicílico que actúa para aliviar el dolor. Los individuos compran las pastillas de aspirina por esta propiedad y sólo por ésta. Una de las funciones de la publicidad es hacer creer al consumidor que el producto de una marca tiene alguna otra característica (además de las características normales de ese bien) que el consumidor necesita. Esto explica que la gente compre detergentes caros y demuestra cómo la publicidad añade a los bienes características vendibles que en realidad no existen.

La mayoría de los bienes y servicios tienen más de una característica. Los productos comestibles tienen proteínas, vitaminas, hidratos de carbono y otras propiedades químicas todas las cuales juntas constituyen o forman el sabor y el gusto de aquéllos. Las prendas de vestir abrigan contra el frío, indican si la persona va o no a la moda, reflejan en alguna medida el *status* social del individuo y muestran sus gustos y su sentido de la estética, de la elegancia o su modestia; estas propiedades constituyen las características de los artículos de vestir. Del mismo modo, un coche provee a su propietario servicios de transporte, *status* social, cobijo contra el frío, el calor y la lluvia, y confort.

La decisión de comprar los bienes es el resultado de elegir un conjunto concreto de características. La elección de comprar un bien se desarrolla en dos etapas. En un primer estadio el consumidor evalúa las clases y los conjuntos de características que ofrecen los distintos bienes y servicios. En esta etapa la información juega un papel crucial. El consumidor sólo puede evaluar todas las características de los distintos bienes cuando posee toda la información relevante. Por ejemplo, dos botes del tamaño pequeño de una marca de mermelada pueden contener una cantidad mayor de este producto que un bote de los de tamaño grande de esa misma marca y costar menos. No obstante, algunos consumidores puede que compren el bote de tamaño grande debido a que la comparación visual les engaña y/o a que las etiquetas de los botes no les informan adecuadamente. Cuando los consumidores poseen la suficiente información, la selección de cada característica se convierte en un proceso objetivo.

En una segunda etapa de la elección, el consumidor decide si compra un conjunto de características u otro. Aunque las características pueden ser medidas objetivamente, la reacción de cada consumidor ante aquéllas es muy subjetiva. Por ejemplo, ante una misma marca de altavoces para tocadiscos estéreo, un consumidor puede estar encantado con ellos y otro puede que no le gusten nada en absoluto, debido a que el primero prefiere la música clásica a la música rock y los altavoces son más adecuados para reproducir la primera que la segunda.

Dado que la mayoría de los bienes y servicios contienen un conjunto de características, el consumidor compra un bien o servicio concreto debido a que éste tiene una mezcla determinada de características que aquél desea. Nadie compraría un filete si no fuera porque éste contiene ante todo una capacidad nutritiva en forma de proteínas. Si lo que deseáramos fuera paladear un sabor sin preocuparnos del aspecto nutritivo, seguramente que no compraríamos un filete sino que adquiriríamos un pastel favorito u otro producto similar. En consecuencia, los bienes y servicios son comprados con la exclusiva finalidad de obtener unas características determinadas, y la demanda de los bienes y servicios depende de la habilidad o la capacidad de cada uno de éstos para proveer las características o cualidades que los individuos desean.

Se puede suponer que los consumidores intentarán obtener la máxima cantidad que les sea posible de cada una de las características que desean. Las cantidades de características que pueden adquirir los individuos vienen limitadas por la renta que obtienen (el flujo de ingresos que perciben por período de tiempo procedentes de cualquier fuente), por la riqueza que poseen y por el crédito de que disfruten (la predisposición de los demás individuos y de las instituciones financieras a concederles préstamos o permitirles aplazar los pagos). Los distintos consumidores generalmente eligen consumir diferentes conjuntos de características según sus gustos, pero todos intentarán consumir tantas características como les permite su renta o su capacidad económica. Las combinaciones de los bienes que eligen los diferentes individuos varían, además de por los distintos gustos de los individuos, por el hecho de que una misma característica puede a menudo obtenerse con el consumo de diversos bienes (las proteínas necesarias para la nutrición pueden obtenerse comiendo pescado, carne de pollo o carne de ternera, y cada uno de estos productos puede ser consumido en diversas formas: bocadillos, filetes, guisos, etc.).

El consumidor en primer lugar elige el conjunto de bienes que contienen las características que desea disfrutar; y en segundo lugar intenta obtener la cantidad máxima que le sea posible de aquéllas dentro de la limitación que le impone su renta y su riqueza (entendiendo por riqueza el valor de todos los activos —dinero, acciones, obligaciones, fincas, joyas, etc.— que posee un individuo en un momento determinado).

Resumiendo, pues, podemos decir que los bienes y servicios no son deseados por ellos mismos sino por las características o cualidades que los consumidores encuentran o creen encontrar en ellos, y que los individuos intentan obtener la cantidad máxima de las características deseadas que les permita su renta y posiblemente su riqueza. Las características son aquellas propiedades observables, medibles y objetivas de los bienes que son relevantes o tienen influencia sobre la elección que hacen los individuos de aquellos para su consumo. Para llegar a ser un «bien» (en el sentido económico, no ético) los productos y los servicios han de tener como mínimo una característica o propiedad. La mayoría de los bienes y servicios tienen más de una característica; además, aquéllos se distinguen unos de otros por las distintas combinaciones y conjuntos de características que cada uno de ellos contiene.

EL ANALISIS DE LA UTILIDAD MARGINAL

El Concepto de Utilidad

Compramos bienes y servicios porque nos dan satisfacción el uso o la posesión de las características de que aquéllos nos proveen. A su vez las deseamos porque satisfacen nuestras necesidades básicas y/o nuestros deseos, o porque nos enriquecen la vida. En Economía se compara el grado o la intensidad con la que se demandan los distintos bienes y servicios (su deseabilidad) por los consumidores a través de comprar la utilidad de aquéllos. La utilidad es una medida de la satisfacción que obtienen los individuos por la compra o adquisición de una cantidad determinada de un bien o servicio.

Los individuos prefieren diferentes características y distintos bienes y servicios (de entre los varios bienes y servicios que poseen dichas características), pero puede observarse que todos los consumidores intentan obtener el máximo de utilidad (satisfacción) que pueden del conjunto de los bienes y servicios de que disponen.

La utilidad de consumir o poseer cierta cantidad de un bien no se circunscribe sólo a la capacidad de ese bien para cubrir nuestras necesidades. La mayoría de los bienes y servicios que compramos no son estrictamente necesarios para nuestra supervivencia. De ahí que la utilidad de un bien provenga tanto de su capacidad para cubrir nuestras necesidades como para satisfacer nuestros deseos de todo tipo (incluyendo aquellos cuya satisfacción nos perjudica: el consumo de drogas, de alcohol y de tabaco, o el coche que nos permite conducir a una velocidad elevada). Por otra parte, la línea divisoria entre bienes necesarios y bienes superfluos o de placer cambia continuamente. Un coche no es estrictamente necesario para sobrevivir; no obstante, su uso nos puede resultar ineludible para ir a nuestro trabajo o incluso para disfrutar de ciertas otras cosas (hacer excursiones, ir a visitar parientes, etc.). Esto ocurre con la mayoría de los bienes que consumimos, incluyendo los de primera necesidad: necesitamos ingerir proteínas, pero no es imprescindible que tomemos un «biftec» a la pimienta en un restaurante; necesitamos abrigarnos contra el frío pero no es imprescindible vestir una chaqueta de Pierre Cardin, etc.

La estructura de los bienes y servicios que los individuos desean se parece a una pirámide invertida, tal como se representa en la Figura 14.1.

FIGURA 14.1

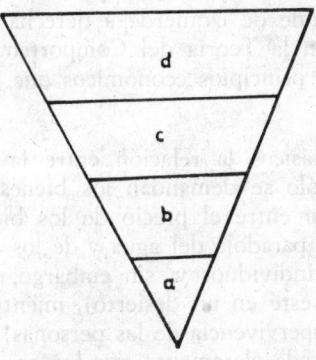

La parte inferior de la figura que es la más estrecha (digamos el área *a*) representaría los bienes básicos necesarios para la supervivencia: comida, vestido y vivienda. Cuando estas necesidades están cubiertas, los individuos amplían el número de bienes y servicios que desean disfrutar (supongamos el área *b*: muebles, prendas de vestir con colorido y estilo según la moda, algunas bebidas, algunos electrodomésticos, ciertos servicios y espectáculos, alguna educación, etc.). Una vez satisfechos estos deseos, los individuos se mueven hacia un nivel de consumo que hace la vida más agradable y sana: coche, televisión, más servicios médicos, mejor educación, electrodomésticos más sofisticados (tocadiscos de alta fidelidad, televisión en color, etc.), vacaciones, servicios de restaurantes, espectáculos más refinados, libros, revistas, periódicos, etc.; este conjunto de bienes y servicios correspondería al área *c* de la Figura 14.1. El área *d,* aún más amplia que la *c,* representaría un nivel de consumo más elevado y seguramente más sofisticado que el anterior: casas de campo, yates, vacaciones en el extranjero, bebidas importadas, servicios psiquiátricos, ropas exquisitas, safaris, coches deportivos, etc. Cada estrato o estadio es más amplio que el anterior: cada uno de ellos incluye una gama más amplia de bienes y servicios que los anteriores, y provee a los individuos una variedad mayor de satisfacciones, ya que abarca muchos de los bienes y servicios del área anterior más los correspondientes al nivel superior de consumo.

Los diferentes individuos o consumidores obtienen distintos grados (cualitativa y cuantitativamente) de utilidad por el uso o disfrute de cada uno de los diversos bienes y servicios, ya que la utilidad es una magnitud subjetiva o psicológica que varía de una persona a otra. La utilidad es la satisfacción, el placer o la cobertura de una o varias necesidades y/o deseos que se obtienen por el uso o disfrute de un bien o servicio, y obviamente para cada individuo ésta dependerá de su inteligencia, su sensibilidad, su temperamento, su carácter, su constitución física, las cicunstancias de todo tipo en las que se encuentra el individuo en el momento en el que consume o disfruta el bien, etc.

El Concepto de Utilidad Marginal

Al intentar determinar la función de demanda de los bienes y explicar la relación inversa entre cantidad demandada y precio, los economistas lógicamente pensaron que existía algún tipo de relación entre la demanda de los bienes y servicios y su utilidad. Lo que podemos llamar la ley de la curva de demanda con pendiente negativa (que desciende de izquierda a derecha en el gráfico) es una proposición tan fundamental en la Teoría del Comportamiento del Consumidor que es imperativo investigar los principios económicos que subyacen a ella para poder explicarla.

Para los economistas clásicos la relación entre la demanda y la utilidad se reducía al hecho de que sólo se demandan los bienes que tienen utilidad, pero no encontraron una relación entre el precio de los bienes y su utilidad. De ahí que se hablara de la famosa paradoja del agua y de los diamantes: la primera tiene una gran utilidad para los individuos y, sin embargo, se paga por ella un precio muy bajo (a menos que se esté en un desierto), mientras que 'los diamantes (que no son necesarios para la supervivencia de las personas) tienen un precio muy alto. Esta paradoja no fue explicada claramente por los economistas de la llamada Escuela Clásica (los economistas que van desde Adam Smith hasta John Stuart Mill —1806-1873—).

Fueron los economistas de la llamada Escuela Marginalista de finales del siglo XIX los que introdujeron el concepto de utilidad marginal, noción que permitió por primera vez derivar la curva de demanda y explicar sus propiedades. Los tres autores que simultáneamente y por separado propusieron una teoría de la utilidad marginal para explicar la forma de la curva de demanda fueron: el inglés William Stanley Jevons (1835-1882) en su obra «Theory of Political Economy» (1871); el austríaco Carl Menger (1840-1921) en su obra «Grundsatze der Volkswirtschafslehre» (1871), y el francés Marie Esprit Leon Walras (1834-1910) en su obra *«Elements d'Economie Politique Pure»* (publicada en 1874-7).

La utilidad marginal, como vimos en el Capítulo 5, se define como el incremento en su utilidad total que experimenta un individuo por el consumo de una cantidad determinada de un bien al consumir una unidad más de éste. También vimos que esta magnitud se define formalmente como:

$$UMa_n = UT_n - UT_{n-1}$$

El concepto de utilidad marginal formaba parte del análisis marginalista que introdujeron éstos y otros autores de la Escuela Marginalista. Este análisis sigue constituyendo en la actualidad el centro de la Teoría Económica. Una idea que subyace a la mayor parte de la Microeconomía y a una porción considerable de la Macroeconomía es la de cambio marginal de las variables o la razón entre el cambio que se produce en una variable ante un cambio marginal en otra. Así decimos que la utilidad marginal es:

$$UMa_{1A} = \frac{\Delta UT_{1A}}{\Delta C_{1A}}$$

es decir, la utilidad marginal obtenida por el individuo 1 al consumir el bien A es la razón entre el cambio en la utilidad total de consumir una cantidad de unidades del bien A por el individuo 1, y el cambio en la cantidad de unidades consumidas de dicho bien A, siendo este cambio de una unidad. Dicho de otra forma: la utilidad marginal es el cambio que experimenta la utilidad total del individuo 1 por el consumo del bien A al aumentar o disminuir la cantidad consumida por período de tiempo de este bien en una unidad. Al expresar la utilidad marginal como

$$UMa = \frac{\Delta UT}{\Delta C}$$

no estamos especificando la magnitud que toma ΔC (el cambio en el número de unidades consumidas), pero se supone que es el cambio más pequeño que pueda darse en C. Dado que C es el número de unidades consumidas de un bien por un individuo, se supone que ΔC corresponde al aumento o disminución en una unidad del bien en cuestión, si se trata de un bien no fraccionable o difícil de fraccionar (un coche), un par de zapatos, un traje, un libro). Otros bienes son fraccionables tales como la carne (de la que se puede consumir 500 gramos, 250 gramos, 100 gramos por período: una comida), la fruta, etc., en cuyo caso normalmente Δ se emplea para referirse a la cantidad más pequeña del bien en que suele consumirse éste: una manzana, un biftec, una porción de fresas, etc.

En puridad de conceptos, la utilidad marginal es igual a la primera derivada de la utilidad total obtenida del consumo de un bien o servicio respecto de la cantidad consumida de éste:

$$UMa = \frac{dUT}{dC}$$

o la utilidad marginal es $lim \dfrac{\Delta UT}{\Delta C}$ (el límite al que tiende la razón $\dfrac{\Delta UT}{\Delta C}$
$\Delta C \rightarrow o$
cuando ΔC tiende a cero). Recordemos una vez más que al emplear el cálculo di-

ferencial en el análisis del comportamiento de las variables económicas se está suponiendo que éstas son continuas, cuando en la realidad no lo son. No obstante, dado que nosotros sólo utilizaremos el símbolo Δ, que significa cambio (sin precisar la magnitud exacta de éste), en nuestro análisis no se plantea este problema y los resultados obtenidos son válidos.

El Análisis Marginal

Es importante entender las ideas subyacentes al análisis marginalista en Economía, ya que ello nos permite comprender la estructura básica de la Teoría Económica actual. La mayor parte de la Teoría Económica (y ciertamente su parte más elaborada), que trata de explicar el comportamiento de los consumidores, de las empresas y de los propietarios de factores como individuos o como grupos (Microeconomía), está basada en el supuesto de partida de que estos agentes económicos intentan o pretenden maximizar alguna magnitud y actúan de forma racional para conseguirlo: los consumidores intentan maximizar la utilidad total que obtienen de una renta determinada (la renta de que disponen); los empresarios intentan maximizar sus beneficios a través de minimizar los costes para cada nivel de producción; y los propietarios de factores de la producción tratan de maximizar los ingresos (renta) que obtienen por la venta o cesión de los recursos.

Al partir del supuesto de que los agentes económicos son unos maximizadores racionales de algo (visión del individuo que define al *homo economicus* objeto de estudio de la Economía y pilar sobre el que se construye ésta) se ha determinado un paradigma científico (en el sentido de Kuhn) y se ha podido construir un conjunto de teorías que forman lo que llamamos Economía como ciencia social.

Es necesario decir también que la Teoría Económica ha sido construida dentro del marco teórico de un análisis de equilibrio general de los fenómenos económicos. Para ser más exactos, el marco teórico del Análisis Económico ha consistido fundamentalmente en un sistema de análisis de equilibrios relacionados entre sí que están basados en el paradigma unificador de la elección racional bajo condiciones restrictivas.

Como hemos señalado en el Capítulo 6, el concepto de equilibrio está tomado de las ciencias naturales, e implica que de alguna forma (por algún mecanismo que el sistema económico lleva implícito) las transacciones o los intercambios entre los agentes económicos generalmente se hacen a los precios y en las cantidades de equilibrio; es decir, a los precios a los que las cantidades que los oferentes desean vender son iguales a las cantidades que los demandantes desean comprar (recuérdese el concepto de equilibrio de un mercado concreto expuesto en el Capítulo 8). Esta idea o marco analítico del equilibrio es enormemente importante desde el punto de vista analítico, ya que implica que de algún modo el sistema económico de mercado produce un orden (la mano invisible), y que la mayoría de los mercados llevan implícito un mecanismo de ajuste que los empuja hacia el equilibrio, lo que a su vez implica que la teoría permite obtener los valores de las variables y determinar en consecuencia los resultados de las acciones, lo cual es importante no sólo para los teóricos de la economía, sino también para los agentes económicos que actúan y toman decisiones).

Partiendo del supuesto de la búsqueda de la maximización de alguna variable por parte de los agentes económicos a través de un comportamiento racional y utilizando el marco analítico del equilibrio, ha sido posible resolver muchos problemas económicos, planteando éstos en términos de hallar los valores máximos o mínimos de las variables económicas. El valor máximo de una variable (por ejemplo, la utilidad o los beneficios) puede ser calculado hallando un valor del consumo o de la producción tal que un pequeño incremento o decremento de estas magnitudes hace que el valor del maximando (la cantidad que se desea maximizar: la utilidad total o los beneficios) disminuye. Del mismo modo, un valor mínimo de una variable puede ser obtenido matemáticamente calculando el valor de la variable o variables de las que aquélla depende, valor que es tal que un aumento o una disminución de éstas hace que el valor del minimando aumente. Por ejemplo, si el coste medio de producir un determinado artículo depende de los precios y de las cantidades (combinaciones) usadas de los factores que se emplean en su fabricación, y si se trata de minimizar el coste medio, entonces (suponiendo que los precios de los factores nos vienen dados y en consecuencia no podemos cambiarlos) el problema lo podemos plantear en términos de hallar la combinación de los factores (tanto en las proporciones en las que se los combina como en las cantidades absolutas de éstos), y en consecuencia, la cantidad producida del bien, para la cual el coste medio es el más bajo posible.

La búsqueda de valores óptimos de las variables necesariamente nos lleva a la definición y al empleo de conceptos marginales. De ahí que a este tipo de análisis se le llame análisis marginal, el cual a su vez nos explica cómo han surgido todos los conceptos marginales en Microeconomía. El análisis marginal no es más que la aplicación del cálculo diferencial al estudio de las cuestiones económicas, y los conceptos marginales (utilidad marginal, gasto marginal, ingreso marginal, coste marginal, etc.) no son otra cosa que los nombres que se les dan a las primeras derivadas de funciones concretas (la función de utilidad, la función de costes, etc.). Asimismo los conceptos marginales son utilizados para determinar los valores máximos y mínimos (con restricciones y sin restricciones) de funciones tales como los beneficios como función del nivel de producción, el nivel de producción como función de las cantidades de factores empleados (a los que se les llama *inputs* en la Teoría de la Producción), la utilidad como función de las cantidades consumidas de los bienes que se disfrutan, etc.

La Ley de la Utilidad Marginal Decreciente

Además de introducir el concepto de utilidad marginal, los economistas de la Escuela Marginalista argumentaron que la utilidad marginal es decreciente. Basándose en la introspección, los marginalistas formularon la hipótesis de que si aumentamos continuamente el número de unidades de un bien que consumimos en un período determinado de tiempo, llegará un momento o habrá un número de unidades consumidas (una cantidad) a partir del cual, al ir incrementando esa cantidad en unidades sucesivas, el aumento en la utilidad total se irá haciendo cada vez más pequeño. Esta es la llamada ley de la utilidad marginal decreciente, que formalmente se expresa:

$$UMa_{12A}(UT_{12A} - UT_{11A}) > UMa_{13A}(UT_{13A} - UT_{12A}) > UMa_{14A}(UT_{14A} - UT_{13A}) >$$
$$> UMa_{15A}(UT_{15A} - UT_{14A})$$

donde la utilidad marginal de consumir 12 unidades del bien A por parte de un individuo durante un período de tiempo dado es mayor que la utilidad marginal de consumir 13 unidades del bien A por el mismo individuo durante el mismo período de tiempo. A su vez la utilidad marginal de consumir 13 unidades es mayor que la de consumir 14 unidades del bien A. Esto es lo mismo que afirmar que la utilidad marginal de consumir 15 unidades del bien A por período es menor que la utilidad marginal de consumir 14 unidades por período, y que la utilidad marginal de consumir 14 es menor que la de consumir 13, etc.

La introspección la define la Real Academia de la Lengua como la observación interna del alma o de sus actos. Consiste en la observación por uno mismo de sus propias reacciones y actitudes. Los marginalistas se basaron en la introspección debido a que la utilidad no tiene una entidad mensurable. Este concepto es un ejemplo típico de lo que en Metodología se llama una construcción mental, un concepto diseñado a nivel intelectual que no tiene una contrapartida en la realidad en la forma de un ente material observable. Para poder utilizar estas construcciones mentales, los científicos buscan o diseñan otras variables que estén relacionadas con aquéllas y que puedan ser observadas en la realidad, con la finalidad de poder contrastar las hipótesis que incluyen las construcciones mentales.

Así, en el caso de la utilidad y para poder contrastar la hipótesis de la utilidad marginal decreciente, los economistas valoran la utilidad en dinero, de tal manera que si la utilidad marginal que obtiene un individuo al consumir una unidad más del bien por período de tiempo es decreciente, la cantidad de dinero que aquél estará dispuesto a pagar por esa unidad adicional (precio del bien) deberá ser inferior a la que pagaba por la unidad precedente (en puridad de conceptos, al precio por unidad que pagaba por la cantidad de unidades del bien que consumía en el período precedente).

Este fenómeno de la utilidad marginal decreciente se consideró tan consustancial a la naturaleza humana que se le dio el calificativo de ley. Los marginalistas arguyeron que este fenómeno se explica en parte por el hecho de que damos prioridad a los usos de los bienes que valoramos más altamente. Así, si en un día de verano caluroso disponemos sólo de un helado, se lo damos a nuestro hijo más pequeño; si obtenemos un segundo helado se lo entregamos a nuestro segundo hijo; el tercero que podemos obtener se lo damos a nuestra esposa; y el cuarto nos lo comemos nosotros. Pero el fundamento más importante de esta ley hay que buscarlo en la propia naturaleza humana. La primera manzana que consumimos en un día añade bastante nuestra utilidad (suponiendo que nos gusten las manzanas). La segunda manzana consumida en el mismo día todavía nos da satisfacción, pero seguramente la disfrutamos menos que la primera (su utilidad marginal será positiva pero menor que la de la primera manzana). Muy probablemente, si tenemos que comernos una tercera manzana en el mismo día que hemos consumido las otras dos, a menos que nos gusten mucho las manzanas, es posible que ello se convierta en una carga más que en un placer. Si ocurre esto, entonces la utilidad total de consumir tres manzanas por día disminuye respecto a la obtenida al comer dos manzanas por día, y la utilidad marginal se hace negativa $(UT_3 < UT_2,$ y en consecuencia $UT_3 — UT_2 < 0; UMa_3 < 0)$. Es importante recordar que la cantidad de unidades del bien que se consume está referida a un período de tiempo determinado. Sólo así se entenderá la utilidad marginal decreciente, ya que si consumimos la primera manzana hoy y la segunda dentro de tres días, la utilidad marginal no tiene necesariamente que ser menor. La hipótesis de la utilidad marginal decreciente hace referencia al consumo de una cantidad de unidades de los bienes por período determinado de tiempo.

La ley de la utilidad marginal decreciente afirma que, en general, cuanto mayor es la cantidad que consumimos de un bien, menor es el valor que le damos a una unidad adicional de éste. No afirma esta ley que la utilidad marginal haya de decrecer necesariamente con la segunda unidad consumida de un bien por período de tiempo, sino simplemente que al consumir algún número indeterminado de unidades por período de tiempo, al incrementar éste en una unidad por período de tiempo igualmente, la utilidad marginal disminuye. En qué número de unidades (al aumentar éste en sucesivas unidades) entrará en juego la utilidad marginal decreciente dependerá del bien y del individuo concretos. Así, si como postre de una comida empezamos consumiendo una uva y aumentamos nuestro consumo a dos uvas, puede que nuestra utilidad marginal sea creciente, y lo mismo puede que ocurra con la tercera y la cuarta, hasta llegar a algún número de uvas mínimo como para considerarlo un postre adecuado. Pero habrá algún número de uvas a partir del cual el consumir una uva más en un postre nos empezará a proporcionar una utilidad marginal decreciente. Lo mismo puede suceder con las clases que se reciben en una materia. También la entrada en vigor de la ley de la utilidad marginal decreciente depende de las preferencias de cada sujeto.

No obstante, podemos suponer que la mayoría de los bienes y servicios tienen una utilidad marginal decreciente a partir de la segunda unidad. El primer par de zapatos (entre no tener ninguno y disponer de un par por período de tiempo(tendrá para nosotros una utilidad muy alta, pero muy probablemente el segundo par aporta una utilidad marginal a nuestra utilidad total menor que el primero. Obsérvese que decimos utilidad marginal decreciente y no utilidad marginal negativa. Mientras que la utilidad total esté aumentando al consumir una unidad más del bien de que se trate por período de tiempo, la utilidad marginal será positiva. La utilidad marginal decreciente implica solamente que la utilidad total aumenta pero proporcionalmente menos que la cantidad de unidades consumidas del bien en cuestión.

Es perfectamente imaginable que la utilidad marginal de consumir una cantidad de unidades de un bien por período de tiempo llegue a ser negativa (que la utilidad total disminuya al incrementar en una unidad la cantidad consumida de un bien). Si al pasar de consumir 20 pares de zapatos por período de tiempo a disponer de 21 pares ello nos crea un problema de espacio en el **guardarropa**, y además nos complica la elección del par de zapatos que utilizamos en cada ocasión, la utilidad marginal de 21 pares de zapatos nos será negativa. Lo mismo puede ocurrir con la mayoría de los bienes y servicios. Afortunadamente, dado que las compras de los bienes y servicios las realizan los consumidores voluntariamente, se puede esperar que no llegarán a adquirir aquellas cantidades de los bienes que les produzcan una utilidad marginal negativa, ya que tal acción no constituirá un comportamiento racional, racionalidad que supone la Teoría del Comportamiento del Consumidor.

La hipótesis de la utilidad marginal decreciente es una hipótesis de comportamiento que se cumple para la mayoría de los individuos en el consumo de casi la totalidad de los bienes y servicios (tiene un grado de generalidad muy grande, lo que le da un gran valor científico), por lo que representó un gran hallazgo y sigue constituyendo uno de los pilares sobre los que se basa la Teoría del Consumo o del Comportamiento o de la Elección del Consumidor. Pero desgraciadamente la variable utilidad o la utilidad no es medible. No disponemos (y presumiblemente nunca lo haremos) de una unidad de medida para cuantificar la satisfacción que los individuos obtienen de los bienes que compran. Si un individuo nos dice que preferiría tener un nuevo libro a tener una camisa adicional, sólo sabemos sus preferencias, pero no podemos decir cuál es la intensidad con la que el individuo desea el libro.

Para efectos de exposición del análisis de la utilidad marginal supongamos que este problema no existe y que podemos medir la utilidad. Esto nos ayudará considerablemente a entender la relación entre el precio de un bien y la cantidad demandada del mismo; es decir, a entender y explicar la forma normal de las curvas de demanda.

Supongamos además que disponemos de una unidad de medida de la utilidad que obtienen los individuos procedente de las distintas cantidades que compran de un mismo bien por período de tiempo, y que a esta unidad de medida la llamamos útil (así le llamaron los autores marginalistas). El supuesto de que la utilidad es medible plantea problemas analíticos (debidos a la imposibilidad de medir aquélla), pero no invalida la teoría construida sobre el concepto de utilidad (ya que sabemos que ésta existe), ni las conclusiones que se derivan de ella, que pueden ser contrastables con la realidad.

TABLA 14.1

Entradas de teatro por temporada	Individuo A		Individuo B	
	Utilidad total	Utilidad marginal	Utilidad total	Utilidad marginal
1	100	100	100	100
2	180	80	150	50
3	240	60	150	0
4	280	40	100	—50
5	300	20	0	—100

La Tabla 14.1 muestra las hipotéticas utilidades total y marginal de los individuos A y B medidas en útiles derivadas de las compras de una entrada (asistencia a la representación de una obra) de teatro por temporada teatral, de dos entradas, de tres, de cuatro y de cinco igualmente por temporada. Estas utilidades expresan las cantidades de satisfacción que cada uno de los dos individuos obtiene por las compras indicadas, ya que, aunque el útil es un concepto imaginario, la satisfacción que los individuos obtienen del consumo de distintas cantidades de los diferentes bienes por período de tiempo no es imaginaria, sino que es algo real. Las tablas que se construyen empleando los útiles, tal como hacemos en la Tabla 14.1, constituyen modelos sobre la forma en que cada consumidor elige los bienes y servicios que compra y las cantidades de éstos que adquiere.

Por supuesto los valores que hemos dado a las utilidades de las distintas compras para los individuos A y B los hemos elegido arbitrariamente. No obstante, estos valores han sido seleccionados buscando que muestren tres cuestiones:

a)   La utilidad de los bienes es distinta para los diferentes individuos, ya que aquélla es subjetiva.

b)   La utilidad marginal decrece para los dos individuos a partir de la segunda unidad consumida por período de tiempo.

c)   La utilidad marginal puede llegar a ser negativa para algunos individuos en el consumo de determinados bienes, ya sea porque alcancen un número de unidades consumidas de éstos superior al que necesitan para saciar su apetencia de ellos, o porque desde la primera unidad consumida ya experimenten una molestia en lugar de una satisfacción.

Según la Tabla 14.1, los individuos A y B valoran igualmente la primera asistencia a una representación teatral; pero mientras que para el individuo A la segunda, la tercera, la cuarta y la quinta entrada por temporada todas le dan satisfacción (la utilidad marginal es positiva aunque decreciente), para el individuo B la tercera asistencia a la representación de una obra de teatro en la misma temporada no añade nada a su satisfacción total derivada del teatro (la utilidad marginal se hace cero y la utilidad total no varía); incluso la cuarta y la quinta asistencia se convierten en un fastidio, en una carga, hasta llegar con el consumo de la quinta unidad a que la utilidad total se haga cero: el fastidio de ir esa quinta vez al teatro contrarresta la satisfacción que obtuvo al ir la primera vez (la utilidad marginal empieza a ser negativa a partir de la cuarta unidad consumida, por lo que la utilidad total disminuye con el consumo de la cuarta unidad y llega a hacerse cero con la quinta unidad).

Obviamente la utilidad total es la suma de las utilidades que nos dan todas y cada una de las unidades consumidas de un bien por período de tiempo. La utilidad total que nos da un número determinado de unidades consumidas de un bien durante un período de tiempo concreto la obtenemos sumando las utilidades marginales de estas unidades. Recuerde el lector las relaciones aritméticas y geométricas entre los valores totales, medios y marginales de una variable expuestas en el Capítulo 5.

FIGURA 14.2

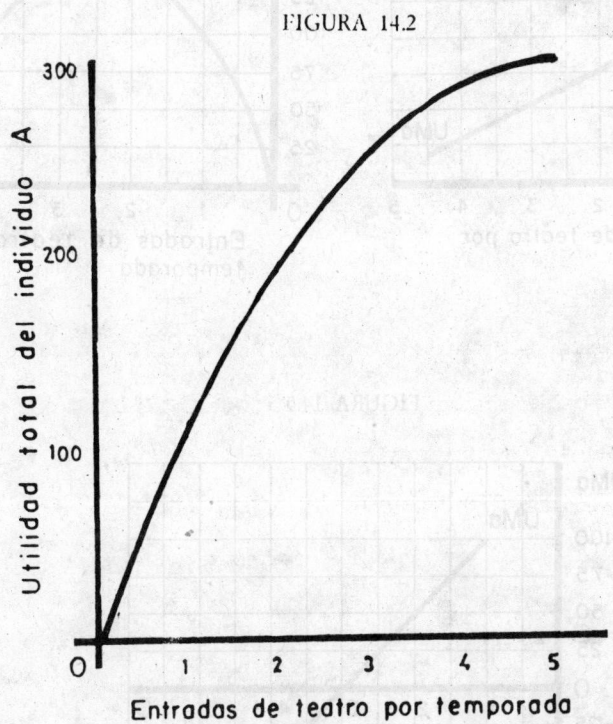

Las figuras 14.2 y 14.3 representan gráficamente la utilidad total y la marginal del individuo A. Como puede verse en la Figura 14.2, la utilidad total del individuo A aumenta continuamente al incrementar éste el número de veces que va al teatro por temporada, pero este aumento se va haciendo cada vez menor: la línea OA va perdiendo pendiente. Como sabemos, la utilidad marginal la obtenemos como la pendiente de la curva de la utilidad total ($UMa = \dfrac{\Delta UT}{\Delta C}$, siendo C el número de unidades consumidas del bien y ΔC igual a una entrada de teatro en una temporada). La representación de la utilidad marginal del individuo puede verse en la Figura 14.3: ésta desciende continuamente, ya que representa la pendiente de la curva OA de la

Figura 14.2. No llega a alcanzar el valor cero, pero su tendencia indica que si el individuo *A* aumentara el número de veces que va al teatro por temporada más allá de
cinco, posiblemente la utilidad marginal se haría cero (su curva de utilidad total alcanzaría su punto más elevado y su pendiente sería cero en ese punto).

FIGURA 14.3   FIGURA 14.4

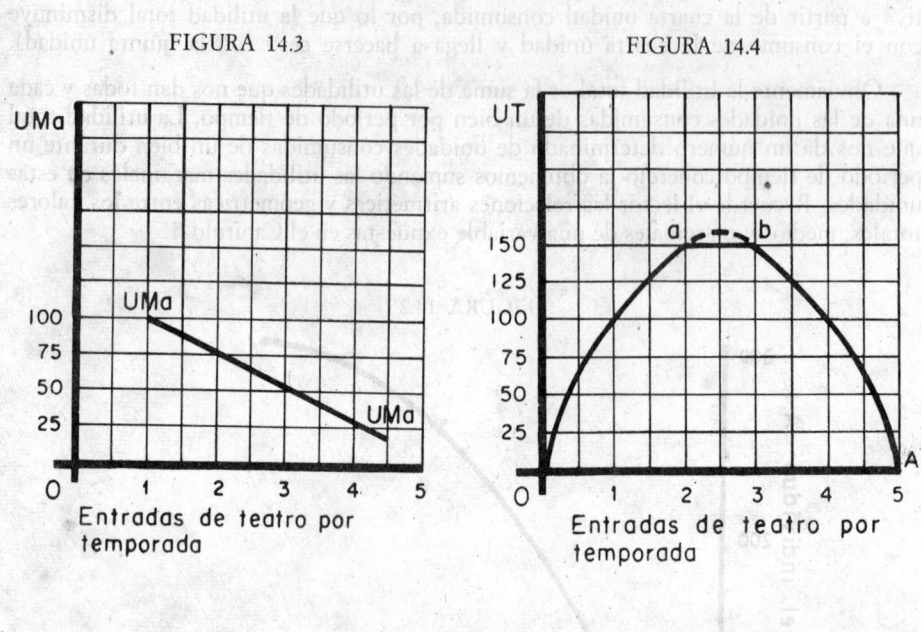

FIGURA 14.5

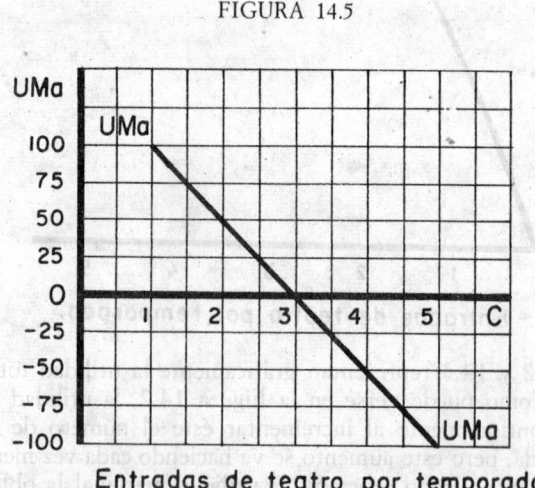

El caso del individuo *B* es algo distinto. Como muestra la Figura 14.4, su curva
de utilidad total indica que ésta aumenta con las dos primeras entradas, alcanzando
su valor máximo con la segunda; con la tercera entrada su utilidad total no varía
(la pendiente de la curva de utilidad total es cero en su tramo entre los puntos *a* y *b*

(ya que $\Delta UT = 0$ y $\Delta C = 1$ y, por lo tanto, $\dfrac{0}{1} = 0$). A partir de la unidad 3 de

veces que el individuo B va al teatro por temporada, la utilidad total empieza a dis·
minuir, hasta hacerse cero al consumir 5 unidades (la pendiente de la curva OA se
hace negativa a partir del punto b). La Figura 14.5 muestra la curva de la utilidad
marginal, que, una vez más, representa la pendiente de la curva de utilidad total:
la utilidad marginal es decreciente y positiva hasta llegar a la cantidad de 3 unidades
consumidas, cantidad a la que se hace igual a cero; para las unidades 4 y 5 la utilidad
marginal es negativa (como representa la pendiente negativa de la curva de utilidad
total OA). Al ser negativa la utilidad marginal a partir de la cuarta unidad, ello significa que el consumo de esta unidad representa una reducción de la utilidad total (a la
satisfacción total de haber consumido 3 unidades hay que detraerle el fastidio de ir
una cuarta vez al teatro, lo que da lugar lógicamente a una reducción de la utilidad
total).

FIGURA 14.6   FIGURA 14.7

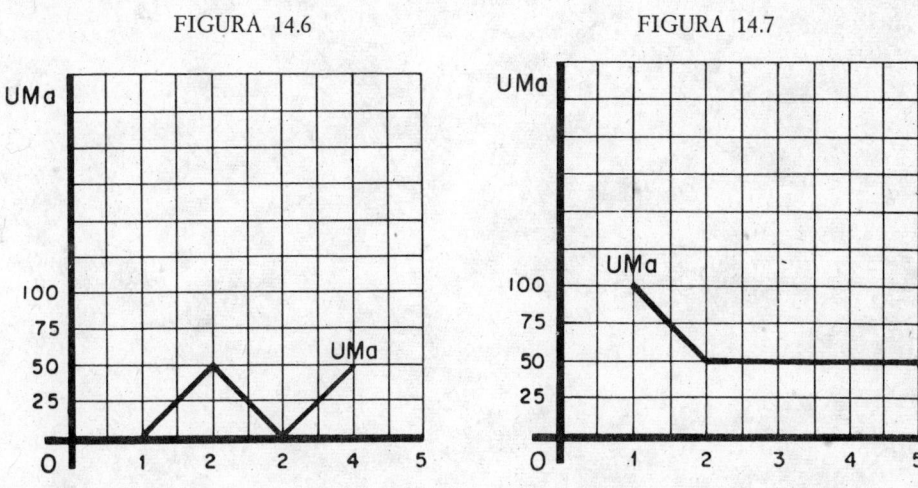

Suponga el lector que la curva de la utilidad marginal de un individuo fuera la
representada en la Figura 14.6 y la curva de la utilidad marginal de otro sujeto uera
la que puede verse en la Figura 14.7. Intente el lector determinar la forma de la
curva de la utilidad total para cada uno de los dos individuos como un ejercicio que
pone a prueba su comprensión de la relación entre la utilidad total y la marginal.

BIBLIOGRAFIA SELECCIONADA

Samuelson, P.: *Curso de Economía Moderna,* op. cit., Cap. 21.
Lipsey, R.: *Introducción a la Economía Positiva,* op. cit., Cap. 15.
Friedman, M.: *Teoría de los Precios,* op. cit., Cap. 2, págs. 49-58.
Stigler, G.: *La Teoría de los Precios,* op. cit., Cap. 5.
Bilas, R.: *Teoría Microeconómica,* op. cit., Cap. 3.
Lancaster, K.: *Introducción a la Microeconomía Moderna,* Casa Editorial Bosch, Barcelona, 1971,
    Cap. 7.
Clower, R., y Due, J.: *Microeconomía,* op. cit., Cap. 4.
Becker, G.: *Teoría Económica,* op. cit., Caps. 2 y 3.

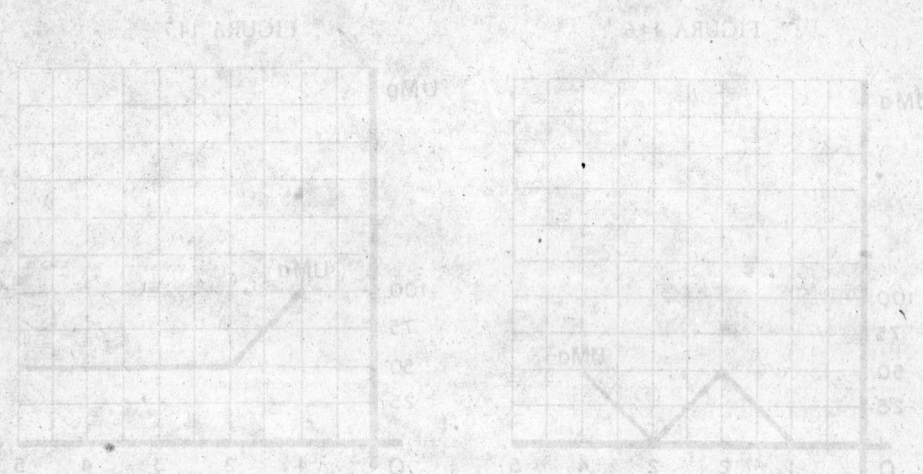

CAPITULO 15

UTILIDAD MARGINAL Y CURVA
DE DEMANDA

LOS PRECIOS DE LOS BIENES Y LA RENTA DEL CONSUMIDOR

Hasta ahora sólo hemos hablado de la utilidad que obtienen los consumidores con el disfrute de los bienes y servicios. Para poder relacionar la utilidad derivada del consumo de los bienes con la cantidad demandada de éstos por los consumidores necesitamos dos datos más que hasta el momento no hemos tenido en cuenta: los precios relativos de los bienes y la renta de la que disponen los consumidores para gastársela en la compra de bienes.

El precio relativo de un bien es el precio de éste en términos de los otros bienes. Por ejemplo, si un libro determinado vale 400 pesetas y una entrada de un cine concreto en domingo vale 200 pesetas, entonces el precio relativo del libro es de dos entradas de cine, y el precio relativo de la entrada de cine en términos del libro es de un medio de éste. Los precios de los bienes y servicios necesariamente se expresan en unidades de la moneda del país que se trate. Pero estos precios absolutos no nos dicen nada por sí mismos si no los ponemos en relación unos con otros para obtener lo que realmente nos cuesta un bien en términos de cada uno de los demás bienes que deseamos. Este valor o precio relativo es el que realmente tenemos en cuenta a la hora de comprar un bien, aunque evidentemente el valor absoluto también puede tener una influencia (un yate puede tener un precio relativo bajo, pero si cuesta 10.000.000 de pesetas es posible que no podamos adquirirlo).

El segundo factor que es necesario introducir en el análisis es la renta de que disponen los consumidores para gastársela en los bienes y servicios que desean disfrutar.

Digamos previamente que la unidad económica básica de esta parte de la Teoría Económica es la economía doméstica definida como la persona o grupo de personas que constituyen una unidad de decisión en las cuestiones financieras relativas al gasto en consumo. Esta definición permite tratar a la economía doméstica (una persona que vive sola, una familia o un kibbutz israelí) como una sola unidad de decisión que sigue un conjunto de reglas consistentes en la toma de decisiones. Estas reglas son:

a) Tener un orden de preferencias respecto de los distintos bienes y servicios (de los tres bienes *A*, *B* y *C*, *A* es preferido a *B*, y *B* es preferido a *C* o cualquier otro orden de preferencias, pero siempre existiendo un orden de preferencias).

b) Actuar de una forma consistente o acorde con estas preferencias (condición de transitividad): si el individuo prefiere *A* a *B* y *B* a *C*, entonces preferirá *A* a *C*, y no al revés (lo que constituiría una inconsistencia).

c) Tratar de maximizar la utilidad total que puede obtener la economía doméstica por la compra de los bienes y servicios que su limitación presupuestaria le permite.

Estas reglas se supone que las observan todos los miembros de la economía doméstica que toman decisiones, y en consecuencia las decisiones son independientes de cuál de los miembros las tome.

Las economías domésticas han de elegir en primer lugar entre trabajo y ocio, lo que constituye la distribución de su tiempo de acuerdo con unas preferencias, y al mismo tiempo determina la renta que obtienen durante un período de tiempo concreto (dada la riqueza de que dispongan y los salarios que se pagan en el mercado). En segundo lugar, las economías domésticas han de decidir qué parte de su renta ahorran y qué fracción de ella destinan al gasto en consumo (en Economía se supone que las economías domésticas no invierten, ya que la inversión la realizan las empresas, que son las unidades económicas que producen; las economías domésticas ahorran y/o gastan en consumo, y su ahorro es transvasado a las empresas a través de las instituciones financieras para financiar la inversión de aquéllas). Finalmente, las economías domésticas han de decidir cómo distribuyen la renta que deciden gastar entre los distintos bienes y servicios de consumo que desean disfrutar.

La elección que haga el individuo entre trabajo y ocio, junto con la fracción del tiempo de trabajo que pueda colocar en el mercado (fracción del número de horas por día y de días al año que haya decidido trabajar) y del salario que alcanza por día u hora, y con la renta que obtenga de otras fuentes (principalmente procedente de la riqueza que posea), determinan su renta total. Una vez que el sujeto dispone de una cantidad de renta, decidirá qué fracción de ésta destina a ahorrar y cuál a comprar bienes y servicios de consumo. Cuando ha decidido la cantidad de renta que destina al consumo, esta cantidad constituye una restricción dentro de la que ha de actuar el individuo en tanto no cambie ésta por alguna de las posibles causas que hemos señalado. Dado los precios de los bienes y servicios, y dada la limitación de la cantidad de renta de que dispone, el individuo no podrá comprar más que unas cantidades máximas de aquéllos.

TABLA 15.1

Unidades compradas por mes	Pares de zapatos			Kgs. de carne de ternera			Paquetes de Winston		
	UMa	Precio	$\dfrac{UMa}{P}$	UMa	Precio	$\dfrac{UMa}{P}$	UMa	Precio	$\dfrac{UMa}{P}$
1	6.000	3.000	2	3.200	1.000	3,2	500	100	5
2	5.200	3.000	1,7	2.000	1.000	2	400	100	4
3	3.000	3.000	1	1.000	1.000	1	350	100	3,5
4	0	3.000	0	500	1.000	0,5	300	100	3
5	— 900	3.000	— 0,3	250	1.000	0,25	200	100	2
6	— 1.500	3.000	— 0,5	0	1.000	0	100	100	1
7	— 3.000	3.000	— 1	— 1.000	1.000	— 1	0	100	0
8	— 9.000	3.000	— 3	— 9.000	1.000	— 9	— 100	100	— 1

EL EQUILIBRIO DEL CONSUMIDOR

Sabemos que cada economía doméstica (que en la Teoría del Comportamiento del Consumidor que estamos estudiando aquí es considerada sólo en su faceta de consumidor o demandante de bienes y servicios de consumo), tiene un conjunto de curvas de utilidad marginal, una para cada bien y servicio que compra. Para un período de tiempo dado, la utilidad marginal (o la adición a la utilidad total) que obtiene un consumidor por el disfrute de, por ejemplo, un traje puede ser mucho mayor que la utilidad marginal de tomarse una cerveza más. Sin embargo, puede que el individuo se tome una cerveza más y no se compre un traje adicional. La explicación de este comportamiento puede residir en los precios absolutos de los dos bienes y en la cantidad total de renta de que disponga para gastársela en estos bienes.

Debemos señalar que en el análisis que a continuación exponemos del comportamiento del consumidor suponemos que la utilidad obtenida del consumo de un bien es una función (depende exclusivamente) de la cantidad que se consume de dicho bien.

Existe otra vía posible (y más moderna) de realizar este análisis. Esta vía consiste en considerar que cada individuo tiene una función de utilidad en la que ésta (la utilidad) depende conjuntamente de todos los bienes y servicios consumidos por el sujeto. Formalmente:

$$U_1 = f_1 (X_{11}, X_{12}, X_{13}, \ldots, X_{1n})$$

que expresa la idea de que la utilidad U que obtiene el individuo 1 es una función de (depende de) la cantidad X que éste consume del bien 1, de la cantidad X que consume del bien 2, de la cantidad X que consume del servicio 3, y así hasta el bien n. Los bienes y servicios que entran dentro del paréntesis (las variables independientes) son denominados argumentos de la función de utilidad.

Por supuesto, son argumentos de la función de utilidad de cada individuo (o entran como argumentos o variables independientes o explicativas de la función de utilidad de cada sujeto) todos los bienes y servicios que éste consume, tal como hemos definido los bienes y servicios: alimentos, bebidas, coches, vacaciones, conciertos, etc. Pero, como veremos más adelante, también pueden entrar como argumentos en la función de utilidad de un individuo, bienes o servicios, tales como la libertad de todo tipo, el orden público, la estética del medio ambiente en el que vive, el aire no contaminado que respira, etc. Es decir, en la función de utilidad de un individuo entran como argumentos todos los bienes y servicios que éste valora y consume en alguna medida, incluyendo aquellos que pueden ser nocivos para él (el tabaco, las drogas, etc.).

Generalmente se considera que la utilidad o satisfacción que un individuo obtiene del consumo de una cantidad determinada de un bien depende sólo de ese consumo del bien en cuestión que él realiza, y no del consumo que de ese mismo bien hagan otros sujetos. Es decir, se supone que la función de utilidad de cada individuo es independiente de las funciones de utilidad de los demás sujetos. Esto es cierto para la mayoría de los bienes y servicios, que son los llamados bienes privados (bienes alimenticios, de bebida, de vestido, etc.): la utilidad derivada del consumo de manzanas del individuo A depende exclusivamente de la cantidad de manzanas que él come por período de tiempo, y no está relacionada con el consumo de esta fruta que hacen otros sujetos. Pero ocurre que incluso con algunos bienes privados como es el coche, la satisfacción que un individuo obtiene de utilizar éste no depende exclusivamente del uso que él hace de su vehículo, sino que depende también del consumo de sus propios coches que realizan otros sujetos, ya que se producen atascos de tráfico que reducen la satisfacción que aquél obtiene del uso que él hace de su automóvil.

En el caso de los llamados bienes públicos (los bienes que se consumen conjuntamente por todos los individuos al mismo tiempo y sin que el consumo del bien por parte de un sujeto reduzca simultáneamente el consumo de ese mismo bien por parte de otros individuos: el alumbrado público, la defensa nacional, el orden público, las carreteras, los parques, los transportes y la enseñanza, hasta la saturación de los medios materiales utilizados para su provisión; y otros bienes de este tipo que tienen oferta conjunta y consumo conjunto) la interdependencia de las funciones de utilidad de los individuos es obvia y muy importante.

Esta interdependencia es la consecuencia de los llamados efectos económicos externos negativos y positivos de la actividad de consumir de los individuos (más adelante veremos que también existen efectos económicos externos en la actividad de producir). Estos efectos económicos externos de la actividad de consumir se definen como las repercusiones que sobre los demás individuos tiene el consumo de una cantidad de un bien por parte de un sujeto. Si una persona pone su tocadiscos demasiado alto y molesta a los demás vecinos de la casa, aquél está produciendo un efecto económico externo negativo (una desutilidad) sobre los demás habitantes de la vivienda; si un sujeto planta un jardín bonito en su casa puede estar produciendo un efecto económico externo positivo sobre las personas que habitan las casas colindantes, ya que posiblemente será agradable para éstas disfrutar de la vista del jardín.

Sin duda el consumo de la mayoría de los bienes y servicios tiene efectos económicos externos (si una persona viste bien, puede resultar agradable a los demás el verla; si un sujeto se educa bien, posiblemente será un ciudadano más consecuente, responsable y civilizado con el que convivir será más fácil; si un individuo se alimenta adecuadamente, su salud probablemente será buena, con lo que perderá pocos días de trabajo y necesitará pocos cuidados médico-farmacéuticos). No obstante, generalmente se consideran como efectos económicos externos sólo aquellas repercusiones directas y obvias que el consumo de un bien por un sujeto tiene sobre los demás. Nosotros no vamos a estudiar en detalle aquí esta importante cuestión, sino que lo haremos más adelante. Ahora sólo nos interesa señalar que en la Teoría del Comportamiento del Consumidor se supone que la función de utilidad de cada sujeto es independiente de la de cada uno de los demás individuos, a pesar de que, como hemos indicado, con frecuencia se da una interdependencia entre ellas. Más adelante estudiaremos los efectos económicos externos, y veremos cómo constituyen un fallo del mercado (éste falla en el sentido de que no los recoge, por lo menos en el período inmediato al momento en el que se producen aquéllos) y cómo dan lugar a importantes problemas en la provisión de ciertos bienes por el mercado, problemas que pueden llevar a que éstos sean provistos por el Estado o por los entes públicos menores (regionales, municipales, etc.).

De momento y a efectos de la exposición de la Teoría del Comportamiento del Consumidor y de la derivación de la curva de demanda de un bien, nosotros vamos a considerar que cada individuo tiene una función de utilidad para cada bien que consume, función que expresa que la utilidad que aquél obtiene del disfrute del bien en cuestión sólo depende del consumo que hace de éste (no depende en absoluto del consumo que otros sujetos hacen del bien en cuestión). Suponemos que tampoco depende dicha utilidad del consumo que el sujeto haga de los demás bienes y servicios que consume (excepto en el caso de que éstos sean bienes complementarios del primero). Este supuesto es necesario para poder exponer la Teoría del Comportamiento del Consumidor al nivel elemental que aquí se considera.

La Tabla 15.1 muestra las hipotéticas utilidades marginales (medidas en útiles) que obtiene una economía doméstica por el consumo de sucesivas unidades adicionales de pares de zapatos, kilos de carne de ternera de primera calidad y paquetes de cigarrillos «Winston» por mes. También se expresa el precio de cada uno de los tres bienes en pesetas. Como puede verse, hemos seleccionado los valores de la utilidad marginal para que ésta sea decreciente a partir de la segunda unidad consumida de cada bien, tal como postula la ley de la utilidad marginal decreciente. También puede observarse que hemos supuesto en el ejemplo numérico que la utilidad marginal puede llegar a ser negativa para los tres bienes: a partir del quinto par de zapatos, a partir del séptimo kilo de carne de ternera y a partir del octavo paquete de «Winston» consumido por mes.

Conociendo la utilidad marginal (supuestamente medida cuantitativamente en útiles) y el precio, podemos calcular la utilidad marginal que el individuo en cuestión obtiene por peseta gastada en cada uno de los tres bienes cuando compra las distintas cantidades de éstos. Esta utilidad por peseta puede verse en la tercera columna de cada uno de los bienes, ya que la fracción $\dfrac{UMa}{precio}$ no es más que esa magnitud.

Podemos ver en la Tabla 15.1 que la compra de un par de zapatos (el primero que compra) le reportaría al individuo una adición considerable a su utilidad total, adición que es muy superior a la que obtendría de comprar el primer kilo de carne, y mucho mayor aún que la de adquirir el primer paquete de «Winston». De hecho le proporcionaría una utilidad marginal mayor que la que le daría la compra de los primeros dos kilos de carne (5.200 útiles). La razón de que el consumidor no compre el primer par de zapatos estriba en que debido a que el precio de éste es relativamente elevado (3.000 ptas), la utilidad marginal por peseta gastada es relativamente baja ($\dfrac{UMa}{precio} = \dfrac{6.000}{3.000} = 2$). Para el primer par de zapatos que compra la utilidad marginal por peseta es de dos útiles, mientras que ésta es de 3,2 útiles para el primer kilo de carne, y de 5 útiles para el primer paquete de «Winston».

Si el consumidor desea obtener la máxima utilidad marginal posible por peseta que gasta, entonces, dada su tabla de utilidad marginal representada por los valores de la Tabla 15.1, nuestro consumidor preferirá comprar en primer lugar un paquete de «Winston», cuya utilidad marginal por peseta es de 5 útiles. Asimismo, a continuación le interesa comprar el segundo y el tercer paquete de «Winston» por mes antes de comprar el primer kilo de carne. Después de haber comprado los tres primeros paquetes de «Winston», si el consumidor deseara seguir maximizando su utilidad total por la renta gastada por mes compraría un primer kilo de carne. A continuación, adquiriría el cuarto paquete de «Winston». Si su presupuesto se lo permitiera, el individuo compraría simultáneamente el primer par de zapatos, el segundo kilo de carne de ternera y el quinto paquete de «Winston», ya que las utilidades marginales por peseta gastada en estas cantidades de los tres bienes serían iguales (2 útiles por peseta). Suponiendo que su presupuesto mensual siguiera creciendo, el sujeto adquiriría a continuación las cantidades anteriores más un segundo par de zapatos (*UMa = 1,7*). Y así continuaría comprando cantidades crecientes de los tres bienes, incrementando siempre la del bien cuya utilidad marginal por peseta fuera la mayor. Naturalmente, las cantidades que compra el consumidor siempre se entiende que son cantidades por mes.

Se dice que el consumidor estará en equilibrio, o lo que es lo mismo, estará maximizando su utilidad total obtenida del gasto de una cantidad de renta determinada durante un sólo período de tiempo, cuando sus compras de los bienes y servicios que desea son tales que las utilidades marginales por peseta gastada que obtiene del conjunto de bienes que compra son iguales. Este es el llamado principio de igualdad de las utilidades marginales ponderadas por los precios, que formalmente se expresa:

$$\frac{UMa_c}{P_c} = \frac{UMa_z}{P_z} = \frac{UMa_w}{P_w} = \dots = \frac{UMa_n}{P_n}$$

Es decir, la utilidad marginal por peseta gastada en zapatos es igual a la utilidad marginal por peseta gastada en carne, las cuales a su vez son iguales a la utilidad marginal por peseta gastada en pequetes de «Winston», y éstas son también iguales a la utilidad marginal por peseta gastada en todos y cada uno de los demás bienes y servicios que el individuo compra en un mismo período de tiempo.

Decimos que si se cumple esta condición el consumidor estará en equilibrio, en el sentido de que estará maximizando su utilidad total derivada de sus compras (gasto) durante un período de tiempo, y en consecuencia no deseará cambiar éstas. Es fácil explicar por qué es necesario que se cumpla el principio de la utilidad marginal igual por peseta gastada en todos los bienes y servicios. Supongamos que

$$\frac{UMa_c}{P_c} > \frac{UMa_z}{P_z}$$

Esto significaría que el individuo estaría obteniendo una mayor utilidad marginal por peseta gastada en la carne de ternera que en los zapatos (para una cantidad comprada de cada uno de los dos bienes durante un período de tiempo determinado). Obviamente el consumidor aumentaría su utilidad total incrementando el consumo de carne sin disminuir el consumo de zapatos (suponiendo que su presupuesto se lo permitiera), con lo que la utilidad marginal por peseta gastada en carne disminuiría (suponiendo el precio de ésta constante y su utilidad marginal decreciente). Como la utilidad marginal por peseta gastada en zapatos no variaría, las dos utilidades marginales tenderían a igualarse.

Si por el contrario, el individuo tuviera una cantidad de renta determinada (limitada) para gastar en los dos bienes, entonces aumentaría su utilidad total incrementando el consumo de carne y reduciendo el de zapatos (transvasando el gasto de renta de los zapatos a la carne), con lo que la utilidad marginal por peseta gastada en carne disminuiría al aumentar el número de kilos consumidos por mes, y la utilidad marginal por peseta gastada en zapatos aumentaría (al reducir el número de pares de zapatos comprados y permanecer el precio de éstos constante). El proceso continuaría hasta que

$$\frac{UMa_c}{P_c} = \frac{UMa_z}{P_z}$$

Cuando se cumpliera el principio de la utilidad marginal por peseta igual para los zapatos, la carne y los cigarrillos «Winston», el consumidor en cuestión estaría maximizando su utilidad total y no desearía cambiar la estructura de su consumo.

Si no tuviera limitación alguna en la cantidad de renta de que pudiera disponer para gastarla en consumo, el individuo maximizaría la utilidad total cuando la utilidad marginal por peseta fuera cero para todos los bienes. Sólo entonces el consumidor habría obtenido todas las adiciones posibles de utilidad (por el consumo de cada uno de los bienes y servicios) que puede hacer a la utilidad total. Entonces se cumpliría, además, el principio de la utilidad marginal por peseta igual para todos los bienes y ésta sería cero. Mientras que la utilidad marginal de consumir una unidad adicional de algún bien sea positiva, la utilidad total de la economía doméstica de que se trate puede aumentar.

Esta argumentación es correcta pero ignora el hecho de que los consumidores tienen siempre una restricción presupuestaria; es decir, todos los individuos tienen una renta limitada (ésta puede ser más grande o más pequeña pero en todo caso es limitada). El principio de la utilidad marginal igual por peseta nos dice en qué proporciones se consumirán los productos por los distintos individuos según sus tablas de utilidades. Así, el individuo cuya tabla de utilidades sea la expresada por la Tabla 15.1, si deseara maximizar su utilidad y no tuviera una restricción presupuestaria, consumiría por mes siete paquetes de «Winston», seis kilos de carne y cuatro pares de zapatos.

En puridad de conceptos, según los valores de la Tabla 15.1 el consumir la séptima cajetilla de «Winston» no añade ninguna utilidad a la utilidad total ($UMa = 0$). Lo mismo ocurre con el sexto kilo de carne y el cuarto par de zapatos. En consecuencia, el individuo debería detenerse en el sexto paquete de «Winston», en el quinto kilo de carne y en el tercer par de zapatos ($UT = 23.000$ útiles). Si consumiera siete paquetes de «Winston», siete kilos de carne y cuatro pares de zapatos, $UT = 23.000$, con lo que no habría ganado ninguna utilidad adicional y en cambio se habría gastado 4.100 pesetas más. Una vez más nos encontramos con el problema de la discontinuidad de las variables económicas. Podemos presumir que si los 20 cigarrillos del sexto paquete de «Winston» le reportan en conjunto 100 útiles al individuo, ello se debe a que el primer cigarrillo del séptimo paquete todavía le producirá alguna satisfacción (aunque ésta sea inferior a la del último cigarrillo del sexto paquete).

Al afirmar que el individuo, si desea maximizar la utilidad total, debe aumentar su consumo de los bienes hasta que la utilidad marginal sea igual a cero, lo que estamos suponiendo es que la última fracción de la unidad de cada bien (paquete de «Winston», kilo de carne) tiene una utilidad marginal igual a cero. Esto puede verse si se representa la utilidad total de cualquiera de estos bienes en un gráfico. La línea que la representaría sería una línea continua. Al no poder fraccionar el paquete de «Winston», sólo debería detenerse el individuo en la sexta unidad si resultara que la utilidad marginal positiva de los primeros cigarrillos del séptimo paquete fuera contrarrestada por la utilidad marginal negativa de los últimos cigarrillos de éste, de tal forma que la utilidad marginal resultante del conjunto del séptimo paquete fuera cero. Si esto fuera así, obviamente el individuo maximizaría su utilidad total deteniéndose en el sexto paquete de «Winston», en el quinto kilo de carne y en el tercer par de zapatos.

Como sabemos, la utilidad total es la suma de las utilidades marginales. El lector debe recordar que al considerar como indivisible la unidad kilo de carne desde

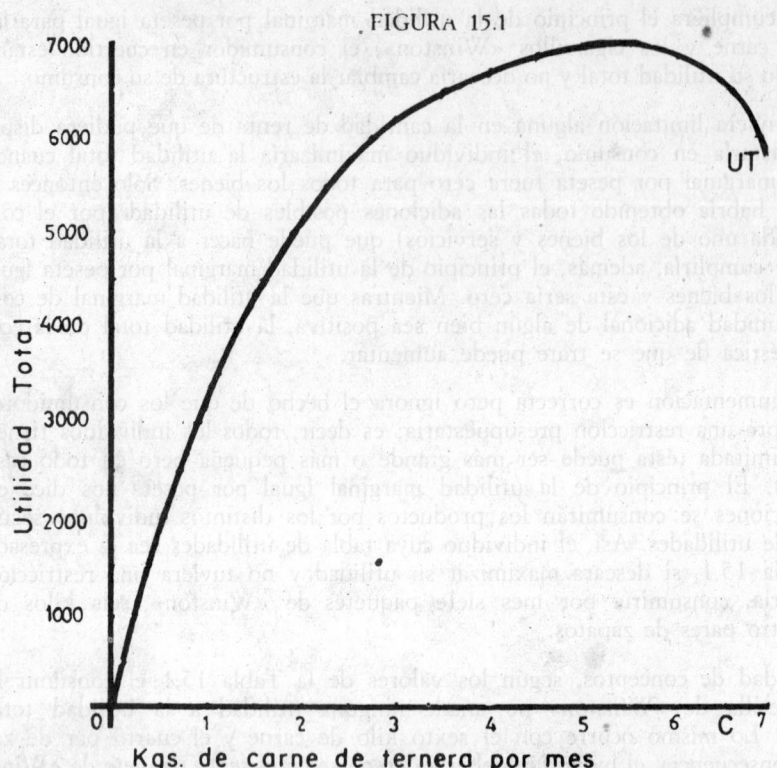

FIGURA 15.1

Kgs. de carne de ternera por mes

el punto de vista del cómputo de la utilidad marginal (la Tabla 15.1 no nos da los valores de ésta para las cantidades de carne correspondientes a las fracciones de éste entre cada dos kilos), en realidad estamos suponiendo que las cantidades de los tres bienes son variables discontinuas. Pero al representar éstas gráficamente lo hacemos como si fueran variables continuas. Véase la Figura 15.1 en la que se representa la utilidad total de la carne de ternera del individuo que analizamos. Si consideramos que los valores que la Tabla 15.1 nos da para la utilidad marginal por unidad adicional de cada uno de los bienes es la suma de las utilidades marginales de las distintas fracciones de aquélla y que la utilidad marginal es decreciente, entonces es evidente que tanto en la Figura 15.1 como en la Figura 14.4 el punto más elevado de la curva UT se encuentra entre las unidades 5 y 6 en la primera y entre las unidades 2 y 3 en la segunda (esto lo hemos representado en la Figura 14.4 con una línea discontinua entre los puntos a y b).

Ciertamente la utilidad marginal es una variable continua; la que no es una variable continua es la cantidad de unidades de los bienes que consumimos. Gráficamente, la Figura 15.2 representa la idea de que la utilidad marginal de los sucesivos kilos de carne de ternera consumidos es la suma de las utilidades marginales de todas las fracciones de cada unidad. De ahí que los puntos de la curva de utilidad marginal correspondientes a los valores de la Tabla 15.1 los hayamos determinado en el punto medio de la distancia correspondiente a cada unidad de kilo de carne en el eje horizontal.

Ya hemos indicado que el principio de la utilidad marginal igual por peseta gastada en todos los bienes nos da las proporciones en las que los consumidores desearán (e intentarán) consumir los bienes. Así, si el individuo no tuviera una restricción presupuestaria (no tuviera una limitación de renta) y suponiendo que

FIGURA 15.2

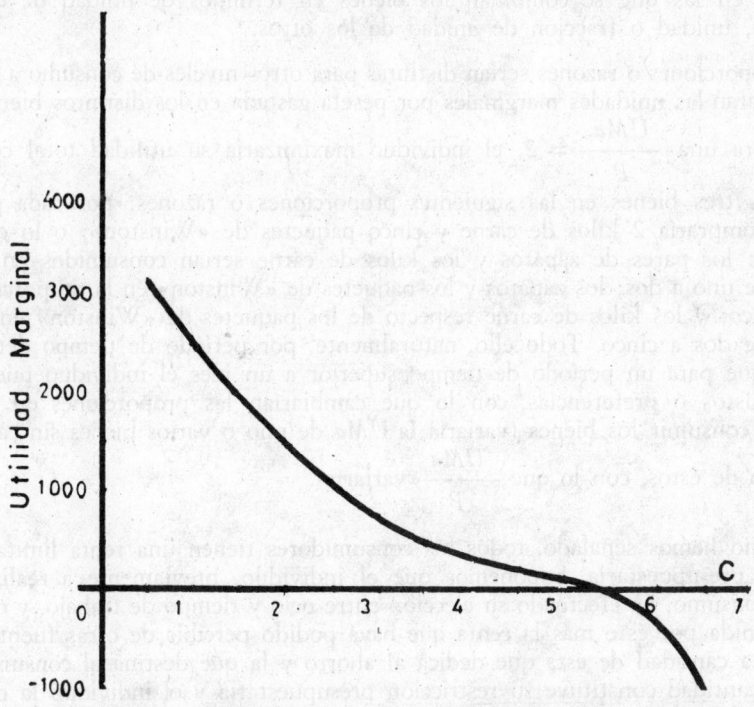

Kgs. de carne de ternera por mes

en conjunto ni el cuarto par de zapatos ni el sexto kilo de carne ni el séptimo paquete de «Winston» añaden ninguna utilidad a la utilidad total del individuo, entonces éste consumiría tres pares de zapatos y cinco kilos de carne por cada seis paquetes de «Winston». El individuo consumiría los tres bienes en las proporciones siguientes:

$$\frac{3 \text{ pares de zapatos}}{5 \text{ kilos de carne}}$$

es decir, por cada par de zapatos consumiría 1,66 kilos de carne; o lo que es lo mismo, por cada kilo de carne consumiría 0,6 pares de zapatos.

$$\frac{3 \text{ pares de zapatos}}{6 \text{ paquetes de «Winston»}}$$

es decir, consumiría un par de zapatos por cada dos paquetes de «Winston», o un paquete de «Winston» por cada 0,5 pares de zapatos.

$$\frac{5 \text{ kilos de carne}}{6 \text{ paquetes de «Winston»}}$$

es decir, consumiría un kilo de carne por cada 1,2 paquetes de «Winston», u 830 gramos de carne por cada paquete de «Winston».

Estas serían las proporciones en las que el individuo consumiría los tres bienes si se cumplieran las condiciones que se especifican en el párrafo anterior. Obviamente si hablamos de fracciones de unidad de los bienes es sólo para ilustrar las proporciones en las que se combinan los bienes en términos de unidad de uno por unidades, unidad o fracción de unidad de los otros.

Estas proporciones o razones serían distintas para otros niveles de consumo a los que se igualaran las unidades marginales por peseta gastada en los distintos bienes. Así pues, para una $\dfrac{UMa}{P} = 2$, el individuo maximizaría su utilidad total consumiendo los tres bienes en las siguientes proporciones o razones: por cada par de zapatos compraría 2 kilos de carne y cinco paquetes de «Winston»; o lo que es lo mismo: los pares de zapatos y los kilos de carne serían consumidos en la proporción de uno a dos; los zapatos y los paquetes de «Winston» en la proporción de uno a cinco; y los kilos de carne respecto de los paquetes de «Winston» en la proporción de dos a cinco. Todo ello, naturalmente, por período de tiempo determinado, ya que para un período de tiempo superior a un mes el individuo puede variar sus gustos o preferencias, con lo que cambiarían las proporciones en las que desearía consumir los bienes (variaría la UMa de uno o varios bienes sin cambiar el precio de éstos, con lo que $\dfrac{UMa}{P}$ variaría).

Pero, como hemos señalado, todos los consumidores tienen una renta limitada o restricción presupuestaria. Suponemos que el individuo, previamente a realizar el gasto en consumo, ha efectuado su elección entre ocio y tiempo de trabajo, y con la renta obtenida por éste más la renta que haya podido percibir de otras fuentes, ha decidido la cantidad de ésta que dedica al ahorro y la que destina al consumo. Esta última cantidad constituye su restricción presupuestaria y el individuo la distribuirá entre los distintos bienes y servicios que desea adquirir de tal forma que alcance o se aproxime al principio de igual utilidad marginal por peseta gastada en todos los bienes y servicios que consume por período de tiempo.

Para poder determinar las cantidades absolutas que compraría el individuo necesitamos conocer su presupuesto o, lo que es lo mismo, la renta de que dispone o que se propone gastar en todos los bienes y servicios que desea consumir. En el caso del consumidor de la Tabla 15.1, con un presupuesto muy reducido éste empezaría comprando tres paquetes de «Winston» por mes, ya que la utilidad marginal por peseta gastada es más elevada para el primer paquete de cigarrillos que para el primer par de zapatos y que para el primer kilo de carne de ternera; si su presupuesto mensual aumentara suficientemente, a continuación el sujeto compraría tres paquetes de «Winston» y un kilo de carne por mes; si su presupuesto mensual creciera un poco más, la siguiente combinación de su compra sería cuatro paquetes de Winston y un kilo de carne. Suponiendo el suficiente aumento de su renta mensual, el individuo pasaría a comprar un par de zapatos, dos kilos de carne, y cinco paquetes de «Winston» por mes. Y así sucesivamente.

Con un presupuesto mensual de 5.500 pesetas el individuo maximizaría su utilidad total comprando mensualmente un par de zapatos, dos kilos de carne y cinco paquetes de «Winston». La utilidad marginal por peseta gastada sería igual a 2 para los tres bienes, y la utilidad total sería de 12.950 útiles. Esta es la cantidad máxima de utilidad que el individuo puede obtener con 5.500 pesetas mensuales, dada su tabla de utilidades marginales (sus preferencias). Obviamente la cantidad de renta la hemos elegido arbitrariamente para que sea tal que el individuo pueda adquirir las cantidades de los bienes que hacen que $\dfrac{UMa}{P} = 2$ en todos ellos. Si obtuviera 100 pesetas extra seguramente compraría un sexto paquete de «Winston», ya que aunque la utilidad marginal por peseta gastada en éste es menor que la que podría obtener con un segundo par de zapatos, el dinero no le llegaría para comprar éste.

Ya hemos señalado la combinación y las cantidades de los tres bienes que el individuo compraría con un presupuesto mensual de 5.500 pesetas. Con estas cantidades obtendría la utilidad total máxima que puede conseguir dadas su restricción presupuestaria y sus preferencias, debido a que la utilidad marginal por peseta gastada en los tres bienes es igual (en este caso igual a 2). Veamos por qué. La utilidad total que obtiene es:

1 par de zapatos (3.000 ptas.)	6.000 útiles
2 kilos de carne (2.000 ptas.)	5.200 útiles
5 paquetes de Winston (500 ptas.)	1.750 útiles
	12.950 útiles

Supongamos que el individuo deja de comprar el par de zapatos y compra tres kilos más de carne (al dejar de comprar el par de zapatos ahorra 3.000 pesetas, lo que le permite comprar 3 kilos de carne a 1.000 pesetas el kilo). La utilidad total sería:

5 kilos de carne (5.000 ptas.)	6.950 útiles
5 paquetes de Winston (500 ptas.)	1.750 útiles
	8.700 útiles

La utilidad total disminuiría en 4.250 útiles. Supongamos otra combinación. Imaginémonos que el individuo deja de comprar carne y «Winston» (con lo que dispondría de 2.500 ptas.) y que consigue de alguna forma las 500 pesetas que le faltan para adquirir un segundo par de zapatos. Aun con las 500 pesetas adicionales, su utilidad total sería de 11.250 útiles: menos de lo que obtendría con la primera combinación. Del mismo modo, si su presupuesto mensual aumentara a 12.600 pesetas, la utilidad total la maximizaría cuando comprara tres pares de zapatos, tres kilos de carne y seis paquetes de Winston. Si se cumple el principio de igual utilidad marginal por peseta gastada en todos los bienes, entonces necesariamente el individuo estará maximizando su utilidad total por período de tiempo y para un presupuesto determinado. Esta es una cuestión meramente aritmética: el consumidor estará maximizando su utilidad (obteniendo la utilidad total mayor que le es posible alcanzar, dadas sus preferencias o utilidades marginales y su renta) cuando la UMa por peseta gastada sea igual para todos los bienes y servicios que consume.

Puede parecer al lector que el teorema del equilibrio del consumidor es sólo una construcción teórica desligada de la realidad y sin ninguna utilidad práctica. Esto no es así. Evidentemente ningún consumidor va por el mundo calculando las UMa por peseta gastada en todos los bienes y servicios que consume y haciéndolas exactamente iguales, entre otras razones porque la utilidad no es medible con precisión. No obstante, es un hecho observable que todos los consumidores intentamos obtener una satisfacción aproximadamente igual por peseta de la renta que gastamos en los distintos bienes y servicios que adquirimos. Sin haber estudiado Teoría Económica sabemos que si nos da más satisfacción el dinero que nos gastamos en libros y en discos que el que gastamos en comer en un restaurante, reduciremos las comidas realizadas en un restaurante y aumentaremos las compras de libros y discos. Cuando decimos que el gasto en éste o en aquel bien no nos compensa, no estamos haciendo otra cosa que expresar la idea de que la *UMa* por peseta gastada en éstos para nosotros no es suficientemente elevada como para adquirirlos. De hecho lo que estamos haciendo es aplicar o intentar aplicar el principio de igual *UMa* por peseta gastada en todos los bienes y servicios que consumimos (aproximándonos así al equilibrio como consumidores), y de esta forma nos comportamos tal como predice la Teoría de la Elección del Consumidor que se comportan las economías domésticas.

LA DERIVACION DE LA CURVA DE DEMANDA

Como hemos visto en el epígrafe anterior, hemos podido determinar la cantidad de cada uno de los tres bienes que el consumidor compraría, dados los precios de éstos, la cantidad de renta que el individuo podría gastarse en ellos (su presupuesto) y las preferencias del individuo por los tres bienes (su tabla de las utilidades totales y marginales). Esto significa que conociendo los precios de los bienes, el presupuesto del consumidor y las preferencias de éste, hemos determinado un punto de la curva de demanda del consumidor en cuestión para cada uno de los tres bienes: al precio de 3.000 pesetas el consumidor compraría un par de zapatos, al precio de 1.000 pesetas por kilo adquiriría 2 kilos de carne, y al precio de 100 pesetas demandaría cinco paquetes de Winston durante un período determinado de tiempo (un mes).

Supongamos ahora que los precios cambian (manteniendo constantes las utilidades marginales de la Tabla 15.1; es decir, suponiendo que las preferencias del individuo no varían). Imaginémonos que el precio del par de zapatos disminuye a 1.100 pesetas. Comprando un sólo par de zapatos tal como hacía el consumidor en la situación de equilibrio anterior, el individuo se encontraría con que la razón

$$\frac{UMa_z}{P_z} \text{ sería ahora } \frac{6.000}{1.100} = 5,4$$

La utilidad marginal por peseta gastada en este bien sería muy superior a la que obtiene en los otros bienes que como sabemos es de 2. Si el individuo actúa racionalmente (cosa que suponemos), con las 1.900 pesetas que le restan tras comprar las cantidades de los tres bienes que compraba antes de que bajara el precio de los zapatos (1 par de zapatos, 2 kilos de carne y 5 paquetes de Winston) adquirirá obviamente un segundo par de zapatos por mes.

Con la nueva compra,

$$\frac{UMa_z}{P_z} = \frac{5.200}{1.100} = 4,73$$

utilidad marginal por peseta gastada que sería todavía muy superior a la que obtendría del segundo kilo de carne y el quinto paquete de Winston. Tras comprar el segundo par de zapatos al nuevo precio, al individuo le restarían 800 pesetas. Esta cantidad no sería suficiente para comprar un tercer par de zapatos por mes (éste vale 1.100 ptas.). Posiblemente lo que el sujeto haría sería reducir un poco el consumo de carne (en unos 200 gramos) y comprar un paquete menos de Winston, con lo que obtendría las 300 pesetas que necesita añadir a las 800 pesetas de que disponía para comprar un tercer par de zapatos.

Suponemos que ésto es lo que haría el individuo porque así se aproximaría a igualar la utilidad marginal por peseta gastada en los tres bienes. Un tercer par de zapatos reduciría su *UMa*:

$$\frac{UMa_z}{P_z} = \frac{3.000}{1.100} = 2,7.$$

Reduciendo su consumo de carne a 1,8 kilos (su precio permanece constante) podemos suponer que su utilidad marginal por peseta gastada en este bien aumentará de 2 (cuando consumía 2 kilos) a, aproximadamente 2,7 (al consumir 200 gramos menos). Del mismo modo, la utilidad marginal por peseta del Winston aumentaría de 2 a 3 al reducir de cinco a cuatro el consumo de éste. De esta forma obtendríamos el segundo punto de la curva de demanda de pares de zapatos del individuo que analizamos: a un precio de 1.100 pesetas por par el sujeto demanda tres pares por mes. De esta manera podemos trazar la curva de demanda del sujeto representada en la Figura 15.3. Evidentemente estamos simplificando las cosas al suponer que la curva de demanda de zapatos por parte del individuo es la que pasa por los puntos *a* y *b* de la Figura 15.3.

Con el ejemplo numérico de la Tabla 15.1 no podríamos obtener un tercer punto de la curva de demanda de pares de zapatos por parte del individuo, ya que el cuarto par de zapatos le proporcionaría una utilidad marginal de cero y el quinto una utilidad marginal negativa, por lo que, si actúa racionalmente, el sujeto no comprará más de tres pares por mes y su curva de demanda sólo tendrá el tramo *DD* de la Figura 15.3.

FIGURA 15.3

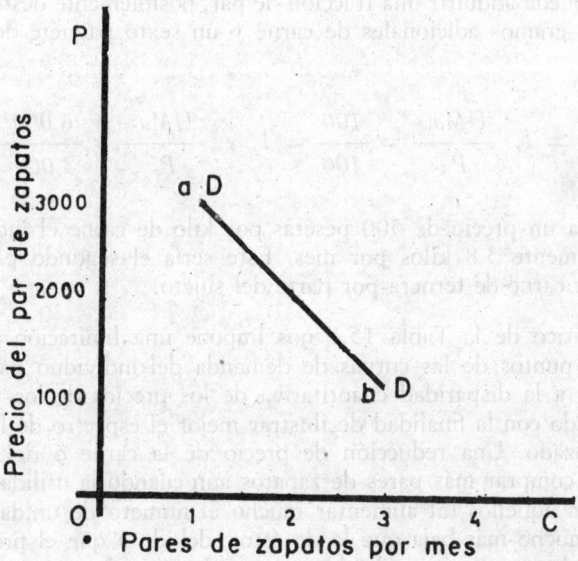

Por lo que respecta a la carne de ternera, al precio de 1.000 pesetas por kilo el individuo originariamente compraba 2 kilos (dentro de la combinación que realizaba de los tres bienes, de forma que $\dfrac{UMa}{P} = 2$ para los tres). En consecuencia, el primer punto de la curva de demanda de carne por parte de este individuo es $P = 1.000$ y $C = 2$. Si el precio de la carne de ternera bajara a 500 pesetas el individuo se encontraría con que

$$\frac{UMa_c}{P_c} = \frac{2.000}{500} = 4.$$

Con las 1.000 pesetas que le sobrarían de comprar 2 kilos de carne a 500 pesetas en lugar de a 1.000 pesetas kilo, el sujeto compraría por mes un tercer kilo de carne, con lo que

$$\frac{UMa_c}{P_c} = \frac{1.000}{500} = 2,$$

valor igual al que obtiene por peseta gastada en los otros dos bienes. Pero todavía le restarían 500 pesetas. Si gastara todo este dinero en comprar un cuarto kilo de carne, entonces

$$\frac{UMa_c}{P_c} = \frac{500}{500} = 1,$$

valor que es menor que la utilidad marginal por peseta gastada en zapatos (2) y en Winston (2). Como las 500 pesetas no son suficientes para comprar un segundo par de zapatos y no puede adquirir una fracción de par, posiblemente destine 400 pesetas a comprar 800 gramos adicionales de carne y un sexto paquete de Winston. De esta forma

$$\frac{UMa_c}{P_c} = \frac{400}{400} = 1, \quad \frac{UMa_w}{P_w} = \frac{100}{100} = 1, \quad \text{y} \quad \frac{UMa_z}{P_z} = \frac{6.000}{3.000} = 2.$$

Tendríamos así que a un precio de 500 pesetas por kilo de carne el individuo demandará aproximadamente 3,8 kilos por mes. Este sería el segundo punto de la curva de demanda de carne de ternera por parte del sujeto.

El ejemplo numérico de la Tabla 15.1 nos impone una limitación para poder obtener más de dos puntos de las curvas de demanda del individuo para los tres bienes. Esto se debe a la disparidad cuantitativa de los precios de los tres bienes que hemos seleccionado con la finalidad de ilustrar mejor el espectro de la demanda del consumidor analizado. Una reducción de precio de la carne o del tabaco no permite al individuo comprar más pares de zapatos aún cuando la utilidad marginal por peseta gastada en aquellos (al aumentar mucho el número de unidades consumidas) llegue a ser mucho más baja que la de éstos, debido a que el precio de los zapatos es muy elevado en términos absolutos con relación a los precios absolutos de la carne y del Winston. El lector puede subir o bajar el precio de alguno de los bienes para comprobar por sí mismo la limitación que el ejemplo numérico supone para que el individuo pueda ajustar sus compras hasta hacer que

$$\frac{UMa_z}{P_z} = \frac{UMa_c}{P_c} = \frac{UMa_w}{P_w}$$

Las diferencias enormes en los valores absolutos de los precios y el hecho de que en el ejemplo numérico la utilidad marginal lógicamente empieza a ser negativa pronto al aumentar el número de unidades consumidas de cada uno de los bienes hacen difícil poder obtener más de dos puntos de la curva de demanda. No obstante esperamos que el principio general de que existe una relación entre la utilidad marginal decreciente y la pendiente negativa de la curva de demanda haya quedado suficientemente claro. Si hemos diseñado este ejemplo numérico (en lugar de otro) ha sido porque es razonablemente realista (posiblemente con la excepción de la utilidad de los pares de zapatos comprados por mes) y porque representa una gama amplia de bienes de consumo.

Al bajar el precio de un bien y no variar las preferencias del consumidor por éste (las utilidades marginales para las distintas unidades consumidas del bien y de los demás bienes se mantienen constantes) la razón $\dfrac{UMa}{P}$ del bien en cuestión aumenta, con lo que el individuo estará motivado para aumentar la cantidad demandada del bien que analizamos en su búsqueda de maximizar su utilidad total a través de igualar la utilidad marginal por peseta gastada en cada uno de ellos. Con un presupuesto constante para el período que se considera, al bajar el precio de un bien y en consecuencia aumentar la utilidad marginal por peseta gastada en él, si el consumidor desea maximizar la utilidad total a través del principio de igual utilidad marginal por peseta gastada en todos los bienes, entonces comprará más unidades de este bien y menos de los demás bienes hasta volver a

$$\frac{UMa_1}{P_1} = \frac{UMa_2}{P_2} = \frac{UMa_3}{P_3} = \ldots = \frac{UMa_n}{P_n}$$

Esta misma idea la podemos formular de la siguiente manera: dado que la utilidad marginal de la inmensa mayoría de los bienes es decreciente para la generalidad de los individuos, entonces éstos sólo estarán dispuestos a comprar cantidades mayores de los bienes cuando sus precios sean más bajos. Si los individuos desean mantener constante la UMa por peseta gastada en un bien concreto, y dado que la UMa es decreciente, entonces al consumir más unidades de un bien sólo podrán conseguir que su UMa por peseta gastada en éste no disminuya si el precio del bien baja en la misma proporción en la que disminuye la UMa.

Dado además que el funcionamiento del mercado hace impracticable la discriminación en el precio que se le cobra a cada individuo al comprar distintas cantidades de un mismo bien por período de tiempo (sería demasiado costoso o imposible cobrar a cada individuo un precio distinto por cada número de unidades de cada uno de los bienes y servicios que comprara por período de tiempo según la UMa que le produjera el consumo de cada cantidad, entre otras razones porque no sabemos cuál es esa UMa), entonces la UMa decreciente explica la pendiente negativa de la curva de demanda de la generalidad de los bienes y servicios para la gran mayoría de los consumidores; y la incapacidad del mercado para cobrar un precio distinto a cada individuo por cada cantidad de los diferentes bienes y servicios que compra por período de tiempo en consonancia con la *UMa* que cada cantidad tiene para los sujetos, explica que el precio que los individuos pagan por todas las unidades que adquieren de cada bien sea el correspondiente a la *UMa* que les reporta el consumo de la cantidad de unidades de que se trate.

Esta explicación de la pendiente negativa de la curva de demanda (la relación inversa entre precio y cantidad demandada), así como el hecho de que los individuos paguen (por las distintas cantidades de los bienes y servicios) precios equivalentes en términos monetarios a las *UMa* correspondientes de esas cantidades, constituyen las dos conclusiones más importantes de la Teoría del Comportamiento del Consumidor. Estas dos conclusiones o teoremas han permitido el diseño del poderoso instrumento analítico que constituyen las curvas de demanda, que, como sabemos, representan las distintas cantidades de un bien que un individuo o un grupo de individuos están dispuestos o desean comprar (por período de tiempo) a los distintos precios de aquél. Asimismo, la curva de demanda expresa la idea de que el sujeto o el grupo de sujetos compran al mismo precio todas las unidades del bien incluidas en cada cantidad.

El hecho de que los individuos sólo paguen por cada una de las unidades incluidas en cada cantidad del bien el precio correspondiente a la utilidad marginal de dicha cantidad explica la famosa paradoja del valor. El agua es abundante y los individuos la consumen en grandes cantidades, con lo que la *UMa* disminuye hasta alcanzar valores muy pequeños (a pesar del gran valor o *UT* que el agua tiene para la vida y de la elevada *UMa* de aquella cuando se consume en cantidades pequeñas), por lo que el precio que los sujetos están dispuestos a pagar por ésta es bajo (el correspondiente a la *UMa* de dejar correr un poco más el grifo al lavarnos los dientes o el de regar un poco más el jardín). Del mismo modo, los diamantes tienen un precio alto porque al sólo poder consumirse en pequeñas cantidades (la oferta es muy reducida), la *UMa* para los individuos que los desean es elevada.

En el caso del agua la curva de oferta (al ser aquélla abundante y poco costosa de obtener en la mayoría de las ciudades del mundo) corta a la curva de demanda en un punto de la parte inferior de ésta, con lo que se determina un precio bajo y una cantidad comprada y vendida grande. Por el contrario, en el caso de los diamantes la curva de oferta corta a la curva de demanda en un punto de la parte superior de ésta, determinando así un precio elevado y una cantidad transaccionada reducida. La Figura 15.4 representa unas hipotéticas curvas de oferta y de demanda de agua por mes de una ciudad. Los dientes de sierra de los ejes de coordenadas indican que las dos líneas son más largas pero que las hemos reducido a los dos tramos continuos que de cada una aparecen en el diagrama. Con los diamantes ocurre lo contrario a lo que sucede con el agua: la curva de oferta de aquéllos corta a la curva de demanda en un punto muy elevado de ésta, ya que la oferta de diamantes en el mundo es muy reducida y muy inelástica, por lo que el precio que se determina es muy elevado. El precio de los bienes y servicios, pues, es determinado conjuntamente por la utilidad marginal y por la oferta de éstos.

Efecto Renta y Efecto Sustitución

Las compras de un número mayor de unidades del bien cuyo precio ha bajado las financiará el consumidor en parte con la renta que le libera la reducción del precio (en nuestro ejemplo, si en la situación de equilibrio inicial compraba un par de zapatos a 3.000 pesetas y ahora lo compra a 1.100 pesetas, se le han liberado 1.900 pesetas), y en parte con la renta que deja de gastar al comprar menos unidades de los demás bienes. Al efecto positivo que sobre la cantidad demandada de un bien tiene la liberación de la renta que la reducción de su precio implica se le llama efecto renta; y al efecto positivo que también tiene (sobre la cantidad demandada de un bien cuyo precio ha bajado) la liberación de renta que supone el que se compre menor cantidad de los demás bienes (cuyos precios no han variado) y se destine esa renta a aumentar la cantidad demandada del bien (cuyo precio ha bajado) se le llama efecto sustitución.

FIGURA 15.4

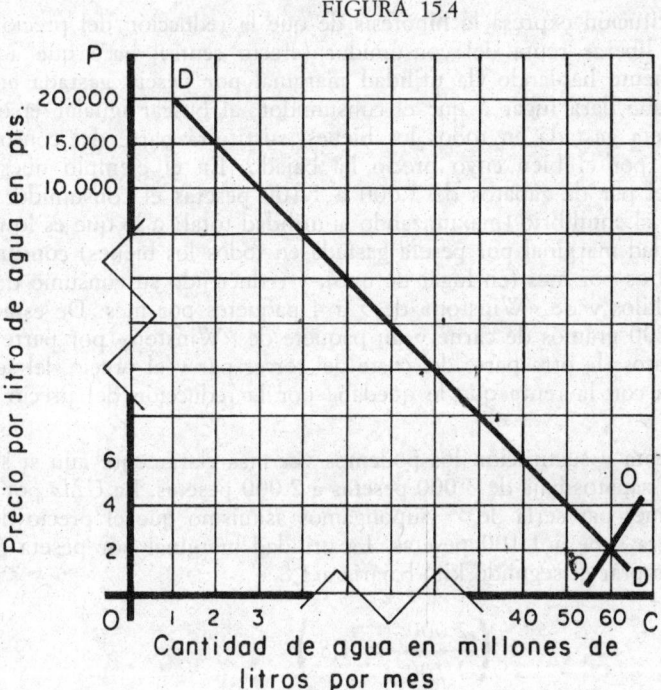

El efecto renta expresa la idea de que la reducción del precio de un bien equivale a un aumento de la renta de los consumidores que lo compran. En el ejemplo de la Tabla 15.1 en equilibrio de $\dfrac{UMa}{P} = 2$, el consumidor compraba un par de zapatos, dos kilos de carne y cinco paquetes de «Winston», y se gastaba 5.500 pesetas por mes. Si el precio del par de zapatos baja a 1.100 pesetas, el individuo podría comprar las mismas cantidades de los tres bienes y todavía le quedarían 1.900 pesetas. La disminución del precio tiene el mismo efecto, pues, que si hubiera subido la renta del consumidor sin haber variado los precios de los bienes. Con la renta que ahora le queda después de comprar las cantidades anteriores, el consumidor podrá comprar una cantidad adicional de todos los bienes que desee, incluyendo el bien cuyo precio ha bajado.

Pero además éste no sólo se habrá hecho más barato en términos absolutos, sino también en términos relativos con respecto a los demás bienes, con lo que la utilidad marginal por peseta gastada en él aumentará, mientras que la utilidad marginal por peseta gastada en los demás bienes no habrá variado. El consumidor, en su búsqueda de la maximización de la utilidad total, por una parte, comprará unidades adicionales de este bien, con lo que su *UMa* disminuirá y, en consecuencia, también su *UMa* por peseta gastada; y por otra parte, reducirá el número de unidades que compra de los demás bienes y servicios, con lo que la *UMa* de éstos aumentará y con ella (al no variar sus precios) la *UMa* por peseta gastada en ellos crecerá. De esta forma, el individuo habrá sustituido parte del consumo que antes hacía de los demás bienes por un incremento en la cantidad demandada del bien cuyo precio ha bajado.

El efecto sustitución expresa la hipótesis de que la reducción del precio de un bien, además de liberar renta del consumidor (efecto renta), hace que aquél se abarate, relativamente hablando (la utilidad marginal por peseta gastada en él se hace mayor), lo que dará lugar a que el consumidor, al buscar igualar la utilidad marginal por peseta gastada en todos los bienes, sustituirá parte del consumo de los demás bienes por el bien cuyo precio ha bajado. En el ejemplo nuestro, al bajar el precio del par de zapatos de 3.000 a 1.100 pesetas el consumidor terminaba encontrando el equilibrio (maximizando la utilidad total; o lo que es lo mismo, igualando la utilidad marginal por peseta gastada en todos los bienes) consumiendo tres pares de zapatos por mes (en lugar de uno), y reduciendo su consumo de carne de 2 kilos a 1,8 kilos y de «Winston» de 5 a 4 paquetes por mes. De esta forma había sustituido 200 gramos de carne y un paquete de «Winston» por parte de un tercer par de zapatos (la otra parte del coste del tercer par y el precio del segundo par los financiaba con la renta que le quedaba por la reducción del precio de los zapatos).

Los efectos renta y sustitución los podemos ver más claramente aún si suponemos que el par de zapatos baja de 3.000 pesetas a 2.000 pesetas. La *UMa* por peseta gastada en el primer par sería de 3   Supongamos asimismo que el precio del kilo de carne de ternera sube a 1.100 pesetas. La utilidad marginal por peseta gastada en este bien al comprar el segundo kilo bajaría a 1,8

$$\left(\frac{2.000}{1.100} = 1,8 \right)$$

El consumidor trataría asimismo de igualar la utilidad marginal por peseta gastada en todos los bienes. Para ello aumentaría el consumo de zapatos a dos pares, con lo que la utilidad marginal por peseta subiría a 2,60

$$\left(\frac{5.200}{2.000} = 2,60 \right)$$

Al mismo tiempo reduciría su consumo de carne de dos kilos a un kilo por mes, con lo que la utilidad marginal por peseta subiría a 2,9

$$\left(\frac{3.200}{1.100} = 2,9 \right)$$

Igualmente reduciría su consumo de «Winston» de cinco a cuatro paquetes por mes.

De esta forma el individuo gastaría 4.000 pesetas en los dos pares de zapatos (1.000 más que cuando compraba un par de zapatos a 3.000 pesetas). Las 1.000

pesetas que necesita para financiar la compra de dos pares de zapatos las obtendrá así: 900 pesetas al reducir el consumo de carne de dos a un kilo por mes comprado a 1.100 pesetas (antes gastaba 2.000 pesetas al comprar dos kilos a 1.000 pesetas cada uno), y 100 pesetas procedentes del quinto paquete de «Winston» que ahora deja de comprar. El individuo se habrá aproximado lo más que le es posible a igualar las utilidades marginales por peseta gastada en los tres bienes:

$$\frac{UMa_z}{P_z} = 1,60; \quad \frac{UMa_c}{P_c} = 2,9 \quad y \quad \frac{UMa_w}{P_w} = 3.$$

El individuo habrá sustituido la carne y el «Winston» por zapatos al hacerse éstos más baratos, relativamente hablando. Ha reducido proporcionalmente más el consumo de carne que el de «Winston», porque la primera incluso subió de precio absoluto.

Hemos visto cómo la subida del precio de la carne ha contribuido al aumento de la demanda de pares de zapatos. Supongamos que el individuo estaba en situación de equilibrio realizando la compra de un par de zapatos, dos kilos de carne y cinco paquetes de «Winston», con un presupuesto de 5.500 pesetas mensuales. Supongamos que el precio por par de zapatos subiera a 6.000 pesetas. Para comenzar, el individuo no tendría suficiente renta para adquirir un solo par de zapatos a ese precio. Pero además si comprara un primer par de zapatos al nuevo precio, la *UMa* por peseta gastada en este bien sería 1, utilidad inferior a la que obtiene en los otros dos bienes. Para el consumidor lo racional sería dejar de comprar el par de zapatos que adquiría mensualmente, y dedicar las 3.000 pesetas que gastaba anteriormente en este bien a comprar un tercer y un cuarto kilo de carne (con lo que gastaría 2.000 de las 3.000 pesetas de que disponía) y un sexto paquete de «Winston» (100 ptas.). Aún le quedarían 900 pesetas que lógicamente destinaría a comprar 900 gramos de carne, ya que este bien todavía le da una utilidad marginal positiva para el quinto kilo.

De esta forma un aumento del precio por par de zapatos da lugar a que un precio de 1.000 pesetas el kilo de carne ahora se demanden 4,9 kilos en lugar de los 2 kilos que se demandaban antes. Este sería el primer punto de la nueva curva de demanda de la carne desplazada hacia la derecha. Obviamente los zapatos no son sustitutivos de la carne de ternera en sentido estricto. No obstante, lo son en el sentido amplio de que compiten con ésta por la renta del consumidor. Este efecto de desplazar la curva de demanda de carne hacia la derecha al subir el precio de los zapatos puede pensarse que será aún mayor cuando se trate de un bien realmente sustitutivo de la carne de ternera.

Hemos visto cómo al variar el precio del bien que estamos analizando la *UMa* por peseta gastada en él cambia (ya que la *UMa* no varía en tanto en cuanto no cambie la cantidad de unidades del bien que consume el individuo o varíen los gustos de éste) y esto es lo que explica el aumento de la cantidad demandada cuando baja su precio y la disminución de la cantidad demandada cuando sube su precio. Estas variaciones del precio de un bien producen cambios en la utilidad marginal por peseta gastada en él, lo que a su vez da lugar a que, cuando el individuo trate de igualar la utilidad marginal por peseta gastada en todos los bienes, se produzcan los efectos renta y sustitución que muestran el resultado final que tendrá la subida o la bajada del precio de un bien sobre la cantidad demandada de éste por el individuo. El efecto sustitución de la bajada del precio de un bien sobre la cantidad demandada de éste siempre será positivo y seguramente el más fuerte de los dos, mientras que el efecto renta también afectará positivamente a la cantidad demandada (suponemos igualmente que se trata de una reducción del precio) siempre que el bien en cuestión no sea un bien inferior. Aun en el caso de que el bien sea inferior, lo normal es que el efecto renta sea pequeño, ya que la cantidad de renta que se suele gastar el consumidor en cada uno de la mayoría de los bienes que compra constituye sólo una fracción reducida del gasto total y, en consecuencia, una reducción en el precio de uno de los bienes no aumentará su renta real de modo significativo. Un bien normal es aquél que se demanda en mayor cantidad al aumentar la renta. El efecto sustitución será negativo (reducirá la cantidad demandada de un bien) cuando el precio de éste suba. Lo mismo se puede esperar que ocurra con el efecto renta.

Es posible que en la literatura referente al tema, el lector encuentre la afirmación de que el efecto sustitución es siempre negativo (para cualquier tipo de bien, normal o inferior). Ello no implica una contradicción con lo que se dice en párrafos anteriores, ya que en cada caso se le da un sentido distinto. Así, la afirmación usual en la literatura económica de que el efecto sustitución es siempre negativo deriva de la axiomática en la que se basa la teoría de la preferencia revelada (sin entrar en más detalles, del axioma de la coherencia), y que indica que nunca se pueden reducir las compras del bien cuyo precio ha bajado; es decir, que, si eliminamos la influencia del efecto renta, precio y cantidad varían en sentido opuesto (evidentemente, la existencia de bienes inferiores se debe a que el efecto renta puede ser muy superior al efecto sustitución).

De esta larga exposición concluimos que en general y para la inmensa mayoría de los bienes y servicios la pendiente de la curva de demanda ha de ser negativa; o lo que es lo mismo, que la cantidad demandada está inversamente relacionada con el precio. La reducción en el precio de un bien hará aumentar la cantidad demandada de éste. El efecto de esta disminución se divide en dos subefectos que mueven a la cantidad demandada en la misma dirección: el efecto renta y el efecto sustitución. Para la gran mayoría de los bienes el efecto sustitución es mucho más fuerte que el efecto renta. Trate el lector de dar una explicación satisfactoria a esta afirmación. Incluso si se trata de un bien inferior (los bienes inferiores son aquellos que los individuos dejan de consumir o reducen su consumo al aumentar la renta: tocino, garbanzos, ropa de mala calidad, etc.), su curva de demanda tendrá una pendiente negativa, a menos que el efecto renta (que en el caso de los bienes inferiores obviamente es negativo) sea más fuerte que el efecto sustitución (que siempre es positivo) y contrarreste la influencia que éste siempre ejerce sobre la cantidad demandada en el sentido de aumentarla al bajar el precio de un bien. Siempre que la demanda de un bien tenga una elasticidad-renta superior a la unidad, una reducción en su precio llevará a un aumento en la cantidad demandada.

El efecto renta será más débil cuanto menor sea la proporción que el gasto en el bien (cuyo precio varía) representa dentro del gasto total en consumo por parte del individuo, ya que la variación en el precio del bien liberará o absorberá una cantidad mayor o menor de renta según la importancia que el gasto en aquél tenga dentro del gasto total en consumo del sujeto. Esto explica la afirmación que hacíamos en el Capítulo 11 de que uno de los factores determinantes de la elasticidad de la demanda de un bien es la porción del gasto total del consumidor que representa el gasto en aquél, y que cuanto menor sea esa porción más inelástica será la curva de demanda del bien en cuestión. Del mismo modo, cuantos más sustitutivos tenga un bien y más perfectamente puedan sustituir a éste en satisfacer las necesidades y/o los deseos de los consumidores, más fácil y atractivo le resultará al consumidor (y, en consecuencia, a todos los consumidores del bien) el cambiar de consumir los otros bienes a comprar el bien que analizamos y cuyo precio ha bajado (la *UMa* por peseta gastada en él ha aumentado; o, lo que es lo mismo, su precio relativo ha disminuido); o reducir la cantidad demandada del bien que estudiamos cuyo precio ha subido y pasarse a consumir los sustitutivos (la *UMa* por peseta gastada en el bien ha bajado al no variar la *UMa* y aumentar el precio). La búsqueda de la igualdad de la *UMa* por peseta gastada en todos los bienes empuja al consumidor a aumentar el consumo de los bienes cuya $\dfrac{UMa}{P}$ sea relativamente alta y a reducir el de aquellos cuya $\dfrac{UMa}{P}$ sea relativamente baja debido a su restricción presupuestaria. Este aumentar el consumo o la demanda de unos bienes y disminuir el de otros podrá hacerlo más fácilmente cuanto mejor puedan sustituir unos bienes a otros en la satisfacción de las necesidades o deseos del individuo. De ahí la importancia de la sustituibilidad en cuanto a la elasticidad de la demanda de los bienes.

Una vez que hemos demostrado por qué la pendiente de la curva de demanda ha de ser negativa (lo que constituye el objetivo principal de la Teoría del Comportamiento del Consumidor) podemos ver cómo un aumento o disminución de la renta produce un desplazamiento de la curva de demanda. Partamos de la situación de equilibrio del consumidor cuando la *UMa* por peseta gastada en los tres bienes era igual a 2. Entonces el individuo se gastaba un presupuesto de 5.500 pesetas mensuales. Suponemos que los precios de los tres bienes y las preferencias del individuo no varían.

Imaginémonos que el presupuesto mensual que tiene el consumidor para gastarse en los tres bienes aumentara a 12.600 pesetas. El individuo maximizaría su utilidad total comprando tres pares de zapatos, tres kilos de carne y seis paquetes de «Winston», ya que con estas compras igualaría a 1 la *UMa* por peseta gastada en los tres bienes. Vemos, pues, que a un precio de 3.000 pesetas por par de zapatos en lugar de comprar un par (como hacía antes de la subida de su renta real) adquiriría tres pares. Nuestro primer punto de la curva de demanda de zapatos sería: *P = 3.000, C = 3.* Igual ocurriría con la carne y con el tabaco. Podríamos hallar otras combinaciones de precio y cantidad que darían lugar a las nuevas curvas de demanda, todas ellas a la derecha de las curvas originarias.

Del mismo modo podemos tratar analíticamente una variación en las preferencias del consumidor por uno o varios de los bienes. Una preferencia mayor por la carne de ternera se traduciría en que la utilidad marginal por cada kilo de carne sería mayor que antes, aun cuando continuara siendo decreciente. Ello se manifestaría en que la utilidad marginal por peseta gastada aumentaría para este bien. Por ejemplo, supongamos que la utilidad marginal del tercer kilo de carne en lugar de ser de 1.000 útiles fuera de 4.000 útiles. La utilidad marginal por peseta gastada en esa unidad se elevaría a 4

$$\left(\frac{4.000}{1.000} = 4. \right)$$

Esto haría que el individuo deseara aumentar su consumo de este bien por mes, ya que su utilidad marginal por peseta gastada en este bien para el tercer kilo de carne es superior a la utilidad marginal por peseta al comprar tres pares de zapatos y seis paquetes de «Winston». Si la utilidad marginal del cuarto par de zapatos fuera de 3.000, la del quinto de 2.000 y la del sexto de 1.700), entonces buscaría el equilibrio consumiendo dos pares de zapatos, seis kilos de carne y seis paquetes de «Winston»: De esta forma la utilidad marginal por peseta gastada en los zapatos y en la carne sería de 1,7. Así habríamos obtenido el primer punto de la nueva curva de demanda de carne que sería: $P = 1.000$ y $C = 6$ (en lugar de 3), lo que daría lugar a una nueva curva de demanda de carne situada a la derecha de la anterior.

LA UTILIDAD MARGINAL DEL DINERO Y LA DERIVACION DE LA CURVA DE DEMANDA

En el epígrafe anterior hemos analizado cómo los consumidores demandan bienes y servicios en aquellas cantidades para las que las utilidades marginales por peseta gastada en cada uno de los bienes y servicios se igualan, y hemos visto cómo es posible derivar la curva de demanda a partir de la utilidad marginal. Pero aunque de esta argumentación obviamente se desprende que lo que determina la cantidad demandada de un bien por los consumidores en relación con el precio de éste es la utilidad marginal (que suponemos decreciente), este análisis de la utilidad marginal tiene la limitación de que en él se hace uso de un concepto de utilidad que exige una medición cuantitativa (los útiles que hemos empleado), ya que en el análisis hay que comparar la utilidad total del consumo de distintas cantidades de bienes y ver las diferencias entre éstas en términos de utilidades totales. Por el momento no disponemos de un instrumento (y previsiblemente nunca dispondremos de él) que nos permita medir la utilidad, y, en consecuencia, la utilidad no es medible.

Para evitar este problema los economistas teóricos han recurrido al desarrollo de instrumentos analíticos que no necesiten del valor numérico (cardinal) de la utilidad. Dos de estos tipos de análisis son el llamado análisis de la utilidad ordinal y el de la preferencia revelada (un tercer tipo de análisis que no consideraremos aquí es el de la utilidad cardinal desarrollado por los autores Oskar Morgenstern y John von Neumann en su obra *Theory of Games and Economic Behavior*).

Pero aun dentro del tipo de análisis que hemos empleado para explicar el comportamiento del consumidor o las elecciones de los consumidores en el mercado (llamado teoría neoclásica de la utilidad cardinal, en la que, como hemos visto, el concepto de utilidad cardinal empleado implica que la utilidad marginal es medible en términos absolutos o cuantitativamente a través de la introspección) es posible reducir en parte la dependencia de este análisis respecto de la medición de la utilidad en unidades de un concepto imaginario (el útil), que no tiene una contrapartida en la realidad y que hace que, por lo tanto, ninguna hipótesis que lo utilice pueda ser contrastada empíricamente.

Por otra parte, en el análisis de la utilidad cardinal neoclásica que, como hemos señalado fue iniciado por los autores de la Escuela Marginalista, pero que fue llevado a su más alto grado de desarrollo por Alfred Marshall (1842-1924), se suponía que la utilidad marginal del dinero es constante. Se entiende por dinero todo aquello que es generalmente aceptado como medio de pago o como medio para redimir deudas: los billetes y las monedas emitidas por la autoridad competente y los depósitos a la vista (los montantes de las cuentas corrientes) que los individuos tienen en los Bancos y Cajas de Ahorro.

Si generalmente los bienes y servicios tienen una utilidad marginal decreciente y el dinero sólo es valorado (es demandado) por el poder que da para adquirir estos bienes y servicios en el presente y/o en el futuro, entonces la utilidad marginal del dinero debe derivar o proceder (y, en consecuencia, depender) en último extremo de las utilidades marginales de los bienes en los que se gasta aquél y de la utilidad marginal del ahorro (la renta ganada y no gastada en consumo). Esto es así porque evidentemente los individuos derivan placer de ahorrar y de disponer de ese ahorro convertido en riqueza, parte de la cual toma la forma de dinero. Si el consumidor pretende maximizar la utilidad total de su renta, entonces tratará de igualar la utilidad marginal que para él tiene la cantidad de pesetas ahorradas con las utilidades marginales de las pesetas gastadas en todos los bienes y servicios que consume (que, como sabemos, aquéllas a su vez han de ser iguales entre sí).

En consecuencia, si la ley de la utilidad marginal decreciente es aplicable a la gran mayoría de los bienes (si se cumple para el consumo de cantidades de unidades de todos los bienes y servicios durante un período determinado de tiempo) y la utilidad del dinero depende de la utilidad de los bienes y servicios que se pueden comprar con él, es evidente que la utilidad marginal del dinero también ha de ser decreciente. Cuanto más dinero tenga un individuo (suponiendo constantes los precios de los bienes y servicios) mayores cantidades de éstos podrá comprar. Como al consumir cantidades crecientes de los bienes y servicios las utilidades marginales de éstos se hacen menores, también la utilidad marginal del dinero se hace menor al incrementar la cantidad de éste de la que dispone un individuo. Suponemos, naturalmente, que antes de decidir lo que gasta en bienes y servicios de consumo, el sujeto ha igualado en su mente las utilidades marginales del trabajo (la renta que puede obtener con éste y que puede destinar a consumir y/o a ahorrar) y del ocio, y al mismo tiempo las utilidades marginales del consumo y del ahorro.

Pero hay además otra razón por la que el individuo valora el dinero. Recuérdese que al utilizar el término dinero nos referimos a aquellos objetos que constituyen un medio de pago (billetes y monedas de curso legal y depósitos en cuentas corrientes, ya que se puede girar cheques contra ellos que son aceptados como medio de pago). Obviamente el dinero es una de las formas en las que se materializa o en la que podemos convertir en riqueza nuestra renta (riqueza es el conjunto de activos de todo tipo que un individuo posee en un momento determinado: pisos, coches, tierra, acciones, obligaciones, depósitos en instituciones financieras y dinero efectivo, entre otros activos). Normalmente los individuos desean mantener una parte de su riqueza en dinero principalmente para poder realizar los pagos que implican las compras que su nivel de renta y riqueza y sus preferencias entre consumo y ahorro le permiten. Otra razón por la que los individuos desean mantener una parte de su riqueza en dinero (a pesar de que éste no les rinde nada, por contraposición a otros activos que les producen una rentabilidad, y que incluso el dinero produce a sus propietarios una rentabilidad negativa cuando existe inflación), la constituyen los llamados motivos de precaución y especulación (esto lo estudiaremos en detalle al tratar de la demanda de dinero en Macroeconomía).

El motivo de precaución afirma que debido a que el individuo no tiene certeza de lo que le va a ocurrir en el futuro (posibles enfermedades o accidentes de él y/o de su familia, quedarse sin trabajo, que marchen mal los negocios o incluso que se dé una revolución), el individuo valora u obtiene una utilidad de mantener dinero (dinero efectivo y depósitos a la vista). Del mismo modo, el motivo de especulación nos dice que el individuo obtiene utilidad del dinero porque el disponer de él en cantidades superiores a las que necesita para realizar sus transacciones usuales y protegerse en una medida razonable frente a las incertidumbres del futuro, le permite obtener algún provecho o ganancia, bien porque consiga gangas o porque especule

con determinados activos (comprar acciones cuando su cotización es baja y venderlas cuando ésta sube). En sentido estricto en Economía se entiende por especulación
la compra y venta de activos (títulos financieros, pisos, productos de todo tipo,
materias primas, etc.) con la idea de obtener un provecho o ganancia derivado
del cambio de valor monetario de aquéllos sin transformar el activo (sin mejorarlo
ni añadirle valor real alguno) y fuera del tráfico mercantil (el comerciante que
compra un producto a un precio y lo vende en su establecimiento a un precio superior no está especulando, ya que realiza la operación dentro del marco de su negocio comercial y añade valor al producto al ponerlo a la venta en el lugar en el
que los consumidores desean comprarlo).

Fundamentalmente por el poder o derecho que les da sobre los bienes que
pueden adquirir con él, pero también por los motivos de transacciones, precaución
y especulación, los individuos obtienen satisfacción o utilidad del dinero que poseen. Ya hemos señalado que en lo que respecta a la utilidad marginal que los individuos obtienen del dinero por el derecho que éste les da para comprar bienes y
servicios, aquélla ha de ser lógicamente decreciente. También de los otros dos motivos para mantener dinero podemos deducir que éste tendrá una utilidad marginal
decreciente: cuanto más dinero mantenga un individuo menor será la utilidad marginal de éste en lo que respecta a la seguridad y a las actividades especulativas.
Por supuesto, la utilidad marginal del dinero varía de unos individuos a otros según
las preferencias de cada uno, exactamente como ocurre con los demás bienes y servicios: cuanto más dinero poseemos menor es la utilidad de la última peseta y
menos dispuestos estamos a aumentar la cantidad que mantenemos de él (preferi-
remos mantener otras formas de riqueza cuya utilidad marginal nos resulte superior a la del dinero: una finca, un cuadro, una joya, unas acciones, etc.).

De acuerdo con el principio de igual utilidad marginal por peseta gastada o colocada en todos los usos del dinero, el individuo estará en equilibrio cuando se
cumpla la conocida condición:

$$\frac{UMa_1}{P_1} = \frac{UMa_2}{P_2} = \frac{UMa_3}{P_3} = \ldots = \frac{UMa_n}{P_n} = UMa_p$$

Es decir, cuando la utilidad marginal del bien 1 dividida por el precio de éste
(la utilidad marginal por peseta gastada en el bien 1) sea igual a la utilidad marginal del bien 2 dividida por el precio del bien 2, éstas a su vez sean iguales a la
utilidad marginal del bien n dividida por el precio del bien n, y todas ellas sean
iguales a la utilidad marginal del dinero que mantenga el individuo (UMa_p o utilidad marginal de las pesetas que mantenga). Naturalmente UMa_p (la utilidad marginal de la cantidad de dinero que mantenga el sujeto) no aparece dividida por el
precio del dinero expresado en pesetas, ya que el precio de una peseta es una peseta,
y en consecuencia sería $\frac{UMa_p}{1} = UMa_p$. UMa_p será, pues, el cambio en su utilidad
total que el individuo obtiene al haber aumentado en una peseta la cantidad de
dinero que mantiene.

Como ocurre con los demás bienes y servicios, podemos afirmar que como regla
general la utilidad marginal de la última peseta de que se dispone para poder gastarla será mayor para los individuos con presupuestos reducidos que para las personas con presupuestos grandes. Pero todos los individuos realizarán compras adicionales de uno o varios bienes en tanto en cuanto la unidad o unidades de éstos

tengan para aquéllos una utilidad marginal por peseta gastada en ellos superior a la utilidad marginal del dinero. Recordamos al lector que el mantener dinero es una forma de colocar el ahorro (otras formas pueden ser comprar acciones y/o bonos de Tesoro, o suscribir una póliza de un seguro de vida).

En consecuencia, el individuo estará en equilibrio (estará maximizando su utilidad total) cuando iguale la utilidad marginal del tiempo que dedica al ocio con la del ahorro en general, con la del dinero que mantiene y con la utilidad marginal por peseta gastada en todos los bienes y servicios que compra. Sólo entonces el individuo estará en equilibrio.

Podemos servirnos de esta condición de equilibrio para obtener otra forma de derivar la curva de demanda de los bienes. Supongamos dos individuos: el individuo A y el individuo B. Imaginémonos que la Tabla 15.2 representa los valores de las utilidades marginales que las compras por semana de sucesivas cervezas en un bar tienen para los dos individuos y que suponemos iguales para ambos, y la utilidad marginal del dinero mantenido, que como vemos son distintas (más elevada para el individuo A que para el B).

TABLA 15.2

Número de cervezas por semana	Cervezas			UMa del Dinero	
	UMa	Precio	UMa / P	Consumidor A	Consumidor B
1	200	20	10	8	4
2	160	20	8	8	4
3	120	20	6	8	4
4	80	20	4	8	4
5	40	20	2	8	4

Debido que la renta del individuo A es baja, su utilidad marginal del dinero es alta (8), mientras que el individuo B dispone de más renta, y por ello su utilidad marginal del dinero (4) es la mitad que la del sujeto A. Ello implica que el sujeto A debe recibir el doble de utilidad marginal que el individuo B al consumir las cantidades de los distintos bienes y servicios. La UMa del dinero se mantiene constante en la Tabla 15.2 para los dos individuos, porque suponemos que ni la renta ni la cantidad de dinero que mantienen varían.

Si los individuos tratan de maximizar su utilidad consiguiendo que se cumpla el principio de igual utilidad marginal por peseta gastada en todos los bienes y para el dinero que mantienen, entonces A igualará las utilidades marginales por peseta mantenida en dinero y por peseta gastada en cerveza tomándose dos cervezas por semana, ya que entonces igualará aquéllas a 8. En consecuencia, a un precio de 20 pesetas el consumidor A se tomaría dos cervezas por semana; éste sería el primer punto de su curva de demanda de cervezas por mes. Si el precio de la cerveza bajara a 10 pesetas, entonces, la UMa por peseta de la primera cerveza subiría a 20, la de la segunda a 16, la de la tercera a 12 y la de la cuarta a 8. El consumidor A, por lo tanto, consumiría 4 cervezas por semana a un precio de 10 pesetas por cerveza; éste sería el segundo punto de su curva de demanda. Si el precio por cerveza subiera a 25 pesetas, el individuo A consumiría una sola cerveza por semana, ya que entonces

$$\frac{UMa_c}{P_c} = UMa_p; \quad \frac{200}{25} = 8.$$

El tercer punto de la curva de demanda de cervezas por parte del individuo A sería: $P = 25, C = 1$. Así tendremos tres puntos de la curva de demanda de cervezas por mes para el individuo A, tal como lo muestra la curva DD de la Figura 15.5. Como hemos visto, los puntos de ésta los obtenemos igualando la UMa por peseta gastada en el bien con la UMa del dinero.

Del mismo modo podemos determinar la curva de demanda del consumidor B, que, como sabemos, tiene un presupuesto más elevado y, en consecuencia, una UMa del dinero menor que el individuo A. El sujeto B al precio de 20 pesetas consumirá 4 cervezas por semana. Si el precio bajara a 10 pesetas consumirá 5 cervezas y si subiera a 30 pesetas consumiría 3 cervezas. Como puede verse en la Figura 15.6, la curva de demanda del individuo B estaría más a la derecha en el plano y sería más inelástica que la del individuo A, tal como podía esperarse del hecho de que el primero tenga un presupuesto mayor.

FIGURA 15.5   FIGURA 15.6

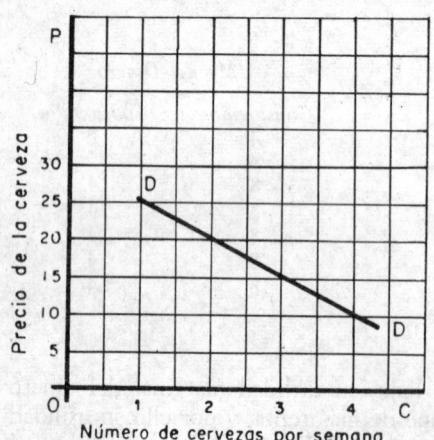

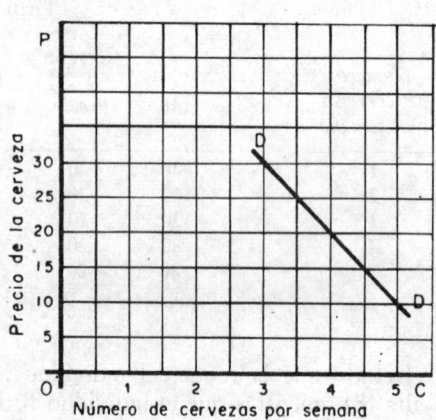

BIBLIOGRAFIA SELECCIONADA

Samuelson, P.: Curso de Economía Moderna, op. cit., Cap. 21, págs. 490-513.
Lipsey, R.: Introducción a la Economía Positiva, op. cit., Caps. 14-16, págs. 167-210.
Stigler, G.: La Teoría de los Precios, op. cit., Cap. 5.
Bilas, R.: Teoría Microeconomía, op. cit., Caps. 3 y 4.
Becker, G.: Teoría Económica, op. cit., Caps. 2 y 3.
Baumol, W.: Teoría Económica y Análisis Operativo, Ed. Herrero Hermanos, Méjico, 1974, Cap. 8.
Walsh, V. C.: Introducción a la Microeconomía Contemporánea, op. cit., Caps. 4, 5, 6 y 7, 13, 14 y 15.
Lancaster, K.: Economía Moderna 1, op. cit., Cap. 6.
Friedman, M.: Teoría de los Precios, op. cit., Cap. 2, págs. 49-74 y Cap. 4.
Clower, R. W., y Due, J. F.: Microeconomía, op. cit., Caps. 4 y 5.
Marshall, A.: Principios de Economía, op. cit., Libro III.

CAPITULO 16

EL ANALISIS DE LA UTILIDAD ORDINAL
Y LA CURVA DE DEMANDA

INTRODUCCION

El análisis que hasta ahora hemos expuesto del comportamiento del consumidor corresponde a la llamada teoría neoclásica de la utilidad cardinal o también la teoría de la utilidad marginal. Como hemos visto al estudiarla, esta teoría está basada en la idea de que la utilidad es medible y que su medición puede ser expresada en valores absolutos (el consumo de una cantidad de un bien puede determinar 100, 200 ó 500 unidades de satisfacción al sujeto que lo realiza, ya se midan estas unidades en dinero o en útiles). Los economistas que la elaboraron, principalmente los llamados marginalistas y el inglés Alfred Marshall (1842 1924), emplearon el concepto de una unidad monetaria de medida de la utilidad marginal con la finalidad de poder comparar el precio de un bien con su utilidad marginal (en la teoría el consumidor alcanza el equilibrio cuando el precio de un bien disfrutado es igual a la utilidad marginal de éste expresada en ptas.). La utilidad marginal del bien A expresada en pesetas era definida como la cantidad máxima de dinero que un individuo está dispuesto a pagar por una unidad adicional del bien A.

Pero los teóricos de la utilidad marginal tenían conciencia de las limitaciones de este instrumento de medida de la utilidad, ya que el valor marginal subjetivo del dinero se puede esperar que varíe con los cambios en la oferta de éste (como ocurre con cualquier otro bien): cuando aumenta la oferta de dinero (la cantidad de dinero fiduciario y de moneda en circulación más los depósitos a la vista en los Bancos y Cajas de Ahorro), la utilidad marginal que los individuos le atribuyen disminuye; y cuando disminuye la oferta de dinero, la utilidad marginal que los sujetos derivan de él aumenta.

De ahí que los teóricos pensaran que no era analíticamente satisfactorio el emplear el dinero como una unidad de medida de la utilidad marginal, ya que como dice Baumol en su obra *Teoría Económica y Análisis Operacional* medir «la utilidad marginal del bien X por medio de preguntar a la persona cuánto dinero vale para ella una unidad adicional es como calcular la longitud con una regla de goma que se estira al medir». De ahí también que Marshall, para resolver este problema analítico, utilizara su famoso supuesto de que el dinero tiene una utilidad marginal constante.

Para obviar este problema, otros economistas de la postura cardinalista pensaron que la utilidad marginal puede ser medida por sí misma en unidades de útiles. Según aquéllos, es posible realizar experimentos utilizando el método de la introspección subjetiva que nos puede dar la utilidad marginal decreciente medida en útiles sin necesidad de recurrir para su medición a alguna unidad de medida directamente observable en la realidad tal como el dinero. El útil sería una especie de unidad de medida de la intensidad de la satisfacción o utilidad que produce a cada inividuo el consumo de una cantidad determinada de un bien o servicio.

Vemos, pues, que la teoría neoclásica del comportamiento del consumidor que emplea el concepto de utilidad cardinal, tiene el grave problema analítico de que la utilidad se supone que es medible, medición que obviamente es difícil, ya que no existe un instrumento para medir en términos absolutos la intensidad de la satisfacción que obtienen los individuos por el consumo de los distintos bienes y servicios. Digamos, no obstante, que el análisis de la utilidad cardinal que nosotros hemos empleado en nuestra exposición de la Teoría del Comportamiento del Consumidor explica convincentemente las elecciones de los individuos en el mercado y llega a las mismas conclusiones, hipótesis y predicciones que los análisis de la utilidad ordinal, de la preferencia revelada, y de la utilidad cardinal de Von Neumann-Morgenstern; a los que haremos referencia brevemente en las páginas siguientes. Las conclusiones a las que llegan los distintos tipos de análisis sobre el comportamiento de los consumidores y sobre la forma de la curva de demanda son las mismas; sólo varían el concepto de utilidad que se emplea y los correspondientes instrumentos analíticos que se utilizan en los análisis. Veamos brevemente el análisis de la utilidad ordinal y el de la preferencia revelada.

ANALISIS DE LA UTILIDAD ORDINAL

Para algunos economistas que se llamaron a sí mismos ordinalistas, la medición de la utilidad subjetiva en términos absolutos (su valor cardinal) del consumo de un bien o servicio no es posible. Pero además tampoco es necesaria analíticamente hablando tras la invención del análisis de curvas de indiferencia introducida por el economista inglés Edgeworth (1845-1926); el economista y sociólogo italiano Wilfredo Pareto (1848-1923) señala que una teoría del valor basada en el supuesto de que la utilidad es medible tiene limitaciones teóricas que pueden ser observadas. Demostró además que se puede construir una teoría efectiva del comportamiento del consumidor y de los intercambios que realiza éste en el mercado sobre el supuesto de una utilidad ordinal. Como es sabido, el concepto de utilidad ordinal está basado en la idea de orden o ranking de las preferencias (en lugar de estarlo en la mensurabilidad de la utilidad, como ocurre con el concepto de utilidad cardinal). Así, la utilidad ordinal sólo requiere que el consumidor diga que un conjunto de bienes le produce más o menos utilidad (está antes o después en el ranking de utilidades) que otro conjunto, sin que sea necesario que manifieste la intensidad o medida de esa diferencia en la utilidad de los dos conjuntos de bienes.

Por razones de brevedad no podemos entrar aquí en una exposición detallada del análisis de indiferencia o de la utilidad ordinal, análisis que el lector encontrará en cualquiera de los muchos y excelentes libros de texto que existen sobre Economía. Digamos, no obstante, que el análisis de indiferencia es el análisis de la demanda del consumidor basado en el concepto de utilidad ordinal. En este análisis se pone en tela de juicio la validez de los valores absolutos de la utilidad obtenidos por la introspección y la utilización en el análisis neoclásico de la utilidad cardinal, y se mantiene que todo comportamiento del consumidor puede ser descrito en términos de preferencias o del orden de las preferencias, en las cuales el consumidor sólo tiene que manifestar cuál de dos conjuntos de bienes prefiere, sin que sea necesario que exprese la intensidad de su preferencia por un conjunto u otro en valores numéricos.

En este análisis se demuestra cómo es innecesaria la medición de la utilidad en términos absolutos, ya que se puede suponer que al enfrentarse con un conjunto de combinaciones alternativas de bienes (en el que una combinación se distingue de las demás en que está compuesta por cantidades diferentes del mismo conjunto de bienes), el individuo puede clasificar estas combinaciones según un orden de preferencias: la combinación *A* de unas cantidades de azúcar y de patatas la prefiere en primer lugar, la combinación *C* (igualmente de azúcar y patatas, pero con distintas cantidades de estos bienes) la prefiere en segundo lugar, y así sucesivamente. Es decir, dadas dos combinaciones cualesquiera de dos o más bienes, el consumidor sólo tiene que decirnos si prefiere una combinación a la otra, o si, por el contrario, le es indiferente una u otra (es decir, le da la misma satisfacción una que otra).

Sobre la base de este supuesto tan poco restrictivo (sólo es necesario que el individuo nos diga si prefiere una combinación de bienes a otra, o si, por el contrario, le da lo mismo una que otra) se puede construir un modelo de comportamiento del consumidor que lleva a los mismos resultados que el modelo que hemos visto en nuestra exposición del análisis neoclásico de la utilidad cardinal. Los instrumentos analíticos que se emplean son las curvas y el mapa de indiferencia (de ahí el nombre de análisis de indiferencia) y la recta de balance.

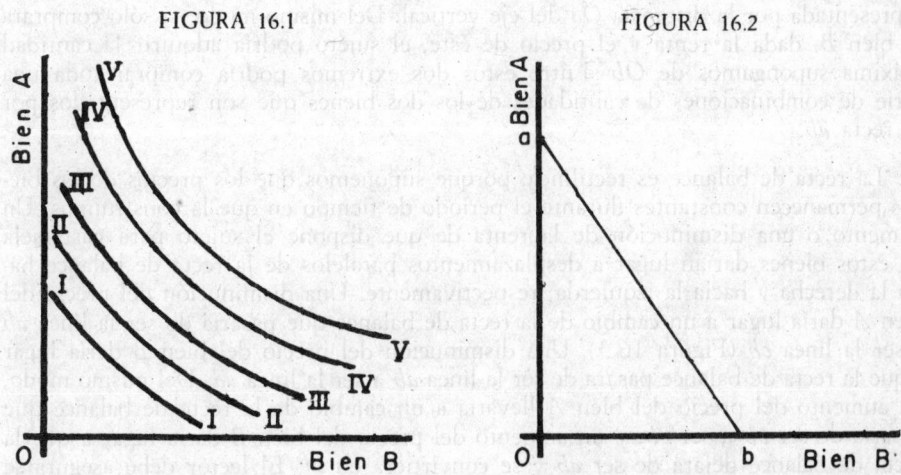

FIGURA 16.1   FIGURA 16.2

Con las primeras se representan en cada curva de indiferencia todas las combinaciones de dos bienes que al individuo le dan la misma satisfacción, suponiendo que el sujeto tiene una utilidad marginal decreciente. La Figura 16.1 muestra un mapa de indiferencia en el que aparecen cinco curvas de indiferencia, cada una de las cuales representa un conjunto de combinaciones (cantidades) de dos bienes

(*A* y *B*) que le dan al hipotético sujeto la misma satisfacción. Asimismo, cada curva situada más a la derecha de otra representa un conjunto de combinaciones de los dos bienes que le dan al individuo una satisfacción superior a la que obtiene de las combinaciones expresadas por las curvas a su izquierda.

La forma convexa de las curvas de indiferencia responde al supuesto de que el individuo al que corresponde este mapa de indiferencia tiene una utilidad marginal decreciente, lo que da lugar a que la relación marginal de sustitución de un bien por otro para el individuo esté cambiando continuamente dentro de cada curva, como consecuencia de que la utilidad marginal varía al cambiar la cantidad de cada uno de los bienes en cada combinación: cuanto mayor es la cantidad del bien *A* que hay en una combinación (y menor es en consecuencia la cantidad del bien *B*), mayor será la cantidad del bien *A* que estará dispuesto el individuo a sacrificar por una unidad adicional del bien *B*. Los distintos puntos de cada curva de indiferencia obviamente representan combinaciones en las que cuando la cantidad de un bien es mayor la del otro es menor, ya que todas las combinaciones de esa curva le dan al sujeto la misma satisfacción.

Lógicamente, por cada punto del plano pasa una curva de indiferencia y estas curvas no se pueden cortar (se supone que el individuo tiene un orden claro de preferencias y que es consecuente con éste en sus **elecciones**).

Además de las curvas de indiferencia, en el análisis se emplea la recta de balance o de la restricción presupuestaria que nos da la información sobre las combinaciones que el individuo en cuestión puede adquirir, dada la renta que puede gastar en los dos bienes y los precios de éstos. La Figura 16.2 muestra una hipotética recta de balance que representa las cantidades que el sujeto puede comprar, dada su renta (la restricción presupuestaria) y dados unos precios de los bienes *A* y *B*. Si el individuo se gastara toda su renta en comprar el bien A, dada esta renta y el precio del bien *A*, podría comprar una cantidad máxima de este bien que sería la representada por la distancia *Oa* del eje vertical. Del mismo modo, si sólo comprara el bien *B*, dada la renta y el precio de éste, el sujeto podría adquirir la cantidad máxima supongamos de *Ob*. Entre estos dos extremos podría comprar toda una serie de combinaciones de cantidades de los dos bienes que son representados por la recta *ab*.

La recta de balance es rectilínea, porque suponemos que los precios de los bienes permanecen constantes durante el período de tiempo en que la construimos. Un aumento o una disminución de la renta de que dispone el sujeto para gastársela en estos bienes darían lugar a desplazamientos paralelos de la recta de balance hacia la derecha y hacia la izquierda, respectivamente. Una disminución del precio del bien *A* daría lugar a un cambio de la recta de balance que pasaría de ser la línea *ab* a ser la línea *cb* (Figura 16.3). Una disminución del precio del bien *B* daría lugar a que la recta de balance pasara de ser la línea *ab* a ser la línea *ad*. Del mismo modo, un aumento del precio del bien *A* llevaría a un cambio de la recta de balance que pasaría de ser *ab* a ser *eb*, y un aumento del precio del bien *B* daría lugar a que la recta de balance dejara de ser *ab* y se convirtiera en *af*. El lector debe asegurarse de que comprende todas estas afirmaciones.

El consumidor estará en equilibrio (estará maximizando su utilidad total por el consumo de los bienes *A* y *B*) cuando adquiera la cantidad *Oa* del bien *A* y la cantidad *Ob* del bien *B* representadas en la Figura 16.4. Esta combinación de los dos bienes corresponde a la que indica el punto en el que la recta de balance (que expresa la restricción presupuestaria del sujeto en relación con los precios de los bienes *A* y *B*) es tangente a la curva de indiferencia III (que expresa las preferencias del individuo basadas en la utilidad que para él tiene el consumo de determinadas cantidades de los dos bienes). Véase la Figura 16.4. La curva de indiferencia III es la curva más a la derecha que puede alcanzar el sujeto, dada su renta y los precios de los bienes, ya que cualquier otra curva a la derecha de ésta (y en consecuencia correspondiente a un nivel mayor de satisfacción o de utilidad) es inalcanzable para él. Por supuesto, las curvas a la izquierda de la curva III están al alcance del individuo, pero éste no se detendría en ellas, ya que puede llegar hasta la curva de indiferencia III con su recta de balance.

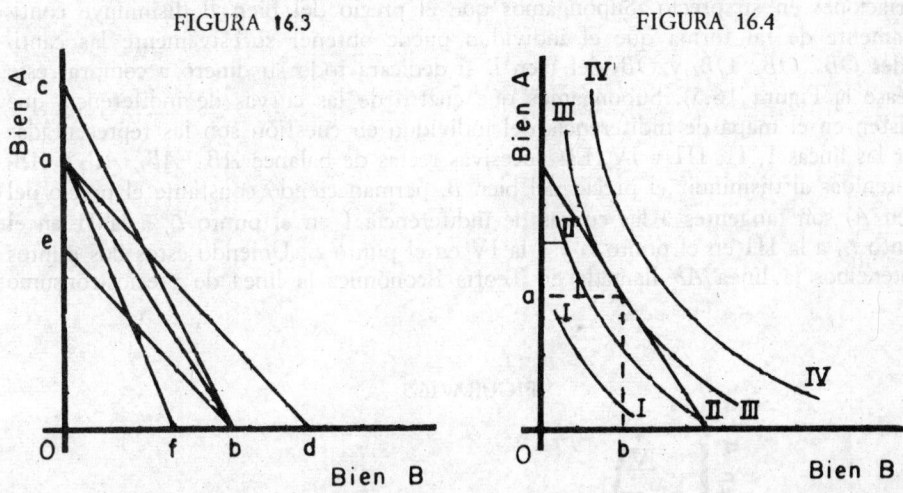

FIGURA 16.3   FIGURA 16.4

El consumidor estará en equilibrio cuando la razón de los precios de los dos bienes (representada por la pendiente de la recta de balance) es igual a la razón de las utilidades marginales de los dos bienes (la pendiente de la curva de indiferencia). Dicho de otra forma: con esa combinación de los bienes el individuo iguala la tasa marginal de sustitución de un bien por el otro (en términos de la cantidad que aquél está dispuesto a dar de un bien por unidad adicional del otro, cuando tiene unas cantidades determinadas de cada uno de los bienes, y en consecuencia, una utilidad marginal por el consumo de cada uno de ellos) con el precio relativo de un bien en términos del otro (en términos de la cantidad que tiene que sacrificar de uno para obtener una unidad más del otro, dados los precios absolutos de los dos bienes). Sólo con esa combinación, la cantidad que el individuo está dispuesto a sacrificar de un bien para obtener una unidad más del otro en términos de utilidad o satisfacción, es igual a la cantidad que tiene que sacrificar en términos de los precios de éstos.

Formalmente:

$$\frac{UMa_A}{UMa_B} = \frac{P_A}{P_B}$$

Pero podemos manipular esta igualdad y expresarla de la siguiente forma:

$$\frac{UMa_A}{P_A} = \frac{UMa_B}{P_B}$$

fórmula que corresponde a la condición de equilibrio del consumidor que expresamos en el Capítulo anterior. El caso del equilibrio del consumidor para sólo dos bienes puede ser generalizado de forma que incluya todos los bienes y servicios que consume el sujeto, como vimos en el capítulo precedente.

Una vez que hemos determinado el equilibrio del consumidor utilizando sólo la información de que el individuo prefiere unas combinaciones de los dos bienes a otras, los precios de los bienes y la renta del sujeto, es posible derivar la curva de demanda de uno de los dos bienes, haciendo variar el precio de éste para ver cómo reacciona el consumidor cambiando la cantidad demandada del bien ante las variaciones en su precio. Supongamos que el precio del bien B disminuye continuamente de tal forma que el individuo puede obtener sucesivamente las cantidades OB_o, OB_1, OB_2 y OB_3 del bien B si dedicara todo su dinero a comprar éste (véase la Figura 16.5). Supongamos que cuatro de las curvas de indiferencia que existen en el mapa de indiferencia del individuo en cuestión son las representadas por las líneas I, II, III y IV. Las sucesivas rectas de balance AB_o, AB_1, AB_2 y AB_3 (obtenidas al disminuir el precio del bien B, permaneciendo constante el precio del bien A) son tangentes a las curvas de indiferencia I en el punto t_1, a la II en el punto t_2, a la III en el punto t_3 y a la IV en el punto t_4. Uniendo estos dos puntos obtenemos la línea Ab llamada en Teoría Económica la línea de precios-consumo.

FIGURA 16.5

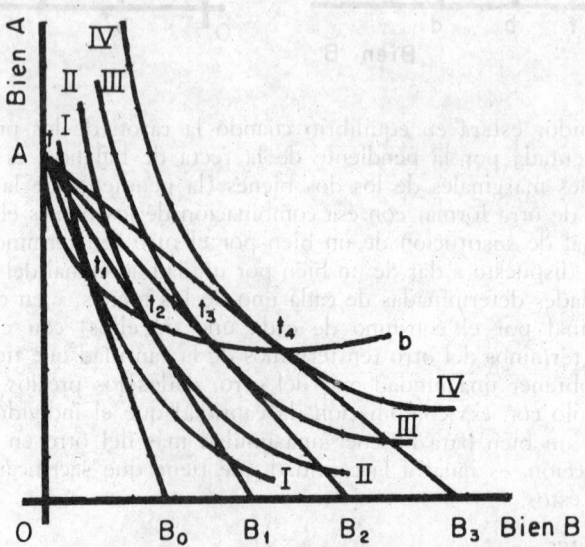

Esta línea de precios-consumo permite fácilmente derivar la curva de demanda del bien B por parte del individuo en cuestión. Esto lo hacemos simplemente representando en el eje de ordenadas, en lugar del bien A, la totalidad de la renta (expresada en dinero) que el individuo desea gastarse. Esto podemos hacerlo, ya que lo único que hemos efectuado ha sido sustituir el bien *A* por el dinero que el sujeto está dispuesto a gastarse en los dos bienes.

Por este procedimiento introducimos los valores monetarios en el mapa de indiferencia. Supongamos que el individuo dispone de 6.000 pesetas para gastárselas en consumo. En la Figura 16.6 vemos que si el sujeto no compra ningún par de zapatos por año dispondría de la totalidad del dinero (6.000 ptas.). Al comprar un par de zapatos, la línea *ab* de precios-consumo nos dice que el sujeto obtiene la combinación de un par de zapatos y 3.500 pesetas. Al moverse del punto *a* de la curva de precios-consumo (en el que no compraba ningún par de zapatos y mantenía las 6.000 ptas.) al punto *c* ha pasado a tener la combinación de un par de zapatos y 3.500 pesetas. Esto significa que ha sacrificado 2.500 pesetas para obtener el par de zapatos; lo que quiere decir que a un precio de 2.500 pesetas el sujeto está dispuesto a comprar un par de zapatos al año. Este sería nuestro primer punto de la curva de demanda de zapatos por el individuo que estamos analizando: $P = 2.500$ pesetas y $C = 1$ par por año.

Si el individuo compra un segundo par al año, según nuestra línea de precios-

FIGURA 16.6	FIGURA 16.7

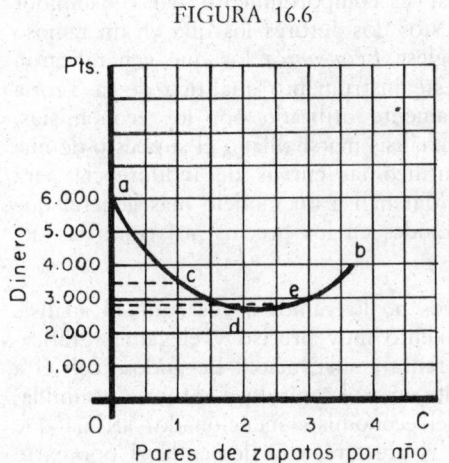
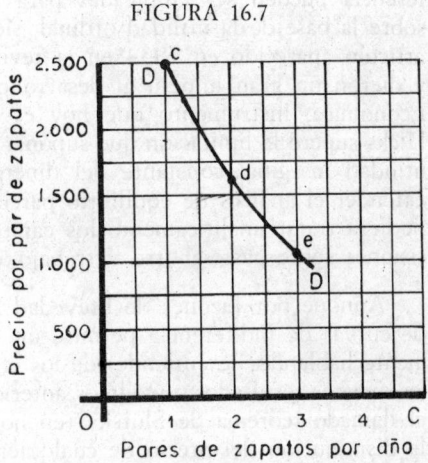

consumo la combinación de que dispondría sería de 2.666 pesetas y dos pares de zapatos, lo que significa que habría gastado 3.334 pesetas (6.000 — 2.666 = 3.334), y en consecuencia, que habría comprado dos pares de zapatos al precio de 1.667 pesetas por par (3.334:2 = 1.667). Este sería nuestro segundo punto de la curva de demanda: $P = 1.667$ pesetas; $C = 2$. Dado que el gasto total aumenta al pasar de comprar un par a adquirir dos pares al año, la curva de demanda correspondiente al tramo de la línea de precios-consumo entre los puntos *c* y *d*. Al comprar el tercer par de zapatos el individuo tendría la combinación de tres pares de zapatos y 2.800 pesetas, lo que significaría que el sujeto se habría gastado 3.200 pesetas y que el precio por par de zapatos habría sido de 1.066 pesetas. La Figura 16.7 muestra la curva de demanda *DD* derivada de la línea *ab* de precios-consumo de la Figura 16.6. Los puntos *c*, *d* y *e* de esta curva de demanda *DD* corresponden a los mismos puntos de la línea de precios-consumo *ab* de la Figura 16.6. La curva de demanda *DD* es elástica entre sus puntos *c* y *d*, e inelástica entre los puntos *d* y *e*.

El análisis expuesto es el llamado análisis de curvas de indiferencia ideado por

Edgeworth y desarrollado principalmente por Pareto, el ruso Slutsky (1888-1948) y los ingleses Hicks (1904-.....) y Allen (1906-....). Pareto demostró cómo es posible construir una teoría efectiva del comportamiento del consumidor y del intercambio sobre el supuesto único de la utilidad ordinal. Según esta teoría, el intercambio entre los individuos en un mercado competitivo tendría lugar a unos precios y cantidades a los que las razones de las utilidades marginales de los bienes intercambiados, serían iguales a las razones de sus precios. De esta forma y cuando se cumpliera esta condición todos los consumidores estarían en equilibrio (maximizarían su utilidad).

Por su parte Slutsky, en un famoso artículo publicado en 1915 en la revista italiana *Giornale degli Economisti* sobre el comportamiento del consumidor mostró cómo el concepto de utilidad ordinal puede ser empleado para construir una teoría del comportamiento del consumidor del mismo grado de consistencia y generalidad que la formulada por Marshall, pero sin el supuesto de la mensurabilidad de la utilidad.

Esta formulación fue recogida y generalizada por los ingleses Sir John Hicks, premio Nobel de Economía, y R. G. D. Allen, mostrando cómo las curvas de indiferencia pueden ser empleadas para analizar el comportamiento del consumidor sobre la base de la utilidad ordinal, siendo estos dos autores los que en un famoso artículo aparecido en 1934 en la revista inglesa *Económica* los que generalizaron y dieron un gran ímpetu al desarrollo de este instrumento analítico de la Teoría Económica, instrumento que hoy es ampliamente utilizado por los economistas. Hicks superó la limitación que suponía en el análisis marshalliano el supuesto de una utilidad marginal constante del dinero, y utilizó las curvas de indiferencia para extender el análisis de equilibrio parcial de Marshall a un modelo más general que pudiera tratar analíticamente los cambios grandes en los precios, así como las decisiones sobre gasto-ahorro y trabajo-ocio.

Aunque por razones de brevedad nosotros no lo vamos a ver aquí, el análisis de curvas de indiferencia permite un tratamiento muy preciso y elegante (gráficamente hablando, se entiende)·de los efectos renta y sustitución, llegándose con él a los mismos resultados que vimos anteriormente en este capítulo. De forma resumida, el llamado teorema de Slutsky (en honor del economista mencionado) afirma que la disminución del precio de cualquier bien A afectará a la demanda A por parte de los consumidores. Este efecto puede ser dividido en dos subefectos o partes: el efecto renta, que ·dará lugar a un incremento de la cantidad demandada de A, a menos que éste sea un bien inferior; y el efecto sustitución, que siempre aumentará la cantidad demandada del bien A. De ahí que la curva de demanda generalmente tendrá una pendiente negativa, a menos que por tratarse de un bien inferior, el efecto renta, que en este caso disminuye la cantidad demandada al bajar el precio, sea más fuerte que el efecto sustitución.

LA TEORA DE LA PREFERENCIA REVELADA

Un paso más en la búsqueda de un tipo de análisis del comportamiento del consumidor que no requiera ni el medir las utilidades ni incluso tener que preguntar a los consumidores si prefieren una combinación de bienes a otra, lo constituye el análisis de la preferencia revelada. Como hemos señalado, el análisis de curvas de indiferencia exige menos datos que la teoría neoclásica de la utilidad cardinal. Pero incluso la construcción de un mapa de indiferencia requiere disponer de la información introspectiva del consumidor en la que éste manifieste sus preferencias entre todas las combinaciones posibles de los bienes a su alcance.

El economista norteamericano, premio Nobel de Economía, Paul Samuelson (1915-........) en su artículo «Nota sobre la Teoría Pura del Comportamiento del Consumidor», publicado en 1938, inventó un enfoque alternativo de la Teoría del Comportamiento del Consumidor que en pricipio no exige que el consumidor nos dé ninguna información sobre sí mismo. Esta teoría se basa en la información que las elecciones (que realmente hace el individuo en el mercado) revelan sobre sus preferencias en las distintas situaciones de precios de los bienes y niveles de renta del sujeto. Un nivel concreto de renta y unos precios de los bienes determinan el conjunto de combinaciones de bienes que están al alcance del individuo. Si en una situación concreta de un nivel de renta y unos precios de los bienes, observamos que el consumidor elige una combinación determinada de éstos, entonces decimos que esa combinación se revela preferida a las demás combinaciones. Otra combinación de nivel de renta del sujeto y de precios de los bienes llevará, en general, a que se revele otra combinación de bienes como preferida a las demás por el individuo. Si los gustos del consumidor no cambian, la teoría de la preferencia revelada nos permite obtener la información que se necesita, simplemente a través de observar su comportamiento en el mercado.

Observando repetidamente lo que el consumidor compra a los diferentes precios, y suponiendo que sus compras y sus experiencias de comprar no cambian la estructura de sus compras ni sus deseos de comprar, es teóricamente posible construir el mapa de indiferencia del consumidor. El análisis de la preferencia revelada está basado en la idea de que un consumidor comprará un conjunto de bienes, ya sea porque éstos le gustan más que los demás bienes que tiene a su alcance, o porque éstos son más baratos. Observando el comportamiento del consumidor y a través de las preferencias que revela en cuanto a determinadas combinaciones de bienes, es posible probar algunas de las proposiciones importantes de la Teoría de la Demanda del Consumidor sin necesidad de suponer que la utilidad es medible o incluso que se pueden construir las curvas de indiferencia de los individuos.

EL EXCEDENTE DEL CONSUMIDOR

La pendiente negativa de la curva de demanda y el hecho de que los consumidores compran al mismo precio todas las unidades de cada uno de los bienes y servicios que adquieren por período de tiempo (se entiende, todas las unidades de exactamente el mismo bien: las mismas patatas; el mismo par de zapatos en cuanto a marca, modelo y calidad; etc. Las posibles diferencias reales o ficticias en los bienes explican o justifican los distintos precios) tienen una implicación importante: los consumidores no pagan toda la utilidad o satisfacción que obtienen por el disfrute de los bienes y servicios que compran. La diferencia entre la utilidad total que obtiene el consumidor por el disfrute de una cantidad determinada de un bien y la utilidad que aquél paga por la compra de ésta constituye el llamado excedente del consumidor.

Supongamos que el individuo A está dispuesto a comprar tres pares de zapatos por año al precio de 4.000 pesetas por par. Para este sujeto la utilidad marginal del tercer par es igual a la utilidad marginal de las 4.000 pesetas del precio de éste. Sabemos que esto es así porque el individuo intentará que se cumpla en su consumo el principio de igual utilidad marginal por peseta gastada en todos los bienes. Sabemos además que en equilibrio las compras de los distintos bienes y servicios que realizará el consumidor serán tales que:

$$\frac{UMa_1}{P_1} = \frac{UMa_2}{P_2} = \ldots \frac{UMa_n}{P_n} = UMa \ del \ dinero$$

sustituyendo, tenemos:

$$\frac{UMa \ del \ tercer \ par \ de \ zapatos}{4.000} = UMa \ del \ dinero$$

Pasando el denominador (las 4.000 ptas.) del primero al segundo miembro de la igualdad, tenemos que:

UMa del tercer par de zapatos = 4.000 pesetas $\times$ UMa del dinero

lo que implica que el tercer par de zapatos le reporta al individuo A exactamente la misma utilidad adicional que él sacrifica al pagar 4.000 pesetas. Pero si la ley de la utilidad marginal decreciente se cumple (cosa que suponemos ocurre), entonces cada uno de los dos primeros pares habrán proporcionado al sujeto A una utilidad marginal, como mínimo igual y muy probablemente superior a la que le ha dado el tercer par. Sin embargo, para el individuo el coste de cada uno de los tres pares de zapatos es el mismo (4.000 ptas.). En consecuencia, es muy probable que la compra anterior a la del tercer par de zapatos (la segunda) le proporcionara una utilidad mayor que la de éste, y a su vez la compra del primer par le reportara una utilidad mayor que la del segundo. De esta forma la utilidad total de los tres pares de zapatos debe exceder al gasto total realizado en éstos. El excedente del consumidor es, pues, la diferencia entre la utilidad total y la utilidad de la cantidad de dinero gastada.

Numéricamente podemos medir este excedente del consumidor de la siguiente forma: supongamos que la utilidad del primer par de zapatos medida en pesetas fuera de 10.000 pesetas, la del segundo fuera la equivalente a 6.000 pesetas y la del tercero de 4.000 pesetas. Como el individuo habría comprado los tres pares de zapatos a 4.000 pesetas cada uno, tendremos:

Utilidad medida en Ptas.		Gasto en Ptas.	
1.º par	10.000		4.000
2.º par	6.000		4.000
3.º par	4.000		4.000
Total	20.000	Total	12.000

El individuo habría obtenido una utilidad total media en pesetas de 20.000 por los tres pares de zapatos, mientras que habría gastado sólo 12.000 pesetas. La diferencia de 8.000 pesetas es el llamado excedente del consumidor.

Es posible representar gráficamente el excedente del consumidor. Empleemos el ejemplo que hemos utilizado anteriormente del individuo que a un precio de 10.000 pesetas compraría un par de zapatos por año, a un precio de 6.000 pesetas compraría dos pares, y a un precio de 4.000 pesetas compraría tres. Su curva de demanda de pares de zapatos por año sería la representada en la Figura 16.8 por la curva *DD*. Suponemos además que la curva de demanda la podemos prolongar hasta el punto en el que ésta corta al eje de ordenadas con la finalidad de cerrar el área formada por la curva de demanda y los ejes de coordenadas. Al comprar tres pares de zapatos por año, el individuo se gasta en total el valor del área del rectángulo *O4.000a3*, es decir, 12.000 pesetas, ya que compra cada uno de los pares a 4.000 pesetas ($3 \times 4.000 = 12.000$ o base por altura). Sin embargo, la utilidad total medida en pesetas que obtiene el sujeto es la representada por el área *O18.000 a 3*, que evidentemente es mayor que el área *O4.000 a 3* en el área *18.000 a 4.000*. Esta última área constituye el excedente del consumidor. Como sabemos, la utilidad total es la suma de las utilidades marginales, y, en consecuencia, la utilidad total la obtenemos en la Figura 16.8 como el área debajo de la curva de demanda hasta el punto *a* de ésta (matemáticamente se obtiene hallando la integral de la curva de demanda en su tramo *18.000 a*).

FIGURA 16.8

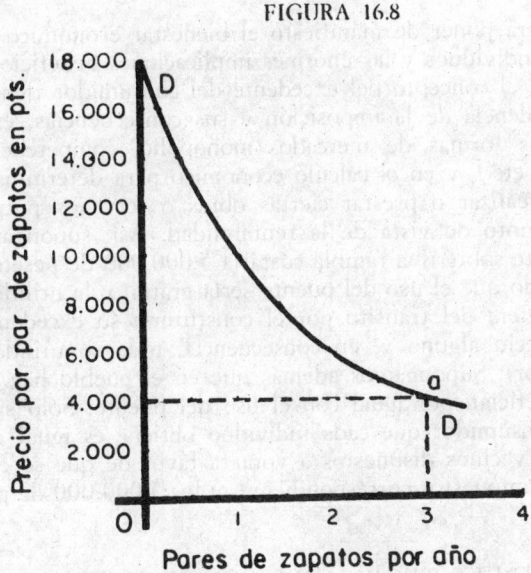

El excedente del consumidor muestra lo que podemos llamar el valor económico total expresado por el gasto que los consumidores hacen en un bien (medido por el producto «precio por cantidad») es necesariamente distinto (inferior) al bienestar total que aquéllos obtienen de su disfrute. Adam Smith hablaba del valor de uso y del valor de cambio de un bien: el agua tiene un valor de uso muy grande y un valor de cambio (lo que se paga por ella) muy pequeño; esto equivale a decir que los individuos obtienen un excedente del consumidor muy elevado al disfrutar del bien agua.

Así pues, existe siempre una diferencia entre la utilidad total y el valor total de mercado de todo bien. A esta diferencia es a lo que llamamos excedente del consumidor, debido a que éste recibe siempre más de lo que paga. Pero lo interesante de la cuestión es que el consumidor no obtiene esta especie de ganancia gratuita a expensas del vendedor. En el intercambio todas las partes implicadas se benefician, ya que lo que una parte gana no ha de ser necesariamente lo que pierde la otra.

El excedente del consumidor nos muestra la enorme ventaja (traducida en bienestar económico) que supone para los individuos el ser miembros de las eficientes sociedades modernas, en cuanto que pueden comprar una gran variedad de bienes y servicios a bajos precios, lo que implica que disfrutan de un gran excedente del consumidor. La productividad y los ingresos de los individuos dependen en gran medida de la maquinaria y de los bienes de equipo acumulados por las sociedades en el pasado, de los recursos naturales, del trabajo de los demás sujetos y sobre todo del conocimiento tecnológico que cada generación ha heredado de las anteriores. Si podemos disfrutar de un excedente del consumidor de grandes proporciones es debido a todos estos factores, factores que ponen de manifiesto que todos nosotros estamos cosechando las ventajas de un mundo económico que nosotros no hemos construido, sino que es el resultado del pasado y del trabajo conjunto de todos.

Además de servir para poner de manifiesto el bienestar económico que del intercambio obtienen los individuos y las enormes implicaciones beneficiosas de vivir en economías avanzadas, el concepto del excedente del consumidor tiene aplicación en el estudio de la incidencia de la imposición y sus consecuencias, en las implicaciones de las distintas formas de mercado (monopolio, competencia perfecta, competencia imperfecta, etc.), y en el cálculo económico para determinar si las decisiones sociales sobre realizar o prestar ciertas obras o servicios públicos son o no correctas desde el punto de vista de la rentabilidad. Así, supongamos que la construcción de un puente sobre una rambla costaría 5.000.000 de pesetas a un municipio determinado. Dado que el uso del puente sería gratuito, la utilidad que cada vecino del pueblo obtuviera del tránsito por él constituiría su excedente del consumidor (no pagaría precio alguno y, en consecuencia, toda su utilidad sería un excedente del consumidor). Supongamos además que en el pueblo hay 1.000 vecinos y que todos se benefician por igual con el uso del puente. Sólo si se cumple que el excedente del consumidor que cada individuo obtiene es igual a 5.000 pesetas o más, estarán los vecinos dispuestos a votar a favor de que se construya el puente y se recauden los impuestos correspondientes a los 5.000.000 de pesetas.

NUEVOS ENFOQUES EN LA TEORIA DEL CONSUMIDOR

Con independencia del grado de refinamiento o perfección analítica con que se presenten, podemos afirmar que una característica común a todas las teorías de la elección del consumidor, desde el primitivo marginalismo a la preferencia revelada de Samuelson o a la axiomática de Debreu, consiste en la consideración del consumidor como un agente final, cuya conducta en el mercado, bajo los supuestos de racionalidad económica, se dirige a maximizar los resultados de su elección entre unos conjuntos de bienes, dados los precios de éstos, unos esquemas de preferencia o unas funciones de utilidad, y ciertas restricciones (básicamente las impuestas por el presupuesto de que se dispone).

Una vez realizada la elección, cesa el campo de aplicación de la teoría. El acto de consumir se considera como un acto económico final, que se agota en sí mismo. Y en todo momento el consumidor se comporta pasivamente, reducido a seleccionar su posición óptima entre el conjunto de mercancías que le viene determinado desde el sector de la producción.

Por otra parte, la teoría explica que la finalidad del acto de consumir es la satisfacción de unas necesidades que siente el consumidor, y que su conducta en el mercado puede verse alterada por cambios en su estructura de gustos o preferencias (los típicos desplazamientos de la curva de demanda motivados por cambios en los gustos de los consumidores). Pero no nos dice nada ni acerca de esas necesidades ni sobre cómo se generan esos cambios en las preferencias. Para obtener alguna explicación del fenómeno, el economista debía recurrir a otras disciplinas, tales como la psicología o la sociología.

La nueva Teoría del Consumidor construida por Gary Becker (1930-........), profesor de la Universidad de Chicago, viene a restringir los inconvenientes de las anteriores teorías que hemos señalado. Becker acepta en su análisis el concepto de funciones de utilidad, pero niega que éstas puedan construirse sobre los bienes tal como se ofrecen en el mercado, puesto que éstos no proporcionan utilidad directamente. Así, por ejemplo, las patatas no son consumidas tal como son adquiridas en el mercado, sino que es preciso prepararlas y guisarlas, para lo cual hay que utilizar otros ingredientes, tiempo y conocimientos culinarios. En otras palabras, el acto de consumir, lejos de ser un acto económico final, se configura como un acto económico intermedio mediante el cual el consumidor «produce» unas «mercancías» (en nuestro ejemplo, una tortilla de patatas), que son las que sí le reportan directamente utilidad e integran, por consiguiente, su estructura de preferencias.

El consumidor, por consiguiente, deja de ser considerado como un elemento pasivo, cuya única función como agente económico es adoptar las decisiones de consumo, para pasar a realizar una actividad productiva, produciendo sus propias satisfacciones. Además, la importancia que en las teorías tradicionales se concedía a los cambios en las preferencias o a la diferenciación de los gustos como justificantes de la elección, quedan aquí minimizadas al suponerse que las preferencias subyacentes a la elección son estables, entendiendo como preferencias un conjunto reducido de «necesidades básicas» (comida o nutrición, salud, prestigio, placer sensual, etc.) que el consumidor satisface produciendo para sí mismo una serie de «mercancías» mediante los productos (*inputs*) que adquiere en el mercado, el tiempo que dedica, y otras variables que podemos llamar «ambientales» como son su edad, nivel de educación, habilidad, clima, etc. Como tal productor, el consumidor adopta una serie de decisiones similares a las analizadas en la Teoría de la Producción. Así, ante un cambio en los precios relativos de los *inputs* que utiliza, el consumidor, como cualquier empresario racional, reacciona modificando la utilización de los factores de tal forma que obtenga la misma cantidad de producto, utilizando menos cantidad del factor que se ha encarecido.

Esto significa que son las reacciones del consumidor ante variaciones en los precios relativos de los *inputs* que utiliza (readaptando sus procesos de producción) las que están determinando las variaciones en sus planes de compra; variaciones que no tienen por qué deberse a cambios en las preferencias del sujeto. En otras palabras, el público utiliza hoy más el avión no porque sus gustos hayan cambiado y el avión produzca más utilidad o satisfacción que el tren o el barco, sino porque uno de los componentes básicos de la función de producción de la «mercancía» transporte (que es lo que el público desea) se ha encarecido notablemente. Este factor es el tiempo, cuyo coste de oportunidad ha aumentado al crecer de forma general los salarios; por tanto, el consumidor reacciona proporcionándose la «mercancía» transporte a través de un proceso de producción que implique un menor coste en tiempo, lo cual se consigue recurriendo al avión, sin que esto suponga que la preferencia subyacente a la elección (transporte en abstracto) haya tenido que modificarse.

Dado que en las sociedades modernas el factor escaso más importante es el tiempo (que entra en todos los procesos de producción), son los cambios en el valor del tiempo, relacionados con el aumento de los salarios consiguientes a los incrementos de la productividad en las sociedades avanzadas, los que explican los cambios aparentes en los modos de consumo y explican asimismo la aparición constante de nuevos productos en las economías actuales; productos cuya aparición podía aparentemente ser considerada como una muestra de la irracionalidad del sistema económico, pero que según el nuevo enfoque son utilizados por los consumidores en la readaptación de sus procesos productivos provocada sobre todo por el cambio en el precio del tiempo (esto explicaría, por ejemplo, la aparente dotación de los hogares modernos de electrodomésticos y otros productos para el hogar).

Ahora bien, si el análisis de Becker proporciona una explicación satisfactoria al fenómeno de la aparición de nuevos productos, no justifica, en cambio, la existencia de diferentes presentaciones comerciales para un mismo producto (muchas de ellas escasamente diferenciadas), puesto que la teoría de Becker no dice nada acerca de la decisión final del consumidor en el mercado sobre la compra de los *inputs* necesarios para sus funciones de producción de «satisfacciones».

En este sentido, el análisis queda complementado por las aportaciones del economista australiano Kelvin Lancaster, quien desarrolla una teoría de la demanda del consumidor a partir de dos supuestos básicos: en primer lugar, que todos los bienes poseen características objetivas que determinan las elecciones que el público realiza entre los diferentes conjuntos de bienes; en segundo lugar, que los individuos se diferencian más en sus reacciones ante las diferentes características de un bien o conjunto de bienes que en su acuerdo sobre esas características. Son éstas las que determinan el interés del consumidor, y la demanda final de bienes no es directa sino derivada, en el sentido de que se elegirán los bienes que contengan las características preferidas por el consumidor.

Por lo tanto, el hecho de que distintos fabricantes (o incluso un mismo fabricante) ofrezcan múltiples variantes escasamente diferenciadas de un mismo producto (automóviles, electrodomésticos, etc.) no es un despilfarro social, sino una conducta dirigida a aproximar más sus productos a los distintos esquemas de preferencias de características por parte de los consumidores.

RESUMEN Y CONSIDERACIONES FINALES SOBRE LA TEORIA DEL COMPORTAMIENTO DEL CONSUMIDOR

Ya hemos señalado que la Teoría del Comportamiento del Consumidor tiene por finalidad explicar las elecciones que realizan los consumidores en el mercado. Como en toda teoría, lo que se pretende con ella es desarrollar proposiciones generales de validez universal, derivadas por medio de un análisis lógico a partir de unos supuestos iniciales, supuestos que pueden ser bien sobre las condiciones antecedentes, o bien sobre el comportamiento humano. En la Teoría del Comportamiento del Consumidor el supuesto sobre las condiciones antecedentes que se establece es el de que los medios de que disponen los individuos son escasos en relación con todos los bienes y servicios que aquéllos desean disfrutar; es decir, para cada persona algunos bienes son escasos. Los supuestos de comportamiento de los individuos de los que se parte en la teoría son fundamentalmente seis:

a) Los consumidores tienen preferencias claramente definidas.

b) Toda persona desea disfrutar muchos bienes y servicios simultánea y sucesivamente.

c) Toda persona está dispuesta a sacrificar alguna cantidad de un bien por obtener más de otros bienes económicos hasta un cierto punto.

d) Los consumidores pretenden maximizar la utilidad que obtienen de la renta que gastan.

e) Los consumidores actúan de una forma racional en la persecución del objetivo de maximizar su utilidad.

f) No todas las personas tienen gustos y preferencias iguales.

Sobre la base de estos supuestos y de la hipótesis de que la utilidad marginal es decreciente (hipótesis que se supone está basada en el rasgo de la naturaleza humana, según el cual los individuos sacian progresivamente su apetencia de un bien a medida que consumen mayores cantidades de éste), así como de la restricción presupuestaria (el hecho de que todo consumidor tiene una cantidad de renta limitada para gastársela en consumo) y de la restricción que los precios de los bienes y servicios (precios que le son dados) imponen a los individuos en cuanto a las cantidades de éstos que pueden obtener, son deducidas unas proposiciones lógicas sobre el comportamiento del consumidor. Algunas de las proposiciones que permite deducir la Teoría del Comportamiento del Consumidor son las siguientes:

a) El consumidor tratará de igualar la utilidad marginal por peseta gastada en todos los bienes y servicios que desea disfrutar.

b) Mientras que la utilidad marginal expresada en pesetas que el consumidor obtiene del disfrute de un bien sea superior al precio de éste (también expresado en ptas.), el sujeto aumentará el consumo del bien en cuestión; y al revés, en tanto en cuanto la utilidad marginal en pesetas que derive del consumo de un bien o servicio sea inferior al precio de éste, el individuo reducirá el consumo del bien en cuestión.

c) Cuando sube el precio de un bien se produce un efecto renta y un efecto sustitución que hacen que la cantidad demandada del mismo disminuya; y al revés, cuando baja el precio de un bien se producen unos efectos renta y sustitución que hacen que la cantidad demandada de éste aumente.

En definitiva, las proposiciones teóricas o lógicas (fundadas o basadas en la deducción racional a partir de las premisas o supuestos iniciales) pretenden explicar la realidad. En el caso de la Teoría del Comportamiento del Consumidor, se trata de explicar por qué la cantidad demandada de los bienes y servicios es una función inversa de su precio; es decir, por qué $D = f(P)$, y por qué la demanda en general tiende a tener una pendiente negativa (descender de izquierda a derecha).

Finalmente, en esta cadena de eslabones o pasos en la construcción de la Teoría del Comportamiento del Consumidor están las hipótesis empíricas o factuales, que describen la realidad aunque no la explican. Por ejemplo, una hipótesis empírica sería la de que entre 1970 y 1980 la demanda de naranjas ha sido una función lineal inversa del precio por kilo de éstas. Por qué la demanda tiende a descender de izquierda a derecha implica un conocimiento de un orden distinto del que se utiliza al constatar el hecho de que la curva de demanda de naranjas entre 1970 y 1980 descendía de izquierda a derecha.

Así pues, la Teoría del Comportamiento del Consumidor, a través de analizar las decisiones y las elecciones de los consumidores en el mercado por medio de la teoría que hemos expuesto, explica las tres características más importantes de la curva de demanda, a saber:

1) La pendiente negativa de la curva de demanda de la mayoría de los bienes y servicios.

2) La pendiente negativa mayor o menor de cada bien o servicio (el grado de inclinación de la curva de demanda).

3) La posición en el plano de la curva de demanda de cada uno de los bienes y servicios.

Dentro de la Teoría del Comportamiento del Consumidor existe un modelo de equilibrio general según el cual los consumidores, en primer lugar, eligen entre ocio y trabajo, elección que determina su renta monetaria; en segundo lugar, asignan su renta entre gasto en consumo y ahorro; y en tercer lugar, asignan o gastan su renta entre los bienes y servicios de consumo que adquieren de tal forma que igualan las satisfacciones o utilidades marginales por peseta obtenidas del disfrute de los distintos bienes y servicios que compran. En cada una de estas elecciones que implican equilibrios parciales (modelos de equilibrio parcial), los consumidores tratan de igualar la utilidad en el margen del ocio y del trabajo (o de la renta), del ahorro y del consumo, y del consumo de cada bien y servicio. A su vez, el equilibrio general del consumidor implica la igualación simultánea de las satisfacciones en el margen de las decisiones sobre ocio-trabajo, gasto-ahorro y gasto entre los bienes y servicios consumidos.

La Teoría de la Demanda del Consumidor es, pues, aquella rama de la Teoría Económica que estudia los determinantes del conjunto concreto de elecciones que realiza el consumidor dentro de todas las posibilidades que tiene a su alcance. La Teoría se ocupa principalmente de analizar cómo los gustos del consumidor, la renta de éste y los precios de los bienes determinan la estructura de sus compras. A partir de este análisis es posible predecir cómo reaccionará el consumidor ante cambios en las variables: un aumento o una disminución en la renta del consumidor y/o en los precios de los bienes y servicios, y una variación en los gustos y en las preferencias de los individuos. Asimismo, la Teoría permite predecir la forma de la curva de demanda de los distintos bienes y servicios, y especificar y cuantificar los factores que determinan su elasticidad.

Señalemos por último que la Teoría de la Demanda con frecuencia se dice que es árida, complicada e irrelevante, ya que según se aduce o puede parecer, sólo sirve para demostrar lo obvio (se demuestra cómo y por qué la cantidad demandada de un bien aumenta cuando baja el precio de éste y disminuye cuando aquél sube). No obstante, debe indicarse que ésta es la finalidad de toda ciencia; que en particular las ciencias sociales están todavía en un estadio poco desarrollado, lo que hace que con frecuencia sólo expliquen lo obvio; y que la Teoría Económica no se limita a tomar la curva de demanda como dada, sino que pretende encontrar su fundamentación en las decisiones de consumo de los consumidores individualmente considerados.

BIBLIOGRAFIA SELECCIONADA

Samuelson, P.: *Curso de Economía Moderna*, op. cit., Cap. 21, págs. 490-513.
Lipsey, R.: *Introducción a la Economía Positiva*, op. cit., Caps. 14-16, págs. 167-230.
Stigler, G.: *La Teoría de los Precios*, op. cit., Cap. 5.
Bilas, R.: *Teoría Microeconómica*, op. cit., Caps. 3, 4 y 5.
Becker, G.: *Teoría Económica*, op. cit., Caps. 2 y 3.
Walsh, V. C.: *Introducción a la Microeconomía Contemporánea*, op. cit., Caps. 5, 6, 7, 13, 14 y 15.
Baumol, W.: *Teoría Económica y Análisis Operativo*, op. cit., Cap. 8.
Lancaster, K.: *Economía Moderna 1*, op. cit., Cap. 6.
Friedman, M.: *Teoría de los Precios*, op. cit., Cap. 3, págs. 49-74 y Cap. 4.
Clower, R. W., y Due, J. F.: *Microeconomía*, op. cit., Caps. 4 y 5.
Marshall, A.: *Principios de Economía*, op. cit., Libro III.
Lancaster, K.: *Consumer Demand. A New Approach*, Columbia University Press, Nueva York. 1971.

LA OFERTA
(La Teoría de la Producción y de los Costes)

LA TEORIA DE LA PRODUCCION, LA TEORIA DE LA EMPRESA Y LA TEORIA DE PRECIOS

Como señalamos en el Capítulo 3, la determinación de los precios relativos (naturalmente expresados éstos en unidades monetarias, expresión que da lugar a los precios absolutos) de los bienes y servicios y de los factores de la producción, así como de las cantidades intercambiadas de éstos a través del comportamiento (de la actuación y de la interacción) de las unidades de decisión individuales (las economías domésticas como consumidores y como propietarios de los factores productivos, las empresas, y el Estado y los entes públicos cuando actúan como unidades económicas privadas) en el mercado constituyen el objeto de estudio de la Microeconomía. En el último extremo, la Microeconomía se propone explicar el mecanismo por el cual la cantidad total de recursos de que dispone una sociedad es distribuida entre sus posibles usos alternativos a través del mercado, y utilizando el sistema de precios.

Dentro de la Microeconomía existen distintas ramas o teorías parciales que intentan explicar las diversas áreas de los fenómenos microeconómicos. La rama más amplia de la Microeconomía es lógicamente la Teoría de Precios, teoría que estudia los mecanismos por los cuales los precios son determinados en una economía de libre mercado, así como el papel que aquéllos juegan en la resolución de los problemas que se plantean en la asignación de los recursos limitados de la sociedad entre los posibles usos alternativos de éstos. Como sabemos, en las economías de mercado la mayoría de las decisiones sobre la asignación de los recursos son tomadas a través del sistema de precios. La Teoría de Precios tiene como objeto de estudio el funcionamiento del sistema de precios: en definitiva, esta teoría trata de explicar cómo el sistema de precios (a través del mecanismo del mercado) realiza las funciones de determinar los bienes y servicios que se elaboran en la economía y las cantidades en que se producen éstos.

El mercado constituye el concepto sobre el que se basa la Teoría de Precios. Obviamente el mercado en su conjunto (o los mercados de los diferentes bienes y servicios) no es algo que funcione por sí solo, sino que constituye un mecanismo o un marco institucional dentro del que actúan y se interrelacionan los agentes económicos, agentes que son los que toman decisiones en último extremo. De ahí que la Teoría de Precios estudie fundamentalmente tres áreas: el área del comportamiento de los compradores o consumidores; el área del comportamiento de los vendedores o productores, y el área de las características, los condicionantes y las implicaciones que las distintas formas que puede tomar el mercado (competencia perefecta, competencia imperfecta, oligopolio, duopolio y monopolio o monopsonio) tienen sobre el comportamiento de los agentes económicos y sus resultados.

Por esta razón, la Teoría de Precios generalmente se considera que está integrada por tres «sub-teorías» o teorías parciales, referentes cada una de ellas a un área específica del mecanismo del mercado, a saber:

a) Una teoría sobre el comportamiento de los compradores o de los consumidores. Esta Teoría de la Demanda o Teoría del Comportamiento o de la Elección del Consumidor es la que hemos estudiado en los Capítulos 14, 15 y 16.

b) Una teoría del comportamiento de los vendedores u oferentes, o, lo que es lo mismo, una Teoría de la Oferta.

c) Una teoría del comportamiento y de las actuaciones de los agentes económicos según las formas que toma aquél. Esta teoría estudia cómo son determinados los precios por la interacción de los compradores y de los vendedores en las distintas formas de mercado, formas o estructuras o marcos que constituyen el medio condicionante en el que actúan los agentes económicos. Como veremos más adelante, el que las empresas actúen en un mercado de competencia perfecta, de competencia imperfecta, oligopolístico o monopolístico tiene una incidencia sobre el comportamiento de aquéllos y sobre los resultados de ese comportamiento.

A su vez, la Teoría de la Oferta o del comportamiento de los vendedores está integrada por varias teorías parciales, igualmente correspondientes o relativas a los distintos aspectos de la oferta de bienes y servicios en los mercados. Estos aspectos obviamente están interrelacionados, ya que todas las actuaciones de los agentes económicos que ofrecen bienes y servicios en los mercados, y todos los fenómenos que ocurren en el proceso hasta llegar a que los bienes y servicios sean ofertados, evidentemente están conectados entre sí. Digamos asimismo que, por supuesto, todas las teorías parciales o subteorías que hemos señalado que integran la Teoría Económica están relacionadas entre sí, ya que todas forman parte de ese cuerpo de teorías que trata de explicar la faceta de la actividad humana que implica la asignación de recursos escasos que tienen varios posibles usos alternativos, y que está orientada a mejorar (en el sentido de que los individuos obtengan lo que desean) la condición o la situación de los hombres.

Generalmente en Economía no se habla de una Teoría de la Oferta (aunque de esto sea de lo que en realidad se trata), sino que los economistas emplean los términos Teoría de la Producción, Teoría de los Costes y Teoría de la Empresa para indicar las tres partes de la Teoría Económica que estudian las cuestiones relacionadas con la oferta de bienes y servicios. Dado que en la mayoría de los casos existe más de una manera técnicamente posible de producir los bienes, la Teoría de la Producción estudia las causas de que se emplee un método y no otro para elaborar los bienes y servicios, así como sus implicaciones. Esta Teoría analiza las causas que determinan el que las empresas elijan utilizar unas determinadas cantidades de factores, dadas sus funciones de producción (que veremos más adelante), los precios de los factores, y los niveles de producción que desean alcanzar.

La Teoría de la Producción estudia los factores que hacen que los bienes sean producidos por unos métodos y no por otros, y relaciona las cantidades de los bienes y servicios que los productores ofertan con los precios de aquéllos y con la tecnología. Como veremos en éste y en los Capítulos siguientes, la Teoría de la Producción está basada sobre el supuesto de que las empresas intentan utilizar las cantidades y las combinaciones de los factores que minimicen el coste total de producir un volumen dado de unidades de un bien o servicio por período de tiempo.

También dentro de la Teoría de la Oferta (y lógicamente relacionada con la Teoría de la Producción y con la Teoría del Comportamiento del Mercado) está la Teoría de la Empresa. Como veremos, en la Teoría Económica a los agentes económicos que producen y ofertan bienes y/o servicios (tomen o no la forma jurídica de sociedades mercantiles) se les llama empresas. En consecuencia, del mismo modo que los consumidores son los protagonistas de la demanda, las empresas o los empresarios son los agentes económicos que protagonizan o realizan la oferta de bienes y servicios en los mercados. De ahí que exista una Teoría de la Empresa, constituida por aquella parte de la Microeconomía que intenta explicar y predecir el comportamiento de las empresas: las decisiones que éstas toman respecto a la tasa de producción por período de tiempo, al nivel de utilización de los factores productivos que emplean, a la variación en las cantidades y en las proporciones de los factores que usan, y al precio que exigen por las distintas cantidades de los bienes y servicios que ofertan. Como veremos igualmente, el modelo más elaborado de la Teoría de la Empresa descansa sobre el supuesto de que las empresas tienen como principal objetivo el maximizar los beneficios, a cuya finalidad está orientada su actuación, actividad que se supone se desarrolla en un mundo en el que las condiciones de los costes y de la demanda son conocidos. Existen también otros modelos de comportamiento de la empresa basados en supuestos distintos al de maximización de los beneficios, y que asimismo consideraremos más adelante.

La Teoría de la Empresa y la Teoría de la Oferta puede decirse que son sinónimas. Dentro de éstas está la Teoría de la Producción, de la que a su vez forma parte la llamada Teoría de Costes. Esta última Teoría se ocupa de estudiar el comportamiento de los costes de producción de las empresas en relación con el nivel de producción de éstas.

La cuestión de qué bienes y servicios y en qué cantidades se producen éstos constituye el meollo de la Teoría de Precios, y su concepto central es el del mercado; la cuestión de cómo (por qué método) se han de producir los bienes y servicios representa el núcleo central de la Teoría de la Producción; a su vez, la noción de minimización de los costes es el centro de la Teoría de los Costes, noción de minimización de los costes a la que es básica la hipótesis de que se da un proceso de sustitución por parte de las empresas de los factores productivos relativamente más caros por otros factores relativamente más baratos. Esta hipótesis de la sustitución de unos factores por otros es una de las proposiciones más fundamentales de las Teorías de la Producción y de los Costes. La Teoría de la Producción se basa en el supuesto de que las empresas desean utilizar el conjunto de cantidades de los factores que minimiza el coste total de producir una cantidad determinada del producto que elaboran. La Teoría de Costes permite determinar las relaciones cantidad de producción-costes que se dan para cada combinación de factores, relaciones que sirven de base para la Teoría de la Empresa que a su vez estudia cómo la empresa elige, tratando de explicar el comportamiento de ésta bajo el supuesto de que las empresas buscan maximizar los beneficios.

Esta división en teorías parciales no debe inquietar al lector. Bástele recordar que la Microeconomía analiza el comportamiento de las unidades económicas individualmente y en grupos dentro del mercado de los distintos bienes y servicios, y que las áreas más importantes que lógicamente se distinguen dentro de aquélla son la Teoría del Comportamiento de los Consumidores (Teoría de la Demanda); la Teoría de la Empresa (Teoría de la Oferta), de la que forman parte la Teoría de la Producción y la Teoría de Costes; y la Teoría del Comportamiento (o de las formas) de los Mercados, en la que entra también la Teoría de la Empresa, ya que en ella se estudia la influencia que las distintas formas de mercado tienen sobre la determinación de los precios y de las cantidades compradas y vendidas (influencia que se materializa a través del diferente comportamiento de las empresas en las distintas condiciones que emplean los tipos de mercado en los que actúan). Abarcando igualmente a estas teorías está la Teoría de los Precios, ya que en último extremo los precios y las cantidades transaccionadas se determinan por la actuación de los agentes en los distintos mercados.

En este Capítulo y en los seis siguientes vamos a estudiar lo que hemos llamado la Teoría de la Producción, que, como hemos señalado, es parte de la Teoría de la Empresa. En los siguientes cinco Capítulos consideramos la que hemos denominado la Teoría del Comportamiento del Mercado, que es igualmente parte de la Teoría de la Empresa, ya que estudia el comportamiento de ésta (y sus implicaciones para los precios y las cantidades transaccionadas de los bienes y servicios) en los distintos tipos de mercado. Al igual que en los Capítulos 14, 15 y 16 hemos analizado cómo dada una estructura de los gustos, la demanda de bienes y servicios por parte de los consumidores se desprende del intento de éstos de maximizar su utilidad bajo las condiciones restrictivas que les imponen sus presupuestos, en los cinco Capítulos siguientes vamos a estudiar el comportamiento de la empresa en su actividad de producir y ofertar bienes y servicios bajo los supuestos:

a) De que aquélla intenta maximizar sus beneficios a través de seleccionar por una parte las proporciones y las cantidades de factores productivos que le llevan a minimizar los costes, y por otra el nivel de producción y ventas que le produce los máximos beneficios posibles (dados sus costes mínimos).

b) De que la empresa actúa en un mundo en el que existen una información y un conocimiento completo de las condiciones de la demanda (cómo es la demanda con la que se enfrenta) y de los costes (cómo se comportan los costes ante los cambios en la tecnología, en los precios de los factores y en el nivel de producción).

Como veremos, estos supuestos que hacen posible desarrollar una teoría sobre el comportamiento de las empresas, son demasiado restrictivos, ya que en el mundo en el que actúan las empresas la información es incompleta, se dan incertidumbre y riesgo, y el azar juega un papel importante. Las implicaciones de introducir estos factores en el análisis llevan a la indeterminación de los resultados de las acciones de las empresas, y a complicaciones teóricas que no vamos a considerar en este curso elemental.

Para llegar a determinar el comportamiento de las empresas, vamos a estudiar en primer lugar las cuestiones relacionadas con la producción y los costes, así como las condiciones que deben cumplir las empresas para alcanzar el beneficio máximo. Estas cuestiones son comunes a todas las empresas, cualquiera que sea el tipo de mercado en el que actúen, y, en consecuencia, las hipótesis, los teoremas y las predicciones que puedan establecerse a partir de la teoría son aplicables a todas ellas. De ahí que nosotros comencemos por el estudio de la producción y de los costes, ya que en la exposición de toda teoría siempre procedemos de lo más general a lo más concreto. En la parte siguiente del libro aplicamos estas conclusiones generales al comportamiento de la empresa en las distintas situaciones de mercado.

LA NATURALEZA DE LA EMPRESA

Ya hemos señalado que en las economías de mercado modernas los agentes económicos que protagonizan la oferta de bienes y servicios son las empresas. Al decir economías modernas nos referimos a las economías en las que se utilizan ampliamente la tecnología y la especialización y la división del trabajo en la elaboración de los bienes y servicios. En realidad, la empresa como unidad organizativa que planifica, coordina y supervisa la producción de bienes y servicios, es una institución que se da en todo tipo de economía moderna (tanto de mercado como de planificación central). Lo que ocurre es que en las economías de mercado las empresas privadas juegan un papel más importante que en las economías planificadas, debido a que son ellas las que deciden los factores o *inputs* que emplean y los bienes y servicios que producen, mientras que en las economías de planificación central las empresas se limitan a producir los bienes y/o servicios que se les asignan, y en las cantidades y con los métodos y los *inputs* que se le fijan en las directrices del plan.

De ahí que a las economías de mercado también se les llame sistema económico de propiedad privada (debido a que gran parte de los medios de producción, y, en consecuencia, de la mayoría de las empresas, son propiedad de individuos particulares y no del Estado), o de libre iniciativa o de libre empresa. En estas economías, siempre que cumplan determinados requisitos regulados por ley, los individuos tienen el derecho de crear y disolver empresas, o lo que en lenguaje de la calle se entiende por montar o cerrar negocios, tomen o no éstos la forma de sociedades mercantiles.

Dada su importancia en las economías de mercado modernas en general, y específicamente en la nuestra, es necesario entender claramente la naturaleza, la organización y el funcionamiento de la empresa. Para el economista la producción simplemente significa la conversión de *inputs* o factores productivos en *outputs* o productos (bienes y servicios), y una empresa no es más que cualquier organización que realiza producción o que produce bienes y/o servicios, a través de planificar, coordinar y supervisar dicha producción.

Históricamente la empresa surge como una entidad, unidad, institución u organización específica de toma de decisiones sobre la producción y la venta de bienes y servicios cuando se desarrolla la división del trabajo y la especialización (tanto en los productos que se elaboran como en el empleo de maquinaria especializada). Este desarrollo dio lugar a que se incrementaran y se hicieran más complejos los problemas implícitos en la coordinación de la producción y en la venta de los bienes y servicios. Para el economista, la empresa es una unidad de toma de decisiones que, con el objetivo de maximizar los beneficios (éstos se definen como la diferencia entre los ingresos y los costes de producción), elige entre las combinaciones *inputs-outputs* que tiene a su alcance. La empresa decide qué bienes producir, en qué cantidades y con qué características y calidad, cómo producirlos, y cómo, cuándo y dónde venderlos.

Obviamente al emplear el término empresa nos estamos refiriendo a la empresa privada o que es propiedad de individuos particulares. Digamos, sin embargo, que la empresa como unidad de organización que planifica, coordina y supervisa la producción es un concepto más amplio que el de empresa privada. La empresa puede ser pública y privada. Sin pretender hacer una exposición exhaustiva de las diferencias entre estos dos tipos de empresa, digamos simplemente que la empresa privada se caracteriza por dos notas principales:

a) Es propiedad de individuos particulares.

b) En su actuación persigue los fines que deciden sus propietarios (generalmente obtener el máximo posible de beneficios u otros intereses particulares), y sus decisiones tienen su origen en (se guían por) la lógica del mercado en el que funciona.

Por contraposición, la empresa pública (que sin duda representa uno de los desarrollos institucionales más importantes del siglo xx), aunque constituye también una unidad de decisión en cuanto a la producción de bienes y servicios, se caracteriza por unas notas que la diferencian de la empresa privada. Siguiendo al profesor inglés William Alexander Robson, estas notas las podemos resumir en cuatro principales:

a) La finalidad de maximizar los beneficios o simplemente de obtener beneficios no juega en la empresa pública el mismo papel (en cuanto a su actuación) que en la empresa privada. Generalmente la empresa pública persigue proveer un determinado bien o servicio al precio más bajo posible. En ocasiones algunas empresas públicas obtienen beneficios, pero en ningún caso la obtención de estos beneficios constituye el objetivo principal o el motor de la actuación de aquéllas.

b) La empresa pública goza, al menos en parte, de la indefectibilidad del Estado. La quiebra o la liquidación no pueden constituir el fin de una empresa pública, por lo que la sanción final y definitiva por la insolvencia financiera no juega en la empresa pública el papel que juega en la empresa privada.

c) La empresa pública puede obtener financiación directamente del Estado, cosa que ocurre con frecuencia en forma de transferencias o por canales privilegiados (préstamos de la banca oficial, y préstamos de las instituciones financieras privadas en condiciones especiales). También las empresas privadas pueden obtener financiación del Estado, pero ésta es siempre una concesión graciosa, tiene carácter excepcional y suele representar una parte pequeña de los recursos financieros que necesitan y utilizan.

d) La administración y la actuación de la empresa pública no se rige por principios o criterios exclusivamente económicos. Factores tales como asegurar la provisión de un servicio o el abastecimiento de un bien, generar una cantidad de empleo, u otros objetivos constituyen intereses públicos que la autoridad política ha de hacer pesar en las decisiones empresariales que adopten los gerentes de la empresa pública.

La empresa pública incluye, tanto las empresas de capital público (cuyo capital es propiedad enteramente de las autoridades públicas y cuyo personal de dirección se designa por decisión de la autoridad pública) como las empresas de capital mixto (privado y público), y las empresas de capital privado siempre que estén controladas por las autoridades públicas. En definitiva, desde el punto de vista del Análisis Económico se consideran como empresas públicas todas aquellas empresas cuyas decisiones y control dependen de la autoridad política, y cuya actuación no se rige exclusivamente por los principios del mercado (aunque en parte algunas empresas públicas pueden buscar minimizar los costes, obtener beneficios o perseguir otros objetivos similares a los que pretenden alcanzar las empresas privadas).

Aunque la empresa pública representa hoy una parte importante de la producción de bienes y servicios en las economías de mercado, nosotros sólo vamos a considerar aquí la actuación de la empresa privada, ya que nuestro objetivo es exponer la Teoría Económica, y ésta se ocupa del estudio del comportamiento de los agentes económicos en el mercado. Más adelante consideraremos la provisión de bienes públicos por parte del sector público y por criterios que no son exclusivamente los que exige la actuación en el mercado, dentro de la llamada Teoría de la Elección Pública.

Como ya hemos señalado, las unidades económicas o los agentes económicos que intervienen en el mercado son: las economías domésticas, las empresas privadas, las empresas públicas, el Estado (se entiende todos los órganos de la Administración del Estado y los entes públicos cuando actúan a título privado, sin hacer uso de su poder político) y las instituciones sin fines de lucro (los sindicatos, las fundaciones, las asociaciones de todo tipo, etc.). Aunque todos estos agentes son esenciales en una economía moderna de mercado, no obstante, las empresas privadas son los protagonistas principales de la actividad económica de producir y vender, ya que ellas realizan la producción de la mayor parte de los bienes y servicios que se elaboran y dan empleo a un porcentaje muy elevado de la fuerza laboral.

Puede, pues, decirse que en una economía que emplee el sistema de precios, su funcionamiento gira en torno a las empresas privadas y a su actuación. En el momento de redactar este libro la economía española está pasando por una crisis o por lo que se denomina técnicamente una recesión. En buena medida la crisis se debe a que las empresas privadas no invierten y están reduciendo su actividad productiva, con lo que no sólo no generan nuevos puestos de trabajo, sino que están creando desempleo (en la actualidad existen un millón y medio de personas sin puesto de trabajo). Evidentemente esta actuación de las empresas no es más que la manifestación que toma la crisis, ya que ellas sólo reaccionan ante la falta de demanda de sus productos. Ciertamente a las empresas privadas les interesaría y les resultaría beneficioso producir mayores cantidades de los bienes y servicios que elaboran, y, en consecuencia, aumentar el número de puestos de trabajo que ofrecen, ya que ello implicaría para ellas obtener mayores beneficios al alcanzar mayores niveles de producción y reducir sus costes medios.

No obstante, las empresas son las que toman las decisiones sobre las cantidades de bienes y servicios que producen y los métodos que se emplean en la producción de éstos. De ahí que si se desea comprender, explicar y predecir cómo reaccionará la economía en su conjunto ante un cambio en las condiciones existentes, es necesario conocer siquiera sea aproximadamente cómo reaccionarán las empresas. Así, hemos de poder predecir, aunque sólo sea parcialmente, cómo cambiarían su actuación las empresas ante una subida del precio del petróleo, ante una reducción de la demanda de sus productos en el extranjero, ante un cambio en los tipos impositivos, ante una nueva política arancelaria, ante una subida en el nivel de salarios, ante una política monetaria expansiva o restrictiva, o ante un adelanto tecnológico como el desarrollo de la energía atómica como fuente de energía (por citar algunos de los muchos cambios posibles en las condiciones existentes).

Para poder predecir la reacción de las empresas ante estos u otros cambios en las condiciones en las que han de actuar, es necesario tener algún conocimiento sobre los tipos de decisiones que toman las empresas, o más exactamente sobre las clases de decisiones que toman los gerentes o administradores de éstas. También es necesario conocer las razones que hay detrás de las decisiones de las empresas y las motivaciones que las inspiran (ya que éstas representan las finalidades que las decisiones pretenden alcanzar y servir).

Nosotros vamos a estudiar en parte las motivaciones y los demás factores de los que dependen las decisiones y la actuación de las empresas. Decimos en parte porque en este curso elemental no podemos estudiar a fondo todo lo que la Teoría de la Empresa tiene que decir sobre estas cuestiones.

LA RAZON DE SER DE LA EMPRESA

La producción es organizada y controlada a través de la empresa. Las empresas son básicamente instituciones o entes que permiten economizar o reducir drásticamente los costes de negociar e implementar contratos, de combinar factores productivos, de realizar intercambios y de comunicarse unos agentes económicos con otros. Es importante comprender esto, ya que esta reducción de los costes constituye la razón de ser de la empresa.

Una empresa es una forma legal de propiedad de activos y de relaciones contractuales. La empresa produce y vende bienes y servicios con la finalidad de aumentar la riqueza de sus propietarios; básicamente es una institución integrada por patronos o propietarios y empleados que buscan ambos aumentar su utilidad a través de aumentar su riqueza. Aunque la utilidad que obtienen los patronos y los empleados de su participación en la actividad de la empresa generalmente incluye también elementos no pecuniarios positivos o negativos (tales como el interés o el desinterés que su trabajo pueda tener para algunas personas, las condiciones agradables o desagradables en que se trabaja, o las relaciones humanas estimulantes o gravosas en el trabajo), sin embargo, la empresa es fundamentalmente una institución que produce riqueza para los individuos que participan en ella, y como tal la consideraremos en el análisis que sigue.

En las economías de mercado las empresas privadas son instituciones u organizaciones en las que la sociedad confía para que se organice de forma eficiente el uso de los recursos disponibles, en orden a que se produzcan los bienes y servicios en respuesta a las indicaciones del mercado competitivo. Las empresas responden a los precios y a las demandas que se manifiestan en el mercado, y producen los bienes que la gente valora más intensamente que los demás bienes y servicios que también podrían ser producidos. Todas las sociedades con economías de mercado confían en buena medida en las empresas privadas para alcanzar una producción eficiente de los bienes y servicios que desean y pueden obtener. Al mismo tiempo, las sociedades deciden por distintos procedimientos las empresas que han de existir, qué individuos y qué papeles juegan éstos en las diferentes empresas, y qué señales y qué información han de guiar las decisiones sobre la producción de los bienes y servicios y sobre la organización de ésta.

Una cuestión importante que se plantea es la de explicar por qué surgen las empresas como unas organizaciones dirigidas de forma centralizada por unos individuos (los patronos que emplean a otras personas) que dan órdenes a otros individuos (los empleados), órdenes que son obedecidas por éstos. Si, como hemos visto ocurre en las economías de mercado, los precios y los intercambios a través del mercado orientan y coordinan el uso de los recursos hacia la producción de los bienes y servicios deseados sin que exista una organización centralizada y responsable de la totalidad de las actividades económicas, ¿por qué existen entonces las empresas como instituciones jerarquizadas? Los sujetos, individualmente o incluso dentro de organizaciones, podrían realizar intercambios a través del mecanismo del mercado, sin que tuvieran que pertenecer a una empresa.

La razón última de la aparición de la empresa reside en la incertidumbre sobre el futuro y en los costes de renegociar continuamente los contratos entre los individuos que exigiría la realización de actividades complejas. Si fuera posible prever el futuro con perfecta certidumbre, los individuos podrían establecer contratos a largo plazo entre ellos en los que se fijarían de una vez por todas los intercambios que se realizasen entre las personas. Cada persona sería un contratante independiente que realizaría acuerdos de larga duración con los demás individuos, acuerdos en los que se especificarían taxativamente los servicios que cada uno efectuaría para los demás a cambio de un pago. No existirían ni patronos, ni empleados, ni empresas; sino sólo compradores y vendedores, que efectuarían compras y ventas en mercados.

Es posible imaginarse que incluso una cadena de montaje de coches sería simplemente un mercado en el que cada persona que trabajara en ella compraría los productos al individuo situado a su izquierda, los procesaría y se los vendería a la persona situada a su derecha en la cadena, y así funcionaría todo el proceso de montaje del coche hasta llegar a su acabado completo y a su venta al expendedor de éste al público. No existirían ni patronos ni empleados, sino sólo especialistas independientes que trabajarían en sus especialidades respectivas, cada uno de ellos comprando los productos, reelaborándolos y vendiéndolos de nuevo al especialista en el siguiente estadio de la fabricación de los productos.

Pero, por una parte, los costes de renegociar continuamente los contratos entre todos los individuos (de cada uno de éstos con los demás sujetos con los que tuviera intercambios) serían enormemente elevados en términos de recursos (el tiempo de realizar la negociación, el trabajo administrativo de llevar el control de los intercambios, el aprovisionamiento y las ventas por cada individuo), y por otra, la incertidumbre sobre los servicios que cada individuo necesitaría de los demás sujetos en cada momento del futuro, hacen que sea imposible especificar en un contrato a largo plazo dichos servicios.

De ahí que los individuos se pongan de acuerdo para que unos (los patronos) paguen a otros unas cantidades determinadas (salarios) durante el período de vigencia del contrato, y que los que reciben los salarios se comprometan a realizar para los patronos cualesquiera de un conjunto de servicios cuya especificación en cada momento se deja a éstos. De esta forma se economiza enormemente en cuanto que no es necesario renegociar continuamente los acuerdos, y además se introduce una gran flexibilidad en lo que respecta a la determinación de los servicios que los individuos prestan unos a otros, lo que da fluidez a los intercambios.

Pero existen además otras razones por las que surge la empresa como institución en una economía de mercado. Ya hemos señalado la reducción drástica en los costes de negociar y hacer cumplir los contratos. La obtención y el análisis de los datos sobre las cuestiones técnicas de la producción y las ventas de los productos, la obtención y el análisis de información sobre los gustos y las preferencias de los consumidores, la obtención y el análisis de la información y de los problemas sobre las consecuencias de todo tipo de las actividades de los competidores, la obtención de grandes masas de recursos financieros (y de tecnología y bienes capital) y de los medios de garantizar éstos, la búsqueda y determinación de las actividades más productivas (en términos de la valoración que hace la sociedad del producto de éstas) que puede realizar cada persona, la coordinación de los esfuerzos conjuntos de las personas que trabajan en equipo (la tecnología, la especialización y la división del trabajo exigen el trabajo en equipo para la elaboración de la gran mayoría de los bienes y servicios), el control del incumplimiento de las obligaciones contraídas por los individuos en los intercambios de unos con otros (el gandulear en el trabajo cuando los individuos saben que no se les controla y no se puede detectar quién ha faltado a su deber), la asignación, la distribución y la asunción de los riesgos de las actividades de producir y proveer bienes y servicios, y la distribución de recompensas entre los individuos según su productividad, son actividades que la empresa como organización puede realizar mucho más económicamente que los individuos aisladamente.

La empresa y el empresario cumplen entre otras las funciones de reunir e interpretar continuamente la información necesaria sobre los bienes y servicios que la sociedad desea disfrutar y la valoración que ésta hace de ellos, de proveer información sobre las oportunidades mejores de trabajo que se les ofrecen a los individuos, de seleccionar las personas que pueden trabajar provechosa y eficientemente en equipo, de organizar y dirigir la producción realizada colectivamente por grupos de individuos, de supervisar la actuación y la productividad de las personas en el trabajo, y de distribuir el riesgo de la actividad productiva. A la sociedad y a los individuos les resultaría enormemente costoso si cada uno de éstos realizara aisladamente tales funciones.

El empresario o el patrono (el que da empleo) tiene el incentivo de poder obtener potencialmente unos beneficios, beneficios que constituyen rentas residuales procedentes de la diferencia entre el valor de la producción realizada por el grupo de individuos empleados por aquél en la empresa y vendida por él, y los pagos previamente especificados y asegurados a los miembros del equipo. Pero el empresario también puede tener pérdidas, ya que, en primer lugar, ha de interpretar adecuadamente las preferencias de los consumidores y sus cambios, y en segundo lugar, ha de competir con otros empresarios por la venta de sus productos, además de tener que asumir todos los riesgos inherentes a los aspectos técnicos, financieros y organizativos de la producción. La incertidumbre y el riesgo son características consustanciales a la actividad empresarial, y los beneficios constituyen en parte el pago o la compensación por haberles hecho frente adecuadamente, mientras que las pérdidas representan la penalización por la falta de habilidad empresarial.

Cuanto mejor supervise y organice la producción el empresario, mayor será su renta residual o beneficios. De ahí que para ser eficiente, el empresario no sólo ha de supervisar y dirigir bien a los empleados en su trabajo, sino que además ha de poder reemplazar o sustituir a los miembros del equipo que no sean adecuados en el desarrollo de sus funciones, y renegociar los salarios, los honorarios y las rentas de éstos. Ello implica que el empresario es una parte central y común en todos los contratos con cada uno de los miembros del equipo o grupo de personas que trabajan en la empresa. El empresario decide cuáles miembros de ese equipo permanecen en sus puestos y cuáles no; es decir, decide los productos que elaborarán los miembros del grupo, los individuos que integrarán éste, y cuáles de éstos se ganan el sueldo con su trabajo y cuáles han de ser sustituidos. Mientras que los empleados obtienen unos sueldos garantizados por unas obligaciones contractuales, los empresarios asumen un riesgo que puede materializarse en la obtención de beneficios o de pérdidas.

La Empresa Capitalista

Una empresa capitalista es un grupo de propietarios de recursos productivos, ligados entre sí por unos contratos, y que tiene las siguientes características:

1) Los recursos productivos de los varios propietarios son utilizados de forma conjunta y organizados en un esfuerzo orientado a la producción y venta de bienes y/o servicios.

2) De este poner los recursos productivos en un fondo común surge un ente u organización con la que se vinculan todos los propietarios de los recursos a través de contratos. Este ente tiene la capacidad de poder renegociar individualmente con cada propietario las características de su vinculación a la organización, sin que el resultado de esta negociación o renegociación afecte a la existencia de la organización común. Con los términos ente u organización nos referimos al fondo común que surge desde el momento en el que unos individuos han puesto en común bienes, industria o dinero, sin determinar previamente la forma jurídica que tome esta organización. Una vez constituido, el ente adquiere su dinámica o vida propia, y no desaparece porque se retire alguno de los propietarios que aportaron recursos.

3) Este ente tiene un derecho sobre la renta residual (beneficios) que puede resultar de restar a los ingresos de la empresa el pago de las obligaciones de ésta, obligaciones que están taxativamente especificadas de forma contractual. También tiene dicho ente la obligación de hacer frente a las posibles pérdidas en que incurra la empresa en su actividad productiva.

4) El ente puede transferir o vender su posición en aquellos contratos.

La modificación de cualquiera de estas notas o propiedades cambia el carácter de la empresa capitalista, haciendo de ella una institución sin fines de lucro, una empresa pública, o cualquier otro tipo de institución. Las empresas no capitalistas (la empresa capitalista es de propiedad privada y tiene fines lucrativos), ya sean empresas de los países socialistas o empresas públicas de los países capitalistas, también realizan en mayor o menor medida las funciones de medir o calcular el valor marginal de cada *input*, de estimar los valores de los productos alternativos (es decir, prever la valoración que los consumidores hacen y harán de los diversos productos alternativos que la empresa puede elaborar), de organizar la combinación y el empleo de los *inputs* y de controlar la actuación y el rendimiento de los empleados. Asimismo utilizan el procedimiento jurídico de que es un agente centralizador (la sociedad como persona jurídica) el que firma los contratos que asume la empresa.

La diferencia fundamental, sin embargo, estriba en que la renta residual (beneficios o pérdidas) a la que tiene derecho el ente mencionado o sociedad es menor en las empresas socialistas o públicas que en las capitalistas, y mayor la fracción de esa renta residual que se asigna a los empleados. Parece que es una realidad que sin el incentivo de un derecho a la totalidad de la renta residual, el empresario pierde motivación o está motivado en menor grado para realizar de forma eficiente las funciones que hemos señalado corresponde a la empresa en los procesos de producción. En las empresas no capitalistas la renta residual (ya sea positiva o negativa) es absorbida por el Estado cuando se trata de empresas públicas, y es compartida por todos los miembros de la empresa en mayor o menor medida cuando se trata de cooperativas o de empresas cogestionadas o autogestionadas. En la empresa capitalista, tal como se la concibe en la actualidad, la renta residual sólo corresponde al empresario o empresarios propietarios.

El derecho a esta renta residual por parte del empresario se justifica por el riesgo que éste corre al crear la empresa y realizar actividades productivas. El empresario corre el riesgo de perder total o parcialmente el capital que ha invertido en la empresa, así como de obtener unos rendimientos bajos de este capital. Se entiende que a menos que reciba una remuneración adecuada a ese riesgo, el empresario no colocará su capital ni empleará su habilidad en la empresa. Aquí estamos equiparando empresario a capitalista, si bien ambos términos no son sinónimos. Empresario es la persona que dirige o toma parte activa en las decisiones y en la gerencia de alguna o algunas empresas. Con relación a la empresa, capitalista es toda persona que posee capital (en la cuantía que sea) de una empresa. El empresario suele ser al mismo tiempo capitalista, pero la mayoría de los capitalistas (accionistas y/o obligacionistas) no son empresarios. En el epígrafe de «Organización de la Empresa» hablaremos de la distinción entre propiedad y gerencia o gestión de la empresa, y sus implicaciones.

La remuneración del riesgo que se corre en la realización de una actividad productiva a título privado constituye la justificación última de los beneficios. Así considerado, el correr un riesgo constituye un elemento importante, riesgo que asume el empresario-capitalista. El correr un riesgo constituye un servicio que alguien ha de proveer si la empresa ha de realizar su función de producir. De ahí que el economista austríaco Joseph Schumpeter introdujera el concepto del empresario (o lo que es lo mismo, la capacidad empresarial) como un elemento importante de la actividad de producir que hoy es considerado de forma generalizada en la Teoría Económica como una pieza clave y al que se le asigna una gran importancia, especialmente en la Teoría de Crecimiento y del Desarrollo. Como hemos señalado, el asumir el riesgo implícito en la producción y venta de los bienes y servicios es consustancial a la actividad empresarial.

El riesgo proviene del hecho de que el empresario o la empresa en su actividad de producir y vender bienes y servicios, por una parte, tiene obligaciones contractuales por las que ha de pagar (y garantizar el pago) periódicamente a los factores de la producción (entre los que destaca por su importancia cualitativa y cuantitativa la mano de obra, ya que ésta está constituida por personas: los empleados) mientras duren los contratos; y por otra, ha de resolver una serie de cuestiones que implican incertidumbre y riesgo:

a) En primer lugar, ha de resolver las cuestiones técnicas de la producción del artículo o artículos concretos que elabora.

b) En segundo lugar, ha de resolver todas las cuestiones relativas a la gestión económica de la actividad de producir. Esto implica organizar eficazmente la producción, encontrar los factores convenientes y combinarlos adecuadamente, y llevar la gestión de tal forma que los costes en que incurra la empresa por unidad del producto que elabora sean inferiores al valor que atribuyen a éste (a la valoración que de él hacen) los cosumidores.

c) En tercer lugar, el empresario ha de estimar y prever adecuadamente los gustos y las preferencias de los consumidores en el presente y en el futuro. El empresario es un intermediario entre los consumidores y los factores productivos, que planifica la relación entre estos dos. Si los consumidores no atribuyen a la producción de la empresa un valor superior a los costes de los recursos empleados (a los valores de los posibles mejores usos de éstos), entonces la empresa no sobrevivirá. El empresario puede seguir pagando a los *inputs* en tanto en cuanto los consumidores valoren la producción de la empresa más altamente de lo que representan los costes de elaborar ésta (es decir, que los usos alternativos más valiosos de estos recursos).

Los empresarios han de relacionar los precios de los factores que emplean con los precios de los productos que elaboran, y calcular si los costes en los que incurren están proporcionados con el valor que los consumidores atribuyen a los productos que fabrican. El empresario es esencialmente un intermediario que transmite a los recursos productivos el valor que él prevé que tendrá la producción que se obtenga de éstos. En cierto modo, cuando los empresarios se oponen a incrementos en los salarios, a restricciones sobre lo que pueden producir, o a exigencias de mayor calidad o seguridad de los productos (restricciones y exigencias impuestas por la Administración), en parte están expresando su previsión o su apreciación de que los consumidores no darán un valor a los productos (con estas nuevas características) superior a sus costes. Si los fabricantes de coches estimaran que los consumidores valorarían y, en consecuencia, estarían dispuestos a pagar innovaciones que dieran mayor seguridad a los vehículos, sin duda las introducirían, ya que ello les reportaría mayor volumen de negocio y, por lo tanto, muy probablemente mayores beneficios.

Finalmente, digamos que al empresario capitalista lo controla el resultado de su propia actuación: si lo hace bien obtiene beneficios, y de esta forma es recompensado; si lo hace mal tiene pérdidas, y de esta forma es penalizado. Cuanto mejor realice su gestión mayores serán los beneficios, y cuanto peor sea su actuación más cuantiosas serán sus pérdidas.

La exposición realizada sobre la empresa capitalista no constituye en modo alguno una apología ni una visión idílica o idealizada de ésta, sino un intento de describir las notas que la caracterizan, así como su papel en el sistema económico de mercado. Como veremos más adelante, la empresa capitalista tiene la desventaja de que sus intereses pueden no coincidir con los intereses de la sociedad, y que por ello puede imponer a ésta unos efectos económicos externos negativos (o lo que en este contexto es lo mismo, unos costes sociales) elevados, a pesar de que tiene la ventaja de que parece ser (hasta el momento) la institución más eficaz para llevar a cabo una asignación razonablemente eficiente de los recursos en la producción de los bienes y servicios que la sociedad desea obtener.

Aunque por razones de brevedad no la vamos a exponer aquí, cabe mantener también una concepción o visión más dialéctica de la empresa como el resultado y a la vez el instrumento de la enorme concentración del control de los medios de producción que se ha producido en las economías capitalistas modernas. El proceso histórico de pérdida de control de los medios de producción por parte de la gran mayoría de los individuos y la concentración del poder de controlar a aquéllos en unas pocas manos se ha instrumentado a través de la empresa capitalista. Como es sabido, las consecuencias de este fenómeno son muchas e importantes desde los puntos de vista político, económico y social. Señalemos solamente dos de estas consecuencias:

a) La inmensa mayoría (alrededor del 90 %) de los individuos que participan en los procesos productivos de las economías desarrolladas capitalistas han pasado a ser empleados o asalariados (se han visto obligados a contratar sus servicios).

b) Un grupo reducido de individuos toma las decisiones sobre la producción de la mayor parte de los bienes y servicios que se elaboran en las economías capitalistas, y, en consecuencia, sobre el uso de la mayor parte de los recursos. Este control de los recursos productivos por parte de unos pocos individuos, que persiguen fundamentalmente fines privados, da a éstos un enorme poder político y social.

Las dos concepciones de la empresa capitalista expuestas (más otras que podrían formularse) no son necesariamente contrapuestas entre sí. Entendemos, por el contrario, que ambas visiones se complementan y que ponen de manifiesto distintas facetas de aquélla.

BIBLIOGRAFIA SELECCIONADA

Samuelson, P.: *Curso de Economía Moderna,* op. cit., Cap. 5, págs. 86-123.
Lipsey, R.: *Introducción a la Economía Positiva,* op. cit., Cap. 17, págs. 231-238.
Dorfman, R.: *El Sistema de Precios,* Unión Tipográfica Editorial Hispanoamericana, Méjico, 1966, Cap. II, págs. 29-88.
Lancaster, K.: *Introducción a la Microeconomía Moderna,* op. cit., Cap. 6.
Fenizio, F. di: *Economía Política,* op. cit., Cap. VIII.
Hawkins, G. J.: *Theory of the Firm,* Mac Millan, Londres, 1973.
Baumol, W.: *Teoría Económica y Análisis Operativo,* op. cit., Cap. 10.

LA MOTIVACION DE LA EMPRESA

Ya hemos señalado que en Economía se entiende por empresa aquella unidad económica que toma decisiones sobre la producción y venta de bienes y servicios, tenga o no la forma de una sociedad mercantil.

El supuesto o postulado fundamental que se emplea en la Teoría Económica al estudiar el comportamiento de la empresa es el de que el empresario organiza y orienta la actuación de la empresa hacia la maximización de los beneficios (hacia la obtención de los máximos beneficios posibles). En el modelo del economista la empresa es una unidad de toma de decisiones que elige entre las combinaciones de *inputs-outputs* que tiene a su alcance, con la finalidad o el objetivo de maximizar sus beneficios. Los beneficios se definen como la diferencia entre el valor de las ventas (ingresos) de los productos que elabora y los costes en que incurre la empresa en la producción de éstos. Veremos más adelante cómo existen diversos conceptos de beneficio (en el sentido contable, en el sentido económico y en el sentido fiscal) y cuál es la definición que el economista hace de éstos.

La definición de beneficios que hemos dado exige que en la Teoría Económica se hayan de analizar cuidadosamente las ventas (ingresos) y los costes de las empresas. En la Teoría elemental de la Empresa se supone que la producción de las empresas por período de tiempo es igual a sus ventas en ese mismo período. De esta forma, al estudiar los ingresos de la empresa procedentes de las ventas de sus productos es posible considerar el valor de la producción y el valor de las ventas como magnitudes idénticas. Esto simplifica el análisis, ya que no se tienen en cuenta las complicaciones que introducen en el comportamiento de la empresa las existencias y las mercancías en proceso de elaboración. No obstante, digamos que (como puede el lector comprobar en cualquier texto intermedio de Microeconomía) el abandono de esta simplificación no cambia sustancialmente las conclusiones a las que llegaremos en este análisis sobre el comportamiento de las empresas.

El economista no parte del supuesto de que las empresas pretenden maximizar los beneficios como consecuencia de que aquél tenga una visión cínica del mundo y de las motivaciones que mueven a los empresarios, sino que el supuesto se deriva directamente de la motivación del consumidor como accionista de las empresas. La empresa es propiedad de los accionistas, y puede suponerse que la gran mayoría de éstos sólo están interesados en los ingresos periódicos que les produzcan sus acciones (los dividendos que perciben) y en el precio del mercado (el valor o, lo que es lo mismo, la cotización) de éstas.

Si este supuesto sobre la actitud de los accionistas frente a la empresa es razonablemente realista (la evidencia empírica así parece corroborarlo en la gran mayoría de los casos), y si además se supone que los accionistas tienen un control efectivo sobre la contratación y el despido de los *managers*, directores y gerentes, entonces de ello se sigue que éstos actúan como agentes de aquéllos, y que consecuentemente, en general, los empresarios organizan las actividades de la empresa y toman las decisiones sobre la producción y venta de los bienes y/o servicios que elabora ésta de forma que se maximicen los beneficios. De estos supuestos se deduce que si el gerente de una empresa por las razones que sea (la falta de competencia profesional, la persecución de otros objetivos o la pura ignorancia) no consigue obtener los máximos beneficios posibles, será despedido por los propietarios. De ahí que los gerentes o directores en general pretendan maximizar los beneficios, ya que su propio interés reside en alcanzar este objetivo como medio de conservar su puesto y posiblemente también de aumentar sus ingresos.

El supuesto de que los accionistas o propietarios ejercen un control efectivo sobre los *managers* es algo irrealista. Puede que esto sea cierto en el caso de las empresas pequeñas o en el de aquéllas que están dominadas eficazmente por un grupo de accionistas (consideraremos esta cuestión con algún detalle más adelante en este Capítulo), pero ocurre con frecuencia que en las grandes empresas (sociedades anónimas) existe una separación entre la propiedad y el control de éstas. En las grandes sociedades el número de accionistas es muy elevado (muchas sociedades anónimas tienen miles de accionistas y algunas incluso cientos de miles), los accionistas están muy dispersos en todos los sentidos (geográficamente, profesionalmente, culturalmente, etc.), la comunicación entre ellos es difícil y costosa, su organización es complicada, y la información sobre la empresa y el interés sobre las actividades de ésta que generalmente tienen son escasos. Esto hace que los *managers* o gerentes en ocasiones tengan un gran poder y determinen en buena medida los objetivos de la empresa.

Este divorcio entre la propiedad y el control de las empresas es lo que ha dado lugar a la llamada revolución managerial, expresión con la que se quiere significar la importancia y las implicaciones del fenómeno, ocurrido principalmente a partir de los años 50, de una separación entre la propiedad (mantenida por los accionistas) y el control efectivo (detentado por los *managers*) del funcionamiento de las grandes empresas.

En cualquier caso y aun cuando los accionistas no controlen efectivamente a los gerentes, aquéllos tienen siempre en sus manos el poder de vender sus acciones si entienden que la gestión de los *managers* no es adecuada o es ineficiente. Si muchos accionistas de una empresa llegan a esta conclusión y venden sus acciones, la cotización de éstas bajará, con lo que la empresa tendrá que buscar formas de hacer atractivo para los accionistas (reales y potenciales) el mantener y/o adquirir las acciones de aquélla ya existentes y sobre todo las que pueda emitir en el futuro (cuando desee ampliar su capital social con la finalidad de obtener nuevos recursos financieros).

Esto lo puede conseguir la empresa repartiendo mayores dividendos y/o colocando nuevas acciones a la par o a un precio inferior al precio de mercado de las acciones ya existentes (véase el epígrafe «La Financiación de la Empresa» en el que se explican estos conceptos). En cualquier caso, ello aumenta (para la empresa mal gestionada) el coste de la obtención de recursos financieros, lo que constituye una penalización para la empresa, e indirectamente una dificultad más para los *managers* en su tarea y una presión sobre ellos para que mejoren su gestión de las operaciones y del funcionamiento de la empresa con vistas a obtener mayores beneficios. Asimismo, se puede esperar que en las economías de libre iniciativa y con algún grado de competencia, la existencia de empresas ineficientemente gestionadas en una industria atraerá a otras empresas presumiblemente más eficientes en su funcionamiento, lo que obviamente constituye un peligro para las empresas ineficientes y un estímulo para que los *managers* realicen una gestión eficaz.

Puede, pues, afirmarse que el postulado del que se parte en la Teoría Económica de que las empresas orientan su actuación hacia la obtención de los beneficios máximos posibles como criterio que inspira el comportamiento de aquéllas es ciertamente una generalización; pero sin duda refleja éste las tendencias y las presiones que en el mundo real se dan y se ejercen sobre las empresas para que los gerentes de éstas ajusten sus decisiones y sus actuaciones a los intereses de los propietarios de aquéllas.

Desde el punto de vista de la construcción de una teoría sobre el comportamiento de la empresa, es evidente que se necesita establecer algún tipo de supuesto sobre los motivos o los objetivos que inspiran la actuación de las empresas en general. El supuesto de la búsqueda de los beneficios máximos como criterio o motivación que inspira el conjunto de decisiones y actuaciones de la empresa, ofrece ciertamente un principio a partir del cual es posible predecir las decisiones que tomará ésta. De esta forma es factible determinar qué comportamiento elegirá la empresa de entre el conjunto de posibilidades que se le ofrecen, simplemente analizando los efectos que cada una de estas posibles actuaciones tendrá sobre los beneficios de aquélla. Una vez analizados los efectos que sobre los beneficios tendrá cada uno de los posibles comportamientos, el economista estará en condiciones de predecir cuál de ellos elegirá la empresa, ya que ésta seleccionará aquella actuación (de entre las posibles) que le produzca los mayores beneficios que puede obtener.

Como señalamos en el Capítulo 3, la construcción de toda teoría exige el partir de uno o más supuestos de comportamiento que sirvan de base sobre los que se asientan las hipótesis, de las que a su vez se derivan las deducciones y las predicciones de la teoría. En el caso de la Teoría de la Empresa, el supuesto de la maximización de beneficios permite elaborar un cuerpo de hipótesis sobre el comportamiento de la empresa, ya que si ésta efectivamente pretende maximizar sus beneficios de una forma racional e informada (es decir, empleando los datos necesarios para este fin), ésta elegirá las actuaciones (en todas las esferas de su actividad) que el economista predice. La contrastación de estas predicciones con la realidad (con el comportamiento de las empresas en el mundo real) determina la validez o la falsedad de la teoría.

Al afirmar que las empresas tienen como principal objetivo la maximización de los beneficios, la Teoría Económica no afirma que los empresarios no persigan también otros fines alternativa o simultáneamente. Es bien sabido que algunos empresarios persiguen obtener influencia política, maximizar las ventas, capturar una fracción determinada del mercado de su producto, eliminar a uno o más competidores, que el volumen de producción y ventas crezca a una tasa determinada, alcanzar un tamaño de la empresa, o una mezcla de dos o más de estos objetivos en la medida en que sean compatibles, ya que con frecuencia los distintos objetivos son contradictorios entre sí. En ocasiones las empresas buscan alcanzar el mayor volumen posible de ventas o ingresos totales, condicionado este objetivo a que los beneficios no sean inferiores a un nivel mínimo aceptable para los accionistas.

Ello puede deberse, bien a que el empresario desee mantener su posición de forma competitiva en el mercado, posición que en parte depende del mero tamaño de la empresa; bien a que los ingresos de los gerentes (por contraposición a los accionistas) estén más relacionados con el volumen de ventas que con el nivel de beneficios; o bien a razones de prestigio de los *managers* y/o de los miembros del consejo de administración o de los propietarios. En su libro *El Nuevo Estado Industrial,* el economista norteamericano Galbraith señaló que el objetivo principal de muchas de las grandes empresas norteamericanas es el crecimiento de su producción y de sus ventas. No falta también el caso del gran empresario movido por motivaciones filantrópicas, o el del pequeño empresario que tiene como objetivo maximizar su tiempo libre, sujeto a la condición de que sus beneficios no sean inferiores a un mínimo.

Lo que se hace en la Teoría de la Empresa es afirmar que, aunque las empresas pueden perseguir alternativa o simultáneamente diversos objetivos, los beneficios constituyen una consideración (juegan un papel) muy importante en el comportamiento de aquéllas, y que una teoría basada sobre el supuesto de que las empresas pretenden maximizar los beneficios como único objetivo permite derivar predicciones que concuerdan sustancialmente con las actuaciones de aquéllas observadas en el mundo real. Los economistas son conscientes de que este supuesto restrictivo representa una simplificación de la realidad (ya que las empresas persiguen también otros objetivos), pero consideran que toda teoría es por su propia naturaleza una simplificación de la realidad, y que la cuestión es saber si en la teoría se han tomado o no en cuenta los factores o variables que son realmente relevantes para explicar los fenómenos que se estudian. Si la teoría ha ignorado algunos de los factores importantes, entonces las predicciones derivadas de ella serán refutadas por la realidad, al menos en aquellas situaciones en las que el factor que no ha sido tenido en cuenta es cuantitativamente importante.

Digamos por último que la Teoría de la Empresa construida a partir del supuesto de maximización de beneficios continúa siendo la teoría más elaborada y más general del comportamiento de la empresa. Se parte de este supuesto, en primer lugar, porque si una teoría ha de permitir hacer predicciones derivadas de ella, es necesario establecer algún tipo de supuesto sobre los motivos que inspiran a los agentes económicos que toman las decisiones (en este caso las empresas y sus representantes los empresarios); en segundo lugar, porque la evidencia empírica ha demostrado repetidamente que muchas de las predicciones derivadas de la teoría construida sobre este supuesto han sido corroboradas por la realidad; y en tercer lugar, porque no se dispone hasta el momento de un supuesto alternativo que haya permitido derivar predicciones más acordes con la realidad y con mayor poder explicativo. De ahí que nosotros consideraremos en este curso fundamentalmente la Teoría de la Empresa basada en el supuesto de la maximización de beneficios por ser la más elaborada y la más generalmente aceptada. No obstante, más adelante consideramos algunos de los supuestos alternativos que se han formulado y sus implicaciones para la Teoría de la Empresa.

EL PAPEL DE LOS BENEFICIOS EN LA ASIGNACION DE LOS RECURSOS REALIZADA POR LAS EMPRESAS

En Economía los beneficios de una empresa se definen como la diferencia entre los ingresos y los costes incurridos por aquélla en la producción de los bienes y/o servicios que vende. Los costes se deben al uso de factores. Pues bien, los costes de producción en Economía se definen como el valor de todos los factores empleados, contabilizados sus precios al coste de oportunidad. Más adelante consideraremos en detalle el concepto de coste de oportunidad; digamos de momento que el coste de oportunidad de emplear cualquier factor productivo X en la producción de cualquier bien A, es la cantidad de ingresos sacrificada (u oportunidad perdida) al dejar de utilizar dicho factor X en el mejor empleo alternativo que se le ofrezca (el mejor empleo alternativo se entiende que es el empleo en el que obtiene el ingreso más elevado).

Por otra parte, ya hemos visto cómo la Teoría de la Empresa parte del supuesto de que el objetivo principal de la actuación de la empresa es la maximización de los beneficios. Nos proponemos aquí considerar brevemente el papel que los beneficios juegan en el funcionamiento del mecanismo de la asignación de los recursos productivos llevada a cabo a través de las decisiones tomadas por las empresas. En último extremo éstas son las que realizan la producción de los bienes y servicios y, en consecuencia, las que compran y contratan los factores de la producción de todo tipo, y las que los emplean en la elaboración y provisión de aquéllos.

Para explicar este papel hemos de partir del concepto de beneficios normales. Estos se definen como aquel nivel de beneficios obtenidos por las empresas de una industria que es suficiente para inducir a las empresas a permanecer en la producción y a reemplazar su maquinaria y equipo cuando éste se deteriora o se hace obsoleto. Si los beneficios fueran superiores a los normales, ello atraería nuevas empresas a la industria y estimularía a las ya establecidas en ésta a aumentar su capacidad productiva (a través de aumentar su equipo capital: maquinaria de todo tipo e instalaciones), con lo que los beneficios de cada una de las empresas disminuirían; este proceso de expansión de la industria continuaría hasta que los beneficios volvieran a ser normales. Si, por el contrario, los beneficios obtenidos por las empresas fueran inferiores a los normales, algunas empresas abandonarían la industria (cerrarían completamente o se dedicarían a otra actividad productiva) y otras reducirían su capacidad productiva, ya que no les compensaría reemplazar por otro nuevo el equipo capital que se les deteriora. Así pues, el nivel de beneficios normales es aquél que hace que la industria ni se expansione ni se contraiga (el número de empresas no aumente ni disminuya), y es un concepto relativo que depende de la coyuntura económica (cuanto mejor sea la coyuntura más elevado será el nivel de beneficios normales) y del tipo de industria (cuanto menor sea el riesgo de fracaso en una actividad productiva más bajo será el nivel de beneficios normales).

En un momento determinado habrá una demanda del bien o servicio elaborado por una industria determinada y las empresas que integran ésta tendrán unos costes. Supongamos que éstas están obteniendo beneficios normales y que, en consecuencia, la industria está en equilibrio. Imaginémonos que se produjera un aumento de la demanda del producto en cuestión como consecuencia de un cambio de los gustos de los consumidores a favor de éste. Como sabemos, el aumento de la demanda (un desplazamiento hacia la derecha de la curva de demanda) dará lugar a una escasez del producto y a una subida del precio de éste. El aumento del precio llevaría a que las empresas establecidas en la industria incrementaran sus beneficios.

Al hacerse más rentable (obtenerse mayores beneficios) la industria atraerá nueva inversión: ante las perspectivas de beneficios elevados las empresas ya establecidas en la industria aumentarán su capacidad productiva y otras nuevas entrarán en ella. A medida que la industria se expande (lo que dará lugar a un desplazamiento de la curva de oferta hacia la derecha), la producción del bien en cuestión aumentará, lo que dará lugar a una disminución del precio de éste y a una reducción de los beneficios de las empresas. La industria continuará expandiéndose hasta que desaparezca el incentivo de los beneficios elevados; es decir, hasta que éstos vuelvan a un nivel normal. La industria volverá así a una nueva situación de equilibrio con un nivel de producción superior al que existía antes del aumento de la demanda.

En consecuencia, el aumento de la demanda pone en marcha un proceso de ajuste que tiene las siguientes secuencias:

1) Se produce una escasez del producto que da lugar a una subida del precio de éste y a un aumento de los beneficios de las empresas existentes en la industria, beneficios que pasan a ser superiores a los normales.

2) Nuevas empresas entran en la industria y las ya establecidas aumentan su capacidad productiva. En consecuencia, la producción total aumenta, lo que implica que una cantidad mayor de recursos es destinada a la fabricación del bien en cuestión.

3) Al aumentar la oferta, el precio del bien baja, y los beneficios disminuyen hasta alcanzar otra vez un nivel normal.

El que el precio final sea superior o inferior al precio inicial dependerá de la magnitud del desplazamiento de las curvas de demanda y de oferta. Pero lo que sí se puede afirmar es que la producción y la cantidad transaccionada del bien será mayor que antes del desplazamiento de la demanda. Ello implica que se destinará una cantidad mayor de los recursos productivos de la sociedad a la elaboración de este bien. De esta forma el aumento de la demanda (que representa una mayor valoración o deseabilidad del bien por parte de los consumidores) es satisfecho por las empresas gracias a que el incremento de los beneficios hace atractivo para éstas el producirlo en mayores cantidades. En el proceso de satisfacer ese aumento de la demanda a través de una mayor producción del bien, se lleva a cabo una nueva asignación de los recursos productivos de la sociedad. Si la economía está en pleno empleo, los recursos adicionales que se destinan a la producción del bien tendrán que ser sustraídos de la producción de otro u otros bienes (presumiblemente de la producción de aquellos bienes cuya demanda haya disminuido).

El proceso inverso se da cuando una industria en equilibrio experimenta una reducción en la demanda del bien que elabora (se traslada su curva de demanda hacia la izquierda).

La disminución de la demanda dará lugar a un exceso de oferta del producto y a una reducción de su precio. Las empresas que antes estaban obteniendo beneficios normales ahora tendrán beneficios inferiores a los normales o incluso puede que incurran en pérdidas. En consecuencia, la industria no tendrá atractivo para la inversión, lo que dará lugar a que algunas empresas abandonen la industria y otras reduzcan su capacidad productiva. La industria se contraerá y la producción se reducirá (se desplazará la curva de oferta del bien hacia la izquierda) hasta que las empresas no tengan incentivo para abandonar la industria debido a que el precio del producto habrá subido y los beneficios habrán vuelto a ser normales para las empresas que permanezcan en la industria. Como consecuencia de la disminución de la demanda y el subsiguiente abandono de la industria por parte de algunas empresas motivadas por los bajos beneficios, se dará una reducción en la proporción de los recursos de la economía que se destinarán a la producción del bien en cuestión.

LA ORGANIZACION DE LA EMPRESA

Como veremos, la Teoría Económica tradicional (que es la que principalmente vamos a considerar nosotros en este curso) hace abstracción del marco institucional en el que las decisiones son tomadas dentro de las empresas. Es decir, se parte en esta Teoría del supuesto de que todas las empresas, cualquiera que sea su estructura o su sistema de organización (así como la forma jurídica que tome esta organización), adoptan sus decisiones en orden a maximizar sus beneficios. De esta forma, al hacer abstracción de los diversos tipos de estructura organizativa y de toma de decisiones que pueden darse en las empresas, se homogeneiza el concepto de empresa de tal manera que la teoría que se elabora a partir de este supuesto tiene un enorme grado de generalidad.

Con este supuesto no se afirma que no puedan darse diversas estructuras de organización y de toma de decisiones, sino que se entiende que estas diferencias en las estructuras no afectan de forma importante al comportamiento de las empresas. De esta manera la Teoría habla del comportamiento de las empresas como si sólo existiera un tipo de empresa, lo que le da generalidad a las hipótesis que se formulan sobre aquél. Si se partiera del supuesto de que, tanto los demás objetivos que pueden perseguir las empresas además del de maximizar los beneficios como las estructuras organizativas y de toma de decisiones y las personas que las adoptan ejercen una influencia significativa sobre el comportamiento de las empresas, entonces sería necesario elaborar diversas teorías parciales acerca de ésta (una sobre cada grupo de empresas que reunieran unas determinadas características respecto al objetivo u objetivos que persiguieran y al tipo de organización que tuvieran).

De todos los supuestos sobre los que se parte en la Teoría Económica *standard,* el supuesto de que la estructura institucional (jurídica, organizativa y de toma de decisiones) no afecta de forma significativa al comportamiento de las empresas y que, en consecuencia, puede ser ignorada, es el que más ha sido y es criticado. Más adelante consideraremos algunas de las críticas que se han hecho a este supuesto y, por lo tanto, a las hipótesis y a las teorías que se han construido sobre él, y expondremos algunos de los supuestos alternativos que se han formulado sobre el comportamiento de las empresas.

El que puedan o no ser ignorados los factores institucionales a efectos de explicar satisfactoriamente el comportamiento de las empresas es, en último extremo, una cuestión empírica; es decir, si la teoría construida sobre el supuesto de que los factores institucionales pueden ser ignorados permite derivar de ella predicciones sobre el comportamiento de las empresas que explican adecuadamente los acontecimientos de la vida real en los que estamos interesados, entonces se ha de concluir que la teoría es correcta y que los elementos institucionales no tienen una influencia significativa sobre el comportamiento de las empresas. Si, por el contrario, el comportamiento de las empresas que observamos en la realidad contradice las predicciones de la teoría basada sobre esos supuestos, entonces se habrá de concluir que la teoría es errónea, debido a que los supuestos sobre los que se ha construido ésta no son suficientemente realistas.

Digamos también que asimismo la Teoría Económica *standard* supone que las personas que toman las decisiones dentro de las empresas no afectan ni al carácter ni a la lógica de aquéllas, ni tampoco a los objetivos de éstas. Es decir, se parte del supuesto de que los mismos principios subyacen a toda decisión que es tomada dentro de todas y cada una de las empresas, y que las decisiones no son afectadas por las personas que las toman. Se supone, pues, que ni las personas que toman las decisiones ni las estructuras institucionales en las que aquéllas actúan tienen una influencia sobre el comportamiento de la empresa, y que en consecuencia ésta puede ser considerada como una unidad de toma de decisiones que tiene unos objetivos y que adopta decisiones encaminadas a alcanzar dichos objetivos. El que una decisión sea tomada por un agricultor, por el director de una fábrica, por el jefe de ventas de una sociedad de responsabilidad limitada, o por el Consejo de Administración de una sociedad anónima gigante no es tomado en cuenta por la Teoría Económica, sino que en ésta se supone que es la empresa la que decide. Se supone, pues, que ni las peculiaridades de las personas que toman las decisiones ni los tipos de organización dentro de los que actúan y trabajan aquéllas afectan a las decisiones tomadas en el interior de la empresa, y que estas decisiones están orientadas a la maximización de los beneficios de la empresa.

A pesar de que la Teoría Económica haga abstracción del tipo de organización que adopte la empresa, nosotros vamos a considerar aquí brevemente las diversas estructuras organizativas que se dan actualmente en el mundo de las empresas. De esta forma obtendremos una idea de los factores que ignora la Teoría Económica que estudiamos, consideraremos siquiera sea someramente los distintos tipos de empresa y algunas de sus implicaciones, y estaremos en condiciones de entender las críticas que se han hecho a la Teoría tradicional de la Empresa y las hipótesis alternativas sobre el comportamiento de éstas que se han formulado. Como señala Samuelson en su *Curso de Economía Moderna,* para entender nuestra civilización de los negocios antes hemos de comprender en alguna medida la organización y el funcionamiento de la empresa privada (o lo que también puede llamarse los negocios o las empresas de negocios), aunque sólo sea a grandes rasgos.

Los conceptos que generalmente se emplean en lo que puede considerarse como una jerarquización de la organización de la actividad de producir bienes y servicios son: planta, empresa, industria y sector. Una planta es una estructura física en la que se producen bienes y/o servicios. Una planta tiene también una organización que, junto con la estructura física, hace posible la tarea de la elaboración (física) de un bien o servicio dentro de una gama de cantidades posibles de *output.* Desde el punto de vista económico, una planta no tiene que ser necesariamente un edificio enorme con grandes chimeneas. La oficina de un abogado, la consulta de un médico, un bar, un taller de reparación de coches, una campus universitario, una fábrica de coches son ejemplos de plantas. Una planta es una unidad de producción que puede constar de uno o más locales o edificios. Una fábrica es una planta dedicada a la producción industrial de bienes (no servicios); o dicho de una forma más precisa, una fábrica es una planta que elabora productos manufacturados, generalmente a través de procesos productivos que utilizan tecnología.

Las plantas son dirigidas y mantenidas por las empresas. La empresa es una organización completa que incluye los distintos aspectos de una determinada actividad productiva: administración, planificación del conjunto de la actividad del negocio, producción (que es realizada en una o más plantas) y ventas. En Economía los términos empresa y negocio tienen un significado muy similar, si bien no son exactamente sinónimos. Cuando decimos que a un individuo no le va bien su negocio queremos significar que su actividad económica o su empresa no le está reportando beneficios o que incluso le está produciendo pérdidas. En Economía empresa es toda unidad organizativa de producción y venta de bienes y/o servicios, cualquiera que sea la organización o la forma jurídica que adopte.

Una industria es el conjunto de empresas que producen un mismo bien o servicio. Así, se habla de la industria del calzado, de los electrodomésticos, siderúrgica, de la construcción, del automóvil, hotelera, etc. Las industrias pueden ser definidas de una forma amplia (la industria de la energía, la industria del vestido, o la industria de la construcción), o de una manera restringida (la industria del carbón, la industria del petróleo, la industria eléctrica, la industria textil, la industria de la confección, etc.).

Por sector se entiende en Economía un grupo de industrias que tienen características similares. Así, el sector manufacturero incluye todas las industrias que elaboran productos manufacturados. Otros sectores son el de la minería, el agrícola, el pesquero, el de servicios, el de bienes capital (que incluye todas las industrias que producen todo tipo de maquinaria y equipo que se emplean para producir otros bienes), etc. En el lenguaje de la calle e incluso en la prensa, a menudo se confunde industria con sector: con frecuencia oímos o leemos referencias al sector del automóvil, al eléctrico, al de los electrodomésticos, al de la construcción naval, al siderúrgico, al hotelero, al de los transportes o al de las máquinas herramientas. A efectos del estudio de la teoría que vamos a considerar en este curso, los conceptos que nos interesan son el de empresa y el de industria tal como los hemos definido. Al lector no debe inquietarle esa equiparación entre industria y sector que en ocasiones se hace.

También se distingue en Economía entre sector público y sector privado. El primero incluye todas las actividades realizadas por los distintos órganos de la Administración del Estado a todos sus niveles, por los entes públicos y por las empresas controladas por la autoridad política. El sector privado está integrado por los agentes económicos (economías domésticas y empresas) que toman decisiones sin interferencias formales de la autoridad política (sin estar sometidos a las autoridades políticas, y sin más limitaciones que las impuestas por las leyes vigentes que regulan las actividades de todo tipo). Asimismo, como veremos más adelante, en Macroeconomía se distingue entre el sector de las economías domésticas, el de las empresas, y el sector gubernamental.

Las empresas privadas (cuyo comportamiento constituye el objeto de estudio de la Teoría de la Empresa y que es el que vamos a considerar aquí) difieren unas de otras por la estructura organizativa y por la forma que tomen los derechos de propiedad que sobre su patrimonio tengan los propietarios de los factores que han sido puestos en un fondo común. Estas empresas privadas, desde el punto de vista legal, pueden adoptar tres formas de organización: la empresa individual o el empresario individual, que sólo necesita una licencia fiscal para abrir un negocio; las empresas constituidas por varios socios, y que en el Derecho Mercantil corresponden a las llamadas sociedades personalistas, y las sociedades capitalistas.

La forma más sencilla de organización es la empresa individual, propiedad de una persona y que no tiene personalidad jurídica propia. En la empresa individual el propietario tiene la potestad de tomar todas las decisiones concernientes a las actividades de aquélla, y es personalmente responsable de los resultados de dichas actividades. La responsabilidad del propietario es ilimitada en relación con la empresa; es decir, jurídicamente el propietario responde de la actuación de la empresa, no sólo con los recursos (riqueza) que ha puesto en ésta, sino también con el resto de su patrimonio personal. Las empresas individuales representan con gran diferencia la enorme mayoría de las empresas (en el sentido económico). Suele ser el tipo de empresa dominante en las actividades de servicios que exigen un capital reducido: los llamados servicios profesionales (médicos, abogados, dentistas, etc.), los servicios especializados (fontaneros, zapateros, electricistas, etc.), sobre todo el comercio al por menor de toda clase de productos, y las explotaciones agrícolas.

Generalmente el empresario individual realiza dentro de su empresa varias funciones: provee la habilidad y la capacidad empresarial y los servicios de ésta, facilita la mayor parte de los recursos de capital y de tierra que utiliza la empresa, y a menudo realiza casi todo el trabajo que exige la actividad de ésta. De ahí que la renta del empresario individual generalmente esté compuesta de la retribución de todas estas funciones: beneficios como retribución de la actividad empresarial, intereses por el uso de capital financiero propio, renta por la tierra empleada, y salarios por el trabajo del propietario y/o los miembros de su familia que ayudan en el negocio.

La principal ventaja de la empresa individual reside en que el propietario puede mantener el control real y completo de aquélla, y en que el empresario no es un empleado de nadie, sino que es su propio patrón. Las desventajas estriban, por una parte, en que el tamaño de la empresa está condicionado por el volumen de capital que el propietario pueda obtener a título personal, volumen que viene limitado por los recursos propios del empresario y por la prevención de las instituciones financieras a prestar a las empresas con perspectivas inciertas (la competencia es fuerte entre este tipo de empresas en el comercio, por lo que muchas de ellas se ven obligadas a cerrar); y por otra, en que el propietario es personalmente responsable con todos sus bienes por las deudas de la empresa.

Las sociedades personalistas están integradas por dos o más socios que ponen en común un conjunto de recursos, que participan en la gestión de la empresa, y que comparten los resultados (positivos o negativos) de la actividad económica de ésta. El contrato de sociedad especifica las obligaciones y los derechos de cada socio en cuanto a su contribución de capital y trabajo y a su participación en los resultados, así como las condiciones de disolución de la sociedad por muerte o retirada de uno de los socios, por acuerdo de todos los socios, o por quiebra de la sociedad.

Las ventajas de este tipo de empresa son: de un lado, ésta generalmente podrá obtener una mayor cantidad de recursos financieros que la empresa individual; y de otro, permite combinar las habilidades o especialización de cada uno de los socios. De ahí que este tipo de empresa se dé a menudo en servicios tales como las asesorías jurídicas, contables de auditoría, etc., en los servicios médicos; en los servicios financieros, etc.

Las desventajas de las sociedades personalistas son fundamentalmente dos. La primera y principal estriba en que no existe legalmente una separación entre el patrimonio de los socios y el de la sociedad: cada uno de aquéllos responde ilimitada y subsidiariamente con su patrimonio personal de todas las obligaciones y deudas de la empresa. La segunda desventaja reside en que cada socio es responsable jurídicamente de las acciones de los demás socios. De ahí que los individuos no entren en este tipo de sociedad más que cuando tienen una confianza plena en los demás socios y un conocimiento total de las actividades, situación y obligaciones de la empresa.

En la legislación española se distinguen dos tipos de sociedades personalistas: las colectivas y las comanditarias. En las primeras todos los socios tienen responsabilidad ilimitada, mientras que en las segundas existen dos tipos de socios: los socios colectivos que responden ilimitadamente con su patrimonio de las actividades de la empresa, y los socios comanditarios que tienen su responsabilidad limitada al capital que aportan a la sociedad. Por las dificultades que hemos señalado, las sociedades personalistas apenas si se emplean en la actualidad como forma jurídica de constitución de empresas.

El tercer tipo de empresas (y con mucha diferencia el más importante desde el punto de vista del porcentaje de la producción total que éstas realizan en los países desarrollados) lo constituye el integrado por las llamadas sociedades capitalistas. En la legislación española dentro de esta clase de sociedades se distinguen las sociedades de responsabilidad limitada y las sociedades anónimas.

A estas sociedades la Ley les reconoce o atribuye personalidad jurídica propia distinta de la de los individuos propietarios de ellas. Esto significa que la sociedad puede formalizar contratos, poseer bienes, comprar y vender, demandar y ser demandada ante los tribunales de justicia, contraer deudas y, en general, contraer obligaciones que son obligaciones de la sociedad, pero no de sus propietarios. Estas sociedades se constituyen con un capital social que es fraccionado en unidades alícuotas que son adquiridas por las personas que deseen participar en la propiedad de la sociedad.

En el caso de la sociedad anónima estas unidades alícuotas del capital social se denominan acciones, mientras que en el de las sociedades de responsabilidad limitada se titulan participaciones. En ambos casos la sociedad obtiene el dinero pagado por los accionistas o los partícipes por la compra de las acciones o las participaciones, y éstos se convierten en propietarios de la sociedad en la proporción del capital de ésta que hayan adquirido. Los accionistas y los partícipes tienen derecho a participar en los beneficios de la sociedad en proporción a la fracción del capital de ésta que posean. También tienen derecho a la parte correspondiente de los activos de la empresa (después de haber saldado las deudas de ésta) cuando la sociedad se disuelve.

En ambos tipos de sociedades los socios sólo responden frente a terceros en la cuantía del capital social de éstas que han suscrito. La responsabilidad personal del accionista o partícipe está limitada a la cantidad de dinero que ha invertido en la empresa por la compra de las acciones o participaciones. Asimismo, estas sociedades no se disuelven por la venta de las acciones o participaciones a otra u otras personas distintas de las que fundaron la empresa. La transferencia de las acciones o participaciones por venta, donación o legado puede ser realizada sin necesidad del consentimiento de los demás propietarios (consentimiento que es imprescindible en el caso de las sociedades personalistas).

Desde el punto de vista legal la diferencia entre la sociedad de responsabilidad limitada y la sociedad anónima estriba en que la ley establece para la primera un límite máximo de capital social, mientras que la segunda no está sometida a limitación alguna en cuanto al capital social. Por otra parte, las participaciones de la sociedad de responsabilidad limitada no tienen el carácter de títulos valores, mientras que las acciones de las sociedades anónimas son títulos valores. Esta diferencia es importante, ya que sólo los títulos valores son cotizables en Bolsa (son transferibles libremente en las Bolsas de Valores).

La posibilidad de vender las acciones en cualquier momento en mercados organizados (las Bolsas) hace que en principio las acciones sean atractivas para los inversores (naturalmente, dependiendo de la situación de la empresa de cuyas acciones se trate: si una empresa marcha muy mal, sus acciones no tendrán ningún atractivo a pesar de que puedan venderse, ya que no habrá demanda de ellas y, en consecuencia, será difícil venderlas). El que una acción pueda venderse fácilmente da a este título valor lo que se denomina liquidez. Se entiende por liquidez de un activo (financiero o real) la posibilidad de convertirlo en dinero. Cuanto más rápidamente pueda ser convertido un activo en dinero y menor sea la porción de su valor que se pierda en esa conversión, más líquido es el activo en cuestión. El que las acciones puedan ser libremente transferidas sin requisito alguno y con cierta rapidez y comodidad las hace atractivas, lo que redunda en que en principio las sociedades anónimas encuentran más fácil que otros tipos de sociedades el obtener recursos financieros a través de la emisión de acciones, ya sean las correspondientes a su constitución primera, o a las ampliaciones de capital.

La Sociedad Anónima

Por las razones que hemos visto, la sociedad anónima es el tipo de sociedad dominante en las economías de mercado modernas. La casi totalidad (si no la totalidad) de las grandes empresas nacionales de todos los países y las multinacionales toman la forma jurídica de sociedades anónimas. En casi todos los países unas pocas grandes sociedades anónimas realizan la producción de la mayor parte de los bienes y servicios que se elaboran. En Estados Unidos las sociedades anónimas producían entre el 65 y el 75 por 100 de las ventas totales y de la producción norteamericana en 1979.

No disponemos de este dato para España en el momento de escribir este libro. No obstante, las cifras siguientes son relevantes a este respecto: según datos publicados en el Anuario de la Dirección General de Registros y del Notariado, en 1974 se constituyeron 28 sociedades colectivas con un capital social de 45.055.000 pesetas, 4 sociedades comanditarias con un capital social de 85.720.000 pesetas, 2.187 sociedades de responsabilidad limitada con un capital social de 2.429.311.000 pesetas y 9.889 sociedades anónimas con un capital social de 105.496.385.000 pesetas. Según datos del Anuario Financiero de Sociedades Anónimas, en 1973-74 había en España 22.547 sociedades anónimas publicadas con un capital social de 943.402.290.212 pesetas (casi 950.000 millones de ptas.). Aunque parciales y atrasados, estos datos dan una clara idea de que también en España las sociedades anónimas constituyen, con mucho, el grupo más importante entre las empresas en cuanto a la producción de bienes y servicios.

Desde el punto de vista de los propietarios, la mayor ventaja que la sociedad anónima presenta es la responsabilidad limitada que éstos tienen frente a los acreedores de la empresa. Desde el punto de vista de la empresa, la gran ventaja de tomar la forma jurídica de una sociedad anónima estriba en que aquélla puede obtener las cuantiosas cantidades de recursos financieros que son necesarias para crear los grandes complejos industriales que la moderna tecnología y las economías de escala exigen. A través del fraccionamiento del capital social en acciones de reducido valor nominal (en nuestro país las acciones suelen tener un valor nominal de 250, 500 y 1.000 ptas.) es posible reunir enormes cantidades de capital procedente de miles, decenas de miles o cientos de miles de accionistas. La obtención de dividendos, la responsabilidad limitada y la posibilidad de participar en la propiedad de la empresa en la cuantía que se desee según las preferencias y la capacidad económica, la liquidez de las acciones, y el hecho de que la estructura organizativa de la sociedad anónima suele ser tal que hace innecesario que el inversor se ocupe de la empresa para la buena marcha de ésta, son los factores que inducen a los inversores a colocar su dinero en acciones.

Desde el punto de vista de los inversores, las desventajas de la sociedad anónima son principalmente dos. La primera estriba en que generalmente el accionista no tiene prácticamente ningún poder de controlar o de influenciar la actuación de la empresa. En el general el accionista no tiene ninguna influencia sobre las decisiones que toma ésta. Tampoco tiene el inversor individual poder sobre la determinación de la parte de beneficios obtenidos por la empresa que se distribuyen entre los accionistas en forma de dividendos; si los propietarios de una mayoría de acciones deciden que la sociedad no distribuya dividendos, el accionista que no esté de acuerdo con esta decisión no puede exigir que se le dé su parte de los beneficios de la sociedad. La segunda desventaja que la sociedad anónima tiene para los accionistas reside en que la renta que éstos obtienen procedente de su inversión en este tipo de empresa es doblemente gravada: primero los beneficios de las sociedades están sujetos al impuesto sobre la renta de sociedades, y después los beneficios de la sociedad que llegan a los accionistas en la forma de dividendos están sometidos al impuesto sobre la renta de las personas físicas (como ocurre con la renta procedente de cualquier otra fuente). En las sociedades personalistas los beneficios sólo son gravados una vez como parte de la renta personal de sus propietarios.

El fraccionamiento de la propiedad entre muchos accionistas tiene varias consecuencias, de las cuales destacamos dos: la separación entre la propiedad por un lado y la gestión y el control de la empresa por otro; y la posibilidad de que los propietarios de una minoría de las acciones controlen las decisiones y la marcha de aquélla. Veamos cada una de estas implicaciones.

El método de financiación de la sociedad anónima implica que no todos los propietarios de la empresa pueden ser directores o gerentes de ésta. La estructura organizativa de una sociedad anónima es la siguiente: el órgano de máxima autoridad de la sociedad es la junta general de accionistas en la que cada acción tiene un voto. Esta junta, que se suele reunir una vez al año, elige un consejo de administración que es un órgano colegiado con su presidente, órgano que fija las grandes líneas de actuación de la empresa, nombra a los directores, gerentes y ejecutivos en general, y supervisa y controla la gestión de éstos al frente de la empresa. Asimismo, el consejo de administración nombra de entre sus miembros a un consejero-delegado que actúa de representante permanente del consejo de administración ante la gerencia de la emprsa.

Ya hemos señalado que al estar tan fraccionada la propiedad de la empresa y existir tantos propietarios, muy pocos de éstos pueden participan directamente en la gestión de la empresa. Pero además, la labor de dirigir las grandes empresas modernas exige unos conocimientos técnicos, una habilidad especial (lo que se conoce como capacidad empresarial) y una dedicación total. De ahí que hayan surgido los *managers* y los ejecutivos como los profesionales de la dirección y gestión de las empresas modernas. Debido al carácter técnico y complejo de la labor de gerencia, las decisiones de los *managers* no pueden ser fácilmente controladas en detalle por el consejo de administración. Aunque éste en principio fija las líneas generales de actuación de la empresa, nombra y destituye a los directores, y supervisa la gestión de éstos, de hecho (en general y dentro de amplios límites), el control efectivo de las actividades de las empresas está en manos de los *managers*, *managers* que tienen el carácter jurídico de meros empleados de la empresa y que no tienen que ser necesariamente accionistas de la sociedad.

De ahí que se hable de la revolución managerial ocurrida en los últimos treinta o cuarenta años. Los *managers* como profesionales de la gestión de las empresas, altamente cualificados, y con la habilidad y la capacidad empresarial, han surgido en los últimos tiempos como una clase poderosa y muy bien pagada dentro del mundo de las empresas. Aunque en principio pueden ser destituidos de sus cargos por el consejo de administración, de hecho, esta decisión tan drástica no se suele tomar más que en casos extremos, debido a los efectos negativos que ello puede tener sobre la marcha de la empresa. Asimismo, ocurre que los pequeños accionistas, que normalmente no están muy bien informados sobre la empresa, confían en sus gerentes y autorizan a éstos a emplear los votos correspondientes a sus acciones en las juntas generales de accionistas. Todo ello contribuye a aumentar el poder de los *managers* en las empresas y a crear la estabilidad que éstos suelen tener en sus funciones.

La separación entre la propiedad y el control efectivo de la empresa obviamente plantea la cuestión de las implicaciones que aquélla puede tener para el comportamiento de la empresa y sus objetivos. Dos cuestiones son relevantes a este respecto: si esta separación afecta favorable o desfavorablemente al funcionamiento eficiente de la empresa, y si ejerce alguna influencia sobre los objetivos que persigue ésta.

Se ha argumentado que el escaso control que los accionistas ejercen sobre los gerentes hace que éstos no estén incentivados para realizar la gestión más eficiente posible de la empresa. Independientemente del control que el consejo de administración pueda tener sobre los *managers*, los accionistas también tienen en su mano la posibilidad de ejercer sobre éstos una presión considerable. Por una parte, si la gestión es pobre y los accionistas no hacen nada por fiscalizar a los directores, el precio (la cotización) de las acciones de la empresa mal dirigida disminuirá, con lo que otros inversores se verán atraídos a comprar las acciones de ésta y a reemplazar el equipo directivo por otro más eficiente que haga que marche bien la empresa, con lo que el valor de las acciones subirá y los nuevos accionistas se beneficiarán.

Existe otra razón que empuja a los gerentes a ser sensibles a los intereses de los accionistas, y es la propia competencia entre los *managers*. Como ocurre con los futbolistas, la cotización de un *manager* o un ejecutivo depende del prestigio que éste tenga, prestigio que a su vez depende de su historial. A los ejecutivos les interesa tener éxito no sólo porque les afianza en la empresa en la que trabajan, sino además porque ello les traerá nuevas posibilidades de trabajo en puestos más importantes y mejor pagados en otras empresas. Existe un mercado de *managers* que tiene ámbito nacional en cada país (e incluso internacional para los más destacados) en el que se enfrentan la oferta y la demanda de aquéllos.

Si, en general, se puede afirmar que los intereses y los objetivos de los accionistas y los *managers* coinciden (ambos están interesados en que la empresa maximice los beneficios), existen dos áreas en las que aquéllos pueden diverger. Una de ellas es la de los sueldos y demás emolumentos percibidos por los gerentes. Lógicamente éstos estarán interesados en asignarse a sí mismos y a sus amigos y parientes empleados en la empresa, sueldos, gastos de representación, dietas de viajes, etc., lo más elevados posible, lo que redunda en perjuicio de los accionistas al aumentar los costes de la empresa y, en consecuencia, reducir los beneficios de ésta.

Otra área en la que suelen diverger los intereses de los gerentes y los de los accionistas reside en la política de distribución de beneficios entre los accionistas en forma de dividendos que ha de seguir la empresa. A la mayoría de los accionistas, en general, les interesa obtener dividendos cuanto más elevados mejor. Por el contrario, los gerentes generalmente preferirán que la mayor parte posible de los beneficios que obtenga la empresa no sea repartida entre los accionistas y sea destinada al fondo de reserva. Los recursos financieros que integran este fondo le permiten a la empresa autofinanciar total o parcialmente la ampliación de su capacidad productiva. Los directores o gerentes de toda organización en general tienen una tendencia comprensible a hacer que su institución crezca y se perpetúe. Las razones de esta tendencia pueden ser muy varias: la satisfacción de ver cómo crece la empresa que se dirige, el prestigio profesional de ser el responsable de una empresa grande, el que el sueldo y otros emolumentos estén relacionados con el volumen de ventas, etc.

Como resumen podemos decir que en general no existe un conflicto de intereses entre los accionistas y los *managers*, y que los primeros cuentan con medios de control sobre los segundos. No obstante, es un hecho que los *managers* constituyen una nueva clase de actores de la escena económica, que ejercen algún poder e influencia sobre las decisiones y las actuaciones de las empresas, y que pueden estar en ocasiones motivados a perseguir objetivos distintos a los de los propietarios o accionistas. Como señalamos anteriormente, la Teoría Económica tradicional supone que esta separación entre propiedad y control de la empresa no afecta significativamente al realismo de los supuestos de maximización de beneficios y de que la lógica y el carácter de las decisiones tomadas en la empresa no es afectado por la persona u órgano que las adopta. Como hemos dicho ya, ésta es una cuestión empírica, cuya veracidad o falsedad sólo puede ser decidida mediante la contrastación empírica de las hipótesis de comportamiento de las empresas derivadas de la teoría construida sobre ese supuesto. Hasta el momento, la evidencia empírica parece, en general, corroborar el realismo de estos supuestos y de la teoría elaborada sobre ellos.

Otra cuestión que se plantea en el estudio de la sociedad anónima es la de las consecuencias que el fraccionamiento y dispersión de la propiedad puede tener sobre el control de las decisiones del consejo de administración. Se ha formulado la llamada hipótesis del control minoritario, que afirma que, debido a la distribución de las acciones entre muchos accionistas, los propietarios de una minoría de las acciones (actuando de forma coordinada) generalmente pueden ganar las votaciones en las juntas generales y de esta forma nombrar a los miembros del consejo de administración y ejercer un control efectivo sobre las decisiones de la empresa. Los estudios que se han realizado a este respecto muestran que, en general, la fracción de las acciones de una sociedad que es necesaria para ejercer una influencia dominante en las juntas generales de accionistas suele ser muy pequeña (entre un 10 y un 5 por 100 de las acciones).

Otra forma del control minoritario es la efectuada a través de las sociedades *holding*. Una sociedad *holding* es una sociedad mercantil cuyo activo está integrado por acciones de otras sociedades. Aquélla coloca sus recursos en la adquisición de las acciones de otras sociedades, algunas de las cuales controla (a través de poseer la mayoría de las acciones o la minoría necesaria), en cuyo caso son llamadas compañías filiales. Supongamos que una cierta sociedad anónima X es controlada con un 20 por 100 de sus acciones. Si una sociedad *holding* posee ese 20 por 100 y a su vez ésta puede ser controlada con otro 20 por 100 de sus acciones, entonces la sociedad X será controlada con un 4 por 100 de sus acciones (el 20 % del 20%). Desde el punto de vista económico las sociedades *holding* se justifican porque en ocasiones una compañía *holding* puede realizar de forma conjunta funciones financieras, manageriales y de marketing para un grupo de empresas filiales. Digamos también que las sociedades *holding* están reguladas por ley con la finalidad de poner límites a esa forma de control piramidal que éstas pueden ejercer.

Finalmente, señalemos que la fragmentación y dispersión de la propiedad en las sociedades anónimas permite que sectores enteros de la economía puedan ser controlados por un grupo pequeño de personas a través del mecanismo de que cada una de éstas simultáneamente sea miembro del consejo de administración de varias sociedades. Actuando de forma organizada, un grupo tal puede ejercer una gran influencia sobre las decisiones y las actuaciones de grandes sectores de la economía. Para evitar esta acumulación posible de poder, la ley en nuestro país establece que no se puede ser al mismo tiempo consejero más que de dos sociedades industriales o comerciales.

Desde el punto de vista del Análisis Económico, la cuestión que se plantea es la de determinar si estas implicaciones y consecuencias de la naturaleza de la sociedad anónima afectan significativamente al comportamiento de la empresa en cuanto a que ésta persiga objetivos distintos al de maximización de beneficios. Como ya hemos señalado, en la teoría que nosotros vamos a estudiar en este curso supondremos que los factores indicados no afectan de forma significativa al comportamiento de la empresa orientado a la obtención del máximo de beneficios posible.

LA FINANCIACION DE LA EMPRESA

La empresa, para llevar a cabo su actividad de producción y/o distribución, necesita disponer de unos recursos financieros que constituyen la financiación de las inversiones de aquélla en los diferentes activos. Según su origen, podemos clasificar estos recursos en dos grandes grupos: la financiación interna y la financiación externa.

La financiación interna o autofinanciación está compuesta por aquellos recursos que la empresa es capaz de generar por sí misma, sin necesidad de recurrir al Mercado de Capitales. Este se define como el conjunto de instituciones (Bancos, Cajas de Ahorro, Sociedades Financieras, Bolsas de Valores, etc.) a través de las cuales se enfrentan la oferta y la demanda de recursos financieros, determinándose así el precio de éstos (el tipo de interés) y la cantidad transaccionada (la cantidad de recursos financieros que se prestan). La partida fundamental que integra la autofinanciación son las reservas, formadas en base a los beneficios obtenidos mediante la actividad de la empresa y que no se reparten entre los socios (en forma de dividendos, en el caso de que la empresa adopte la forma jurídica de sociedad capitalista) o que no retiran él o los propietarios (en el caso de sociedades personalistas).

Si bien su cuantía es reducida en el caso de las pequeñas empresas, la autofinanciación es muy importante en el caso de las grandes sociedades anónimas debido a las enormes exigencias de capital que plantean los planes de expansión y crecimiento de este tipo de empresas. Algunos autores incluyen la amortización por depreciación de los activos físicos (maquinaria, edificios e instalaciones) entre los componentes de la autofinanciación. Así, el Profesor Suárez distingue entre una autofinanciación «por enriquecimiento» (por cuanto las reservas forman parte del Neto Patrimonial de la firma, concepto cuya definición expondremos con detalle en el Apéndice de este capítulo dedicado a contabilidad), que sería la que se realiza en base a beneficios no distribuidos o reservas; y una autofinanciación «por mantenimiento» (por cuanto que su fin es mantener intacta la capacidad productiva de la empresa), que estaría formada por el fondo de amortización.

La autofinanciación o financiación interna es muy baja en España comparada con la que se da en otros países industrializados (la fracción que la financiación interna de las empresas representa en la financiación total de éstas es muy reducida). Según los datos de una encuesta entre empresas realizada por el Banco de España en 1966-67 y publicada en *el Informe Anual* de esta institución correspondiente a 1968, la autofinanciación de las empresas privadas representaba entonces, por término medio, alrededor del 25 por 100 de la financiación total de aquéllas. Este porcentaje es muy bajo y supone que las empresas privadas en general han de recurrir en muy alto grado a la financiación externa, lo que aumenta sus costes explícitos (en forma de cargas financieras representadas por los intereses que han de pagar a sus acreedores), las obliga a depender en gran medida de las instituciones financieras, y las hace muy vulnerables a las oscilaciones de sus ventas y de su nivel de beneficios. El porcentaje que la autofinanciación representaba en la financiación total de las empresas en esos mismos años en países tales como Estados Unidos, Alemania Federal, Inglaterra, etc., oscilaba entre el 65 y el 75 por 100.

La financiación interna resulta normalmente insuficiente para afrontar la totalidad de las necesidades financieras de la empresa (generalmente esto es tanto más cierto cuanto más pequeña es ésta), debiendo recurrir a la denominada financiación externa, que es la que la empresa obtiene de otras instituciones o agentes económicos. Esta puede adoptar diversas modalidades. Podemos realizar una primera clasificación según que la captación de fondos externos suponga un aumento o no de la posición deudora de la empresa. En el primer grupo estarían incluidos los préstamos y los créditos; en el segundo se incluirían los aumentos de la cifra de capital social (la emisión de acciones). Estudiemos cada una de estas dos clases de financiación externa por separado.

Los préstamos y los créditos suponen una deuda para la empresa que ésta deberá reembolsar, junto con los intereses convenidos, en el plazo pactado. La empresa puede conseguir estos capitales ajenos bien dirigiéndose a las instituciones financieras, bien emitiendo obligaciones. En el primer caso se habla de préstamos (cuando la suma total de recursos se obtiene de un solo acreedor), y en el segundo de empréstitos (cuando la suma total de recursos se encuentra fraccionada entre múltiples acreedores). Veamos cada uno de ellos.

Técnicamente se suele distinguir entre crédito y préstamo en el sentido de que el primero se entiende como la capacidad que tiene la empresa de endeudarse pidiendo préstamos. Atendiendo a su duración, los préstamos suelen clasificarse en préstamos a largo plazo (con vencimiento o reembolso a un plazo superior a cinco años), a medio plazo (entre dieciocho meses y cinco años), y a corto plazo (hasta dieciocho meses). Los préstamos a medio y largo plazo forman parte de los llamados capitales permanentes de la empresa, que se destinan a financiar sus activos fijos. En España, estos préstamos los obtienen las empresas de los Bancos industriales o de negocios, de los Bancos comerciales, de las Cajas de Ahorros, de la Banca Oficial y de otras instituciones financieras (las sociedades financieras, las cooperativas de crédito, etc.).

El préstamo a corto plazo suele utilizarse para cubrir déficits temporales de tesorería (de dinero líquido). Son préstamos que se obtienen para financiar operaciones concretas pertenecientes al ciclo de explotación de la empresa. Estos préstamos se caracterizan por su especialización concreta. Entre ellos cabe destacar las facilidades de pago concedidas por proveedores, el descuento bancario de letras, y los préstamos bancarios propiamente dichos. Un último tipo de financiación a corto plazo (que si bien aún no está muy extendido en España, va cobrando auge) es el *factoring*. Este consiste en la venta por la empresa de los derechos de cobro que ella tiene sobre sus clientes a otra empresa llamada factor. Así la empresa vendedora obtiene liquidez de forma inmediata y puede reducir el personal administrativo encargado del cobro de aquéllos. El inconveniente principal de este tipo de crédito suele residir en su elevado coste. Por último, digamos que en España es frecuente la concesión de préstamos a largo plazo a las empresas por los Bancos mediante la renovación múltiple (varias y sucesivas renovaciones de un mismo préstamo) de créditos a corto plazo, lo que supone un fuerte poder de control del Banco prestamista sobre la empresa prestataria. Legalmente estos préstamos son a corto plazo, pero *de facto* se convierten en préstamos a largo plazo.

En general, mientras que los préstamos a medio y largo plazo se utilizan para financiar aquellas inversiones cuya rentabilidad se reparte a lo largo de varios años y que incluso no empezarán a producir rendimientos más que al cabo de un cierto período de tiempo generalmente largo (pensemos, por ejemplo, en la construcción de una central nuclear por una empresa dedicada a la provisión de electricidad, o de un buque por una empresa naviera), los préstamos a corto plazo se emplean en la financiación de operaciones cuyos rendimientos esperan percibirse dentro del año en curso. Ejemplos de estas segundas operaciones serían la solicitud de un préstamo para comprar una partida de materias primas a un precio ventajoso en un momento en que no dispone de suficiente dinero en caja; o para el pago a final de mes de la nómina de una empresa, si ésta no desea deshacerse anticipadamente. a lo que tenía previsto de algún activo. Fácilmente puede comprenderse el peligro que encierra para la empresa el financiar el primer tipo de inversiones con el segundo tipo de préstamos, mediante el sistema de renovarlos al llegar su vencimiento. Esta situación es una de las principales causas de las suspensiones de pagos de las empresas.

Insistimos en la importancia de esta distinción. Los recursos financieros que la empresa coloca en activos fijos no son liberados por ella más que a través de la amortización, y ésta lleva varios años. De ahí que la empresa necesite préstamos a largo plazo para financiar su activo fijo o inmovilizado. Si la empresa, por las razones que sea, se ve obligada a financiar inversiones a largo o medio plazo con préstamos a corto plazo, su situación será precaria, ya que generalmente no podrá devolver éstos a su vencimiento.

Las obligaciones son partes alícuotas de la deuda contraída por la empresa, que en este caso se denomina empréstito. Las empresas suelen recurrir a la emisión de obligaciones cuando la cantidad de recursos que desean obtener es elevada. Si dividimos el importe total del empréstito por el número de obligaciones, obtendremos el valor nominal de una obligación. Con respecto a éste, las obligaciones pueden emitirse (ponerse a la venta) a la par (cuando el precio de venta coincide con el valor nominal de la obligación), sobre la par (cuando el precio de venta es mayor que el nominal; a la diferencia se le llama prima de emisión y tiene la consideración de reserva, es decir, de fondos propios. Como puede suponerse, este tipo de emisión es infrecuente), y bajo la par (cuando el precio de venta es inferior al nominal; a la diferencia se le denomina quebranto de emisión, y constituye un método para hacer más atractivas las obligaciones, ya que, al reembolsarse éstas por su nominal, la diferencia citada supone para el inversor una rentabilidad adicional además de la que le proporcionan los intereses).

La colaboración de un Banco para la colocación de las obligaciones entre el público es esencial. Las elevadas cotas de inflación que han experimentado en los últimos años los países occidentales han supuesto una pérdida de atractivo de la inversión en obligaciones para los ahorradores. Por esta razón las empresas han tenido que elevar los tipos de interés de éstas o bien han recurrido a la indiciación de las obligaciones (que consiste en relacionar el valor de reembolso y/o el tipo de interés con un índice que recoja el aumento del coste de vida), o a la emisión de obligaciones convertibles en acciones a su vencimiento a un precio favorable para el inversor. Por último, el Estado también ha contribuido a estimular este tipo de inversión mediante la concesión de exenciones fiscales a los compradores de obligaciones. Así pues, la emisión de obligaciones constituye una fuente de financiación a largo plazo de las empresas, y supone un incremento de la posición deudora de la empresa que realiza la emisión en la cuantía de ésta.

La emisión de acciones es también una forma de obtener recursos financieros por la empresa a largo plazo, bien sea para la creación del capital social en la constitución de la sociedad, bien para ampliar el volumen de éste mediante sucesivas emisiones. Las acciones son partes alicúotas del capital social, y su emisión supone, por tanto, un aumento de los capitales propios de la empresa (capitales que no son exigibles). Las acciones pueden emitirse sobre la par (cuando el precio de venta es superior al nominal, constituyendo la diferencia la prima de emisión, que tiene categoría de reserva) o a la par. La emisión de acciones bajo la par está taxativamente prohibida en España por la Ley de Sociedades Anónimas.

Es frecuente que cuando una sociedad efectúa una ampliación de capital (incrementa su capital social) ofrezca a sus accionistas la posibilidad de suscribir las nuevas acciones (las acciones que integran el montante del aumento del capital social) en condiciones ventajosas para éstos. Generalmente la sociedad ofrece a sus accionistas una acción nueva por cada cinco, siete, diez (o cualquier otro número que decida la sociedad) de acciones viejas que aquéllos poseen. Las nuevas acciones pueden ofrecérseles a los accionistas bien totalmente liberadas (sin coste alguno para el adquirente, y con cargo al fondo de reserva o al fondo de regularización del balance de la empresa), bien parcialmente liberadas (pagando el adquirente sólo un porcentaje del valor nominal de la acción y cargándose el resto del valor de ésta a los fondos mencionados), o bien a la par (a un precio igual al nominal de la acción).

Obviamente, en los dos primeros casos el adquirente se beneficia, ya que obtiene un activo por el que no paga nada o paga un precio inferior al valor nominal de éste. El valor real del activo o acción nueva que adquiere el suscriptor es el correspondiente a la cotización de las acciones viejas de la sociedad emisora en el momento de la ampliación de capital. En el caso de la emisión a la par, si las acciones viejas de la sociedad se están cotizando por encima de la par, el adquirente se beneficia en la cuantía de la diferencia entre el valor real de la acción (el valor que implica su cotización) y el valor nominal de ésta. Si los accionistas no desean suscribir las acciones nuevas, éstos tienen la facultad de vender en Bolsa los derechos de suscripción que posean (cada acción vieja tiene un derecho de suscripción para la adquisición de las nuevas acciones, con lo que el accionista posee tantos derechos de suscripción como acciones viejas detenta). Los derechos de suscripción alcanzan una cotización (un precio) en Bolsa, dependiendo esa cotización de la oferta y de la demanda de aquéllos. En definitiva, con estos tipos de emisiones se trata de hacer más atractivas las acciones (aumentando así la rentabilidad del dinero colocado en ellas) para animar a los inversores individuales a adquirirlas, y de esta forma las empresas poder obtener recursos financieros a largo plazo y no exigibles.

Para la colocación de las acciones nuevas (tanto las correspondientes a las sociedades de nueva constitución como las derivadas de las ampliaciones del capital social de las sociedades ya constituidas) en el mercado es imprescindible el concurso de un Banco. Este puede actuar adquiriendo la totalidad o una parte de las nuevas acciones (como inversor institucional) para después colocarlas entre sus clientes (y/o mantener algunas de ellas en su propia cartera), o bien limitando su papel al de mero intermediario entra la sociedad emisora y el público y las instituciones compradoras. Cabe señalar aquí que las acciones de nueva emisión no se venden en Bolsa. Legalmente para poder cotizarse en Bolsa (además de que la sociedad emisora haya sido admitida a cotización en ésta) las acciones de nueva emisión han de estar enteramente suscritas (que la totalidad de las acciones que integran la emisión hayan sido adquiridas por individuos y/o instituciones distintas a la sociedad emisora) y parcialmente desembolsadas (según la legislación española, los adquirentes de las nuevas acciones han de haber pagado como mínimo el 25 por 100 del valor nominal de éstas, pago que efectúan a la empresa emisora). Como para poder cotizarse en Bolsa es requisito legal que previamente todas las acciones de una determinada emisión hayan sido suscritas (adquiridas), es obvio que esta primera colocación o venta de las nuevas acciones no se efectúa a través de la Bolsa.

A efectos analíticos generalmente se distingue entre el mercado primario de valores (el mercado en el que se realiza la venta de estos nuevos títulos, bien a un Banco, bien al público), y el mercado secundario (en el cual los distintos individuos e instituciones poseedoras de acciones ya en circulación ofertan éstas a otros individuos y/o instituciones). Las Bolsas de Valores son el componente mejor organizado de este mercado secundario (también se realizan compra-ventas de títulos ya en circulación a través de la intermediación de los Bancos y de los corredores de comercio). Debe señalarse, sin embargo, que las empresas emisoras no obtienen los recursos financieros que se colocan en sus títulos valores transaccionados en Bolsa. Como ya hemos indicado, la empresa que se constituye de nueva creación y la empresa que amplía su capital social no venden sus acciones en Bolsa, sino que las colocan entre individuos e instituciones de todo tipo. Los recursos financieros pagados por los adquirentes de los nuevos títulos van a parar directamente a las empresas emisoras y constituyen la financiación obtenida por éstas en el llamado mercado directo. Pero las acciones y las obligaciones de nueva emisión son atractivas para los ahorradores individuales y para las instituciones de todo tipo (empresas manufactureras y de servicios, bancos, compañías de seguros, etc.) como medio de colocar su dinero, entre otras razones, porque pueden ser vendidas en cualquier momento, su venta suele llevar poco tiempo, y generalmente no es necesario perderles en su valor para poder venderlas (es decir, las acciones y las obligaciones tienen liquidez). De ahí precisamente el importante papel de las Bolsas de Valores en la obtención de financiación por la empresa: dan atractivo a las acciones y a las obligaciones emitidas por las empresas, lo que sin duda incrementa el volumen de recursos que éstas pueden obtener procedente de las emisiones de títulos valores.

Una vez emitidos y colocados los títulos y obtenidos los recursos correspondientes por las empresas emisoras, éstos adquieren una vida propia en gran medida independiente de éstas. Si los poseedores de estos títulos (por las razones que sea: necesidad de liquidez, deseo de gastar su dinero en consumo o de colocarlo en otros activos, etc.) los venden a otros individuos o instituciones (que igualmente por las razones que sea desean colocar su dinero en esos títulos), los recursos financieros que los segundos pagan a los primeros de ninguna manera van a parar a las empresas emisoras de los títulos. No obstante, el hecho de que las acciones (y las obligaciones) ya en circulación sean libremente transferibles en Bolsa les da liquidez a estos títulos, liquidez que junto con la rentabilidad (constituida de un lado por los dividendos en el caso de las acciones y por los intereses en el caso de las obligaciones, y de otro por las posibles plusvalías derivadas de la posible subida de las cotizaciones; obviamente también se corre el riesgo de perderles en su valor a estos títulos como consecuencia de la caída de las cotizaciones) de dichas acciones, las hace atractivas a los inversores individuales e instituciones.

De esta forma la existencia de un mercado secundario de las acciones (y de las obligaciones) incrementa considerablemente el atractivo que tiene para los inversores la compra de nuevas acciones y obligaciones (cuya emisión y venta es la que realmente constituye una fuente de financiación de las empresas). De ahí la enorme importancia indirecta de las Bolsas y de su funcionamiento en la obtención de financiación a largo plazo por parte de las empresas. También la existencia de las Bolsas hace posible y potencia enormemente la innovación que ha supuesto la sociedad anónima (la sociedad por acciones), sociedad que permite la obtención de grandes masas de recursos financieros a través de la participación de un gran número de pequeños inversores (o propietarios). El empleo de la tecnología moderna y la obtención de las economías de escala exigen grandes complejos industriales y/o comerciales, los cuales a su vez requieren enormes volúmenes de recursos financieros. A través de la institución jurídica de la sociedad anónima se ha hecho posible el reunir estos volúmenes de recursos por medio del fraccionamiento del capital social en acciones y su adquisición por muchos inversores (gran número de ellos constituidos por pequeños ahorradores, con lo que se canaliza el ahorro hacia la financiación de la inversión).

La posibilidad de reventa de las acciones en el mercado secundario es la característica que confiere a éstas su mayor atractivo. A diferencia de las obligaciones cuyo mercado secundario (igualmente las Bolsas) suele estar poco desarrollado, el de las acciones es muy amplio, lo que da a éstas una elevada liquidez (facilidad de conversión en dinero). Otro factor que les confiere atractivo para el inversor estriba en que las acciones en épocas normales (cuando la Bolsa no está en crisis) se consideran un buen medio de proteger el ahorro frente a la inflación, ya que con la subida generalizada de los precios, es de esperar que, por una parte, las empresas aumenten el precio de sus productos para mantener su tasa de beneficios en términos reales (con lo cual crecerá el dividendo por acción), y por otra, suban las cotizaciones (los precios) de las acciones al igual que aumentan los precios de los demás bienes y servicios.

Sin embargo, estas dos últimas modalidades de captación de recursos financieros (la emisión de acciones y de obligaciones) están virtualmente restringidas a las grandes empresas, ya que son éstas las que realmente pueden hacer cotizar sus títulos en Bolsa (para que una sociedad sea admitida a cotización en Bolsa ha de reunir unos determinados requisitos), por lo que a la pequeña y mediana empresa prácticamente sólo le queda el recurso a la autofinanciación o al préstamo bancario, normalmente este último en condiciones desventajosas respecto de las grandes empresas. Todo ello estimula el mecanismo de concentración de las industrias en unas pocas empresas grandes, fomentando la aparición y el mantenimiento de estructuras oligopolísticas en los mercados de muchos bienes y servicios.

Decíamos anteriormente que los empréstitos materializados en obligaciones suponen una deuda para la empresa, ya que ésta debe pagar a los poseedores de estos títulos valores los intereses convenidos y reembolsarles el importe del empréstito a su vencimiento; es decir, la emisión de obligaciones supone una serie de pagos que se deben efectuar con independencia de que la empresa haya obtenido o no beneficios. Por el contrario, si la empresa obtiene financiación emitiendo acciones, aquélla está aumentando sus fondos propios, cuya exigibilidad es nula (el propietario de una acción no puede dirigirse a la empresa emisora y exigirle el reembolso del valor de ésta); para la empresa la emisión de acciones posee además la ventaja de que éstas sólo se retribuyen si la empresa ha tenido en el ejercicio económico un volumen sufiicente de beneficios. Por estas dos razones en principio parece más adecuada (en el sentido de no ser exigible y resultar menos costosa) la financiación obtenida mediante la emisión de acciones que la conseguida mediante la emisión de obligaciones. La emisión de acciones tiene la desventaja de que los adquirentes de las nuevas acciones se convierten en propietarios de la empresa en la proporción que sus acciones representan en el capital social de ésta, y por lo tanto pueden participar en alguna medida en el control de la empresa emisora. De ahí que en ocasiones los propietarios de las sociedades prefieran obtener recursos financieros por otros medios distintos a la emisión de nuevas acciones.

Por último, un breve comentario sobre los mercados primarios y secundarios de títulos valores. Los títulos valores (acciones, obligaciones de empresas privadas y títulos de Deuda Pública) se dividen en títulos de renta fija y títulos de renta variable. Los primeros están constituidos por las obligaciones y los títulos de Deuda Pública, y se denominan títulos de renta fija porque su rendimiento no varía (rentan un tanto por ciento de su valor nominal anualmente, porcentaje que se especifica en el título). Por el contrario, los títulos de renta variable (que son las acciones) rentan porcentajes distintos en los diferentes períodos; como hemos dicho, la retribución de las acciones la constituyen los dividendos (los beneficios repartidos entre sus accionistas por las sociedades en cada ejercicio económico), y estos dividendos varían de un año a otro, dependiendo de los beneficios obtenidos por las empresas emisoras y de la política seguida por éstas en la distribución de sus beneficios entre el reparto de dividendos y la asignación al fondo de reserva. Por ello, la obtención de financiación a través de la emisión de acciones generalmente se considerada como una forma ventajosa de adquirir recursos para la empresa. Los títulos valores tienen la característica de ser susceptibles de poder comprárseles y vendérseles en las Bolsas de Comercio (o de Valores).

Veíamos que las empresas normalmente no ofertan directamente sus títulos al público, sino que suelen hacerlo por intermediación de un Banco que, mediante una comisión, aporta su conocimiento de mercado y su red comercial para colocarlos entre el público. Ya hemos indicado la distinción entre el mercado primario y secundario de títulos valores. El primero es aquel en el que los títulos se ofertan por primera vez al público (ya sean individuos o instituciones financieras), mientras que le segundo es el mercado de reventa de los títulos adquiridos en el mercado primario. Anteriormente hemos señalado cómo si un inversor adquiere un paquete de acciones de una empresa y, bien porque se ve momentáneamente necesitado de liquidez, bien porque estima que sus acciones no le proporcionan el rendimiento previsto, desea deshacerse de ellas, éste no puede acudir a la empresa emisora y exigirle el reembolso del valor de las acciones. Sin embargo, sí que puede acudir al Mercado de Valores (la Bolsa) e intentar buscar allí un comprador para sus títulos. Es decir, el Mercado de Valores, o mercado secundario, es el lugar de encuentro de la oferta y demanda de títulos valores ya en circulación (en el caso de que el inversor hubiera comprado obligaciones, tampoco puede reclamar a la empresa emisora la devolución de su importe hasta la fecha prevista de reembolso, pero igualmente puede venderlas en Bolsa). Los títulos valores se transaccionan en las Bolsas a precios concretos (cotizaciones) determinados por la confrontación diaria entre la oferta y la demanda de éstos.

El valor de cotización de las acciones suele ser influenciado por la marcha de la empresa; así, es de esperar que una empresa que reparta un alto porcentaje de dividendos o cuyas expectativas de obtener beneficios en el futuro sean altas, tenga unos valores de cotización de sus acciones mayor que otra empresa en situación precaria. Sin embargo, el valor de cotización de una acción depende esencialmen te de la oferta y demanda que de ella haya en la Bolsa en cada momento; en gran medida el valor de las acciones se independiza de la marcha de las empresas emisoras. Se han dado situaciones en las que el valor de cotización de las acciones no ha guardado relación alguna con la situación de las empresas emisoras. El economista americano Galbraith describe los acontecimientos que precipitaron una fiebre especulativa en la Bolsa de Nueva York en 1929 y que supuso enormes aumentos en los valores de cotización de las acciones de las empresas no justificados por la situación real de éstas. Este boom especulativo llevó al *crack* (la caída vertical y fulminante de las cotizaciones, hasta el extremo de que muchos de los títulos valores no valían nada, ya que no había quien los demandara) de 1929 y a la enorme depresión económica de los años 30. Las cotizaciones actuales (1981) de las acciones en las Bolsas españolas constituyen otro ejemplo (aunque menos dramático) de ese divorcio entre la situación de la empresa emisora y la cotización de una acción.

En España, el mercado secundario de valores es relativamente reducido, debido fundamentalmente a una serie de factores legales e institucionales, si bien se están removiendo algunos de los obstáculos existentes a fin de conseguir una mayor liberalización y flexibilidad, no sólo de la Bolsa, sino del sistema financiero en su totalidad (esta cuestión la estudiaremos con más detalle posteriormente en Macroeconomía).

Entre otros factores que contribuyen a que el mercado secundario de títulos valores (las Bolsas) sea poco atractivo en España para los pequeños ahorradores, caben destacar el reducido número de empresas que cotizan en Bolsa, el escaso número de títulos que cotizan frecuentemente, el relativamente alto grado de concentración del patrimonio mobiliario del país (el patrimonio constituido por los títulos valores) en unas pocas personas (lo que hace posible que éstas puedan afectar a las cotizaciones a través de variar la oferta y/o la demanda de títulos), y al control que ejercen los Bancos sobre éstas debido a que aquéllos canalizan una gran parte de las ventas y las compras de títulos al implementar las órdenes de sus clientes. Por estas y otras razones el mercado es estrecho y rígido, lo que da lugar a que las cotizaciones fluctúen grandemente (a pesar de la limitación legal de que un título no puede cambiar su cotización en más de un 5 por 100 de su valor en una sola sesión de la Bolsa), fluctuaciones que aumentan el riesgo de pérdida de valor de los títulos. También le restan a éstos liquidez (posibilidad de convertir un activo en dinero sin pérdida en su valor).

De ahí que los ahorradores individuales (las economías domésticas que ahorran parte de su renta) no encuentren atractivo el colocar su dinero en títulos valores en España. De esta forma se reduce enormemente el potencial del llamado mercado directo (el mercado en el que las empresas como demandantes de fondos se enfrentan directamente con los ahorradores como oferentes de fondos) como fuente de financiación a largo plazo de las empresas. Como hemos señalado, las grandes empresas o sociedades requieren enormes cantidades de recursos financieros y además necesitan que la mayor parte de éstos se les presten a largo plazo, ya que con ellos financian sus inversiones en inmovilizado.

Una parte muy importante de la oferta de recursos financieros proviene del ahorro de las economías domésticas. Lógicamente éstas desean colocar sus ahorros buscando cada una de ellas la combinación que le resulte más adecuada en cuanto a rentabilidad, liquidez y grado de riesgo de los activos en los que colocan su dinero. Los títulos valores tienen en principio el atractivo de una rentabilidad razonable, una liquidez elevada (siempre que puedan ser vendidos con facilidad en Bolsa) y un grado de riesgo más bien pequeño. Pero si las cotizaciones de éstos fluctúan violenta y frecuentemente (con el consiguiente riesgo de pérdida de valor de los títulos) y a los inversionistas les puede resultar difícil vender sus títulos en un momento determinado (reduciéndose así la liquidez de éstos), entonces los ahorradores no se sentirán atraídos hacia los títulos valores como activos en los que colocar su dinero.

Por ello los ahorradores españoles tienen una preferencia marcada (más acentuada que en otros países) por colocar sus ahorros en los intermediarios financieros (Bancos y Cajas de Ahorro) cuyos pasivos (cuentas corrientes, depósitos de ahorro a la vista y a plazo, certificados de depósito y bonos de caja) ofrecen el atractivo de ser activos sin riesgo, aunque su rentabilidad sea generalmente baja (con la inflación, la rentabilidad de la mayoría de estos pasivos de los intermediarios financieros y activos de los ahorradores en realidad es negativa, ya que el porcentaje de subida de los precios es superior al tipo de interés que suelen pagar los intermediarios financieros a los depositantes). Como consecuencia de esa preferencia de los ahorradores españoles por los pasivos de los intermediarios financieros como forma de colocar su dinero, dichos intermediarios obtienen y disponen de la mayor parte de los recursos prestables existentes en la economía española. De esta forma, el mercado intermediado (el mercado en el que las empresas como demandantes de recursos y las economías domésticas como oferentes de fondos no se enfrentan directamente, sino que lo hacen a través de los intermediarios financieros) tiene una gran importancia en la financiación de las empresas, que, en consecuencia, dependen en gran medida de los intermediarios financieros para obtener recursos. Esto les da poder a aquéllos sobre la marcha de las empresas y, consecuentemente, sobre la economía en su conjunto.

Todo ello contribuye a que las empresas no puedan recurrir a la emisión de títulos valores en la cuantía en la que éstas quisieran, viéndose obligadas bien a intentar colocar sus emisiones sobre todo entre los inversores institucionales (Bancos, Cajas de Ahorro, Compañías de Seguros), o bien a recurrir directamente al crédito para la obtención de fondos a largo plazo, lo que en definitiva implica una mayor dependencia de éstas respecto de los intermediarios financieros. Estos generalmente prefieren prestar fondos a corto plazo. De ahí que una de las características de la estructura financiera de las empresas españolas sea la financiación de inversiones (que por definición son a largo plazo) con crédito a corto o medio plazo, lo que las hace enormemente vulnerables. En situaciones de escasez de recursos, los Bancos pueden no renovar los préstamos a las empresas (con lo que éstas se pueden encontrar abocadas a la suspensión de pagos).

APENDICE: NOCIONES ELEMENTALES DE CONTABILIDAD

La contabilidad, desde su aparición, ha estado fuertemente relacionada con la práctica. Si bien en su origen se constituye como una técnica meramente empírica, respondiendo a la necesidad de registro y control de las operaciones mercantiles, rápidamente se pasa a la formulación de unos principios y a la definición mediante éstos de una serie de criterios generales de actuación. Así, la contabilidad se configura como un sistema de información o lenguaje especializado, a fin de clasificar y ordenar, de acuerdo con esos criterios, el enorme flujo de datos que genera la actividad económica de la empresa para analizarlos posteriormente, suministrando la base necesaria para la toma de decisiones racionales en el ámbito empresarial.

Ahora bien, la contabilidad se centra en el estudio de los fenómenos internos a una empresa concreta; de modo que genera la mayor parte de la información analizando el patrimonio de esa empresa (tanto su composición como sus variaciones) mediante un instrumento específico, las cuentas, y empleando un método concreto para efectuar anotaciones, la partida doble.

EL BALANCE

Decíamos antes que la contabilidad estudia el patrimonio de la empresa. El concepto contable del patrimonio no coincide con el concepto jurídico de éste. Desde el punto de vista contable, el patrimonio se define como el conjunto de bienes económicos (materiales o inmateriales) pertenecientes a una empresa, de disposición inmediata o diferida, así como las cargas que los gravan. El conjunto de elementos en que se materializa o concreta un patrimonio puede clasificarse de acuerdo con la propia naturaleza de esos elementos como bienes económicos (desde el punto de vista de la inversión), o bien de acuerdo con el origen de los fondos con que se adquirieron dichos bienes (desde el punto de vista de la financiación). En el primer caso nos estaríamos refiriendo a la estructura económica de la empresa, y en el segundo a su estructura financiera. Por cuanto que ambas estructuras son dos modos distintos de contemplar un mismo fenómeno (el patrimonio) ambas deben tener el mismo importe monetario; es decir:

Valor estructura económica = Valor estructura financiera; o, en términos más usuales,

Activo = Pasivo.

Por tanto, la estructura económica o inversión constituye el Activo empresarial; y la estructura financiera o financiación, el Pasivo empresarial. La expresión anterior podemos concretarla más si distinguimos en el Pasivo entre la financiación propia o fondos propios de la empresa, y la financiación ajena o fondos que provienen de préstamos, créditos y, en general, de las deudas que la empresa mantiene con terceros. Los fondos propios forman el Neto Patrimonial, y los fondos ajenos el Pasivo Exigible. Incorporando estas expresiones, la ecuación anterior quedaría:

Activo = Pasivo Exigible + Neto Patrimonial.

De acuerdo con lo expuesto, podemos entonces agrupar los diversos componentes del patrimonio (los elementos patrimoniales) en dos grupos, según pertenezcan a la estructura económica o a la estructura financiera de la empresa. Si ahora colocamos ordenadamente estas dos series y valoramos cada elemento, obtendremos el Balance de Situación de la empresa.

Un sencillo ejemplo nos ayudará a entender los conceptos anteriores. Sea una empresa que en un momento determinado tiene en caja 5.000 pesetas; sus clientes le deben 18.000 pesetas; en su cuenta corriente en el banco tiene 9.000 pesetas; ha adquirido maquinaria por 100.000 pesetas; y se halla situada en un local de su propiedad valorado en 1.000.000 de pesetas. En sus almacenes tiene géneros por valor de 50.000 pesetas, y ha adquirido en Bolsa acciones valoradas en 70.000 pesetas. Por otra parte, esta empresa se constituyó con un capital de 1.000.000 de pesetas, aportado por su propietario; debe a sus proveedores facturas por valor de 52.000 pesetas; y tiene concertado con un banco un préstamo de 200.000 pesetas. De acuerdo con estos datos, su Balance de Situación sería el siguiente:

ACTIVO		PASIVO	
Caja	5.000	Proveedores	52.000
Bancos	9.000	Préstamo	200.000
Clientes	18.000	Capital	1.000.000
Almacén	50.000		
Acciones	70.000		
Maquinaria	100.000		
Local	1.000.000		
TOTAL	1.252.000	TOTAL	1.252.000

Podemos observar que se han situado en el Activo todos aquellos bienes y derechos propiedad de la empresa: el dinero (Caja y Bancos), los derechos de cobro (Clientes), las existencias de géneros (Almacén), las Acciones y los activos productivos (Maquinaria y Local). En el Pasivo se han situado las obligaciones de la empresa, bien con terceros (Proveedores y Banco que otorgó el préstamo), bien con su propietario (Capital). Al respecto, cabe destacar que en contabilidad se supone que la empresa es un ente con vida y responsabilidad propias; de ahí que se hable de las obligaciones que la empresa tiene con su propietario, que en este caso serían el Capital. Si bien en el caso de las empresas societarias tal ficción no se da, ya que se les atribuye legalmente personalidad jurídica propia e independiente de la de sus socios, en el caso de las empresas individuales es corriente en el mundo real la confusión entre el propietario de la empresa y la empresa en sí; la contabilidad, sin embargo, mantiene una estricta separación entre uno y otra.

Como anticipábamos en el apartado anterior, la suma del Activo es igual a la del Pasivo; o lo que es lo mismo, la suma de las inversiones de la empresa es igual a la suma de dinero obtenida de las distintas fuentes de financiación. Como veremos, esto se debe a que la inversión no es más que la materialización en bienes o derechos concretos de la suma de dinero obtenida de dichas fuentes, bien manteniéndolo como tal (Caja, Bancos), bien mediante la adquisición de mercancías (Almacén) o de derechos sobre terceros (Clientes), bien mediante la compra de otros activos (Acciones, Maquinaria, Local). Sin embargo, hay que destacar que esta igualdad sólo se produce a nivel global y no al nivel de cuentas concretas. Así, la Caja no tiene por qué ser igual al Capital, ni la Maquinaria a los Préstamos.

El Balance nos proporciona la estructura del patrimonio de la empresa en un momento determinado. Puede compararse, por tanto, a una fotografía de la situación de la empresa en un instante concreto (generalmente, a fin o principio de año). La evolución durante un período de cada uno de los elementos patrimoniales se refleja en su propia cuenta, que podemos comparar a una película que registra todas las eventualidades sufridas por el elemento patrimonial en cuestión en un

período de tiempo. Las cuentas derivan su nombre del elemento patrimonial al
que representan: así, la cuenta de Caja nos registra todos los aumentos o disminuciones del dinero en efectivo existente en ésta. Si, por ejemplo, la cuenta de Caja
presenta las siguientes anotaciones:

Debe		Caja		Haber
3-1-80	5.000		4.000	10-1-80
15-1-80	10.000		9.000	16-1-80
17-1-80	6.000		3.000	20-1-80
29-1-80	15.000			

nos indica que el día 3 de enero de 1980, teníamos en Caja 5.000 pesetas, que el
día 10 del mismo mes se produjo un pago de 4.000, el 15 un ingreso de 10.000,
etcétera, siendo ésta la presentación más usual de una cuenta. Caja es una cuenta
de Activo: los aumentos se anotan en el Debe (a la izquierda) y las reducciones en
el Haber (a la derecha). En el caso de las cuentas de Pasivo, el funcionamiento es
el opuesto: las disminuciones se anotan en el Debe y los aumentos en el Haber, y
del mismo modo funcionan las cuentas de Neto. Este sistema de anotaciones es el
adoptado convencionalmente, y debemos recordar que las cuentas recogen siempre
importes monetarios (es decir, la cuenta de Almacén no funciona en términos de
unidades físicas de materias primas y/o productos semielaborados y acabados).

El Activo

Veíamos antes que en esta sección del Balance se recogían todos aquellos bienes y derechos propiedad de la empresa en que se ha materializado la financiación.
A efectos analíticos, las cuentas componentes del Activo se agrupan en conjuntos
homogéneos económicamente, las llamadas Masas Patrimoniales. Se distingue así
entre un Activo Circulante y un Activo Fijo. El primero engloba a todos aquellos
elementos cuya rotación es elevada. La rotación de un elemento es el número de
veces que este elemento se renueva en un período de tiempo determinado. Así, si
tenemos unas ventas anuales de un producto de 100.000 pesetas y **nuestras** existencias medias en Almacén de ese producto son de 10.000 pesetas, la rotación de las
existencias es de $\dfrac{100.000}{10.000} = 10$ rotaciones anuales; esto equivale a decir que el
almacén se nos vacía y llena 10 veces al año. En nuestro ejemplo anterior, estos
elementos serían Caja, Bancos, Clientes y Almacén.

Por contra, los elementos de Activo Fijo tienen una rotación muy baja: una
máquina sólo se renueva al final de su vida útil, y ésta normalmente abarcará varios años. En el ejemplo anterior, serían elementos del Activo Fijo: las Acciones,
la Maquinaria y el Local. En el Activo Fijo suelen incluirse también las Patentes,
Marcas Registradas, etc., propiedad de la empresa; es decir, aquellas cosas que
teniendo un valor (la empresa puede vender la patente de un producto a otra empresa) carecen de entidad material, y que, por tanto, constituyen el Activo Fijo
Inmaterial. Por último, se incluyen también los gastos que se pagaron en el momento de constitución de la empresa: derechos de Registro y Notaría, gastos de
puesta en marcha, etc. Como puede suponerse, no tienen un valor real; es decir,
no constituyen un activo en el sentido estricto del término que hemos venido

utilizando. Su inclusión se debe a la propia mecánica contable; y a esta masa se le denomina Activo Ficticio. Es fácil comprender que cuanto mayor sea esta partida respecto del Activo total de la empresa, menor será el valor de ésta.

Por último, cabe señalar que todas las partidas del Activo Fijo figuran por su precio de coste. Así, si el local se adquirió en 1961, y costó 1.000.000 de pesetas, éste aparecerá en el Balance por ese importe. Como puede imaginarse, esto crea graves problemas en épocas de inestabilidad de precios, ya que entonces el Balance no muestra la situación real de la empresa.

El Pasivo

Bajo esta rúbrica se recogen todas las fuentes de financiación de las empresas por sus diferentes importes. La estructura del Pasivo nos indica, por tanto, el origen de los fondos invertidos en la empresa: así, en una primera clasificación podemos distinguir entre fondos propios y fondos ajenos.

Los fondos ajenos son el conjunto de las deudas que la empresa mantiene con terceras personas: de ahí su denominación de Pasivo Exigible. Estas deudas pueden surgir de la propia actividad comercial desarrollada por la empresa (tal sería el caso de la deuda que mantenemos con proveedores, si tenemos la costumbre de pagar los géneros comprados a 30, 60 ó 90 días de la entrega de las mercancías), o pueden deberse a pactos explícitos concertados con bancos u otras entidades financieras: tal sería el caso de los créditos y préstamos.

Los fondos propios son aquellos capitales propiedad de la empresa, y que por tanto no suponen una deuda: de ahí su denominación de Pasivo no Exigible. Están formados esencialmente por el Capital y las Reservas; el primero es la aportación inicial del empresario o de los socios en el momento de la constitución de la empresa; las segundas provienen de los beneficios no distribuidos. La empresa, al final del ejercicio obtiene un volumen de beneficios determinado, del cual una cierta proporción se reparte entre los socios (o la retira el propietario), constituyendo los dividendos, y el resto se queda en la empresa, contribuyendo así a financiar las operaciones de crecimiento y expansión de ésta. Estos beneficios que no se reparten son las Reservas, que como podemos ver son Fondos Propios, y forman la llamada autofinanciación empresarial. En España, y en el caso de que la empresa adopte la forma jurídica de Sociedad Anónima, la ley obliga a la constitución de una reserva que debe alcanzar, como mínimo, 1/5 del Capital Social. La autofinanciación es muy importante en las grandes firmas, que suelen destinar a reservas una parte sustancial de sus beneficios anuales (normalmente mayor de la que se destina a dividendos), con la intención primordial de independizarse del mercado de capitales.

Al igual que hacíamos con el Activo, podemos dividir al Pasivo Exigible entre Exigible a Corto y Exigible a Largo Plazo. En el primero están incluidas las deudas con proveedores, así como los créditos para financiar situaciones de falta de liquidez momentánea (créditos entre uno y tres meses). El Exigible a Largo está formado por los créditos bancarios negociados a un plazo superior a tres años; junto con los Fondos Propios, éste constituye los llamados Capitales Permanentes.

LA AMORTIZACION

Veíamos antes que los elementos de Activo Fijo Real (maquinaria, edificios, etc.) se renuevan con escasa frecuencia, ya que su vida útil es normalmente muy superior al año. Sin embargo, estos bienes sufren con el uso y el transcurso del tiempo (y también debido a los avances de la tecnología) una pérdida continua de valor (depreciación) lenta, pero continua. Así, una máquina, tras diez años de uso, por ejemplo, deberemos retirarla de la produción, ya que, debido a estos factores, probablemente sólo servirá para chatarra. Sin embargo, debemos reponer esa máquina si queremos seguir produciendo; es decir, deberemos afrontar el coste de reposición de ese elemento. A tal efecto, es necesario constituir un fondo que, mediante la dotación de una cierta cantidad anual, nos permita al final de la vida útil de la máquina reponerla.

Pero, además, las dotaciones a este fondo tienen otra función: la incorporación a los costes de la empresa de la carga que supone la depreciación del Activo Fijo. Por tanto, esta dotación se identifica como un coste más de la empresa, que ésta deberá repercutir en el precio del producto que venda. De esta manera, y mediante la venta de sus productos, la empresa va recuperando el valor invertido en los elementos del Activo Fijo. A la constitución de este fondo se le denomina Amortización: ésta se define como la expresión contable de la depreciación sufrida por el Activo Fijo. Es claro, por tanto, que la empresa que no amortizase su activo, bien estaría obteniendo cierta cantidad de beneficios ficticios (con lo cual estaría repartiendo su activo entre sus propietarios), bien estaría fijando un precio de venta de sus productos inferior a los costes de producción (con lo cual estaría regalando su activo a sus clientes).

El procedimiento usual para el cálculo de las dotaciones o cuotas de amortización consiste en dividir el precio del elemento que hay que amortizar (la máquina en nuestro ejemplo) durante los años de vida útil de éste. Así, si la máquina nos costó 100.000 pesetas y esperamos mantenerla en funcionamiento durante diez años, fijaremos como cuota anual de amortización 10.000 pesetas, con lo que al final del décimo año habremos recuperado la totalidad de su valor y podremos reponerla. Aquí es precisamente donde interviene la capacidad de previsión y habilidad del contable, ya que éste debe determinar *a priori*, y basándose en experiencias anteriores, cuál es la posible vida útil de la máquina, y, en consecuencia, estimar su depreciación anual, teniendo en cuenta los posibles avances tecnológicos, que pueden dejar obsoleta (atrasada) a la máquina en un plazo muy inferior a su vida útil. Debido a estos factores, el cálculo de las cuotas de amortización es sumamente complejo: podemos estimar que la máquina nos va a durar diez años, y que en realidad nos dure quince, de manera que, si seguimos destinando 10.000 pesetas al fondo durante esos cinco años extra nos encontraremos con un exceso de amortización de 50.000 pesetas; mientras que si la máquina sólo dura siete años, nos encontraremos con un defecto de amortización de 30.000 pesetas.

Pero además, y como decíamos antes, la cuota de amortización se configura como un coste más, coste que reduce los beneficios de la empresa, haciendo que ésta pague menos impuestos, al girarse éstos sobre el volumen de beneficio. Por esta razón, en los diversos países no suele permitirse que las empresas amorticen sus activos en la cuantía que deseen. Concretamente en España, existen unas tablas de amortización, publicadas por el Ministerio de Hacienda, que consisten en un listado de los bienes que forman parte de los Activos Fijos empresariales, y que fijan las cuotas máximas y mínimas de amortización aplicables a cada bien, de manera que la empresa pueda elegir a su conveniencia dentro del intervalo así definido. No obstante, se permite, previo consentimiento del Ministerio de Hacienda, la aplicación de coeficientes superiores (los llamados planes especiales o amortizaciones aceleradas). Caso de aprobarse el plan presentado por la empresa, ésta puede aplicar coeficientes superiores.

En cuanto a si el fondo de amortización forma parte o no de la autofinanciación, la doctrina está dividida, ya que algunos autores lo consideran como tal, mientras que otros estiman que su importe debe restarse del valor del elemento de activo de que se trate, para mostrar su valor real y no inflar las cifras del balance a niveles que carezcan de sentido.

LA CUENTA DE PERDIDAS Y GANANCIAS

Durante el transcurso del año la empresa realiza una serie de operaciones comerciales de las que deriva sus resultados finales. Supongamos que la empresa en cuestión a lo largo del ejercicio había comprado géneros por 1.000.000 de pesetas; pagado sueldos por 400.000 pesetas; por gastos diversos, abonó 80.000 (pagos correspondientes a luz, agua, teléfono, etc.); y destinó a amortizaciones, 10.000 pesetas por la máquina y 50.000 pesetas por el local (suponiéndole a éste una vida útil de veinte años). Vendió productos en ese período por 2.000.000 de pesetas y las acciones que posee le reportaron unos dividendos de 5.000 pesetas. Por último, las existencias de géneros en su almacén a final de año eran de 15.000 pesetas.

La cuenta de Pérdidas y Ganancias recoge todos estos datos determinando, por diferencia, el beneficio anual. En su forma más corriente ésta sería:

	Ventas	2.000.000
MENOS	Compras	(1.000.000)
	Sueldos	(400.000)
	Gastos diversos	(80.000)
	Amortizaciones	(60.000)
		460.000
MENOS	Existencias iniciales	(50.000)
MAS	Existencias finales	15.000
		425.000
MAS	Dividendos	5.000
BENEFICIO BRUTO DE LA EMPRESA		430.000

Veamos el ajuste correspondiente a las existencias en almacén. Como podemos observar, hemos aumentado los costes por el importe de las mercancías vendidas y no repuestas; si al principio del año teníamos 50.000 pesetas en existencias y al final de año teníamos 15.000, nuestros almacenes se han reducido en 35.000 pesetas (50.000 — 15.000 = 35.000), y este importe se integrará como un coste más. Lo contrario ocurriría si las existencias finales superaran a las iniciales; en tal caso, este aumento de los géneros lo contabilizaríamos como un ingreso. Cabe señalar que, a diferencia del Balance que decíamos era como una fotografía de la empresa en un momento dado, la cuenta de Pérdidas y Ganancias podemos compararla a una película que recoge los acontecimientos de la empresa en el período considerado (en este caso, el año). Por tanto, la cuenta de Pérdidas y Ganancias opera con magnitudes flujo.

De la cifra de beneficios obtenida debemos restar el importe del impuesto sobre sociedades para obtener el beneficio neto. En España, el tipo impositivo es del 33 por 100, lo que supondría una cuota a pagar de $430.000 \times 0,33 = 164.000$ pesetas, y un beneficio neto de 266.000 pesetas, del que supondremos que un 20 por 100 se distribuye en forma de dividendos y el resto se queda en la empresa como reserva. El Balance de Situación de la empresa a fin de año sería:

ACTIVO		PASIVO	
Caja	19.000	Proveedores	8.000
Bancos	25.000	Préstamo	100.000
Clientes	205.000	Dividendos	53.000
Almacén	15.000	Capital	1.000.000
Acciones	70.000	Reservas	213.000
Maquinaria	100.000		
— Amortización maq. (10.000)			
Local	1.000.000		
— Amortización local (50.000)			
TOTAL	1.374.000	TOTAL	1.374.000

Como podemos ver, la empresa ha aumentado su Neto Patrimonial (diferencia entre el Activo Total y el Pasivo Exigible) en 213.000 pesetas, por lo que su situación ha mejorado. La suma de las Reservas y los Dividendos nos da el Beneficio Neto total, que veíamos era de 266.000 pesetas. Sin embargo, no debemos suponer que el beneficio toma necesariamente la forma de una mayor cantidad de dinero en Caja o en la cuenta corriente; de hecho, este beneficio se halla disperso por todo el Activo. Así, vemos que tenemos más dinero, tanto en Caja como en Bancos; que hemos facturado a Clientes por un valor de 205.000 pesetas, y que hemos reducido nuestras deudas con Proveedores y con el Banco. Las grandes sociedades en sus Juntas Generales de Accionistas suelen presentar un breve extracto de la cuenta de Pérdidas y Ganancias, generalmente indicando los ingresos totales, los beneficios brutos y las amortizaciones del ejercicio, así como el acuerdo tomado sobre el reparto de beneficios (acuerdo que tendrá que ratificar la Junta) y la política de inversiones futuras.

Por último, un comentario sobre la relatividad de la cifra de beneficios. En la cuenta de Pérdidas y Ganancias se integran unos costes cuyo valor conocemos con exactitud, tales como, por ejemplo, el importe de los sueldos, los pagos por gastos diversos, etc., junto con otros costes cuyo valor concreto depende de la apreciación subjetiva del contable. Ya nos habíamos referido a este problema al tratar el cálculo de las cuotas de amortización; señalemos aquí simplemente que un problema similar (aunque de distinta naturaleza) se presenta al valorar las existencias y salidas de géneros del almacén, ya que en éste tendremos mezcladas diversas partidas de mercancías cuyos precios de coste no serán idénticos. Para solucionar dentro de lo posible este problema, la contabilidad utiliza unos criterios de valoración de existencias tales como el F. I. F. O. (primera entrada, primera salida), en el que se supone que los géneros salen del almacén en el mismo orden en el que entraron, a efectos de valoración; otro sería L. I. F. O. (última entrada, primera salida), en el que las mercancías salen en orden inverso al de su entrada (a efectos contables); o el criterio del Precio Medio Ponderado. Según utilicemos un criterio de valoración u otro, el importe de las existencias y de las salidas de almacén variará para un mismo número de unidades físicas.

EL ANALISIS CONTABLE DE LA EMPRESA

Los datos contenidos tanto en el Balance anual como en la cuenta de Pérdidas y Ganancias pueden utilizarse para estudiar la situación económica y financiera de la empresa (su liquidez, su solvencia, su rentabilidad, etc.), proporcionando así el fundamento para la toma de decisiones. Sin entrar en detalles diremos que el análisis se efectúa mediante los llamados ratios, que son fracciones cuyo numerador y denominador son masas patrimoniales homogéneas cuya relación queremos poner de manifiesto. Aquí veremos sólo los más importantes.

Ratio de Disponibilidad: Nos indica la relación entre el dinero disponible y el importe del Pasivo Exigible a corto plazo. En principio debe ser mayor que 1, a fin de que la empresa pueda hacer frente a sus compromisos.

Ratio de Tesorería: Nos indica la relación existente entre el Activo convertible en dinero a corto plazo y el Pasivo Exigible también a corto plazo. Se considera como valor normal de esta ratio al comprendido entre 0,8 y 1; si es menor, la empresa está en peligro de suspensión de pagos; si es mayor, la empresa no recurre al crédito en la cuantía suficiente.

Ratio de Garantía: Relación entre el Activo Real (descontando del Activo Total el importe de las Amortizaciones y del Activo Ficticio) y el Pasivo Exigible total. En situación normal, debe estar comprendido entre 1,5 y 2,5, lo que indicaría que aproximadamente la mitad del Activo está financiada con fondos propios. Si es menor que 1, la empresa se halla en situación de quiebra.

Ratio de Solvencia: Relación entre el Activo Circulante y el Pasivo Circulante (deudas a corto y medio plazo). Se considera aceptable un valor próximo a 2. Si es menor que 1, la empresa se halla en suspensión de pagos.

Ratio de Endeudamiento: Nos proporciona la relación entre los capitales propios y los ajenos, y vendría dado por el cociente entre el Neto Patrimonial y el Pasivo Exigible. Este ratio puede variar mucho, ya que, si bien se admite como principio general que una empresa está en mejor situación cuantas menos deudas tiene, puede que en algunos casos no sea así. Tal sería el caso de una empresa que estuviera obteniendo una rentabilidad (cociente entre los beneficios netos y el capital) superior al tipo de interés de los préstamos. Es claro que le convendría tomar fondos a crédito, a fin de aumentar su volumen de beneficios sin incrementar el capital (ya que la empresa obtendría una rentabilidad diferencial del empleo de esos créditos, diferencial que vendría dado por la resta entre la cifra de rentabilidad de la empresa y el tipo de interés que ésta debiera pagar por el uso de los fondos ajenos).

En el empleo de los ratios cabe destacar los puntos siguientes: el ratio nos da la situación de la empresa en un momento concreto; sin embargo, suele ser más importante su evolución; así, debemos tomar series temporales de ratios para observar su tendencia durante un período de tiempo. Los ratios sólo tienen sentido si se comparan con los de la industira a la que pertenezca la empresa (los llamados ratios-tipo sectoriales). Por último, los ratios varían mucho de una industria a otra, ya que están conectados con características específicas del proceso de fabricación y comercialización de la industria concreta. Así. cabe esperar que serán bastante distintos los ratios-tipo bancarios de los del sector eléctrico.

Un último indicador que suele emplearse en el estudio de la situación de la empresa es el Cash-flow. Este se define como la suma de los beneficios obtenidos por la empresa en un ejercicio y las amortizaciones correspondientes al mismo. Da una idea de la capacidad de autofinanciación de la empresa.

Este concepto, de carácter estático, se complementa con la noción de Cash-flow dinámico. Se entiende por éste, el importe de la tesorería líquida de una empresa en un momento determinado. Dicha cifra se obtiene sumando a la tesorería de un momento anterior las entradas que hayan implicado un movimiento monetario real y restando las salidas del mismo tipo.

EL CASO ESPAÑOL: EL PLAN GENERAL CONTABLE

A fin de sistematizar tanto los nombres de las cuentas como los conceptos que recoge cada una y el conjunto de las relaciones que las ligan (es decir, a fin de operar con un lenguaje contable normalizado), los diversos países han ido publicando Planes Generales Contables. Así, Francia lo publicó en 1947, Alemania en 1937 y Bélgica en 1961, por citar sólo algunos casos. El Plan Contable Español se publica en 1973, y consta de cuatro secciones: Un cuadro de cuentas, dividido en 10 grupos; una serie de definiciones de estos grupos y de las cuentas que los integran ,así como de las operaciones que capta o recoge cada cuenta; una serie de cuentas anuales tales como el Balance, la Cuenta de Pérdidas y Ganancias y el Cuadro de Financiamiento, indicando las normas que deben seguirse en su confección; y una serie de criterios de valoración de las distintas partidas que integran el Balance. Si bien su empleo por las empresas en la confección de su contabilidad no es obligatorio, sí que se aconseja su utilización, estando prevista la concesión de determinados beneficios fiscales e incentivos a las empresas que lo adopten.

Señalemos por último la relación existente entre la economía y la contabilidad. Buena parte de las conclusiones obtenidas en la teoría de la empresa se refieren a cuestiones tales como ingresos totales, costes, ventas, producción, etc., y cuya validez empírica debemos comprobar basándonos en datos suministrados por la propia contabilidad de las empresas. De ahí la enorme importancia de contar con información ordenada y sistematizada al respecto.

BIBLIOGRAFIA SELECCIONADA

Samuelson, P.: *Curso de Economía Moderna,* op. cit., Cap. 17, págs. 86-123.
Lipsey, R.: *Introducción a la Economía Positiva,* op. cit., Cap. 17, págs. 231-238.
Dorfman, R.: *El Sistema de Precios,* Unión Tipográfica Editorial Hispano-Americana, Méjico, 1966, Cap. II, págs. 29-88.
Lancaster, K.: *Introducción a la Microeconomía Moderna,* op. cit., Cap. 6.
Fenizio, F. di: *Economía Política,* op. cit., Cap. VIII.
Hawkins, G. J.: *Theory of the Firm,* Mac Millan, Londres, 1973.
Baumol, W. J.: *Teoría Económica y Análisis Operativo,* op. cit., Cap. 10.

INTRODUCCION

En el Capítulo 7 señalamos que la oferta de un bien o servicio depende de muchos factores, entre los cuales los más importantes son: el precio del bien en cuestión, los precios de los otros bienes y servicios, la tecnología, los precios de los factores de la producción y los objetivos que persigan las empresas. Asimismo, decíamos que la curva de oferta de un bien representa gráficamente la relación existente entre la cantidad de éste que los productores desean elaborar y vender, y su precio: las distintas cantidades que los oferentes desean producir y vender a los diferentes precios. En la Teoría de la Oferta (que incluye la Teoría de la Producción y la Teoría de Costes) vamos a estudiar en detalle cómo las decisiones de los productores individuales determinan las cantidades de los diferentes bienes y servicios que finalmente llegan a los mercados, los factores de los que dependen esas decisiones, y la influencia que éstos tienen sobre los empresarios en el momento de la toma de decisiones. En definitiva se trata de desarrollar una teoría que explique cómo reacciona la oferta o la producción de los bienes y servicios ante las variaciones de la demanda de los consumidores, de la disponibilidad y de los precios de los factores productivos y de la tecnología.

Ya hemos indicado que la Teoría Económica parte del supuesto de que la empresa privada o capitalista tiene como principal objetivo el maximizar sus beneficios. Estos se definen como la diferencia entre los ingresos totales obtenidos por la venta de los bienes y/o servicios producidos y los costes totales incurridos en la elaboración de los mismos. De ahí que hayamos de estudiar los factores que determinan los costes y los ingresos. Como vimos en el Capítulo 10, al estudiar el gasto de los consumidores en un producto en relación con la cantidad comprada concluíamos que aquél dependía de la elasticidad de su curva de demanda. Dado que los gastos de los consumidores constituyen los ingresos de los productores, es evidente que la relación entre los ingresos de la empresa y su nivel de producción depende de la forma (la elasticidad) de la curva de demanda del producto que elabora aquélla.

A su vez los costes de producción dependen, por una parte, de la productividad de los factores en términos de la cantidad de producto obtenida por unidad de cada uno de los factores empleados, y por otra, de los precios de los factores. A su vez la productividad está relacionada con la tecnología que se emplea en la producción, con la combinación de los factores en cuanto a cantidades absolutas y proporciones en que se combinen éstos, y con la calidad de los factores. Vemos, pues, que para determinar los costes hemos de estudiar, por una parte, la relación entre los *inputs* (los distintos factores productivos que se emplean y las cantidades de cada uno de ellos que se utilizan) y los *outputs* (los bienes y/o servicios que la empresa produce o procesa para su venta); y por otra, la relación entre los distintos procesos productivos o métodos de producir una determinada cantidad de un bien y los costes por unidad de producto. De ahí que nosotros empecemos estudiando la producción y todas las cuestiones relacionadas con ella, para pasar después a considerar los costes de la producción.

PRODUCCION Y FACTORES PRODUCTIVOS

Uno de los principales problemas con los que se enfrenta la empresa es el de cómo producir su *output*. En Economía se entiende por producción simplemente la conversión de *inputs* en *outputs*. Es decir, producción es cualquier operación por la que *inputs* de uno o más factores son transformados en *outputs* de uno o más productos o mercancías. La esencia del concepto de producción estriba en la conversión o transformación de uno o más bienes en otros bienes diferentes. Dos bienes son diferentes entre sí cuando no son considerados como completamente intercambiables por todos los consumidores.

En consecuencia, el concepto de producción que se emplea en Economía cubre un ámbito de actividades mucho más amplio que el que incluye el término producción en el lenguaje corriente. Por supuesto, producción es la elaboración o la fabricación de los objetos físicos, pero también lo es la provisión de objetos intangibles o servicios (la enseñanza; los servicios médico-sanitarios; los espectáculos; los servicios de bares, restaurantes, hoteles; etc.). De hecho, los servicios en la actualidad constituyen la mayor parte de la producción total de los países industrializados.

Según las estimaciones del Banco de España publicadas en su *Informe Anual* de 1979, los servicios representaron el 56,3 por 100 del valor de la producción total española (del Producto Interior Bruto al coste de factores, concepto que veremos en la parte de Macroeconomía) en ese año. De esta forma la Teoría Económica moderna, al considerar como producción la prestación de servicios, no distingue entre trabajo productivo (aquel que se utiliza en la fabricación de bienes tangibles) y trabajo improductivo (aquel que se emplea en la prestación de servicios u objetos intangibles). En el sentido económico, el término producción abarca a todas las actividades económicas con la excepción de las actividades de realizar el consumo final de bienes y servicios.

Hemos dicho que dos bienes son distintos cuando no pueden ser considerados como intercambiables desde el punto de vista de los consumidores. Así, un mismo coche Seat tiene una valoración distinta para los consumidores puesto en los almacenes Seat de Barcelona que puesto en el establecimiento de un concesionario en Valencia, ya que el factor localización de los bienes y servicios es relevante para los consumidores. De ahí que los economistas consideren también como parte de la producción el transporte (que afecta al lugar en que se le ofrece el bien al consumidor), el almacenamiento (que afecta al momento en ·el tiempo en el que se pone el bien al alcance del consumidor: en general, no tiene el mismo valor para los consumidores un racimo de uvas en los meses septiembre-octubre, que es la época de recolección de esta fruta, que en la Noche Vieja), y el comercio al por mayor y al por menor (con todas las operaciones y manipulaciones de los productos que aquél lleva consigo, y que afecta tanto a la localización como a la presentación y a la forma de pago de los bienes y servicios).

Como puede verse en cualquier publicación sobre la Contabilidad Nacional, los servicios incluyen el comercio, la hostelería, los transportes, las comunicaciones, los espectáculos, las instituciones financieras (Bancos, Cajas de Ahorro, Sociedades financieras, etc.), los de seguros, los alquileres, la enseñanza, la sanidad, los servicios de las Administraciones Públicas (todos los servicios que presta el Estado a través de sus órganos con la excepción de la enseñanza y la sanidad), y el servicio doméstico.

La producción se puede concebir gráficamente como una maquina de hacer embutidos: por un extremo se introducen factores tales como materias primas y servicios de la mano de obra y del capital, y por el otro extremo salen los productos y/o los servicios que se elaboran. Los materiales y los servicios del trabajo y del capital que se emplean en la producción constituyen los llamados *inputs* (palabra inglesa compuesta de la preposición in y del participio pasado put, que significa literalmente «las cosas que se ponen dentro»). Los objetos físicos o intangibles que surgen por el otro extremo son llamados *outputs* (palabra inglesa igualmente compuesta de la preposición out y del participio pasado put, y que significa «lo que sale»).

Cada uno de los *inputs* que entran en la elaboración de los bienes y servicios puede ser considerado como un factor de la producción. En la producción de cualquier bien entran literalmente cientos de factores productivos. Piénsese, por ejemplo en los factores que se utilizan en la fabricación de un coche: chapa de acero de varios tipos, caucho, tejido, máquinas de varias clases, pintura, bombillas, electricidad, batería, motor, faros,·todas las distintas herramientas y aparatos que utilizan los trabajadores; contables, pintores, vigilantes nocturnos, gerentes, secretarias, máquinas de escribir, teléfonos, etc. Podemos agrupar todos los *inputs* en cuatro grandes categorías:

a)   Todos aquellos factores que son *inputs* de una o unas empresas y *outputs* de otra u otras empresas. En el caso de los fabricantes de coches, éstos utilizan baterías, acero, faros, neumáticos, etc., que ellos emplean como *inputs* y que compran a los fabricantes de éstos (para los que constituyen sus *outputs*).

b)   Todos los factores que provee directamente la naturaleza: tierra, agua, minerales, petróleo, madera, etc.

c)   Todos los servicios humanos, que son provistos por las economías domésticas.

d)   Los servicios que proveen todo tipo de máquinas en la elaboración de bienes y servicios, tanto de consumo como de inversión (los llamados bienes capital o bienes que sirven para producir otros bienes).

El uso de las máquinas es lo que distingue a los métodos modernos de producción de los primitivos. La elaboración de las máquinas exige el uso de recursos productivos, recursos que, en consecuencia, han de ser sustraídos de la producción de bienes y servicios de consumo. Sin embargo, los bienes capital (herramientas, máquinas y todos los demás utensilios hechos por el hombre que no son deseados por sí mismos, sino como instrumentos que sirven de ayuda para producir otros bienes y servicios) son elaborados debido a que potencian enormemente la capacidad de producir bienes y servicios de consumo. La pérdida de recursos que implica su elaboración es más que compensada por el incremento de la capacidad de producir los bienes y servicios de consumo (lo que en último análisis constituye la finalidad última de la actividad económica).

El empleo de los bienes capital hace que los procesos productivos modernos sean indirectos: en lugar de fabricar directamente lo que se desea, lo que se hace es construir primero los bienes capital que se consideran útiles o que van a ser una ayuda para la elaboración de los bienes de consumo, y después producir éstos. De hecho, la mayor parte de la actividad de las economías modernas consiste en la producción de bienes capital y de productos intermedios (que se emplean en la elaboración de los bienes finales de consumo). La actividad de producir los bienes y servicios acabados (los que son consumidos por las economías domésticas: un traje, un kilo de patatas, un coche, un plato en un restaurante, etc.) representa sólo una fracción muy pequeña de la actividad económica total.

A efectos analíticos las cuatro categorías de factores se agrupan en tres: tierra, capital y trabajo. La tierra incluye todos los productos primarios (no elaborados por el hombre), el capital incluye todos los bienes elaborados por el hombre para incrementar la producción, y el trabajo incluye todos los servicios humanos. El primer grupo de factores que señalábamos anteriormente (la categoría a) desaparece, ya que en el último extremo cualquier *output* de una empresa que es *input* de otra ha sido elaborado con el uso de uno o más de los tres factores tierra, capital y trabajo. Los productos intermedios (tales como la batería o los faros de un coche) aparecen sólo porque los estadios de la producción están divididos entre diferentes empresas, lo que hace que en cada estadio unas empresas utilizan como *inputs* bienes producidos por otras empresas.

EFICIENCIA TECNICA Y EFICIENCIA ECONOMICA

Generalmente existe más de un modo o método de producir cualquier bien o servicio. Naturalmente la Economía no estudia en detalle las cuestiones puramente técnicas que se plantean en la elaboración de los productos. No obstante, es evidente que el aspecto técnico de la producción es uno de los elementos importantes que determinan los costes (el otro elemento lo constituyen los precios de los factores). Este aspecto técnico de la producción viene expresado por la relación que existe entre, por una parte, las cantidades de los *inputs* y las proporciones en las que se combinan éstos, y por otra, la cantidad de *output* que se obtiene.

En Economía se utiliza el concepto de proceso productivo. Este se define como la relación o tabla de valores que, para unas proporciones fijas dadas de todos los *inputs* utilizados, expresa los *outputs* asociados (obtenidos) con los distintos niveles de empleo de dicha mezcla de *inputs*. Es decir, un proceso productivo muestra las combinaciones (en proporciones fijas) de los *inputs* necesarios para producir distintos niveles de *output*. El proceso productivo es como una receta culinaria que nos dice las cantidades de ingredientes que hemos de mezclar para obtener una cantidad determinada de un plato concreto. En cualquier sociedad y en un momento histórico determinado existe un número más o menos amplio de procesos productivos conocidos. Este conjunto de procesos productivos constituye la tecnología de una sociedad en un momento concreto.

Supongamos que los procesos conocidos de producir 1.000 unidades de *output* por mes son los que aparecen en la Tabla 19.1. Suponemos además que los cuatro procesos productivos utilizan las mismas cantidades de materias primas para obtener las 1.000 unidades de *output*. Este último supuesto no es demasiado irrealista, ya que lo que se supone es que para elaborar un par de zapatos de una determinada calidad se necesita la misma cantidad de cuero, cualquiera que sea el método de producción que se utilice (bien se fabrique a mano, o se elabore con maquinaria y poca mano de obra). De esta forma se simplifica la cuestión desde el punto de vista analítico.

TABLA 19.1

PROCESOS CONOCIDOS DE PRODUCIR 1.000 UNIDADES DE OUTPUT POR MES

	Unidades de Inputs Necesarias	
	Trabajo	Capital
Proceso A	60	2.000
Proceso B	100	2.500
Proceso C	100	1.500
Proceso D	400	500

Es evidente que a partir de los datos de la Tabla 19.1 puede afirmarse que el proceso *B* es ineficiente frente a los otros tres, ya que utiliza mayor número de unidades de capital y de trabajo que el proceso *A* para producir la misma cantidad de *output*. Un proceso productivo será más eficiente técnicamente que otro cuando con menores cantidades físicas de todos o de algunos de los mismos *inputs*, produce igual o mayor cantidad de un *output* determinado. La eficiencia técnica mide el uso de los *inputs* en términos físicos; es decir, en términos de unidades o fracciones de unidad de *output* por unidad de *input*.

Como hemos señalado, la tecnología disponible para una sociedad en un momento determinado está integrada por todos los procesos productivos conocidos. En Economía se supone que esos procesos productivos están al alcance de todo empresario que quiera utilizarlos; es decir, se supone que la transmisión de la información tecnológica es perfecta, con lo que todas las empresas tienen a su alcance la misma tecnología. Sabemos que ésto no es completamente cierto, ya que las patentes garantizan a los descubridores de nuevos procesos productivos de fabricar un *output* determinado el uso de éstos en exclusiva durante un período de tiempo. No obstante, el supuesto és suficientemente realista, ya que la mayor parte de los procesos tecnológicos están al alcance de todas las empresas.

Evidentemente la tecnología cambia a lo largo del tiempo, y además los avances tecnológicos constituyen uno de los factores más importantes del progreso económico. La tecnología de que dispone una sociedad es acumulativa, ya que aunque continuamente se descubren nuevos procedimientos de fabricar un producto, los antiguos procedimientos siguen siendo conocidos y susceptibles de empleo. Además, el avance de la tecnología en parte depende de factores económicos, tales como los recursos que se destinen a la investigación científica pura, y sobre todo a la investigación aplicada (a la aplicación de los conocimientos científicos a la resolución de problemas técnicos). Por estas razones el cambio en la tecnología es tomado en consideración por las teorías del crecimiento económico a largo plazo. No obstante, el análisis microeconómico generalmente está referido al período de tiempo en el que la tecnología no cambia. Ello constituye sin duda una limitación de la Teoría Económica, ya que en la moderna producción industrial los cambios tecnológicos se producen con cierta rapidez en el tiempo.

Puesto que en el Análisis Económico se parte del supuesto de que los empresarios pretenden maximizar los beneficios, y lógicamente un requisito de esta maximización estriba en la minimización de los costes, entonces se puede suponer que, dada la tecnología disponible en un momento determinado, los empresarios no utilizarán nunca los procesos productivos técnicamente ineficientes. Es obvio que un empresario que desea minimizar los costes no usará un proceso productivo si empleando otro proceso puede obtener la misma cantidad de *output* utilizando menos de uno o varios de los *inputs*.

Pero si bien podemos decir que el proceso *B* de la Tabla 19.1 es técnicamente ineficiente, no es posible afirmar que cualquiera de los otros tres procesos es más eficiente que los dos restantes, ya que cada uno de ellos utiliza distintas cantidades de *inputs*. En consecuencia, hay que concluir que los tres procesos *A*, *C* y *D* son técnicamente eficientes, puesto que ninguno de ellos utiliza cantidades menores de todos los recursos de las que emplean los otros dos. Así, el proceso *C* utiliza más unidades de trabajo que el proceso *A*, pero al mismo tiempo emplea una menor cantidad de unidades de capital.

Ante esta indeterminación o imposibilidad de determinar si un proceso es técnicamente más eficiente que otro, el empresario recurre al criterio de eficiencia económica para poder decidir el proceso productivo que le conviene emplear. Recordemos que el empresario en general pretende maximizar sus beneficios. Dado que el empresario tratará de minimizar los costes (incurrir los menores costes posibles para una cantidad determinada de *output*), la primera condición necesaria para ello estriba en no emplear un proceso productivo técnicamente ineficiente. Eliminados los procesos productivos técnicamente ineficientes, el empresario habrá de elegir uno de entre los varios procesos técnicamente eficientes. Para poder efectuar esta selección, el empresario recurre al criterio de la eficiencia económica de los distintos procesos productivos.

Así como la eficiencia técnica de un proceso productivo hace referencia a la cantidad física de *output* que se obtiene por unidad de *input*, la eficiencia económica de un proceso expresa el valor monetario del *output* obtenido (la cantidad obtenida del *output* vendida a su precio de mercado) en relación con el valor monetario de los *inputs* utilizados. Así, se dice que un proceso productivo es económicamente más eficiente que otro cuando con un menor coste se obtenga un *output* cuyo valor monetario sea igual o mayor que el producido con el primero. La eficiencia económica implica elegir de entre los procesos productivos técnicamente eficientes aquél que dé lugar al coste total más bajo. Es obvio que el coste total en que incurre la empresa al producir una cantidad determinada de *output* está integrado por dos elementos: las unidades utilizadas de cada uno de los *inputs*, y los precios de éstos. La eficiencia técnica mide las unidades empleadas de *inputs* para obtener una cantidad de *output*. La eficiencia económica mide los costes (cantidades de *inputs* utilizadas multiplicadas por los precios de éstos) incurridas por unidad de *output* o por una cantidad determinada de *output*.

Los costes en que incurrirá una empresa que utilice el proceso productivo *A* de la Tabla 19.1 estarán constituidos por el coste de obtener los servicios de 60 unidades de trabajo (por ejemplo, 60 jornadas laborales) más el coste de adquirir los servicios de 2.000 unidades de capital durante el período de tiempo que dure la producción. El precio de capital entendemos que es el tanto por ciento de interés que se paga por el uso de éste. Así, si el tipo de interés que se está pagando en el mercado financiero es del 15 por 100 anual, y si la unidad de capital que aparece en la Tabla 19.1 está constituida por 10.000 pesetas, entonces ello significa que por cada unidad de capital el empresario pagará anualmente 1.500 pesetas (el 15 por 100 de 10.000 pesetas). Suponiendo que la producción de las 1.000 unidades de *output* mencionadas requiera un período de tiempo de seis meses, ello significa que los servicios de una unidad de capital le costarán al empresario 750 pesetas. Este sería el precio del factor capital.

Utilizamos el término factor capital en el doble sentido de recursos financieros y bienes capital: una máquina tiene un valor en pesetas, valor que nosotros fraccionamos en porciones alicúotas a fin de disponer de una unidad de medida de la cantidad de capital que se emplee para producir una cantidad determinada de un *output* a través de un proceso productivo dado. Dicha máquina es adquirida con recursos financieros. Al reducir las diferentes clases de máquinas empleadas en la producción a su valor monetario, se homogeneizan aquéllas convirtiéndolas en un factor productivo homogéneo y fraccionable (el capital), lo que simplifica enormemente el análisis económico de la producción, si bien plantea problemas teóricos graves. Generalmente en la Teoría Económica el capital es tratado como un fondo de valor (una cantidad fraccionable de unidades monetarias, que hacen del capital una variable prácticamente continua) y no como bienes capital concretos y con una realidad física (lo que implica que constituyen una variable discontinua).

La cuestión es demasiado compleja como para tratarla aquí. No obstante, digamos que se han llevado a cabo tres intentos de desarrollar una Teoría de la Producción basada en *inputs* reales (en lugar de utilizar los precios de éstos), y en la que se considera a los bienes capital como una variable discontinua (los realizados por John von Neumann, Wassily Leontief y Piero Sraffa). Estos intentos no han resuelto el problema teórico. La Teoría de la Producción existente sigue siendo insatisfactoria, ya que (al no tomar en cuenta los *inputs* reales y los bienes capital discontinuos, y considerar a éstos como un fondo de capital) no explica cómo son producidos los bienes que se intercambian. La Teoría Económica es más una teoría de los intercambios que una teoría de la producción.

Supongamos que el precio por unidad de trabajo fuera de 3.000 pesetas, y el precio por unidad de capital fuera de 750 pesetas. Los costes en los que incurrirá la empresa al utilizar los procesos productivos A, C o D serán los siguientes:

TABLA 19.2

Proceso A	Proceso C	Proceso D
1.680.000 ptas.	1.425.000	1.575.000

Obviamente los costes totales de cada proceso los hemos obtenido multiplicando la cantidad de unidades utilizadas de cada uno de los factores por su precio y sumando las dos magnitudes resultantes. Así, en el caso del proceso A tenemos gasto en trabajo 180.000 pesetas *(60 × 3.000 = 180.000)*, y gasto en capital 1.500.000 pesetas *(2.000 × 750 = 1.500.000)*.

Aunque desde el punto de vista de la eficiencia técnica no podíamos concluir cuál de los tres procesos es el más eficiente técnicamente hablando, sin embargo, al tomar en consideración los precios de los factores es posible determinar que el proceso C es el más eficiente desde el punto de vista económico, ya que es el que permite obtener 1.000 unidades de *output* con la cantidad menor de costes.

Si los precios de los factores cambiaran y pasaran a ser de 2.000 pesetas por unidad de trabajo y de 900 pesetas por unidad de capital, los costes a que darían lugar los distintos procesos serían los expresados por la Tabla 19.3.

TABLA 19.3

Proceso A	Proceso C	Proceso D
1.920.000	1.550.000	1.250.000

Con los nuevos precios de los factores el proceso más eficiente desde el punto de vista económico es el D. Vemos, pues, que la eficiencia económica hace que la elección del proceso productivo dependa de los precios relativos de los factores (del precio de un factor en términos del precio del otro u otros). Así, cuando el precio del trabajo es de 3.000 pesetas y el del capital de 750 pesetas, una unidad de trabajo equivale en coste a cuatro unidades de capital. Cuando el precio del trabajo baja a 2.000 pesetas y el del capital aumenta a 900 pesetas esta relación cambia: una unidad de trabajo es equivalente en coste a 2,2 unidades de capital. El trabajo, pues, se ha hecho mucho más barato (casi la mitad) en términos de capital. De ahí que sea rentable cambiar de utilizar el método C (que emplea relativamente mucho capital y poco trabajo) a usar el proceso D (que utiliza relativamente mucho trabajo y poco capital).

La conclusión a la que nos lleva este ejemplo numérico estriba en que la producción eficiente requiere que los factores productivos relativamente más caros sean sustituidos (hasta donde técnicamente sea posible) por los factores relativamente más baratos. Esta proposición constituye el llamado principio de la sustitución, que afirma que, dado un conjunto de posibilidades técnicas (dado un conjunto de procesos productivos susceptibles de empleo), las empresas sustituirán los factores más caros por los más baratos en orden a minimizar los costes (alcanzar la máxima eficiencia económica posible).

Los cambios en los precios relativos de los factores dan necesariamente lugar a que los procesos productivos que son eficientes económicamente no sean los mismos en un período de tiempo que en otro. Los métodos de producción tienden a cambiar al variar los precios relativos de los factores, ya que los empresarios tenderán a utilizar los procesos productivos que exigen menores cantidades de los factores más caros y mayores cantidades de los factores más baratos. Como sabemos, en general cuanto más escaso es un factor más elevado será su precio. De ahí que las empresas tenderán a economizar en el uso de los factores que son escasos y a emplear con mayor largueza los factores de los que existe abundancia en la economía. El principio de la sustitución, junto con el supuesto de comportamiento de las empresas de que éstas intentan maximizar los beneficios, permiten derivar la predicción de que los métodos de producción tenderán a cambiar si los precios relativos de los factores varían (se tenderá a emplear métodos que utilicen relativamente mayores cantidades de los factores más baratos y relativamente menos de los más caros). Junto con el avance de la tecnología que ha hecho aumentar la eficiencia técnica, este cambio de los precios relativos de los factores explica en buena medida la adopción de procesos productivos cada vez más mecanizados, automatizados y sofisticados tecnológicamente. Al hacerse relativamente más cara la mano de obra, se ha ido sustituyendo ésta por capital.

Los precios relativos de los factores (condicionados aquéllos por las cantidades disponibles de éstos en la economía) explican en buena medida el que se utilicen distintos métodos de producir los mismos bienes en los diferentes países, y que cada uno de éstos trate de especializarse en la producción de aquellos bienes que puede fabricar a un coste menor que los demás países con la finalidad de exportarlos al resto del mundo e importar con los ingresos obtenidos aquellos productos que le resultan más caros de producir.

Así, en los países más desarrollados en los que existe abundancia relativa de capital y escasez relativa de mano de obra, las empresas tenderán a utilizar métodos altamente mecanizados de producción debido a que los salarios son muy elevados (intentan sustituir trabajo por capital hasta donde sea técnicamente posible). Lo contrario ocurre en los países subdesarrollados. Como regla general, en estos países la mano de obra es abundante (los salarios son bajos) y el capital muy escaso, lo que lleva a que generalmente se utilicen métodos de producción menos mecanizados.

Así pues, cualquier sociedad que desee obtener el máximo rendimiento de sus recursos limitados debe tomar en consideración la escasez o abundancia relativa de cada uno de éstos al decidir los procesos productivos que se han de emplear. En principio las empresas privadas que tratan de maximizar sus beneficios y que actúan en una economía de mercado (sistema de precios) están incentivadas (o constreñidas por la competencia) a adoptar los procesos productivos apropiados a la disponibilidad de factores del país. Las empresas privadas que buscan maximizar los beneficios tratarán de minimizar los costes, y ello les lleva a economizar en el empleo de los factores escasos de la sociedad. Dada una tecnología, los precios relativos de los factores determinan la eficiencia económica.

No obstante, debemos señalar que no se puede concluir de esta argumentación que los procesos productivos seleccionados por las empresas privadas que actúan en una economía de mercado son necesariamente los más adecuados a las disponibilidades de recursos de la sociedad. Las empresas (en su búsqueda de la eficiencia económica) se guían por los precios relativos de los factores, y en ocasiones aquéllos no reflejan adecuadamente la escasez relativa de éstos. Como veremos más adelante, ello puede deberse a varias causas entre los cuales citemos que los costes privados no siempre coinciden con los costes sociales, y que la escasez o abundancia de un factor varía a lo largo del tiempo (el caso de los yacimientos de petróleo y minerales: un factor abundante en un momento puede hacerse escaso en otro).

EL HORIZONTE TEMPORAL DE LAS DECISIONES DE LA EMPRESA

Ya hemos señalado que una de las principales cuestiones con las que se enfrenta la empresa es la de cómo producir su *output*. La eficiencia técnica y la eficiencia económica ofrecen a la empresa unos criterios para la resolución de este problema. Pero el minimizar los costes de producción de una cantidad de *output* es un problema complejo que encierra a su vez gran número de cuestiones, unas refe-

ridas al funcionamiento día a día de la empresa, y otras relacionadas con las expectativas sobre el futuro (en cuanto a la demanda de su *output,* a los precios de sus
factores, a la tecnología, etc.).

Las cuestiones relativas al funcionamiento diario de la empresa son las que
hacen referencia a cómo utilizar de la mejor forma posible la maquinaria, el equipo
y las instalaciones (la planta o plantas de producción) que la empresa ya tiene (la
capacidad productiva que ya tiene instalada) en orden a minimizar los costes y maximizar así los beneficios. Las decisiones que tiene que tomar el empresario en lo
referente a cómo emplear de la mejor manera posible la capacidad productiva ya
existente en la empresa están encaminadas a resolver cuestiones tales como:

a) Si la demanda del bien que produce la empresa (y las ventas) disminuye,
hay que decidir si se mantiene la producción al nivel anterior (y se acumulan existencias) o si ésta se reduce proporcional, más que proporcional o menos que proporcionalmente a la disminución de la demanda. En caso de optar por la reducción de
la producción, habrá que decidir cómo reducirla de la forma menos costosa; si la
empresa tiene varias plantas, tendrá que decidirse si lleva a cabo la reducción cerrando completamente una de las plantas, o si, por el contrario, mantiene todas
las plantas en funcionamiento, pero trabajando menor número de horas por día
o de días por semana, mes o año.

b) Si la demanda del artículo que fabrica la empresa aumenta de forma pronunciada e inesperada, el empresario ha de decidir cómo aumentar la producción
inmediatamente (o en el período más corto posible de tiempo) para hacer frente
a la nueva demanda y no perder la oportunidad de adquirir la nueva clientela.
Dado que ampliar la capacidad productiva instalada (instalar nueva maquinaria,
montar una planta, etc.) lleva tiempo, la empresa tiene que tomar decisiones sobre
cómo servir los nuevos pedidos.

Vemos, pues, que existe un grupo de cuestiones relativas a cómo emplear de
la mejor forma la capacidad productiva que la empresa tiene ya instalada. Estas
cuestiones están referidas a períodos de tiempo demasiado cortos como para que
la empresa pueda construir nuevas plantas o instalar nueva maquinaria. Las decisiones que son tomadas para hacer frente a estas cuestiones pueden ser implementadas con rapidez: contratar nuevos trabajadores, cerrar una planta, hacer funcionar las instalaciones horas extraordinarias, etc.

Otro grupo de cuestiones se le plantean a la empresa cuando ésta toma en
consideración un período de tiempo más largo. Con suficiente tiempo por delante
como para poder cambiar la maquinaria y el equipo que emplea en la producción,
la empresa ha de tomar una serie de decisiones de gran trascendencia para ella.
Así, tendrá que decidir qué proceso productivo utilizar inicialmente de entre los
muchos posibles (con mayor intensidad de capital o con mayor intensidad de mano
de obra), si desea o no cambiar a emplear otro proceso productivo que utilice una
técnica distinta, qué capacidad productiva tendrá la empresa y qué forma tomará
ésta (si una planta grande o dos o más plantas pequeñas), qué diseño dar a la
planta de entre los muchos posibles (uno que reduzca los costes al mínimo cuando
la planta está produciendo a plena capacidad; u otro que trate de hacer la planta
lo más flexible posible, de tal manera que se pueda variar la producción entre unos
márgenes amplios al mismo tiempo que los costes se mantengan dentro de niveles
no demasiado altos), dónde instalarse, etc. Estas son las cuestiones sobre las que
la empresa ha de tomar decisiones cuando diseña e instala por primera vez su capacidad productiva, cuando desea variar ésta, y cuando cambia o reemplaza su maquinaria y equipo. La implementación de tales decisiones exige tiempo.

Un tercer grupo de cuestiones se le presentan a la empresa cuando se toma en consideración un período de tiempo aún más extenso. Los dos grupos de cuestiones mencionados anteriormente implican tomar decisiones sobre alternativas conocidas y posibles (métodos y técnicas de producción dadas). Pero incluso las posibilidades tecnológicas que se le ofrecen a la empresa están sujetas a cambios, y la empresa puede intentar variar la tecnología que emplea a través de destinar recursos a la investigación y al desarrollo de técnicas, productos y factores nuevos. Evidentemente esto sólo lo pueden hacer las grandes empresas con los suficientes recursos como para poder destinar parte de ellos a la investigación, y con un volumen de producción suficientemente grande como para poder explotar los posibles descubrimientos y mejoras en la técnica, los productos y los factores. Los empresarios han de decidir cuántos recursos destinar a la investigación y en qué áreas concentrar ésta según las previsiones de rentabilidad de aquéllas (si se puede prever que en un futuro concreto se producirá una escasez de un factor determinado, será muy rentable disponer de técnicas que reduzcan las exigencias de él o permitan utilizar otro factor sustitutivo).

Vemos, pues, que la empresa ha de tomar decisiones continuamente (unas referidas al presente, otras al futuro próximo, y otras al futuro más distante). En definitiva, y dado que ha de actuar en un mundo lleno de incertidumbre (no dispone de información completa sobre muchas cuestiones y sólo puede adivinar lo que pasará en el futuro), lo que trata de conseguir la empresa al tomar todas estas decisiones, es determinar la forma de aumentar sus probabilidades de que la cantidad o el volumen de *output* que prevé que va a producir en cada momento sea producido al coste más bajo posible.

Esta relación entre la extensión del período de tiempo que se considera en el análisis del comportamiento de la empresa y el tipo de cuestiones y decisiones que se le plantean a ésta han llevado a que en el Análisis Económico se distingan tres períodos de tiempo: el corto plazo, el largo plazo y el muy largo plazo.

En el Análisis Económico los factores productivos son divididos en dos grupos: los factores fijos y los factores variables. Los primeros son aquellos que (una vez instalada una determinada capacidad productiva) se mantienen constantes (la cantidad de ellos que se utiliza no varía) cualquiera que sea el nivel de producción, dentro naturalmente de la capacidad que tiene la planta. Los factores fijos están constituidos principalmente por la maquinaria y equipo y por las instalaciones de todo tipo; pero también pueden ser factores fijos la tierra, el solar, los servicios de dirección que prestan los gerentes, y los servicios de ciertos trabajadores especializados. Así, una fábrica que tenga una capacidad para producir 1.000 pares de zapatos diarios ha de tener una maquinaria y unas instalaciones que no varían, cualquiera que sea el nivel de *output* entre cero y mil pares de zapatos por día. Los demás factores utilizados se denominan variables porque varían con el nivel de producción: las materias primas, la energía y en general la mano de obra aumentan o disminuyen proporcionalmente con la producción y las cantidades de ellos que se utilizan pueden ser variadas con relativa rapidez.

El corto plazo se define como aquel período de tiempo en el cual las decisiones que toma la empresa están limitadas por el hecho de que algunos de los *inputs* que utiliza son fijos (no es posible aumentar la cantidad disponible de los factores fijos). Desde el momento en que una empresa elige una capacidad productiva y la monta (crea una planta con una maquinaria, un equipo y unas instalaciones) se ve limitada por la existencia de estos factores productivos fijos (que ha de pagar los necesite o no, los use o no, y los utilice en mayor o menor medida dentro de su capacidad total), ya que para variar las cantidades disponibles de ellos necesita un cierto tiempo.

Justamente el corto plazo es definido en Economía como el período de tiempo que no es suficientemente largo como para que la empresa pueda cambiar la cantidad disponible de estos factores fijos. De ahí que se considere el corto plazo como el período de tiempo en el que las decisiones de la empresa hacen referencia a las cuestiones relativas a cómo utilizar de la mejor forma posible la capacidad productiva que ya tiene instalada.

El corto plazo no tiene una duración igual para todas las empresas. Al definírsele como el período de tiempo para el cual los *inputs* de algunos factores no pueden ser variados (al menos un factor significativo debe permanecer fijo en cuanto a la cantidad que de él se utiliza), el corto plazo tiene una duración distinta para las diferentes empresas, dependiendo fundamentalmente de la tecnología, del tamaño y de las instalaciones que se emplean. Así, es evidente que el corto plazo será mucho más dilatado para una empresa que produce electricidad con energía atómica que para una empresa que fabrica juguetes. La primera necesita varios años para instalar un nuevo reactor nuclear, mientras que la segunda puede que le sea posible cambiar su capacidad productiva instalada en unos meses (montar nuevas máquinas, ampliar la planta, contratar mano de obra especializada, etc.).

Otros factores pueden también afectar a la duración del corto plazo para cada empresa. Así, si una empresa puede convencer a sus clientes de que esperen un tiempo hasta que les sirva sus pedidos, entonces esta empresa no tendrá que producir bajo las condiciones del corto plazo (es como si se le diera tiempo para aumentar su capacidad productiva instalada). Del mismo modo, la rapidez en la entrega del nuevo equipo que la empresa desea instalar puede verse influenciada por el precio que ésta esté dispuesta a pagar al proveedor. En cualquier caso, la esencia del concepto de corto plazo estriba en que, ante un cambio en la demanda (un aumento o una disminución), la empresa ha de hacer frente a éste con la capacidad productiva que tiene ya instalada (el stock de bienes capital de que dispone), debido a que los *inputs* de uno o varios factores no pueden ser variados con rapidez.

El largo plazo se define como aquel período de tiempo lo suficientemente largo como para que la empresa pueda variar los *inputs* de todos los factores que utiliza, pero no lo suficientemente largo como para que la tecnología básica de que dispone cambie. Naturalmente tampoco este período tiene una duración igual para todas las industrias. En 1981 el largo plazo es más reducido para la industria de la electricidad que para la siderúrgica.

La importancia del concepto de largo plazo es grande en la Teoría de la Producción, debido a que en él se agrupan las decisiones más trascendentales que han de tomar las empresas. Estas son las decisiones con las que ha de enfrentarse cuando está planeando entrar en una industria, expandir sustancialmente su capacidad productiva, entrar en la fabricación de nuevos productos o en nuevas áreas de producción, o modernizar, sustituir o reorganizar su método de producción.

En el largo plazo se incluyen todas las decisiones relativas a la selección de la nueva planta y equipo y de los procesos de producción, dadas unas posibilidades tecnológicas conocidas. Las decisiones sobre la planificación de las actividades de la empresa normalmente son tomadas dentro de unas posibilidades tecnológicas dadas, pero con la libertad de elegir entre distintos procesos productivos que implican diferentes combinaciones de todos los factores. Una vez que implementa estas decisiones (construye una planta, compra una maquinaria y la instala, etc.), la empresa se encuentra con unos factores fijos, y, en consecuencia, las decisiones que toma están limitadas por aquéllos (ya que la empresa se halla en el corto plazo).

Finalmente, el muy largo plazo se refiere a las situaciones en las que las posibilidades tecnológicas que se le presentan a la empresa están sujetas a cambio. La tecnología cambia a lo largo del tiempo, con mayor o menor rapidez en unas industrias que en otras. El avance de la tecnología lleva a que se descubran: nuevos productos y/o se mejoren los ya conocidos, nuevos factores y/o se mejoren los ya existentes y nuevos métodos de producción y/o se mejoren los ya disponibles. Este avance de la tecnología depende en buena medida de las decisiones que tomen las empresas en cuanto a los recursos que destinan a la invención de nuevas técnicas.

Los tres períodos de tiempo son un ejemplo más de construcciones teóricas, construcciones que hacen abstracción de la complicada realidad en la que las empresas toman las decisiones, y que se centran en el elemento crucial que limita o restringe la gama de posibilidades que se ofrecen a aquéllas en cada conjunto de decisiones. Con esta división de las decisiones y actuaciones de la empresa se pretende encontrar el factor común a todas y cada una de las decisiones que integran cada grupo de ellas, bajo el supuesto naturalmente de que ese elemento limitativo común es lo suficientemente importante como para afectar significativamente al comportamiento de la empresa. Se trata de construir una teoría que explique y permita predecir las elecciones que realiza la empresa en las distintas situaciones de la vida real en las que se encuentre o pueda encontrarse. Para ello se seleccionan aquellos factores que se consideran más importantes en la determinación del comportamiento de la empresa. La distinción entre los tres períodos de tiempo y sus implicaciones se entiende que es significativa a efectos de explicar ese comportamiento.

BIBLIOGRAFIA SELECCIONADA

Samuelson, P.: *Curso de Economía Moderna,* op. cit., Cap. 23.

Lipsey, R.: *Introducción a la Economía Positiva,* op. cit., Cap. 18, págs. 239-249.

Dorfman, R.: *El Sistema de Precios,* Unión Tipográfica Editorial Hispano-Americana, México, 1966, Cap. II

Friedman, M.: *Teoría de los Precios,* Alianza Editorial, Madrid, 1966, Cap. 5.

Lancaster, K.: *Introducción a la Microeconomía Moderna,* Bosch, Casa Editorial, Barcelona, 1971, Cap. 4.

Clower, R., y Due, J. F.: *Microeconomía,* op. cit., Cap. 6.

CAPITULO 20

LA TEORIA DE LA PRODUCCION (II)

LA FUNCION DE PRODUCCION

La tecnología disponible en una economía en un momento concreto determina la cantidad máxima de *output* que se puede obtener con una combinación dada de *inputs*. A esta relación funcional que existe entre los *inputs* empleados y el *output* obtenido se la conoce en Economía como la función de producción. Esta función de producción muestra la relación física existente entre el *input* de recursos utilizados y el *output* de bienes y/o servicios conseguidos. Se la puede concebir como una tabla de valores que asocia a cada combinación de *inputs* la cantidad máxima de *output* que puede obtener la empresa con dicha combinación de *inputs*.

Formalmente la función de producción toma la forma siguiente:

$$X = F (I, J, K, ...)$$

donde X es la cantidad máxima del bien x que la empresa puede obtener si emplea exactamente I unidades de factor i, J unidades del factor j, K unidades del factor k, etc.

La existencia de esta función de producción presupone que la empresa ha considerado las distintas formas alternativas que se le ofrecen de combinar los *inputs* I, J, K, etc., para producir la cantidad X de *output* empleando los diferentes procesos tecnológicos que tiene a su alcance para la fabricación del *output* deseado. En consecuencia, al utilizar el término *output* máximo se está suponiendo (como afirmamos anteriormente) que la empresa no empleará los procesos productivos ineficientes, y que una descripción de la tecnología de la empresa equivale a una descripción de las propiedades de la función de producción de ésta.

Tres son los aspectos principales de la función de producción que le interesan al economista: los rendimientos de escala, los rendimientos de la sustitución de unos factores por otros en los procesos productivos y los rendimientos de un *input* variable. Se trata de ver qué ocurre con el *output* cuando se aumentan todos los *inputs* en la misma proporción (se varían las cantidades absolutas de todos los factores, pero se mantienen constantes las proporciones en las que se combinan éstos), cuando se sustituyen unos factores por otros (se cambian tanto las cantidades absolutas como las proporciones), y cuando se mantienen uno o más factores constantes y se varían las cantidades utilizadas del resto de los factores.

Evidentemente los tres aspectos de la función de producción mencionados tienen una relación con los períodos temporales que hemos descrito. Una función de producción concreta presupone la existencia de una tecnología dada (entendiendo por tecnología el conjunto de procesos productivos posibles de utilizar en cada momento histórico). En consecuencia, en el muy largo plazo, al variar la tecnología, la función de producción cambia, ya que las mismas cantidades de *inputs* producen diferentes cantidades de *output*. Así pues, en el muy largo plazo existirán varias funciones de producción, una para cada nivel tecnológico.

En el largo plazo la función de producción es única: al poder variarse todos los factores productivos y permanecer constante la tecnología, existe una sola función de producción, función que expresa el conjunto completo de posibles alternativas de que dispone la empresa (muestra lo máximo que cada conjunto de *inputs* produce en términos de *output*). Como veremos al hablar de la curva de costes a largo plazo, la función de producción a largo plazo no corresponde a ninguna planta en concreto, sino al conjunto de plantas y procesos productivos posibles de utilizar dentro de una tecnología dada y empleándose sólo los procesos productivos eficientes. Puede que al lector le resulte difícil comprender el concepto de función de producción a largo plazo. Esta expresa la cantidad máxima de *output* que es factible obtener con cada combinación posible de los factores (cambiando tanto el proceso productivo que se utiliza como el nivel al que emplea éste).

Si, como ocurre a largo plazo, la empresa no ve limitadas sus opciones por la existencia de unos factores fijos, entonces es posible cambiar las cantidades utilizadas de los factores (manteniendo constantes las proporciones en las que se combinan), o variar las cantidades absolutas y las proporciones empleadas de éstos. La cuestión que se plantea es la de determinar si estas dos variaciones tienen algún efecto sobre la cantidad máxima de *output* que se puede obtener con unas cantidades dadas de *inputs*. Los efectos de la variación de las cantidades absolutas de los factores (manteniendo las proporciones constantes) sobre el *output* máximo obtenido son conocidos como los rendimientos de escala. Los efectos que sobre el *output* máximo puede tener una variación, tanto de las cantidades como de las proporciones en las que se utilizan los factores son conocidos como los rendimientos de la sustitución de unos factores por otros. Los rendimientos de escala y los rendimientos de la sustitución son, pues, fenómenos que sólo se dan en el largo plazo, y que la función de producción a largo plazo describe.

Los Rendimientos de Escala

Veamos los rendimientos de escala. Supongamos que es posible producir la cantidad Y^* de un *output* concreto utilizando cantidades determinadas de un conjunto de inputs Z_1^*, Z_2^*, ..., Z_m^*. El asterisco simplemente denota que las cantidades de los factores *1, 2, ...* hasta *m* están especificadas (son conocidos sus valores). En este caso la función de producción sería:

$$Y^* = F(Z_1^*, Z_2^*, ..., Z_m^*)$$

Naturalmente esta función de producción correspondería a una planta concreta (con un tamaño dado) capaz de producir Y^* de *output* por período de tiempo. Si la empresa cambiara todos los *inputs* (cosa que puede hacer por tratarse del largo plazo) en una cantidad fija igual (los doblara, los triplicara o los redujera a la mitad), se podría esperar que el *output* variara en alguna magnitud. Llamémosle α a la magnitud en que se varían los factores (2 si se doblan, 3 si se triplican, y 0,5 si se reducen a la mitad), y β a la magnitud en que varía el *output* Formalmente:

$$\beta Y = F(\alpha Z_1, \alpha Z_2, ..., \alpha Z_m)$$

Si $\beta > \alpha$ tendríamos rendimientos crecientes de escala (al aumentar todos los *inputs* en una magnitud igual, el *output* se incrementa en una proporción mayor: si se doblan todos los *inputs*, el *output* se triplica); si $\beta = \alpha$ tendríamos rendimientos constantes de escala (los *inputs* y el *output* varían en la misma proporción: si se triplican las cantidades empleadas de todos los factores, el *output* se triplica igualmente); y finalmente si $\beta < \alpha$ tendríamos rendimientos decrecientes de escala (el *output* aumenta en menor proporción que los *inputs*: si los *inputs* se multiplican por 2, el *output* sólo lo hace por 1,5).

Al definir los rendimientos crecientes, constantes y decrecientes de escala no hemos hecho más que detallar las tres posibilidades lógicas que pueden darse. Para explicar la realidad (el comportamiento del *output* al variar todos los *inputs* en una magnitud igual cada uno de éstos) se han formulado dos hipótesis sobre ese comportamiento del *output*, o, lo que es lo mismo, sobre la relación física entre los *inputs* y el *output*.

La primera de las dos hipótesis es la llamada hipótesis de la réplica, que afirma que si se pueden variar todos los factores susceptibles de identificar que intervienen en la producción de un *output*, entonces siempre será posible aumentar éste en una magnitud (doblarlo, triplicarlo o aumentarlo diez veces) incrementando la cantidad de cada *input* en la misma magnitud que el *output* (dos, tres o diez veces). En principio, si una planta con una capacidad determinada puede producir 1.000 pares de zapatos diarios, debe ser posible que montando otra planta de igual tamaño que la primera, se obtenga un *output* de 2.000 pares diarios. En un mundo de vacas idénticas unas a otras y de pienso idéntico, en principio no existe ninguna razón que impida que si con una vaca y una cantidad de pienso obtenemos una ternera por año, con dos vacas y el doble de pienso obtengamos dos terneras igualmente por año. Como hemos señalado, en el largo plazo esto es posible, ya que éste se define como aquel período de tiempo en el que la empresa puede identificar y cambiar todos los factores que afectan al *output*.

Se ha mantenido en ocasiones que la hipótesis de la réplica puede no cumplirse, argumentándose que al aumentar la escala de la producción los problemas y complejidades de la gerencia o gestión de la empresa se incrementan más que proporcionalmente, y, en consecuencia, el *output* aumenta menos que proporcionalmente al incremento de los *inputs*. La causa que se aduce estriba en que los problemas relacionados con la gestión de una empresa y de una planta aumentan más que proporcionalmente al incremento de éstas. Incluso puede que una empresa con cinco plantas exactamente iguales a la única planta que posee otra empresa, produzca menos de cinco veces el *output* de la segunda, y ello por la misma razón.

Esta argumentación es errónea, ya que, aunque obviamente puede ocurrir que una empresa con cinco plantas produzca menos de cinco veces el *output* de otra empresa que sólo tiene una planta, no existe ninguna razón por la que ello haya de ser así. Más bien al contrario; si creamos cinco plantas exactamente iguales (tamaño, tecnología, y factores de todo tipo) que la de la empresa que sólo tiene una, y ponemos un director al frente de cada una de ellas con igual capacidad de gestión que el que dirige ésta, entonces lo que puede esperarse es que el *output* sea cinco veces el de la empresa con una sola planta. Operando cada una de las cinco plantas independientemente de las demás, la mayor complejidad de la gerencia evidentemente desaparecerá, lo que nos permite concluir que esto es lo que hará toda empresa que busque maximizar los beneficios (minimizar los costes). La réplica es una posibilidad que siempre tiene la empresa a su alcance. Para que esta réplica no le fuera posible a la empresa alguno de los factores tendría que ser fijo, especialmente los gerentes o la mano de obra de una determinada calidad, lo que implica un supuesto restrictivo que contradice la definición de largo plazo.

Siempre que todos los factores puedan variarse (condición del largo plazo) y que los nuevos factores que se adquieran sean de la misma calidad que los primeros, la réplica ha de ser factible. De la hipótesis de la réplica se deduce que nunca se darán rendimientos decrecientes de escala, ya que la réplica permite siempre obtener como mínimo rendimientos constantes de escala.

Excluidos los rendimientos decrecientes de escala (es imaginable que puedan darse por mala gestión u organización, pero la empresa maximizadora de los beneficios sabrá que puede eliminarlos y los eliminará), la cuestión siguiente que se plantea es la de si pueden o no darse rendimientos crecientes de escala. Ello depende de si los factores productivos son o no perfectamente divisibles. La hipótesis de la divisibilidad perfecta de los factores afirma que si todos los factores pueden ser variados, entonces será siempre posible disminuir el *output* en una proporción (en un 10 por 100, en un 20 por 100, en un 60 por 100, etc.) por medio de disminuir cada uno de los *inputs* en la misma proporción o porcentaje.

Esta hipótesis evidentemente puede ser sometida a contrastación empírica. No obstante, podemos afirmar que en muchos casos esta hipótesis no se cumple. Media vaca no produce media ternera, ni medio tractor realiza la mitad de la labor que efectúa uno entero. Pero además en la mayor parte de las actividades productivas existe un nivel mínimo respecto de la cantidad de los factores que se emplean que es necesario para que ciertos factores sean utilizados de una forma eficiente. Ese nivel mínimo varía de unas actividades a otras y es muy importante, ya que permite definir la escala mínima eficiente a la que ha de funcionar cada proceso productivo. A una escala inferior a la mínima, las reducciones proporcionales en las cantidades de los factores llevarán a disminuciones más que proporcionales en el *output*.

Vemos, pues, que la divisibilidad perfecta tiene un límite determinado por la escala mínima eficiente (escala mínima que es distinta para un tractor, para un telar, para un ordenador electrónico, para un alto horno, para un avión, o para una línea de montaje de coches). Esa escala mínima eficiente se debe a dos causas: una estriba en las características físicas de los factores (media gallina no pone medio huevo), y la otra reside en que, para poder utilizar otros factores especializados, es necesario alcanzar un volumen de producción suficientemente grande. Estas dos son las causas de la divisibilidad imperfecta de los factores.

Las características físicas de los factores como limitación de la divisibilidad de éstos está clara y no exige más explicación. El volumen de *output* mínimo necesario como para hacer rentable el uso de factores especializados (la escala mínima eficiente) es la principal fuente de la divisibilidad imperfecta de los factores. Por ejemplo, al fabricar un coche un hombre podría realizar todas las tareas u operaciones del montaje de aquél en la línea de ensamblaje. De acuerdo con la hipótesis de la réplica, 100 hombres podrían construir 100 coches en el mismo tiempo que el primero, realizando cada uno de ellos todas las operaciones. Pero seguramente 100 hombres especializados cada uno en una de las operaciones del montaje podrían construir 100 coches en un tiempo más corto del que tardaría un hombre en montar un coche realizando éste todas las operaciones.

El problema estriba en que no es posible contratar 100 especialistas para construir un solo coche, ya que las operaciones que cada uno tendría que realizar no le llevarían más que unos minutos, y no es factible (en general) contratar los servicios de un especialista en montaje de coches por sólo unos pocos minutos. De ahí que no se pueda duplicar un proceso productivo eficiente más que cuando la tasa de producción (el volumen de producción por período de tiempo) sea lo suficientemente grande como para que esos 100 especialistas puedan trabajar un tiempo mínimo en una parte muy especializada del proceso completo.

De aquí podemos concluir que la divisibilidad imperfecta de los factores (debida principalmente a la especialización en el uso de éstos) es la causa de los rendimientos crecientes de escala. Tanto la hipótesis de la réplica como la de la divisibilidad perfecta de los factores llevarían necesariamente a los rendimientos constantes de escala y a la imposibilidad de que se dieran los rendimientos crecientes de escala. Cuando se considera un solo proceso productivo generalmente se encuentra que es necesario alcanzar un nivel de producción mínimo para conseguir un uso eficiente del proceso en cuestión. Ello se debe a las indivisibilidades de los factores. Generalmente no es posible contratar los servicios de un especialista por cinco minutos, como tampoco lo es el construir una cadena de montaje de coches para ensamblar un solo coche y que sea proporcionalmente más pequeña que otra con capacidad para ensamblar, por ejemplo, 500.000 coches por período de tiempo.

Los Rendimientos de la Sustitución de unos Factores por otros

Decíamos que la segunda fuente de posibles cambios en la relación física entre los *inputs* y el *output* en el largo plazo la constituyen los llamados rendimientos de la sustitución de unos factores por otros. Puede ocurrir que al cambiar simultáneamente las cantidades absolutas de los factores y las proporciones en las que se combinan éstos se obtengan rendimientos sustanciales de sustitución de unos factores por otros. Es decir, se mejore el rendimiento en *output* por unidad de *input*.

La causa de esta mejora estriba una vez más en las diferencias en las escalas mínimas eficientes que se dan entre procesos productivos. Al hablar de un mayor rendimiento en términos de *output* por unidad de *input* estamos diciendo que la sustitución de unos factores por otros da lugar a una mejora en la eficiencia técnica (como ocurre con los rendimientos de escala). Esta mejora en términos físicos es más difícil de determinar y medir que en el caso de los rendimientos de escala, debido a que se cambian las proporciones en las que se combinan los factores, lo que dificulta el poder comparar un proceso productivo con otro desde el punto de vista de la eficiencia técnica. Mucho más fácil es la constatación de los rendimientos crecientes de la sustitución de unos factores en términos de eficiencia económica, ya que estos rendimientos se manifestarán en un coste más bajo por unidad de *output*. Esto lo veremos en los Capítulos sobre costes.

No obstante, intentemos comprender los rendimientos de la sustitución con un ejemplo. Un empresario desea producir un par de pantalones vaqueros por día. Esto puede hacerlo contratando una mujer con una aguja e hilo durante una jornada de trabajo. Si desea aumentar su *output* a tres pares de pantalones sólo tiene que contratar tres mujeres, cada una equipada con aguja e hilo. Hasta aquí el empresario ha aplicado la hipótesis de la réplica y ha obtenido rendimientos constantes de escala (ha mantenido constantes las proporciones en las que combina los factores aumentando sólo las cantidades).

Al desear producir cuatro pares de pantalones por día es muy posible que el empresario encuentre rentable comprar una máquina de coser, que supongamos le permite confeccionar los cuatro pares contratando a una mujer por cuatro horas. El empresario habrá cambiado el proceso productivo (las proporciones en los que combina los factores —ahora utiliza más capital y menos mano de obra— y la tecnología) y ha sustituido mano de obra por capital, lo que le ha llevado a obtener rendimientos crecientes de la sustitución del factor trabajo por el factor capital.

Si el empresario deseara aumentar la producción hasta ocho pares de pantalones por día sólo tendrá que incrementar el número de horas de trabajo de la única mujer que emplea hasta ocho horas, sin necesidad de comprar una segunda máquina de coser. La indivisibilidad de la máquina de coser (que tiene una determinada capacidad para poder confeccionar con ella un pantalón por hora y que tiene un período de vida) hace que el empresario obtenga costes decrecientes por pantalón al aumentar el *output* de cuatro a ocho pares, ya que para ello sólo tiene que incrementar el número de horas de trabajo de la mano de obra.

El empresario podrá aumentar la producción de pantalones a 16, 24 ó 32 pares por día simplemente comprando una máquina de coser más por cada ocho pares, y empleando una mujer con cada máquina durante ocho horas diarias. De esta forma el empresario obtendrá de nuevo rendimientos constantes de escala por la hipótesis de la réplica. Puede que al desear producir 100 pares de pantalones diarios encuentre rentable montar una fábrica con maquinaria para realizar todas las operaciones, aunque sólo la utilice a un 65 por 100 de su capacidad. Una vez más, habrá cambiado las proporciones en las que combina los factores y habrá obtenido rendimientos crecientes de la sustitución de trabajo por capital. Si ahora su demanda continuara aumentando, el empresario podrá incrementar su producción por día hasta alcanzar la utilización de la fábrica al 100 por 100 de su capacidad, con lo que obtendría costes decrecientes por par de pantalones. Si todavía su demanda siguiera aumentando podría incrementar su *output* construyendo otra fábrica exactamente igual que la primera, con lo que volvería a obtener rendimientos constantes de escala.

Con este ejemplo vemos, pues, que la obtención de rendimientos crecientes por la sustitución de unos factores por otros es posible cuando el volumen de *output* permite el uso de maquinaria y equipo especializado. Este volumen mínimo eficiente de producción se determina a través de los costes por unidad de *output*. Dado el precio de una determinada maquinaria y equipo y la cantidad de cada uno de los demás *inputs* necesarios para obtener una unidad de *output,* es posible determinar a partir de qué volumen de producción será rentable instalar la maquinaria y el equipo en cuestión. Este volumen será aquel en el que el coste total por unidad de *output* empiece a ser más bajo que el coste por unidad de *output* que se obtenga con el proceso productivo alternativo más eficiente. Al ser indivisible la maquinaria y el equipo, el coste total correspondiente a éstos es constante cualquiera que sea el volumen de producción dentro de su capacidad. De ahí que al aumentar la producción hasta la plena utilización normal de la planta, el coste por unidad de *output* correspondiente a la maquinaria y al equipo disminuirá (al dividirse una magnitud constante por un número cada vez mayor de unidades producidas).

La sustitución generalmente implica reemplazar trabajo por capital y máquinas simples por máquinas complejas. Ello es lógico, ya que los avances tecnológicos se plasman en nuevas máquinas y utensilios. Además, y desde el punto de vista de la eficiencia económica, el trabajo se va encareciendo en términos relativos frente al capital. La automatización es el resultado más obvio de la sustitución de unos factores por otros (trabajo por capital).

Concluyendo, pues, los rendimientos crecientes de la sustitución de unos factores por otros se dan como consecuencia de que los distintos procesos productivos tienen escalas eficientes mínimas de utilización a diferentes niveles de *output*. Si todos los procesos productivos presentaran una divisibilidad perfecta de todos los factores, no se podrían dar ni los rendimientos crecientes de escala ni los rendimientas crecientes de la sustitución de unos factores por otros. La divisibilidad perfecta de los factores llevaría necesariamente a rendimientos constantes de escala y de sustitución. Los rendimientos decrecientes de sustitución no se darán, ya que la empresa siempre puede obtener rendimientos constantes a través de la réplica. A largo plazo la sustitución de unos factores por otros no es nunca necesaria (la empresa siempre se puede expandir a través de la réplica), y sólo se utilizará si se espera de ella una mayor eficiencia técnico-económica.

El concepto de escala mínima eficiente de una planta combina los efectos de los rendimientos crecientes de escala y de sustitución. Esta escala mínima eficiente varía de unas industrias a otras y determina los rendimientos de escala y de sustitución. Algunos estudios empíricos muestran que las economías de escala (en las que agrupamos los rendimientos crecientes de escala y de sustitución) son muy importantes (cuantiosas) en las industrias del automóvil y de las máquinas de escribir; moderadamente importantes en las industrias de la maquinaria agrícola, del cemento, del acero y del rayón; y poco importantes en las industrias del jabón, del calzado, del tabaco, del refinado de petróleo, de la harina, de los licores y de la conserva de frutas y verduras.

Las economías de escala tienen una enorme importancia, ya que inciden directamente sobre el comportamiento de los costes al variar el *output*. A su vez el comportamiento de los costes tiene una gran influencia sobre cuestiones importantes como la facilidad o dificultad con que nuevas empresas pueden entrar en una industria, la existencia o no de una tendencia a la monopolización en una industria, y la facilidad y rapidez con que la oferta se adapta a los cambios en la demanda.

Si en una industria existen economías de escala importantes, se puede esperar que les resulte difícil a nuevas empresas instalarse en ella, ya que éstas habrán de iniciar su actividad con un volumen de producción que, para que sea mínimamente eficiente, ha de tener una magnitud elevada. Dado que no tienen una clientela ya creada, ello supone correr un riesgo grande. Del mismo modo, si en una industria se pueden obtener importantes economías de escala, la posibilidad de que una empresa llegue a monopolizar la industria es grande. La empresa o las empresas que puedan reunir el capital y disponer de la tecnología (y estén dispuestas a asumir el riesgo) necesarios para crear la planta con el tamaño requerido para obtener las economías de escala, desbancarán del mercado a las empresas que no lo hagan (las primeras podrán vender sus productos a precios mucho más bajos que las segundas).

Asimismo, si existen economías de escala en una industria, generalmente la oferta responderá con mayor rapidez ante variaciones en la demanda, en el caso de aumentos de ésta y siempre que las empresas estén produciendo por debajo de su capacidad. Por el contrario, la oferta se ajustará con menor rapidez a los cambios de la demanda en las industrias en las que se dan economías de escala sustanciales que en las que no existen éstas en dos casos:

a) Cuando la demanda disminuye y es necesario reducir la producción. En la actualidad Seat está aumentando su stock de coches (con el consiguiente coste financiero), debido a que le resulta muy costoso reducir la producción al nivel que ha caído su demanda, precisamente debido a ese nivel mínimo eficiente de *output* que requiere el empleo de determinada maquinaria y equipo.

b) Cuando la demanda aumenta y las empresas están ya produciendo a plena capacidad. Duplicar los procesos productivos es muy costoso en las industrias con importantes economías de escala, ya que la nueva planta ha de tener como mínimo el mismo tamaño que la anterior (por las razones ya señaladas de indivisibilidad de los factores y escala mínima eficiente para utilizar maquinaria grande y especializada). La instalación de la segunda planta lleva tiempo y es arriesgada debido a que muy posiblemente la demanda no habrá aumentado al doble.

Los Rendimientos de un Factor Variable: La Ley de la Productividad Marginal Decreciente

Hemos señalado que los rendimientos de escala y los rendimientos de sustitución de unos factores por otros son aspectos de la función de producción referidos al largo plazo, en el que la empresa puede variar, tanto las cantidades absolutas como las proporciones en las que combina los factores.

En el corto plazo, sin embargo, la empresa se encuentra con que algunos de los factores son fijos, por lo que las opciones que se le ofrecen (en la combinación de los factores) son mucho más limitadas que en el largo plazo. A la empresa le interesa, en consecuencia, conocer la relación que existe entre los *inputs* cuyas cantidades puede variar y su *output*. Ya que en el corto plazo no le es posible cambiar la cantidad que usa de algunos de los factores (los factores fijos), para la empresa es importante saber cómo varía el *output* al variar las cantidades que emplea del factor o factores variables.

La forma en que a corto plazo varía la producción al cambiar las cantidades utilizadas del factor variable depende de la cantidad y calidad de los factores que se mantienen constantes. Es evidente que la relación entre el *output* y las cantidades de trabajo y de materias primas empleadas será diferente en el caso de que se utilice una maquinaria muy moderna y tecnológicamente sofisticada que cuando se usa una maquinaria anticuada.

En consecuencia, para cada empresa existe un número prácticamente infinito de funciones de producción a corto plazo, todas ellas derivadas de una función de producción a largo plazo que es única. Supongamos la función de producción a largo plazo siguiente:

$$Q = F(X_1, ..., X_i, ..., X_n)$$

donde Q es la cantidad de *output*, y X_1 hasta X_n son los n factores que se emplean en la producción. A partir de esta función de producción a largo plazo podemos definir familias de funciones de producción a corto plazo de la siguiente forma. Supongamos que la cantidad Q de *outuput* se obtiene sólo con los factores X_1 y X_2

$$Q = F(X_1, X_2)$$

Podemos definir una familia de funciones de producción en el corto plazo manteniendo constante el factor X_2 y variando el factor X_1. Formalmente esto lo expresamos así:

$$Q = F(X_1) \qquad\qquad X_2 = X_2^0$$

donde X_2^0 indica que el factor X_2 es mantenido constantemente a un nivel determinado, mientras que se varía la cantidad de X_1 que se emplea. F nos da la relación funcional que existe entre el output obtenido y las distintas cantidades del factor X_1 que se utilizan, manteniendo la cantidad de X_2 constante a un nivel concreto. Pero obviamente el factor X_2 lo podemos mantener constante a muy diversos niveles (cantidades). Cada nivel al que se mantenga constante X_2 (variando X_1) da lugar a una función de producción concreta. De ahí que digamos que

$$Q = F(X_1) \qquad\qquad X_2 = X_2^0$$

define una familia de funciones de producción a corto plazo, familia que estará integrada por todas las funciones de producción concretas que pueden obtenerse, una para cada nivel al que se mantenga X_2 constante.

Del mismo modo, podemos obtener una segunda familia de funciones de producción a corto plazo manteniendo constante X_1 y variando X_2:

$$Q = F(X_2) \qquad\qquad X_1 = X_1^0$$

familia que a su vez está integrada por un gran número de funciones de producción concreta, una para cada nivel al que se mantenga constante X_1.

Generalizando, si tenemos que:

$$Q = F(X_1, ..., X_i, ..., X_n)$$

podemos definir los distintos grupos o familias de funciones de producción a corto plazo de la siguiente forma:

$$Q = F(X_1, ..., X_i)$$

$$X_{i+1} = X_{i+1}^0$$

$$\vdots$$

$$X_n = X_n^0$$

Dándole valores a *i* de *1* a *n — 1,* definimos muchos grupos o familias de funciones de producción a corto plazo. Es decir, se obtendrán familias de funciones de producción, una para cada combinación en la que se mantengan unos factores fijos y se varíen otros. Así, una familia la obtendríamos manteniendo todos los factores fijos menos uno y variando éste. Otra familia la obtenemos manteniendo fijos todos los factores menos dos, y variando estos dos. Y así sucesivamente hasta mantener fijo un solo factor y variar todos los demás. A su vez, cada grupo o familia tiene un número infinito de funciones de producción concretas, una para cada nivel al que se le den valores a los factores fijos que entren en ella. Cada función de producción a corto plazo muestra la forma en la que varía el *output* al cambiar las cantidades que se utilizan de los factores variables, dado un conjunto concreto de factores fijos. Si *i = n* (si no se mantiene fijo ninguno de los factores), entonces tenemos la función de producción a largo plazo, que es única, y que ya hemos definido.

Ya hemos señalado que cada función de producción a corto plazo implica necesariamente la existencia de uno o más factores que permanecen fijos y otro u otros que son variados. En realidad la empresa opera en cada momento con una función de producción concreta (una de las funciones de alguna de las familias): tiene una maquinaria y un equipo que no puede variar en el corto plazo (tiene una capacidad productiva instalada), y emplea una mano de obra y unas materias primas que puede cambiar. Los llamados rendimientos de un factor variable hacen referencia a los efectos que tiene sobre el *output* el cambiar la cantidad que se utiliza de un *input,* manteniendo constantes los demás *inputs.*

TABLA 20.1

Función de Producción F(L, K)

L \ K	1	2	3	4
1	100	125	135	140
2	170	200	220	235
3	220	265	300	320
4	250	310	365	400

Supongamos una función de producción cuyos datos son los mostrados en la Tabla 20.1. En este proceso productivo sólo se utilizan trabajo *(L)* y capital *(K).* Las unidades de capital empleadas aparecen en la primera fila, y las unidades de trabajo aparecen en la primera columna desde la izquierda. Como puede verse, se utilizan hasta cuatro unidades de cada uno de los dos *inputs.*

Cada combinación de unidades de capital y trabajo da lugar a una cantidad de *output.* Así, una unidad de trabajo y una unidad de capital producen 100 unidades de *output;* dos unidades de trabajo y tres de capital dan 220 unidades de *output;* etcétera.

La función de producción que hemos diseñado muestra rendimientos constantes de escala: la combinación de una unidad de capital y otra de trabajo produce 100 unidades de *output;* la combinación de dos unidades de capital y otras dos de trabajo da 200 unidades de *output;* la combinación de tres unidades de capital y otras tres de trabajo rinde 300 unidades de *output;* etc. Es decir, al aumentar los dos factores en la misma cuantía, el *output* se incrementa en la misma proporción que aquéllos.

Definimos el producto marginal de un factor variable como el aumento que se da en el *output* al aumentar dicho factor en una unidad, manteniendo los demás factores constantes a un nivel determinado. Así, en el ejemplo de la Tabla 20.1, el producto marginal del trabajo se define:

$$PMa_L = \frac{cambio\ en\ output}{cambio\ en\ trabajo} = \frac{\Delta Q}{\Delta L}$$

manteniendo el capital constante, y siendo ΔQ el cambio en la cantidad de output obtenida.

Del mismo, el producto marginal del capital lo definimos:

$$PMa_K = \frac{cambio\ en\ output}{cambio\ en\ capital} = \frac{\Delta Q}{\Delta K}$$

manteniendo el trabajo constante y siendo ΔQ el cambio en la cantidad de output.

El producto medio del trabajo se define como:

$$PMe_L = \frac{Q}{L}$$

es decir, la cantidad total de output dividida por el número de unidades de trabajo empleadas.

TABLA 20.2

Producto Marginal del Trabajo (PMa$_L$)

L	PMa_L $K=1$	PMa_L $K=2$	PMa_L $K=3$	PMa_L $K=4$
1	100	125	135	140
2	70	75	85	95
3	50	65	80	85
4	30	45	65	80

TABLA 20.3

Producto Marginal del Capital (PMa$_K$)

K	PMa_K $L=1$	PMa_K $L=2$	PMa_K $L=3$	PMa_K $L=4$
1	100	170	220	250
2	25	30	45	60
3	10	20	35	55
4	5	15	20	35

Las Tablas 20.2 y 20.3 muestran el producto marginal del trabajo y del capital respectivamente a los distintos niveles a los que se mantenga constante el otro factor. Así, en la Tabla 20.2, cuando se mantiene el capital constante a una unidad, el producto marginal del trabajo es el siguiente: 100 unidades de *output* cuando se utiliza una unidad de trabajo, 70 unidades de *output* cuando se emplean dos unidades de trabajo, 50 unidades de *output* cuano se usan tres unidades de trabajo y 30 unidades de *output* cuando se emplean cuatro unidades de trabajo. Obviamente estos valores han sido obtenidos de la Tabla 20.1. La primera columna de la izquierda de cada una de las Tablas 20.2 y 20.3 muestra las unidades del factor variable y las otras cuatro columnas nos dan el producto marginal de un factor, manteniendo el otro factor constante a una, dos, tres o cuatro unidades. Suponemos que el *output* es cero cuando $L = 0$ ó $K = 0$, supuesto que evidentemente es realista.

El ejemplo de las Tablas 20.2 y 20.3 está diseñado para que los rendimientos de los factores variables (el trabajo en la Tabla 20.2, y el capital en la Tabla 20.3) sean decrecientes desde el comienzo de la producción. Para cualquier cantidad dada del factor fijo, cada unidad adicional del factor variable aumenta el *output* total o producto total, pero la tasa de incremento de éste disminuye a medida que se van añadiendo unidades sucesivas del factor variable. Este fenómeno es un caso especial de la llamada ley de la productividad marginal decreciente. Esta ley afirma que, independientemente de lo que ocurra con los rendimientos de escala, a medida que se añaden nuevas unidades de un factor variable a unas cantidades fijas de otros *inputs,* llegará un momento en el que el producto marginal del factor variable empieza a disminuir.

El ejemplo de las Tablas 20.2 y 20.3 es un caso especial de esta ley, en el sentido de que el producto marginal empieza a hacerse más pequeño ya desde la segunda unidad del factor variable. La ley no postula que el producto marginal haya de empezar a disminuir ya desde la segunda unidad del factor variable, sino que afirma que si se incrementa continuamente el número de unidades que se utilizan de un factor variable mientras que se mantienen otro u otros factores constantes, llegará un momento en que el producto marginal empezará a disminuir.

El momento en el que entrará en juego esta ley de la productividad marginal decreciente depende de la naturaleza de los factores y de las cantidades de éstos de las que se parta. Así, la ley empezará a darse antes si aplicamos una, dos, tres, etcétera unidades de trabajo (supongamos que la unidad es el trabajo de un hombre durante un año) a 10 hectáreas de tierra de secano que si lo hacemos a 100 hectáreas de la misma tierra. En el primer caso puede que la ley entre en juego a partir de la segunda unidad de trabajo, mientras que en el segundo es probable que los rendimientos marginales sean crecientes para los dos o tres primeros hombres. La cuestión variará si la tierra es de regadío, ya que en ésta hace falta mucha mayor cantidad de mano de obra para una misma extensión de tierra.

La ley de la productividad marginal decreciente es considerada por los economistas como un postulado básico de las funciones de producción. Se dan varias justificaciones de este fenómeno. La justificación más simple estriba en que, al aumentar el número de unidades de un factor variable al tiempo que se mantiene constante la cantidad de otro factor, disminuye el número de unidades disponibles del *input* fijo por unidad del *input* variable. Al aumentar la cantidad del factor variable, cada unidad de éste dispondrá de una cantidad más reducida del factor fijo. Esta reducción en la cantidad de factor fijo por unidad de factor variable se ha observado que generalmente acaba teniendo un efecto negativo sobre los aumentos del *output*. De ahí que se le llame ley a este fenómeno.

Debemos señalar que la ley de la productividad marginal decreciente supone que los *inputs* son homogéneos. Es decir, al postular esta ley suponemos que todas las unidades de los servicios del trabajo aplicadas a una extensión de tierra son idénticas, como son igualmente idénticos los servicios de las diferentes unidades de capital. Sólo suponiendo que los *inputs* son homogéneos es posible concluir que los cambios en los productos marginales son debidos a los cambios en las combinaciones de estos *inputs* homogéneos, y no a las diferencias en la calidad de las unidades de los factores que se emplean. Al aumentar la cantidad de un factor y mantener constante otro factor, se está cambiando continuamente la proporción en la que se combinan éstos. Este cambio en la proporción en la que se combinan los factores es el que da lugar a la disminución del producto marginal del factor variable. El supuesto de homogeneidad de las unidades de un mismo factor generalmente es cierto, aunque en algunos casos puede no serlo.

Supongamos una función de producción agrícola $Q = F(T, L)$, en la que Q es la cantidad de *output*, T la tierra y L el trabajo. Imaginemos que se trata de tierra de la huerta valenciana y que su extensión se mantiene fija en 5 hectáreas. Una unidad de trabajo corresponde a un año de trabajo de un hombre. Se supone que no se utiliza ni capital (maquinaria o utensilios), ni fertilizantes, etc.; sólo se emplean tierra y trabajo. Imaginémonos que los rendimientos de las distintas combinaciones de estos dos factores son los expresados por la Tabla 20.4.

TABLA 20.4

Tierra	Trabajo	Producto total del trabajo	Producto medio del trabajo	Produc. marginal del trabajo
5	1	10	10	—
5	2	30	15	20
5	3	60	20	30
5	4	88	22	28
5	5	105	21	17
5	6	114	19	9
5	7	119	17	5
5	8	119	15	0
5	9	110	12	— 9
5	10	80	8	— 30

La Tabla 20.4 muestra que en este supuesto existe una primera fase de la producción en la que, al aumentar el número de unidades de trabajo de 1 a 3, el *output* incrementa a una tasa creciente (más que proporcional al aumento del trabajo). El producto medio y el marginal están creciendo y el segundo es mayor que el primero. Hay después una segunda fase en la cual la tasa de aumento del producto total disminuye: al aumentar el número de unidades de trabajo entre 4 y 8, el producto total sigue incrementándose, pero cada vez en menor proporción. De ahí que el producto medio y el marginal estén disminuyendo, y que el producto marginal sea inferior al medio. Finalmente se da una tercera fase en la producción en la que el volumen de producción total disminuye a medida que más y más unidades de trabajo son aplicadas a la extensión fija de tierra: al pasar a utilizar 8, 9 y 10 unidades de trabajo el producto total primero no varía y después disminuye, el producto medio se hace cada vez más pequeño, y el producto marginal primero se hace cero y después llega a ser negativo.

Según este ejemplo en la primera fase de la producción tendríamos rendimientos crecientes del trabajo, en la segunda se darían rendimientos decrecientes del

FIGURA 20.1

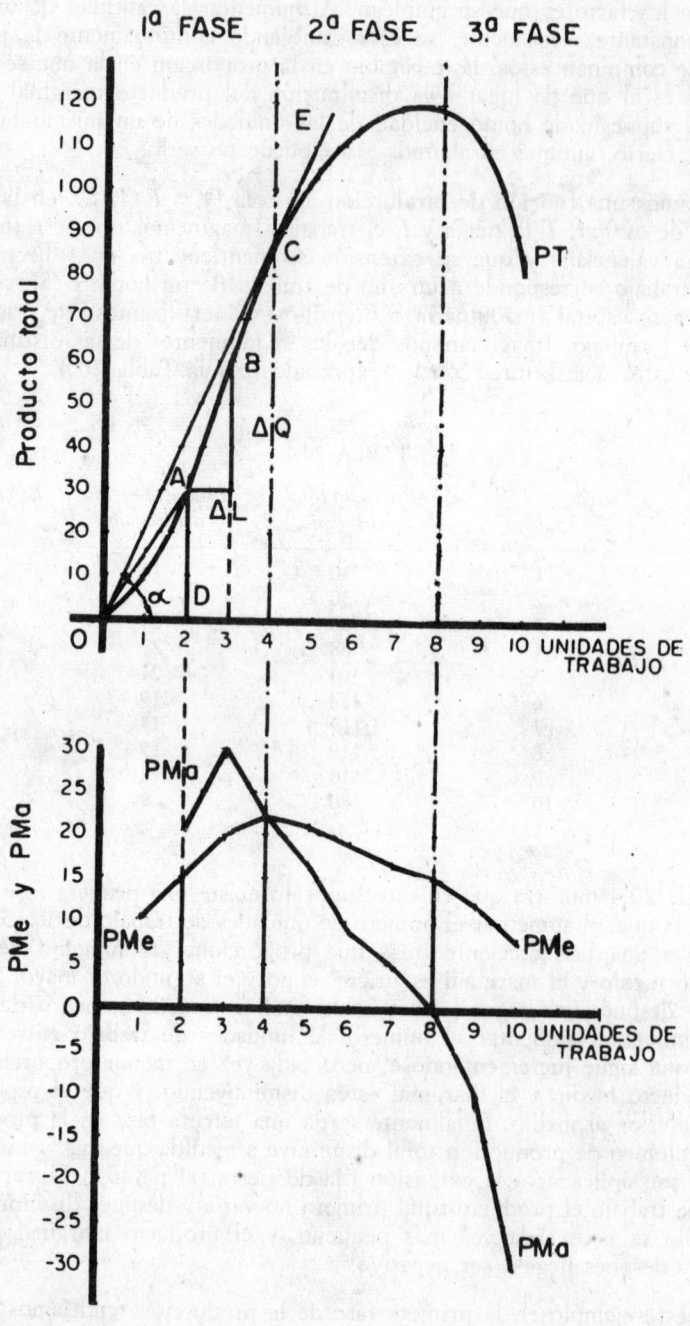

trabajo, y en la tercera habría rendimientos negativos del trabajo. Estos últimos son concebibles si pensamos que demasiadas personas en una parcela de tierra pueden estorbarse unas a otras, reduciéndose así la producción total. Obviamente el ejemplo numérico está diseñado adrede para mostrar estas tres fases de la producción en lo relativo a los rendimientos del factor trabajo. Para la explicación de la relación aritmética existente entre los valores total, medio y marginal de la producción remitimos al lector a lo expuesto en el Capítulo 5.

La Figura 20.1 muestra gráficamente estas relaciones. La curva del producto total (la curva *PT* del gráfico superior) representa la relación existente entre el *input* trabajo y el *output* total, y nos da la misma información que la columna del producto total del trabajo en la Tabla 20.4. La curva *PT* va ganando pendiente hasta el punto *B*, lo que significa que el producto total aumenta en mayor proporción que se incrementan las unidades de trabajo hasta llegar a tres de éstas. Esto quiere decir que en esta fase de la producción (la fase de emplear desde una hasta tres unidades de trabajo) el número de unidades de trabajo es demasiado reducido como para poder explotar adecuadamente el potencial productivo completo de que dispone el factor fijo (en este caso la tierra).

Los rendimientos crecientes del trabajo continúan hasta el punto *B* de la curva de *PT*. En ese punto puede verse que la pendiente de la curva cambia de tendencia: pasa de aumentar a disminuir, si bien la pendiente es positiva (a este punto se le llama punto de inflexión). Justamente ese cambio de la pendiente de la curva de *PT* refleja el hecho de que la ley de los rendimientos decrecientes entra en juego, lo que hace que, al incrementar el número de unidades de trabajo, el producto total aumente menos que proporcionalmente. Los rendimientos decrecientes se dan cuando se aplican las unidades de trabajo 4, 5, 6 y 7. Al utilizar la séptima unidad de trabajo el producto total alcanza su valor máximo, valor que no varía (ni positiva ni negativamente) cuando se emplea la octava unidad de trabajo. A partir de la novena unidad de trabajo el *output* total disminuye.

La curva del producto medio (curva *PMe*) es derivada de la curva de *PT* por el procedimiento que ya conocemos. Como recordará el lector según lo expuesto en el Capítulo 5, el valor del producto medio lo obtenemos a partir de la curva de *PT* hallando la pendiente de la línea que une el origen de los ejes con el punto correspondiente de la curva de *PT*. Así, si queremos hallar el *PMe* al utilizar dos unidades de trabajo, lo obtenemos con la pendiente de la línea *OA*, que es $\dfrac{AD}{OD}$ (o lo que es lo mismo, la tangente del ángulo α). Puesto que el punto *A* muestra un *PT* de 30 unidades, dividiendo éstas por 2 (el número de unidades de trabajo) obtenemos un *PMe* de 15 unidades por trabajador.

Del mismo modo, al utilizar 4 unidades de trabajo podemos obtener el *PMe* hallando la pendiente de la línea que une el origen de los ejes con el punto *C* de la curva de *PT*. Como puede verse, el producto medio alcanza su valor máximo en ese punto, ya que la línea *OE* es la de mayor pendiente de entre todas las líneas que unen el origen de los ejes con la curva de *PT*. Hasta el punto *C* de la curva de *PT* las líneas que unen los distintos puntos del tramo *OC* con el origen de los ejes van ganando pendiente al subir hacia arriba en la curva. Desde el punto *C* de ésta, la pendiente de las líneas que unen el origen de los ejes con los sucesivos puntos de la curva van perdiendo pendiente. Estos valores del *PMe* son representados por la curva *PMe* del gráfico inferior de la Figura 20.1.

El producto marginal del trabajo viene dado por el cambio de la pendiente de la curva de PT al incrementar el número de unidades de trabajo. Así, cuando se pasa de utilizar 2 unidades de trabajo a emplear 3 unidades, el PMa toma el valor de 30 (el PT aumenta de 30 a 60). Es decir, $PMa = \dfrac{\Delta Q}{\Delta L}$. El PMa alcanza su valor máximo al utilizar tres unidades de trabajo, ya que en el punto B la curva de PT tiene la pendiente más elevada que puede alcanzar, y asimismo ese punto es el punto de inflexión en el que esta curva pasa de estar ganando pendiente a empezar a perder pendiente. Por esta razón la curva de PMa alcanza ahí su punto más elevado y empieza a descender. Cuando se emplean 8 unidades de trabajo, el PT alcanza su valor máximo, lo que hace que el PMa se haga cero. Al utilizar la novena y la décima unidades de trabajo el PT disminuye, lo que hace que el PMa sea negativo.

Nótese también que entre los puntos O y C de la curva de PT la pendiente de las líneas que unen el origen de los ejes con dicha curva es menor que la pendiente de la curva de PT, lo que implica que el PMa es superior al PMe en la primera fase de la producción. En el punto C de la curva de PT la pendiente de ésta y la pendiente de la línea OE son iguales, lo que significa que $PMa = PMe$. Asimismo, puesto que en el punto C de la curva de PT el PMe alcanza su valor máximo, en el diagrama inferior puede verse cómo la curva de PMa corta a la de PMe precisamente a ese nivel de producción (cuando se emplean 4 unidades de trabajo). Podemos generalizar estas relaciones diciendo que cuando el PMe está aumentando, $PMa > PMe$; cuando el PMe alcanza su valor máximo, $PMa = PMe$, y cuando el PMe está disminuyendo, $PMa < PMe$.

FIGURA 20.2   FIGURA 20.3

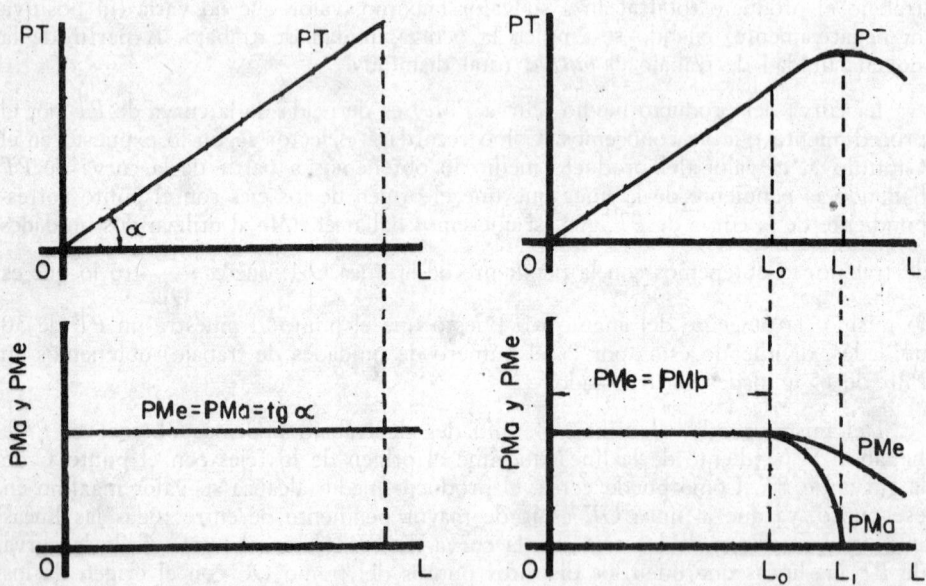

La Figura 20.2 muestra el caso en el que los rendimientos del factor variable trabajo son constantes. La curva de PT es en consecuencia una línea recta, lo que implica que su pendiente es la misma en todos sus puntos. De ahí que en el gráfico inferior mostremos una sola curva para el PMe y el PMa, curva que es rectilínea y paralela al eje de abscisas. Esta línea corresponde tanto al PMe como al PMa

(PMe = PMa), los cuales se mantienen constantes para todos los niveles de unidades de trabajo utilizadas.

La Figura 20.3 representa el caso en el que los rendimientos del factor trabajo son constantes hasta llegar a emplear la cantidad L_o de trabajo. Entre las cantidades de trabajo L_o y L_1 los rendimientos son positivos, pero decrecientes; y a partir del número de unidades de trabajo L_1 el *PT* disminuye, y, en consecuencia, el *PMa* se hace negativo y el *PMa < PMe.*

Dado que la pendiente de la curva de *PT* $(\dfrac{\Delta Q}{\Delta L})$ de la figura 20.1 muestra la tasa a la que el factor variable (el trabajo en nuestro ejemplo) puede contribuir a aumentar el *output,* dicha pendiente expresa la tasa marginal de transformación del *input* trabajo en *output.* La ley de los rendimientos no proporcionales también implica que al empresario no le puede interesar producir ni en la primera ni en la tercera fase, ya que le conviene aumentar la producción al menos hasta alcanzar el punto *B* en el que entran en juego los rendimientos decrecientes. Antes de llgar a este nivel de producción (60 unidades de *output* y 3 unidades de trabajo), cada unidad adicional de trabajo que se emplea da lugar a un aumento más que proporcional en el *output.* En realidad le interesará añadir unidades adicionales de trabajo en tanto en cuanto el *PMe* esté aumentando.

La tercera fase de la producción es irrelevante, ya que ningún empresario empleará unidades adicionales de trabajo cuando con ello sólo consigue disminuir el *output.* Nos quedamos, pues, con el volumen de *output* que es operativamente significativo para el empresario: el tramo de la curva de *PT* correspondiente al empleo entre 4 y 8 unidades de trabajo. Es decir, para el empresario tendrá sentido producir en la segunda fase de la función de producción; o, lo que es lo mismo, en el tramo de la curva de *PT* en la que el *PMe* empieza a disminuir y en el que se dan los rendimientos decrecientes.

Puede que exista alguna diferencia entre las funciones de producción a corto plazo de las empresas agrícolas y las de las empresas industriales y de servicios. En las primeras evidentemente, dado que la tierra es siempre limitada a corto plazo, la curva de *PT* total tendrá la forma de la curva que se representa en la Figura 20.1. En las empresas industriales el factor fijo es la capacidad productiva instalada (maquinaria, equipo e instalaciones). Dado que las empresas manufactureras normalmente funcionan con un cierto grado de subutilización de esa capacidad, los rendimientos decrecientes tardarán en darse. No obstante, puede aceptarse que la curva de *PT* típica de una empresa industrial asciende rápidamente al principio y más lentamente después a medida que el *output* se acerca al de la capacidad plena normal de la planta. Es de suponer que los empresarios no utilizarán la planta más allá del nivel en el que al aumentar el factor o factores variables, el *output* disminuye.

No obstante, en el corto plazo y en la mayoría de las industrias, la cantidad de *output* que se obtiene del empleo de los factores variables sigue un patrón similar. A medida que se aumenta la cantidad de los factores variables que se combinan con los factores fijos de cada empresa, se puede decir que el *output* pasa por varias fases:

1) Sin factores variables no puede obtenerse ningún *output.*

2) Cuando se emplea una cantidad pequeña de recursos variables, cada unidad adicional de éstos añade más al *output* total que la unidad anterior (el producto marginal es creciente).

3) Después, y cuando se alcanza un nivel mínimo de utilización de la capaci-

dad productiva instalada, el producto marginal puede ser constante al aumentar el volumen de *output* entre unos ciertos niveles de éste. Cada unidad adicional del factor variable añade al *output* la misma cantidad que la unidad anterior. La producción dentro de estos niveles está todavía dentro de las limitaciones impuestas por el diseño de la capacidad productiva que tiene la planta (los factores fijos).

4) Cuando se alcanza un cierto nivel de producción o de utilización de la capacidad productiva, el *output* aumenta en cantidades más pequeñas a medida que se utilizan unidades adicionales de los *inputs* variables. A partir de ese momento el producto marginal empieza a disminuir.

5) Finalmente, el producto total alcanza su valor máximo y el utilizar nuevas unidades de recursos variables no hace aumentar el *output*. No se dispone de más máquinas que se puedan emplear, o la capacidad productiva de la planta está siendo utilizada en su totalidad. Puede que incluso si se añaden nuevas unidades de factores variables, el *output* disminuya. Esto puede ocurrir si se emplean demasiados trabajadores para manejar la maquinaria, o si se produce (se utiliza la maquinaria) día y noche. El exceso de personas (que complica la organización de las tareas y que puede hacer que se estorben unas a otras) y las probables averías de las máquinas pueden dar lugar a que disminuya el *output*. En esta fase de la producción el producto marginal será negativo.

Digamos también que aunque hemos estudiado el caso del rendimiento marginal del factor trabajo, este mismo análisis es aplicable a cualquier otro factor variable de la producción.

Hemos hablado de las leyes de la productividad marginal decreciente y de los rendimientos marginales decrecientes como sinónimos. A su vez, la ley de los rendimientos marginales decrecientes se puede generalizar a través de la llamada ley del producto marginal decreciente, que afirma que, independientemente de las características concretas de los procesos de producción, si se aplican cantidades crecientes de un factor variable a una cantidad fija de otros recursos, el producto marginal del factor variable empezará a disminuir continuamente a partir de un cierto volumen de *output*.

Del mismo modo, la ley de la productividad marginal decreciente puede generalizarse por medio de la llamada ley de las proporciones variables. Esta ley afirma que, independientemente de que se den o no rendimientos de escala, si se mantienen fijos uno o varios de los *inputs*, se alcanzará un momento en la producción en el que incrementos proporcionalmente iguales en todos los demás *inputs* dan lugar a un aumento menos que proporcional en el *output*. Es decir, que si la maquinaria y el equipo (la capacidad productiva instalada) de una empresa son mantenidos constantes, entonces habrá un nivel de producción a partir del cual si se duplican todos los demás *inputs*, el *output* aumentará, pero menos del doble. Este fenómeno se da cualquiera que sean los rendimientos de escala (ya sean éstos constantes, crecientes o decrecientes).

BIBLIOGRAFIA SELECCIONADA

Samuelson, P.: *Curso de Economía Moderna,* op. cit., Cap. 23.
Lipsey, R.: *Introducción a la Economía Positiva,* op. cit., Cap. 18.
Lancaster, K.: *Introducción a la Microeconomía Moderna,* op. cit., Cap. 4.
Stigler, G.: *La Teoría de los Precios,* op. cit., Cap. 6.
Dorfman, R.: *El Sistema de Precios, op. cit.,* Cap. 2.
Clower, R., y Due, J.: *Microeconomía,* op. cit., Cap. 6.
Bilas, R.: *Teoría Microeconomía. Un Análisis Gráfico,* op. cit., Cap. 6.

INTRODUCCION

Como hemos señalado repetidamente, la Teoría de la Empresa se basa en el supuesto de que el objetivo principal que persigue la empresa es la maximización de los beneficios. Estos se definen como la diferencia entre ingresos y costes. Los ingresos de la empresa están constituidos por el valor de su *output* y vienen determinados por la curva de demanda con la que se enfrente la empresa (la curva de demanda del producto que elabora le empresa). En general, la empresa no tiene ningún control sobre la demanda: si la empresa establece el precio al que vende su producto, no podrá decidir la cantidad que venderá del mismo (ésta la deciden los consumidores); y si establece la cantidad que vende, no podrá fijar el precio (éste será el que establezca la curva de demanda de los consumidores para esa cantidad, junto con las cantidades que ofrezcan las demás empresas). Como veremos, sin embargo, en determinadas circunstancias la empresa puede afectar a la demanda de su producto a través de la publicidad.

Los costes de la empresa están constituidos por el valor de los *inputs* que utiliza en la producción de su *output*. El valor de los *inputs* a su vez está integrado por las unidades físicas empleadas de cada uno de los *inputs* multiplicadas por el precio de éstos.

De esta forma, al utilizar una medida monetaria de los *inputs* empleados, podemos sumar cosas tan dispares como horas de trabajo, toneladas de acero, máquinas de todo tipo y hectáreas de tierra, por citar sólo unos pocos de los muchos factores que se utilizan en la producción. Reducidos todos los *inputs* a su valor monetario, el empresario puede comparar éste con el valor del *output* producido y vendido, y determinar así si su actividad es o no rentable. El empresario sólo puede decidir si su actividad productora es o no rentable a través de asignar valores monetarios a las cantidades físicas de los *outputs* que obtiene y de los *inputs* que emplea.

En los Capítulos 19 y 20 hemos estudiado la relación en términos físicos entre los *inputs* y el *output* (la función de producción) en el largo plazo y en el corto plazo. Es evidente que, dados unos precios de los factores, la relación técnica entre los *inputs* y el *output* determina los costes de producción: cuanto mayor sea la cantidad de *output* que se obtenga con unas determinadas cantidades de los *inputs,* más reducidos serán los costes por unidad de *output;* o, lo que es lo mismo, cuanto menores sean las cantidades de *inputs* utilizadas para obtener un determinado *output,* más bajos serán los costes por unidad de éste.

Obviamente, la empresa que pretenda maximizar los beneficios deberá minimizar los costes en los que incurre para cada nivel de *output.* Como hemos señalado, para alcanzar la minimización de los costes, la empresa tiene en su mano un conjunto de posibilidades entre las que elegir. A corto plazo puede decidir la combinación de factores que emplea, dados los factores fijos de que dispone (hasta dónde aumentar las cantidades de los factores variables que utiliza). A largo plazo la empresa puede elegir la tecnología que emplea, el tamaño de la planta, la sustitución de unos factores por otros y, en definitiva, el proceso productivo que emplea. Todas estas decisiones podemos concluir que la empresa las tomará en función de alcanzar lo que hemos llamado la eficiencia económica, que consiste en elegir el método menos costoso de entre los distintos métodos posibles para producir una determinada cantidad de *output.*

En el Capítulo anterior hemos estudiado la relación técnica entre los *outputs* y los *inputs* físicos. Ahora vamos a analizar la relación económica entre los *outputs* y los *inputs.* En lugar de estudiar las cantidades de *inputs* que son necesarias para obtener una unidad de *output,* vamos a considerar la cantidad de pesetas que la empresa ha de gastar para producir una unidad de *output.* La actuación o la marcha de la empresa es evaluada en términos de la comparación entre los ingresos monetarios, que obtiene por la venta de su *output,* y los pagos que hace por los *inputs* que compra para producir éste. Naturalmente las relaciones técnica y económica entre los *inputs* y el *output* están muy ligadas entre sí.

Dos son las cuestiones que se plantean en la Teoría Económica al estudiar los costes: por una parte, el concepto de coste de producción, su determinación y su medición; y por otra, el comportamiento de los costes por unidad de *output* al variar el nivel de producción a corto, largo y muy largo plazo.

EL CONCEPTO DE COSTE DE PRODUCCION

Coste Contable y Coste Económico

Ya hemos señalado que los costes de la empresa se definen como el valor de los *inputs* utilizados en la producción de una determinada cantidad de *output.* Este valor, sin embargo, puede variar según el método que se utilice para medirlo. Existen dos métodos o maneras de medir los costes: el método contable y el método económico. Al estudiar la actuación de la empresa, el economista está fundamentalmente interesado en la forma en que la empresa utiliza sus recursos; es decir, analiza la actuación de la empresa en términos de eficiencia económica. Por su parte, al contable le interesa principalmente la marcha de la empresa en términos de la solvencia de ésta (el que la empresa pueda hacer frente a sus obligaciones financieras: el pago de su nómina, de sus cuentas de proveedores, de los créditos que ha obtenido de instituciones financieras, etc.). Debido a que utilizan distintos métodos de medir los costes, a menudo los economistas y los contables llegan a conclusiones diferentes sobre el estado de salud de la empresa y sobre el resultado de su actuación.

Para continuar en el negocio (es decir, para no declararse en quiebra o en suspensión de pagos; en definitiva, para no verse obligada a cerrar) la empresa debe hacer frente (pagar) a sus costes contables. Los costes contables también llamados costes explícitos o históricos son aquéllos correspondientes al pago de los factores que la empresa compra, y de sus obligaciones fiscales. Los costes contables son siempre costes explícitos y se calculan sobre facturas pagadas por la empresa o sobre cualquier otra base documental. Estos costes incluyen el pago de sueldos y salarios, alquileres, materias primas, energía de todo tipo, teléfono, intereses de préstamos, la depreciación del equipo capital y de las instalaciones y el pago de los impuestos. Resumiendo, pues, los costes contables o explícitos son los costes que corresponden a los pagos que hace la empresa por la adquisición de factores a otros agentes económicos.

La depreciación de la planta y equipo de la empresa es incluida entre los costes contables, debido a que realmente constituye un coste de la producción y el pago de un factor que la empresa adquiere. El stock de capital de una empresa se deteriora gradualmente por su empleo en la producción o por hacerse obsoleto (quedar anticuado por haberse inventado otra maquinaria más eficiente). En consecuencia, el coste de la depreciación de los bienes capital debe ser incluido entre los costes de producción. Como la maquinaria hay que reemplazarla por otra nueva al cabo de un período de tiempo (debido a que ésta se hace vieja y/o obsoleta), la forma normal de calcular el coste de la depreciación consiste en asignar cada año una fracción del precio de cada uno de los bienes capital (máquinas y edificios) a los costes de producción incurridos en ese año. Por ejemplo, si una máquina se espera que tenga una vida de funcionamiento normal de diez años, la empresa propietaria cada año asigna o incluye un décimo del precio de la máquina entre sus costes de producción. A esta operación se le llama amortización. De esta forma, la empresa va ahorrando o reuniendo los recursos financieros que le permitan reemplazar su equipo capital cuando éste se deteriore. (Ver, al respecto pp. 406 y ss.)

Los impuestos constituyen otro pago que la empresa ha de realizar. De ahí que se incluyan entre los costes contables. Dado que los impuestos no son pagados mensualmente, los contables asignan una cantidad mensual a un fondo destinado a pagar los impuestos que recaen sobre la empresa. De esta forma la empresa se asegura de que dispondrá de los recursos financieros necesarios cuando haya de pagar sus impuestos.

La diferencia entre los ingresos y los costes contables constituyen los beneficios contables. Estos beneficios pueden ser distribuidos entre los propietarios de la empresa (en forma de dividendos cuando se trata de sociedades anónimas) y representan el pago del capital aportado y del riesgo que implica la actividad empresarial. En el Capítulo 17 llamábamos a estos beneficios la renta residual de la actividad empresarial, y decíamos que en último extremo tales beneficios constituyen el pago o la retribución del riesgo que implica toda actividad empresarial.

Generalmente la empresa no distribuye la totalidad de sus beneficios contables entre sus propietarios, sino que retiene una parte de éstos para hacer frente a futuras necesidades de recursos financieros. Los beneficios no distribuidos son asignados al llamado fondo de reserva, fondo que está autorizado por la ley, y que le permite a la empresa hacer frente a una disminución temporal de sus ingresos, y/o financiar total o parcialmente su expansión. La expansión de la empresa exige una financiación extraordinaria, ya que constituye igualmente un gasto extraordinario (un gasto en exceso de los costes incurridos al producir una cantidad de *output* durante un período determinado).

Para financiar su expansión (aumento de la capacidad productiva instalada o incremento de su volumen de producción con la misma capacidad) la empresa recurre en primer lugar a su fondo de reserva (ésta es la llamada autofinanciación). Si los recursos de este fondo no son suficientes, entonces la empresa puede obtener fondos a través de ampliar su capital social (emitir acciones en el caso de las sociedades anónimas), emitir obligaciones (que no son más que unos títulos de deuda de la empresa), conseguir préstamos de las instituciones financieras, o de una mezcla de estos procedimientos. Los beneficios no distribuidos y las amortizaciones constituyen el ahorro de las empresas, magnitud que, como veremos más adelante, es importante desde el punto de vista macroeconómico.

El concepto de coste económico es más amplio que el de coste contable. Este corresponde a los pagos realizados por la empresa en relación con la producción de una cantidad de *output* (los pagos correspondientes a los factores adquiridos y utilizados en la producción de ese *output*) y es calculado según su valor documentado. Por el contrario, los costes económicos incluyen no sólo los costes explícitos, sino también los llamados costes implícitos o imputados de la producción, todos ellos valorados o calculados al denominado coste de oportunidad.

Los costes explícitos corresponden al pago de los factores que la empresa adquiere de otros agentes económicos. Pero a menudo la empresa utiliza factores propios, que no compra a otros agentes económicos porque son propiedad suya. Los costes de producción correspondientes a los recursos propiedad de la empresa constituyen los costes implícitos. Aunque la empresa no tiene que pagar estos costes a otros agentes económicos, sin embargo, es necesario imputarlos a la producción, ya que representan la renta que estos recursos podrían obtener si se les empleara en otro uso.

Los costes implícitos o imputados corresponden al uso de los factores que posee la empresa: los solares, la tierra y los edificios, el capital propio, el trabajo de sus propietarios (cuando éstos no están en nómina), y el riesgo que implica la actividad empresarial concreta. Para calcular los costes en que realmente se incurre al producir una cantidad de *output* es necesario incluir el pago de estos factores (además de los costes explícitos), ya que de no utilizarlos en esta actividad, podrían ser empleados en otra actividad que reportaría unos ingresos a su propietario. Así, un solar podría ser alquilado a otra empresa, o vendido y colocado el dinero en acciones, deuda pública, obligaciones, certificados de depósito, depósitos a distintos plazos, etc.; un edificio podría ser igualmente alquilado o vendido; el capital propio podría ser colocado en activos rentables; el dueño o dueños podrían trabajar para otra empresa por un sueldo. Si el riesgo que corren los propietarios de perder su dinero al colocarlo en una actividad no es adecuadamente remunerado (si no obtienen unos rendimientos que sean superiores a los que obtendrían colocando su dinero en una actividad que no encierra peligro: por ejemplo, la compra de títulos de la deuda pública), aquéllos cambiarán sus recursos a otra actividad.

El Coste de Oportunidad

Pero el economista no sólo toma en consideración los costes de la producción (los explícitos y los implícitos), sino que además los calcula aplicando el principio del llamado coste de oportunidad. El concepto de coste de oportunidad constituye uno de los conceptos más fundamentales utilizados en la Teoría de Costes. El coste de oportunidad de una acción se define como el valor del ingreso que se pierde (se deja de obtener) al dejar de realizar la acción más lucrativa que se podría haber efectuado alternativamente. El coste de oportunidad de utilizar una unidad de un factor en una actividad productiva es el ingreso sacrificado (que se ha dejado de obtener) al no emplear esa unidad del factor en la alternativa mejor pagada que se le ofreciera a éste.

El concepto de coste de oportunidad puede parecer oscuro o abstracto, pero con un ejemplo veremos que no es así. Consideremos el coste en que se incurre al realizar una carrera universitaria. Supongamos que los gastos de matrícula, libros, alojamiento y comida suman 300.000 pesetas por año. Estas 300.000 pesetas forman parte del coste de oportunidad, ya que si no se incurriera en estos gastos, ese dinero se podría utilizar en comprar otros bienes y servicios. Pero éstos no son los únicos componentes del coste de oportunidad de hacer una carrera. Además, el estudiante dedica cinco años de su vida a este fin, con lo que deja de ganar el sueldo que obtendría si trabajara todo ese tiempo. Imaginemos que el sueldo mejor que pudiera obtener fuera de 400.000 pesetas anuales. Suponiendo que al estudiante le fuera igualmente agradable o desagradable el estudiar que el trabajar, el coste de oportunidad de realizar la carrera de cinco años sería de 3.500.000 pesetas (1.500.000 pesetas de gastos más 2.000.000 de pesetas que deja de obtener), más los intereses que este dinero obtendría colocado durante el correspondiente período de tiempo.

El coste de oportunidad es el coste de utilizar recursos en una actividad en lugar de hacerlo en otra u otras. El coste de oportunidad de asistir a una clase de Economía es el placer de tomar el sol durante una hora, de leer una novela, de charlar con los amigos, o el dinero que se deja de ganar en un posible trabajo. El coste de oportunidad de tomarse un whiskey es el libro que se podría comprar con ese dinero, la película que se deja de ver, o cualquier otro bien o servicio que se sacrifica (naturalmente en proporción al precio del whiskey).

El coste de oportunidad de construir una carretera son las viviendas, la planta industrial, las escuelas, o cualquier otro bien que pudiera elaborarse con los recursos empleados en la carretera. Cuando gastamos una cierta cantidad de dinero en un bien o servicio concreto, el dinero en sí no es el coste, sino que es sólo una medida del valor de otras oportunidades sacrificadas o perdidas. El verdadero coste, el coste de oportunidad, es el valor de estas oportunidades perdidas o sacrificadas. Si se pierden varias oportunidades, el coste de oportunidad de una acción concreta es el valor de la mejor alternativa sacrificada.

La Figura 21.1 muestra el caso hipotético de que con una cantidad dada de recursos se obtienen las combinaciones de unidades de los bienes x e y. Si se destinan todos los recursos a producir y se podrían obtener 12 unidades de este bien y cero unidades de x. Si, por el contrario, se dedican todos los recursos a producir el bien x, se obtendrían 14 unidades de este bien y cero unidades de y. Entre estos dos extremos se pueden producir toda una serie de combinacions de x e y representadas por la línea ab.

La línea ab muestra además que para producir x es necesario sacrificar la oportunidad de producir alguna cantidad de y. Este sacrificio es el coste de oportunidad de x en términos de y. En nuestro diagrama el coste de oportunidad de una unidad de x es $\dfrac{12}{14}$ y (o lo que es lo mismo, una unidad de x es igual a 0,85 unidades de y).

Esto significa que la misma cantidad de factores que pueden producir una unidad de x pueden fabricar 0,85 unidades de y. El coste de oportunidad de x en términos de y es, pues, 0,85. Del mismo modo, el coste de oportunidad de producir una unidad de y en términos de x es $\dfrac{14}{12}$ x (una unidad de y es igual a 1,16 unidades de x). La misma cantidad de factores de la producción empleados en la elaboración de una unidad de y pueden producir 1,16 unidades de x.

FIGURA 21.1

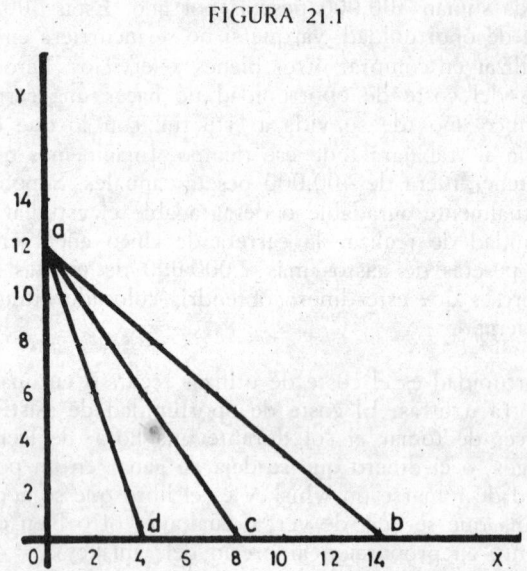

Al dibujar la línea *ab* en forma rectilínea estamos suponiendo que el coste de oportunidad de y en términos de x y de x en términos de y permanece constante. Si el coste de oportunidad de x en términos de y aumenta, la pendiente de la línea del coste de oportunidad se hace mayor. La línea *ac* muestra un coste de oportunidad de x en términos de y de una unidad de x por 1,5 unidades de y (ha aumentado de 0,85 a 1,5); la línea *ad* representa un coste de oportunidad de x en términos de y de una unidad de x por 3 unidades de y. El caso de costes constantes de oportunidad no es más que un caso especial en la Teoría de Costes. Más frecuentes son, como veremos, los casos de costes crecientes o decrecientes de la producción.

La Medición del Coste de Oportunidad

Los costes económicos de producir una cantidad de *output* son, pues, los costes explícitos y los implícitos calculados todos ellos al coste de oportunidad de todos los factores. En principio, el medir el coste de oportunidad puede parecer una tarea fácil. La empresa debe decidir qué factores de la producción ha utilizado y asignarles a cada uno de ellos un valor monetario igual al sacrificio que ha incurrido al utilizar el factor en una actividad determinada. Sin embargo, la aplicación de este principio no es fácil en la práctica. En el caso de los factores que la empresa adquiera de otros agentes económicos, el coste de éstos viene determinado por su precio de mercado. En una economía competitiva se puede suponer que los precios que los factores alcanzan en el mercado son iguales a sus costes de oportunidad, ya que en principio nadie venderá un factor a un precio si tiene la oportunidad de hacerlo a un precio superior.

No obstante, debemos señalar que en ocasiones existen elementos monopolísticos en los mercados de factores que hacen que se dé una diferencia entre el coste de oportunidad y el precio de mercado de un factor (haciendo que el segundo sea mayor que el primero). Asimismo, el poder monopolístico puede reducir el número de oportunidades que se le ofrecen a un factor productivo. Nosotros ignoramos en la Teoría de Costes los efectos de las imperfecciones monopolísticas, y suponemos que los mercados de todos los *inputs* son perfectamente competitivos, en el sentido de que los compradores y los vendedores toman los precios de los factores como dados, independientemente de las cantidades compradas y vendidas de los servicios de los *inputs*. Bajo este supuesto, el precio de mercado de los servicios de cualquier *input* es igual al coste de oportunidad de éste.

La medición del coste de oportunidad de los factores propiedad de empresa es mucho más difícil de realizar. Al no efectuarse un pago por ellos a otros agentes económicos ajenos a la empresa, los costes no son tan obvios como los de los factores comprados. Ya hemos señalado que, aplicando el principio del coste de oportunidad, estos factores propios han de ser valorados al precio que obtendrían en la mejor alternativa que se les ofreciera. La empresa ha de imputar a sus costes de producción los alquileres de los edificios propios, la renta de la tierra propia, el trabajo de los propietarios que trabajan y no cobran un sueldo, los intereses del capital propio que utiliza y el pago del riesgo que se asume al realizar la actividad de producir. Todos estos alquileres, rentas, intereses, etc., han de ser calculados al precio de mercado que obtendrían estos factores en la mejor alternativa que se les ofrezca.

El problema más difícil que se plantea en relación con los costes implícitos o imputados estriba en la evaluación del riesgo que se toma al realizar la actividad de producir. En general, todo negocio implica un riesgo, y unos negocios suponen mayor riesgo que otros. El riesgo es asumido por los propietarios de la empresa y consiste en la posibilidad de perder el dinero que se ha invertido en ella. Los propietarios no correrán el riesgo que implica la actividad que realiza su empresa a menos que esperen recibir unos ingresos por su dinero superiores a los que obtendrían si colocaran éste en algo seguro (por ejemplo, deuda pública).

Naturalmente, cuanto mayor es el riesgo que implica un negocio mayor será el porcentaje que se espera obtener del dinero invertido. Así, la persona que se dedica a un negocio de contrabando esperará obtener un mayor rendimiento de su dinero que el empresario que produce energía eléctrica. La competencia entre los empresarios hará que se determine lo que puede considerarse como la retribución normal del riesgo que cada actividad implica. Si en una actividad esta retribución es demasiado alta, nuevos empresarios serán atraídos a ella, con lo que bajarán los rendimientos y con ellos la retribución por el riesgo. El nivel normal de esta retribución será aquél que es suficiente para que los empresarios establecidos en el negocio se mantengan en él (no entren nuevos empresarios en la industria ni la abandonen algunos de los ya existentes en ella).

Entendido así, el asumir el riesgo de la actividad empresarial se convierte en un elemento importante de la producción. El riesgo es un servicio que alguien debe proveer para que la empresa lleve a cabo la actividad productiva, y que debe ser pagado por la empresa a las personas que lo asumen. Si una empresa no da unos rendimientos suficientes para compensar por el riesgo que supone su actividad, entonces no habrá personas dispuestas a colocar dinero en ella a cambio de participar en su propiedad.

El pago de las materias primas, de la mano de obra, de los edificios y la tierra, del capital, de la maquinaria, de los servicios de los *managers,* y del riesgo asumido, calculado dicho pago al coste de oportunidad, constituye el coste económico de la empresa. Los ingresos brutos procedentes de las ventas del *output* han de ser suficientes para cubrir los costes de oportunidad de todos los recursos utilizados en la producción de dicho *output* (los costes explícitos y los implícitos). Si estos ingresos son inferiores a los costes de oportunidad, ello indica que los recursos no están siendo utilizados de la manera más eficiente posible y que deberían ser empleados en otras actividades. Dicho de otra forma: si el coste de oportunidad de utilizar un recurso en una actividad productiva es menor que o igual al ingreso que se obtiene por la venta del *output* elaborado con el factor en dicha actividad, entonces se está utilizando el factor de la forma más eficiente posible y no existe ningún otro empleo más rentable del factor.

De ahí que los precios de los *outpus* y de los *inputs* sean tan importantes en la determinación de si los recursos están o no siendo utilizados de la forma más eficiente posible. Si por alguna razón los costes explícitos son bajos, ello puede llevar a que los recursos sean más baratos de lo que deberían ser y a que se utilicen en cantidades excesivas. Pero el empleo ineficiente de los recursos conlleva elevados costes implícitos de éstos.

DISTINTOS CONCEPTOS DE BENEFICIO

Los diferentes conceptos de costes lógicamente dan lugar a diversos conceptos de beneficios. Estos se definen como la diferencia entre ingresos y costes. Los beneficios contables serán, pues, la diferencia entre los ingresos y los costes contables. Estos son los beneficios que aparecen en la cuenta de explotación o cuenta de pérdidas y ganancias de la empresa. El beneficio contable es el concepto de beneficio que generalmente se utiliza y que emplea el empresario.

Asimismo, las autoridades fiscales generalmente establecen un segundo concepto de beneficios, concepto que está implícito en las muchas normas que regulan las partidas que pueden ser incluidas en los costes o deducidas de los ingresos para determinar los beneficios gravables o la base sobre la que se gira el impuesto de sociedades (el impuesto sobre los beneficios o la renta de las sociedades). Unas veces las autoridades fiscales permiten incluir entre los costes magnitudes mayores de las que incluyen los contables, en cuyo caso los beneficios contables serán mayores que los beneficios fiscales; y otras ocurre al revés: los costes aceptados por el Ministerio de Hacienda son menores que los costes cargados por el empresario (en este caso los beneficios fiscales son mayores que los beneficios contables).

Evidentemente, el empresario está motivado para presentar al Fisco los menores beneficios posibles con la finalidad de pagar la cantidad absoluta más baja que le sea posible en concepto de impuestos sobre los beneficios de su empresa. Para ello tratará de aumentar (en el sentido contable se entiende) los costes todo lo que le sea posible. De ahí que el Fisco regule lo que debe considerarse como ingresos y costes con el fin de evitar la defraudación fiscal. En ocasiones el Ministerio de Hacienda puede estar interesado en estimular la inversión y/o el aumento de la producción en determinada industria. Una de las armas que puede utilizar a este fin es la de permitir que las empresas incluyan entre sus costes determinados gastos que normalmente no pueden cargar como costes (gastos de cursillos de formación de personal, amortización acelerada, etc.).

En Economía se utilizan dos conceptos de beneficios: los beneficios normales y los beneficios económicos. Los beneficios normales se definen como la diferencia positiva entre los ingresos y la suma de los costes explícitos e implícitos, diferencia que es necesaria y suficiente para mantener los recursos productivos empleados en la industria concreta de que se trate. Dado que los costes contables no incluyen el pago por el uso del capital propio ni por el riesgo que se asume en la actividad empresarial, el empresario considera esta partida como parte de sus beneficios. La habilidad del empresario, el riesgo que asume y el capital propio que aquél utiliza han de ser remunerados adecuadamente para que el empresario no cambie de actividad, y continúe utilizando los recursos de la forma concreta en que lo hace.

Los beneficios normales son tratados por los economistas como parte del coste de oportunidad de la producción. Habría que sustraer los beneficios normales de la empresa de los beneficios netos de explotación en orden a poder evaluar la actuación de la empresa. Para que la empresa permanezca en el negocio, los ingresos totales de ésta han de ser suficientes para cubrir todos los costes (incluyendo la renta de la tierra, los sueldos y salarios, el interés del capital y los beneficios normales).

De ahí que cuando el empresario afirma que necesita que sus beneficios alcancen tal o cual volumen para no tener ni pérdidas ni ganancias, lo que está expresando es la idea de que sus beneficios han de ser suficientes para pagar los factores de la producción que no están incluidos en los costes contables. En resumen, los beneficios normales son los rendimientos imputados al capital propio y al riesgo que se asume, y que son necesarios para impedir que los empresarios cambien de actividad; es decir, los beneficios normales constituyen el coste de oportunidad del riesgo y del capital propio. Los economistas los incluyen entre los costes que han de ser cubiertos con los ingresos.

El beneficio económico se define como la diferencia positiva entre los ingresos y los costes de oportunidad, incluyendo en éstos a los beneficios normales. Así pues, el beneficio económico es el pago de la actividad empresarial que excede al necesario beneficio normal. El lector debe recordar que éste es el concepto de beneficios que se utiliza en Economía. Así, cuando se afirma que en competencia perfecta a largo plazo las empresas no tienen ni beneficios ni pérdidas lo que se quiere significar es que las empresas están obteniendo beneficios normales (están cubriendo sus costes de oportunidad incluyendo estos beneficios). Las predicciones que sobre el comportamiento de las empresas o sobre la entrada o salida de éstas en una industria permite hacer la Teoría Económica se basan en el concepto de beneficio económico. Este es el concepto que en adelante utilizaremos nosotros.

Los beneficios económicos cumplen dos importantes funciones en el sistema de precios:

a) Constituyen una recompensa para las empresas que satisfacen la creciente y cambiante demanda de los consumidores a través de desarrollar nuevos productos, nuevos factores productivos, y/o nuevos procesos tecnológicos que reducen los costes de producción.

b) Son un incentivo para que las empresas cambien de las industrias en declive o estancadas a las industrias en expansión, con lo que se favorece el desarrollo tecnológico y el crecimiento económico. Por el contrario cuando en una actividad productiva los ingresos son inferiores a los costes de oportunidad, ello representa una señal para que los recursos cambien de ocupación. Si los ingresos son iguales a los costes de oportunidad (si no hay beneficios económicos ni pérdidas) la situación es satisfactoria, ya que todos los factores están siendo recompensados al menos tan bien como en las mejores alternativas que se les ofrecen.

Las fuentes de los beneficios económicos son varias. Una estriba en la escasez temporal de un producto determinado, debido a un aumento anormalmente elevado de la demanda. Hasta que nuevos recursos de los empleados en la producción del bien en cuestión sean trasvasados a la industria, los factores que ya están siendo utilizados pueden ser escasos, lo que les permite obtener cuasi-rentas. Estas se definen como la diferencia entre ingresos y costes de oportunidad que se produce como consecuencia de la escasez temporal de unos factores, y que, en consecuencia, no persisten indefinidamente (desaparecen cuando nuevos recursos son trasvasados a la industria). Un aumento de la demanda de un producto puede hacer subir el precio de éste; si antes de la subida de éste los ingresos de las empresas productoras eran iguales a los costes, ahora los ingresos serán superiores a los costes (habrá beneficios económicos).

También se pueden deber las cuasi-rentas a restricciones en la oferta. Así, por ejemplo, si una empresa introduce en el mercado un nuevo producto y captura la totalidad del mercado de éste, puede fijar el precio por encima de sus costes medios totales y obtener, en consecuencia, grandes beneficios económicos. Esta situación continuará hasta que otras empresas consigan producir y vender un nuevo modelo del producto a un precio más bajo. A largo plazo la competencia entre las empresas hará que el precio baje, y que el beneficio económico disminuya o incluso desaparezca. Esto es lo que ha ocurrido, por ejemplo, en la industria de las calculadoras de bolsillo.

La existencia de cuasi-rentas en una industria dará lugar a que los propietarios de recursos deseen trasvasar éstos a la industria en cuestión, debido a que su coste de oportunidad ha aumentado en los demás empleos (al subir el pago que un factor percibe en un empleo, el coste de oportunidad de utilizarlo en otros usos se incrementa). Si existe libertad de movimiento de los factores, las cuasi-rentas desaparecerán al afluir nuevos recursos a la industria. Las cuasi-rentas juegan así un papel importante en la asignación de recursos entre los distintos bienes y servicios: cuanto mayor sea la cuasi-renta que obtiene una empresa en la producción de un artículo, mayor será el incentivo que tendrá aquélla y otras empresas para trasvasar recursos a esta actividad. Del mismo modo, si existen cuasi-rentas negativas en la producción de un bien (los costes de oportunidad son superiores a los ingresos), ello constituye un incentivo para cambiar los recursos de la producción de ese bien a la de otros.

Puede ocurrir en ocasiones que las cuasi-rentas perduren durante largos períodos de tiempo e incluso indefinidamente. En este caso se les llama rentas. Si la empresa que obtiene las cuasi-rentas puede impedir que nuevos recursos sean utilizados en la industria (que se establezcan nuevas empresas en ella), entonces decimos que aquélla tiene un poder monopolístico. De ahí que a la diferencia positiva entre ingresos y costes de oportunidad que se mantiene durante largo tiempo o indefinidamente se le llame beneficio monopolístico o rentas monopolísticas.

Otra causa por la que las empresas pueden obtener ingresos superiores a los costes de oportunidad estriba en la posibilidad de que, en determinadas circunstancias, las empresas se apropien de parte del pago que deberían hacer a determinados factores que emplean en la producción. Este fenómeno puede darse en el caso de factores productivos con una habilidad especial que sólo pueda ser utilizada plenamente en una industria. Esto ocurre con los cantantes, los actores, los atletas profesionales, los profesores, los pilotos, los programadores de computadoras, los alfareros y, en general, todas las personas que tienen una especialidad que sólo puede utilizarse en una industria. Los servicios de tales personas son mucho más valiosos para una industria que para las demás (los servicios de un cantante de ópera son mucho más valiosos para la industria del espectáculo que para la industria del transporte, la química o cualquier otra industria en la que también podría trabajar el cantante como persona no cualificada).

Si las empresas les pagaran a estas personas sólo su coste de oportunidad, evidentemente se quedarían con una parte importante del valor que para aquéllos tienen los servicios de estas personas (no les pagarían la totalidad del valor de sus servicios). Cuando existen varias empresas que compiten entre ellas dentro de una industria, entonces se puede esperar que se llegue a pagar a estos factores (la habilidad especial) el valor total de sus servicios para las empresas. Por el contrario, si existe una sola empresa que puede utilizar los servicios de un factor concreto, entonces es posible que aquélla no pague al factor el valor total que para ella tienen los servicios de éste. La diferencia entre el valor total que los servicios del factor tienen para la empresa y el pago que éste obtendría en la mejor alternativa que se le ofrece constituye una renta, y dará lugar a beneficios económicos si la empresa retiene la totalidad o parte de esa renta. La proporción en la que esa renta se distribuirá entre la empresa y el propietario del factor dependerá del poder de negociación de cada una de las partes.

Finalmente, también puede darse una diferencia entre los ingresos y los costes de oportunidad como consecuencia de fluctuaciones aleatorias de las condiciones en las que opera la empresa (huelgas, averías de la maquinaria, etc.). Las pérdidas y los beneficios persistentes tienden a producir movimientos de los recursos de unas industrias a otras, pero las fluctuaciones muy a corto plazo de tipo aleatorio no inducen cambios en el uso de los factores.

Resumiendo, podemos decir que los beneficios económicos se definen como la diferencia entre los ingresos y los costes de oportunidad, cualquiera que sea la fuente de esa diferencia. En un momento determinado los beneficios de una empresa pueden estar integrados por cuasi-rentas, rentas monopolísticas, y/o rentas de los factores que aquélla se apropia. Considerando períodos de tiempo más largos, muchos de estos elementos se contrarrestan o desaparecen. Los factores responden a los cambios en la demanda y en los costes que dan lugar a las cuasirentas, las fluctuaciones aleatorias tienden a cancelarse entre ellas, y los avances tecnológicos a menudo terminan eliminando las ventajas y las escaseces de determinados factores que dan lugar a las rentas.

El poder monopolístico es una cuestión diferente. Si la empresa que lo detenta puede impedir que nuevos recursos sean utilizados en la industria, entonces los beneficios económicos perdurarán en el tiempo. De ahí que muchos economistas consideren que la persistencia de beneficios en una industria durante períodos largos de tiempo sin que afluyan nuevos recursos a ella (sin que se establezcan nuevas empresas) es un índice de la existencia de algún grado de poder monopolístico en dicha industria. Dado el suficiente tiempo, puede que incluso los beneficios monopolísticos lleguen a desaparecer al descubrirse nuevos productos, factores o técnicas de producción por parte de otras empresas.

COSTES PRIVADOS Y COSTES SOCIALES

Coste es la evaluación que se hace del uso de los factores productivos. Hasta ahora hemos visto el coste desde el punto de vista de la empresa productora. Pero la economía en su conjunto o la sociedad también incurre en un coste de oportunidad al emplear la empresa los recursos en una actividad en lugar de hacerlo en otra. Para la empresa el coste de oportunidad de utilizar los recursos en una actividad es el ingreso que deja de obtener por no emplear éstos en la mejor alternativa que se le ofrece (o lo que es lo mismo, lo que ha de pagar por los recursos para conseguir obtenerlos en competencia con otras empresas · que también los utilizan). Este es el coste privado. Del mismo modo, la sociedad incurre en un coste al producirse por las empresas o por el Estado un determinado bien. Ese coste consiste en los demás bienes o servicios que se dejan de producir al elaborar el primero.

Los costes privados y los costes sociales pueden coincidir o ser diferentes. En un gran número de casos las empresas y la sociedad utilizan la misma evaluación de los factores: a saber, los precios de éstos que fija el mercado, ya que tales precios reflejan en muchas ocasiones el valor de los recursos utilizados para producir una unidad de un factor en términos de los usos alternativos de estos recursos.

Pero en bastantes casos los costes privados no coinciden con los costes sociales. La polución del aire y del agua por las empresas constituye el ejemplo típico de la diferencia entre los dos tipos de costes. Los costes privados de producir una unidad de un bien cuya fabricación da lugar a contaminación son los costes en que incurre la empresa para obtener los recursos que emplea. Los costes sociales serán igual a los costes privados más el coste que para la sociedad representa la contaminación.

En el caso de la contaminación lo que ocurre es que las empresas utilizan los recursos aire y agua como si éstos no fueran escasos (como si fueran recursos libres) cuando para la sociedad son escasos. En definitiva, ésta es una cuestión de ausencia de una regulación de los derechos de propiedad sobre estos factores. Al no pertenecer a nadie (o nadie tener derechos de propiedad sobre ellos) las empresas los utilizan libremente sin pagar un precio por ellos. Si, por el contrario, la ley reconociera un derecho de propiedad sobre el aire y el agua a los individuos o al Estado, entonces las empresas tendrían que comprarlos pagando el precio que se estableciera para ellos en el mercado. De esta forma el uso del aire o del agua representaría un coste como el de cualquier otro factor, y la empresa internalizaría ese coste. Esto se podría conseguir poniendo un contador que midiera la contaminación que efectúa una empresa y cobrándole un precio por unidad de contaminación (por ejemplo, por centímetro cúbico de contaminante que lanza al aire o al agua).

En otros casos ocurre que ciertos bienes y servicios que la sociedad valora no tienen un valor de mercado. Por ejemplo, un bosque para la sociedad tiene el doble valor de constituir una materia prima (la madera) y de servir de parque público, mientras que para la empresa el coste de oportunidad de utilizar los árboles no incluye la alternativa de emplearlos como parque (debido a que ello no le produciría ingresos).

Cuanto más similares sean los costes privados y los costes sociales mayor será la confianza que los miembros de una sociedad tendrán en el mercado como mecanismo eficiente en la asignación de los recursos escasos de aquélla. Cuando los costes sociales coinciden con los costes privados las empresas privadas que buscan maximizar los beneficios privados estarán realizando la mejor asignación posible de los recursos, tanto desde el punto de vista de la valoración privada de los factores como desde el de la valoración social de éstos.

Asimismo, cuanto mayor es la diferencia entre los costes privados y los costes sociales en la producción de un bien, más ineficiente es la asignación de los recursos realizada a través del mercado (o de la actuación de las empresas privadas). Esta diferencia es una de las razones fundamentales de la interferencia del Estado en el libre funcionamiento del mercado a través de las distintas formas de intervención estatal (control, regulación pública, propiedad, etc.).

Generalmente los costes sociales son más elevados que los costes privados, debido principalmente a los llamados efectos económicos externos negativos, efectos que consideraremos posteriormente. Pero también puede ocurrir que los costes sociales sean inferiores a los costes privados si en la producción de un determinado bien se dan efectos económicos externos positivos, efectos que igualmente definiremos más adelante en este curso. La diferencia entre los costes privados y los costes sociales constituye una de las justificaciones más importante de la suplantación o de la corrección del mecanismo del mercado (de la producción por la empresa privada) por parte del Estado.

BIBLIOGRAFIA SELECCIONADA

Samuelson, P.: *Curso de Economia Moderna*, op. cit., Cap. 23, págs. 514-546.
Lipsey, R.: *Introducción a la Economía Positiva*, op. cit., Cap. 18, págs. 239-272.
Pérez de Ayala, J. L.: *Introducción a una Teoría Pura de la Economía Política*, op. cit., Cap 6.
Di Fenizio, F.: *Economía Política*, op. cit., Caps. 7 y 8.
Baumol, W.: *Teoría Económica y Análisis Operativo*, op. cit., Cap. 10.
Bilas, R.: *Teoría Microeconómica. Un Análisis Gráfico*, op. cit., Caps. 6 y 7.
Stigler, G.: *La Teoría de los Precios*, op. cit., Caps. 6-8.
Lancaster, K.: *Introducción a la Microeconomía Moderna*, op. cit., Cap. 5.

LA FUNCION DE COSTES

En el Capítulo 20, al analizar la función de producción, hemos estudiado la relación existente entre los *outputs* y los *inputs* físicos. Posteriormente en el Capítulo 21 hemos considerado los problemas que se plantean al tratar de asignarles unos costes a los factores productivos. En este Capítulo vamos a analizar el comportamiento de los costes al variar el *output* en el corto, el largo y el muy largo plazo.

Como ya hemos señalado, para la empresa que pretende maximizar sus beneficios es de fundamental importancia el determinar los costes en que incurre al producir su *output,* así como la forma en que variarán aquéllos al aumentar o disminuir éste. Obviamente, si conoce los precios de los factores (cosa que se puede suponer que ocurrirá), la empresa puede obtener su función de costes a partir de su función de producción. Esta le da la cuantía en la que varía la cantidad de cada uno de los *inputs* que utiliza al cambiar su *output.* Si la empresa conoce el precio de cada *input,* entonces podrá determinar la forma en que varían los costes al aumentar o disminuir su nivel de producción.

La relación entre los costes y el *output* se denomina la función de costes, que toma la forma:

$$C = f(P_1 X_1, P_2 X_2, ..., P_n X_n)$$

en la que la C son los costes totales, P_1 hasta P_n son los precios de los factores 1 hasta n, y X_1 hasta X_n son las cantidades de los factores 1 hasta n.

Si el objetivo principal de la empresa es la maximización de los beneficios, es evidente que ésta elegirá el método menos costoso (de entre las alternativas que se le ofrecen) de producir una determinada cantidad de *output.* Es decir, tratará de minimizar los costes, ya que cualquiera que sean sus ingresos, cuanto más reducidos sean sus costes mayores serán sus beneficios. Si la empresa conoce la tasa de producción que desea obtener (la cantidad de *output* por período), la relación física entre el *output* y los *inputs,* y los precios de éstos, entonces lo que ha de hacer aquélla es estudiar las distintas alternativas que se le ofrecen y elegir la más barata.

No obstante, la consecución de este objetivo no es tan fácil como puede parecer. El proceso de toma de las decisiones necesarias para llegar a este fin es complejo por la cantidad de variables que implica y por la falta de información sobre muchas de estas variables. De ahí que la habilidad del empresario en juzgar la situación en base a la insuficiente información de que dispone, y en prever lo que ocurrirá en el futuro con la demanda y con los costes, se convierta en un recurso o factor de la producción de la mayor importancia, factor que es escaso y, en consecuencia, caro.

La elección del método más barato de producir una determinada cantidad de *output* plantea al empresario problemas difíciles de resolver. Así, a la hora de tomar decisiones, el empresario ha de considerar las consecuencias que las decisiones a largo plazo tienen sobre las decisiones a corto plazo. Por ejemplo, un procedimiento de producción que sea muy automatizado y resulte económicamente eficiente para producir una determinada cantidad de *output* por mes, puede ser inflexible a la hora de reducir o aumentar la producción mensual. Es decir, que un método de producción puede ser eficiente para elaborar una cantidad fija de *output* por período de tiempo, pero puede ser ineficiente para producir esa misma cantidad por período, como promedio a lo largo de varios períodos más cortos (produciendo unos períodos más y otros menos de la media). De ahí que la relación entre los costes y el *output* a corto plazo pueda ejercer una influencia sobre las decisiones de la empresa a largo plazo.

Asimismo, a la hora de elegir un método de producción la empresa tiene que prever los precios que los principales factores que utiliza tendrán en el momento en el que los emplee, ya que esos precios futuros van a ser los que realmente determinen sus costes de producción. Del mismo modo, la empresa ha de estimar o prever el volumen de producción que va a realizar en el futuro previsible, ya que los precios futuros de los factores y la relación técnica entre los *outputs* van a dar lugar a que los costes por unidad varíen con el volumen de producción. Obviamente, la empresa puede infravalorar o sobreestimar, tanto los precios de los factores como la demanda de su *output* que se darán en el futuro.

Así pues, las decisiones a corto y a largo plazo tienen efectos las unas sobre las otras, ya que cada decisión a largo plazo implica unas decisiones a corto plazo. De ahí que sea de vital importancia para la empresa el conocer la forma en que varían los costes al cambiar el volumen y la tasa de producción, tanto a largo plazo como a corto plazo. Nosotros vamos a considerar esta relación entre los costes y el nivel de producción con cierto detalle, ya que constituye una de las cuestiones más importantes de la Microeconomía.

EL COMPORTAMIENTO DE LOS COSTES EN EL LARGO PLAZO

El largo plazo lo hemos definido como aquel período de tiempo que es suficiente como para que la empresa pueda variar todos sus factores. Dado el volumen de *output* que desea producir, la empresa puede elegir entre los muchos métodos que tiene a su alcance. Si la tasa de producción es reducida, la empresa tendrá una planta pequeña; si la tasa de producción es elevada, la empresa podrá tener una planta grande, varias pequeñas, o producir ella una parte del bien que elabora y subcontratar la producción de algunos componentes de sus artículos a otras empresas, etc. Además, podrá elegir el método de producción que utiliza (con más o menos intensidad de capital), así como el sistema de organización que emplea (se supone la tecnología constante, pero en cada momento existen muchos métodos diferentes de producir un *output* según la tecnología que se utilice).

En cualquier caso, lo importante que se debe comprender respecto al largo plazo es que (dada la libertad que tiene la empresa para elegir entre los distintos métodos de producción y entre los diferentes sistemas de organización de ésta) habrá necesariamente un método que será el procedimiento más barato de producir una cantidad determinada de *output*. De entre todas esas alternativas que se le ofrecen a la empresa, necesariamente tiene que haber una que sea la menos costosa para producir un determinado *output*. Esto es cierto para cada nivel de producción. La utilización de la alternativa menos costosa posible implica que para cada volumen de producción se está empleando la técnica más adecuada o eficiente para producirlo, y, en consecuencia, que los costes asociados a la elaboración de las distintas cantidades de output son los mínimos posibles.

Naturalmente estamos suponiendo que los precios de los factores le vienen dados a la empresa, y que aquéllos no cambian durante el período que estamos analizando. De esta forma, las variaciones en los costes al aumentar o disminuir el nivel de *output* se deben únicamente a los cambios en las cantidades de *inputs* (combinaciones) que se utilizan por unidad de *output*. Es evidente que dada la eficiencia técnica de un proceso de producción, si los precios de los factores suben, los costes aumentarán; y si los precios de los factores bajan, los costes disminuirán. De ahí que analíticamente lo que interesa es determinar el comportamiento de las cantidades de *inputs* (naturalmente valorados éstos en dinero) utilizadas por unidad de *output* al cambiar la cantidad que se produce de éste, así como la posibilidad de sustituir los factores más caros por los más baratos (cosa que se puede hacer en el largo plazo).

De momento sólo utilizaremos el concepto de coste medio total o coste unitario que se define como los costes totales en que incurre la empresa divididos por el número de unidades de *output* que produce. Al estudiar el corto plazo consideraremos los demás conceptos de costes que se emplean en Economía.

Supongamos que la curva *CMeLP* de la Figura 22.1 representa el coste medio más bajo que es posible obtener para cada nivel de *output* (Q) que se elabora a largo plazo (es decir, utilizando el método menos costoso o que minimiza los costes para cada nivel de producción). La línea *CMeLP* es, pues, la curva de costes totales medios a largo plazo. Cada punto de ella representa el coste más bajo que se puede alcanzar para producir el *output* correspondiente para ese punto. Así, el punto a de la curva *CMeLP* nos indica que para producir la cantidad Q_0 de *output*, el coste medio total más bajo que se puede alcanzar es C_0.

Los puntos por debajo de la línea *CMeLP* (por ejemplo, el punto b) no son alcanzables; es decir, no existe un método de producir la cantidad Q_1 de *output* al coste medio C_1, sino que el coste más bajo alcanzable es C_2. Del mismo modo, los puntos por encima de la curva son alcanzables, pero corresponden a métodos de producción que no son los más eficientes económicamente; la empresa que pretende maximizar los beneficios no producirá la cantidad de *output* Q_2 al coste medio de C_3, cuando puede hacerlo al coste más bajo C_4.

En resumen, la curva de *CMeLP* no es más que el conjunto de puntos que indican el coste medio total más bajo posible de producir cada cantidad de *output*, coste que resulta de elegir el método más barato de producción para cada nivel concreto de *output*. Esta curva está relacionada o se deriva de la función de producción a largo plazo. Es importante entender que esta curva no corresponde a los costes de producción que obtiene una empresa al variar su *output* utilizando la misma planta (el mismo método de producción). La curva de *CMeLP* muestra distintos niveles de *output*, y para pasar de un punto a otro de ésta (de un *output* a otro), la empresa ha de cambiar su planta y equipo en orden a conseguir el coste de producción más bajo posible para el nuevo nivel de *output*. La curva de *CMeLP* no corresponde, pues, a la curva de costes de una planta determinada (con una capacidad productiva instalada), sino que se refiere a tantas plantas como puntos tiene la curva: una planta para cada nivel de *output* (la que consigue el coste más bajo posible por unidad de *output* para ese nivel de producción).

FIGURA 22.1

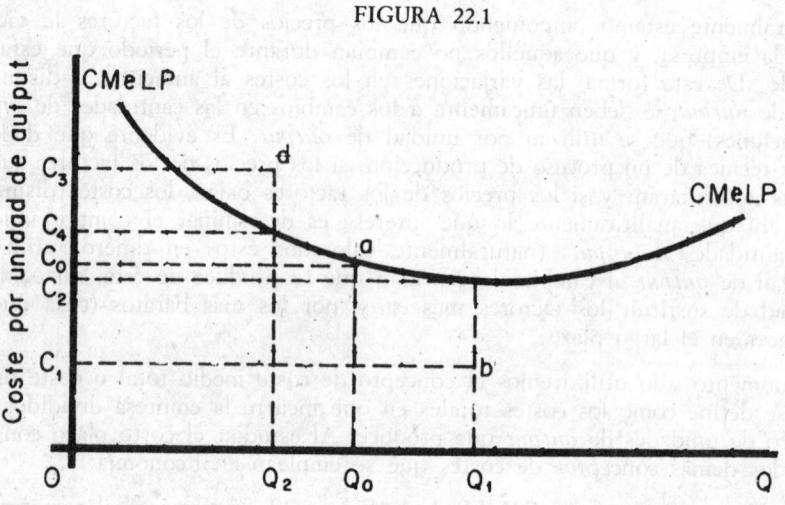

Así pues, dada la función de producción a largo plazo (que determina la cantidad de *output* por unidad de los *inputs* empleados) y dados los precios de los factores, la curva *CMeLP* representa una frontera de posibilidades: los costes por unidad de *output* que son alcanzables para cada nivel de *output* (todos los superiores al que señala la curva para ese nivel de producción), y los que no lo son (todos los inferiores al que determina la curva para cada nivel de producción). Existen varios métodos técnicamente factibles de producir un *output* determinado, pero, dados los precios de los factores, sólo uno de esos métodos será el menos costoso. Cada punto de la curva corresponde a un *output* producido con este método.

En el Capítulo 20 vimos cómo a largo plazo los rendimientos por unidad de *input* en términos de unidades o fracciones de unidad de *output* podían variar. La forma que hemos dado a la curva *CMeLP* de la Figura 22.1 es arbitraria. Ahora debemos considerar la forma que tomará esta curva según sean los rendimientos al variar el *output*. Las Figuras 22.2, 22.3 y 22.4 muestran el caso de tres empresas que tienen la primera costes constantes, la segunda costes decrecientes y la tercera costes crecientes.

En el caso de la empresa a la que corresponde la curva *CMeLP* de la Figura 22.2, su coste por unidad no cambia al variar su volumen de *output* (cualquiera que sea éste, el coste medio por unidad es el mismo). Utilizando la terminología del Capítulo 20, esto significa que la empresa tiene rendimientos constantes de escala y de sustitución de unos factores por otros (el *output* aumenta exactamente en la misma proporción que los *inputs*).

FIGURA 22.2   FIGURA 22.3

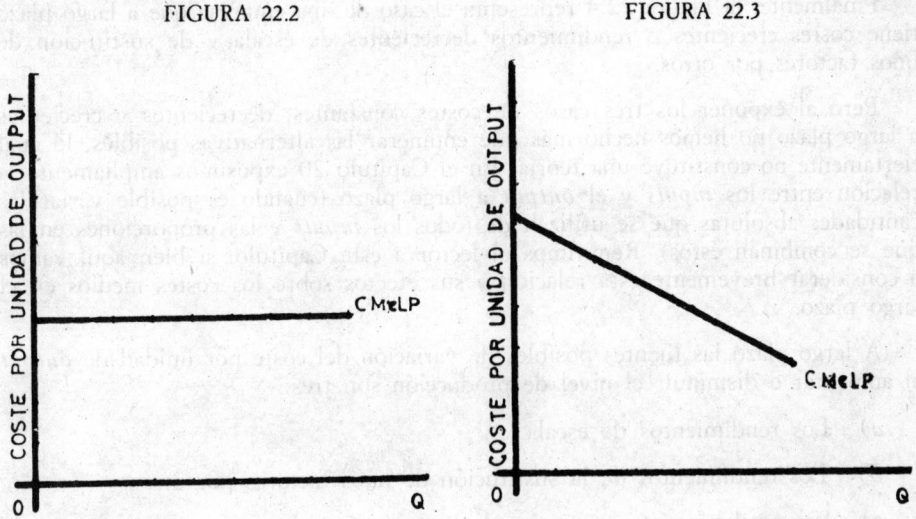

FIGURA 22.4

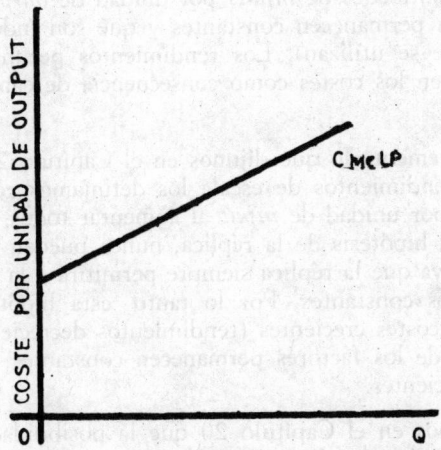

La Figura 22.3 muestra el caso de una empresa que tiene costes medios decrecientes a largo plazo. Es decir, que al aumentar su volumen de *output*, obtiene rendimientos crecientes de escala y/o de sustitución de unos factores por otros (al incrementar su nivel de producción, el coste por unidad de *output* disminuye). El lector debe entender que decir que se dan costes decrecientes es exactamente igual que afirmar que se dan rendimientos crecientes: dados unos precios constantes de los factores (se suponen éstos constantes en el período en el que se analiza la producción), si al aumentar la producción se obtiene un mayor rendimiento (en términos de *output*) por unidad de *input*, ello implica necesariamente que los costes por unidad de producción disminuyen al incrementarse ésta. Dicho de otra forma: los rendimientos crecientes implican el empleo de una menor cantidad de *inputs* por unidad de *output* al aumentar la producción.

Finalmente, la Figura 22.4 representa el caso de una empresa que a largo plazo tiene costes crecientes o rendimientos decrecientes de escala y de sustitución de unos factores por otros.

Pero al exponer los tres casos de costes constantes, decrecientes y crecientes a largo plazo no hemos hecho más que enumerar las alternativas posibles, lo cual ciertamente no constituye una teoría. En el Capítulo 20 expusimos ampliamente la relación entre los *inputs* y el *output* a largo plazo (cuando es posible variar las cantidades absolutas que se utilizan de todos los *inputs* y las proporciones en las que se combinan éstos). Remitimos al lector a este Capítulo, si bien aquí vamos a considerar brevemente esta relación y sus efectos sobre los costes medios en el largo plazo.

A largo plazo las fuentes posibles de variación del coste por unidad de *output* al aumentar o disminuir el nivel de producción son tres:

a)   Los rendimientos de escala.

b)   Los rendimientos de la sustitución de unos factores por otros.

c)   Los rendimientos pecuniarios de los costes.

Los rendimientos de escala y los rendimientos de la sustitución de unos factores por otros son fenómenos puramente físicos, que son expresados por la función de producción (las cantidades de *inputs* por unidad de *output*, suponiendo que los precios de los *inputs* permanecen constantes y que son independientes de las cantidades de éstos que se utilizan). Los rendimientos pecuniarios de los costes se deben a variaciones en los costes como consecuencia de cambios en los precios de los *inputs*.

Recordemos brevemente lo que dijimos en el Capítulo 20 sobre los rendimientos de escala. Los rendimientos de escala los definíamos como el rendimiento en términos de *output* por unidad de *input* al aumentar todos los *inputs* en la misma proporción. Según la hipótesis de la réplica, nunca pueden darse rendimientos decrecientes de escala, ya que la réplica siempre permitirá a la empresa obtener, como mínimo, rendimientos constantes. Por lo tanto, esta hipótesis excluye la posibilidad de que se den costes crecientes (rendimientos decrecientes) a largo plazo. Es decir, si los precios de los factores permanecen constantes, a largo plazo no pueden darse costes crecientes.

También señalamos en el Capítulo 20 que la posibilidad de que se den o no rendimientos crecientes de escala (costes decrecientes) depende de que los factores sean o no perfectamente divisibles. Por una parte, vimos que en el caso de reducciones de la producción, el coste por unidad podía aumentar debido a que, como consecuencia de la indivisibilidad de los factores, en casi todos los procesos productivos (principalmente en los procesos industriales) existe una escala mínima eficiente de utilización de éstos. Por debajo de ese tamaño mínimo eficiente, reducciones proporcionalmente iguales en las cantidades de todos los factores utilizados dan lugar a disminuciones más que proporcionales en el *output,* lo que significa un aumento en el coste por unidad de producto. Este es el caso de las cadenas de montaje de coches, o el de los hornos de fundición de acero.

Por otra parte, y como vimos en el Capítulo 20, la divisibilidad imperfecta de los factores derivada de la especialización en el uso de éstos, da lugar a rendimientos crecientes de escala o costes unitarios decrecientes. Si los factores fueran perfectamente divisibles, no podrían darse los rendimientos crecientes de escala o costes unitarios decrecientes. La divisibilidad perfecta de los factores, junto con la posibilidad de la réplica, siempre darían lugar a rendimientos constantes de escala o costes unitarios constantes.

FIGURA 22.5

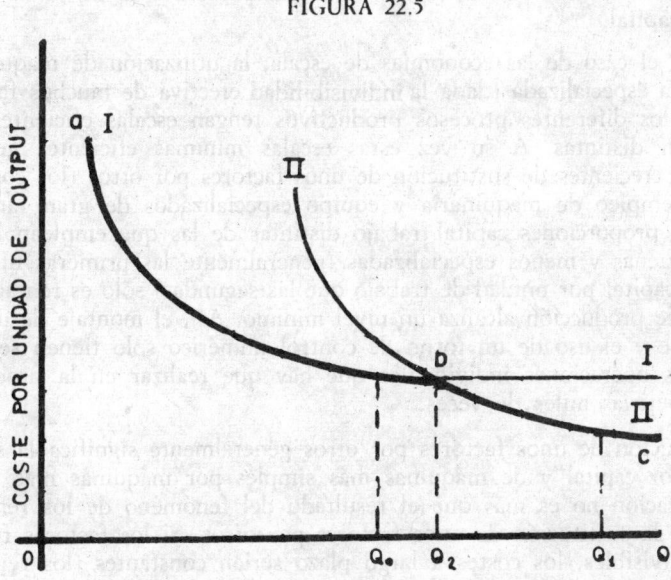

Si se dieran rendimientos crecientes de escala como consecuencia de la existencia de la escala mínima eficiente de utilización de los procesos productivos, entonces la curva de costes unitarios de una empresa a largo plazo podría tomar la forma de la línea gruesa de la Figura 22.5. Con el proceso productivo I los costes unitarios descienden hasta alcanzar su nivel mínimo cuando se produce la cantidad Q_o de *output,* manteniéndose aquéllos constantes después (se dan rendimientos crecientes de escala hasta llegar al volumen Q_o de *output,* y después aquéllos se mantienen constantes). Con el proceso productivo II se dan igualmente costes unitarios decrecientes hasta el nivel de producción Q_1, a partir del cual aquéllos se mantienen igualmente constantes. El *output* Q_o es la escala mínima eficiente del proceso I, y el *output* Q_1 es la escala mínima eficiente del proceso II. La línea gruesa *abc* representa la curva de costes unitarios a largo plazo para una empresa que puede utilizar los procesos I y II: para producir de O a Q_2 de *output,* la empresa utilizaría el proceso I; y para producir un *output* superior a Q_2, emplearía el proceso II.

La segunda fuente de variación de los costes a largo plazo son los rendimientos de la sustitución de unos factores por otros. Del mismo modo, los rendimientos crecientes de sustitución significan costes decrecientes, los rendimientos constantes de sustitución equivalen a costes constantes, y los rendimientos decrecientes significan costes crecientes. La Figura 22.5 ilustra igualmente esta posibilidad. El proceso I por definición utiliza una combinación de factores distinta de la que emplea el proceso II, ya que si en los dos procesos se combinan los factores en iguales proporciones, ambos serían el mismo proceso. En consecuencia, para niveles de producción inferiores a Q_2 la empresa utiliza la combinación de factores en las proporciones implícitas en el proceso I. Para la producción de niveles de *output* superiores a Q_2 la empresa emplea una combinación de los factores que implica proporciones distintas. Lógicamente las proporciones distintas implican la sustitución de unos factores por otros: si el proceso I utiliza 2 unidades de capital por cada unidad de trabajo y el proceso II emplea 4 unidades de capital por cada unidad de trabajo, es evidente que al pasar del proceso I al II se ha sustituido trabajo por capital.

Como en el caso de las economías de escala, la utilización de maquinaria y/o mano de obra especializada (dada la indivisibilidad efectiva de muchos factores) da lugar a que los diferentes procesos productivos tengan escalas eficientes mínimas de utilización distintas. A su vez estas escalas mínimas eficientes generan los rendimientos crecientes de sustitución de unos factores por otros (los costes decrecientes). El empleo de maquinaria y equipo especializados de gran tamaño, que utilizan unas proporciones capital-trabajo distintas de las que emplean las máquinas más pequeñas y menos especializadas (generalmente las primeras utilizan más unidades de capital por unidad de trabajo que las segundas) sólo es rentable cuando el volumen de producción alcanza un nivel mínimo. Así, el montaje de una cadena de ensamblaje y el uso de un torno de control numérico sólo tienen sentido económico si las operaciones individuales que hay que realizar en la producción es necesario repetirlas miles de veces.

La sustitución de unos factores por otros generalmente significa la sustitución de trabajo por capital y de máquinas más simples por máquinas más complejas. La automatización no es más que el resultado del fenómeno de los rendimientos crecientes de la sustitución de unos factores por otros. Si los factores fueran perfectamente divisibles, los costes a largo plazo serían constantes (los rendimientos de escala y de sustitución serían constantes).

Asimismo, según la hipótesis de la réplica, los costes se mantendrán constantes cuando el *output* es superior al que corresponde a la escala mínima eficiente del proceso menos costoso. La empresa maximizadora de los beneficios nunca incurrirá en costes crecientes como consecuencia de obtener rendimientos decrecientes de sustitución al aumentar su *output*, ya que siempre puede expandirse por medio de la réplica. Lógicamente no utilizará la sustitución de unos factores por otros más que cuando ello le lleve a una mayor eficiencia técnico-económica.

Los costes decrecientes a largo plazo derivados de la sustitución de unos factores por otros pueden deberse no sólo a rendimientos crecientes (en términos físicos), sino también a variaciones en los precios de unos factores en relación con los precios de otros *inputs*. Si un factor se hace más caro que otro en términos relativos, entonces la sustitución total o parcial de aquél por uno o varios de los *inputs* cuyos precios han bajado, dará lugar a una reducción de los costes unitarios.

Naturalmente, aquí estamos abandonando el supuesto de precios constantes de los factores.

Finalmente, existe una tercera fuente de variación de los costes unitarios a largo plazo al cambiar el *output*. Esta fuente es conocida como los rendimientos pecuniarios de los costes. Estos rendimientos pueden ser crecientes o decrecientes (y, en consecuencia, dan lugar a costes decrecientes y crecientes, respectivamente).

Supongamos que la industria X utiliza entre sus *inputs* el producto A que a su vez es un *output* de la industria Y. Imaginémonos que por alguna razón la industria X se expansiona fuertemente, con lo que su demanda del producto A aumenta considerablemente. Si la industria Y tiene rendimientos crecientes de escala y/o de sustitución de unos factores por otros, entonces sus costes por unidad de A bajarán, lo que dará lugar a una reducción del precio de este producto. De esta forma, la industria X se encontrará con que al bajar de precio uno de sus *inputs,* sus costes unitarios se reducen a largo plazo. En este caso se dice que la industria X tiene rendimientos pecuniarios crecientes de los costes (que dan lugar a costes decrecientes).

Puede ocurrir que si la industria X continúa expansionándose durante un tiempo o si su expansión es rápida, los aumentos del volumen de compras de la industria X a la industria Y den lugar a que los factores que intervienen en la producción del *input* A se hagan escasos, con lo que subirán sus precios y, en consecuencia, aumentarán los costes de la industria Y y el precio de A. De esta forma terminarían subiendo los costes unitarios de la industria X. Digamos que éste es el único caso en el que se prevee que suban los costes a largo plazo al aumentar la producción.

Resumiendo, podemos decir que si se toman en cuenta todas las fuentes posibles de variación de los costes unitarios a largo plazo al cambiar el volumen de *output,* dichos costes pueden ser crecientes, constantes o decrecientes. La curva de costes unitarios a largo plazo puede tener forma de U, como la que aparece en la Figura 22.1, pero también puede ser similar a las de las Figuras 22.2, 22.3 ó 22.4. Los rendimientos de escala y los rendimientos de sustitución de unos factores por otros sólo pueden dar lugar a costes constantes o decrecientes, mientras que los costes crecientes (si se dan) son debidos a los que hemos llamado rendimientos pecuniarios decrecientes de los costes.

La evidencia empírica muestra que en un gran número de industrias se dan costes unitarios decrecientes a largo plazo. Esto explica que, en términos reales, los precios de la mayoría de los bienes y servicios sean hoy inferiores a los existentes hace cien, cincuenta o incluso veinticinco años. Los coches, los frigoríficos, los pisos, los billetes de avión, la ropa, los tocadiscos, las calculadoras, son sólo algunos de los muchos bienes y servicios que han experimentado una reducción de sus precios en términos reales, como consecuencia de los rendimientos crecientes de escala, de sustitución y/o de los costes. Claro está que a esta reducción de los precios ha contribuido también en buena medida el avance de la tecnología que ha aumentado la productividad de los factores. Como hemos señalado, el cambio de la tecnología es considerado al estudiar el muy largo plazo, si bien obviamente los tres períodos (el corto, el largo y el muy largo plazo) están transcurriendo simultáneamente.

EL COMPORTAMIENTO DE LOS COSTES EN EL CORTO PLAZO

En el largo plazo hemos dicho que la empresa puede escoger el método de producción y el tamaño de la planta que desee utilizar (puede cambiar de un método a otro y de un proceso a otro). De hecho, en el largo plazo la empresa cambia de utilizar un método a emplear otro, y varía el tamaño de su planta (haciéndola más grande o más pequeña); de ahí que la curva de costes unitarios a largo plazo no corresponda a una planta concreta, sino que refleja los costes medios en que incurrirá la empresa al cambiar el método de producción y la planta de tal forma que obtenga el coste más bajo posible para cada cantidad de *output*.

Por el contrario, y de acuerdo con la definición que hacemos de éste, en el corto plazo la empresa se encuentra con una capacidad productiva instalada (una maquinaria, un equipo y unas instalaciones) que no pueden variar. Antes de montar su planta por primera vez o de reformar la ya montada, la empresa puede escoger cualquier capacidad (tiene obviamente a su alcance todas las alternativas técnicamente factibles). Pero una vez que ha seleccionado y ha montado una determinada planta, la empresa se encuentra con que tiene una capacidad productiva que en el corto plazo no puede variar, lo que constituye un factor limitativo importantísimo en la determinación del comportamiento de los costes y de la empresa en el corto plazo. La existencia de unos factores fijos y de la correspondiente capacidad productiva son los datos que caracterizan al llamado corto plazo.

Supongamos que una empresa ha elegido el tamaño de la planta que desea instalar y que efectivamente la monta. Esta planta tendrá una maquinaria y un equipo adecuados para producir una determinada cantidad de *output* por período de tiempo. Supongamos además que la empresa está produciendo en el punto adecuado de su curva de costes a largo plazo (es decir, está produciendo el *output* de que se trate al coste más bajo posible): por ejemplo, está elaborando el *output* Q_2 al coste unitario C_4 (véase la Figura 22.1). Imaginémonos ahora que la empresa desea variar su tasa de *output* antes de que transcurra suficiente tiempo como para cambiar su maquinaria y equipo. La empresa se encuentra ahora en el corto plazo: tiene unos factores fijos (maquinaria, equipo e instalaciones), y unos factores variables (materias primas, trabajo, energía, etc.).

Si la empresa desea producir un *output* superior o inferior a Q_2 sin poder cambiar el tamaño de su planta (tamaño que se supone es el más adecuado para producir Q_2) es evidente que sus costes unitarios muy posiblemente aumentarán. La empresa no puede alcanzar un nivel de costes inferior al que señala la curva de *CMeLP* para cada nivel de *output*, ya que el tamaño de la planta con la que lo produce es el más apropiado para ese nivel de *output*. Pero si el *output* Q_2 es producido con una planta que tiene un tamaño adecuado para producir el *output* Q_0, muy probablemente los costes serán superiores a C_4 (quizá C_3). Del mismo modo, si Q_2 es producido con una planta diseñada para producir (con un funcionamiento normal) un *output* inferior a Q_2 (a través de hacerla funcionar con dos o tres turnos en lugar de uno), entonces lo más probable es que los costes sean igualmente superiores a C_4 (debido, por ejemplo, a que las máquinas se averían con más frecuencia de lo normal, o que se varíe el número de trabajadores por máquina y operación, etc.).

En resumen, lo que se pretende concluir con esta argumentación es que en el corto plazo la empresa tiene una capacidad productiva que no puede variar. Esa planta en principio está diseñada para producir una determinada cantidad de *output* al coste más bajo posible, cosa que se consigue a través de obtener la mejor combinación factible de los factores fijos y variables, dada la cantidad de factores fijos que implica la planta en cuestión. Al variar el *output* sin cambiar la cantidad de factores fijos, esa combinación óptima de los factores se deja de dar, con lo que los costes unitarios necesariamente aumentan.

Esta idea es muy importante y debe quedar clara. Veámosla desde otro ángulo. Se puede suponer perfectamente que para producir cada nivel de *output* por período de tiempo debe existir necesariamente una combinación óptima de los factores fijos y variables. Esa combinación implica una determinada cantidad de factores fijos (también de factores variables), cantidad que se plasma en la capacidad o tamaño de la planta que la empresa monta. Una vez montada ésta, si la empresa desea variar la cantidad de *output* (producir un *output* superior o inferior al correspondiente a la combinación óptima de los factores) sin poder cambiar los factores fijos, entonces necesariamente ha de emplear una combinación de los factores distinta de la óptima (utilizar más o menos unidades de los factores variables por unidad de los factores fijos), y, en consecuencia, sus costes unitarios aumentarán (tanto si incrementa la producción como si la disminuye).

FIGURA 22.6

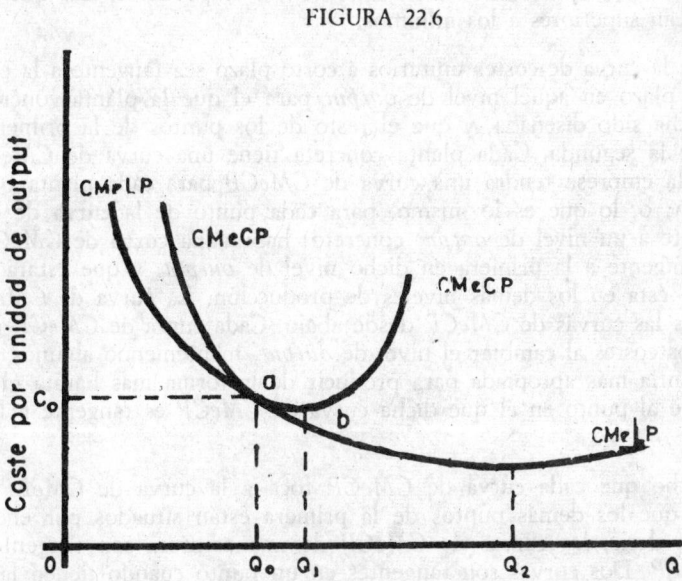

La Figura 22.6 muestra esta hipótesis de comportamiento de los costes. La curva *CMeLP* (curva de costes medios a largo plazo) es una curva normal, que muestra que la industria tiene economías de escala hasta llegar al nivel de *output* Q_2, y que para cantidades de producción superiores a Q_2 los costes unitarios aumentan un poco (quizá debido a que entran en juego los rendimientos pecuniarios decrecientes de los costes: aumentan los costes de determinados factores al hacerse éstos escasos). Cada punto de la curva *CMeLP* debe necesariamente representar una combinación óptima de los factores (y, en consecuencia, una planta concreta, distinta de la correspondiente a cada uno de los demás puntos), pues de no ser así, la misma cantidad de *output* podría ser producida a un coste inferior, simplemente utilizando otra combinación que fuera la óptima.

En consecuencia, la curva de costes medios a corto plazo ha de ir necesariamente por encima de la curva a largo plazo, excepto en el punto correspondiente
al *output* que puede ser producido más económicamente con la planta concreta a
la que corresponde la curva de *CMeCP*. Supongamos que se desea producir el
output Q_o, y que éste es elaborado de la forma menos costosa con la planta concreta a la que corresponde la curva *CMeCP* de la Figura 22.6. Si a largo plazo desea
aumentar el *output* más allá de Q_o la empresa cambiará a otra planta distinta, planta que tendrá su correspondiente curva de *CMeCP*, y que le permitirá obtenerlo
a un coste unitario más bajo que el que incurriría con la planta primera.

De ahí que al variar la producción (al producir un *output* superior o inferior
al nivel óptimo para el que ha sido diseñada la planta concreta), los costes a corto
plazo se hagan superiores a los costes a largo plazo, como se representa en la Figura 22.6. La empresa siempre tiene una planta concreta, que es la que le impone
una limitación a corto plazo. A largo plazo la empresa también tiene necesariamente una planta en cada momento, pero esa planta puede cambiarla, pasando
de una capacidad y método de producción a otros. Si la empresa se ve obligada a
producir un volumen de *output* con una planta diseñada para elaborar óptimamente una cantidad de producción distinta, entonces se puede esperar que los costes unitarios sean superiores a los mínimos.

De ahí que la curva de costes unitarios a corto plazo sea tangente a la curva de
costes a largo plazo en aquel nivel de *output* para el que la planta concreta (los
factores fijos) ha sido diseñada, y que el resto de los puntos de la primera estén
por encima de la segunda. Cada planta concreta tiene una curva de *CMeCP*. En
consecuencia, la empresa tendrá una curva de *CMeCP* para cada planta o capacidad productiva; o, lo que es lo mismo, para cada punto de la curva de *CMeLP*
(correspondiente a un nivel de *output* concreto) habrá una curva de *CMeCP*, curva que será tangente a la primera en dicho nivel de *output*, y que estará situada
por encima de ésta en los demás niveles de producción. La curva de *CMeLP* envolverá a todas las curvas de *CMeCP* desde abajo. Cada curva de *CMeCP* muestra
cómo varían los costes al cambiar el nivel de *output*, manteniendo algunos factores
fijos en la cuantía más apropiada para producir de la forma más barata el *output*
correspondiente al punto en el que dicha curva de *CMeCP* es tangente a la curva
de *CMeLP*.

Hemos dicho que cada curva de *CMeCP* toca a la curva de *CMeLP* en un
solo punto, y que los demás puntos de la primera están situados por encima de
la segunda. Es decir, las curvas de *CMeCP* de una empresa son tangentes a su
curva de *CMeLP*. Dos curvas son tangentes en un punto cuando tienen la misma
pendiente en dicho punto. En consecuencia, si la curva de *CMeLP* desciende donde es tangente a una curva de *CMeCP* ello significa que ésta también está descendiendo, lo que implica que el punto de la curva de *CMeCP* en el que es tangente
a la curva de *CMeLP* no ha de ser necesariamente el punto más bajo de aquélla;
es decir, a menos que la curva de *CMeLP* sea horizontal (tenga una pendiente de
valor cero) en el punto de tangencia con la curva de *CMeCP*, ésta no estará en su
punto más bajo (lo que significa que el coste unitario no habrá alcanzado el valor
más bajo posible de obtener con la planta correspondiente a esa curva de *CMeCP*).
Véanse las Figuras 22.6 y 22.7 para comprobar esta afirmación.

Este fenómeno tiene un significado económico que estriba en la diferencia
entre la forma más eficiente de utilizar una planta determinada y la forma más
eficiente de producir una cantidad concreta de *output*. Al economista le interesa
esta segunda cuestión. El punto *a*, común a las curvas de *CMeLP* y de *CMeCP*

de la Figura 22.6, muestra la forma más barata de producir el *output* Q_o (lo que se obtiene utilizando la planta a la que corresponde la curva de *CMeCP*), mientras que el punto *b* de la curva de *CMeCP* indica que la planta a la que pertenece esta curva es utilizada de la forma más eficiente cuando se produce el *output* Q_1 por período (a ese *output* se alcanza el coste unitario más bajo, dada su capacidad productiva instalada).

FIGURA 22.7

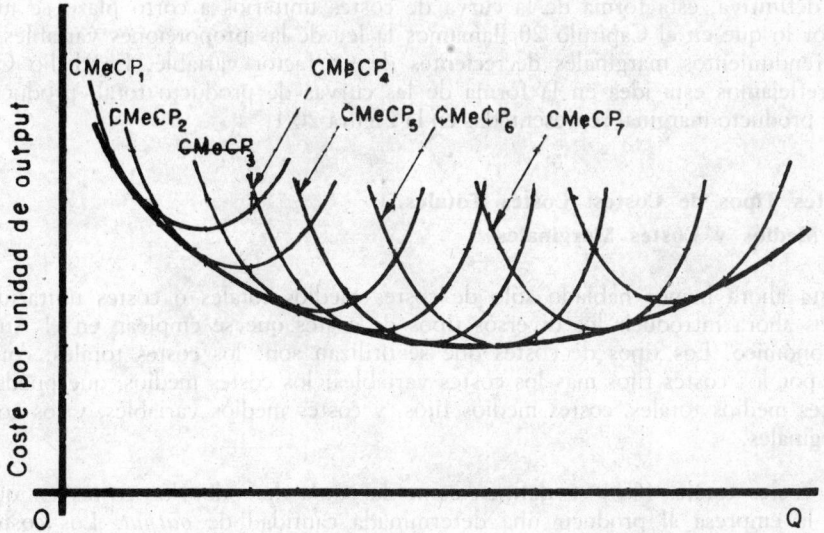

De aquí se deduce que si en una industria la construcción de plantas más grandes permite obtener economías de escala o rendimientos crecientes del tipo que sea (si la curva de *CMeLP* desciende como en la Figura 22.3), con lo que los costes unitarios decrecen, entonces es posible que sea rentable construir una planta más grande aunque no se utilice a plena capacidad (hasta el nivel de *output* en el que se alcanzan los costes unitarios más bajos). Será rentable construir esta planta siempre que las ganancias de emplear una planta más grande sean superiores a los costes de utilizarla ineficientemente (no utilizarla a plena capacidad). Si existen economías de escala factibles de obtener (si se dan costes decrecientes a largo plazo), entonces existe siempre un cierto grado de subutilización de las plantas que estará justificado.

En las Figuras 22.6 y 22.7 hemos dibujado las curvas de costes medios a corto plazo en forma de U (es decir, decrecientes al principio, con un punto mínimo, y finalmente con un tramo creciente). Esta forma responde a la idea que tantas veces hemos expuesto de que en el corto plazo la empresa tiene una planta con una capacidad productiva instalada y diseñada para producir un volumen concreto de *output* al coste unitario más bajo posible. Ello implica que a ese nivel de producción la combinación de los factores (las cantidades absolutas de éstos y la proporción en la que se combinan) es la óptima. A los demás niveles de *output* (inferiores o superiores al correspondiente a la combinación de los factores) la combinación de éstos no será óptima, ya que, al haber unos factores fijos, la variación de la producción implica necesariamente un cambio en las proporciones en que se mezclan los *inputs*. Esto da lugar necesariamente a que los costes sean decrecientes en los *outputs* inferiores a Q_I en la Figura 22.6 (al aumentar la producción por período desde cero hasta Q_I, la combinación de los factores en la planta a la que corresponde la curva de *CMeCP* va haciéndose mejor al ir acercándose a la combinación óptima expresada por el punto *b;* y a que los costes unitarios sean crecientes para los *outputs* superiores a Q_I, al alejarnos cada vez más de la combinación óptima.

En definitiva, esta forma de la curva de costes unitarios a corto plazo se justifica por lo que en el Capítulo 20 llamamos la ley de las proporciones variables o de los rendimientos marginales decrecientes de un factor variable. En dicho Capítulo reflejamos esta idea en la forma de las curvas de producto total, producto medio y producto marginal representadas en la Figura 20.1.

Diferentes Tipos de Costes: Costes Totales, Costes Medios y Costes Marginales

Hasta ahora hemos hablado sólo de costes medios totales o costes unitarios. Debemos ahora introducir los diversos tipos de costes que se emplean en el Análisis Económico. Los tipos de costes que se utilizan son: los costes totales, compuestos por los costes fijos más los costes variables; los costes medios, que pueden ser costes medios totales, costes medios fijos, y costes medios variables, y los costes marginales.

Los costes totales (*CT*) se definen como la suma de todos los costes en que incurre la empresa al producir una determinada cantidad de *output*. Los costes totales están integrados por dos componentes: los costes totales fijos (*CTF*) y los costes totales variables (*CTV*).

Los *CTF* son aquellos costes que no varían al cambiar el nivel de producción; es decir, son aquellos costes correspondientes a los factores fijos (maquinaria, equipo e instalaciones) y que, en consecuencia, son los mismos cualquiera que sea el nivel de producción (desde cero *output* hasta el volumen máximo de producción que puede alcanzar la planta, dada su capacidad instalada). Dado que no se puede cambiar en el corto plazo la cantidad de los factores a los que corresponden los costes fijos, éstos no varían al cambiar el volumen de *output*. Es importante comprender que la empresa no puede evitar estos costes: una vez que ha comprado e instalado la maquinaria y el equipo, éstos pierden valor todos los días (por envejecimiento y obsolescencia), se usen o no. Desde el momento que monta una planta, a corto plazo la empresa está incurriendo en unos costes inevitables y de igual magnitud, cualquiera que sea el volumen de producción.

Los costes totales variables (*CTV*) son los costes de producción correspondientes a los factores variables (materias primas, energía, mano de obra si ésta puede ser contratada y despedida libremente, teléfono, y demás factores variables). Los *CTV*, en consecuencia, varían directamente con el volumen de producción: aumentan cuando se incrementa el *output*, y disminuyen cuando se reduce éste. Estos costes son evitables (si la empresa no produce ningún *output*, no incurre en costes variables). A menudo se les llama a éstos costes directos.

Aritméticamente, por lo tanto:

$$CT = CTF + CTV$$

$$CTF = K$$

$$CTV = P_i X_i$$

siendo K una magnitud constante, P_i el precio por unidad del factor variable i, y X_i la cantidad de éste utilizada (aquí suponemos que sólo se emplea un factor variable). Puesto que los costes fijos son constantes y los costes variables necesariamente aumentan al incrementarse el *output,* los CT son una función directa del nivel de producción:

$$CT = f(Q)$$

Los costes medios totales *(CMeT)* obviamente son iguales a los costes totales incurridos al producir una cantidad de *output* divididos por el número de unidades que éste representa. Se distingue también entre costes medios fijos y costes medios variables. Aritméticamente estos dos tipos de costes se definen:

$$CMeT = \frac{CT}{Q} = \frac{CTF + CTV}{Q} = CMeF + CMeV$$

$$CMeF = \frac{CTF}{Q} = \frac{K}{Q}$$

$$CMeV = \frac{CTV}{Q}$$

Si $CMeT = \dfrac{CT}{Q}$, entonces $CT = Q \times CMeT$.

Obviamente los *CMeF* han de disminuir necesariamente al aumentar el *output,* ya que una cantidad constante es dividida entre un número creciente de unidades producidas. Por el contrario, los *CMeV* pueden aumentar o disminuir al incrementar el *output (Q),* según que éste aumente proporcionalmente menos o más rápidamente que los *CTV.*

Finalmente, los costes marginales *(CMa)* se definen como el incremento en los costes totales al aumentar la tasa de producción (el *output* por período de tiempo) en una unidad:

$$CMa_n = CT_n - CT_{n-1}$$

o lo que es lo mismo,

$$CMa = \frac{\Delta CT}{\Delta Q}$$

Más exactamente,

$$CMa = \frac{dCT}{dQ}$$

Recordemos que, como expusimos en el Capítulo 5, el CMa de producir n unidades no es el coste de producir la enésima unidad de *output*, sino la variación que experimentan los costes totales al pasar de producir $n-1$ unidades a elaborar n unidades por período de tiempo. Cuando se produce una cantidad concreta de unidades idénticas de un *output*, no es posible determinar el coste que corresponde a cada una de las unidades de éste.

Los CMa son por definición costes variables, ya que los CT sólo varían en su componente de CTV (los CMa fijos son siempre cero, ya que los CTF no varían al aumentar Q). Es fácil demostrar aritméticamente esta afirmación:

$$CMa_n = CT_n - CT_{n-1}$$

pero

$$CT_n = CTF_n + CTV_n$$

y

$$CT_{n-1} = CTF_{n-1} + CTV_{n-1}$$

en consecuencia:

$$CMa_n = (CTF_n + CTV_n) - (CTF_{n-1} + CTV_{n-1})$$

pero

$$CTF_n = CTF_{n-1} = K$$

en consecuencia:

$$CMa_n = (CTV_n + K) - (CTV_{n-1} + K)$$

la K desaparece en los dos términos del lado derecho de la ecuación, y tenemos, por lo tanto, que:

$$CMa_n = CTV_n - CTV_{n-1}$$

Así pues, los costes marginales son necesariamente costes marginales variables, y, en consecuencia, un cambio en los costes fijos no afectará a los costes marginales.

Se distinguen estos tres conceptos de costes (los totales, los medios y los marginales) porque es útil para la empresa el conocer cuál de ellos cambia y cómo lo hace al variar su *output*. Como veremos más adelante. la empresa que desea maximizar sus beneficios intentará igualar el CMa con el ingreso marginal (IMa). Asimismo, en el corto plazo la empresa continuará produciendo siempre que cubra los costes variables (ya que los fijos no puede evitarlos, produzca o no), pero a largo plazo cerrará si no cubre los costes totales (los variables y los fijos).

Relaciones entre los distintos Tipos de Costes a Corto Plazo

Es importante comprender claramente las relaciones existentes entre los distintos tipos de costes. Prácticamente ya las hemos expuesto en el Capítulo 5. No obstante, vamos a analizarlas una vez más, tanto aritmética como gráficamente, debido a la enorme importancia que aquéllas tienen para la comprensión de los capítulos siguientes.

TABLA 22.1

Output Q	Costes Totales Fijos	Costes Totales Variables	Costes Totales	Costes Marginales	Costes Medios Totales	Costes Medios Variables
0	256	0	256	—	—	—
1	256	64	320	64	320,0	64
2	256	84	340	20	170,0	42
3	256	99	355	15	118,3	33
4	256	112	368	13	92,0	28
5	256	125	381	13	76,5	25
6	256	144	400	19	66,7	24
7	256	175	431	31	61,6	25
8	256	224	480	49	60,0	28
9	256	279	535	55	59,4	31
10	256	400	656	121	65,6	40

La Tabla 22.1 muestra un ejemplo numérico en el que se supone un *output* por período de tiempo de cero a diez unidades del producto. Los costes totales fijos se mantienen constantes (256), mientras que los costes totales variables y los costes totales lógicamente aumentan continuamente al incrementarse Q. Los costes marginales se obtienen hallando la diferencia entre el coste total correspondiente ($CMa_5 = CT_5 - CT_4 = 381 - 368 = 13$). El coste medio total se obtiene dividiendo el coste total por Q

$$(CMeT_7 = \frac{CT_7}{Q_7} = \frac{431}{7} = 61,6)$$

Finalmente, el coste medio variable se halla dividiendo el coste total variable por Q.

$$(CMeV_{10} = \frac{CTV_{10}}{Q_{10}} = \frac{400}{10} = 40)$$

Señalemos una relación aritmética entre el CMa y el CMe que es muy importante. Por definición:

$$CMe_n = \frac{CT_n}{N}$$

siendo N el número de unidades de *output* (Q). Despejando CT_n, tenemos que

$$CT_n = N \times CMe_n$$

Igualmente por definición:

$$CMa_{n+1} = CT_{n+1} - CT_n$$

Puesto que el CT de producir un número determinado de unidades de *output* es igual a ese número de unidades de *output* multiplicado por el CMe de producir dichas unidades, tenemos que:

$$CMa_{n+1} = (N + 1) \times CMe_{n+1} - N \times CMe_n$$

Multiplicando CMe_{n+1} por los dos miembros del paréntesis $(N + 1)$, tenemos que:

$$CMA_{n+1} = N \times CMe_{n+1} + CMe_{n+1} - N \times CMe_n$$

Sacando N factor común tenemos:

$$CMa_{n+1} = N (CMe_{n+1} - CMe_n) + CMe_{n+1}$$

y en consecuencia

$$CMa_{n+1} = N \times \Delta CMe_{n+1} + CMe_{n+1}$$

Vemos, pues, que el coste marginal de producir $N + 1$ unidades de *output* está integrado por dos términos: el coste medio de producir $N + 1$ unidades, más un término que expresa el cambio que se produce en el coste medio al pasar de producir N a elaborar $N + 1$ unidades multiplicado por el número de unidades producidas antes de que se diera el cambio en el coste medio.

Esta fórmula es muy importante, ya que permite ver claramente cómo están relacionados los CMa con los $CMeT$ y $CMeV$. Así, cuando los $CMeT$ están disminuyendo, el componente $N \times \Delta CMe_{n+1}$ será negativo, ya que ΔCMe_{n+1} tendrá un valor negativo (si los CMe están disminuyendo es porque $CMe_{n+1} < CMe_n$), y al multiplicar una magnitud negativa por N obtenemos necesariamente una cantidad negativa. En consecuencia, $CMa_{n+1} < CMe_{n+1}$ Si al contrario los CMe están aumentando, entonces el término $N \times \Delta CMe_{n+1}$ será positivo ya que $CMe_{n+1} > CMe_n$, y en consecuencia $CMa_{n+1} > CMe_{n+1}$ (si $8 = 3 + 5$, obviamente $8 > 5$). Esta relación se puede ver igualmente partiendo de que sea el CMa el que esté aumentando o disminuyendo. Recomendamos encarecidamente al lector que trate de comprender esta relación aritmética entre los CMe y los CMa utilizando un ejemplo numérico sacado de la Tabla 22.1.

Gráficamente, la Figura 22.8 muestra estas relaciones. En el gráfico superior se representan los costes totales a través de la curva CT que arranca del eje de ordenadas. Esta curva representa la suma de los CTF y de los CTV. Así, para el *output* 3 los CT son $355 = 256 + 99$. Todos los puntos de la curva de CT representan la suma de los CTF y CTV para el correspondiente nivel de *output*. La línea horizontal CTF muestra los CTF, que son los mismos cualquiera que sea el nivel de Q, y que hacen que la curva de CT arranque del punto del que parte la línea de CTF (a cero *output*, los $CT = CTF$).

La forma de la curva de CT de la Figura 22.8 que corresponde al ejemplo numérico de la Tabla 22.1 (arbitrariamente diseñado), responde en realidad a lo que en el Capítulo 20 llamamos la ley de las proporciones variables, de los rendimientos marginales decrecientes de un factor variable, o del producto marginal decreciente. En nuestro ejemplo numérico (que corresponde a una empresa con una planta concreta; es decir, en el corto plazo y por consiguiente con unos factores fijos), la empresa obtiene rendimientos marginales crecientes o costes decrecientes hasta llegar al *output* 4, al producir el *output* 5 tiene rendimientos marginales constantes o costes marginales constantes, y a partir del *output* 6 los rendimientos marginales son decrecientes o los costes marginales son crecientes.

FIGURA 22.8

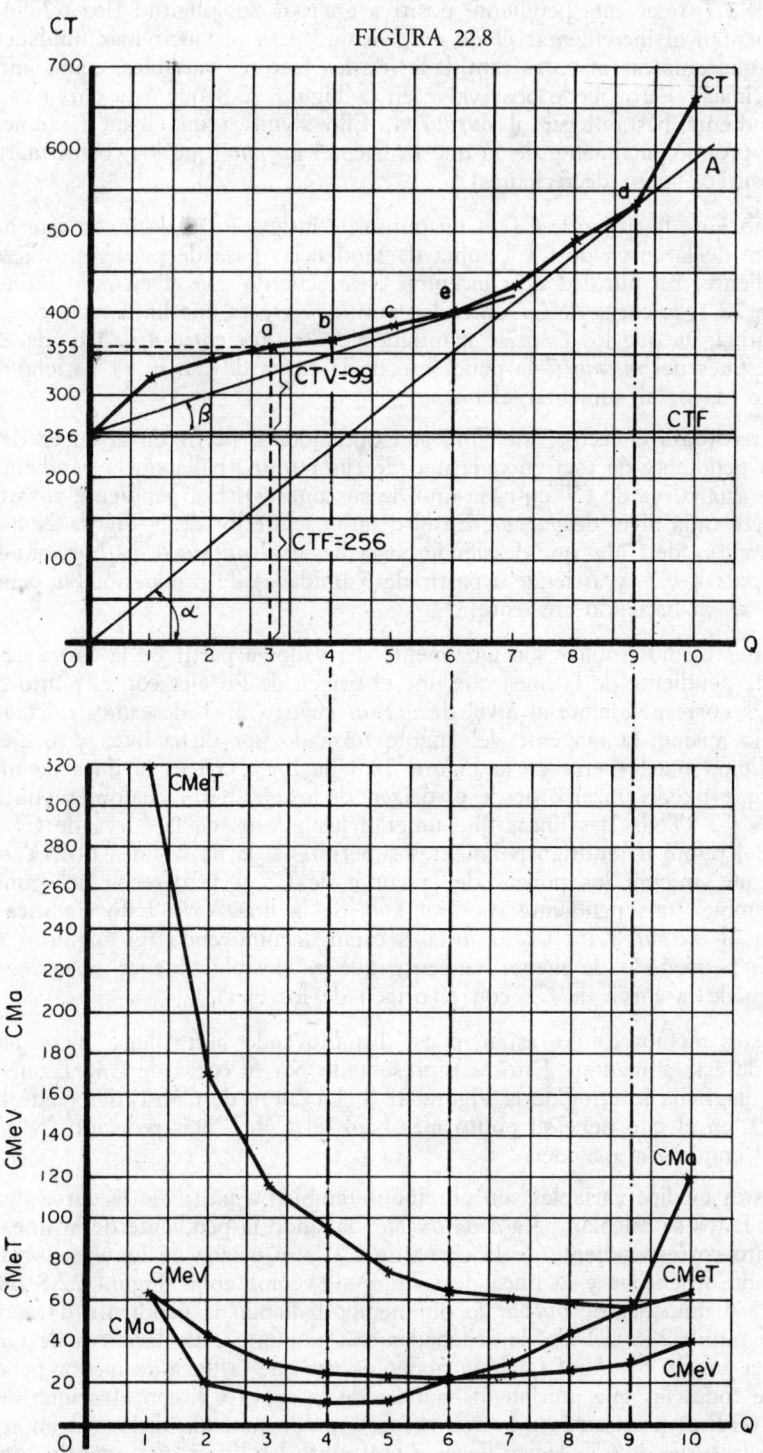

Naturalmente, estos fenómenos se reflejan en la forma de las curvas de costes. La curva de *CT* tiene una pendiente positiva en toda su longitud (los *CT* lógicamente aumentan al incrementar el *output,* ya que para producir más unidades de éste habrá que emplear mayores cantidades de los factores variables, como mínimo materias primas). Pero puede observarse en la Figura 22.8 que esta curva va perdiendo pendiente hasta llegar al *output* 4. Ello significa que los *CT* aumentan menos que proporcionalmente de lo que lo hace el *output* (que los costes marginales son positivos, pero decrecientes).

El punto *b* de la curva de *CT* es un punto de inflexión; es decir, en este punto la pendiente de la curva de *CT* cambia de tendencia: pasa de perder pendiente a ganar pendiente. En puridad de conceptos y de acuerdo con el ejemplo numérico de la Tabla 22.1, la curva de *CT* entre los puntos *b* y *c* es una línea recta con pendiente positiva, ya que los *CMa* se mantienen constantes entre 4 y 5 unidades de *output.* Después del *output* 5 la pendiente de la curva de *CT* se va haciendo crecientemente mayor al aumentar el *output.*

Como recordará el lector, los *CMa* son obtenidos a partir de la curva de *CT* hallando la pendiente de ésta en cada uno de sus puntos (hallando la pendiente de la tangente a la curva de *CT* en cada uno de sus puntos). Esa pendiente constituye los *CMa* para cada nivel de *output.* En el diagrama inferior de la Figura 22.8 puede verse la curva de *CMa,* que desciende hasta llegar al *output* 4, es horizontal entre los *outputs* 4 y 5, y asciende a partir de 5 unidades de producción (su pendiente positiva se va haciendo creciente).

Los costes medios totales son igualmente derivados a partir de la curva de *CT.* Estos son la pendiente de la línea que une el origen de los ejes con el punto de la curva de *CT* correspondiente al nivel de *output* cuyos *CMeT* deseamos calcular (o, lo que es lo mismo, la tangente del ángulo formado por dicha línea y el eje horizontal). Como puede verse en la Figura 22.8, la línea *OA* es la línea de menor pendiente que puede trazarse desde el origen de los ejes hasta cualquier punto de la curva de *CT.* Todas las líneas que unieran los puntos de la curva de *CT* a la izquierda del punto *d* tendrían pendientes superiores a la de la línea *OA.* Y todas las líneas que unieran los puntos de la curva de *CT* a la derecha del punto *d* tendrían también una pendiente superior a la de la línea *OA.* Esto significa que hasta llegar al *output* 9 los *CMeT* totales están disminuyendo (el ángulo *α* es el ángulo más pequeño o de menor tangente que es posible obtener uniendo cualquier punto de la curva de *CT* con el origen de los ejes).

Los costes medios totales están, pues, disminuyendo hasta llegar al *output* 9, y a partir de éste aumentan. Esto es representado por la curva de *CMeT* que aparece en el diagrama inferior de la Figura 22.8. La curva de *CMeT* desciende hasta el *output* 9, en el que tiene su punto más bajo (el *CMeT* más reducido), y a partir del cual empieza a ascender.

Los costes medios variables son obtenidos también a partir de la curva de costes totales. Estos se calculan para cada *output* hallando la pendiente de la línea que une el punto correspondiente de la curva de *CT* y el origen de los ejes formados por el eje de ordenadas y la línea de *CTF.* Así, vemos en la Figura 22.8 que el *CMeV* para 6 unidades de *output* lo obtenemos hallando la pendiente de la recta que une el punto 256 del eje de ordenadas con el punto *e* de la curva de *CT* (la tangente del ángulo *β*). Aquí también podemos ver que la línea de menor pendiente de entre todas las que unirían los puntos de la curva *CT* con el origen de los ejes *CT* y *CTF* es precisamente la que hemos trazado uniendo dicho origen con el punto *e* de la curva de *CT.* Hasta llegar a ese punto las líneas que unen los puntos a su izquierda van perdiendo pendiente; y a partir de él hacia la derecha, las líneas van ganando pendiente.

Como ocurría en el caso de los *CMeT*, esto significa que hasta llegar al nivel 6 de *output* los *CMeV* van disminuyendo a medida que se incrementa éste *de O a 6;* y que cuando se aumenta la producción por período de tiempo por encima de 6 unidades de *output*, los *CMeV* empiezan a aumentar y se van haciendo crecientemente mayores. De ahí la forma de la curva de *CMeT* en el diagrama inferior de la Figura 22.8.

FIGURA 22.9

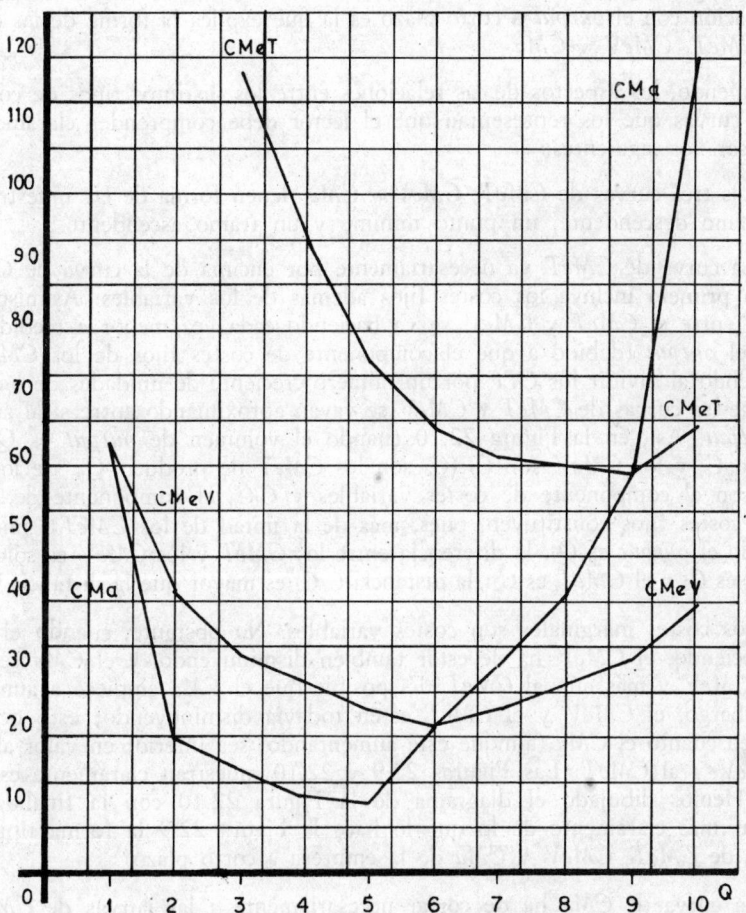

En la Figura 22.9 hemos representado estas mismas relaciones entre los *CMeT*, los *CMeV* y los *CMa* del ejemplo numérico de la Tabla 22.1; pero empleando una escala mayor en el eje de ordenadas para poder visualizar y comprender mejor dichas relaciones. En este diagrama representamos los costes que nos da la Tabla 22.1 para cada *output* en el punto medio de la distancia que corresponde para dicho *output* en el eje horizontal (una vez más, aquí se nos plantea el problema de la discontinuidad de las variables económicas, que el lector ya conoce).

Insistimos en la necesidad de obtener una comprensión completa de las relaciones entre los distintos tipos de costes, relaciones que son puramente aritméticas y que se derivan de las definiciones efectuadas de los tres tipos de costes. La segunda cuestión que hay que tener en cuenta es que estos costes se refieren a los costes de una empresa a corto plazo, empresa que tiene una planta concreta, con una capacidad productiva dada (unos factores fijos). La existencia de esos factores fijos hacen que al aumentar el *output* de cero hasta el uso normal de la totalidad de esa capacidad, los costes disminuyan al mejorarse las combinaciones de los factores fijos y variables. La utilización de esta planta más allá de su capacidad normal da lugar a costes crecientes. Esta hipótesis de comportamiento de los costes en relación con el *output* a corto plazo es la que explica la forma de las curvas de *CT*, *CMeT*, *CMeV* y *CMa*.

Resumiendo, los aspectos de las relaciones entre los distintos tipos de costes y entre las curvas que los representan que el lector debe comprender claramente y recordar son los siguientes:

1) Las tres curvas de *CMeT*, *CMeV* y *CMa* tienen forma de U: muestran un primer tramo descendente, un punto mínimo y un tramo ascendente.

2) La curva de *CMeT* va necesariamente por encima de la curva de *CMeV*, ya que la primera incluye los costes fijos además de los variables. Asimismo, la diferencia entre el *CMeT* y *CMeV* se va haciendo cada vez menor a medida que aumenta el *output* (debido a que el componente de costes fijos de los *CMeT* se va reduciendo al dividir los *CTF* por un número creciente de unidades de *output*). De ahí que las curvas de *CMeT* y *CMeV* se vayan aproximando entre sí al aumentar el *output*. Así, en la Figura 22.10 cuando el volumen de *output* es Q_o, los *CMeT* son C_o y los *CMeV* son C_1 (C_o son los *CMeT* de producir Q_o, de los cuales OC_1 son el componente de costes variables y C_1C_o el componente de costes fijos: los costes fijos constituyen, pues, más de la mitad de los *CMeT*); mientras que cuando el *output* es Q_1, la diferencia entre los *CMeT* y los *CMeV* es sólo C_2C_3 (el *CMeV* es C_3 y el *CMeT* es C_2: la distancia C_oC_1 es mayor que la distancia C_2C_3).

3) Los costes marginales son costes variables. No obstante, cuando el *CMa* está decreciendo, el *CMeV* ha de estar también disminuyendo, y el *CMa* será inferior al *CMeV* y más aún al *CMeT*. Es posible que el *CMa* empiece a aumentar y, sin embargo, el *CMeV* y el *CMeT* estén todavía disminuyendo; esto ocurrirá en tanto en cuanto el *CMa* (aunque esté aumentando) sea inferior en valor absoluto al *CMeV* y al *CMeT*. Las Figuras 22.9 y 22.10 muestran claramente este fenómeno. Hemos dibujado el diagrama de la Figura 22.10 con la finalidad de representar más claramente de lo que lo hace la Figura 22.9 la forma típica de las curvas de *CMeT*, *CMeV* y *CMa* de la empresa a corto plazo.

4) La curva de *CMa* ha de cortar necesariamente a las curvas de *CMeT* y *CMeV* en los puntos más bajos de éstas. El lector debe entender claramente este hecho. Si el *CMa* crece al aumentar el *output*, necesariamente llegará un nivel de *output* al que se igualen el *CMa* y el *CMeV*, y otra cantidad de producción mayor aún en la que *CMa* = *CMeT*. A partir de ese nivel de *output*, y si el *CMa* continúa aumentando, el *CMeT* y el *CMeV* han de empezar a aumentar (las curvas de *CMeV* y de *CMeT* empiezan a ascender, por lo que tendrán sus respectivos puntos mínimos a esos niveles de *output*).

FIGURA 22.10

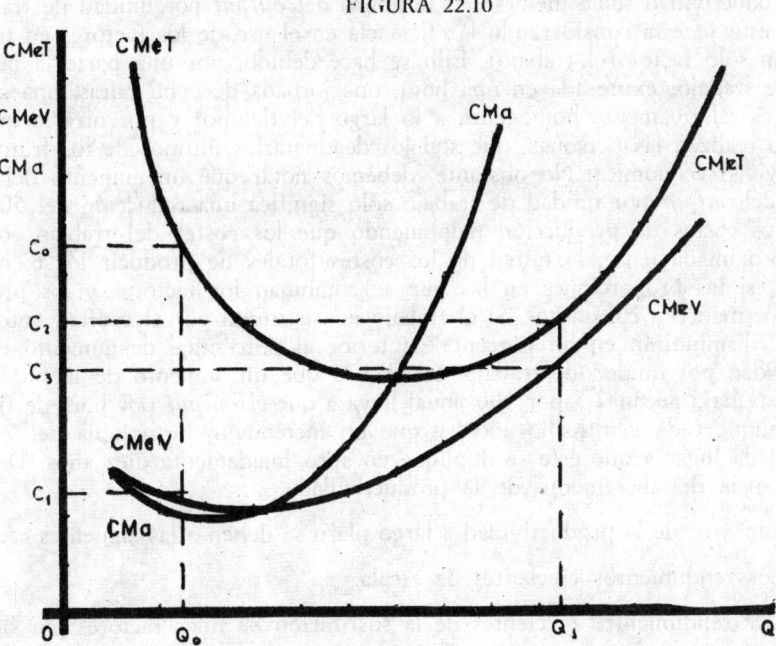

5)   Al aumentar el *output* más allá del nivel en el que el $CMa = CMeV$, el *CMa* será mayor (crece más deprisa) que el *CMeV*. De ahí que la curva de *CMa* vaya por encima de la curva de *CMeV* a partir del punto en el que ambas se cruzan. Lo mismo ocurre con los *CMa* y los *CMeT*, y con su respectivas curvas.

Insistimos en la utilidad y conveniencia que representa el comprender adecuadamente estas relaciones aritméticas y geométricas de los costes medios totales, medios variables y marginales, así como la justificación del comportamiento de los costes al variar el *output* a corto plazo (y, en consecuencia, de la la forma que toman las curvas que los representan). Si se han entendido claramente estas cuestiones, después será fácil la comprensión del equilibrio de la empresa y del comportamiento de ésta en las distintas situaciones de mercado (competencia perfecta, monopolio, etc.), comportamiento cuya explicación constituye en realidad el objetivo último de la Microeconomía (junto con la explicación del comportamiento de los consumidores).

EL COMPORTAMIENTO DE LOS COSTES
EN EL MUY LARGO PLAZO: LA PRODUCTIVIDAD

Es evidente que el nivel de vida del inviduo medio ha aumentado enormemente en los últimos ciento cincuenta años. Una de las causas de esta mejora del *standard* de vida estriba en el aumento de la productividad. Esta se define como la cantidad de *output* (unidades o fracciones e unidades) por unidad de *input*. La cuestión que se plantea es la de saber si las variaciones en la productividad se deben a causas exógenas a las decisiones de la empresa, o si, por el contrario, dependen en alguna medida de estas decisiones. La evidencia muestra que estas variaciones en la productividad son en buena medida endógenas al mundo de las empresas.

La productividad suele medirse en términos del *output* por unidad de trabajo. Al hacer esto se está considerando la eficiencia en el uso de los factores en términos de un solo factor (el trabajo). Ello se hace debido, por una parte, a que la unidad de trabajo (expresada en una hora, una jornada de ocho horas, una semana, etc.) es relativamente homogénea a lo largo del tiempo; y por otra, a que el trabajo lo realizan las personas, que son los destinatarios últimos de los frutos de toda actividad económica. No obstante, debemos notar que un aumento del 100 por 100 del *output* por unidad de trabajo sólo significa una reducción del 50 por 100 en los costes de producción (suponiendo que los costes del trabajo constituyen, aproximadamente, la mitad de los costes totales de producir los bienes y servicios), si las proporciones en las que se combinan los factores y los precios de éstos permanecen constantes. Si el trabajo es sustituido por el capital, entonces los costes disminuirán en un porcentaje inferior al porcentaje de aumento de la productividad por unidad de trabajo. Señalemos que un aumento de la productividad del trabajo de un 2,5 por 100 anual lleva a que el *output* por hora de trabajo se duplique cada veintiocho años, y que un incremento de aquélla del 7 por 100 anual da lugar a que éste se duplique en aproximadamente diez años. De ahí la importancia del incremento de la productividad.

Los aumentos de la productividad a largo plazo se deben a las siguientes causas:

a)   Los rendimientos crecientes de escala.

b)   Los rendimientos crecientes de la sustitución de unos factores por otros.

c)   Las mejoras en la calidad de unos *inputs* y descubrimiento de otros nuevos.

d)   Los cambios en las técnicas de producción.

e)   La mejora de unos productos y descubrimiento de otros nuevos.

Excepto los rendimientos crecientes de escala (que sólo exigen aumentar las cantidades absolutas de los factores sin cambiar el proceso productivo o la técnica), todas las demás causas del aumento de la productividad están relacionadas con el proceso de invención (el descubrimiento de nuevas técnicas) y de innovación (la aplicación de esas técnicas a la creación de nuevos procesos productivos). La innovación se define como la introducción de un cambio en la función de producción. Esto puede hacerse a través de cambiar la naturaleza y/o la calidad de los productos y/o de los factores, o a través de variar las técnicas mediante las cuales se combinan los factores para producir los *outputs*. Como ya hemos dicho, definimos el muy largo plazo como aquel período de tiempo suficientemente largo como para que pueda cambiar la tecnología (las técnicas existentes). En consecuencia, en el muy largo plazo los costes tienden a disminuir por todas las causas señaladas, generalmente para todos los niveles de *output* elaborados por una misma planta en el corto plazo.

La innovación presupone la existencia de una nueva técnica (invención); pero además ésta ha de ser aplicada a un proceso productivo. Muchas invenciones nunca son llevadas a la práctica. La innovación tiene un carácter acumulativo a lo largo del tiempo. Como hemos dicho, casi todas las fuentes de incremento de la productividad están relacionadas con el proceso de innovación en algún lugar de la sociedad. A su vez las innovaciones dependen de las invenciones. Sobre el origen de éstas se han formulado muchas hipótesis. Así, se afirma que la invención es un proceso aleatorio; que depende del marco institucional (las leyes de patentes, la estructura fiscal, la organización de la empresa, y otros factores que estimulan o retardan el proceso de invención); que depende del avance de la ciencia;

que es el resultado de la necesidad de resolver unos problemas concretos, o que es el resultado del incentivo que representan los beneficios empresariales. Es presumible que todas estas hipótesis se complementen entre sí, ya que las inversiones son seguramente el resultado de la actuación de diversos factores.

Digamos por último que el problema de conseguir el uso más eficiente posible de los recursos en un momento dado en el tiempo es sin duda una cuestión importante. No obstante, a largo plazo la asignación eficiente es mucho menos importante que los aumentos de la productividad. Puede ocurrir que el empleo más eficiente posible de los recursos en un momento dado esté parcialmente en conflicto con el crecimiento más rápido posible de la invención y de la innovación.

LAS VARIACIONES EN LOS PRECIOS DE LOS FACTORES

El comportamiento de los costes en relación con los cambios de la producción, tanto en el largo plazo como en el corto plazo, que hemos estudiado hasta ahora, se basa en el supuesto de que los precios de los factores o *inputs* no varían. Dados unos precios de los factores, de esta manera se determinan la forma y la posición de las curvas de costes en el plano (seguimos el mismo procedimiento que empleamos para determinar las formas de la curva de demanda).

Podemos abandonar este supuesto restrictivo. Una subida del precio de cualquier factor dará lugar a un desplazamiento de todas las curvas de costes hacia arriba, tanto en el corto plazo como en el largo plazo. Suponiendo que todo lo demás permanezca constante (la técnica, el precio de los demás factores), si un *input* sube de precio, ello dará lugar a que suban los costes de todos los productos que lo utilizan en su fabricación.

Asimismo, al aumentar el precio de un factor se alterarán las proporciones óptimas en las que se combinan los factores (las proporciones de costes mínimos que subyacen a la curva de $CMeLP$). Si un factor se hace relativamente más caro, ello puede ser parcialmente contrarrestado (en lo que afecta a los costes) sustituyéndolo hasta donde sea técnicamente factible por otros factores cuyos precios no han variado. La magnitud en la que se efectuará la sustitución dependerá en parte de la medida en que dicho factor se haya hecho relativamente más caro, y en parte de las posibilidades técnicas de sustituirlo por los demás factores.

En general, se puede afirmar que la subida del precio de un factor alterará la combinación óptima de los factores para cada nivel de *output,* y que cada punto de la curva de costes a largo plazo representará una combinación de factores en la que habrá una cantidad proporcionalmente menor del factor más caro, y cantidades proporcionalmente mayores de los factores que se pueden emplear como sustitutivos del primero y cuyos precios no han variado.

BIBLIOGRAFIA SELECCIONADA

Samuelson, P.: *Curso de Economía Moderna,* op. cit., Cap. 24.
Lipsey, R.: *Introducción a la Economía Positiva,* op. cit., Cap. 18.
Bilas, R.: *Teoría Microeconómica. Un análisis gráfico,* op. cit., Cap. 7.
Stigler, G.: *La Teoría de los Precios,* op. cit., Caps. 7 y 8.
Lancaster, K.: *Introducción a la Microeconomía Moderna,* op. cit., Cap. 5.
Clower, F., y Due, J.: *Microeconomía,* op. cit., Cap. 6.
Di Fenizio, F.: *Economía Política,* op. cit., Cap. IX.

INTRODUCCION

Hemos estudiado por una parte la curva de demanda de los productos, y por otra las curvas de costes de producir éstos. Ahora estamos en condiciones de poner en relación estos dos cuerpos de análisis para determinar el equilibrio de la empresa, entendiendo por éste la situación en la que ésta maximiza los beneficios. Ya hemos expuesto ampliamente que la empresa privada es una institución con fines lucrativos, que tiene como principal objetivo de su actuación la obtención del máximo de beneficios posibles. La Teoría tradicional de la Empresa se basa sobre este supuesto de maximización de los beneficios y sobre el supuesto de racionalidad económica como base del comportamiento de las empresas (que orientan su actuación a conseguir los máximos beneficios posibles).

Recordamos al lector que el supuesto de maximización de los beneficios es una simplificación de la realidad, ya que las empresas pueden perseguir (y de hecho persiguen) otros objetivos alternativa o simultáneamente a la obtención de los máximos beneficios. Otras teorías sobre el comportamiento de la empresa contemplan la posibilidad de que ésta persiga como objetivo la maximización de sus ventas, el alcanzar una determinada tasa de crecimiento anual, el captar una fracción concreta del mercado del producto que elabora, o incluso (en el caso de un empresario que actúa en un mercado intervenido por el Estado: con control de precios y/o del *output*) el maximizar la belleza de sus secretarias o el confort de su despacho. No obstante, la maximización de los beneficios es un objetivo suficientemente general e importante entre las empresas como para constituir una guía útil en el análisis del comportamiento de éstas y permitir elaborar una teoría válida sobre éste a partir de dicho supuesto.

En este Capítulo vamos a estudiar el comportamiento que ha de tener la empresa para maximizar los beneficios. La empresa se encuentra con una curva de demanda de su producto que le viene dada, y que sólo en ocasiones puede tratar (con algunas posibilidades de éxito) de influenciar a través de la publicidad. Esta curva de demanda, que como sabemos expresa las cantidades que los consumidores están dispuestos a comprar del bien a los distintos precios de éste, determina los ingresos de las empresas productoras del bien en cuestión. Obviamente, los gastos de los consumidores en un bien o servicio constituyen exactamente los ingresos de las empresas productoras de éste.

Debemos señalar que esto no es completamente cierto para las empresas de un país concreto, ya que parte de la cantidad que los individuos de ese país consumen de un bien es importada (producida por las empresas del país o países de los que se importa). Asimismo, parte de la cantidad que las empresas de un país producen de un bien es exportada. Nosotros no vamos a tener en cuenta en nuestro análisis esta complicación, ya que realmente no afecta a la esencia de éste. Podemos suponer que la curva de demanda de un producto con la que se enfrentan las empresas de esa industria está formada por la demanda nacional y la demanda exterior, y que la curva de la oferta total del producto está integrada por las ofertas de todas las empresas nacionales y extranjeras que lo elaboran. Las tarifas arancelarias sobre las importaciones tienen el mismo efecto que un aumento de los costes de producción de las empresas extranjeras.

Por otra parte, la empresa se encuentra con que tiene unas curvas de costes (que suponemos que representan los costes más bajos que la empresa puede obtener a corto y a largo plazo para cada cantidad de *output,* ya que entendemos que la empresa trata de minimizar los costes como uno de los requisitos para maximizar los beneficios). Estas curvas en buena medida le vienen dadas, y están determinadas por el estado de la tecnología y por los precios de los factores.

Con los datos de la demanda y de las curvas de costes, la empresa trata de producir y vender aquella cantidad de *output* para la que los beneficios que obtenga sean los máximos alcanzables. Decimos que la empresa está en equilibrio cuando está maximizando los beneficios, ya que cuando alcanza esa situación, la empresa no estará motivada para cambiar su nivel de producción, dados sus costes y su demanda (o ingresos).

LA CURVA DE DEMANDA Y LAS CURVAS DE INGRESOS TOTALES Y MARGINALES DE LA EMPRESA

Para determinar sus beneficios, la empresa necesita conocer los ingresos que le proporciona la venta de cada uno de los volúmenes de producción que puede elaborar, y los costes en que incurre al producir cada uno de esos volúmenes de *output,* ya que los beneficios se definen como los ingresos totales menos los costes económicos totales.

Los ingresos totales de la empresa vienen determinados por el número de unidades vendidas multiplicado por el precio al que las vende. Es decir, el ingreso total *(IT)* es:

$$IT = P \times Q$$

siendo P el precio del bien, y Q la cantidad vendida. El ingreso marginal *(IMa)* se define como la variación en el ingreso total al vender una unidad más del producto:

$$IMa_n = IT_n - IT_{n-1}$$

Para una exposición detallada de la relación entre la forma de la curva de demanda y el ingreso de la empresa, remitimos al lector al epígrafe «Relación entre la Elasticidad de la Demanda y el Gasto de los Consumidores» del Capítulo 10. Allí hablábamos de gasto porque nos referíamos a los consumidores, pero es claro que decir gasto de los consumidores en un bien equivale a decir ingreso de los productores o empresas que fabrican dicho bien.

Veamos brevemente la exposición que hacíamos en dicho epígrafe. Consideremos los valores de la Tabla 23.1.

En esta Tabla se expresan: la cantidad de unidades de *output* que la empresa vende por período de tiempo, el precio o ingreso medio al que vende cada cantidad (al precio de 144 vende cero unidades, al precio de 104 vende 4 unidades, etc.), el ingreso total (que se obtiene multiplicando el número de unidades vendidas por el IMe o el precio al que las vende), y el ingreso marginal (obtenido como la diferencia entre el IT de vender una cantidad de *output* menos el IT de vender esa cantidad menos una unidad: $IMa_6 = IT_6 — IT_5 = 504 — 470 = 34$).

TABLA 23.1

Cantidad de Output Vendida	Precio o Ingreso Medio	Ingreso Total	Ingreso Marginal
0	144	0	—
1	134	134	134
2	124	248	114
3	114	342	94
4	104	416	74
5	94	470	54
6	84	504	34
7	74	518	14
8	64	512	— 6
9	54	486	— 26
10	44	440	— 46

La Figura 23.1 muestra gráficamente las relaciones entre los IT, los IMe o precio y los IMa, relaciones que no son más que las ya conocidas entre los valores totales, medios y marginales de una variable (en este caso los ingresos). La curva de IT tiene una pendiente positiva hasta llegar a la cantidad 7 de *output* vendido (es decir, los IT aumentan al vender cantidades crecientes de *output* por período de tiempo hasta llegar al *output* 7), si bien va perdiendo pendiente continuamente (lo que indica que los IT aumentan menos que proporcionalmente al incrementar las ventas). En la cantidad de ventas 7 la curva de IT alcanza su punto más alto, y en las ventas de 8, 9 y 10 unidades de *output* la curva toma una pendiente negativa (los IT disminuyen al incrementar las ventas).

Esta forma de la curva de IT se refleja en la forma de las curvas de demanda o ingresos medios y de ingresos marginales. Como ya hemos dicho, por definición el IMe es el precio (la curva de demanda indica que todas las unidades de cada cantidad son vendidas al mismo precio, ya que el mercado no puede discriminar). En consecuencia, la curva de demanda es la curva de IMe (al vender 4 unidades, el ingreso medio es 104, que es el precio). El que para vender más unidades haya que bajar el precio (la forma de la curva de demanda normal) hace que la pendien-

FIGURA 23.1

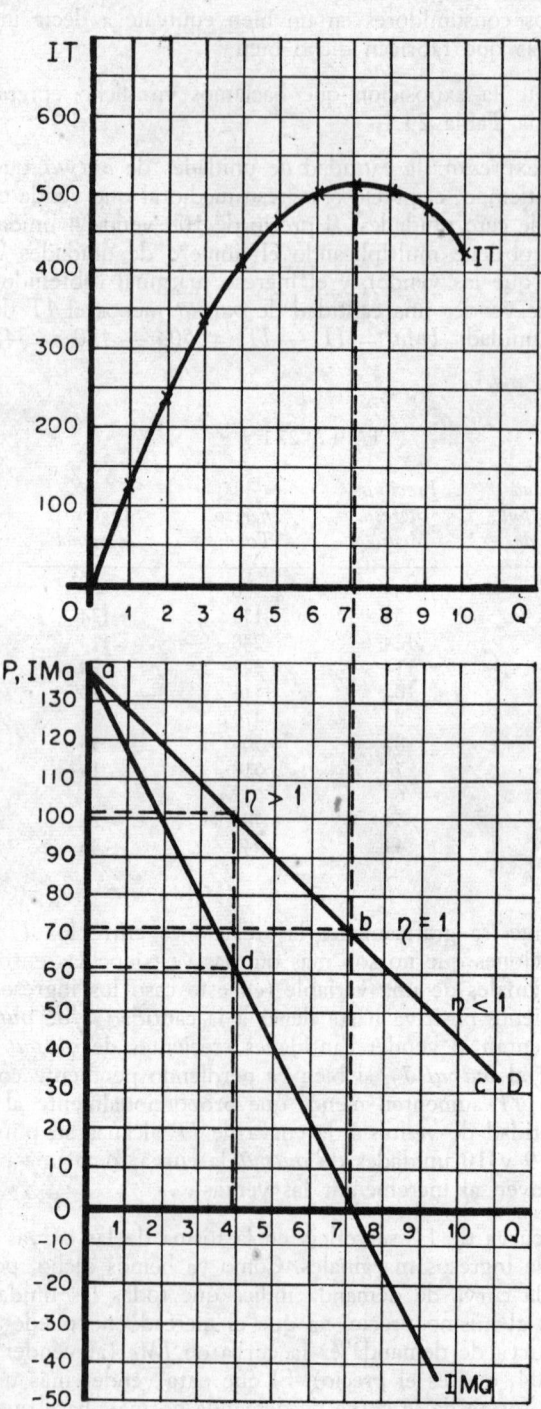

te de la curva de *IT* se haga menor al aumentar las ventas (si la curva de demanda fuera totalmente elástica, la curva de *IT* sería una línea recta con pendiente positiva). Como tantas veces hemos expuesto, los *IMe* los obtenemos a partir de la curva de *IT* simplemente hallando la pendiente de la línea que une el origen de los ejes con el punto de la curva de *IT* para cuyas ventas desea calcular el *IMe* (o, lo que es lo mismo, la tangente del ángulo formado por la línea que une el origen de los ejes con el punto correspondiente de la curva de *IT* y el eje de abscisas).

La curva de *IMa* es igualmente derivada de la curva de *IT* a través de obtener la pendiente de ésta en cada punto. De ahí que la curva de *IMa* de la Figura 23.1 tenga una pendiente negativa, con un tramo en el plano en el que toma valores positivos, corte al eje de abscisas, y después tenga un tramo en el plano en el que toma valores negativos. Esto es lógico, ya que mientras que los *IT* están aumentando al incrementarse las ventas ello significa que el *IMa* es positivo (aunque decrece al aumentar las ventas, reflejando así la disminución de pendiente de la curva de *IT*); cuando el *IT* alcanza su valor máximo el *IMa* se hace cero (la curva del *IMa* corta al eje de abscisas, lo que significa que para ese nivel de ventas, el *IMa = 0*); y cuando la curva de *IT* tiene una pendiente negativa, ello muestra que el *IMa* es negativo.

Una vez más es importante comprender la relación entre los valores medio y marginal de una variable, en este caso entre el *IMe* o precio y el *IMa*. En el Capítulo 22 expresamos aritméticamente esta relación; veámosla una vez más. Por definición:

$$IMe_n = \frac{IT}{N} \quad ; \quad IT = N \times IMe$$

siendo *N* el número de unidades vendidas. Igualmente por definición:

$$IMa_{n+1} = IT_{n+1} - IT_n$$

$$\text{(utilizando derivadas, } IMa = \frac{dIT}{dQ} \text{)}$$

Puesto que el *IT* de vender un número determinado de unidades de un producto es igual a ese número de unidades multiplicado por el *IMe* o precio, entonces:

$$IMa_{n+1} = (N + 1) \, IMe_{n+1} - (N \times IMe_n)$$

Multiplicando IMe_{n+1} por el paréntesis $(N + 1)$ tenemos:

$$IMa_{n+1} = (N \times IMe_{n+1}) + IMe_{n+1} - (N \times IMe_n)$$

Sacando *N* factor común, tenemos:

$$IMa_{n+1} = (N \times \Delta \, IMe_{n+1}) + IMe_{n+1}$$

Lo que indica que el *IMa* está compuesto de dos elementos: el *IMe* o precio de vender $N + 1$, más un término que expresa el cambio que se produce en el IMe al pasar las ventas de N a $N + 1$ unidades multiplicado por el número de unidades vendidas antes de que variara el IMe. Esto ya lo explicamos ampliamente en el Capítulo 10. Veámoslo con un ejemplo tomado de la Tabla 23.1. Cuando pasamos de vender 4 unidades a vender 5, tenemos por una parte el ingreso adicional (el IMe_{n+1} o precio, siendo $N + 1 = 5$ unidades vendidas) de 94; pero al mismo tiempo las cuatro unidades que vendíamos antes a 104, ahora las vendemos a 94, con lo que se produce una pérdida de ingresos de 40 ($N \times \Delta IMe_{n+1} = 4 \times 10 = 40$); N es igual a 4 y el cambio experimentado en el precio o IMe al pasar de 4 a 5 unidades de ventas es de 10).En consecuencia, el $IMa_5 = IMe_5 + (4 \times \Delta IMe_5) = 94 + [4 \times (-10)] = 94 - 40 = 54$.

Esta relación es muy importante, ya que nos permite concluir que si la curva de demanda tiene una pendiente negativa (si es necesario bajar el precio para aumentar la cantidad vendida por período), entonces necesariamente el IMa decrecerá y será inferior al IMe o P (la curva de IMa irá por debajo de la curva de IMe). Matemáticamente se puede, pues, obtener una curva de IMa a partir de la curva de IMe.

Finalmente, queda una cuestión importante que señalar de la curva de IMa. Por la definición de elasticidad de la demanda y por la relación de ésta con el gasto de los consumidores a los que corresponde dicha curva, deducimos que el IMa de vender una determinada cantidad de *output* tiene un valor positivo (es superior a cero) cuando la curva de demanda tiene una elasticidad superior a la unidad ($\eta > 1$) en su punto correspondiente a esa cantidad; el IMa toma el valor de cero cuando la elasticidad de la curva de demanda en ese punto es igual a la unidad ($\eta = 1$); y el IMa toma un valor negativo cuando la elasticidad de la curva de demanda es inferior a la unidad ($\eta < 1$). En el ejemplo numérico de la Tabla 23.1, el IMa es positivo(aunque decreciente) hasta llegar a la venta de 7 unidades, lo que implica que la elasticidad de la curva de demanda de la Figura 23.1 tiene una elasticidad superior a la unidad en su tramo ab. Entre las unidades 7 y 8 de ventas el IMa se hace cero, ya que al alcanzar las ventas este último valor, el IMa aparece ya como negativo (éste es una vez más el problema de la discontinuidad de las variables económicas); de ahí que en el punto b de la curva de demanda, $\eta = 1$. Por último, en su tramo bc la curva de demanda tiene una elasticidad inferior a la unidad ($IMa < 0$).

Recordará el lector que éste es el caso de una curva de demanda que tiene pendiente negativa y que es rectilínea (para una consideración detallada de este caso, diríjase el lector al epígrafe mencionado del Capítulo 10, Figura 10.3). Obviamente, la curva de demanda, aun descendiendo de izquierda a derecha, no tiene que ser una línea recta. De hecho; y como hemos visto en los Capítulos 14 al 16, generalmente tendrá una forma curvilínea, con distinta elasticidad en sus distintos tramos y puntos. En cualquier caso, siempre que $\eta > 1$, el $IMa > 0$ para el tramo o punto correspondiente de la curva de demanda; cuando $\eta = 1$, $IMa = 0$; y cuando $\eta < 1$, $IMa < 0$.

Un caso especial de curva de demanda es el de la curva de demanda totalmente elástica o de elasticidad infinito. En la Figura 23.2 se representa este tipo de curva de demanda. En ella el precio o IMe es igual al IMa, ya que para vender unidades adicionales no hay que bajar el precio: cada unidad adicional vendida añade al IT exactamente el valor del precio, ya que no hay que sustraer a éste la cuantía formada por la reducción en el precio multiplicada por el número de unidades que se vendían anteriormente (el cambio en el IMe o precio al pasar de n a $n+1$ unidades vendidas es cero, por lo que $IMa_{n+1} = IMe_{n+1} + (N \times \Delta IMe_{n+1}) = IMe_{n+1} + (N \times 0) = IMe_{n+1};\ \Delta IMe_{n+1} = 0)$. Según esta curva de demanda, todas las cantidades (y no sólo todas las unidades de una cantidad) se venden al mismo precio.

FIGURA 23.2

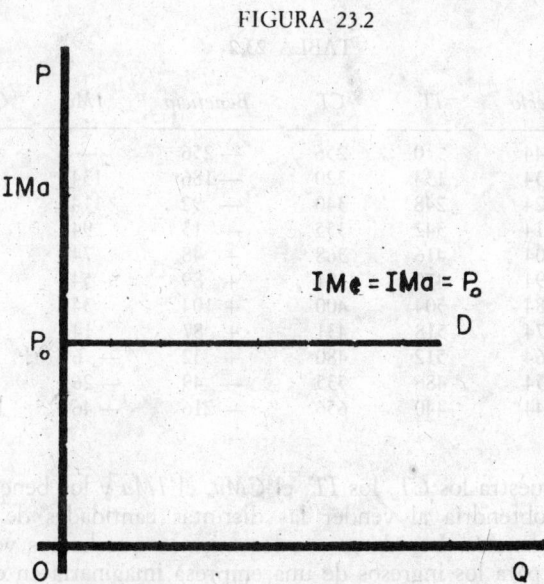

Digamos por último que el IT correspondiente a una cantidad determinada de unidades vendidas se obtiene sumando el IMa de todas estas unidades. Así, el IT de vender 4 unidades, según la Tabla 23.1, es de $416 = 134 + 114 + 94 + 74$. Gráficamente se obtiene calculando el área por debajo de la curva de IMa. Por ejemplo, en la Figura 23.1 se puede obtener el IT para 4 unidades hallando el área $ad\ 40$.

LAS CONDICIONES DE MAXIMOS BENEFICIOS

Lo que el supuesto de maximización de beneficios afirma es que el empresario trata de maximizar los beneficios o ingresos netos y no los ingresos totales. Maximizar éstos no le garantiza en absoluto ni la obtención de los máximos beneficios posibles, ni siquiera el obtener beneficios.

Los beneficios económicos se definen como la diferencia entre los ingresos totales y los costes totales (incluyendo en éstos los costes explícitos y los implícitos, y calculando los precios de los factores a su coste de oportunidad; es decir, los costes económicos).

Formalmente:

$$B = IT - CT$$

$$CT = P \times Q \text{ y, en consecuencia, } CT = f(Q)$$

$$IT = P \times Q \text{ y, en consecuencia, } IT = f(Q)$$

es decir, los beneficios son una función de la cantidad producida (que suponemos se vende totalmente).

Dados los *IT* y los *CT*, la determinación de la cantidad de *output* y ventas que produce los beneficios máximos es una operación aritmética sencilla: basta encontrar el nivel de *output* para el que la diferencia entre los *IT* y los *CT* es la máxima.

TABLA 23.2

Q	Precio	IT	CT	Beneficio	IMa	CMa
0	144	0	256	— 256	—	—
1	134	134	320	— 186	134	64
2	124	248	340	— 92	114	20
3	114	342	355	— 13	94	15
4	104	416	368	+ 48	74	13
5	94	470	381	+ 89	54	13
6	84	504	400	+ 104	34	19
7	74	518	431	+ 87	14	31
8	64	512	480	+ 32	— 6	49
9	54	486	535	— 49	— 26	55
10	44	440	656	— 216	— 46	121

La Tabla 23.2 muestra los *CT*, los *IT*, el *CMa*, el *IMa* y los beneficios que una hipotética empresa obtendría al vender las distintas cantidades de *output* a los diferentes precios indicados. Los datos son los mismos que hemos venido utilizando para los costes y para los ingresos de una empresa imaginaria en el Capítulo 22 y anteriormente en este Capítulo. Aritméticamente, es evidente que la empresa maximiza los beneficios cuando vende 6 unidades de *output*. A la empresa le interesará pararse en ese nivel de producción y no variar nada a menos que cambien algunos de los factores que configuran esa situación (a menos que cambie la demanda y/o sus costes).

Pero profundicemos un poco más en las condiciones que han de cumplirse para que la empresa maximice sus beneficios, dadas sus curvas de ingresos y costes (o, lo que es lo mismo, dado el comportamiento de sus ingresos y de sus costes al variar su producción y venta).

La primera regla que ha de observar la empresa es que no debe producir (debe cerrar) si sus ingresos totales no son iguales o superiores a sus costes totales variables (*CTV*). Esto es lógico, ya que en el corto plazo la empresa no puede evitar los costes fijos, pero sí puede evitar los costes variables simplemente dejando de producir. En consecuencia, si el precio del producto que elabora y vende es tan bajo que hace que sus ingresos totales no cubran ni siquiera los *CTV*, entonces cerrando evita incurrir en las pérdidas que representa la diferencia entre éstos y los ingresos. De esta forma tendrá las pérdidas representadas por los costes fijos, pero no añadirá a éstas la parte de los costes variables que no puede cubrir.

Formalmente se puede demostrar esta proposición de la siguiente manera:

A la empresa le interesa cerrar si: $B_n \leq B_o$

En consecuencia:

$$B_n \geq B_o$$

donde B_n son los beneficios de producir n unidades y B_o los beneficios de producir cero unidades. Es decir, a la empresa le interesará producir sólo si los beneficios de producir n unidades son iguales o superiores a los beneficios de no producir ningún *output*. Dado que $B = IT - CT$, tenemos:

$$IT_n - CTV_n - CTF_n \geq IT_o - CTV_o - CTF_o$$

pero sabemos que:

$$IT_o = O$$

$$CTV_o = O$$

$$CTF_n = CTF_o = K$$

sustituyendo y eliminando los CTF en ambos lados, puesto que son iguales, tenemos:

$$IT_n - CTV_n \geq O$$

pasando CTV_n al segundo miembro (con cambio de signo) tenemos:

$$IT_n \geq CTV_n$$

Podemos expresar estas magnitudes en valores medios. Así

$$IMe = \frac{IT}{Q}, \quad y \quad CMeV = \frac{CTV}{Q}$$

Puesto que $IT_n = Q_n \times P_n$ e $IMe_n = P_n$, entonces: $P_n \geq CMeV_n$

Es decir, a la empresa sólo le interesará producir si el precio al que vende una cantidad determinada de *output* es igual o superior al coste medio variable de elaborar dicho *output*.

Dada la forma de V de la curva de costes marginales y dado que la curva de demanda sólo puede tener una pendiente negativa o de valor cero (ser descendente de izquierda a derecha o ser horizontal), las condiciones matemáticas que han de cumplirse para que la empresa maximice los beneficios o minimice las pérdidas son:

1) Que el $CMa = IMa$.

2) Que el CMa esté creciendo.

Al nivel de producción en el que se den estos dos requisitos la empresa estará maximizando los beneficios o minimizando las pérdidas. Podemos demostrar esta proposición formalmente de la manera siguiente:

$$\Delta B_n = B_n - B_{n-1} = (IT_n - CT_n) - (IT_{n-1} - CT_{n-1})$$

donde ΔB_n es el cambio que se produce en los beneficios al pasar de producir $n - 1$ unidades de *output* a elaborar n unidades.

Reorganizando los miembros de esta igualdad, tenemos:

$$\Delta B_n = (IT_n - IT_{n-1}) - (CT_n - CT_{n-1})$$

Pero

$$IT_n - IT_{n-1} = IMa_n$$

y

$$CT_n - CT_{n-1} = CMa_n$$

En consecuencia:

$$\Delta B_n = IMa_n - CMa_n$$

De ahí se deduce que si ΔB_n es mayor que cero (es decir, si al pasar de una producción de $n-1$ a otra de n los beneficios aumentan) es porque $IMa_n > CMa_n$. Ello implica que la empresa podría aumentar sus beneficios incrementando el *output*, ya que la enésima unidad de éste añade más a los ingresos totales de lo que añade a los costes totales. Del mismo modo, si $\Delta B < 0$, esto significa que $IMa_n < CMa_n$, lo que implica que la empresa aumentaría los beneficios (o reduciría las pérdidas) disminuyendo la producción por debajo de n, ya que la enésima unidad añade más (lo que supone que $IMa_n - CMa_n = 0$ y, en consecuencia, $IMa_n = CMa_n$) los beneficios estarán a su nivel máximo (no podrán aumentarse incrementando o reduciendo la producción).

Utilizando derivadas, esta condición se expresa diciendo que la primera derivada de los beneficios respecto del *output* debe ser igual a cero:

$$\frac{dB}{dQ} = \frac{dIT}{dQ} - \frac{dCT}{dQ} = 0$$

lo que implica que:

$$\frac{dIT}{dQ} = \frac{dCT}{dQ}; \quad IMa = CMa$$

En consecuencia, suponiendo que le interesa producir (que $IT \geq CTV$), a la empresa le convendrá aumentar la producción siempre que el ingreso marginal sea superior al coste marginal ($IMa > CMa$), y hacerlo hasta que $IMa = CMa$.

Pero esta primera condición aunque necesaria no es suficiente para asegurar la maximización de los beneficios. Es necesario además que la pendiente de la curva de CMa sea superior a la pendiente de la curva de IMa. Es decir, la cantidad de *output* que maximiza los beneficios de la empresa será aquella en la $IMa = CMa$ a un nivel de producción en el que la curva de CMa corte a la de IMa desde abajo (es decir, la curva de CMa ha de estar creciendo).

Formalmente, esta segunda condición necesaria se formula diciendo que:

$$\frac{d^2B}{dQ^2} = \frac{dIMa}{dQ} - \frac{dCMa}{dQ} < 0$$

$$\frac{dIMa}{dQ} < \frac{dCMa}{dQ}$$

es decir, que la segunda derivada de los beneficios respecto del *output* sea mejor que cero; o, lo que es lo mismo, que la primera derivada del IMa respecto del *output* sea menor que la primera derivada del CMa respecto del *output*.

FIGURA 23.3

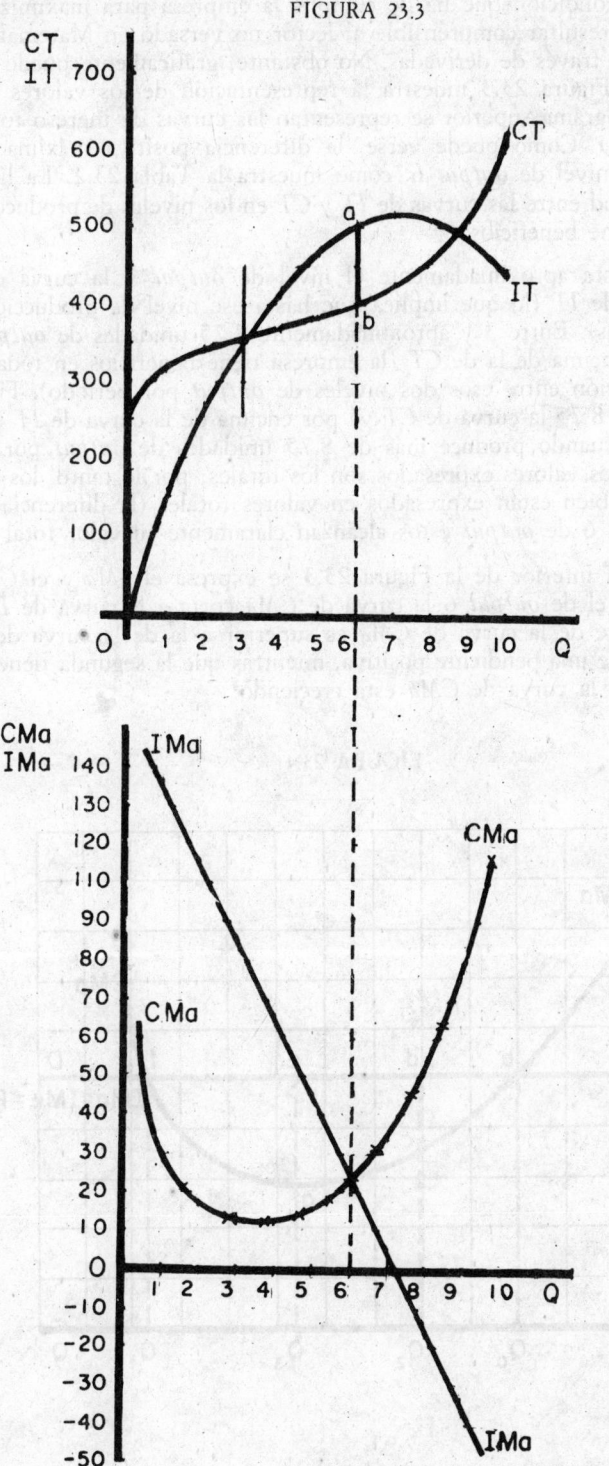

Esta segunda condición que ha de cumplir la empresa para maximizar los beneficios puede no resultar comprensible al lector no versado en Matemáticas cuando se la formula a través de derivadas. No obstante, gráficamente puede verse con toda claridad. La Figura 23.3 muestra la representación de los valores de la Tabla 23.2. En el diagrama superior se representan las curvas de ingreso total *(IT)* y costes totales *(CT)*. Como puede verse, la diferencia positiva máxima entre *IT* y *CT* se da en el nivel de *output* 6, como muestra la Tabla 23.2. La línea *ab* es la de mayor longitud entre las curvas de *IT* y *CT* en los niveles de producción en los que la empresa tiene beneficios.

Desde cero hasta aproximadamente el nivel de *output* 3 la curva de *CT* va por encima de la de *IT* (lo que implica que hasta ese nivel de producción, la empresa tiene pérdidas). Entre 3 y aproximadamente 8,75 unidades de *output* la curva de *IT* va por encima de la de *CT* (la empresa tiene beneficios en todas las cantidades de producción entre esos dos niveles de *output* por período). Finalmente, a partir del *output* 8,75 la curva de *CT* va por encima de la curva de *IT* (la empresa tiene pérdidas cuando produce más de 8,75 unidades de *output* por período). En este diagrama los valores expresados son los totales; por lo tanto, los beneficios y las pérdidas también están expresados en valores totales (la diferencia entre *IT* y *CT*). En el nivel 6 de *output* éstos alcanzan claramente su valor total más alto.

En el diagrama inferior de la Figura 23.3 se expresa el *IMa* y el *CMa*. Aquí vemos cómo al nivel de *output* 6 la curva de *CMa* corta a la curva de *IMa* desde abajo) (la pendiente de la curva de *CMa* es superior a la de la curva de *IMa*, ya que la primera tiene una pendiente positiva, mientras que la segunda tiene una pendiente negativa), y la curva de *CMa* está creciendo.

FIGURA 23.4

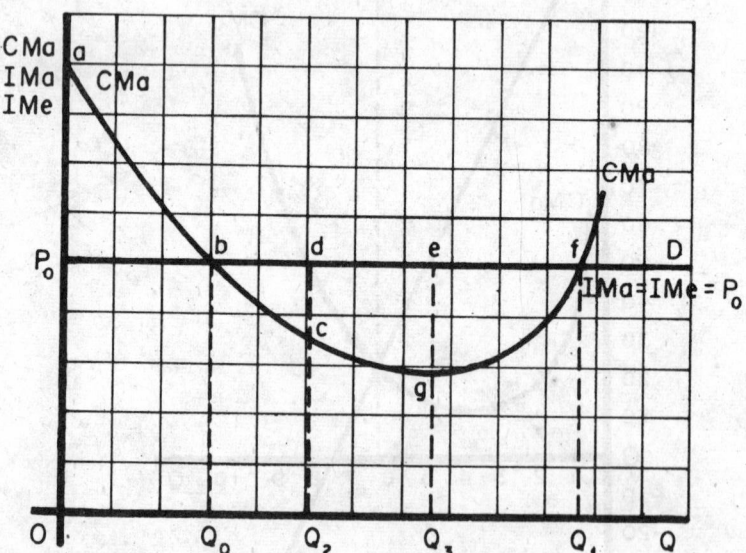

La Figura 23.4 muestra más claramente la segunda condición de la maximización de los beneficios. La curva de CMa tiene forma típica de V. La curva de demanda, D, la hemos trazado totalmente elástica a efectos de poder ilustrar mejor dicha condición. La primera condición de la maximización de beneficios $(IMa = CMa)$ se cumple, tanto en el *output* Q_o como en el Q_1. Sin embargo, claramente la empresa no está maximizando los beneficios cuando produce la cantidad Q_o; al contrario, a ese nivel de producción está teniendo pérdidas, ya que los $CT > IT$ (el área abQ_o0 debajo de la curva de CMa que representa los costes totales, es obviamente superior al área $P_o bQ_o0$ debajo de la curva de IMa, que representa los ingresos totales).

Recuerde el lector que al utilizar las curvas de CMa e IMa estamos comparando los ingresos que reporta una unidad adicional vendida con los costes adicionales en que se incurre al producirla. Es importante comprender esto para entender el diagrama. De ahí que a la empresa no le interese pararse en el *output* Q_o, ya que al aumentar la producción entre Q_o y Q_1, cada unidad de *output* añade más a los ingresos que a los costes (le reporta beneficios cada unidad por separado en este tramo de la producción, lo cual no quiere decir que a un nivel global esté teniendo beneficios o pérdidas).

Por ejemplo, al nivel Q_2 de producción la empresa tiene todavía pérdidas, ya que obviamente el área $abcQ_20$ de los costes totales es superior al área P_obdcQ_20 de los ingresos totales (el área $P_o bQ_o0$ es común a las áreas de los ingresos y de los costes, pero, en cambio, el área abP_o de pérdidas es superior al área bdc de beneficios; lo que implica que la empresa tiene todavía pérdidas al producir Q_2 de *output*, aunque éstas son inferiores a las que tenía cuando sólo producía Q_o). La empresa continuará aumentando la producción más allá de Q_2 y hasta Q_1, ya que hasta este nivel de *output* $IMa > CMa$, y por lo tanto, cada unidad adicional de producción entre estos niveles le reporta unos beneficios.

La empresa no se detendrá en el nivel Q_3 a pesar de que en esa cantidad de producción la diferencia entre el IMa y el CMa es la máxima que puede alcanzar. Y ello por la sencilla razón de que si mantuviera la producción al nivel Q_3, dejaría de obtener los beneficios representados por el área egf. Entre Q_3 y Q_1 los costes totales están representados por el área gfQ_1Q_3, mientras que los ingresos totales vienen representados por el área efQ_1Q_3; la segunda es mayor que la primera en el área efg (área que constituye beneficios).

Sólo cuando llegue al *output* Q_1 la empresa dejará de aumentar la producción y mantendrá el *output* a ese nivel. A ese *output*, $IMa = CMa$ y el CMa está creciendo (producir una unidad menos de *output* le supone dejar de ingresar más de lo que reduce sus costes y producir una unidad más le representa unos costes adicionales superiores a los ingresos adicionales). En consecuencia, la empresa maximizará los beneficios produciendo el nivel Q_1 de *output*.

Cabe destacar en este sentido que en la Figura 23.4 utilizamos una curva de IMa paralela al eje de abscisas con el único fin de ilustrar con mayor claridad las relaciones expuestas. Sin embargo, la regla para la obtención del máximo de beneficios por la empresa ($IMa = CMa$ y que este último debe estar creciendo) es válida con independencia de la forma o posición de la curva de IMa, como podemos observar en el diagrama inferior de la Figura 23.3, en el que se representa una curva de IMa decreciente de izquierda a derecha, y en la que el *output* que proporciona el máximo de beneficios es de 6 unidades. Evidentemente, en esta Figura el CMa cortaría también al IMa en otro punto comprendido en el tramo de *output* entre 0 y 1, y que no hemos representado.

El lector debe hacer un esfuerzo por comprender esta argumentación. El secreto está en entender que en el diagrama de la Figura 23.4 se utilizan valores marginales y no totales. Se toma en cuenta cada unidad producida y vendida por separado, comparando lo que cada una de ellas añade a los ingresos totales y a los costes totales. Supongamos los valores de la Tabla 23.3.

TABLA 23.3

Output	IMa	CMa	Beneficios totales acumulados
1.ª Unidad	20	30	— 10
2.ª Unidad	20	25	— 15
3.ª Unidad	20	20	— 15
4.ª Unidad	20	15	— 10
5.ª Unidad	20	10	0
6.ª Unidad	20	5	+ 15
7.ª Unidad	20	10	+ 25
8.ª Unidad	20	20	+ 25
9.ª Unidad	20	25	+ 20

Según la Tabla 23.3 es evidente que a la empresa no le interesa detener el aumento del *output* cuando produce tres unidades por período a pesar de que ahí $IMa = CMa$, ya que en ese nivel de producción tiene pérdidas (la curva de CMa está descendiendo). Tampoco le interesa detenerse en la sexta unidad de *output* aun cuando a ese nivel de producción la diferencia entre el IMa y el CMa (a favor del primero) es la más elevada que puede obtener, ya que si lo hiciera dejaría de obtener las 10 unidades adicionales de beneficios que pude conseguir produciendo la séptima unidad.

Aunque según la Tabla 23.3 la octava unidad no produce ningunos beneficios, esto no es exactamente correcto por dos razones. En primer lugar, está el problema de la discontinuidad de las variables económicas: el hecho de que la producción de la séptima unidad de *output* le reporte 10 unidades de beneficios implica que la siguiente unidad de *output* (la octava), si fuera fraccionable su producción, también le daría beneficios la elaboración de las primeras fracciones de ésta. En realidad los valores marginales de las variables económicas discontinuas (una unidad de *output* y venta, una unidad de compra o una unidad monetaria en el precio es el valor más pequeño que toman las variaciones de las variables) corresponden al valor medio de los cambios que experimentan las variables en las fracciones de una unidad. De ahí que en puridad de conceptos, por ejemplo, el CMa de 15 atribuido en la Tabla 23.3 al *output* 4 en realidad corresponde a la producción entre la tercera y la cuarta unidad de *output*. Las fracciones anteriores a la mitad de la cuarta unidad tendrán un CMa superior a 15 (decreciendo gradualmente desde 20 hasta 15), y las fracciones superiores a la mitad tendrán un CMa inferior a 15 (decreciendo desde 15 hasta 10), de tal manera que la media es 15.

Por esta razón el lector encontrará que en algunos libros los valores marginales se colocan entre cada dos valores totales (por ejemplo, el CMa de la cuarta unidad de *output* en la Tabla 23.2 se pondría a la altura entre la tercera y la cuarta unidad de *output*, naturalmente en la columna de CMa). De ahí que si el lector considera la Tabla 23.2 con un poco de atención observará que en realidad el IMa y el CMa se hacen iguales entre la quinta y la sexta unidad de *output*, y lo hacen cuando ambos tienen un valor de 24. Entre estas dos unidades de *output* el *CMa* aumenta de 19 a 31 y el *IMa* disminuye de 34 a 14; en consecuencia, necesariamente han de igualarse en alguna fracción de la producción entre 5 y 6 unidades de *output*. De ahí también que en el diagrama inferior de la Figura 23.3 (y en general en todas las Figuras en las que se representan valores marginales) representemos los valores de *IMa* y del *CMa* en la mitad de la distancia correspondiente a cada dos cantidades de *output*.

Resumiendo, pues, las condiciones de máximos beneficios no son más que unas exigencias matemáticas. Si se definen los *CMa* de una manera y su curva tiene forma de *V,* y si se definen los *IMa* igualmente de una manera y su comportamiento es el que suponemos, entonces necesariamente para maximizar los beneficios o minimizar las pérdidas han de cumplirse los dos requisitos expuestos. El partir del supuesto de que las empresas desean maximizar los beneficios nos permite deducir que éstas tenderían a producir aquel nivel de *output* para el que se dan esas condiciones. Puede ocurrir que el precio al que vende su producto (*IMe*) sus *CMeT* sean tales que la empresa tenga pérdidas (que *IMe* < *CMeT*).

No obstante, a la empresa le seguirá interesando producir donde *IMa* = *CMa* y el *CMa* está creciendo (siempre que cubra los *CTV*), ya que a ese nivel de *output* minimizará las pérdidas (a todos los demás niveles de producción sus pérdidas serán aún mayores).

Estas son las condiciones que la empresa ha de cumplir si desea maximizar sus beneficios. Tales condiciones son aplicables a toda empresa, cualquiera que sea el tipo de mercado en el que opere. En consecuencia, son las más generales que pueden afirmarse sobre el comportamiento de la empresa. Después veremos cómo las condiciones del tipo de mercado en el que opera toda empresa concreta pueden hacer que algunas empresas no maximicen los beneficios (que tengan beneficios inferiores a los máximos, que no tengan ni beneficios ni pérdidas, o que incluso tengan pérdidas).

LA RELACION ENTRE LAS CURVAS DE COSTES DE LA EMPRESA Y SU CURVA DE OFERTA

Ya hemos señalado que la curva de *CMa* tiene forma de *V,* debido a que para una planta concreta (con unos factores fijos) siempre habrá una combinación óptima de los *inputs* para la que el *CMa* será el más bajo posible (el *output* al que corresponde esa combinación óptima es producido al *CMeT* más bajo posible). A niveles de producción inferiores o superiores a éste los *CMeT* serán más elevados.

Por otra parte, en competencia perfecta (tipo de mercado que definiremos en el Capítulo próximo) la curva de demanda con la que se enfrenta la empresa es totalmente elástica (tal como la representada en la Figura 23.4). Ello se debe a que, al existir numerosos vendedores del producto, cada empresario concreto va a poder vender al precio de mercado (el precio determinado por la demanda total y la oferta total del producto) cualquier cantidad que produzca: no podrá vender su artículo a un precio superior al de mercado, ya que nadie se lo compraría; ni tiene necesidad de venderlo a un precio inferior a éste, ya que puede vender todo lo que produzca a ese precio por representar su producción una parte muy pequeña de la oferta total del producto.

Por consiguiente, el empresario concreto se enfrenta a una curva de demanda individual (la suya) perfectamente elástica para su producto, lo que implica que si P_o (en la Figura 23.4) es el precio de mercado, a ese precio puede vender la cantidad Q_o, pero si desea vender $Q_o + 1$ también puede hacerlo al mismo precio P_o. En consecuencia, en competencia perfecta el IMa es igual al IMe, que como sabemos es el precio $(IMa = P)$. De ahí que la primera condición de la maximización de los beneficios en competencia perfecta se transforma en buscar el *output* para el cual $CMa = P$ (ya que el $P = IMa$).

Como veremos más adelante, aunque la condición general de beneficios máximos $(IMa = CMa)$ es aplicable a las empresas en todos los tipos de mercado (competencia perfecta, monopolio, oligopolio, competencia imperfecta, duopolio), sin embargo, sólo en competencia perfecta ocurre que $IMa = IMe = P$, y, por lo tanto, que la empresa en competencia perfecta maximiza los beneficios cuando $CMa = P$ (en las demás situaciones de mercado la curva de demanda con la que se enfrentan las empresas tiene una pendiente negativa, y, por lo tanto, $P > IMa$).

De todo lo expuesto se deduce que en competencia perfecta al intentar maximizar los beneficios, el empresario va a tratar de determinar el *output* para el cual $CMa = P$. De ahí que, al expansionar la producción, el empresario sigue la llamada «senda de los costes marginales», por lo que su curva de oferta coincide con su curva de costes marginales. Es decir, si para maximizar los beneficios el empresario que actúa en competencia perfecta ha de igualar el precio con el coste marginal, para cada precio su curva de CMa indicará o determinará la cantidad del producto que aquél ofrece.

Pero ya hemos visto que para maximizar los beneficios no basta con que $IMa = CMa$, sino que además el CMa ha de estar creciendo. En consecuencia, sólo el tramo ascendente de su curva de CMa le servirá al empresario como curva de oferta. La explicación de esto ya la hemos dado en el epígrafe anterior y es obvia: al precio P_o de la Figura 23.4 el empresario no ofertará la cantidad Q_o, ya que si aumenta el *output* entra en una zona de la producción para la que $IMa > CMa$, circunstancia que le interesa aprovechar (puesto que representa la obtención de beneficios). Le interesará expandir la producción hasta alcanzar el *output* Q_1. Podemos, pues, concluir que para el precio P_o la cantidad que la empresa ofertará no será Q_o, sino Q_1, y, en consecuencia, el punto de su curva de CMa que será relevante para el empresario no será el b, sino el f. Lo mismo ocurrirá para cualquier otro precio, por lo que se puede generalizar esta argumentación y afirmar que sólo la parte ascendente de la curva de CMa puede servirle a la empresa como curva de oferta (con una curva de CMa con forma de V, para cada precio la empresa podrá igualar éste con dos CMa: uno en el que éste está disminuyendo y otro en el que el CMa está aumentando; la empresa lógicamente escogerá el segundo).

Debemos señalar, sin embargo, que no todo el tramo ascendente de la curva de CMa sirve de curva de oferta a la empresa. En el corto plazo la curva de oferta de la empresa es su curva de CMa, pero sólo a partir del punto en el que ésta corta a la curva de costes medios variables. En la Figura 23.5 el tramo ab de la curva de CMa no tiene relevancia para la empresa como curva de oferta. En el corto plazo su curva de oferta es el tramo bd de la curva de CMa. El punto b de esta curva es llamado el punto mínimo de explotación, ya que a precios inferiores a estos CMa y $CMeV$ (que a ese nivel de producción coinciden) a la empresa no le interesa producir.

FIGURA 23.5

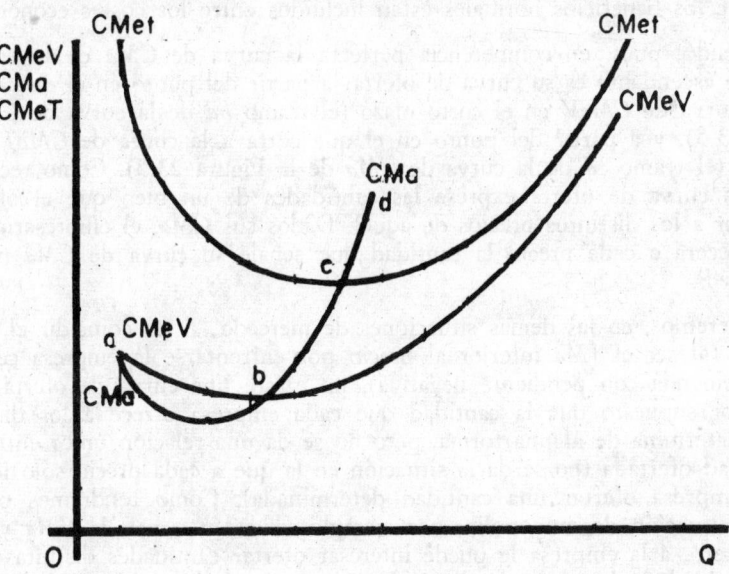

La explicación de que en el corto plazo la curva de oferta de la empresa sea su curva de *CMa* a partir del punto en el que corta la curva de *CMeV* es sencilla y ya la hemos expuesto. En el corto plazo la empresa tiene unos costes fijos, costes que no puede evitar produzca o cierre, y que son iguales cualquiera que sea el nivel de *output* que fabrique. En consecuencia, si el precio al que vende su pro-ducto es inferior al *CMeV*, la empresa preferirá cerrar, ya que cerrando no evita los costes fijos pero sí evita los costes variables que no cubra (la diferencia entre los ingresos totales y los *CTV*). Cuando el $P = CMeV$, a la empresa le será indi-ferente producir o cerrar. Y cuando $P > CMeV$, pero $P \leq CMeT$ (el tramo *bc* de la curva de *CMa*), a la empresa le interesará producir, ya que cubrirá los costes variables y una fracción de los fijos (con lo que reduce las pérdidas al cubrir una parte de los costes fijos). Por supuesto, el tramo *cd* de la curva de *CMa* de la Figura 23.5 también forma parte de su curva de oferta en el corto plazo.

En el largo plazo, sin embargo, la curva de oferta de la empresa no puede in-cluir el tramo *bc* de su curva de costes marginales, ya que en ese tramo la iguala-ción del *CMa* con el precio implica pérdidas (la parte de los costes fijos que no cubre con los ingresos). La empresa no podrá soportar pérdidas indefinidamente, por lo que si el precio no llega a ser igual o superior al *CMeT*, la empresa a largo plazo no renovará su maquinaria cuando ésta se deteriore, y, en consecuencia, cerrará. A corto plazo no puede evitar los costes fijos, pero a largo plazo sí que puede hacerlo cerrando la planta (a largo plazo todos los costes son variables).

De aquí que en el largo plazo la curva de oferta de la empresa en competen-cia perfecta sea su curva de *CMa* a partir del punto en el que ésta corta a la curva de *CMeT*; es decir, el tramo *cd* de la curva de *CMa*. Al punto *c* de las curvas de *CMa* y de *CMeT* se le llama el punto óptimo de explotación, ya que al nivel de producción correspondiente a ese punto de las curvas de *CMa* y de *CMeT* la empresa cubre todos sus costes y está obteniendo unos beneficios normales (recuerde el lector que los beneficios normales están incluidos entre los costes económicos).

Resumiendo, pues, en competencia perfecta la curva de *CMa* de la empresa en su tramo ascendente es su curva de oferta: a partir del punto en el que aquélla corta a la curva de *CMeV* en el corto plazo (el tramo *bd* de la curva de *CMa* de la Figura 23.5), y a partir del punto en el que corta a la curva de *CMeT* en el largo plazo (el tramo *cd* de la curva de *CMa* de la Figura 23.5). Como recordará el lector, la curva de oferta expresa las cantidades de un bien que el oferente desea vender a los distintos precios de aquél. Dados sus *CMa*, el empresario competitivo ofrecerá a cada precio la cantidad que señale su curva de *CMa* para la que $CMa = P$.

Como veremos, en las demás situaciones de mercado, al no coincidir el precio con el *IMa* (al ser el *IMa* inferior al precio por enfrentarse la empresa con una curva de demanda con pendiente negativa), no existe una curva de oferta de la empresa. Por supuesto que la cantidad que cada empresa ofrece a los distintos precios se determina de alguna forma, pero no se da una relación única entre precio y cantidad ofertada (no se da la situación en la que a cada precio sólo le interesa a la empresa ofertar una cantidad determinada). Como tendremos ocasión de ver, en situación de monopolio, por ejemplo, dada su curva de *CMa* y a un precio concreto, a la empresa le puede interesar ofertar cantidades distintas según sea la elasticidad de la curva de demanda (queremos decir, una cantidad cuando la elasticidad de ésta toma un valor, y otra cantidad distinta cuando la elasticidad es otra).

BIBLIOGRAFIA SELECCIONADA

Samuelson, P.: *Curso de Economía Moderna,* op. cit., Cap. 25.
Lipsey, R.: *Introducción a la Economía Positiva,* op. cit., Cap. 19.
Clower, R., y Due, J.: *Microeconomía,* op. cit., Cap. 7.
Lancaster, K.: *Introducción a la Microeconomía,* op. cit., Cap. 6, págs. 165-183.
Dorfman, R.: *El Sistema de Precios,* op. cit., Cap. 2.

LA TEORIA
DE LOS PRECIOS DE MERCADO

CAPITULO 24

LA TEORIA DE LA COMPETENCIA PERFECTA

EL CONCEPTO DE MERCADO Y SUS FORMAS

Ya hemos estudiado por una parte la demanda, y por otra los costes y su relación con las cantidades que desean ofertar las empresas a los distintos precios. Ahora vamos a estudiar cómo se determinan los precios en los distintos tipos de mercado. En la parte que llamamos «Visión General del Sistema de Precios» estudiamos la determinación del precio de los bienes y servicios a través de la oferta y la demanda, sin profundizar en éstas. En las dos partes siguientes (la Teoría del Comportamiento del Consumidor y la Teoría de la Producción y de los Costes) hemos analizado en detalle la demanda de mercado y la oferta de mercado, respectivamente. En la primera de ellas estudiamos el comportamiento de las economías domésticas en relación con su demanda de bienes y servicios. En la segunda analizamos las decisiones de las empresas individuales sobre la producción y venta de los bienes y servicios. La oferta y la demanda de mercado de los bienes y servicios son, pues, conceptos agregados tras los cuales subyacen las decisiones de un gran número de economías domésticas y de empresas individuales.

Ciertamente las curvas de demanda de los consumidores individuales y las curvas de costes de las empresas individuales constituyen los elementos básicos de la teoría de la formación de los precios. No obstante, estas curvas no son suficientes para establecer una teoría de los precios. Para elaborar esta teoría necesitamos partir de hipótesis sobre la forma en que se combinan, se interrelacionan y finalmente se enfrentan las ofertas y las demandas individuales. Los factores que determinan las demandas y ofertas individuales de un bien (y, por lo tanto, la demanda y la oferta agregadas de éste) constituyen el mercado de ese bien. De ahí que el tipo de mercado en el que actúan los consumidores y los productores tenga una gran importancia en la determinación del precio y de la cantidad transaccionada de los bienes.

Un mercado existe cuando los compradores que desean intercambiar dinero por un bien o servicio están en contacto con los vendedores que desean intercambiar ese mismo bien o servicio por dinero. En consecuencia, el mercado se define en términos de las fuerzas fundamentales que integran la oferta y la demanda de un bien. De ahí que el mercado de un bien no esté necesariamente confinado a una localización geográfica. Desde el punto de vista de un consumidor, el mercado está integrado por aquellas empresas de las que pueda comprar un producto concreto (con unas características bien definidas). Desde el punto de vista de un productor, el mercado está formado por todos aquellos compradores a los que puede vender un determinado producto. Vemos, pues, que el concepto de mercado que se utiliza en Economía difiere del que se emplea en el lenguaje ordinario. El mercado de abastos de una ciudad es sólo una parte del mercado (en el sentido económico) de los productos que en él se venden.

El mercado definido como el conjunto de fuerzas que determinan el precio de un producto implícitamente contiene varios elementos: un elemento funcional, un elemento objetivo, un elemento espacial y un elemento temporal.

El elemento funcional reside en que el mercado de un bien es un mecanismo constituido por las fuerzas de la oferta y la demanda, y en que de alguna forma a través de él se determina el precio de dicho bien. Naturalmente, las características de la oferta y de la demanda varían grandemente de unos productos a otros, lo que tiene una gran influencia sobre los resultados del funcionamiento del mercado. El número de vendedores que existan en el mercado, el tamaño de cada uno de ellos en relación con los demás, y la medida en que los vendedores tengan conciencia de que las acciones de uno de ellos tendrá repercusiones o condicionarán el comportamiento de los demás agentes son factores muy importantes.

Asimismo, la naturaleza, el número y el tamaño de los compradores son un factor importante. También hay que incluir en el elemento funcional la medida en la que los distintos compradores y vendedores están informados sobre los precios a los que realizan las transacciones los demás agentes; lo fácil o lo difícil que a los vendedores individuales les resulta cambiar la demanda de mercado de un bien a través de la publicidad, a través de introducir mejoras en la calidad del producto, y/o por medio de ofrecer servicios adicionales (servicios técnicos gratuitos, servicio a domicilio, etc.); y finalmente la facilidad o la dificultad con la que nuevas empresas pueden establecerse en una industria, o las empresas ya establecidas pueden abandonar la industria (para las empresas resulta más difícil el establecerse en unas industrias que en otras, dependiendo de la tecnología que se requiera, del tamaño mínimo de las plantas que hayan de montar debido a las economías de escala, y del prestigio que tengan los productos fabricados por las empresas ya establecidas).

El elemento objetivo estriba en que solamente se puede hablar de mercado referido al mercado de un producto concreto. La naturaleza de un producto: su carácter perecedero o no perecedero, su tamaño, su peso, si es o no un bien de temporada, etc., son factores importantes. Asimismo, la naturaleza de las similitudes y de las diferencias entre los productos de los diferentes vendedores de un mismo bien también afecta al comportamiento de los agentes económicos y a los resultados (los precios y las cantidades compradas y vendidas de los bienes) que produce el mercado. La homogeneidad o la diferenciación del producto que elaboran los diferentes vendedores de un bien tienen una enorme importancia para el comportamiento de los agentes económicos y para los resultados de éste.

El elemento espacial también juega un papel importante en la caracterización del mercado de un bien. La localización espacial de un producto actúa en el sentido de diferenciarlo desde el punto de vista de los consumidores: un mismo paquete de mantequilla tiene un valor distinto para el consumidor colocado aquél en la tienda más próxima a su casa que en un comercio en el otro extremo de la ciudad. Pero esta diferenciación depende de muchos factores: el coste y el tiempo que requiera el trasladarse de unos lugares a otros en los que se puede comprar el producto, de la naturaleza del bien y de la importancia del gasto que en él realiza el consumidor en relación con su gasto total por período de tiempo, entre otros factores.

Esto explica que se den diferencias en el precio de un mismo bien en los distintos barrios de una misma ciudad (siempre que ésta sea mínimamente grande), ya que la gente valora el tiempo que ahorra y la comodidad de comprar cerca de su casa. Pero también explica que estas diferencias no sean demasiado grandes (son los suficientemente pequeñas como para que las amas de casa piensen que no vale la pena cruzar la ciudad de un lado a otro para hacer sus compras). Los vendedores en los distintos barrios de una ciudad tienen conciencia de que forman parte de un mismo mercado, y que perderían los clientes si sus precios fueran demasiado altos en relación con los de los comerciantes en otros barrios de la ciudad.

También el elemento espacial explica la proliferación actual de los hipermercados. Estos se basan en la idea de que si la diferencia en el precio de los artículos es suficientemente atractiva, los consumidores se desplazarán de un punto a otro de la ciudad para hacer sus compras, máxime si pueden realizar una compra cuantiosa, lo que representa un ahorro significativo no sólo en el gasto, sino también en el tiempo destinado a la compra de los productos de consumo diario. Los maridos están dispuestos a acompañar a sus esposas en esta compra siempre que el coste de oportunidad en que incurren al hacerlo sea menor que el ingreso que obtienen (el ahorro en el gasto que realizan); es decir, siempre que lo que dejen de ganar si estuvieran realizando un trabajo sea inferior a lo que ahorran en la compra. Como generalmente ésta la efectúan en horas o días no laborables, el coste de oportunidad de los maridos al acompañar a sus esposas (una vez a la semana, cada quince días, o una vez al mes) a realizar la compra en el hipermercado es cero o muy bajo.

La naturaleza del bien también juega su papel en el elemento espacial de un mercado. Para el consumidor no es igual la compra de los productos alimenticios o de limpieza que la compra de ropa de vestir, de objetos de regalo o de muebles. Para adquirir los primeros (a menos que sea un *gourmet*), el consumidor no estará dispuesto a desplazarse más allá de su barrio o como máximo al otro extremo de la ciudad en la que vive (debido a que estos productos son muy similares en todas partes). En cambio, para comprar ropa de vestir, muebles o joyas, los individuos pueden estar dispuestos a trasladarse a la ciudad grande más próxima si creen que en ella tendrán una mayor variedad entre la que elegir un bien que consideran importante y que sólo adquieren de tarde en tarde. El hecho de que la compra de estos bienes represente un gasto importante puede justificar el que el consumidor trate de encontrar el modelo del bien que realmente le gusta.

Otro factor que puede afectar al ámbito geográfico de un mercado es el coste de transporte de un bien. Por ejemplo, el coste de transportar el cemento es tan elevado que hace que el mercado de este producto se caracterice por estar integrado por un gran número de mercados separados, en cada uno de los cuales hay unos pocos o muy posiblemente un solo oferente.

El elemento temporal es igualmente importante en la caracterización de un mercado. Las características de la oferta y de la demanda son distintas según sea el período para el que se consideren. Al hablar de la elasticidad de la demanda ya señalamos que ésta es más elástica cuanto más largo es el período de tiempo que se considere. En el muy corto plazo la demanda de un bien puede ser muy inelástica (el individuo que se encuentra por la noche en una autopista con un neumático reventado y sin rueda de repuesto, puede estar dispuesto a pagar un precio elevado por un neumático). Cuanto mayor es el período de tiempo que tiene por delante, mayores son las posibilidades que tiene el individuo de buscar el producto a un precio más bajo, y en consecuencia más elástica será su demanda.

Del mismo modo, la oferta de un producto será más elástica cuanto más largo sea el período de tiempo que se considere. En el muy corto plazo la oferta de un bien está integrada sólo por los bienes ya fabricados en poder de las empresas y/o de los comerciantes. En el corto plazo la oferta está compuesta por los bienes ya fabricados, más la nueva producción que puedan realizar las empresas ya instaladas en la industria sin variar sus capacidades productivas. Finalmente, en el largo plazo la oferta no sólo varía en función de los *stocks* y de la producción de las empresas existentes, sino también en función de los cambios en la capacidad productiva de las empresas ya instaladas y de la variación en el número de empresas establecidas en la industria.

Todas estas características o notas distintivas constituyen lo que se denomina la estructura de un mercado. Esta estructura es muy importante para las empresas individuales. Aun cuando cualquiera de ésas conozca sus curvas de costes e incluso la demanda total del producto que elabora, difícilmente sabrá cómo es exactamente su curva de demanda. Para poder determinar aproximadamente la forma de la curva de demanda con la que se enfrenta, la empresa necesita conocer aspectos tales como la fracción del mercado que abastecen los demás vendedores, si variará su parte del mercado al cambiar ella el precio y en qué cuantía lo hará, la reacción que tendrán los demás vendedores si ella aumenta o disminuye el precio (si la empresa aumenta el precio, para ésta es importante conocer si las demás empresas incrementarán el suyo en igual, mayor o menor cuantía), etc. Es evidente que los resultados pueden ser muchos y que cada uno de ellos tendrá un efecto diferente sobre los ingresos y los beneficios de la empresa.

Obviamente, las características que hemos señalado son tan numerosas que combinándolas entre sí pueden dar lugar a miles de tipos de mercado, cada uno de los cuales puede llevar a un comportamiento concreto de los agentes económicos que en él intervienen, y a unos resultados determinados (comportamiento y resultados que pueden ser diferentes de los que se dan en cada uno de los demás mercados). Aun cuando las economías domésticas traten de maximizar su utilidad y las empresas intenten maximizar sus beneficios (utilizando ambos un comportamiento racional), las condiciones del mercado concreto en el que actúan darán lugar a comportamientos y resultados distintos.

Sin embargo, la mayor parte de las predicciones que permite hacer la Teoría Económica están referidas a un mercado concreto (con unas características), y no a todos los mercados en general. En consecuencia, es importante identificar el mercado concreto al que se refiere el análisis. Pero como a efectos de construcción de una teoría es imposible considerar una casuística tan amplia, y por otra parte no todas las características son de fundamental importancia, en el Análisis Económico se han tomado dos aspectos de la estructura del mercado de los bienes que permiten elaborar una tipología de éstos: el número de vendedores (productores), y el grado de similitud del producto elaborado por los distintos fabricantes del mismo.

Estos dos aspectos de la estructura del mercado de los diferentes bienes, que son considerados los más importantes, han permitido distinguir una gama de tipos de mercado que va desde la competencia perfecta al monopolio.

La **Figura 24.1 muestra esta gama:**

FIGURA 24.1

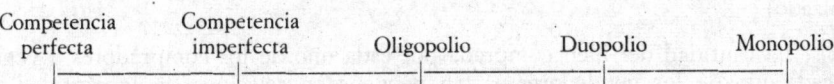

Competencia perfecta	Competencia imperfecta	Oligopolio	Duopolio	Monopolio

Como veremos en éste y en los Capítulos siguientes, el número de oferentes y el grado de homogeneidad del producto dan lugar a comportamientos diversos de las empresas. Una rama de la Economía, conocida como Economía Industrial o Relaciones Industriales, se basa en la hipótesis de que el comportamiento de las empresas es afectado por la estructura del mercado en el que operan. Estos tipos teóricos de mercado (tipos que son construcciones teóricas con fines analíticos) permiten relacionar ciertos comportamientos de las empresas con conjuntos concretos de características o condiciones de los mercados, y en consecuencia hacen posible formular predicciones sobre aquéllos y sobre el resultado del funcionamiento de un mercado concreto.

En resumen, la Teoría Económica supone que las condiciones o características de los mercados (lo que hemos llamado la estructura del mercado) son tan importantes que dan lugar a comportamientos distintos de las empresas en los diferentes tipos de mercado. En éste y en los próximos Capítulos estudiamos este comportamiento, así como los precios y las cantidades producidas, compradas y vendidas de los bienes que se determinan en los distintos tipos de mercado. No existe, pues, una teoría general que explique la determinación de los precios y de las cantidades transaccionadas en todas las estructuras de mercado, sino que se han elaborado teorías parciales, una para cada tipo de mercado.

EL EQUILIBRIO DE LA EMPRESA Y DE LA INDUSTRIA EN UN MERCADO DE COMPETENCIA PERFECTA

Concepto de Mercado de Competencia Perfecta

Ya hemos señalado que las decisiones de una empresa sobre la cantidad de *output* que produce por período de tiempo son influenciadas por la curva de demanda con la que ella se enfrenta (su curva de demanda individual) y no sólo por la curva de demanda total (la curva de demanda de mercado) del producto que elabora. De ahí que se pueda establecer la hipótesis (contrastable empíricamente) de que el comportamiento de la empresa es influenciado por el número de vendedores y por la homogeneidad del producto (entre otros factores, tales como la naturaleza de éste, la distancia desde el punto en que se elabora a los lugares donde se consume, etc.). Concluimos, pues, que la determinación de los precios y de los niveles de producción de los diferentes bienes está muy influenciada por la estructura del mercado de cada uno de éstos.

En éste y en los tres Capítulos siguientes vamos a poner en relación las condiciones del mercado con el comportamiento de las empresas, de tal manera que lleguemos a disponer de una teoría que nos permita explicar el comportamiento de las empresas, y de los precios y las cantidades, así como efectuar previsiones sobre éstos.

Una de estas estructuras de mercado o tipos de mercado es la llamada competencia perfecta. Esta se define como aquel mercado en el que se dan las siguientes condiciones:

1) Existe un gran número de compradores y de vendedores (el mercado está atomizado).

2) La cantidad del bien comprada por cada uno de los compradores y vendida por cada uno de los vendedores es tan pequeña en relación con la cantidad total transaccionada, que los cambios en aquéllas no afectan al precio del artículo; es decir, ningún comprador ni vendedor es lo suficientemente importante como para afectar al precio del bien a través de cambiar la cantidad que compra o vende.

3) El bien que venden los distintos productores es homogéneo (las unidades del bien vendidas por los diversos oferentes son idénticas).

4) Todos los compradores y vendedores tienen información completa y veraz sobre los precios que se están pidiendo y ofertando, y pagando en los demás sectores del mercado (es decir, existe información perfecta entre los compradores y los vendedores).

5) Existe libertad total (legal y fáctica) de entrada de nuevas empresas en la industria (nuevos vendedores pueden entrar en el mercado y vender el bien en las mismas condiciones que los vendedores ya establecidos). Asimismo, las empresas existentes pueden abandonar la industria (cerrar o producir otro bien distinto). Esto significa que las empresas establecidas en la industria no pueden impedir la entrada en ésta a nuevas empresas, ya que no existen barreras legales ni fácticas (tales como, por ejemplo, la necesidad de disponer de una tecnología muy sofisticada o de establecer una planta cuyo tamaño mínimo sea muy grande debido a las economías de escala) para entrar en o abandonar la industria.

6) Las empresas en la industria no actúan de común acuerdo (no se da colusión entre ellas).

Ciertamente estas condiciones son muy restrictivas, lo que significa que existen pocos bienes cuyos mercados reúnan estos requisitos. No obstante, el modelo de competencia perfecta (es un modelo en cuanto que en él se acota una parcela de la realidad y se trata de explicarla) es considerado como muy útil por varias razones. En primer lugar, es un modelo aplicable al estudio del mercado de la mayoría de los productos agropecuarios (el trigo, la cebada, el maíz, los tomates, las cebollas, los ajos, las naranjas, las coles de Bruselas, las manzanas, las lechugas, los huevos, la carne de distintos tipos, etc.) y de muchos títulos valores (acciones, obligaciones y deuda pública).

Así, los 150.000 kilos de trigo producidos en un año por el señor Pérez de Guadalajara no pueden ser diferenciados ante el consumidor de los 200.000 kilos obtenidos por el señor López de Córdoba. Del mismo modo, si la producción del señor Pérez un año aumenta de 150.000 a 250.000 kilos, el precio de mercado del trigo no se verá afectado por el incremento de la oferta total en 100.000 kilos, ya que en 1979 la producción total de trigo en España fue de alrededor de 2.000 millones de toneladas. La producción de casi todos los productos agrícolas obtenida por cada uno de los agricultores representa sólo una pequeñísima fracción de la producción total de aquéllos y además los productos son homogéneos (esto explica que nadie haga publicidad de una marca comercial de trigo, coles de Bruselas o huevos).

En segundo lugar, existe un consensus bastante generalizado de que la teoría de la competencia perfecta, a pesar de ser éste un tipo extremo de mercado (el otro tipo extremo es el monopolio) puede ayudar considerablemente a comprender el funcionamiento de la economía. La metodología de iniciar el estudio de la realidad simplificando ésta para después gradualmente introducir complicaciones, se ha revelado en muchas ciencias más productiva que el método de tomar en consideración todos los factores desde el comienzo del análisis. Como veremos, el modelo de competencia perfecta permite deducir predicciones razonablemente precisas sobre las consecuencias de ciertos tipos de cambio en las condiciones del mercado (una variación de la demanda, una variación en los costes de producción o la introducción de un impuesto sobre la producción o sobre los beneficios de las empresas).

Aunque, como hemos señalado, los requisitos de la competencia perfecta los reúnen sólo los mercados de algunos productos agropecuarios y de los títulos valores (siempre que no existan propietarios que detenten una fracción significativa de las acciones u obligaciones de una sociedad), no obstante, el modelo de competencia perfecta es muy útil. Los mercados de bastantes productos industriales y servicios se aproximan al modelo de competencia perfecta, por lo que las predicciones derivadas de éste tienen una aplicación más amplia de lo que se tiende a pensar.

En tercer lugar, el modelo de competencia perfecta reúne algunas de las condiciones que han de darse para la asignación óptima de los recursos, lo que permite determinar en qué medida las decisiones tomadas de una forma descentralizada (adoptadas por cientos de miles de consumidores y productores individuales, y sin que haya una autoridad central responsable del funcionamiento del sistema) puede esperarse que lleven a un óptimo económico. En este sentido, el modelo de competencia perfecta sirve de punto de referencia o de patrón con el que evaluar la eficiencia de los sistemas económicos que se dan en la realidad.

El Equilibrio de la Industria y de la Empresa en el Corto Plazo

En un momento determinado existen una oferta y una demanda agregadas del producto que se está analizando. La curva de oferta agregada para una industria competitiva será la suma horizontal de las curvas de oferta de todas las empresas existentes en la industria. Así, si en una industria sólo existieran tres empresas cada una con su respectiva curva de oferta, la curva de oferta agregada la obtendríamos sumando las cantidades que a cada precio ofertan las tres empresas. La Tabla 24.1 muestra un ejemplo numérico sobre cómo obtener la oferta agregada.

TABLA 24.1

Precio	Empresa A	Empresa B	Empresa C	Oferta total
50	100	150	200	450
60	130	200	250	580
70	160	230	275	665

En el corto plazo, la oferta total o agregada de la industria competitiva está formada, pues, por la suma de las cantidades que a cada precio están dispuestas a ofertar todas las empresas existentes en aquélla, dada la capacidad productiva instalada de que disponen. Pero, como hemos mostrado en el Capítulo 23, la curva de oferta de la empresa en competencia perfecta es su curva de CMa. En consecuencia, la curva de oferta de la industria será la suma horizontal de las curvas de CMa de todas las empresas que la integran. En el caso de los productos agrícolas, obviamente la curva de oferta agregada es muy inelástica en el corto plazo (si se entiende por éste el período de cultivo de una cosecha), ya que la oferta existente en un momento determinado sólo puede ser la cosecha obtenida, y no es factible aumentar la cantidad ofertada hasta obtener una nueva cosecha. En el caso de algunos productos pecuarios, la oferta agregada puede ser más elástica en el corto plazo (es posible sacrificar gallinas ponedoras para aumentar la oferta de carne en un momento dado).

Del mismo modo, en un momento determinado existirá una demanda agregada de un producto. Esta demanda agregada con la que se enfrenta la industria, podemos esperar que se plasme en una curva de demanda con una pendiente negativa, que será más o menos elástica según que el bien tenga más o menos y mejores o peores sustitutivos, represente una parte más o menos importante del gasto de los consumidores, etc. (ya conocemos los factores de los que depende la elasticidad de la curva de demanda de un bien). Lo importante que debe comprender el lector es que la curva de demanda de la industria competitiva nunca será totalmente elástica, ya que es la curva de demanda agregada de un producto y en consecuencia difícilmente dejará de tener una pendiente negativa. La curva de demanda agregada es igualmente la suma horizontal de las curvas de demanda de todos los individuos que desean comprar el bien en cuestión.

FIGURA 24.2

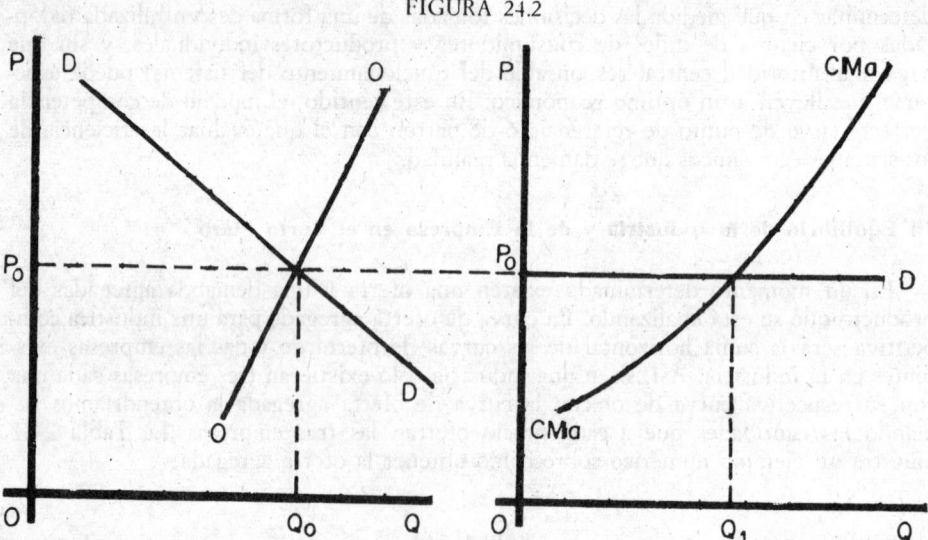

Las curvas de oferta y demanda de la industria competitiva determinarán el precio y la cantidad transaccionada de equilibrio para el producto en cuestión. Supongamos que las curvas de oferta y demanda agregadas para la industria que estamos analizando son las representadas en el diagrama de la izquierda de la Figura 24.2. La intersección de estas curvas determina el precio P_0 y la cantidad Q_0 de equilibrio. A corto plazo la industria estará en equilibrio cuando se alcancen P_0 y Q_0. *Céteris páribus*, P_0 será el precio que se pagará en el mercado y Q_0 será la cantidad comprada y vendida.

Las condiciones que definen el mercado de competencia perfecta, como sabemos, son:

a) Existe un gran número de vendedores, ninguno de los cuales domina una parte significativa del mercado total del producto.

b) Los productos de los diferentes vendedores son idénticos, por lo que los compradores no tienen preferencias entre los vendedores.

c) Los compradores son tan numerosos que no se establece una relación personal entre compradores y vendedores.

d) Los compradores están perfectamente informados de los precios que cobran por el artículo los diferentes vendedores.

Estas condiciones o características del mercado competitivo (junto con las demás expuestas en el epígrafe anterior) dan lugar a que los vendedores hayan de tomar el precio como un dato; es decir, a los vendedores el precio les viene dado, e individualmente no pueden hacer nada para cambiarlo. Para los vendedores o productores concretos el precio al que pueden vender su producto es el que se ha determinado por la oferta y la demanda para la industria (la oferta y la demanda de mercado).

El que los vendedores individuales sean precio-aceptantes (tengan que aceptar el precio y no puedan afectarlo) es realmente la característica que define al mercado competitivo. Ningún vendedor individual puede vender su artículo a un precio superior al precio P_0, ya que los compradores pueden adquirir la cantidad que deseen a este precio. Tampoco lo venderá, lógicamente, a un precio inferior a P_0, ya que puede vender toda la cantidad que produce a ese precio (no tiene necesidad, ni de vender a un precio más bajo que los demás productores, ni de reducir el precio de su artículo para vender una mayor cantidad). En consecuencia, la demanda de la empresa en competencia perfecta implica que para aquélla el $IMe = IMa$; o lo que es lo mismo, $P = IMa$.

Esta consecuencia del mercado de competencia perfecta de que los vendedores individualmente considerados sean precio-aceptantes (el precio les venga dado) gráficamente la podemos representar por medio de una curva de demanda totalmente elástica; es decir, en competencia perfecta cada productor o empresa se enfrenta con una curva de demanda perfectamente elástica, que arranca del eje de ordenadas al precio correspondiente al que se ha determinado para la industria en su conjunto (en la Fig. 24.2 este precio es P_0).

Insistimos en que con toda probabilidad no existe ningún bien cuya curva de demanda sea totalmente elástica (sin duda las curvas de demanda agregada de casi todos los bienes tienen una pendiente negativa más o menos pronunciada). No obstante, para cada empresa que actúa en competencia perfecta, su curva de demanda es perfectamente elástica. Distinguimos aquí entre la curva de demanda agregada del producto (la curva de la industria) y la curva de demanda de cada empresa. Aunque desde el punto de vista de los consumidores no exista ningún bien cuya curva de demanda sea totalmente elástica, sin embargo, para los productores individuales competitivos su curva de demanda es totalmente elástica. No existe contradicción alguna en esta afirmación.

Una vez establecida esta distinción importante, consideremos el equilibrio de la empresa competitiva a corto plazo. Como sabemos, toda empresa, cualquiera que sea el tipo de mercado en el que actúe, maximiza los beneficios cuando $CMa = IMa$ y el CMa está creciendo. En consecuencia, si la curva de CMa del diagrama de la derecha de la Figura 24.2 correspondiera a una empresa competitiva determinada, ésta maximizaría sus beneficios produciendo la cantidad Q_1 (ya que a ese nivel de *output*, $CMa = IMa = IMe$).

Concluimos, pues, que a corto plazo las empresas individuales de una industria competitiva maximizan sus beneficios cuando $CMa = IMa = IMe = P$, y el CMa está creciendo. Pero por el diagrama de la derecha de la Figura 24.2 no podemos deducir si la empresa concreta a la que corresponde éste está obteniendo beneficios o pérdidas, o no está teniendo ni beneficios ni pérdidas (recuerde el lector que en términos de la Teoría Económica el que una empresa no tenga ni beneficios ni pérdidas significa que está obteniendo los beneficios normales para esa industria). Recordemos también que en el Capítulo 23 demostramos que las condiciones de máximo de beneficios son igualmente las de mínimo de pérdidas. Si el precio máximo que puede obtener una empresa es inferior a su $CMeT$, entonces la empresa minimiza las pérdidas al nivel de producción en el que $IMa = CMa$ y éste está creciendo. A cualquier otro nivel de producción y ventas las pérdidas serán superiores, dados el precio al que vende su producto y sus curvas de costes.

Pero una cuestión es saber que la empresa está haciendo las cosas lo mejor que puede, y otra distinta conocer cómo le van éstas. En el Capítulo 23 y con la ayuda de la Figura 23.4 vimos cómo, si se dispone de las curvas de CMa e IMa en su totalidad, es posible determinar si la empresa está o no obteniendo beneficios al producir una determinada cantidad de *output* (basta comparar las áreas debajo de las curvas de CMa e IMa para ese nivel de *output*). Pero en el diagrama de la derecha de la Figura 24.2 sólo disponemos de la parte creciente de la curva de CMa de la empresa (es decir, de la curva de oferta de ésta a corto plazo, que como sabemos es su curva de CMa a partir del punto en el que corta a la curva de $CMeV$). De ahí que para determinar si una empresa en el corto plazo está obteniendo beneficios, pérdidas o no está teniendo ni beneficios ni pérdidas cuando cumple las condiciones de máximo de beneficios o mínimo de pérdidas, recurrimos a introducir en el diagrama la curva de $CMeT$ de aquélla.

Las Figuras 24.3, 24.4 y 24.5 muestran tres posibles situaciones de una empresa en equilibrio a corto plazo. La empresa está en equilibrio ya que iguala el CMa al IMa y aquél está creciendo. Sin embargo, en la situación representada por la Figura 24.3 la empresa está teniendo beneficios (con esto queremos decir beneficios en el sentido de la Teoría Económica; es decir, beneficios en exceso de los beneficios normales tras contabilizar todos los costes y calcular los precios de los factores a su coste de oportunidad). La empresa tiene los beneficios representados por el área P_0abP_1, que está formada por la diferencia entre el IMe (el precio P_0) y el $CMeT$ (P_1), multiplicada por el número de unidades vendidas (Q_1). Como $IMe > CMeT$ (en la cuantía P_0P_1), los beneficios podemos calcularlos multiplicando el beneficio obtenido por unidad (P_0P_1) por el número de unidades que vende.

Si la empresa estuviera en la situación representada en la Figura 24.4 estaría incurriendo en las pérdidas que muestra el área P_1abP_0, o la diferencia entre el IMe y el $CMeT$ multiplicada por el número de unidades vendidas. En este caso el $IMe < CMeT$, por lo que la empresa incurre en unas pérdidas por unidad de *output* de la cuantía P_1P_0, que, multiplicada por el número de unidades que vende, nos da las pérdidas totales. Siempre que la empresa cubra sus costes medios variables (siempre que $P_0 > CMeV$), la empresa continuará produciendo en el corto plazo, aun cuando tenga pérdidas (en la Figura 24.4 hemos dibujado una curva de $CMeV$ que cumple este requisito: en el nivel de *output* de equilibrio, Q_1, $P_0 > P_2$, siendo P_2 el $CMeV$). Si $P < CMeV$, la empresa cerraría aun en el corto plazo. Afirmar que la empresa está incurriendo en pérdidas en el sentido económico, no significa que necesariamente está teniendo pérdidas en el sentido contable. Simplemente significa que no está cubriendo todos los costes económicos. En cualquier caso, la empresa está minimizando sus pérdidas.

Finalmente, en la Figura 24.5 se representa la situación de una empresa que no tiene ni beneficios ni pérdidas. Al nivel Q_1 de *output* y ventas, la empresa cubre todos sus costes económicos ($CMeT = IMe$), incluyendo entre éstos los beneficios normales para el tipo de industria de que se trate. Cuando produce este *output*, $P_0 = IMe = IMa = CMa = CMeT$. La empresa no está teniendo ni beneficios ni pérdidas económicas, lo que significa que está obteniendo beneficios normales.

Podemos, pues, concluir que en el corto plazo la industria competitiva está en equilibrio al nivel de *output* agregado y al precio para los que la cantidad ofertada es igual a la cantidad demandada. El precio de equilibrio, que se determina por la igualdad de la oferta y la demanda, es el precio que le viene dado a cada una de las empresas que hay en la industria y que en consecuencia no pueden afectar (las empresas son precio-aceptantes, empleando la traducción del término inglés *price-takers*). Dado ese precio, que implica una curva de demanda totalmente elástica, y dada su curva de *CMa,* la empresa competitiva maximiza sus beneficios haciendo

FIGURA 24.3   FIGURA 24.4

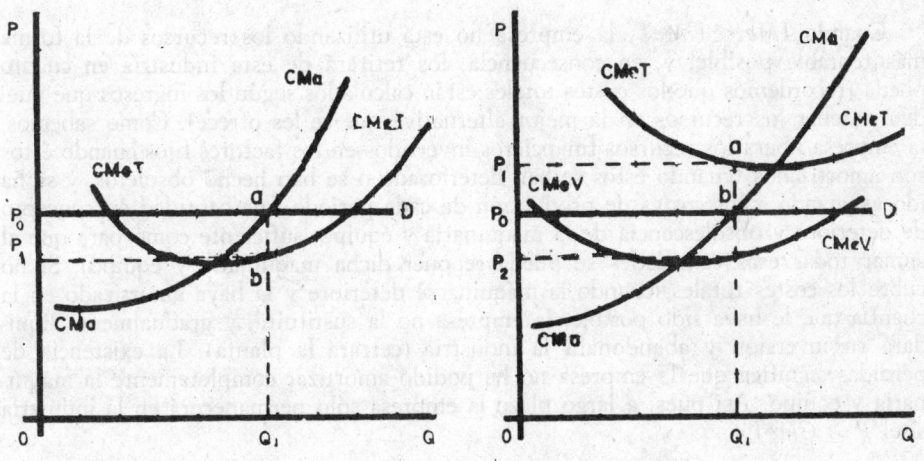

FIGURA 24.5

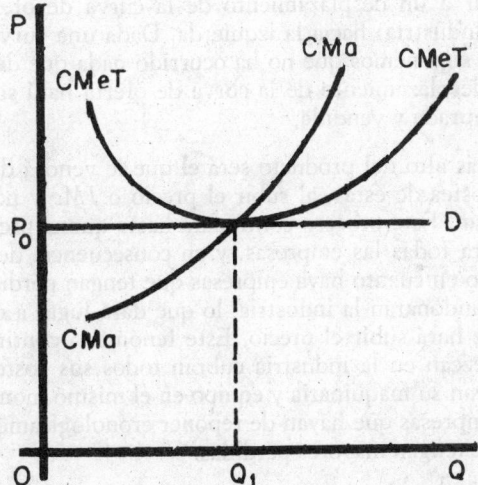

$IMa = CMa = P$. Pero aun cuando cumpla esta condición y además el CMa esté creciendo, a corto plazo la empresa puede tener beneficios, incurrir en pérdidas o no tener beneficios ni pérdidas. Naturalmente, si las empresas tienen beneficios o pérdidas, esta situación no se mantendrá a largo plazo, ya que las empresas estarán incentivadas para cambiar el volumen de *output*.

El Equilibrio de la Industria y de la Empresa en el Largo Plazo

En el largo plazo la empresa se comportará de la misma forma que lo hace en el corto plazo; es decir, seguirá intentando ajustar su *output* a aquel nivel para el cual $P = CMa$. Hay, sin embargo, una diferencia importante entre el comportamiento de la empresa en el corto plazo y en el largo plazo: si la empresa no cubre los costes medios totales (aunque cubra los CTV y algo de los CTF; o lo que es lo mismo, si $P < CMeT$ aunque $P > CMeV$) en el largo plazo cerrará (no renovará su maquinaria y equipo cuando éstos se deterioren).

Cuando $IMe < CMeT$, la empresa no está utilizando los recursos de la forma más rentable posible, y, en consecuencia, los retirará de esta industria en cuanto pueda (recordemos que los costes totales están calculados según los ingresos que pueden obtener los recursos en la mejor alternativa que se les ofrece). Como sabemos, la empresa libera los recursos financieros invertidos en los factores fijos cuando éstos son amortizados (cuando éstos se han deteriorado o se han hecho obsoletos, y se ha ido asignando a los costes de producción de cada período una cantidad en concepto de deterioro y obsolescencia de la maquinaria y equipo, suficiente como para que al sumar todas esas cantidades se pueda reponer dicha maquinaria y equipo). Si no cubre los costes totales, cuando la máquina se deteriore y la haya amortizado en la cuantía que le haya sido posible, la empresa no la sustituirá, y gradualmente liquidará su inversión y abandonará la industria (cerrará la planta). La existencia de pérdidas significa que la empresa no ha podido amortizar completamente la maquinaria y equipo. Así pues, a largo plazo la empresa sólo permanecerá en la industria si el $P \geq CMeT$.

Esto significa que si en una industria, algunas de las empresas establecidas en ella están teniendo pérdidas, a largo plazo cerrarán. Si varias empresas de una industria cierran, ello dará lugar a un desplazamiento de la curva de oferta agregada (de la curva de oferta de la industria) hacia la izquierda. Dada una curva de demanda (que no se desplaza, ya que suponemos que no ha ocurrido nada que dé lugar a un cambio en la demanda), este desplazamiento de la curva de oferta hará subir el precio y disminuir la cantidad comprada y vendida.

El nuevo precio más alto del producto será el que le vendrá dado a las empresas. Dadas las curvas de costes de éstas, al subir el precio o IMe y no variar sus $CMeT$, las pérdidas se reducirán. Este proceso continuará hasta que el precio suba al nivel en el que $P = CMeT$ para todas las empresas, y en consecuencia desaparezcan las pérdidas de éstas. En tanto en cuanto haya empresas que tengan pérdidas, en el largo plazo algunas de éstas abandonarán la industria, lo que dará lugar a una disminución de la oferta; ésta a su vez hará subir el precio. Este fenómeno continuará hasta que las empresas que permanezcan en la industria cubran todos sus costes. Dado que todas las empresas no renueven su maquinaria y equipo en el mismo momento, abandonarán la industria aquellas empresas que hayan de reponer cronológicamente antes la maquinaria y el equipo, o que tengan mayores pérdidas.

La Figura 24.6 muestra gráficamente este proceso. Con la curva de oferta agregada O_1O_1, el precio que originariamente se establecía para el producto era P_0 y la cantidad transaccionada Q_0. A este precio, la curva de demanda de la empresa era D_1. Esta alcanzaba el equilibrio a corto plazo produciendo el *output* Q_i (donde $CMa = IMa$ y el CMa está creciendo). Pero, dada su curva de $CMeT$, al precio P_0 la empresa tendrá pérdidas (el área P_1abP_0). Al abandonar la industria algunas de las empresas establecidas en ella, la curva de oferta agregada se trasladaría de O_1O_1 a O_2O_2, determinándose el nuevo precio de equilibrio para la industria en P_1 y la cantidad transaccionada al nivel de *output* agregado Q_1. Este nuevo precio daría lugar a la curva de demanda D_2 para la empresa (precio P_2 en el diagrama correspondiente a ésta). El nuevo equilibrio de la empresa se establecería en el *output* Q_2 (donde $P_2 = IMe$ para D_2).

FIGURA 24.6

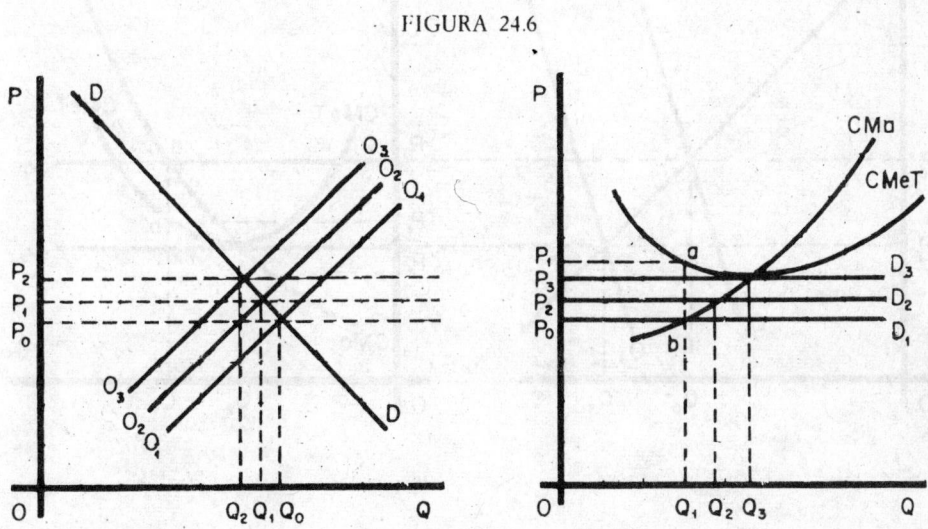

Pero a ese nivel de *output*, todavía $IMe < CMeT$ (véase la Figura 24.6), por lo que otras empresas abandonarían la industria cuando tuvieran que reponer su maquinaria y equipo, y la curva de oferta agregada se desplazaría de nuevo hacia la izquierda. Cuando finalmente el precio del producto alcanzara el nivel P_2 (igual al precio P_3 del diagrama de la derecha), las empresas que tuvieran la curva de $CMeT$ de la Figura 24.6 estarían en equilibrio (no tendrían ni beneficios ni pérdidas; es decir, obtendrían beneficios normales). La curva de oferta de la industria será la O_3O_3 y la curva de demanda de las empresas será la D_3. Estas producirán al nivel de *output* Q_3 y obtendrán el precio P_3.

Supongamos ahora que a corto plazo algunas empresas están obteniendo beneficios económicos (están en la situación representada por la Figura 24.3). El precio y la cantidad de equilibrio para la industria son P_0 y Q_0, respectivamente (véase la Figura 24.7). El precio P_0 es el que le viene dado a las empresas, y que determina la curva de demanda D_1 de éstas. Con la curva de demanda D_1, y dada su curva de CMa, la empresa producirá el *output* Q_1 (al cual $CMa = IMa$ y el CMa está creciendo). Pero al nivel de *output* Q_1, la empresa está obteniendo los beneficios económicos (beneficios más allá de los normales) representados por el área P_0abP_1.

FIGURA 24.7

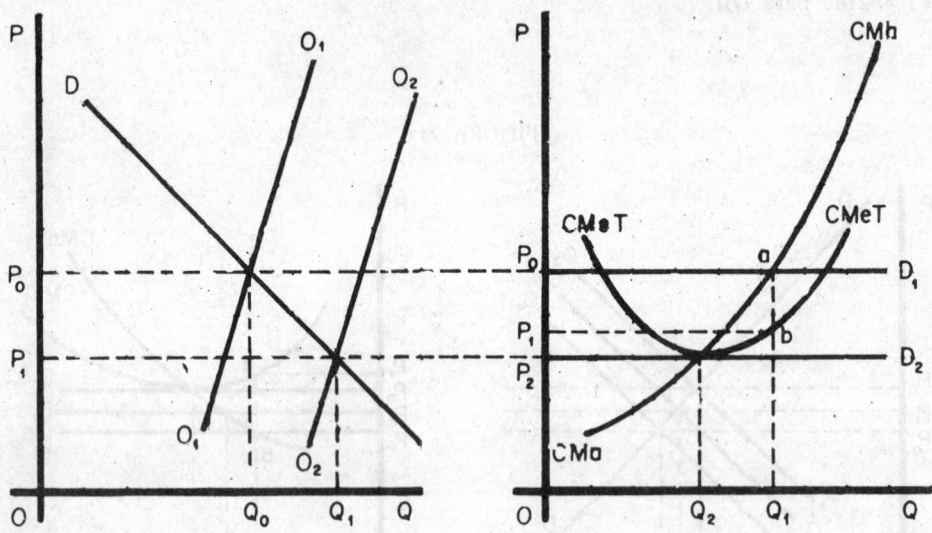

Estos beneficios atraerán nueva inversión a la industria, inversión que se materializará a través de la entrada de nuevas empresas en la industria y/o de la ampliación de algunas o de todas las empresas ya establecidas en ella. En cualquier caso, el resultado será un aumento de la oferta de la industria (un desplazamiento de la curva de oferta de la industria hacia la derecha: a cada precio se ofrecerá una cantidad mayor del producto, ya que será mayor el número de productores). La Figura 24.7 muestra este desplazamiento de la curva de oferta de la industria, que pasa de ser O_1O_1 a ser O_2O_2.

En esta Figura vemos cómo el precio baja de P_0 a P_1, y la cantidad transaccionada para la industria aumenta de Q_0 a Q_1. La nueva curva de demanda con la que se enfrentan las empresas individuales es la D_2 del diagrama de la derecha. Con esta curva de demanda (el precio P_2), la empresa alcanza el equilibrio al producir Q_2 de *output* (cuando $CMa = IMa$). Pero ocurre que a ese nivel de producción además $IMe = IMa = P = CMa = CMeT$, con lo que la empresa está obteniendo beneficios normales (no tiene ni beneficios ni pérdidas económicas). Hemos supuesto que con un solo desplazamiento de la curva de oferta de la industria se ha llegado al equilibrio de las empresas. De hecho, hasta llegar a éste lo más probable es que se hayan dado varios desplazamientos de la curva de oferta, en un proceso que durará mientras se obtengan beneficios económicos en la industria.

En tanto en cuanto algunas empresas estén obteniendo beneficios, nuevas empresas entrarán en la industria y las ya existentes se expansionarán, con lo que la oferta agregada aumentará y consecuentemente se reducirá el precio del bien. Del mismo modo, en tanto en cuanto se den pérdidas en una industria, algunas empresas abandonarán ésta, con lo que disminuirá la oferta agregada y aumentará el precio del bien. Sólo cuando hayan desaparecido los beneficios o las pérdidas en el sentido de la Teoría Económica, la industria y las empresas estarán en equilibrio a largo plazo. Entonces no existirá ningún incentivo, ni para que nuevas empresas entren en la industria y/o las ya establecidas se expansionen, ni para que algunas de éstas abandonen la industria. Los beneficios que obtendrán las empresas serán los normales (justo aquel nivel de beneficios que es necesario y suficiente para que las empresas ya establecidas en la industria permanezcan en ella, y no entren nuevas debido a que los beneficios que se pueden obtener en otras industrias sean iguales o superiores a los que se dan en aquélla).

Como señalamos al hablar del equilibrio de un mercado en el Capítulo 8 y del consumidor en los Capítulos 14, 15 y 16, esto no significa que se alcance el equilibrio que hemos descrito para el mercado de competencia perfecta a largo plazo. En la economía continuamente están cambiando las variables (la demanda de los consumidores, los costes de producción, etc.), cambios que dan lugar a variaciones en las condiciones y en las tendencias de los mercados. Muy probablemente el equilibrio no se alcanza nunca. No obstante, el conocimiento de este mecanismo y de las fuerzas que en él operan, nos permite establecer la dirección en la que tenderán a moverse las variables. En tanto en cuanto no se alcance el equilibrio, la entrada y la salida de empresas en la industria darán lugar a los cambios en el precio y en la cantidad comprada y vendida que hemos descrito.

Como hicimos al analizar la demanda, una vez que hemos identificado el mecanismo de funcionamiento del mercado competitivo, y suponiendo las demás cosas constantes (suponiendo que no varían ni la demanda ni los costes durante el período de tiempo para el cual se realiza el análisis), podemos seguidamente introducir variaciones en los costes y en la demanda y analizar los efectos de tales cambios sobre el precio y la cantidad transaccionada de un bien cuyo mercado es competitivo.

Una implicación importante del equilibrio de la industria competitiva en el largo plazo es la de que, dada una demanda, la industria no estará ni expansionándose ni contrayéndose. Para que la industria esté en equilibrio no es suficiente con que cada empresa que opere en ella cubra sus costes totales cuando está utilizando su capacidad instalada de la mejor forma posible (cuando está obteniendo los costes más bajos posibles con la planta que tiene). Es necesario además que las empresas hayan explotado todas las posibles economías de escala que puedan obtenerse en la producción del bien en cuestión.

La explicación de esta afirmación es sencilla. Si las empresas pueden obtener economías de escala, entonces construirán plantas más grandes, ya que ello les permitiría reducir los costes medios y conseguir mayores beneficios (puesto que no tienen que reducir el precio para vender una mayor cantidad de su producto). En consecuencia, las empresas expandirán su escala de producción (construirán plantas más grandes) en tanto en cuanto operen en un mercado competitivo y estén sujetas a costes decrecientes a largo plazo. De aquí se sigue que para que se dé el equilibrio a largo plazo en un mercado competitivo, cada empresa debe estar operando a una escala tal que no le sea posible obtener economías de escala (debido a que ya las ha explotado).

En la Figura 24.8 se ilustra gráficamente esta afirmación. Si las curvas de costes de las empresas a corto plazo fueran las de CMa_1 y $CMeTCP_1$, y la curva de $CMeT$ a largo plazo (también de las empresas) fuera la *CMeTLP* (los costes a largo plazo fueran decrecientes), entonces obviamente la industria no estará en equilibrio cuando se establece el precio P_1. La razón estriba en que cualquier empresa podría obtener mayores beneficios construyendo una planta mayor (con lo que reduciría los costes, mientras que el precio seguirá siendo P_1). Del supuesto de maximización de los beneficios se deduce que si existe esa posibilidad, una o más empresas construirán plantas mayores.

FIGURA 24.8

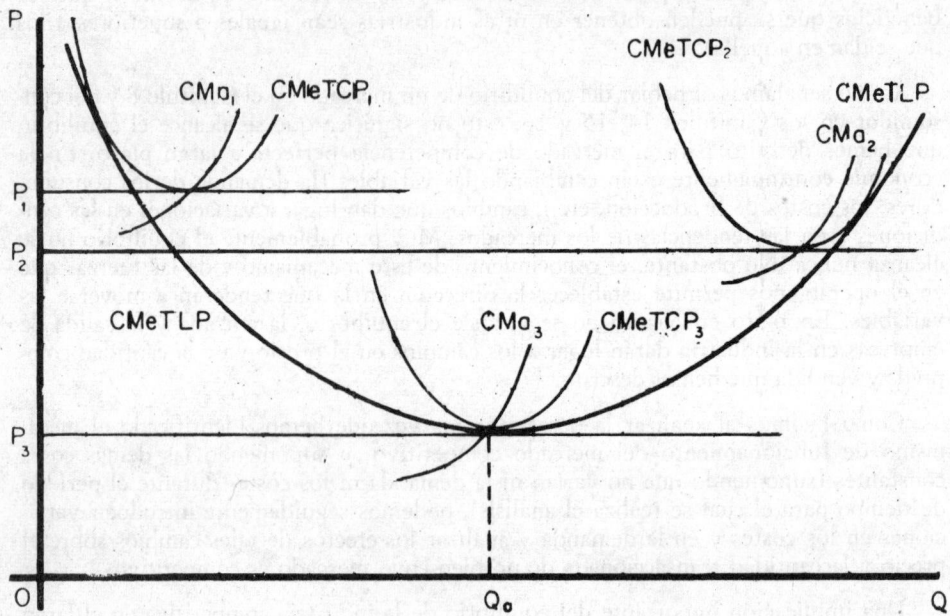

Tampoco estaría la industria en equilibrio a largo plazo si las curvas de costes fueran las de CMa_2 y de $CMeTCP_2$, y la curva de *CMeTLP* de las empresas estuviera ascendiendo (si los costes medios a largo plazo fueran crecientes para los niveles de *output* correspondientes a ese tramo de la curva). La razón residiría igualmente en que cualquier empresa podría obtener mayores beneficios construyendo una planta más pequeña (el precio al que vendería el producto sería P_2 y sus *CMeTLP* disminuirían al reducir su *output*). En consecuencia, sólo si el precio es P_3, el *output* es Q_0 y las empresas están utilizando plantas de un tamaño tal que sus curvas de costes a corto plazo sean las curvas de CMa_3 y de $CMeTCP_3$, estará la industria en equilibrio, ya que entonces ninguna empresa podrá aumentar sus beneficios incrementando o reduciendo el tamaño o escala de su planta. Si las curvas de costes de las empresas de una industria a corto y a largo plazo son las representadas en la Figura 24.8, esta industria alcanzaría el equilibrio a largo plazo cuando el precio fuera P_3 y el *output* Q_0.

Resumiendo, podemos decir que si los vendedores individuales son precio-aceptantes (si la elasticidad de la curva de demanda con la que se enfrenta cada empresa es tan elevada que hace que el comportamiento racional de ésta consista en actuar como si no pudiera ejercer ninguna influencia sobre el precio del producto a través de cambios en su *output*), y si existe libertad de salida y entrada de las empresas en la industria, entonces las condiciones de equilibrio a largo plazo de un mercado competitivo son:

a) Cada empresa produce aquel nivel de *output* al que $P = CMa$.

b) Cada empresa produce al nivel de *output* para el cual $P = CMeT$ a corto plazo.

c) Cada empresa produce al nivel de *output* para el que $P = CMeT$ a largo plazo.

Las tres condiciones se cumplen simultáneamente en aquel nivel de *output* para el cual la curva de $CMeT$ a largo plazo está en su punto más bajo. Si la curva de $CMeT$ a largo plazo de una empresa que opera en una industria competitiva no tiene un punto mínimo (si es completamente plana, o continuamente ascendente o descendente), no se dará un equilibrio en la industria. La primera condición mencionada se sigue de la maximización de los beneficios por las empresas para un precio dado. Las otras dos condiciones se derivan de los incentivos que tienen las empresas para aumentar o reducir la cantidad de recursos que emplean en la industria (para expansionar o contraer la escala de producción) si consideran que con ello pueden incrementar sus beneficios.

Digamos por último que este modelo teórico tan simple y a la vez tan valioso, tiene tres limitaciones:

1) Si la industria tiene costes decrecientes a largo plazo, entonces no se alcanzará el equilibrio competitivo.

2) Si la escala o tamaño de la planta de una empresa necesaria para obtener el coste medio más bajo posible a largo plazo es suficientemente grande como para que la producción de la empresa llegue a constituir una parte significativa del mercado del bien, entonces el supuesto de que la empresa es precio-aceptante deja de ser cierto (con lo que deja de existir la situación de competencia perfecta).

3) La teoría es estática comparativa; es decir, explica sólo las posiciones de equilibrio.

VENTAJAS DE LA COMPETENCIA PERFECTA EN RELACION CON LA ASIGNACION DE LOS RECURSOS

De la exposición que hemos hecho de las fuerzas que operan en el mercado de competencia perfecta y de los resultados a los que conduce éste, se deduce que en competencia perfecta la asignación de los recursos que se efectúa es la más eficiente que puede obtenerse a través del sistema económico del mercado. Esta afirmación será cierta siempre que los costes de producción no sean afectados por la estructura o tipo de mercado en el que operan las empresas (si, por ejemplo, al conseguir una empresa monopolizar una industria y excluir a las demás empresas obtiene una reducción considerable de los costes, entonces no sería correcta dicha afirmación).

La asignación de los recursos a través de un mercado de competencia perfecta es la más eficiente posible por las siguientes razones:

a) Se produce al coste medio total más bajo posible. La curva de *CMeT* a largo plazo refleja el coste unitario más bajo posible de producir cada cantidad de *output*, y la competencia entre las empresas hace bajar el precio del bien hasta que el nivel de producción es el correspondiente al punto más bajo de aquélla (el precio de equilibrio es forzado a bajar hasta su nivel más bajo posible).

Puesto que los costes reflejan las oportunidades alternativas de utilizar los recursos, el producir al coste más bajo posible significa que no se puede encontrar un uso mejor o más productivo para ninguno de los recursos empleados.

b) El *CMa = P*. El coste marginal muestra el coste de producir la última unidad fabricada del bien, y el precio indica la cantidad de dinero que los consumidores están dispuestos a pagar por la última unidad comprada de dicho bien. En consecuencia, la valoración que los consumidores hacen de la última unidad que compran es exactamente igual al coste de producir dicha unidad.

Por estas razones, se dice que la competencia perfecta conduce a la mejor asignación de los recursos que es posible alcanzar por medio del mercado. Los recursos reciben como pago exactamente su coste de oportunidad; se produce el bien o bienes al coste medio total más bajo posible; los consumidores pagan por todas las unidades que adquieren del producto un precio que es igual a la valoración que hacen de la última unidad que compran de éste (como las unidades anteriores a la última tienen un mayor valor para ellas, las economías domésticas obtienen el mayor excedente del consumidor que les es posible alcanzar, dados unos costes de producir el bien); y se iguala el coste marginal con el precio (lo que implica que los consumidores pagan por el bien el precio más bajo posible, dados los costes de producir éste al nivel de *output* en el que *P = CMa*). Por todas estas razones no es factible obtener una asignación más eficiente de los recursos que la conseguida a través de un mercado competitivo que está en equilibrio a largo plazo.

BIBLIOGRAFIA SELECCIONADA

Samuelson, P.: *Curso de Economía Moderna,* op. cit., Caps. 23 y 24.
Lipsey, R.: *Introducción a la Economía Positiva,* op. cit., Cap. 20.
Baumol, W.: *Teoría Económica y Análisis Operativo,* op. cit., Cap. 11.
Bilas, R.: *Teoría Microeconómica. Un Análisis Gráfico,* op. cit., Cap. 8.
Clower, R., y Due, J.: *Microeconomía,* op. cit., Cap. 8.
Lancaster, K.: *Introducción a la Microeconomía,* op. cit., Cap. 6, págs. 183-190.
Stigler, G.: *La Teoría de los Precios,* op. cit., Caps. 9 y 10.
Becker, G.: *Teoría Económica,* op. cit., Cap. 6.

CONCEPTO Y CONDICIONES DE EXISTENCIA DEL MONOPOLIO

Se define el monopolio como aquel tipo de mercado en el que sólo existe un único vendedor de un producto que no tiene sustitutivos aceptables. La industria está en manos o está integrada por un solo productor o una sola empresa (la industria coincide con la empresa). Así pues, se da un monopolio cuando una sola empresa o individuo produce y vende el *output* total que se fabrica de un bien. Se dice entonces que la empresa en cuestión tiene el monopolio de aquel bien o que es monopolista. Los consumidores no tienen opción: o compran el producto de la empresa monopolista, o tienen que pasar sin él. Esta es la definición estricta de monopolio; no obstante, tanto en Economía como en el terreno jurídico (en la legislación antimonopolio) se habla de grados de poder monopolístico por parte de las empresas. Así, en la legislación inglesa se considera que una empresa es monopolista si produce más del 33 por 100 de las ventas que de un bien se hacen en el mercado.

Para que pueda existir un monopolio han de darse tres condiciones:

1) Debe existir un solo vendedor de un bien homogéneo.

2) No deben existir sustitutivos próximos de dicho bien.

3) Deben existir barreras efectivas a la entrada de nuevas empresas en la industria.

Para que existan barreras efectivas a la entrada de nuevas empresas en la industria debe darse al menos uno de los seis requisitos siguientes:

a) Que el mercado del bien sea limitado y no permita la existencia de más de una empresa (no haya negocio más que para una empresa).

b) Que el monopolista adopte una política de precios diseñada para disuadir a otras empresas de entrar en la industria.

c) Que el monopolista tenga un control sobre las fuentes más importantes de las materias primas y/o de los demás factores que son indispensables para la producción del bien en cuestión.

d) Que el monopolista tenga acceso a un proceso productivo concreto que sólo él conoce y que la ley de patentes impide que otras empresas lo utilicen.

e) Que el monopolista tenga una concesión estatal en exclusiva o disfrute de contratos especiales con el Estado.

f) Que el monopolista esté protegido por la existencia de unas tarifas aduaneras elevadas sobre las importaciones del bien que él produce, y/o por la implantación de cuotas o contingentes de importación (el establecimiento por el Gobierno de la cantidad máxima que del producto puede ser importada, bien por países, o bien globalmente, siempre por período de tiempo).

Para que pueda darse un monopolio han de cumplirse uno o varios de estos supuestos, ya que si existiera libertad de entrada de las empresas en una industria, sería imposible mantener un monopolio a largo plazo en dicha industria (excepto en el caso *a*). La existencia de beneficios en una industria atraería nuevas empresas que, si pudieran establecerse libremente en aquélla, harían desaparecer los beneficios a largo plazo a través de la competencia entre las empresas. De ahí que para poder dominar una industria, la empresa monopolista necesariamente ha de tener el poder de impedir que otras empresas entren en aquélla.

Las barreras u obstáculos de entrada pueden ser de dos tipos: naturales y artificiales. Las barreras naturales se dan en ocasiones como consecuencia de que las características técnicas de algunas industrias hacen que no puedan entrar nuevas empresas en ellas. Por ejemplo, sería muy costoso que existiera más de una compañía de teléfonos, gas, electricidad, agua y transporte por ferrocarril en una misma zona o ciudad. Una vez que una empresa, que preste este tipo de servicios, se establece en un área, no queda espacio para un competidor. La existencia de dos o tres compañías de teléfonos, gas, agua, electricidad o ferrocarriles en una misma área (cada una con sus instalaciones propias) representaría un enorme despilfarro de recursos.

Asimismo, las economías de escala de estas industrias tienden a ser muy elevadas. Dado que los costes fijos (las instalaciones) representan una parte muy importante de los costes totales de estas empresas, al aumentar el *output* el coste medio total disminuye fuertemente. De ahí que las compañías que proveen estos servicios sean empresas de servicios públicos (empresas estatales o municipales, empresas privadas pero controladas por la autoridad política, o empresas de capital mixto igualmente controladas públicamente).

Las barreras naturales también pueden darse como consecuencia de que la escala óptima de producción por planta en una industria sea muy grande en relación con el tamaño del mercado del bien o servicio (con la demanda total), por lo que sólo puede alcanzarla una empresa. Como sabemos, la escala óptima de producción (el tamaño más eficiente de una planta, que supone el haber explotado todas las economías de escala factibles de obtener, y, en consecuencia, el producir al coste medio total más bajo posible) depende de las exigencias técnicas. Asimismo, las barreras naturales pueden deberse a que el tamaño del mercado sea reducido. No sería rentable tener dos coches-restaurante en un mismo tren de pasajeros o dos hoteles en una isla pequeña. Esto explica también que en muchos pueblos pequeños no haya más que un electricista, un taller de reparación de coches, un cine o un médico. Las barreras naturales dan lugar a los llamados monopolios naturales.

El segundo tipo de barreras lo constituyen las barreras artificiales de entrada.

Estas son las restricciones legales que establece el Estado o las corporaciones locales a la entrada de empresas en una industria. Los monopolios legales a los que dan lugar estas barreras son artificiales en el sentido de que la autoridad política los declara monopolios. Un monopolio artificial se crea como consecuencia de las barreras legales o de la política estatal(incluyendo en el Estado a los municipios). Muchos de los monopolios artificiales son monopolios estatales o monopolios regulados y controlados por la autoridad pública.

Entre los primeros se encuentra el servicio de correos y telégrafos. También los ferrocarriles se cuentan entre los monopolios estatales en la mayoría de los países. En España además son monopolios estatales la venta de gasolinas y carburantes (Campsa) y Radio Televisión Española. Entre los monopolios regulados suelen encontrarse el servicio de teléfonos (Telefónica es una sociedad de capital mixto), el abastecimiento de agua y gas, la recolección de basuras y los transportes urbanos (servicios que generalmente son provistos por empresas privadas concesionarias). Los transportes terrestres, aéreos y marítimos de pasajeros, y la televisión suelen igualmente ser monopolios estatales o monopolios controlados públicamente (Iberia es una empresa pública). El abastecimiento de electricidad es asimismo un monopolio concedido por el Estado a empresas privadas para áreas geográficas concretas. En nuestro país la venta de tabacos está también en régimen de monopolio controlado públicamente, cuya concesión ostenta Tabacalera Española.

La mayoría de los servicios que se proveen en régimen de monopolio son servicios que se consideran esenciales para la comunidad. Asimismo, algunos de ellos se entiende que deben ser provistos al precio más bajo posible (sin que las empresas que los proveen obtengan beneficios monopolísticos), debido a que constituyen servicios básicos en la vida de los ciudadanos.

En ocasiones los precios que cargan por sus servicios las empresas estatales y las privadas concesionarias que proveen servicios públicos son precios políticos (se cobran precios inferiores a sus costes, y los déficits o pérdidas incurridas son cubiertas con cargo a los presupuestos públicos que se financian con los impuestos). En otras ocasiones los monopolios cobran precios superiores a los costes, constituyendo sus beneficios una fuente de ingresos para el Estado (tal es el caso de Campsa y de Tabacalera, que constituyen los llamados monopolios fiscales). En el caso de correos, telégrafos, el abastecimiento de agua y gas, la recolección de la basura, la mayoría de los transportes y teléfonos, los precios suelen ser los correspondientes a los costes de producción (en ocasiones Renfe e Iberia han tenido pérdidas, pero generalmente se tiende a cargar los precios que cubran los costes marginales).

Como hemos señalado, en el caso de los monopolios detentados por empresas privadas por concesión o licencia estatal, las autoridades públicas regulan los precios y los *outputs*. Así, cuando la Compañía Telefónica Nacional de España o las compañías eléctricas desean subir sus precios, han de obtener la aprobación y la autorización de la subida por la Junta Superior de Precios, que es una comisión interministerial.

Otro tipo de barrera artificial es el creado por el sistema de patentes. Una patente es un monopolio temporal concedido por el Estado, y que le confiere a un inventor el derecho a fabricar y vender en exclusiva una nueva invención durante un tiempo determinado. Una patente es un derecho de propiedad que puede ser vendido o transferido. Su finalidad es estimular las invenciones y las innovaciones. Una patente provee el monopolio de una invención concreta, pero no impide que los competidores produzcan sustitutivos de aquélla. Compañías tales como Rank-Xerox en fotocopiadoras, Polaroid en fotografía instantánea, Digital Equipment en microcomputadoras, e IBM en computadoras y máquinas de escribir, han utilizado las patentes para protegerse de la competencia y establecerse en una posición fuerte dentro del mercado de sus respectivos productos.

Digamos por último que la principal fuente de poder monopolístico en los tiempos recientes tiene su origen en las acciones de los Gobiernos. El control estatal de grandes sectores de la industria; las concesiones y licencias estatales; el monopolio estatal de la impresión y acuñación de dinero y moneda, de la televisión, de los transportes, del establecimiento de tarifas y cuotas a la importación; y muchas otras formas de interferencia del Estado en el proceso de funcionamiento del mercado, constituyen fuentes de poder monopolístico. Asimismo, las regulaciones restrictivas por el Estado de prácticamente todos los aspectos de la actividad económica, con frecuencia dan lugar a la creación de algún grado de poder monopolístico que generalmente alguien explota (o del que alguien se beneficia). Esta es la razón principal por la que los neoliberales propugnan que la regulación y la interferencia del Estado en el proceso de funcionamiento del mecanismo del mercado es perjudicial para la sociedad en su conjunto, debido a que da lugar a que se cree algún poder monopolístico en las áreas reguladas, lo que lleva a la ineficiencia en la asignación de los recursos.

EL EQUILIBRIO DEL MONOPOLISTA A CORTO Y A LARGO PLAZO

Examinemos ahora el comportamiento del monopolista. Bajo las condiciones del monopolio puro, un bien es ofertado en el mercado por un solo vendedor. En consecuencia, el monopolista determina o fija el precio del producto (no es precio-aceptante). Aunque pueden existir o existen sustitutivos indirectos del bien, el monopolista no se enfrenta con competidores directos. No obstante, el monopolista puro es un caso extremo, ya que generalmente existe algún tipo de sustitutivo, y si no existe alguien lo inventará si los beneficios son suficientemente atractivos. El mecanismo del mercado es increíblemente ingenioso en socavar el poder del monopolista.

Al estudiar el mercado de competencia perfecta distinguimos entre la demanda agregada para la industria y la demanda de cada una de las empresas. En el monopolio la curva de demanda de la industria es la curva de demanda del monopolista, ya que éste es el único productor u oferente. En consecuencia, la curva de demanda del monopolista tendrá una pendiente negativa (será una curva de demanda que desciende de izquierda a derecha, como corresponde a la curva de demanda agregada de un producto normal). La elasticidad de la curva de demanda dependerá de los sustitutivos que tenga el bien, de la importancia que el gasto que los consumidores hacen en el bien tenga dentro del gasto total de aquéllos, y de los demás factores que sabemos afectan a la elasticidad.

Hemos señalado que una de las características del monopolio es que el producto ofertado no tiene sustitutivos próximos. No obstante, casi todos los bienes y servicios tienen sustitutivos. Así, el transporte aéreo tiene como sustitutivos (aunque imperfectos por su mayor lentitud) el transporte por carretera, ferrocarril y barcos; el gas para uso doméstico tiene como sustitutivo la electricidad (y en parte al revés); la Coca-Cola tiene como sustitutivos a las demás bebidas refrescantes no alcohólicas; etcétera. En cualquier caso, lo importante es concluir que la curva de demanda del monopolista tiene una pendiente negativa, y que aquélla generalmente es bastante inelástica (el teléfono, el gas, el agua, la electricidad, los transportes de todo tipo, suelen tener una curva de demanda inelástica al no tener buenos sustitutivos). La intervención estatal se justifica, de un lado, por las condiciones técnicas de la producción del bien o servicio (el despilfarro de recursos que significaría la existencia de más de una compañía de ferrocarriles, y las grandes economías de escala), y de otro, por la rigidez o reducida elasticidad de la curva de demanda de aquél (al no tener sustitutivos próximos y ser bienes o servicios muy necesarios para los individuos).

El hecho de que la curva de demanda del monopolista tenga una pendiente negativa tiene la implicación importante de que para aquél el ingreso marginal es inferior al ingreso medio o precio. Esta relación entre el valor medio y marginal de una misma variable ha sido amplia y repetidamente explicada. Remitimos al lector a la Tabla 10.1 y a la Figura 10.3 del Capítulo 10, así como a la Tabla 23.1 y a la Figura 23.1 del Capítulo 23. En este último capítulo decíamos que:

$$IMa_{n+1} = IMe_{n+1} + (N \times \Delta IMe_{n+1})$$

Como ΔIMe al pasar de vender n a vender $n + 1$ unidades es negativo por tener la curva de demanda una pendiente negativa, entonces necesariamente para el monopolista

$$IMa < IMe$$

y, en consecuencia, la curva de IMa irá por debajo de la curva de IMe o curva de demanda. Recordemos que la curva de demanda de un bien representa las cantidades que los consumidores están dispuestos a comprar a los distintos precios de aquél, y, por lo tanto, las cantidades que el monopolista puede vender a los diferentes precios. El monopolista puede fijar el precio o la cantidad que vende del producto, pero no los dos al mismo tiempo. La curva de demanda puede esperarse que no sea totalmente inelástica, ya que siempre es posible sustituir parcialmente un bien o servicio o reducir su consumo en alguna medida. También hemos explicado la relación existente entre la elasticidad de la curva de demanda de un bien y la curva de IMa.

Las curvas de costes del monopolista podemos suponer que serán iguales que las de la empresa competitiva. Si el monopolista contrata la mano de obra y compra las materias primas y los demás factores en los mismos mercados que las empresas competitivas, entonces los costes por unidad de factor serán los mismos para el monopolista que para éstas. Asimismo, se puede suponer que las curvas de costes tendrán la forma que ya conocemos.

A corto plazo, el monopolista (como cualquier otra empresa) maximiza sus beneficios cuando $IMa = CMa$ y éste está creciendo; es decir, el monopolista continuará aumentando su producción en tanto en cuanto su IMa sea superior a su CMa.

La Figura 25.1 muestra el equilibrio del hipotético monopolista cuyas curvas de demanda y de costes fueran las que aparecen en dicha figura. El monopolista maximiza sus beneficios produciendo y vendiendo el *output* Q_0 (las curvas de CMa e IMa se cortan a ese nivel de producción, lo que implica que $CMa = IMa$ y que el CMa está creciendo). El precio que los consumidores están dispuestos a pagar por la cantidad Q_0 es P_0 (el precio que determina la curva de demanda para esa cantidad del producto). Si la curva de $CMeT$ del monopolista fuera la representada en la Figura 25.1, entonces los beneficios de aquél serían los determinados por el área P_0abP_1 (es decir, la diferencia entre el ingreso medio o precio P_0 y el $CMeT$ que es P_1, multiplicada por el número de unidades vendidas Q_0). El punto c (en el que $CMa = IMa$) es conocido como el punto de Cournot en honor del economista francés de este nombre (1801-77) que fue el primero en determinar el *output* de máximos beneficios.

FIGURA 25.1

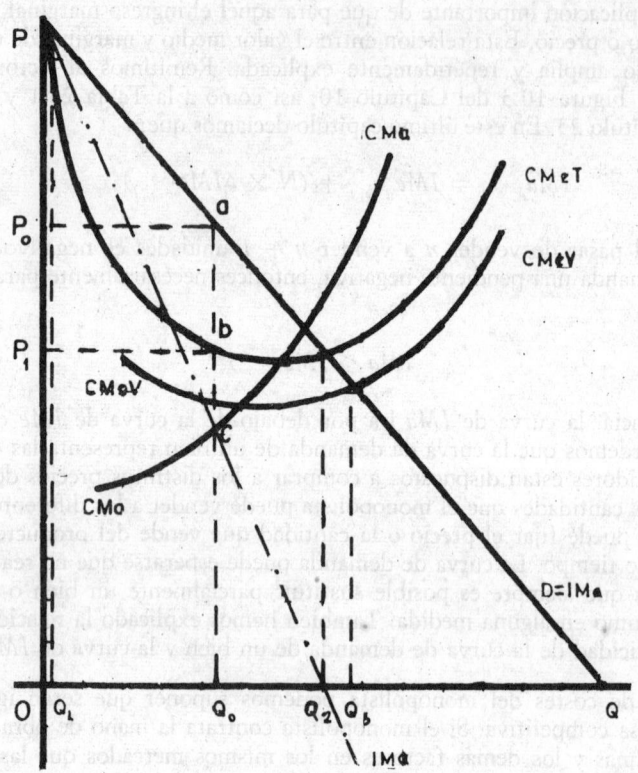

Así pues, si los beneficios han de ser maximizados, la tasa de *output* debe ser aumentada siempre que $CMa < IMa$; cuando $CMa = IMa$, a la empresa le interesará no cambiar su nivel de *output*. A cualquier nivel de *output* por período distinto a Q_0 los beneficios serán menores; puesto que al monopolista lo que le interesa es maximizar los beneficios totales y no los beneficios por unidad de *output*, siempre que una unidad adicional de *output* añada más a los ingresos totales de lo que añade a los costes totales, el producirla hará aumentar los beneficios acumulados (o reducirá las pérdidas), y, en consecuencia, el monopolista la producirá. Puede que a un nivel de *output* distinto al Q_0 la diferencia entre el $CMeT$ y el IMe sea mayor, pero los beneficios totales son los más elevados posibles a ese nivel de producción.

Con frecuencia se cae en el error de concluir que si una empresa no está maximizando sus beneficios, debe estar teniendo pérdidas. Esto no es correcto. La empresa de la Figura 25.1 (dadas sus curvas de demanda y de $CMeT$) estaría teniendo beneficios a partir del nivel de *output* Q_1 (en el que la curva de $CMeT$ corta a la curva de demanda, y, por tanto, $CMeT = IMe$) y hasta el nivel de producción Q_2 (en el que ocurre lo mismo: $IMe = CMeT$). Lo que sucede es que sólo cuando produce Q_0 está obteniendo los beneficios más elevados que puede alcanzar. Aumentando o disminuyendo la producción respecto a Q_0 y hasta Q_1 y Q_2, los beneficios siguen siendo positivos pero más reducidos. Sólo cuando produzca un *output* inferior a Q_1 o superior a Q_2, el monopolista tendrá pérdidas.

Podemos concluir, pues, que el monopolista puede estar dispuesto a producir un *output* superior a Q_0 pero inferior a Q_2 antes que no producir nada en absoluto. De hecho, y en el corto plazo, el monopolista estaría dispuesto a producir hasta el nivel de *output* Q_3 para el que $CMeV = P$ (hasta llegar a Q_3, $CMeV < IMe$ y, por lo tanto, cubriría los costes variables y algo de los fijos). No obstante, podemos afirmar que el monopolista preferirá producir el *output* Q_0 a cualquier otro, y que si está en sus manos el hacerlo lo hará.

Este sería el equilibrio de la empresa y de la industria en el corto plazo (la teoría sobre la empresa es la teoría sobre la industria en el caso del monopolio). Como hemos visto en el Capítulo 24, la existencia de beneficios superiores a los normales en una industria atraería a nuevas empresas, y consecuentemente en el largo plazo desaparecerían los beneficios extra (se obtendrían sólo beneficios normales en la industria). En el caso del monopolio esto no puede ocurrir, ya que existen barreras efectivas que impiden la entrada de nuevas empresas en la industria (patentes, concesiones estatales a empresas determinadas, economías de escala y/o intimidación y amenazas de guerra de precios o de sabotaje físico). Al no poder establecerse nuevas empresas en la industria, los beneficios del monopolista pueden persistir a lo largo del tiempo (hasta que alguien invente un bien sustitutivo o consiga otra concesión estatal, por ejemplo). En consecuencia, el equilibrio de la empresa y de la industria a largo plazo es el mismo que a corto plazo. Si no se opera ningún cambio ni en los costes ni en la demanda, el monopolista maximizará sus beneficios en el largo plazo produciendo el mismo nivel de *output* que en el corto plazo.

Puede ocurrir, sin embargo, que el equilibrio del monopolista en el largo plazo no sea el mismo que en el corto plazo. Como vimos que sucedía en la competencia perfecta, la curva de $CMeT$ a largo plazo del monopolista probablemente será una curva que envolverá a una serie de curvas de $CMeT$ a corto plazo (una para cada tamaño de la planta). La diferencia entre la empresa monopolista y la que opera en un mercado competitivo es que la primera, al no tener competencia, no se ve obligada ni a instalar la planta de tamaño óptimo en el largo plazo, ni a utilizar la planta que tenga instalada en su capacidad óptima en el corto plazo (producir el *output* para el que el $CMeT$ es el más bajo posible). De hecho, el que la empresa monopolista instale la planta de tamaño óptimo o utilice la planta que tiene instalada óptimamente depende de la curva de demanda con la que se enfrenta. Veamos por qué.

Antes de poder explicar esta cuestión necesitamos aclarar previamente otra. Así como en competencia perfecta la curva de oferta de la empresa era su curva de CMa (a partir del punto en el que corta a la de $CMeV$ en el corto plazo, y a partir del punto en el que corta a la curva de $CMeT$ en el largo plazo), en monopolio la curva de CMa no es la curva de oferta del monopolista. A un mismo precio la empresa puede estar dispuesta a ofertar distintas cantidades según sea la elasticidad de la curva de demanda de su producto; o alternativamente, para una misma cantidad de *output*, el monopolista puede cargar diferentes precios, dependiendo esto de la elasticidad de la curva de demanda. No existe, pues, una relación biunívoca entre el precio y la cantidad ofertada en el monopolio.

La Figura 25.2 muestra cómo una misma cantidad de output Q_0 es ofertada al precio P_1 cuando la curva de demanda es la curva de demanda D_1, y. vendida al pre-

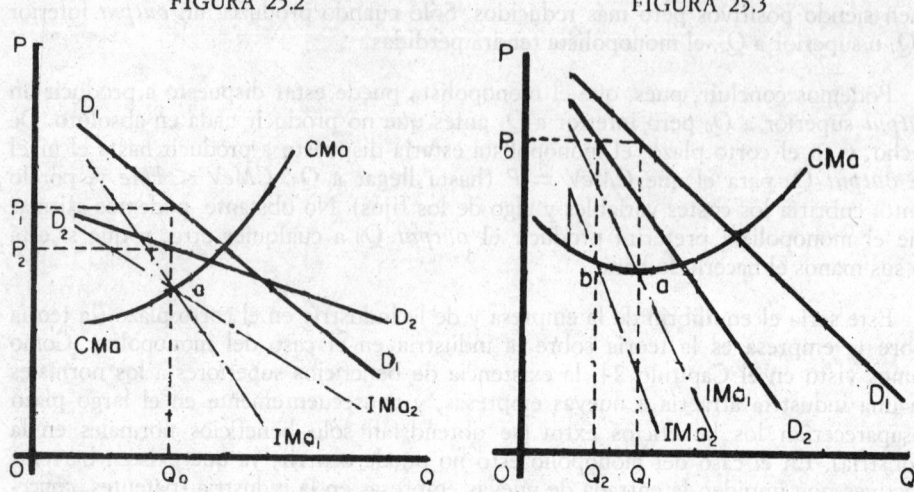

FIGURA 25.2   FIGURA 25.3

cio P_2 cuando la demanda es D_2. La empresa tiene su curva de costes marginales (la curva CMa), y en ambos casos iguala el CMa al IMa (la curva de CMa corta a las curvas IMa_1 e IMa_2 en el mismo punto: el punto a). Del mismo modo, la Figura 25.3 representa el caso de dos curvas de demanda distintas (la D_1 y la D_2) que, con una misma curva de costes, dan lugar a que el monopolista ofrezca al mismo precio cantidades diferentes.

Así, con la demanda D_1, el $CMa = IMa_1$ en el punto a, con lo que el *output* es Q_1 y el precio P_0 (el precio determinado por la curva de demanda D_1 para la cantidad comprada Q_1). Con la D_2, el $CMa = IMa_2$ en el punto b, al cual corresponde el *output* Q_2 y el precio P_0 también (igualmente el precio determinado por la curva de demanda D_2 para la cantidad comprada Q_2).

En el caso de cada diagrama el monopolista tiene su curva de CMa y cumple las condiciones de maximización de los beneficios. Sin embargo, en la situación de la Figura 25.2 el monopolista, para el mismo *output* Q_0, obtiene un precio más bajo en el caso de la curva de demanda D_2 que en el de la D_1 debido a que la primera es más elástica que la segunda. En este sentido, no existe una curva de oferta del monopolista que muestre los diferentes precios a los que éste ofertará las distintas cantidades (no habrá un precio y sólo uno para cada cantidad ofertada). Por el contrario, diferentes precios pueden dar lugar a que el monopolista lance al mercado una misma cantidad, dependiendo ésta de las elasticidades de las curvas de demanda de su producto.

Del mismo modo, un desplazamiento de la curva de demanda del monopolista como el representado en la Figura 25.3 (la curva de demanda se desplaza hacia la izquierda de D_1 a D_2) puede dar lugar a que el monopolista produzca una cantidad menor pero que la venda al mismo precio de antes (P_0). Obviamente, las curvas de demanda las hemos diseñado con la forma adecuada para que se dé este fenómeno; no obstante, la Figura 25.3 muestra que esto puede ocurrir. Al monopolista le interesa producir una cantidad más reducida debido a que la nueva curva de demanda es mucho menos elástica que la demanda originaria.

Concluimos, pues, que no es posible determinar la cantidad que ofertará un monopolista hasta tanto no se conozca la elasticidad de la curva de demanda de su producto. No existe un solo *output* relacionado con un precio dado, como tampoco existe un solo precio relacionado con una cantidad dada de *output*. Para la empresa que opera en un mercado competitivo, la relación única entre precio y cantidad de *output* está siempre asegurada por la igualdad del coste marginal con el precio en el tramo de la curva de coste marginal que esté por encima de la curva de $CMeV$.

Para el monopolista no existe esta relación única de una sola cantidad de *output* para cada precio, o de un solo precio para cada cantidad de *output*. La explicación es la siguiente: la empresa en general maximiza los beneficios cuando $CMa = IMa$ y no cuando $CMa = P$. En competencia perfecta ocurre que $IMa = P$ por ser la curva de demanda de la empresa totalmente elástica. En consecuencia, cuando $CMa = IMa$ al nivel de *output* al que se maximizan los beneficios, se cumple también que $CMa = P$ (en competencia perfecta $CMa = IMa = IMe$ simultáneamente).

Pero en el monopolio $IMa < P$ debido a la pendiente negativa de la curva de demanda. En consecuencia, cuando en equilibrio $CMa = IMa$, ocurre que $IMa < P$. Esta es la razón por la que en competencia perfecta existe una relación única entre precio y *output*, mientras que en el monopolio todo depende de la forma de la curva de demanda. Esto tiene sentido, ya que al contrario de lo que ocurre en competencia perfecta, el monopolista no puede aumentar sus ventas sin reducir el precio, no sólo de la última unidad, sino también de todas las unidades que antes de aumentar el *output* vendía a un precio más elevado. La adición al ingreso total será, por lo tanto, menor que el precio multiplicado por el cambio en las ventas; y será menor en la cuantía que representen los ingresos que la empresa dejará de obtener como consecuencia de la reducción en el precio de las unidades previamente vendidas a un precio superior. Como sabemos, el factor que determina esta pérdida de ingresos es la elasticidad de la curva de demanda con la que se enfrenta el monopolista. Cuanto más elástica sea la curva de demanda, más pequeña será la reducción que se operará en el precio como consecuencia de un aumento del *output*, y viceversa.

Podemos volver ahora a considerar la afirmación que hacíamos antes de estudiar la inexistencia o indeterminación de la curva de oferta del monopolista. Esta afirmación era la siguiente: el que la empresa monopolista instale o no la planta de tamaño óptimo en el largo plazo, y el que utilice o no óptimamente la planta que tenga instalada en el corto plazo, y el grado en que esto ocurra en un sentido o en otro, depende de la demanda del producto. Bajo ciertas condiciones de la demanda del mercado, la empresa producirá al nivel óptimo de su capacidad instalada; pero puede también ocurrir que la empresa produzca a un nivel de *output* al cual infrautilice o sobreutilice dicha capacidad. Todo depende de la forma de la curva de la demanda.

La Figura 25.4 muestra el equilibrio del monopolista a corto plazo. La curva de CMa a corto plazo (curva de $CMaCP$) corta a la curva de IMa en el punto a. Esta igualdad determina el precio P_0 y el output Q_0 de equilibrio. Los beneficios que obtiene el monopolista son los mostrados por el área P_0cbP_1. A este nivel de producción de equilibrio a corto plazo el IMa es mayor que el CMa a largo plazo (la diferencia es expresada por la distancia ad). En consecuencia, ampliando el tamaño de la planta e incrementando la producción, aumentarán más los ingresos totales que los costes totales (los beneficios aumentarán). De ahí que al monopolista le interese aumentar la escala de la producción y moverse dentro de su curva de *CMa* a largo plazo hasta que la curva de *IMa* corte a la curva de *CMaLP*.

La Figura 25.5 muestra el equilibrio del monopolista a largo plazo cuando no ha obtenido las economías de escala que la industria le permite. Cuando produce el *output* Q_0 se cumplen todas las condiciones del equilibrio a largo plazo excepto una. Aquí el *IMa* no sólo es igual al *CMa* a corto plazo (la curva de *CMaCP*), sino también al *CMa* a largo plazo (la curva *CMaLP*). Además, la curva de *CMeT* a corto plazo (la curva de *CMeTCP*) es tangente a la curva de *CMeT* a largo plazo (la curva de *CMeTLP*), lo que significa que el *output* Q_0 es producido al coste más bajo posible.

FIGURA 25.4   FIGURA 25.5

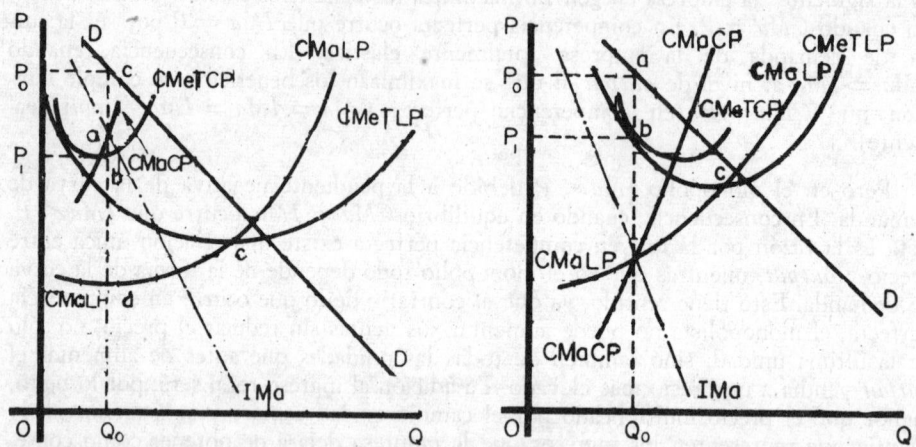

Pero a este nivel de *output* no se han obtenido todas las economías de escala posibles de alcanzar puesto que el punto de tangencia de las curvas de *CMeTCP* y *CMeTLP* (el punto *b*) está situado a la izquierda del punto de *CMeTLP* más bajo

FIGURA 25.6

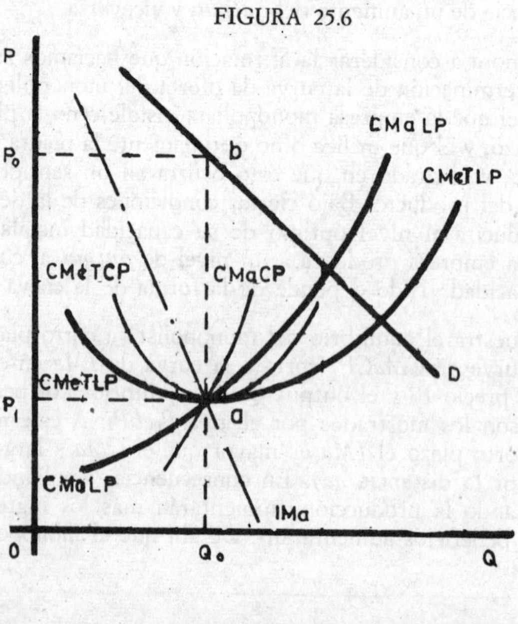

posible (el punto *c*). Ampliando su escala de producción el monopolista puede aumentar sus beneficios más allá de los que obtiene cuando produce Q_0.

El equilibrio del monopolista a largo plazo se dará cuando éste haya explotado todas las economías de escala y ya no le sea posible reducir más sus costes. Esto ocurrirá cuando la curva de *CMeTCP* sea tangente a la curva de *CMeTLP* en el punto más bajo de ésta. Tal condición se cumple en el punto *a* de la Figura 25.6. En éste se cumplen todas las condiciones del equilibrio a largo plazo:

$$CMaCP = CMaLP = CMeTCP = CMeTLP = IMa$$

Los beneficios del monopolista vienen dados por la diferencia entre el coste medio total a largo plazo y el precio, multiplicada por el número de unidades vendidas; es decir $(P_0P_1) \times Q_0$ (el área P_0baP_1). Al nivel de producción Q_0 por período se han explotado todas las economías de escala posibles de obtener, aumentando o disminuyendo el tamaño de la planta hasta llegar a la planta de capacidad óptima para producir *output* Q_o, capacidad que además es utilizada óptimamente (valga la redundancia).

La diferencia entre el monopolista y el competidor perfecto es que este último necesita conseguir los costes más bajos posibles (explotar las economías de escala) para sobrevivir y obtener beneficios normales (ya que si no lo hace, otra u otras empresas lo harán y le obligarán a vender a un precio igual al *CMeT* más bajo posible a largo plazo). Por el contrario, para el monopolista obtener las economías de escala no es una cuestión de supervivencia, sino simplemente de obtener mayores o menores beneficios. Por supuesto, si el objetivo del monopolista (como el de cualquier otra empresa) es maximizar los beneficios, entonces aquél estará motivado para alcanzar las economías de escala factibles y producir al *CMeT* más bajo posible a largo plazo, ya que (dada una curva de demanda) de esa forma es como realmente maximizará los beneficios.

EL GRADO DE PODER MONOPOLISTICO Y SU MEDICION

En la determinación del equilibrio del monopolista a largo plazo suponíamos que, dada su curva de demanda con pendiente negativa y sus curvas de costes, aquél elegía la combinación de cantidad de *output* y precio que le producía los máximos beneficios. Suponíamos igualmente que este precio y esta cantidad resultaban ser las de equilibrio para el mercado del bien en cuestión, y que su posición como único vendedor de éste no era amenazada por otros vendedores reales o potenciales.

Sin embargo, el precio que establezca el monopolista para su producto puede que no sea el precio de equilibrio a largo plazo, debido a que la elección que hace aquél de una combinación concreta de precio y cantidad (recordemos que, en realidad, él sólo fija una de las dos variables, y que al hacerlo, la magnitud de la otra le viene dada; no obstante, puede escoger la combinación de las dos variables que más le convenga), puede dar lugar a cambios en el comportamiento de otros agentes económicos, cambios que podrán producir un desplazamiento de la curva de demanda del monopolista. La curva de demanda representa la relación entre el precio y la cantidad demandada de un bien cuando todas las demás cosas permanecen constantes (el supuesto de *céteris páribus*). Pero el acto de elegir un precio por un oferente para el bien que vende puede llevar a cambios que se supone que no ocurren en el período en el que detrminamos las curvas de demanda.

Así, por ejemplo, la empresa productora de la Tónica Schweppes es el único oferente de esta bebida y puede suponerse, en consecuencia, que tiene una curva de demanda con una pendiente negativa. Imaginemos que esta curva de demanda muestra que si la empresa reduce su precio en un 25 por 100, sus ventas aumentarán en un 40 por 100, lo que llevaría a un incremento de sus beneficios. Sin embargo, lo más probable es que Schweppes no baje el precio en un 25 por 100, debido a que teme que si lo hace, los productores de las demás bebidas refrescantes no alcohólicas reducirán el precio de sus productos, con lo que la curva de demanda de Schweppes se desplazaría hacia la izquierda. Tal desplazamiento haría que las ventas aumentarán muy posiblemente en menos de un 25 por 100, con lo que sus beneficios se reducirían (la condición de *céteris páribus* no se cumpliría: no se mantendrían constantes los precios de los demás bienes).

Los desplazamientos de la curva de demanda de un vendedor como consecuencia de las decisiones de éste sobre el precio de su producto, se deben a dos causas principales: las reacciones de los vendedores de aquellos otros productos que sirven de sustitutivos del bien en cuestión, y la entrada de nuevos vendedores que consigan capturar una parte de las ventas que el productor que se analiza incluía en su curva de demanda. Cualquiera que sea su origen, los desplazamientos de su curva de demanda amenazan el poder monopolístico del vendedor y reducen sus beneficios.

En la vida real el poder monopolístico nunca puede ser total. Una empresa puede detentar el monopolio de un producto concreto, pero siempre existirá algún tipo de bien que pueda servir de sustitutivo de aquél, y en último extremo tendrá que competir con todos los demás bienes de consumo por atraer el gasto de los consumidores. Además, si en un momento determinado no existe un sustitutivo del bien en cuestión, los beneficios del monopolista serán un fuerte incentivo para que otras empresas desarrollen uno o varios bienes o servicios que puedan servir de sustitutivos para los consumidores.

El poder monopolístico de un productor depende fundamentalmente de dos factores: la medida en que el vendedor esté protegido contra la pérdida de clientes (que se pasen a comprar los productos de otros vendedores), y la elasticidad de la curva de demanda de su bien. Puesto que ninguna empresa está perfectamente protegida o aislada de la competencia de otros productos, o, si lo está en un momento, a largo plazo dejará de estarlo, podemos afirmar que el poder monopolístico perfecto no existe. Lo que si existe son grados de poder monopolístico. En general el grado de poder monopolístico será mayor cuanto más reducidos sean los desplazamientos de la curva de demanda del monopolista producidos por las reacciones de los vendedores de otros productos ante variaciones en el precio del suyo, y cuanto menores sean igualmente los desplazamientos de su curva de demanda inducidos por la entrada de nuevos vendedores en la industria.

El segundo elemento del que depende el grado de poder monopolístico de un productor es la forma de la curva de demanda. Cuanto más inelástica sea la curva de demanda de su artículo, más fuerte es la posición del monopolista (aquí nos referimos a movimientos dentro de la misma curva de demanda al subir el precio del bien, mientras que anteriormente hablábamos de desplazamientos de la curva de demanda). Cuando la elasticidad de la demanda es muy baja, el monopolista se encuentra en posición muy fuerte frente a los consumidores: puede aumentar mucho el precio sin que los consumidores puedan reducir su cantidad demandada en la misma proporción. Esto es lo que ocurre con la demanda de viviendas, electricidad, gas, transportes urbanos, gasolina, y en alguna menor medida con la demanda de teléfono (todos estos servicios son muy necesarios para los individuos y no tienen sustitutivos adecuados).

Cuando la elasticidad de la curva de demanda de un bien es baja en su tramo correspondiente a los precios normales de aquél, el monopolista está incentivado para aumentar el precio, ya que con ello sus ingresos totales se incrementan. La curva de ingreso marginal descenderá más pronunciadamente que la curva de demanda (de *IMe*) cuanto más inelástica sea ésta. En consecuencia, se puede esperar que cuanto más inelástica sea la curva de demanda, mayor será la diferencia entre el *IMa* y el *IMe;* lo que permite deducir que los beneficios por unidad de producto y los beneficios totales serán más elevados cuanto más inelástica sea la curva de demanda.

Además, dado que los máximos beneficios se obtienen cuando *IMa = CMa,* y como el coste marginal siempre será positivo (producir una unidad más por lo menos costará las materias primas que se emplean), para poder maximizar los beneficios el *IMa* ha de ser positivo. Y para que el *IMa* sea positivo cuando se vende una determinada cantidad de *output,* la curva de demanda correspondiente ha de tener una elasticidad superior a la unidad para dicha cantidad de ventas. Las curvas de demanda lógicamente suelen tener una elasticidad mayor en su parte superior que en la inferior (recordemos que la fórmula de la elasticidad es $\dfrac{\Delta C}{\Delta P} \cdot \dfrac{P}{C}$; por lo tanto, cualquiera que sea el valor que toma $\dfrac{\Delta C}{\Delta P}$, cuanto mayor sea $\dfrac{P}{C}$ mayor será la elasticidad).

Esto implica que el monopolista reducirá las ventas hasta aquel nivel para el cual el *IMa* es positivo, y, por lo tanto, probablemente obligará a los consumidores a moverse hacia arriba dentro de su curva de demanda (se situarán en la parte de ésta en la que la cantidad demandada es reducida y el precio elevado), La disponibilidad de sustitutivos del bien es, pues, un factor especialmente importante en la determinación del grado de poder monopolístico del productor (cuantos más sustitutivos tiene su artículo, menor es su poder monopolístico).

Digamos por último que la existencia de un solo productor de un determinado bien o servicio no es una condición ni suficiente ni necesaria para que se dé poder monopolístico. El ejemplo del agua tónica Schweppes muestra que no es suficiente que exista un sólo productor para que éste tenga un poder monopolístico considerable. Asimismo, dos o más empresas pueden ponerse de acuerdo, fijar un precio común y repartirse el mercado. Los resultados de su comportamiento serían idénticos a los que se darían si existiera un solo vendedor.

Es difícil medir el grado de poder monopolístico que existe en los diversos mercados. Tanto desde el punto de vista teórico (para someter a contrastación la teoría del monopolio) como desde el punto de vista práctico (para poder controlar y eliminar o reducir el poder monopolístico en los diferentes mercados) es importante disponer de algún instrumento de medida de aquél. Se han sugerido muchos métodos de medir el grado de poder monopolístico, pero en la práctica generalmente se usan dos: el *ratio* de concentración y la persistencia de beneficios elevados.

El *ratio* de concentración mide la fracción de las ventas totales de un producto controlada por el grupo más importante de vendedores (por ejemplo, el porcentaje que de las ventas totales de una industria realizan los cuatro u ocho empresas más grandes). Esta forma de medir el grado de monopolio en un mercado descansa en el supuesto de que existe la posibilidad de que las grandes empresas de una industria se pongan de acuerdo tácitamente (hacerlo explícitamente está prohibido legalmente) para seguir una política de precios y producción que sea igual a la que seguirían si estuvieran bajo un mismo gerente (una misma unidad de explotación). Como unidad de medida el *ratio* de concentración es discutible, pero muestra el grado potencial de poder monopolístico que existe en un mercado.

La segunda forma de medir el grado de poder monopolístico consiste en examinar los beneficios de las empresas establecidas en una industria. Si aquéllos son elevados y se mantienen elevados a lo largo del tiempo, se supone que esto es una prueba de que ni la rivalidad y competencia entre los vendedores, ni la entrada de nuevas empresas impiden que las empresas establecidas en la industria fijen sus precios como si fueran monopolistas. De hecho, el *ratio* de concentración y el nivel de beneficios están muy correlacionados entre sí.

LA DISCRIMINACION DE PRECIOS

En ocasiones los médicos y los abogados cobran distintos honorarios según la renta de los clientes; los hoteles tienen precios más bajos en temporada baja que en temporada alta; las compañías aéreas cobran distintas tarifas para los vuelos regulares, para los turistas (tarifas de excursión), para los niños, para los vuelos nocturnos, para los grupos (los vuelos charter); las compañías de teléfono cobran distintas tarifas en las diferentes horas del día y en los diversos días de la semana; las compañías de ferrocarriles cobran distintos precios a distintas personas (familias, niños, grupos de excursionistas, etc.), y también diferentes tarifas por tonelada-kilómetro de mercancías transportadas según el tipo de producto; las compañías eléctricas cargan distintas tarifas para uso industrial y para uso doméstico, según las horas del día que se consume electricidad y según el número de kilovatios consumidos; las centrales lecheras venden la leche más cara para consumo directo que para fabricar helados. Es de interés, pues, tratar de explicar por qué se da la discriminación en los precios.

Se dice que existe discriminación de precios cuando un productor vende un mismo bien o servicio a compradores diferentes a dos o más precios distintos por razones que no están relacionadas con diferencias en el coste de producirlo. Los descuentos por la compra de cantidad, las diferencias entre los precios al por mayor y los precios al por menor, y los precios que varían con la hora del día o la estación del año, no son generalmente considerados como discriminación de precios. Los precios que varían con la hora del día y la estación del año no se consideran como discriminatorios por entender que el mismo producto vendido a una hora distinta es un producto diferente si el momento en el que se efectúa la compra es importante para el comprador (desde el punto de vista del hombre de negocios no es lo mismo una llamada telefónica a las once de la mañana que a la una de la madrugada). No obstante, nosotros incluimos estas diferencias en los precios entre la discriminación como señalamos al principio de este epígrafe.

La razón económica de que se lleve a cabo la discriminación de precios estriba en que diferentes consumidores pueden estar dispuestos a pagar distintas cantidades de dinero por un mismo bien, y en que puede ser rentable para el vendedor aprovecharse de ello (dividir el mercado del bien en varios submercados según los demandantes de éste). La curva de demanda agregada (de mercado) de un bien concreto incluye muchas curvas de demanda individuales. Recuerde el lector el concepto de excedente del consumidor expuesto en el Capítulo 16. Allí veíamos en la Figura 16.8 que cuando el comprador pagaba un precio de 4.000 pesetas por par de zapatos y compraba tres pares por año, el gasto total que realizaba era de 12.000 pesetas (el área 4.000*a*30), mientras que la utilidad total que obtenía era de 20.000 pesetas (el área 18.000*a*30), consiguiendo así un excedente del consumidor representado por el área 18.000*a*4.000.

Así pues, por una parte los distintos consumidores estarían dispuestos a pagar diferentes precios por diversas cantidades de un mismo bien según la utilidad marginal que éste tiene para cada individuo y según sea la utilidad marginal de su renta; y por otra, un mismo individuo puede estar dispuesto a pagar un precio distinto por cada unidad del bien, ya que la utilidad marginal de cada unidad es diferente. En general el mercado no puede discriminar (todas las unidades de un mismo bien se venden al mismo precio, y a todos los consumidores a ese precio). Además, el precio de mercado de un bien es el precio que equivale en dinero a la utilidad marginal correspondiente a esa cantidad de unidades de dicho bien.

Si el productor de un bien pudiera discriminar a unos consumidores frente a otros, y a un mismo consumidor según el número de unidades que comprara, es obvio que se beneficiaría con ello, ya que les quitaría a los consumidores en su conjunto y a cada consumidor en particular su excedente del consumidor (les haría pagar toda la utilidad que obtienen). Sería cobrar el precio por cada unidad correspondiente a la utilidad marginal de esa unidad.

La discriminación de precios es difícil de realizar por razones puramente organizativas. Para que sea posible aplicar una discriminación de precios en la venta de un bien o servicio es necesario que se den dos condiciones:

a)   Que el vendedor pueda controlar la oferta del producto, en el sentido de controlar la cantidad que se ofrece de este producto a cada comprador concreto.

b)   Que el vendedor pueda impedir la reventa del producto entre los compradores.

El carnicero de la esquina podría intentar cobrarle el doble por un kilo de carne a la mujer del industrial de lo que le cobra a la mujer del portero, ambos residentes en la misma finca. Pero esto le resultaría imposible de llevarlo a la práctica, ya que la esposa del industrial se puede ir a otra carnicería un poco más retirada o al supermercado a comprar la carne (el carnicero de la esquina no controla eficazmente la cantidad de carne que se le ofrece a esta señora). Por otra parte, aun cuando el carnicero pudiera controlarla, tendría además que poder impedir que la esposa del portero le revendiera carne a la señora del industrial a un precio intermedio entre el que el carnicero le cobra a cada una de las dos (con lo que las dos señoras se beneficiarían). Este control se podría efectuar a través de un sistema de cartillas: cada consumidor tendría que presentar su cartilla para efectuar sus compras, y en ella se anotarían el número de unidades adquiridas de cada bien. Por el contrario, el cirujano puede discriminar (siempre que todos los demás cirujanos lo hagan también), ya que la esposa del industrial no puede pagarle a la esposa del portero para que ésta se opere de apendicitis en su lugar.

La primera de las dos condiciones es la que hace que la discriminación de precios sea un aspecto de la teoría del monopolio. El poder monopolístico es una condición necesaria pero no suficiente para que pueda darse la discriminación en el precio de un bien. La competencia entre los vendedores para obtener clientes lleva a un solo precio para todos éstos y para todas las unidades al nivel dictado por los costes de producción.

El segundo requisito se tiende a asociarlo con el carácter del producto o con la habilidad de los vendedores para clasificar a los compradores en grupos fácilmente identificables. Así, los servicios son menos fácilmente revendibles que los productos (no se puede revender el empaste que le hace a uno un dentista), e, igualmente, los artículos que exigen la instalación por el vendedor pueden ser más difícilmente revendidos que los que no la requieren.

Así pues, la discriminación de precios entre consumidores será beneficiosa para el que la efectúa y factible cuando el oferente puede controlar la cantidad y la distribución de la oferta, cuando los compradores pueden ser separados en grupos o clases entre los cuales la reventa es muy costosa o imposible de realizar, y cuando hay diferencias significativas en la predisposición a pagar entre las distintas clases de consumidores del bien. También cabe la discriminación en el precio según el número de unidades consumidas por un mismo comprador. Así, la décima unidad que adquiere un consumidor le puede ser vendida a un precio inferior al que se le cobra por la quinta unidad, siempre que el vendedor puede conocer quién la compra. Esto es lo que ocurre con el consumo de electricidad, de agua, de teléfono y de gas: cada economía doméstica tiene su contador, y a través de él se sabe exactamente las unidades que consume aquélla, por lo que se le puede cobrar distintas tarifas (una para los primeros x kilovatios y otra más baja para los restantes). Los cupones que se les da a los clientes cuando lavan su coche y que les permite obtener un lavado gratis al reunir un número de aquéllos, es otra forma de discriminar en el precio por unidades consumidas por un mismo individuo.

La empresa discriminante determina el precio que cobra a los diferentes grupos de clientes calculando primero el ingreso marginal para cada uno de éstos, y después haciendo que el ingreso marginal combinado de todos los grupos se iguale con el coste marginal (la empresa tiene un único coste marginal cualquiera que sea el mercado en el que vende su bien o servicio: la variación en el coste total al producir una unidad más de aquél). El ingreso marginal combinado es pura y simplemente la curva de IMa correspondiente a la demanda agregada (que se obtiene sumando las cantidades que se demandan a cada precio en todos los segmentos del mercado que se han diferenciado).

Una vez que ha igualado el CMa con el IMa agregado y en consecuencia ha determinado su CMa para el nivel de *output* total de equilibrio para el mercado en su conjunto, la empresa trata de igualar este CMa con el IMa de cada uno de los submercados dentro de aquél. El precio que cargará a los consumidores de cada segmento del mercado y la cantidad del bien o servicio que venderá en cada submercado se determinarán por la intersección de una curva de CMa horizontal al nivel del CMa de equilibrio para todo el mercado, y la curva de IMa derivada de la curva de demanda correspondiente a cada mercado (la cantidad que se venderá en cada submercado será la que corresponde al igualarse CMa e IMa, y el precio será el determinado por la correspondiente curva de demanda). Naturalmente, el precio será más alto en el submercado cuya demanda es inelástica que en el que tiene una demanda elástica. Esto es lo que ocurre, por ejemplo, con los billetes de avión: las tarifas son más altas para adultos que para niños debido a que la demanda de billetes de los primeros es más inelástica que la de los segundos.

Las consecuencias de la discriminación de precios son fundamentalmente dos:

1) Para cualquier cantidad determinada de producción y ventas, el mejor sistema posible (en el sentido de más eficaz) de discriminación de los precios (el que explote totalmente el excedente del consumidor) llevará a que la empresa obtenga unos ingresos totales mayores (y, por lo tanto, un ingreso medio mayor) de los que obtendría con el precio único más elevado posible. La Figura 25.7 permite ver gráficamente esta afirmación. Si el monopolista no practica una discriminación de precios (si vende todas las unidades al mismo precio), entonces el precio más favorable para él

es P_0 (el precio que determina la curva de demanda D para el *output* Q_0, para el cual $CMa = IMa$). Su ingreso total será P_0bQ_0O. En cambio, si el monopolista pudiera discriminar totalmente (hacer pagar a los consumidores el precio que están dispuestos a pagar por cada unidad por separado), entonces vendería la cantidad Q_1 (aquella para la que $CMa = IMe$; pero como no tendría que bajar el precio de las unidades anteriores para vender una unidad más, además $CMa = IMa$, ya que $IMa = P$. El lector debe tratar de entender esta argumentación). Su ingreso total será el representado por el área acQ_1O. Obviamente, P_0bQ_0O es menor que acQ_1O.

2) La producción y las ventas bajo un sistema de discriminación monopolística serán mayores que bajo un monopolio con precio único. La explicación es la siguiente: el monopolista que vende a un solo precio se da cuenta de que al producir y vender una cantidad mayor, hace que baje el precio de su producto. Por lo tanto, el monopolista producirá un volumen de *output* inferior al que se fabricaría en competencia perfecta. La discriminación en el precio le permite al monopolista eliminar esta desventaja y, en consecuencia, en situación de discriminación perfecta, $P = IMa$. En la Figura 25.7 puede verse cómo con un precio único el monopolista producirá la cantidad Q_0 de output (para la cual $CMa = IMa$), mientras que si discriminara, vendería el output Q_1 (para el cual $CMa = IMe = IMa$, siempre que la discriminación sea perfecta). Recordemos que estamos suponiendo que la empresa vende todo lo que produce.

FIGURA 25.7

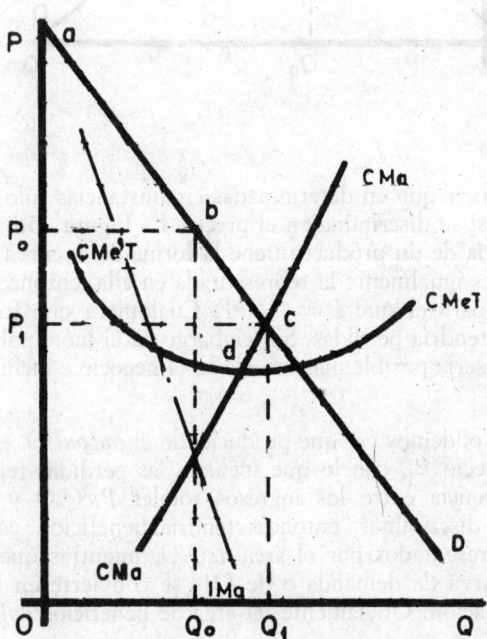

Digamos por último que estas consecuencias de la discriminación de precios no nos permiten deducir normativamente si ésta es buena o mala. Desde el punto de vista del productor, la discriminación es buena porque le permite utilizar mejor su capacidad productiva instalada (si no discriminara, tendría que producir un *output* inferior y seguramente tendría capacidad sin utilizar), y porque hace aumentar sus ingresos y sus beneficios. Desde el punto de vista de los consumidores y de la sociedad en su conjunto también tiene ventajas. Se puede decir que es equitativa, ya que los precios más elevados que se les cobran a los consumidores que pueden pagar más, permiten ofrecer el mismo bien a otras personas a precios más bajos. Naturalmente, los que pagan los precios más elevados salen perjudicados y no pensarán que es justo.

FIGURA 25.8

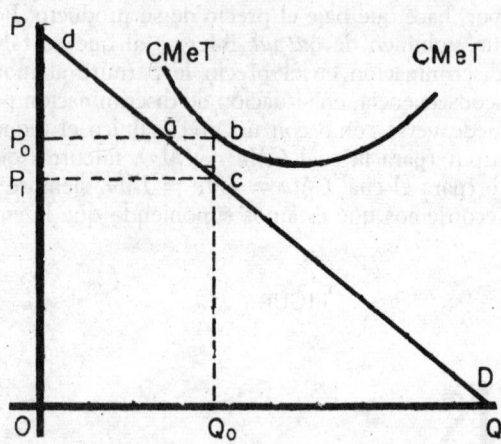

Puede incluso ocurrir que en determinadas circunstancias sólo sea posible producir y ofertar un bien si se discrimina en el precio. La Figura 25.8 muestra este caso. Si la curva de demanda de un producto tiene la forma de la curva *dD* de esta figura, y la curva de *CMeT* es igualmente la representada en ella, entonces no existe ningún nivel de producción para el que $P = CMeT$. Cualquiera que fuera el *output* que vendiera, la empresa tendría pérdidas. Sin embargo, si el monopolista pudiera discriminar en el precio, le sería posible mantenerse en el negocio e incluso obtener algunos beneficios.

En la Figura 25.8 podemos ver que produciendo el *output* Q_0 el monopolista tendría que cobrar el precio P_1, con lo que incurriría las pérdidas representadas por el área P_0bcP_1 (la diferencia entre los ingresos totales P_1cQ_0O y los costes totales P_0bQ_0O). Si pudiera discriminar, entonces tendría beneficios, ya que los ingresos totales serían los representados por el área dcQ_0O, mientras que los costes totales serían P_0bQ_0O. La curva de demanda o de *IMe* se convierte en la curva de *IMa* a través de la discriminación. Obviamente, el área de beneficios daP_0 es mayor que el área de pérdidas *abc*.

Existe una forma específica de discriminación denominada *dumping*. Cuando una empresa vende su producto (o productos) en los mercados exteriores (en los mercados de otros países) a un precio (o precios en el caso de tratarse de varios productos) inferior al que cobra en el mercado de su país de origen, se dice que aquélla está practicando el *dumping*. Naturalmente, la empresa puede aplicar distintos precios en los diferentes mercados extranjeros (no tiene que cargar un solo precio en el exterior); siempre que estos precios sean inferiores al que cobra en su país, la empresa está practicando el *dumping*. También se da *dumping* cuando una empresa multinacional cobra precios más bajos en unos países que en otros por el mismo producto. La práctica del *dumping* está prohibida por los acuerdos económicos internacionales y sobre todo por las legislaciones de todos los países (que prohíben su práctica por las empresas extranjeras en sus territorios nacionales y que penalizan a quienes lo realicen), ya que generalmente implica una competencia desleal para las empresas del país en el que se venden los productos a bajos precios.

Las empresas suelen practicar (o intentar practicar de una forma más o menos encubierta) el *dumping* por una o varias de las siguientes razones: vender parte de su producción en los mercados extranjeros a fin de reducir la oferta en el mercado nacional o interior, y así mantener alto el precio del producto en éste (dada una curva de demanda, con el *dumping* se produce un desplazamiento de la curva de oferta hacia la izquierda, con lo que o bien sube el precio del producto o bien se mantiene alto aun cuando las empresas aumenten su producción); darle salida a aquella parte de la producción que se puede vender ni en el mercado nacional ni en los mercados internacionales a los precios existentes (cuando los *stocks* de las empresas son muy elevados y continúan acumulándose como consecuencia de una reducción en la demanda en el mercado nacional y de la rigidez de la planta de las empresas en cuanto a reducir el *output* en el corto plazo); o eliminar a los competidores, de tal forma que el monopolio (o cuasi-monopolio) que una empresa tiene en su país de origen se convierta en un monopolio a escala internacional. La práctica del *dumping* es factible debido a que con frecuencia las cuvas de demanda de los productos son más elásticas en los mercados de países lejanos (en el sentido de distancia geográfica) que en el mercado nacional.

LAS IMPLICACIONES ECONOMICAS DEL MONOPOLIO

Una implicación importante del monopolio es que muy posiblemente bajo éste se producirán cantidades menores de los bienes y se venderán a precios más elevados que en competencia perfecta. Como vimos al analizar ésta, el equilibrio de la industria se establecía para aquel nivel de *output* al que $CMa = IMe$; en la Figura 25.7 este nivel de *output* será Q_1. Bajo monopolio se produce aquella cantidad para la que $CMa = IMa$; en la Figura 25.7 este *output* es Q_0 (obviamente, $Q_1 > Q_0$). Asimismo, el precio en competencia perfecta será P_1 y en monopolio será P_0.

Una segunda implicación es que en competencia perfecta se tiende a producir a aquel nivel de *output* para el que el coste medio total es el más bajo posible a corto y a largo plazo (para la empresa perfectamente competitiva, el equilibrio a largo plazo significa producir en el punto más bajo de su curva de *CMeT* a largo plazo). El monopolista puede que nunca alcance o que nunca le interese alcanzar el punto más bajo de su curva de *CMeT* a largo plazo, por lo que probablemente nunca se produzca el bien al coste más bajo posible. En la Figura 25.7 (si la curva de *CMeT* fuera la que en ésta se representa), al producir el *output* Q_0 el monopolista no está produciendo en el punto más bajo posible de su curva de *CMeT* (el punto *d*), con lo que tendrá exceso de capacidad productiva instalada.

Estas dos implicaciones conllevan una pérdida de productividad y bienestar para la sociedad. Bajo competencia perfecta se produce una cantidad mayor a un precio más bajo, lo que significa una mejora del bienestar económico y del *standard* de vida de los ciudadanos de la comunidad.

Existe otra implicación que tiene especial importancia. Bajo el monopolio los beneficios de la empresa son más elevados que en **competencia** perfecta, y además pueden persistir en el largo plazo. De ahí que el monopolio lleve a una redistribución de la renta en contra de los factores de la producción y a favor de la empresa con poder monopolístico (redistribución que toma la forma de una obtención de beneficios superiores a los normales, incluso a largo plazo).

Al mismo tiempo, el efecto de que la producción sea más reducida y los precios más elevados en el monopolio que en la competencia perfecta, estriba en que se utilizan muy pocos recursos en la industria monopolística y muchos en los sectores competitivos, lo que lleva a una asignación ineficiente de aquéllos. La existencia de beneficios económicos en una industria muestra que los recursos que en ella se utilizan están obteniendo una retribución superior a la que alcanzarían en las industrias en las que no se dan beneficios. En principio, por esta razón los propietarios de los factores y los empresarios estarían interesados en vender y emplear mayores cantidades de recursos en la industria monopolística. Pero el monopolista, al disponer de poder para establecer barreras de entrada a las nuevas empresas en la industria, impide que se dé ese trasvase de recursos de otras industrias a la suya.

Digamos por último que el monopolista no obliga a nadie, ni a comprar una cantidad que no desee de su producto, ni a pagar un precio superior al que está dispuesto a dar por una determinada cantidad del bien. Lo que hace el monopolista es restringir la cantidad producida y ofertada, y obligar a los consumidores a moverse hacia arriba dentro de su curva de demanda.

Estas implicaciones económicas del monopolio son las que llevan a la conclusión de que los monopolios deben ser estatales o controlados públicamente por ley o por otros medios, en interés de la eficiencia económica y de una asignación mejor de los recursos. Desde el punto de vista ético, tampoco parece ser justo que un empresario obtenga unos beneficios que no están justificados más que por su poder monopolístico. Un aspecto positivo de la monopolización de una industria puede ser la reducción drástica en los costes que se pueda conseguir al pasar de producir un bien o servicio a través de muchas empresas pequeñas, a fabricarlo por medio de una sola empresa grande. Sólo si la reducción en los costes fuera tan grande con el monopolio que finalmente se produjera y vendiera una mayor cantidad y a un precio más bajo que en competencia perfecta, se podría decir que el monopolio en una industria concreta es beneficioso para la sociedad. Es difícil disponer de suficientes datos para decidir sobre esta cuestión. No obstante, al ser generalmente empresas grandes, los monopolios emplean recursos en investigación, lo que puede llevar a reducciones en los costes.

BIBLIOGRAFIA SELECCIONADA

Samuelson, P.: *Curso de Economía Moderna*, op. cit., Cap. 25.
Lipsey, R.: *Introducción a la Economía Positiva*, op. cit., Cap. 21.
Bilas, R.: *Teoría Microeconómica. Un Análisis Gráfico*, op. cit., Cap. 9.
Stigler, G.: *La Teoría de los Precios*, op. cit., Cap. 12.
Lancaster, K.: *Introducción a la Microeconomía Moderna*, op. cit., Cap. 6, págs. 190-198.
Clower, R., y Due, J.: *Microeconomía*, op. cit., Cap. 9.

CAPITULO 26

LA TEORIA DE LA COMPETENCIA MONOPOLISTICA

Concepto y Condiciones de Existencia de la Competencia Monopolística

El mercado de competencia imperfecta se define como cualquier estructura de mercado situada entre los puntos extremos de la competencia perfecta y el monopolio puro. La competencia imperfecta es la estructura de mercado que se da con mayor profusión en el mundo real de las economías de mercado. Sólo unos pocos mercados se ajustan a los requisitos de la competencia perfecta y del monopolio, y el resto, que son la gran mayoría de éstos, se sitúan entre aquellos dos extremos. De ahí la importancia que tiene la teoría de los mercados de competencia imperfecta para comprender la realidad y para poder efectuar predicciones sobre el comportamiento económico de la mayoría de las empresas y de los mercados.

Dentro de la competencia imperfecta se distinguen los siguientes tipos de mercado: la competencia monopolística, el oligopolio y el duopolio. Nosotros vamos a estudiar únicamente los dos primeros, si bien el tercero es sólo una forma extrema del oligopolio, y, por lo tanto, la teoría de éste le es aplicable en buena medida.

La competencia monopolística se define como aquel tipo de mercado en el que operan un número grande de productores que ofrecen cada uno de ellos un producto diferenciado. Este tipo de mercado se parece al de competencia perfecta en que el número de empresas es elevado y en que compiten entre ellas. La diferencia fundamental entre las dos estructuras de mercado estriba en que, mientras que en la competencia perfecta el producto que elaboran las empresas se supone que es homogéneo, en la competencia monopolística cada empresa ofrece un producto diferenciado. En consecuencia, en competencia perfecta los productos de las distintas empresas son sustitutivos perfectos, mientras que en competencia imperfecta los productos son sustitutivos en alguna medida, pero no son sustitutivos perfectos. Asimismo, la existencia de muchos productores en el mercado implica que cada productor ignora el impacto que sus acciones tienen sobre los demás productores.

Cinco son las condiciones que han de darse para que exista competencia monopolística:

a) Existen muchos vendedores.

b) El producto que ofertan cada uno de ellos está diferenciado de los que venden los demás productores.

c) Se da libertad de entrada y salida de la industria por parte de las empresas.

d) Cada empresa conoce su demanda y sus curvas de costes con certeza.

e) Las empresas pretenden maximizar sus beneficios.

Así pues, en el mercado de competencia monopolística existen muchas empresas compitiendo entre sí; pero al mismo tiempo la diferenciación (no homogeneidad) del producto ofertado hace que cada empresa tenga algún poder para influenciar el precio al que vende su bien o servicio. La empresa en competencia monopolística afecta al precio a través de intentar convencer a los compradores de que su producto es el único o el que mejor satisface sus deseos o necesidades. Al vender un producto que aunque no tenga sustitutivos perfectos sí que tiene sustitutivos próximos, las empresas han de competir fuertemente entre ellas a través de diferenciar el producto, y de ofrecer servicios adicionales y otros atractivos para los consumidores.

De ahí el término (contradictorio) de competencia monopolística: existe competencia entre las empresas, pero cada una de ellas trata de convertirse en un pequeño monopolista ofertando un producto diferenciado que le permite tener su propia demanda (una curva de demanda propia). Típicamente la competencia monopolística se desarrolla en las industrias en las que la tecnología que se emplea es simple, y en las que se requiere un capital inicial relativamente reducido para instalarse. Esto hace que puedan entrar muchas empresas pequeñas en la industria y que, en consecuencia, se desarrolle una fuerte competencia entre ellas.

Muy probablemente la gran mayoría de las empresas de nuestro país (o de cualquier otro país en el que exista un sistema económico de mercado) pueden ser caracterizadas como monopolísticamente competitivas. Aquí se incluyen prácticamente todo el comercio al por menor (las tiendas de productos alimenticios, las droguerías, las zapaterías, las carnicerías, los supermercados, las tiendas de ropa, etc.), muchos de los servicios (los cines, las discotecas, los bares, los restaurantes, los hoteles, las barberías y peluquerías, las librerías, los kioscos, los zapateros, etc.), y algunas industrias como las del calzado, la confección y el mueble.

Por constituir la forma de mercado más frecuente en el mundo real, el término competencia imperfecta (que como hemos dicho engloba todos los mercados que no sean de competencia perfecta o de monopolio) ha de entenderse simplemente como referente al tipo de mercado que no se ajusta a las características definidas para la competencia perfecta, y nunca como un tipo de mercado anormal o aberrante. Utilizando un símil médico, la competencia imperfecta (junto con la competencia perfecta) entraría dentro del campo de estudio de la Anatomía y nunca en el de la Patología. La combinación de un número grande de empresas (como ocurre en competencia perfecta) junto con curvas de demanda con pendiente negativa (debido a la diferenciación de los productos) para cada empresa justifica el término competencia imperfecta.

Como hemos dicho, la competencia imperfecta incluye varios tipos de mercado (la competencia monopolística, el oligopolio y el duopolio). Aunque muchas veces se utiliza como criterio diferenciador entre la competencia monopolística y el oligopolio el hecho de que la primera está integrada por muchas empresas y el segundo por unas pocas, en realidad ésta no es la nota más importante que diferencia a estas dos estructuras de mercado. La característica realmente relevante que las diferencia es la existencia o no de una interconexión o interacción entre las acciones de las distintas empresas que integran el mercado.

En competencia monopolística (al existir muchas empresas pequeñas en la industria), si una de ellas gana o pierde clientes por su política de precios (baja o sube los precios), a las demás empresas esto no les afecta de forma decisiva y, por lo tanto, no se ven obligadas a reaccionar (a cambiar sus precios). Por el contrario, en el oligopolio existe una estrecha interacción entre las actuaciones de las empresas (cuando una de ellas sube o baja el precio de su producto, las demás empresas han de reaccionar necesariamente). De ahí que podamos definir la competencia monopolística como aquel mercado imperfectamente competitivo en el que no existe interacción entre las actuaciones de las empresas que operan en él, mientras que el oligopolio es aquel tipo de competencia imperfecta en el que se da una interacción entre el comportamiento de las empresas.

El Equilibrio de la Empresa a Corto Plazo en Competencia Monopolística

Las curvas de demanda de las empresas que actúan en un mercado de competencia monopolística tienen una pendiente negativa (descienden de izquierda a derecha). Esta característica de este tipo de mercado es muy importante y es la que realmente lo diferencia de la competencia perfecta. La pendiente negativa de la curva de demanda se debe a la diferenciación del producto vendido por cada empresa. Esta diferenciación hace que en realidad cada productor tenga su propia curva de demanda, ya que su producto o servicio es en cierto sentido único (su curva de demanda es la curva de demanda total o agregada de su producto: la demanda de cortes de pelo de un barbero determinado es la demanda agregada de cortes de pelo hechos con las características y el estilo de ese barbero).

No obstante, al tener su producto sustitutivos próximos, la curva de demanda de la empresa que actúa en un mercado de competencia monopolística es lógicamente bastante elástica. El grado de elasticidad de la curva de demanda depende de las características del producto. Si el producto está altamente diferenciado (es decir, si a los consumidores les parece que es completamente diferente de los productos que compiten con él), entonces la curva de demanda de la empresa que lo fabrica será más bien inelástica y su pendiente será grande (esta curva de demanda se parecerá a la del monopolista, ya que el producto no tiene sustitutivos próximos). Un producto no diferenciado tendrá sustitutivos obvios y próximos, y, por lo tanto, su curva de demanda tendrá menor pendiente (será más elástica), con lo que se parecerá más a la curva de demanda de una empresa que opera en competencia perfecta.

La diferenciación del producto puede ser real o ficticia. Será real si efectivamente las características del bien difieren de las características de los demás (los zapatos de una marca determinada pueden ser mejores o peores en calidad que los de otras marcas). En el caso de los productos físicos, la diferencia puede estar realmente en las características intrínsecas o sustantivas del bien (la calidad, los ingredientes que lo integran, etc.), o ser ficticia y residir en aspectos accesorios (como la presentación, el envoltorio, el envase, etc.).

En el caso de los servicios, generalmente existen diferencias reales entre las empresas o las personas que los proveen. Puede que muchas tiendas no difieran ni en los productos que ofrecen (las mismas marcas) ni en los precios. No obstante, puede decirse que no existen dos tiendas iguales; siempre habrá diferencias en su localización espacial, en los servicios adicionales que proveen, en la variedad de productos que tienen en sus estanterías, en la limpieza y aspecto del local, en el trato a los clientes, en las facilidades de pago, en el tipo de personas que hacen sus compras en ellas, en el horario que tienen, etc. La fragmentación geográfica del mercado (la localización espacial) da lugar a la diferenciación entre los productos y entre los servicios. Las empresas que más consigan diferenciar su producto podrán cargar precios más elevados (esto es lo que ocurre en parte con las tiendas que tienen fama de ofrecer productos de mejor calidad y/o mejor gusto).

Así pues, la curva de demanda de la empresa que actúa en competencia monopolística tiene una pendiente negativa y generalmente es elástica (más elástica que la del monopolista, sin llegar a ser completamente elástica como la de la empresa perfectamente competitiva).

Los costes de la empresa que actúa en competencia monopolística lógicamente tendrán las mismas características que las de las empresas que actúan en los demás tipos de mercado (ya que compran los factores en los mismos mercados de éstos y presumiblemente a iguales precios, y tienen acceso a la misma tecnología). En consecuencia, las curvas de costes a corto plazo de la empresa se puede esperar que tengan forma de V, y que las curvas de costes marginales empiecen a tener una pendiente positiva a partir del nivel de *output* óptimo para la planta concreta de que se trate.

El equilibrio de la empresa monopolísticamente competitiva a corto plazo será igual que el del monopolio: aquel nivel de *output* para el que $IMa = CMa$ y éste está creciendo. La Figura 26.1 muestra el equilibrio de una hipotética empresa que opera en competencia monopolística a corto plazo. El equilibrio lo alcanza produciendo el *output* Q_o, para el cual $IMa = CMa$ y la curva de CMa está ascendiendo. El precio al que vende su producto es P_o y viene determinado por la curva de demanda (para la cantidad Q_o los compradores están dispuestos a pagar el precio P_o). Dada su curva de $CMeT$, en este caso la empresa tiene beneficios, representados por el área P_oabP_1 (la diferencia entre el IMe o precio P_o y el $CMeT$ al producir Q_o, multiplicada por el número de unidades vendidas Q_o). Naturalmente, las empresas individuales a corto plazo pueden estar teniendo beneficios, incurriendo en pérdidas, y no teniendo ni beneficios ni pérdidas (siempre en el sentido económico de éstas).

El Equilibrio de la Empresa a Largo Plazo en Competencia Monopolística

Si las empresas están teniendo beneficios o pérdidas, la situación no será de equilibrio a largo plazo para la industria. La existencia de beneficios superiores a los normales dará lugar a la entrada de nuevas empresas en la industria, y la existencia de pérdidas llevará a que algunas empresas abandonen aquélla (la decisión de instalarse en una industria o de abandonarla es una decisión a largo plazo). La entrada de nuevas empresas dará lugar a un desplazamiento de la curva de demanda de la empresa hacia la izquierda, con lo que bajará el precio del producto y tenderán a desaparecer los beneficios. La salida de empresas se traducirá en un desplazamiento de la curva de demanda de la empresa hacia la derecha, lo que hará subir el precio y eliminar las pérdidas (dadas unas curvas de costes de las empresas que son constantes al suponer que no varían ni los precios de los factores ni la tecnología).

FIGURA 26.1

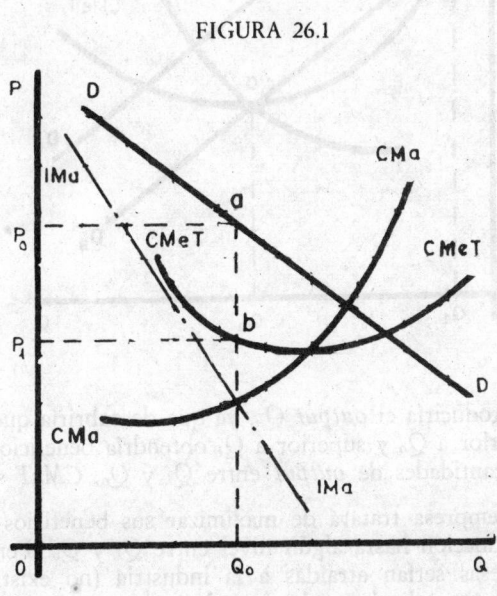

Analicemos el caso de que las empresas estuvieran teniendo beneficios superiores a los normales, tal como se representa en la Figura 26.1. Nuevas empresas serían atraídas a la industria en busca de la obtención de beneficios. La demanda total o agregada del producto se puede esperar que no aumente (a menos que se incremente la renta y el bien tenga una elasticidad-renta elevada, y/o suban los precios de los bienes sustitutivos), con lo que la demanda para cada empresa concreta se reducirá (la misma demanda total se dividirá entre un número mayor de empresas). Esto lo representamos gráficamente a través de un desplazamiento hacia la izquierda de la curva de demanda de la empresa monopolísticamente competitiva (a cada precio la empresa concreta podrá vender una cantidad menor que la que podía expender antes de la entrada de nuevas empresas). Este desplazamiento de la curva de demanda (debido a la entrada de nuevas empresas) continuará hasta que desaparezcan los beneficios. En consecuencia, la industria se expansionará en tanto en cuanto existan beneficios.

Supongamos que la curva de demanda de la empresa que analizamos se desplaza de D_1 a D_2, tal como se representa en la Figura 26.2. En esta situación la nueva curva de IMe (la curva de demanda D_2) corta a la curva de $CMeT$ en el punto más bajo de ésta (el punto a). Se podría esperar que la empresa se contentara con producir el *output* Q_0, para el que $CMeT = IMe$, y, en consecuencia estuviera cubriendo todos sus costes y obteniendo beneficios normales. Sin embargo, la empresa que desea maximizar sus beneficios y que tuviera estas curvas de costes

FIGURA 26.2

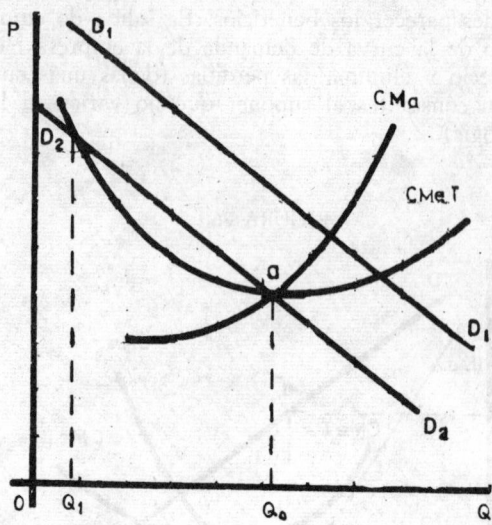

y de demanda, no produciría el *output* Q_o, ya que descubriría que a cualquier otro nivel de *output* inferior a Q_o y superior a Q_1 obtendría beneficios superiores a los normales (para las cantidades de *output* entre Q_1 y Q_o, $CMeT < IMe$).

Lógicamente la empresa tratará de maximizar sus beneficios y, en consecuencia, reduciría la producción hasta algún nivel entre Q_1 y Q_o. Pero al existir beneficios, nuevas empresas serían atraídas a la industria (no existiría equilibrio en ésta), con lo que la curva de demanda de cada empresa continuaría desplazándose hacia la izquierda. Sólo cuando desaparecieran los beneficios superiores a los normales y las empresas estuvieran cubriendo todos los costes, la industria estaría en equilibrio a largo plazo.

FIGURA 26.3

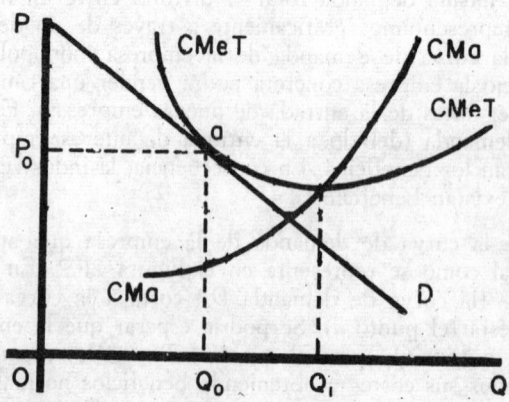

Este equilibrio es representado en la Figura 26.3. En esta situación la curva de *CMeT* es tangente a la curva de demanda o de *IMe* en el punto *a*. Cuando el *output* es Q_o, la empresa está obteniendo beneficios normales, ya que $CMeT = IMe$. A cualquier otro nivel de *output* la empresa tendría pérdidas, puesto que los $CMeT > IMe$. Aunque la curva de *IMa* no ha sido dibujada en el diagrama, es evidente que ésta debe cortar a la curva de *CMa* en el *output* Q_o. Así pues, a largo plazo las empresas que actúan en un mercado de competencia monopolística estarán en equilibrio cuando el $CMeT = IMe$ y no sea posible obtener beneficios variando el *output*. De esta forma, bajo las condiciones de competencia monopolística, es posible que se alcance un equilibrio en el que las empresas no tengan ni beneficios ni pérdidas (tengan beneficios normales), a pesar del hecho de que las empresas se enfrentan con una curva de demanda que tiene pendiente negativa.

Las Consecuencias Económicas de la Competencia Monopolística

Estas consecuencias son principalmente cuatro:

1) En equilibrio a largo plazo las empresas no obtienen beneficios económicos. Sólo obtienen los beneficios normales, que no son suficientemente elevados como para atraer nuevas empresas a la industria. Tampoco tienen pérdidas, ya que las empresas que incurran en ellas se verán obligadas a abandonar la industria (esto es lo que ocurre frecuentemente con los establecimientos comerciales). En consecuencia, cuando $CMa = IMa$ también ocurre que $CMeT = IMe$ ($IMe - CMeT = 0$). El precio es exactamente suficiente para cubrir los costes totales unitarios.

2) Debido a que la curva de demanda tiene una pendiente negativa, la curva de *CMeT* también ha de tener una pendiente negativa (deben estar descendiendo los *CMeT*) en el nivel de *output* al cual $IMe = CMeT$. Sólo así es posible que estas dos curvas puedan ser tangentes entre sí sin que una corte a la otra. Este hecho tiene una significación económica considerable: las empresas que operan en un mercado de competencia monopolística no producen al nivel de *output* para el cual sus costes medios totales son los más bajos posibles; es decir, si aumentaran el *output*, los *CMeT* serían más bajos (las empresas tienen exceso de capacidad, o lo que es lo mismo, tienen capacidad productiva ociosa).

En la Figura 26.3 puede verse que la empresa alcanzaría los costes unitarios más bajos posibles produciendo el *output* Q_1. Sin embargo, aquélla se ve obligada a producir el *output* Q_o. El equilibrio de la empresa se da a un nivel de *output* para el que el *CMeT* no es el más bajo posible. De aquí se sigue que el precio en competencia monopolística es superior al coste marginal, y es más elevado que el que se daría en competencia perfecta.

En la medida en que los costes unitarios bajo competencia monopolística sean más elevados que en competencia perfecta, la economía está empleando demasiados recursos en la producción de cada bien (se están utilizando los recursos de una forma ineficiente). Consecuentemente, los consumidores pagarán precios más altos que en competencia perfecta.

3) Dado que cada empresa está produciendo a un nivel inferior al óptimo, existen demasiadas empresas en la industria. Un número menor de empresas podría producir la misma cantidad de *output*. Esto significa que se están utilizando una mayor cantidad de recursos en esta industria de los que serían necesarios si se diera competencia perfecta. A este respecto, es típico el ejemplo de la mayoría

de los pequeños comercios, de las barberías, de los cines, de los bares y restaurantes, y de los hoteles, que generalmente operan muy por debajo de su capacidad la
mayor parte del tiempo.

4) Debido a que su propia supervivencia depende de la diferenciación de sus
productos, las empresas monopolísticamente competitivas se ven obligadas a gastar
recursos financieros en tratar de hacer aquéllos diferentes de los productos de los
competidores (se ven forzadas a hacer cuantiosos gastos en publicidad). Cada productor está ansioso por adquirir unos clientes adictos y fieles a su producto en
orden a proteger su parte del mercado y, si es posible, expandirla.

Un comerciante puede intentar atraer clientes de varias formas: dando mejores servicios (por ejemplo, llevar los productos a los domicilios de los consumidores sin cobrarles nada), instalando estanterías más accesibles y cómodas en las
que mirar los productos, ofreciendo una mayor variedad de marcas de éstos, efectuando ventas especiales (haciendo rebajas generales y poniendo algunos productos en oferta) y haciendo publicidad. Para otras industrias las posibilidades de
utilizar técnicas de atraer clientes pueden ser más reducidas (el productor de muebles o de zapatos tendrá que recurrir a exponer en ferias y a otras técnicas especiales de comercialización en orden a conseguir un puesto en el mercado). En cualquier caso, lo que se pretende con todos estos métodos es el desplazamiento de la
curva de demanda de la empresa hacia la derecha y el hacerla más pendiente (reducir su elasticidad), así como el afianzar esa demanda.

El método más generalmente empleado para conseguir la diferenciación de un
producto es la publicidad. A menudo a través de ésta se puede conseguir que los
consumidores se convenzan de que un producto es único, de calidad superior a
la de los demás, o de que es necesario para el individuo, cualquiera que sea la
realidad. Pero si la demanda total del producto es fija, la publicidad sólo puede
hacer que los consumidores se pasen de una marca a otra. Un desplazamiento hacia la derecha de la curva de demanda de una empresa implica un desplazamiento
hacia la izquierda de la curva de demanda de otra u otras empresas en la industria
(lo que gana una lo han de perder otras). Esto lleva a que una campaña publicitaria por parte de una empresa tenga que ser contrarrestada por las demás
empresas con su propia campaña de publicidad. El resultado puede ser (y a .me-
nudo es) un gasto enorme en publicidad.

Algunas veces se afirma que la competencia monopolística tiene el efecto positivo de mejorar el bienestar de los consumidores a través de permitirles elegir
entre una mayor variedad de un mismo producto (con lo que aquéllos pueden
encontrar el artículo más adecuado a sus preferencias), y que la publicidad tiene el
lado bueno de informar a los compradores sobre las características de los bienes.
Esto es cierto, pero su contribución neta al bienestar de los consumidores es más
que dudosa. La publicidad es cara, lo que implica que la curva de costes medios
totales se desplaza pronunciadamente hacia la izquierda (no afecta a la curva de
costes marginales, ya que el gasto en publicidad es un coste fijo, de la misma
cuantía cualquiera que sea el *output*), y, en consecuencia, suben los precios de los
productos. El resultado final de la publicidad excesiva puede ser la confusión de
los consumidores y el incremento cuantioso de los costes unitarios (el *CMeT*), sin
que las ventas totales de la industria aumenten.

Digamos por último que el gastar en publicidad no contradice la afirmación que
hacíamos anteriormente de que en competencia monopolística no existe una interacción o interconexión entre las actuaciones de las empresas que integran la industria.
En competencia monopolística la empresa no lucha contra otra o contra unas pocas

empresas concretas. La empresa hace publicidad para aumentar su parte del mercado, sin saber exactamente a qué otras empresas les reduce la suya. De ahí que, generalmente en los mercados de competencia monopolística las empresas compitan principalmente por otros medios distintos que los precios (la publicidad, la presentación de los productos, los servicios adicionales, etc.). Como sabemos, a la empresa perfectamente competitiva no le vale la pena gastar dinero en publicidad (en ocasiones todos los productores de una industria perfectamente competitiva se ponen de acuerdo para hacer publicidad sobre el artículo en un intento de desplazar la demanda agregada hacia la derecha, pero no se hace publicidad sobre el producto de ningún fabricante, ya que el bien es homogéneo. Esto es lo que ocurre con los plátanos, la leche, los huevos o las naranjas).

LA TEORIA DEL OLIGOPOLIO

Concepto y Condiciones de Existencia del Oligopolio

Se entiende por oligopolio aquel tipo de mercado en el que sólo existen unos pocos vendedores. Esta estructura de mercado corresponde tanto a la situación en la que sólo existen unas pocas empresas grandes, como en la que se dan varias empresas pequeñas y una o unas pocas grandes que producen la mayor parte del bien que elabora la industria (la industria está dominada por un número relativamente reducido de empresas).

Las causas de que en una industria se tienda a que haya pocas empresas son fundamentalmente tres:

a) La exigencia de grandes cantidades de capital para montar una empresa, debido a que el tamaño mínimo eficiente de las plantas es muy grande.

b) La existencia de patentes en exclusiva detentadas por unas pocas empresas.

c) Los elevados costes de comercialización del producto.

Son muchas las industrias oligopolísticas. Citemos a título de ejemplo las industrias del automóvil, del acero, del refinado de petróleo, de los jabones de todo tipo, de las máquinas de escribir, de la maquinaria y bienes de equipo de todas clases, de los cigarrillos (aunque no en España respecto de la venta de éstos, como ya hemos señalado); de los televisores, tocadiscos, frigoríficos y demás electrodomésticos, de la pasta de dientes, del alquiler de coches, de la construcción de aviones, de la construcción naval, de las bombillas eléctricas, de los neumáticos, de la construcción, la bancaria, de los productos químicos y farmacéuticos, de los detergentes, la mayoría de las bebidas alcohólicas y no alcohólicas (con la excepción del vino).

Se suele distinguir entre oligopolio perfecto o concentrado (cuando existen unas pocas empresas que producen un bien escasamente diferenciado; tal es el caso de la industria del acero o la del aluminio), y el oligopolio imperfecto o diferenciado (cuando unas pocas empresas producen un bien heterogéneo o diferenciado; por ejemplo, las industrias de automóviles, detergentes, cigarrillos, discos o electrodomésticos). Este último es el que se da con mayor profusión en la realidad.

En el caso de las industrias del automóvil y del acero la formación de oligopolios ha sido el resultado de un proceso natural. Inicialmente muchas empresas pequeñas competían por una parte del mercado. Pero los costes elevados del equipo-capital necesario para empezar a producir (al desarrollarse la tecnología) hicieron que los costes unitarios fueran altos. De ahí que se tendiera a la concentración a través de las fusiones de empresas, con la finalidad de reducir los elevados costes fijos por medio de producir un mayor volumen de *output*. Las nuevas empresas resultantes de las fusiones consiguieron reducciones importantes en los costes, con lo que bajaron sus precios y obligaron a las empresas pequeñas a abandonar la industria o a permitir ser absorbidas por aquéllas. Finalmente el número de empresas se redujo a unos pocos productores de gran tamaño. En otras industrias el proceso de concentración y fusión de las empresas se ha contenido debido a la reacción en contra por parte de la opinión pública y de las autoridades. En la actualidad, las grandes empresas toleran y hasta estimulan el crecimiento del número de pequeñas empresas dentro de su industria para evitar ser el centro de atención de la opinión pública y de los órganos oficiales responsables de la vigilancia y persecución de las prácticas monopolísticas.

Las Teorías del Comportamiento de la Empresa Oligopolística

Para definir un mercado como oligopolístico hay que atender a la estructura del comportamiento de las empresas y no simplemente al número de éstas que hay en la industria. Lancaster escribe literalmente que «un mercado tiene estructura oligopolística si la actuación de una empresa provoca efectos tan importantes sobre una empresa rival que ésta tiene que adoptar las medidas de reacción adecuadas, las cuales, a su vez, pueden afectar a la empresa originaria». Esta es realmente la nota más importante que caracteriza al mercado oligopolístico.

En consecuencia, el supuesto básico de comportamiento en las teorías (ya veremos que no existe una sola teoría) del oligopolio es el de que las empresas que operan en una industria oligopolística reconocen y tienen conciencia de que son interdependientes. Las empresas tienen conciencia de que cualquier acción que efectúen muy probablemente provocará una reacción por parte de sus rivales. En el oligopolio se da auténtica rivalidad entre las empresas, fenómeno que generalmente no se produce ni en la competencia perfecta ni en la competencia monopolística (a pesar de que las empresas en estos tipos de mercado también tienen conciencia de que se enfrentan con competidores).

La política de la empresa oligopolística depende de lo que ella crea que va a ser la reacción de sus rivales ante sus acciones, y los resultados de esta política de la empresa dependen efectivamente de cómo reaccionan dichos rivales. En el oligopolio no existe un conjunto simple de condiciones que han de darse respecto de los costes y de la demanda para que pueda obtenerse el equilibrio de la empresa o del grupo de empresas que integran la industria. Tampoco existe un conjunto de predicciones simples sobre cómo reaccionarán las empresas individual o colectivamente ante los cambios en los costes y/o en la demanda. Todo depende de la política que siga una empresa, de las políticas que sigan sus rivales, de cómo reaccionará cada una ante los cambios en las acciones de las otras, y de lo que cada empresa cree que va a ser la reacción de las demás.

Se afirma a menudo que estas características del mercado oligopolístico dan lugar a que el precio y la cantidad transaccionada sean indeterminados en este tipo de mercado. Pero de hecho, en el mundo real estas magnitudes son determinadas: en los mercados oligopolísticos los productos tienen un precio y se transaccionan unas cantidades de éstos. Lo que ocurre es que, para poder realizar predicciones concretas sobre el comportamiento del precio y de la producción en los mercados oligopolísticos, es necesario disponer de más información de la que se requiere en el caso de otros tipos de mercado. Ello se debe a que dicho comportamiento depende de y varía con las estrategias adoptadas por los competidores. Resulta imposible para la empresa oligopolista conocer su curva de ingreso medio o de demanda, debido a que los cambios que ella realiza en sus precios obligan a las otras empresas a reaccionar, y sin conocer previamente estas reacciones no puede valorar con precisión su posición en el mercado. Incluso en el caso de que pudiese conocer las reacciones de las demás empresas, el proceso continuo de acción, reacción y contrarreacción entre las empresas la obligaría a reconsiderar continuamente su curva de ingreso medio. Por consiguiente, los instrumentos tradicionales (las curvas de ingresos y costes) no parecen tener validez para analizar el equilibrio de la empresa oligopolística.

Como consecuencia de que cada mercado oligopolístico tiene características propias que dependen de las relaciones entre las demandas de las empresas rivales, de las acciones, reacciones y contrarreacciones de éstas, y del grado de interconexión entre las empresas, no se dispone de una teoría general del oligopolio (no ha sido posible hasta el momento elaborar una teoría como la existente para la competencia perfecta y el monopolio). Sólo disponemos de modelos concretos sobre situaciones oligopolísticas específicas que proporcionan indicadores de los diversos tipos de comportamientos posibles del mercado y de las empresas. La moderna Teoría de Juegos (que estudia las estrategias racionales que pueden adoptar los sujetos que participan en contextos o juegos en los que los participantes constituyen un grupo reducido) puede que ofrezca en el futuro una estructura analítica adecuada para estudiar diversas situaciones de mercados oligopolísticos.

Ante la inexistencia de una teoría general, lo que se hace en el análisis del oligopolio es formular una serie de hipótesis o predicciones sobre el comportamiento del mercado directamente contrastables con la realidad. Una de éstas es la llamada hipótesis de la maximización de los beneficios conjuntos. Esta hipótesis afirma que las empresas que tienen conciencia de que rivalizan fuertemente entre ellas, estarán motivadas por dos conjuntos de fuerzas opuestas: uno que las empuja en la dirección de comportarse de forma que se maximicen los beneficios conjuntos (la suma de los beneficios obtenidos por todas las empresas de la industria), y otros que las mueve a comportarse en el sentido opuesto a la maximización de los beneficios conjuntos (en el sentido de maximizar cada empresa sus beneficios a costa de las demás).

Esta hipótesis admite explícitamente que las acciones de las empresas rivales afectan al volumen total de los beneficios que se pueden obtener en la industria y a su distribución entre las empresas. Dado que el grupo de empresas se enfrenta con una curva de demanda que tiene una pendiente negativa, es obvio que a menos que esta curva tenga una elasticidad unitaria, los ingresos totales del grupo variarán al aumentar o disminuir el precio colectivamente. Si las empresas actúan como una sola empresa es igual que si existiera un monopolio, y en consecuencia pueden adoptar la política de precio y *output* que maximice los beneficios conjuntos.

Si las empresas no se comportan como un monopolio, sus beneficios conjuntos se verán reducidos. Pero puede ocurrir que a una empresa concreta le parezca que le conviene no seguir el comportamiento de maximización de los beneficios conjuntos si cree que puede aumentar sus beneficios individuales, aunque sea a costa de las demás empresas. Antes de adoptar una estrategia de maximización de los beneficios individuales (de aumentar su parte de los beneficios conjuntos), la empresa ha de sopesar los riesgos que corre (las consecuencias de sus acciones y de las reacciones de las demás empresas). La hipótesis de la maximización de los beneficios conjuntos afirma que existen fuerzas que empujan a la empresa a comportarse en ambas direcciones (la de maximización de los beneficios conjuntos y la de la maximización de los beneficios individuales).

Cuanto más conciencia tengan las empresas de su interdependencia mutua, mayor será la tendencia de aquéllas a comportarse de forma que se maximicen los beneficios conjuntos de la industria. Está conciencia de la interdependencia mutua tenderá (*céteris páribus*) a ser mayor cuanto más reducido sea el número de empresas en la industria, cuanto más similares sean éstas en volumen y métodos de producción, y cuanto más parecidos (homogéneos) sean los productos que venden. *A sensu contrario*, cuanto menos se den estas condiciones, más inclinadas estarán las empresas a comportarse en la dirección de maximizar los beneficios individuales.

Asimismo, las empresas tenderán a comportarse en la dirección de maximizar los beneficios conjuntos de la industria cuanto más fácil sea para las empresas ponerse de acuerdo tácitamente (que no explícitamente por estar ello prohibido) en su política de producción y precios. Este acuerdo será más fácil de alcanzar (*céteris páribus*) cuando el precio que maximiza los beneficios conjuntos se mantiene estable o está subiendo (ya que es más fácil ponerse de acuerdo en mantener los precios o subirlos que en bajarlos); cuanto menor sea el grado de incertidumbre sobre las estimaciones que hacen las empresas sobre la evolución futura de su demanda, de sus costes, y de otros factores relevantes; cuando existe en la industria una empresa dominante (ya que en este caso las empresas pequeñas se limitan a seguir a ésta); y cuanto más similares sean las expectativas de futuro de las empresas. Las condiciones opuestas a las descritas llevarán a las empresas a no seguir el comportamiento de maximización de los beneficios conjuntos (a seguir el comportamiento de maximización de los beneficios individuales).

Finalmente, cuanto mayores sean las barreras de entrada en la industria, más probable será que las empresas sigan una política de maximización de los beneficios conjuntos. La razón estriba en que cuanto más fuertes sean las barreras de entrada, mayor será el grado de poder monopolístico de las empresas ya establecidas. A su vez, las barreras de entrada son más efectivas (*céteris páribus*) cuanto mayores sean las economías de escala que se pueden obtener en la producción, cuanto mayor haya sido la publicidad de las marcas patentadas y más afianzadas estén éstas entre los consumidores, y cuanto mayores sean las complejidades de la producción (cuanto más sofisticada sea la tecnología que se emplea).

Por otra parte, se puede predecir que la competencia por medios distintos a los precios será mayor, cuanto más costosas e impredictibles en sus resultados sean las guerras de precios. Cuando las reducciones de precios pueden ser muy desventajosas, las empresas buscarán otras formas de mantener o mejorar sus posiciones en el mercado. Asimismo, el gasto en publicidad tenderá a ser más elevado cuanto más débiles sean las barreras de entrada de nuevas empresas en la industria. La publicidad puede afianzar una marca de forma que haga difícil para otras empresas introducirse en el mercado (obtener clientes). Cuanto mayor sea el peligro de entrada de nuevas empresas, más incentivadas estarán las empresas ya establecidas para gastar en publicidad. Naturalmente, la publicidad (que pretende diferenciar un producto, haciendo aumentar su demanda y reduciendo la elasticidad de la curva de ésta), aumenta los costes y hace que los precios sean más elevados.

Puede incluso que el fin perseguido por el monopolista no sea el de maximizar los beneficios, sino el de maximizar el volumen de ventas, con lo cual puede conseguir evitar que sus rivales se afiancen en el mercado y además crear barreras a la entrada de nuevos competidores. Esto no quiere decir que el oligopolista ignore los beneficios, sino que éstos, en lugar de considerarse como una cantidad a maximizar, se contemplan como una cantidad a la cual se le atribuye un valor «normal», que no se dejará descender por debajo de ese nivel normal.

Esta conducta puede variar si el fin perseguido por el oligopolista fuese eliminar a sus rivales, en cuyo caso podría aceptar que los precios bajasen de ese nivel mínimo, con la esperanza de resacirse después de las posibles pérdidas cuando haya expulsado del mercado a sus competidores. Sin embargo, estas guerras de precios, que se verían facilitadas por la presencia de alguna empresa con costes más bajos que los competidores, sólo parecen haberse dado en circunstancias excepcionales, debido a los riesgos que comportan. De hecho, se ha consolidado la opinión de que esa conducta es contraria a la ética empresarial.

Lo más normal es que las distintas empresas, tácita o expresamente, acepten precios comunes si los productos son homogéneos, o precios distintos en función de las distintas calidades de los productos ofrecidos. Los casos de acuerdos o colusiones expresas entre empresas revisten la forma llamada cártel (prohibido en muchas legislaciones), que puede encubrir una amplia gama de compromisos (reparto geográfico de mercados, fijar cuotas de producción, fijación de precios comunes, etc.). Un ejemplo típico de cártel es la *OPEP* (Organización de Países Exportadores de Petróleo).

Otra forma de colusión tácita estriba en que las distintas empresas acepten la dirección en política de precios practicada por una empresa que, por su tamaño o implantación en el mercado, actúa como guía o líder de los precios del grupo («price-leader-ship»).

Esta política, que podríamos llamar de «coexistencia pacífica», hace que normalmente los precios bajo oligopolio sean bastante rígidos y más estables (incluso ante variaciones en los costes) que bajo otras formas de mercado.

LA FIJACION DE LOS PRECIOS MEDIANTE «MARK-UP»

Existe en el mundo real una amplia gama de productos (básicamente industriales) en cuya producción se dan dos características básicas:

1) Las unidades productoras suelen trabajar por debajo de la capacidad máxima del equipo productivo (lo que se llama exceso de capacidad o grado de subutilización de la capacidad, y también «reserva de capacidad»). En tales condiciones, los empresarios pueden responder fácilmente a los cambios en la demanda, a través de jugar con el grado de utilización de la capacidad productiva. Por consiguiente, la oferta es muy elástica y los cambios en la demanda no afectan inmediatamente al precio.

2) Los productos son fácilmente almacenables, por lo cual en dichos mercados los excesos de oferta, en lugar de suponer disminuciones en los precios, se traducen en incrementos de los stocks.

A la inversa, la presencia de stocks ya constituidos contribuyen a que la oferta sea aún más elástica ante repentinas presiones o variaciones de la demanda.

3) Los productos son diferenciados y en consecuencia la estructura del mercado no es de competencia perfecta. Las empresas tienen, pues, un cierto grado de monopolio o poder de mercado.

En tales condiciones, los empresarios no lanzan su producción al mercado y la venden al precio que allí alcance (como sí hacen los productores de tomates y lechugas, los pescadores de gambas o las personas que quieren desprenderse de sus acciones del Banesto o de Hidroeléctrica Española), sino que anuncian el precio al que están dispuestos a vender su producto, y a ese precio venden la cantidad que la demanda absorba.

Una de las teorías que intentan explicar este proceso de fijación de los precios es la llamada teoría del «mark-up». Esta teoría, que tiene una formulación técnica que no vamos a exponer aquí, puede resumirse así: las empresas fijan los precios de sus productos simplemente añadiendo a sus costes medios un porcentaje fijo de éstos. La mayor parte de las empresas no disponen de la información sobre sus costes y sus ingresos como para utilizar los nítidos diagramas que nosotros hemos empleado. En la práctica muchas empresas comienzan por hacer una estimación de lo que creen que serán sus ventas en el futuro próximo. A partir de esta estimación de la producción, la empresa puede calcular el coste por unidad en que va a incurrir. Finalmente, le añade al coste unitario un porcentaje de éste, y la magnitud resultante es el precio que fija para su producto.

Por ejemplo, supongamos que una empresa produce frigoríficos de un tipo determinado. Al nivel de producción que está realizando en un momento concreto, sus costes unitarios incluyen:

	Pesetas
Materiales y energía	4.500
Mano de obra	3.500
Costes fijos	2.000
COSTE UNITARIO TOTAL	10.000

Si las empresas en la industria están de acuerdo en cargar un porcentaje standard del 20 por 100, la empresa productora venderá el frigorífico en cuestión, a un precio de 12.000 pesetas (el 20 por 100 de 10.000 son 2.000 ptas.). Un aumento de los costes de producción para toda la industria llevará a una revisión al alza de los precios similar para todas las empresas.

La magnitud del «mark-up» o porcentaje de incremento sobre los costes unitarios varía considerablemente de un producto a otro. Los economistas han encontrado que cuanto mayor sea la elasticidad de la curva de demanda, más reducido será el porcentaje de «mark-up». La explicación de este fenómeno es sencilla: cuanto más inelástica sea la curva de demanda de un bien, menor será la reducción en la cantidad demandada de éste al subir su precio (las condiciones de la demanda son tales que el mercado absorbe un incremento relativamente alto del precio).

Cuando una empresa elabora y vende distintos productos (las empresas multiproducto), el empresario intenta determinar las elasticidades relativas de la demanda de sus diferentes artículos. Si la empresa utilizara el mismo «mark-up» para todos sus productos, no conseguiría maximizar sus ingresos (unos precios serían demasiado altos y otros demasiados bajos).

El empleo de «mark-up» standards o normales y generalizados ayuda a explicar por qué los precios de los productos elaborados por empresas oligopolísticas pueden permanecer estables durante un período largo de tiempo. Si las curvas de costes medios son razonablemente planas (si los costes medios son casi constantes) para una gama amplia de niveles de *output* por período, entonces las empresas no aumentarán necesariamente sus precios cuando se producen incrementos de la demanda.

El resultado puede ser muy distinto si se produce una disminución sustancial de la demanda. De hecho una disminución de la demanda puede dar lugar a un aumento de los precios. Esto se debe a que los costes unitarios son más elevados cuando el volumen de *output* es bajo. A medida que disminuye el volumen de *output*, los elevados costes fijos totales del equipo capital son divididos o repartidos entre un número más reducido de unidades del producto (el componente de costes fijos por unidad de producto se eleva). Añadir el «mark-up» que generalmente se aplica en la industria en condiciones normales dará lugar a un aumento de los precios. Así, si el coste unitario del frigorífico es de 10.000 pesetas y el «mark-up» normal en la industria es el 20 por 100, el precio del artículo será de 12.000 pesetas. Pero si (al reducir el *output*) el coste unitario para la empresa sube a 12.000 pesetas y el «mark-up» sigue siendo del 20 por 100, el precio que cargará ésta aumentará a 14.400 pesetas (2.400 ptas. es el 20 por 100 de 12.000 ptas.).

BIBLIOGRAFIA SELECCIONADA

Samuelson, P.: *Curso de Economía Moderna,* op. cit., Cap. 25.

Lipsey, R.: *Introducción a la Economía Positiva,* op. cit., Cap. 22.

Bilas, R.: *Teoría Microeconómica. Un Análisis gráfico,* op. cit., Cap. 10.

Clower, R., y Due, J.: *Microeconomía,* op. cit., Caps. 10 y 11.

Lancaster, K.: *Introducción a la Microeconomía Moderna,* op. cit., Cap. 6, págs. 198-205.

Stigler, G.: *La Teoría de los Precios,* op. cit., Cap. 13.

Chamberlin, E. H.: *Teoría de la Competencia Monopolística.* Fondo de Cultura Económica, Méjico, 1946.

Robinson, J.: *La Economía de la Competencia Imperfecta,* Aguilar, Madrid, 1946.

Fellner, W.: *Oligopolio. Teoría de las Estructuras de Mercado,* Fondo de Cultura Económica, Méjico, 1953.

Sylos-Labini, P.: *Oligopolio y Progreso Técnico,* Oikos Tau, Barcelona, 1966, págs. 33-92.

CAPITULO 27

ALGUNAS PREDICCIONES DEDUCIBLES DE LA TEORIA DE LOS PRECIOS DE MERCADO

INTRODUCCION

En los tres Capítulos anteriores hemos expuesto las teorías sobre el comportamiento de las empresas en los diferentes tipos de mercado, así como los resultados a los que llevaba este comportamiento, conducta que era inducida por las condiciones o características del tipo concreto de mercado en el que operaban las empresas. Es decir, aun cuando las empresas pretendan maximizar sus beneficios, las condiciones o características de la clase de mercado en el que han de actuar las llevan a comportarse de una determinada forma. Dada la demanda de los bienes y servicios, esas condiciones o características del mercado (las del mercado de competencia perfecta, las del mercado monopolístico y las del mercado de competencia imperfecta en sus distintas modalidades) y el consiguiente comportamiento de las empresas dan lugar a la determinación de unos precios y de unas cantidades transaccionadas de aquéllos. En este análisis suponíamos que en el período de tiempo en el que lo realizábamos se cumplía la condición de *céteris páribus;* es decir, suponíamos que durante ese tiempo no variaban ni la demanda de los bienes y servicios, ni los costes de las empresas, ni los impuestos sobre la producción y las ventas y sobre los beneficios de las empresas.

Pero sabemos que en la vida real estas variables cambian. En este Capítulo vamos a considerar los efectos que sobre los precios y las cantidades transaccionadas tienen los cambios en la demanda, en los costes de la producción, y en los impuestos sobre el *output* y las ventas y sobre los beneficios según las diferentes clases de mercado. Como hemos visto, la demanda puede cambiar (la curva de demanda puede desplazarse hacia la izquierda o hacia la derecha) como consecuencia de variaciones en diversos factores (véase el Capítulo 6). Del mismo modo, los costes de la producción pueden variar (aumentar o disminuir) como consecuencia de cambios en los precios de los factores, en la tecnología (en la maquinaria y en los sistemas de organización y control empleados en los procesos productivos), en los factores mismos (descubrimiento de nuevos factores y/o perfeccionamiento de los ya existentes), y de los productos (creación de nuevos productos y perfeccionamiento de los productos ya existentes a través de nuevos diseños de éstos). Finalmente, el Gobierno puede variar los tipos y las bases de los impuestos sobre la producción y las ventas y sobre los beneficios de las sociedades (este último es el denominado impuesto sobre la renta de sociedades).

En definitiva, lo que intentamos realizar en este Capítulo consiste simplemente en aplicar el análisis de estática comparativa que ya conocemos para derivar algunas de las implicaciones y predicciones que se pueden deducir de una forma lógica de las teorías de las formas de mercado, principalmente de la teoría de la competencia perfecta y de la teoría del monopolio. Tales implicaciones o deducciones tienen una doble faceta: por una parte, constituyen proposiciones derivadas de los supuestos de las teorías a través de un proceso puramente lógico. En este sentido, el que una determinada proposición (afirmación sobre hechos) se siga de (o esté implícita en) una teoría es una cuestión puramente lógica, cuya veracidad o falsedad puede ser determinada sin referencia a los hechos que trata de explicar (la veracidad o la falsedad es decidida sólo a través de la aplicación de las reglas de la lógica).

De otro lado, las implicaciones mencionadas pueden ser consideradas como hipótesis empíricas cuya veracidad o falsedad sólo puede ser establecida a través de su contrastación con los hechos observables en el mundo a los que hacen referencia. Como ya hemos señalado, la contrastación empírica de las hipótesis en las Ciencias Sociales rara vez permite obtener evidencia empírica incontrovertible que haga posible afirmar de forma irrefutable la veracidad o la falsedad de una hipótesis. No obstante, la contrastación empírica constituye un elemento fundamental en el proceso de elaboración de la Teoría Económica. En este Capítulo nos ocuparemos sólo de estas hipótesis en su faceta de proposiciones derivadas lógicamente de las teorías.

Digamos también que en este Capítulo vamos a considerar fundamentalmente las predicciones que sobre el comportamiento de los precios y de las cantidades transaccionadas en las diferentes estructuras de mercado (principalmente en la de la competencia perfecta y en la del monopolio) permiten efectuar las teorías sobre estos tipos de mercado. Se trata de utilizar o aplicar las teorías de las diversas estructuras de mercado para derivar predicciones sobre el comportamiento de las empresas en el mercado y sobre el funcionamiento de los mercados bajo las condiciones de dichas estructuras.

La utilidad de efectuar este ejercicio es doble:

a) El lector puede comprobar cómo las teorías que hemos desarrollado en los tres Capítulos precedentes tienen una aplicabilidad inmediata y permiten explicar un gran número de fenómenos, así como realizar predicciones sobre el comportamiento de las empresas y sobre los resultados de éste cuando se producen cambios en las variables relevantes. Muchos de los progresos o contribuciones más importantes que se han realizado en el Análisis Económico en orden a ofrecer una explicación del funcionamiento del sistema de precios, y muchas de las hipótesis contrastables sobre las decisiones que se toman en el mercado acerca de los precios y de los *outputs,* se derivan directamente de las teorías de la competencia perfecta y del monopolio.

b) Aunque muy pocos mercados responden a las características de la competencia perfecta y del monopolio, ya que éstos representan los tipos de mercado más simples, los modelos de las estructuras de mercado más complejas (los distintos mercados de competencia imperfecta) no son más que extensiones de los modelos de competencia perfecta y de monopolio, y no modelos sustitutivos de éstos.

Así pues, en este Capítulo nos proponemos realizar dos tareas: en primer lugar, estudiar el comportamiento de las empresas en el mercado ante cambios en la demanda de su *output,* en sus costes de producción, y en los impuestos con los que el Gobierno grava la producción y las ventas, y los beneficios de las sociedades; y, en segundo lugar, analizaremos el funcionamiento del mercado (según las características que éste tome) en cuanto a la eficiencia en la asignación de los recursos y el bienestar de los consumidores. En parte ya hemos considerado esta segunda cuestión al exponer el equilibrio de la empresa en los diferentes tipos de mercado y sus implicaciones. No obstante, volveremos a analizarla debido a la enorme importancia que tiene.

LOS EFECTOS DE UN CAMBIO DE LA DEMANDA EN LAS DIFERENTES ESTRUCTURAS DE MERCADO

En Competencia Perfecta

En este epígrafe consideramos en primer lugar los efectos de un aumento de la demanda en un mercado de competencia perfecta. Supongamos que la industria competitiva y las empresas que la integran están en equilibrio. La Figura 27.1 muestra este equilibrio. En el diagrama de la izquierda se representa la curva de demanda inicial del producto (la curva de demanda de mercado para la industria en su conjunto) D_1D_1. Igualmente se muestra la curva de oferta de la industria a corto plazo OO, curva que recordamos al lector es la suma horizontal de las curvas de costes marginales de las empresas que la integran.

FIGURA 27.1

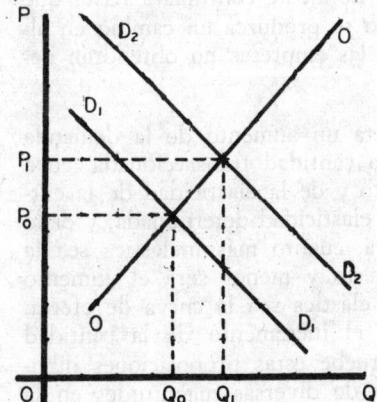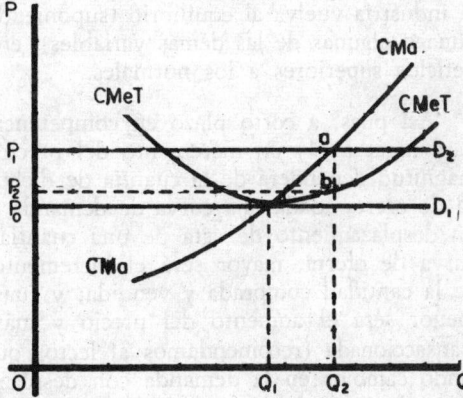

La intersección de estas dos curvas determina el precio de equilibrio (P_0) y la cantidad transaccionada igualmente de equilibrio (Q_0). P_0 es el precio que le viene dado a todas y cada una de las empresas que integran la industria; como recordará el lector, esto lo representamos por la curva de demanda totalmente elástica D_1

del diagrama de la derecha, con la que se enfrentan las empresas individuales. Tras el proceso de ajuste que hemos descrito en el Capítulo 24, la empresa media (en el sentido de representativa) de la industria competitiva se encontraría en equilibrio al producir Q_1, output al cual $CMa = CMeT = P = IMa$. En esta situación la empresa no tiene ni beneficios ni pérdidas (obtiene beneficios normales).

Supongamos que por alguna razón (un aumento de la renta real de los consumidores, un cambio de los gustos de éstos en favor del bien en cuestión, un aumento del precio de un bien sustitutivo, una reducción del precio de un bien complementario, un aumento de la población, etc.) la demanda de mercado del producto aumenta, lo que da lugar a un desplazamiento de la curva de demanda de la industria de D_1D_1 a D_2D_2, tal como se representa en el diagrama de la izquierda en la Figura 27.1. Suponemos que los costes de la industria no han variado, y, en consecuencia, la curva de oferta de ésta seguirá siendo OO. La intersección de la nueva curva de demanda D_2D_2 y de la curva de oferta OO da lugar a un nuevo precio de equilibrio P_1 superior al precio inicial (P_0), y a una cantidad transaccionada igualmente de equilibrio Q_1, asimismo, mayor que la inicial (Q_0). La industria competitiva estará, pues, en equilibrio al precio P_1 y produciendo y vendiendo la cantidad Q_1 de output.

El nuevo precio P_1 de la industria da lugar a la curva de demanda D_2 para las empresas que la integran (véase el diagrama de la derecha en la Figura 27.1). Los costes de la empresa no han variado y, por tanto, sus curvas de CMa y $CMeT$ siguen siendo las mismas que tenía inicialmente. Con la nueva curva de demanda D_2, la empresa maximizará sus beneficios produciendo y vendiendo el output Q_2 (cuando $CMa = IMa = P$). Pero a ese nivel de producción $P > CMeT$ en la cuantía ab, con lo que la empresa estará obteniendo los beneficios representados por el área P_1abP_2. La existencia de beneficios superiores a los normales en la industria atraerá nuevas empresas a ésta y las ya establecidas expandirán su capacidad productiva y su producción, con lo que se producirá un desplazamiento de la curva de oferta de la industria hacia la derecha que dará lugar a una reducción del precio y de los beneficios de las empresas. El proceso de ajuste continuará hasta que la industria vuelva al equilibrio (suponiendo que no se produzca un cambio en alguna o algunas de las demás variables), en el cual las empresas no obtendrán beneficios superiores a los normales.

Así pues, a corto plazo en competencia perfecta un aumento de la demanda dará lugar a: 1) un incremento del precio y de la cantidad transaccionada, cuya magnitud dependerá de la cuantía de dicho aumento y de la elasticidad de la curva de oferta: dada una curva de demanda con una elasticidad determinada, y dado un desplazamiento de ésta de una cuantía concreta, cuanto más inelástica sea la curva de oferta, mayor será el incremento del precio y menor será el aumento de la cantidad comprada y vendida; y cuanto más elástica sea la curva de oferta, menor será el aumento del precio y mayor será el incremento de la cantidad transaccionada (recomendamos al lector que compruebe estas proposiciones dibujando cambios en la demanda con desplazamientos de diversas magnitudes en la curva de demanda y con curvas de oferta con diferentes elasticidades); 2) un aumento de la cantidad ofertada por cada una de las empresas establecidas en la industria (moviéndose éstas hacia arriba dentro de sus curvas de costes correspondientes a la capacidad de la planta que tiene instalada) y, en consecuencia, de la cantidad ofertada por la industria (un movimiento hacia arriba dentro de la curva de oferta de la industria); y 3) la obtención de beneficios superiores a los normales por parte de las empresas que integran la industria (sus ingresos totales serán superiores a sus costes totales, incluyendo en éstos los costes correspondientes a todos los factores, y calculados los precios de éstos a sus costes de oportunidad).

A largo plazo, un aumento de la demanda dará lugar a un incremento de la escala de la industria (como consecuencia de la entrada de nuevas empresas y de la expansión de la capacidad productiva instalada por parte de las empresas ya establecidas en ella); a la desaparición de los beneficios superiores a los normales obtenidos por las empresas (que volverán a tener beneficios normales); y a un precio superior, igual o inferior al precio inicial (el precio existente antes del aumento de la demanda P_0 en la Figura 27.1) según que la industria tenga rendimientos decrecientes, constantes o crecientes de escala. Las razones por las que pueden darse rendimientos decrecientes (costes crecientes a largo plazo), constantes (costes constantes a largo plazo), o crecientes (costes decrecientes a largo plazo) las hemos considerado ampliamente en el Capítulo 22, al cual nos remitimos.

FIGURA 27.2

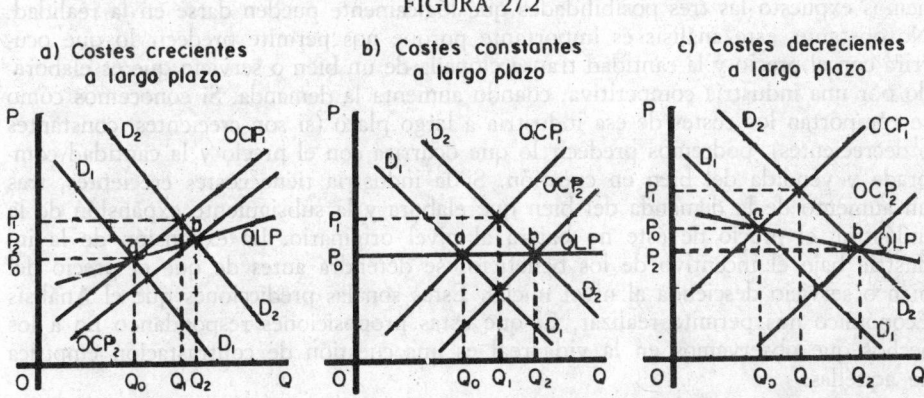

a) Costes crecientes a largo plazo   b) Costes constantes a largo plazo   c) Costes decrecientes a largo plazo

Esta última predicción la podemos representar gráficamente tal como se hace en la Figura 27.2. En el diagrama *a)* de esta figura se muestra el caso de una industria con costes crecientes a largo plazo (rendimientos decrecientes). La demanda se desplaza de D_1D_1 a D_2D_2. Dada la curva inicial de oferta a corto plazo (OCP_1), el precio original P_0 aumenta a P_1; a continuación la curva de oferta de la industria se desplaza hacia la derecha hasta OCP_2, con lo que esta curva de oferta corta a la nueva curva de demanda D_2 determinando un nuevo precio P_2, que es inferior a P_1 (el precio establecido por la intersección de la nueva curva de demanda D_2 y la curva de oferta inicial OCP_1), pero superior a P_0 (el precio existente antes del aumento de la demanda). La curva de oferta a largo plazo de la industria sería la representada por la línea OLP que determinamos a partir de los puntos *a* y *b* (dos puntos definen una línea que obtenemos uniéndolos). La línea OLP muestra el comportamiento de los costes de la industria a largo plazo (al aumentar las empresas su capacidad productiva o pasar de una planta a otra de mayor capacidad, y al crearse nuevas empresas con una planta de una capacidad que puede esperarse sea superior a la de las empresas que originariamente había en la industria). Dichos costes aumentan al incrementarse el *output* de la industria, por lo que la curva OLP tiene una pendiente positiva (asciende de izquierda a derecha). El *output* de la industria ha aumentado primero de Q_0 a Q_1 y finalmente de Q_1 a Q_2.

El diagrama *b)* de la Figura 27.2 muestra el caso de una industria con costes constantes a largo plazo. Al aumentar la demanda de D_1 a D_2 el precio sube de P_0 a P_1, pero el subsiguiente aumento de la oferta (que pasa de OCP_1 a OCP_2) hace bajar el precio de P_1 a P_0. Los puntos a y b nos permiten obtener la curva de costes a largo plazo de la industria, OLP. Esta curva de costes es totalmente horizontal, lo que indica que los costes se mantienen constantes a largo plazo para la industria al aumentar el *output* (la línea OLP tiene una pendiente de cero). La cantidad de *output* producida y vendida ha aumentado primero de Q_0 a Q_1, y por último de Q_1 a Q_2. Finalmente, el diagrama *c)* de esta Figura representa el caso de una industria con costes decrecientes (rendimientos crecientes) a largo plazo, por lo que la línea OLP (la curva de oferta a largo plazo) tiene una pendiente negativa (al aumentar su *output* las empresas pasan de una planta a otra de mayor tamaño, los costes marginales de las empresas decrecen).

Los tres casos expuestos de costes crecientes, constantes y decrecientes a largo plazo para una industria competitiva no nos dicen nada sobre el comportamiento que se da en los costes de las industrias que actúan en este tipo de mercado. Sólo hemos expuesto las tres posibilidades que lógicamente pueden darse en la realidad. No obstante, este análisis es importante porque nos permite predecir lo que ocurrirá con el precio y la cantidad transaccionada de un bien o servicio que es elaborado por una industria competitiva, cuando aumenta la demanda. Si conocemos cómo se comportan los costes de esa industria a largo plazo (si son crecientes, constantes o decrecientes), podremos predecir lo que ocurrirá con el precio y la cantidad comprada y vendida del bien en cuestión. Si la industria tiene costes crecientes, tras un aumento de la demanda del bien que elabora y la subsiguiente expansión de la industria, el precio de éste no bajará al nivel originario. La expansión de la industria bajo el incentivo de los beneficios se detendrá antes de que el precio del bien o servicio descienda al nivel inicial. Estas son las predicciones que el Análisis Económico nos permite realizar. El que estas proposiciones respondan o no a los hechos que observamos en la vida real es una cuestión de contrastación empírica de aquéllas.

Una reducción de la demanda a corto plazo dará lugar a una reducción del precio del bien, a una disminución de la cantidad ofertada por cada empresa y, en consecuencia, por la industria, y a la obtención de pérdidas por parte de las empresas. A largo plazo la escala de la industria se reducirá (habrá un menor número de empresas en la industria y las que permanezcan en ella posiblemente reducirán su capacidad productiva instalada), desaparecerán las pérdidas (las empresas volverán a obtener beneficios normales), y el precio final será más bajo que el inicial si a largo plazo la industria tiene costes crecientes, igual si los costes son constantes, y más bajo si los costes son decrecientes. El lector debe asegurarse de que comprende estas afirmaciones, dibujando las gráficas correspondientes.

En Monopolio

Pasemos a considerar ahora los efectos de un aumento de la demanda en el caso de un mercado monopolístico. La cuestión crucial que debe tenerse en cuenta aquí es el hecho de que en el caso del monopolista (como en el de cualquier empresa que se enfrente con una curva de demanda con pendiente negativa) no existe una relación unívoca entre precio y cantidad ofertada (no corresponde una sola cantidad a cada precio, ni un solo precio a cada cantidad). En competencia perfecta la curva de oferta a corto plazo de la industria es la suma de las curvas de costes marginales a corto plazo de las empresas que la integran (ya que las empresas maximizan los beneficios haciendo $CMa = IMa$), y, en consecuencia, dados los costes marginales, se puede determinar la cantidad que se ofertará por la industria a cada precio. Por el contrario, el monopolista maximiza los beneficios igualando el CMa con el IMa y no con el precio. Como vimos en el epígrafe «El Equilibrio del Monopolista a Corto y a Largo Plazo» del Capítulo 25 (Figuras 25.2 y 25.3), dos curvas de demanda distintas pueden dar lugar a que el monopolista oferte la misma cantidad a diferentes precios, o distintas cantidades al mismo precio. No existe, pues, una curva de oferta del monopolista (en el sentido que hemos definido una curva de oferta como la curva que muestra las cantidades que se desea vender a cada precio, existiendo una sola cantidad para cada precio).

Como consecuencia de la inexistencia de una curva de oferta del monopolista, la predicción que hacíamos en relación con la competencia perfecta de que un aumento de la demanda daría lugar a un incremento de la cantidad transaccionada, no es necesariamente cierta en el caso de un mercado monopolístico. Sólo es posible deducir o predecir con certeza que no disminuirán al mismo tiempo el precio y la cantidad transaccionada cuando se produce un aumento de la demanda de un bien cuyo mercado es monopolístico. Esta predicción es casi trivial, ya que afirma muy poco. En realidad, esta proposición se desprende lógicamente de la representación que hacemos de un aumento de la demanda a través de un desplazamiento de la curva de demanda hacia la derecha, ya que es imposible encontrar un punto en la nueva curva de demanda para el cual tanto el precio como la cantidad demandada sean inferiores al precio y a la cantidad correspondientes a cualquier punto de la curva inicial.

Con la excepción de que el precio y la cantidad transaccionada disminuyan simultáneamente, cualquier otro resultado es posible como consecuencia de un aumento de la demanda en un mercado monopolístico: pueden aumentar al mismo tiempo el precio y la cantidad comprada y vendida, puede ocurrir que baje el precio y aumente la cantidad transaccionada, o puede que disminuya la cantidad transaccionada y que aumente el precio. El resultado final dependerá de la elasticidad de la nueva curva de demanda. Al aumentar la demanda, la nueva curva de demanda no ha de tener necesariamente ni la misma pendiente ni la misma elasticidad que la curva originaria. Cuanto más elevada sea la elasticidad de la nueva curva de demanda, mayor será el incremento de la cantidad comprada y vendida y menor será el aumento del precio. La cantidad transaccionada puede incluso llegar a disminuir si la nueva curva de demanda tiene una elasticidad muy inferior a la de la curva de demanda inicial; y, en consecuencia, la nueva curva de IMa corta a la curva de CMa (que suponemos no ha cambiado) en un punto más bajo de ésta.

Como hemos señalado, la razón de que no podamos predecir lo que ocurrirá con el precio y la cantidad transaccionada (y, por tanto, producida) en un mercado monopolístico al aumentar la demanda estriba en que, al producirse este aumento, la elasticidad de la curva de demanda puede variar. Si la elasticidad de ésta aumenta, puede que le interese al monopolista bajar el precio e incrementar las ventas; y al revés, si la elasticidad de la curva de demanda disminuye (la elasticidad es inferior en la nueva curva de demanda) es posible que al monopolista le interese aumentar el precio y disminuir la cantidad vendida. El lector debe asegurarse de que comprende adecuadamente estas afirmaciones dibujando los correspondientes gráficos.

Las Figuras 27.3 y 27.4 muestran ambas los efectos de un aumento de la demanda en un mercado monopolístico. En la Figura 27.3 la demanda D_1D_2 aumenta hasta D_2D_2 (la nueva curva de demanda se hace más elástica que D_1D_1 a partir de una determinada cantidad demandada del bien). Con la curva de demanda D_1D_1

el monopolista maximizaba sus beneficios produciendo la cantidad Q_0 y vendiéndola al precio P_0 (el *output* para el que $IMa = CMa$ y éste está creciendo, y el precio determinado por la curva de demanda D_1 para ese nivel de oferta). Con la
nueva curva de demanda D_2, el monopolista maximiza sus beneficios produciendo la cantidad Q_1 y vendiéndola al precio P_1 (el *output* para el que $IMa = CMa$
y éste está creciendo, y el precio que señala la curva de demanda o que los consumidores están dispuestos a pagar por esa cantidad del bien). Vemos, pues, que la cantidad transaccionada ha aumentado considerablemente y que el precio ha bajado,
como consecuencia del aumento de la demanda. La explicación de este fenómeno
estriba en que la nueva curva de demanda se ha hecho mucho más elástica que la
original en su tramo relevante (en el tramo en el que la curva de CMa que tiene el
monopolista corta a la correspondiente curva de IMa). La Figura 27.4 muestra un
caso en el que, al aumentar la demanda, suben tanto el precio como la cantidad
transaccionada. El lector puede ejercitar su comprensión de la Teoría de Precios
dándose a sí mismo una explicación de este fenómeno.

FIGURA 27.3   FIGURA 27.4

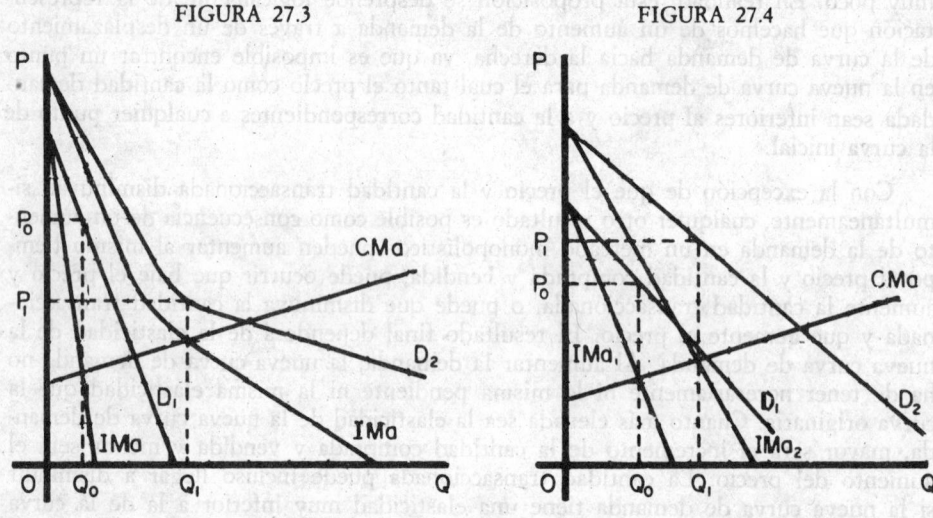

Insistimos en que aquí sólo hemos expuesto las predicciones que se pueden
derivar lógicamente a partir de la teoría. Cuál de esos posibles resultados se dará
en la realidad es una cuestión empírica. Para poder predecir con una cierta precisión el efecto que un cambio de la demanda tendrá sobre la política de precios
y de producción y oferta de un monopolista, habría que determinar la variación
que se daría en la elasticidad de la curva de demanda al aumentar la demanda del
bien que se analiza. Alternativamente, podemos observar la realidad y, a partir
del cambio que se produzca en el precio y en la cantidad transaccionada tras un
aumento de la demanda, deducir la elasticidad de la nueva curva de demanda.

Qué ocurrirá con los beneficios del monopolista tras un aumento de la demanda dependerá igualmente de la elasticidad de la nueva curva de demanda. En
general, se puede esperar que los beneficios aumenten. Sólo sería posible que los
beneficios del monopolista disminuyeran si la curva de demanda se hiciera mucho
más inelástica al aumentar la demanda.

Los efectos que sobre el precio y la cantidad transaccionada tendrá una disminución de la demanda en un mercado monopolístico pueden ser fácilmente deducidos: puede ocurrir cualquier cosa excepto aumentar simultáneamente el precio y la cantidad comprada y vendida; todo dependerá de la elasticidad de la nueva curva de demanda. Generalmente se puede esperar que disminuyan el precio y la cantidad transaccionada, así como los beneficios del monopolista.

En Competencia Imperfecta

En competencia imperfecta un aumento de la demanda habría que considerarlo en función del tipo concreto de mercado de entre los varios que aquélla engloba. Así, en un mercado de competencia monopolística (y suponiendo que las empresas estaban inicialmente en equilibrio; véase la Figura 26.3 y la consiguiente explicación), un aumento de la demanda de mercado del producto daría lugar a un desplazamiento hacia la derecha de la curva de demanda de cada una de las empresas de la industria. El gráfico de la Figura 27:5 representa la situación de equilibrio de la empresa representativa de la industria en competencia monopolística cuando la demanda es D_1: ésta produce Q_0 y lo vende a P_0. A ese nivel de *output*, $CMeT = P$ (la empresa está obteniendo beneficios normales) y ésta tiene exceso de capacidad productiva instalada (no está produciendo el nivel de *output* para el que sus $CMeT$ son los más bajos posibles: no está situada en el punto más bajo de su curva de $CMeT$).

FIGURA 27.5

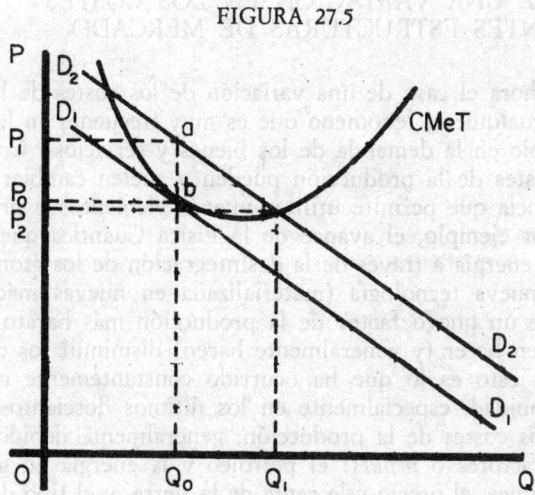

Si la demanda de mercado del producto aumentara en tal cuantía que la curva de demanda de nuestra empresa se desplaza de D_1 a D_2, entonces ésta estaría obteniendo los beneficios extra representados por el área P_1abP_0. Lógicamente la empresa ajustaría su *output* hasta alcanzar aquel nivel de producción para el que la diferencia entre el precio y el $CMeT$ fuera la más grande posible, con lo que sus beneficios extra serían los más elevados que podría alcanzar. Pero los beneficios superiores a los normales atraerían nuevas empresas a la industria, con lo que la curva de demanda de la empresa de la Figura 27.5 volvería a desplazarse hacia abajo (hacia la izquierda), proceso que continuaría hasta alcanzar de nuevo el punto *b*, en el que no tendría ni beneficios extra ni pérdidas, con lo que dejarían de entrar nuevas empresas en la industria. A corto plazo, el precio habría aumentado de P_0 a P_1, la cantidad transaccionada no habría variado, y las empresas tendrían beneficios superiores a los normales. A largo plazo, el precio tendería a volver al precio inicial, los beneficios extra desaparecerían, y la industria se habría expansionado (habría un mayor número de empresas en ella). Las empresas seguirían teniendo exceso de capacidad productiva instalada. El lector puede tratar de analizar los efectos que sobre el precio y la producción tendría una disminución de la demanda de un bien cuyo mercado es imperfectamente competitivo.

En el caso de los mercados oligopolísticos es mucho más difícil realizar predicciones sobre el efecto que un cambio en la demanda tendrá sobre el precio y la cantidad transaccionada de los bienes. Aquél dependerá de la estrategia que sigan las empresas, dada la interdependencia que existe entre ellas. En general, se puede esperar que un aumento de la demanda lleva un incremento de los precios y de las cantidades transaccionadas. Sabemos que el comportamiento de las empresas individuales dependerá de las características del mercado y de la influencia que éstas tienen sobre la predisposición de aquéllas a comportarse de forma que se maximicen los beneficios conjuntos o a intentar la maximización de los beneficios individuales. En principio, un aumento de la demanda se puede esperar que favorezca el comportamiento dirigido a la maximización de los beneficios conjuntos (véase el Capítulo 26 a este respecto).

LOS EFECTOS DE UNA VARIACION EN LOS COSTES EN LAS DIFERENTES ESTRUCTURAS DE MERCADO

Consideremos ahora el caso de una variación de los costes de la producción de un bien o servicio cualquiera, fenómeno que es muy frecuente en la realidad (como lo es el de un cambio en la demanda de los bienes y servicios). Como vimos en el Capítulo 22, los costes de la producción pueden y suelen cambiar con frecuencia. El avance de la ciencia que permite utilizar nuevos elementos o procedimientos de producir bienes (por ejemplo, el avance de la Física Cuántica que ha hecho posible la obtención de energía a través de la desintegración de los átomos), y el descubrimiento de una nueva tecnología (materializada en nuevas máquinas para elaborar el bien), o de un nuevo factor de la producción más barato y/o con mayor productividad pueden hacer (y generalmente hacen) disminuir los costes de la producción. De hecho, esto es lo que ha ocurrido constantemente a lo largo de la historia de la humanidad, especialmente en los últimos doscientos años. También pueden aumentar los costes de la producción, generalmente debido a la subida de los precios de los factores o *inputs*: el petróleo y la energía en general, los salarios, las materias primas, el precio y la renta de la tierra, y el tipo de interés pagado por la obtención de recursos financieros.

En Competencia Perfecta

Una disminución de los costes de producción de un bien o servicio llevaría a una reducción del precio de éste y a un aumento de la producción y de la venta del artículo tanto en competencia perfecta como en monopolio. Recordemos que una reducción en los costes significa un desplazamiento de las curvas de *CMeT*, *CMeV* y *CMa* hacia abajo (o lo que es lo mismo, hacia la derecha). La invención de una máquina que hace más productiva la hora de trabajo o la unidad de materias primas da lugar a una reducción del coste variable por unidad (el $CMeV$), lo que implica que el CMa disminuye al aumentar la producción (tras la innovación, cuesta menos producir cualquier unidad de *output* de lo que costaba antes de la invención).

En una industria competitiva, el hecho de que la curva de CMa de cada empresa se desplace hacia abajo implica que la curva de oferta de la industria también se desplaza hacia abajo (hacia la derecha). La consecuencia de este desplazamiento obviamente estriba en que un determinado *output* es producido a un precio más bajo que antes; o lo que es lo mismo, que a cada precio se ofertará una cantidad mayor. De aquí se deduce que una reducción en los costes llevará a una disminución del precio del bien y a un aumento de la cantidad transaccionada. Las empresas continuarán obteniendo beneficios normales tras el ajuste de la producción y del precio al nuevo nivel de equilibrio.

FIGURA 27.6

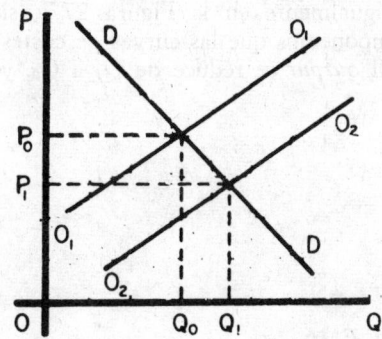 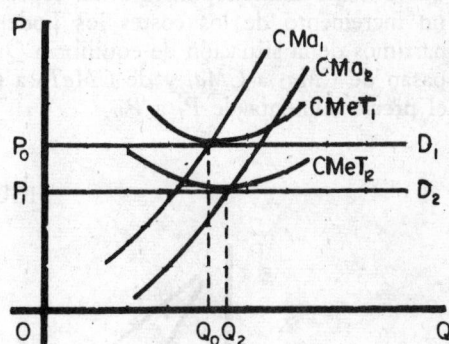

La Figura 27.6 muestra este fenómeno. La industria estaba originariamente en equilibrio cuando el precio era P_0 y el *output* producido y vendido era Q_0 (véase el diagrama de la izquierda). Del mismo modo, la empresa representativa de la industria (diagrama de la derecha) estaría en equilibrio produciendo la cantidad Q_0 que vende al precio P_0. Al reducirse los costes, la curva de oferta de la industria pasa de O_1O_1 a O_2O_2, con lo que el precio baja de P_0 a P_1 y la cantidad transaccionada aumenta de Q_0 a Q_1. Las curvas de CMa y $CMeT$ de las empresas se han desplazado hacia abajo, con lo que nuestra empresa de la Figura 27.6 estaría nuevamente en equilibrio al producir el *output* Q_2 (superior a Q_0).

Los efectos de un aumento de los costes obviamente serían los opuestos a los de una reducción de éstos. Ello se puede comprobar fácilmente en la Figura 27.6 si partimos de la situación de equilibrio determinada por la curva de demanda DD y la curva de oferta O_2O_2. Un aumento de los costes se representa con un desplazamiento hacia arriba (hacia la izquierda) de la curva de oferta de la industria y de las curvas de $CMeT$ y CMa de las empresas. Con la nueva curva de oferta de la industria O_1O_1, el precio subiría de P_1 a P_0 y la cantidad comprada y vendida descendería de Q_1 a Q_0. Lo mismo ocurría con la empresa representada en el diagrama de la derecha: el precio subiría de P_1 a P_0 y el *output* disminuiría de Q_2 a Q_0.

En Monopolio

Ya hemos señalado que en el monopolio los efectos de un cambio en los costes sobre el precio y la cantidad transaccionada serían los mismos que en competencia perfecta: una reducción de los costes dará lugar a un aumento de la cantidad producida y vendida y a una reducción del precio, y un incremento de los costes llevará a un aumento del precio del bien y a una reducción del *output*. Esta afirmación puede comprobarse fácilmente en la Figura 27.7. Inicialmente el monopolista estaba en equilibrio produciendo el *output* Q_0 y vendiendo éste al precio P_0 (los costes marginales y medios totales eran los representados por las curvas CMa_1 y $CMeT_1$). A ese nivel de *output*, $CMa_1 = IMa$ y los beneficios que obtenía eran los determinados por el área P_0abP_2. Al disminuir los costes las curvas de costes marginales y medios totales se trasladan hacia abajo, quedando representadas en este caso por las curvas CMa_2 y $CMeT_2$. El nuevo nivel de *output* de equilibrio es Q_1 (al que $CMa_2 = IMa$), el nuevo precio es P_1 (inferior a P_0), y los beneficios que obtiene el monopolista están representados por el área P_1cdP_3. Los efectos de un incremento de los costes los podemos ver igualmente en la Figura 27.7, si partimos de la situación de equilibrio Q_1 y P_1 y suponemos que las curvas de costes pasan de CMa_2 a CMa_1 y de $CMeT_2$ a $CMeT_1$: el *output* se reduce de Q_1 a Q_0, y el precio aumenta de P_1 a P_0.

FIGURA 27.7

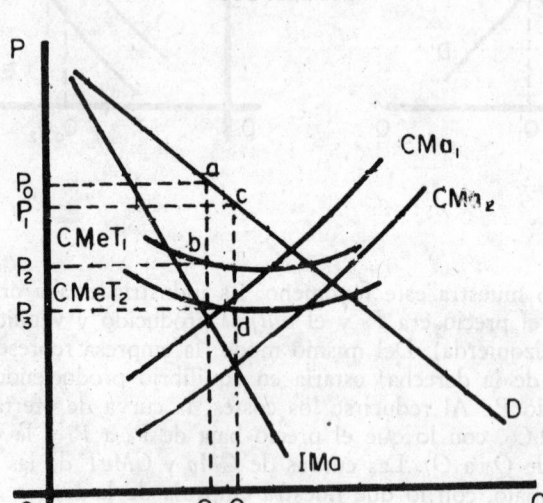

Es interesante notar, sin embargo, que existe una diferencia entre el·monopolio y la competencia perfecta ante un cambio en los costes: si éstos descienden en la misma cuantía en los dos casos, la reducción del precio será mayor en competencia perfecta que en monopolio, e igualmente la cantidad transaccionada aumentará más en competencia perfecta que en monopolio; y si los costes aumentan en igual magnitud en ambos tipos de mercado, la subida del precio será mayor en competencia perfecta que en monopolio, y la reducción de la cantidad comprada y vendida será también mayor en el mercado competitivo que en el mercado monopolístico.

FIGURA 27.8

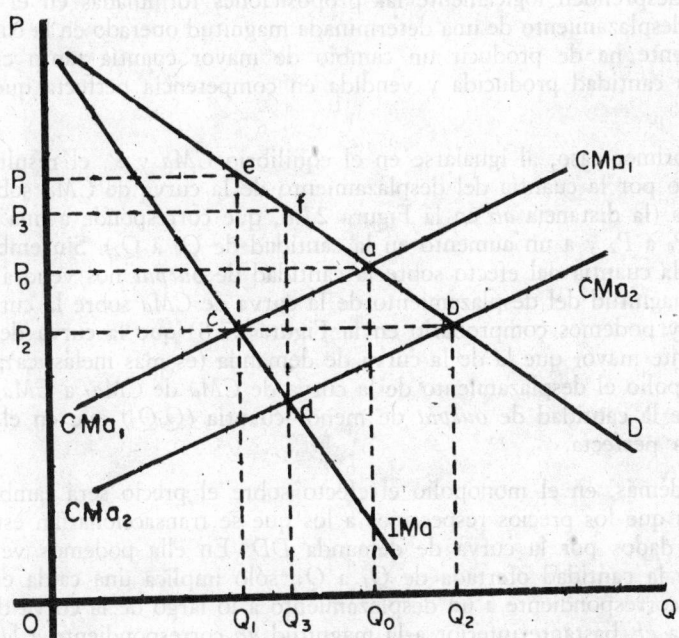

En la Figura 27.8 se representa gráficamente esta proposición o predicción. Supongamos que la curva de demanda y la de costes marginales mostrados en ella son las curvas tanto de una industria competitiva como de una industria monopolística. Antes de producirse la reducción de los costes, la industria competitiva estaba en equilibrio produciendo el *output* Q_0 y vendiendo éste al precio P_0 (donde $P = CMa_1$). Con esas mismas curvas de demanda y de costes, el monopolista estaría en equilibrio produciendo el *output* Q_1 $(Q_1 < Q_0)$ y vendiéndolo al precio P_1 $(P_1 > P_0)$, ya que a ese nivel de producción $CMa_1 = IMa$ y el coste marginal está creciendo.

Al disminuir los costes marginales, la curva de CMa pasa de CMa_1 a CMa_2 en ambas industrias (la demanda suponemos que no varía). En esta nueva situación, la industria competitiva alcanzaría el equilibrio produciendo el *output* Q_2 y vendiéndolo al precio P_2 $(CMa = P)$. La industria monopolística obtendría de nuevo el equilibrio produciendo el *output* Q_3 y vendiéndolo al precio P_3. En ambos casos el precio ha disminuido y la producción y las ventas han aumentado. Pero obviamente la reducción del precio experimentada en el mercado competitivo (la distancia P_0P_2) es bastante mayor que la obtenida en el mercado monopolístico (la distancia P_1P_3); es claro que $P_0P_2 > P_1P_3$. Del mismo modo, el incremento de la cantidad transaccionada en competencia perfecta (la distancia Q_0Q_2) es mayor que el del mercado monopolístico (la distancia Q_1Q_3); es obvio que $Q_0Q_2 > Q_1Q_3$.

La explicación de este fenómeno es bastante sencilla. La curva de demanda

DD necesariamente tiene una pendiente menor que la de su correspondiente curva de ingreso marginal. Por otra parte, en el monopolio la empresa maximiza los beneficios cuando $CMa = IMa$, mientras que en competencia perfecta la maximización de los beneficios para el conjunto de la industria se alcanza cuando $CMa = P$ (recordemos que para las empresas competitivas ocurre además que $CMa = IMa = P$, ya que $IMa = P$ al ser su curva de demanda totalmente elástica). De estos dos hechos se desprenden lógicamente las proposiciones formuladas en el párrafo anterior. Un desplazamiento de una determinada magnitud operado en la curva de *CMa* necesariamente ha de producir un cambio de mayor cuantía tanto en el precio como en la cantidad producida y vendida en competencia perfecta que en monopolio.

En el primer caso, al igualarse en el equilibrio *CMa* y *P*, el resultado vendrá determinado por la cuantía del desplazamiento de la curva de *CMa* sobre la curva de demanda (la distancia *ab* en la Figura 27.8, que corresponde a una caída en el precio de P_0 a P_2 y a un aumento en la cantidad de Q_0 a Q_2). Sin embargo, en el monopolio la cuantía del efecto sobre la cantidad de *output* nos vendrá determinada por la magnitud del desplazamiento de la curva de *CMa* sobre la curva de *IMa*. Decíamos (y podemos comprobarlo en la Figura 27.8) que la curva de *IMa* tiene una pendiente mayor que la de la curva de demanda (es más inelástica); por tanto, en el monopolio el desplazamiento de la curva de *CMa* de CMa_1 a CMa_2 tendrá un efecto sobre la cantidad de *output* de menor cuantía (Q_1Q_3) que en el caso de la competencia perfecta.

Pero, además, en el monopolio el efecto sobre el precio será también menor. Recordemos que los precios respectivos a los que se transaccionarían estas cantidades vienen dados por la curva de demanda *DD*. En ella podemos ver cómo un aumento de la cantidad ofertada de Q_1 a Q_3, sólo implica una caída en el precio de P_1 a P_3, correspondiente a un desplazamiento a lo largo de la curva de demanda de la cuantía *ef*, bastante inferior a la magnitud *ab* correspondiente a la competencia perfecta. En competencia perfecta el desplazamiento de la curva de *CMa* de CMa_1 a CMa_2 sobre la curva de demanda *DD* determina el cambio del precio y del *output* que la pendiente de esta curva implica (P_0P_2 y Q_0Q_2, respectivamente). Por el contrario, en el caso del monopolio el desplazamiento de la curva de *CMa* de CMa_1 a CMa_2 sobre la curva de *IMa* determina sólo el cambio en el *output* (cambio que además será menor que el que se daría si se tratara de la curva de demanda *DD*, por tener ésta una pendiente menor que la curva de $IMa: Q_1Q_3 < Q_0Q_2$), ya que el cambio en el precio sólo es determinado por la curva de demanda *DD* al variar la cantidad comprada y vendida (para comprar la cantidad adicional Q_1Q_3 del bien en cuestión, los consumidores exigen la reducción P_1P_3 en el precio). Así pues, la diferencia que hemos notado entre la competencia perfecta y el monopolio ante un cambio en los costes se debe a que en el segundo (dados una curva de *CMa* con una pendiente y un desplazamiento de ésta de una magnitud concreta) el cambio del *output* es determinado por la pendiente de la curva de *IMa*, mientras que la variación en el precio es determinada por la pendiente de la curva de demanda; por el contrario, en competencia perfecta la variación tanto del precio como del *output* es determinada sólo por la pendiente de la curva de demanda.

En Competencia Monopolística

Finalmente, una disminución de los costes en competencia monopolística dará lugar a un desplazamiento hacia abajo de la curva de *CMeT* (ya que al disminuir los costes marginales, que son costes variables, también disminuirán los costes medios totales). Supongamos que la empresa representativa de la industria estaba en equilibrio antes de la reducción de los costes, tal como se muestra en la Figura 27.9, en la que la curva de $CMeT_1$ es tangente a la curva de demanda D_1D_1 en el punto *a*, determinando el *output* Q_0 y el precio P_0 para dicha empresa. Recordemos que en competencia monopolística no disponemos de una curva de oferta para la industria en su conjunto.

FIGURA 27.9

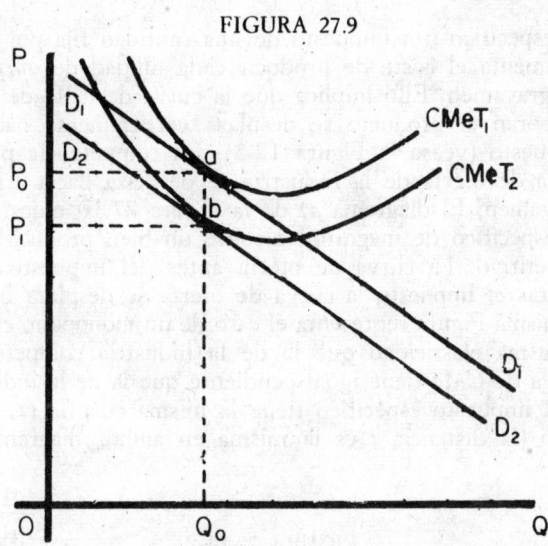

Al desplazarse la curva de $CMeT$ de $CMeT_1$ a $CMeT_2$, a corto plazo la empresa obtendría beneficios superiores a los normales (representados por el área P_0abP_1). Ello atraería nuevas empresas a la industria, con lo que la curva de demanda de cada una de las empresas (su cuota de mercado del bien que produce o fracción de este mercado que abastece) se desplazaría hacia abajo hasta hacer desaparecer los beneficios extra (pasaría de D_1D_1 a D_2D_2). Al final del proceso de ajuste posiblemente la industria se habría expansionado (debido a la entrada de nuevas empresas), éstas seguirían teniendo exceso de capacidad productiva instalada, el *output* y las ventas habrían aumentado (al ser mayor el número de empresas en la industria, aun cuando la empresa representativa siguiera produciendo la misma cantidad Q_0), y el precio en principio descendería de P_0 a P_1. Un aumento de los costes produciría los efectos opuestos: aumentaría el precio y disminuiría la cantidad transaccionada, y la industria se contraería (se reduciría el número de empresas que operarían en ésta).

LOS EFECTOS DE LOS IMPUESTOS EN LOS DIFERENTES TIPOS DE MERCADO

En el Capítulo 12 estudiamos las repercusiones que los impuestos específicos y los impuestos *ad valorem* tienen en general sobre la oferta y sobre los precios y las cantidades transaccionadas de los bienes y servicios gravados. Recomendamos al lector que vuelva a leer el epígrafe «La Incidencia Impositiva» de este Capítulo. Aquí vamos a considerar las repercusiones de los impuestos específicos (denominados impuestos sobre consumos específicos: sobre las bebidas alcohólicas, sobre el tabaco, etc.) y *ad valorem*, y del impuesto sobre la renta de sociedades (el impuesto sobre los beneficios de las empresas que toman la forma jurídica de sociedades capitalistas), en los distintos tipos de mercado.

Impuestos Sobre las Ventas

Impuestos sobre Consumos Específicos

Un impuesto específico (un impuesto de una cantidad fija por unidad del producto gravado) aumenta el coste de producir cada unidad de *output* exactamente en la cuantía del gravamen. Ello implica que la curva de *CMa* de cada una de las empresas que elaboran el producto se desplaza verticalmente hacia arriba en la magnitud del impuesto (véase la Figura 12.3). En competencia perfecta esto significa que la curva de oferta de la industria se desplaza hacia arriba también en la cuantía del gravamen. El diagrama *a)* de la Figura 27.10 muestra la imposición de un gravamen específico de magnitud *t* sobre un bien producido y vendido en un mercado competitivo. La curva de oferta antes del impuesto es representada por la línea O_1; tras el impuesto la curva de oferta se desplaza hasta O_2. El diagrama *b)* de esta misma Figura representa el caso de un monopolio cuya curva de demanda tiene la misma elasticidad que la de la industria competitiva del diagrama *a)*, y cuya curva de *CMa* tiene igual pendiente que la de la industria de competencia perfecta. El impuesto específico tiene la misma cuantía *(t)* en ambas situaciones de mercado (la distancia *t* es la misma en ambos diagramas).

FIGURA 27.10

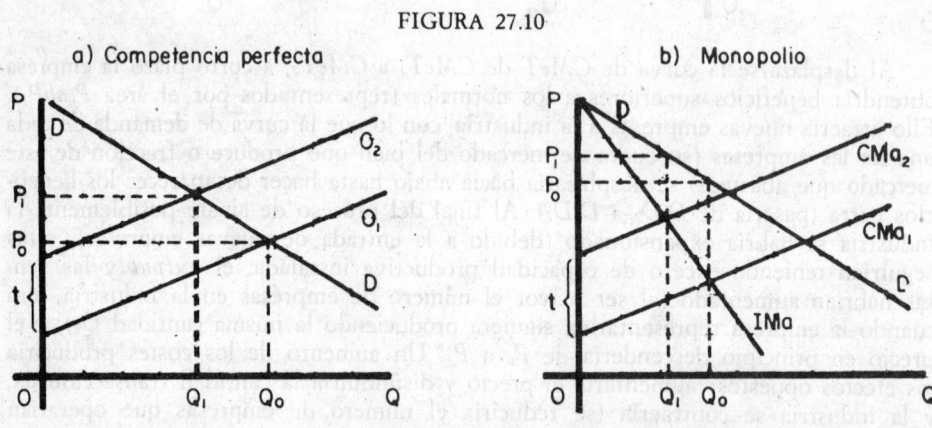

a) Competencia perfecta   b) Monopolio

Tanto en competencia perfecta como en monopolio la imposición del gravamen lleva a un aumento del precio y a una reducción de la cantidad transaccionada (el impuesto tiene exactamente el mismo efecto que un aumento de los costes). La diferencia entre las dos situaciones de mercado estriba en que (como ya hemos explicado ampliamente en el epígrafe anterior, y por las razones que hemos visto) el efecto, tanto sobre el precio como sobre la cantidad transaccionada, es mayor en competencia perfecta que en monopolio (las distancias Q_1Q_0 y P_0P_1 del diagrama *a)* de la Figura 27.10 son mayores que las distancias Q_1Q_0 y P_0P_1 del diagrama *b)* de esta misma Figura).

Otra cuestión importante que se plantea aquí es la de determinar si el precio del bien o servicio gravado sube en igual, mayor o menor cuantía que la magnitud del impuesto específico. En los dos diagramas de la Figura 27.10 el precio sube en una cuantía menor que el tamaño del impuesto ($t > P_0P_1$ en ambos diagramas). Pero esta conclusión de que el precio del bien gravado sube en una magnitud inferior a la cuantía del impuesto no siempre es correcta. En el Capítulo 12 veíamos cómo la magnitud de la subida del precio del bien gravado dependía de la elasticidad de las curvas de oferta y demanda. El análisis allí expuesto es perfectamente aplicable en este epígrafe. Aquí debemos matizar que en competencia perfecta, y dada una curva de demanda del bien con una elasticidad determinada (suponemos que con una pendiente negativa), el que el precio del bien suba en igual, mayor o menor cuantía que la magnitud del impuesto específico (o unitario) depende de la forma o pendiente de la curva de oferta del bien gravado. Si la curva de oferta tiene una pendiente positiva (crece de izquierda a derecha, lo que implica costes crecientes), el precio subirá en una cuantía inferior al tamaño del impuesto; si tiene pendiente cero (si es totalmente horizontal, lo que supone costes constantes) el precio del bien subirá exactamente en la misma cuantía del impuesto; y si tiene pendiente negativa (si desciende de izquierda a derecha, lo que implica costes decrecientes), el precio aumentará en una cuantía superior a la magnitud del impuesto.

FIGURA 27.11

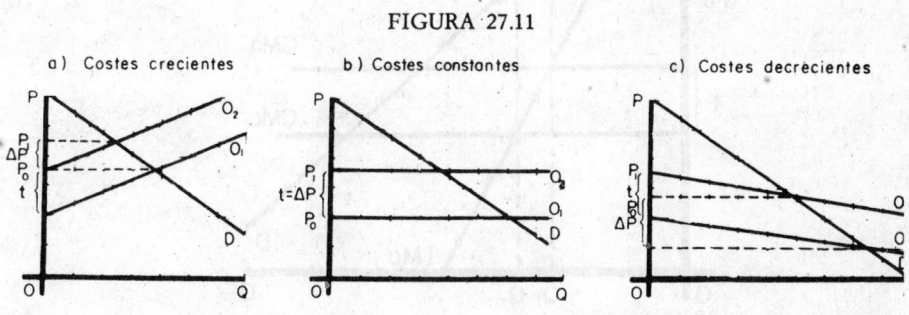

a) Costes crecientes   b) Costes constantes   c) Costes decrecientes

Estas afirmaciones pueden constatarse fácilmente en la Figura 27.11: en el diagrama a) $t > \Delta P$, en el diagrama b) $t = \Delta P$, y en el diagrama c) $t < \Delta P$. El lector debe asegurarse de que comprende estas implicaciones. La explicación estriba en la pendiente de la curva de oferta (dada una curva de demanda que tiene la misma pendiente en los tres diagramas).

Así pues, la Teoría de los Precios nos permite predecir que a corto plazo (en el que los costes marginales estarán creciendo, ya que la empresa utilizará como curva de oferta el tramo de su curva de CMa que tiene pendiente positiva, como vimos en el Capítulo 23), la imposición de un gravamen específico sobre un bien o servicio producido y vendido en un mercado de competencia perfecta llevará siempre a un incremento del precio del bien o servicio en cuestión en una magnitud inferior a la cuantía del impuesto. Por el contrario, a largo plazo, el que el precio del bien o servicio aumente en menor, igual o mayor cuantía que la magnitud del gravamen dependerá de que (dada una curva de demanda con pendiente negativa) la curva de oferta de la industria a largo plazo tenga una pendiente positiva (la industria tenga costes crecientes o rendimientos decrecientes), una pendiente de cero (la industria tenga costes y rendimientos constantes), o una pendiente negativa (la industria tenga costes decrecientes o rendimientos crecientes), respectivamente. La cantidad transaccionada del bien ya hemos señalado que podemos esperar que disminuya tanto a corto como a largo plazo. En cuanto a los beneficios de las empresas, la teoría permite predecir que no se verán afectados (tras el período de ajuste, las volverán a tener beneficios normales). La cuestión de quién pagará el impuesto en último extremo y en qué cuantía ya la vimos con todo detalle en el Capítulo 12.

Los efectos de un impuesto específico sobre un bien producido por un monopolista a corto plazo serán los mismos que en competencia perfecta: aumentará el precio y se reducirá la cantidad transaccionada, aunque en menor cuantía que en competencia perfecta (por las razones que ya vimos en el epígrafe anterior; véase la Figura 27.8).

FIGURA 27.12

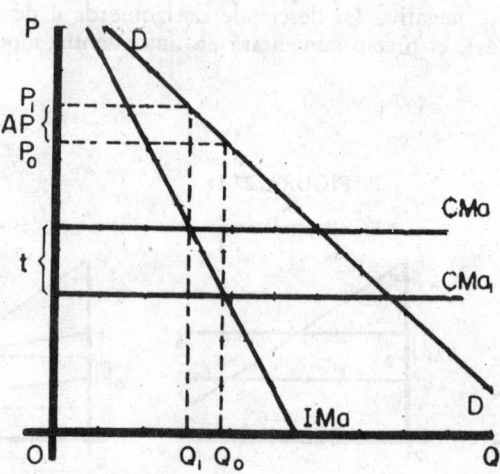

Si el monopolista tiene una curva de CMa totalmente horizontal, el precio del bien aumentará en una cuantía inferior a la magnitud del impuesto específico. La Figura 27.12 muestra cómo el aumento del precio de P_0 a P_1 (ΔP) es menor que la magnitud del impuesto t ($\Delta P < t$). También es posible que en monopolio el cambio en el precio sea superior a la cuantía del impuesto; la condición que ha de cumplirse para que se dé este fenómeno es compleja de exponer y no la consideraremos aquí (bástele saber al lector que puede ocurrir).

Los beneficios del monopolista se reducirán si la curva de demanda del bien tiene una elasticidad superior a la unidad, no variarán si la elasticidad de la curva de demanda es igual a uno, y aumentarán si la elasticidad es inferior a la unidad. A largo plazo los efectos del impuesto específico serán los mismos que hemos descrito para el corto plazo.

En competencia monopolística la imposición de un gravamen específico sobre un bien haría que la curva de $CMeT$ de cada empresa se trasladara hacia arriba (recordemos que en competencia monopolística no disponemos de una curva de oferta de la industria). Supongamos que las empresas estaban en equilibrio ($CMeT = P$), tal como se representa en la Figura 27.13, en la que la empresa representativa de la industria produciría el *output* Q_0 y lo vendería al precio P_0, no teniendo ni beneficios ni pérdidas (obtendría beneficios normales). Con el impuesto ni el precio ni la cantidad transaccionada variarían a corto plazo (dada la curva de demanda D_1, la empresa no puede cargar un precio superior a P_0 para el *output* Q_0). La curva de *CMeT* pasaría de $CMeT_1$ a $CMeT_2$, con lo que la empresa tendría las pérdidas representadas por el área P_1abP_2.

FIGURA 27.13

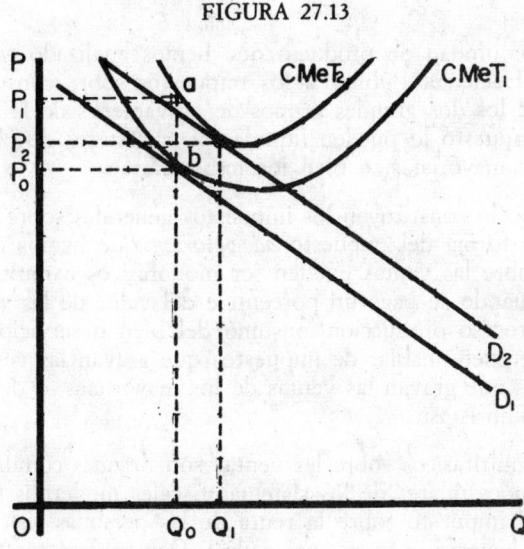

A plazo medio algunas empresas abandonarían la industria, con lo cual la curva de demanda de cada una de las empresas se desplazaría hacia arriba (aumentaría su cuota del mercado del bien en cuestión, y su curva de demanda pasaría de ser D_1 a ser D_2 en el caso de la Figura 27.13) hasta hacerse tangente a la nueva curva de $CMeT_2$. Tras el proceso de ajuste, el precio habría aumentado de P_0 a P_2, y la cantidad transaccionada paradójicamente también habría aumentado de Q_0 a Q_1. Ello se debe a que las empresas en competencia monopolística generalmente están produciendo a un nivel de *output* inferior al que les permite su capacidad productiva instalada (están produciendo en el tramo descendente de su curva de *CMeT*). Al abandonar la industria algunas empresas como consecuencia de las pérdidas producidas por el impuesto y trasladarse la curva de demanda hacia arriba para las empresas que permanezcan en la industria, éstas expansionarán considerablemente su producción, moviéndose hacia abajo dentro de su curva de $CMeT_2$ (dadas las formas de las curvas de demanda y de *CMeT*, la curva de $CMeT_2$ será tangente a la curva de demanda D_2 a un nivel de *output* superior a Q_0: véase la Figura 27.13).

Impuestos «ad Valorem»

Un impuesto *ad valorem* (un impuesto que representa un porcentaje fijo del precio de un bien) tiene los mismos efectos sobre las curvas de *CMeT*, *CMeV* y *CMa* y sobre las curvas de oferta que un impuesto específico, con la sola diferencia de que el desplazamiento hacia arriba de las curvas de *CMeT*, *CMeV* y *CMa* no es paralelo a las curvas originarias, sino que es divergente (véase el epígrafe mencionado del Capítulo 12, así como la Figura 12.4). En consecuencia, las repercusiones que un impuesto *ad valorem* sobre un bien tiene sobre el precio y la cantidad transaccionada de éste y sobre los beneficios de las empresas que lo producen son los mismos que ya hemos descrito en el caso de un impuesto específico, si bien la magnitud de los cambios es mayor (cuanto más elevado es el precio de un bien en términos absolutos, mayor es la cuantía del impuesto: véase la explicación dada en el Capítulo 12), debido a que la magnitud del desplazamiento de las curvas de costes se va haciendo mayor para cada punto de éstas al ir siendo más elevado el precio del bien.

El gravamen por unidad de producto que hemos analizado corresponde en la terminología de la Hacienda Pública a los impuestos sobre consumos específicos, que integran uno de los dos grandes grupos de gravámenes de la imposición sobre el consumo. Este impuesto lo pueden liquidar al Ministerio de Hacienda bien los fabricantes, bien los mayoristas, o bien los minoristas.

El segundo grupo lo constituyen los impuestos generales sobre las ventas. Estos impuestos toman la forma del impuesto *ad valorem* que hemos descrito. Los impuestos generales sobre las ventas pueden ser monofásicos o multifásicos. Estamos ante los primeros cuando se paga un porcentaje del valor de las ventas en un solo punto o fase del proceso producción-consumo del bien o servicio; según cuál sea el punto elegido, se puede hablar de impuestos que gravan las ventas de los fabricantes, de impuestos que gravan las ventas de los mayoristas, o de impuestos sobre las ventas de los minoristas.

Los impuestos multifásicos sobre las ventas son los más comunes y constituyen uno de los tres grandes pilares de los sistemas fiscales modernos (los otros dos pilares los integran el impuesto sobre la renta de las personas físicas y el impuesto sobre la renta o los beneficios de las sociedades). Dentro de éstos se distingue entre los impuestos multifásicos en cascada y el impuesto sobre el valor añadido (conocido por sus iniciales: en español el IVA, en francés como el TVA y en inglés como el VAT). En el impuesto multifásico en cascada se grava (con un porcentaje fijo) el importe de las ventas en dos o más puntos del proceso de producción-consumo (se puede gravar el importe total de las ventas de los fabricantes a los mayoristas, el de las ventas de éstos a los minoristas, el de las ventas de éstos al público, o cualquier combinación y número de estos estadios). El impuesto de tráfico de empresas utilizado en España no es más que un impuesto *ad valorem* general sobre las ventas, multifásico y en cascada. Este impuesto, conocido como el ITE, recae sobre el volumen de las ventas del fabricante al mayorista y sobre las ventas de éste al minorista. No recae este gravamen sobre las ventas del minorista al público. El tipo aplicado (el porcentaje que constituye) es en la actualidad (1981) del 2,5 por 100.

Con el impuesto sobre el valor añadido (que también es un impuesto general sobre las ventas multifásico) se pretende evitar el inconveniente que tiene el impuesto general sobre las ventas multifásico en cascada, en el que unos mismos valores son gravados en varias ocasiones (las ventas de los mayoristas, por ejemplo, incluyen a su vez el importe de las ventas de los fabricantes que fueron compradas por aquéllos). Para evitar este hecho (y sus consecuencias, que no analizaremos aquí, ya que exceden el ámbito de un curso de introducción a la Economía y constituyen el objeto de estudio de la Hacienda Pública) surgió el impuesto sobre el valor añadido, que es girado únicamente sobre el valor añadido a los bienes en todos los distintos estadios de su elaboración y venta (el IVA recae también sobre las ventas del minorista al consumidor), excluyendo de esta forma la reiteración de graváménes sobre unos mismos valores. Se entiende por valor añadido el valor que se le va añadiendo (valga la redundancia) a los bienes en las distintas fases de su producción y venta. Por ejemplo: un agricultor vende trigo a un fabricante de harina por un valor de 30; éste lo muele y lo vende a un almacenista de harina por valor de 50; éste vende la harina a un panadero por 55; con esa harina éste fabrica pan y lo vende a las panaderías por valor de 70; y, finalmente, las panaderías venden ese pan al público por un valor de 80. En el primer estadio se ha añadido un valor de 30, en el segundo de 20, en el tercero de 5, en el cuarto de 15 y en el quinto de 10. Con el IVA sólo se gravan éstos valores en las correspondientes transacciones. El IVA es el tipo de gravamen general sobre las ventas que se emplea en los países de la Comunidad Económica Europea, por lo que ésta exige de España su aplicación antes de la adhesión de nuestro país al Mercado Común. El Ministerio de Hacienda Español en el momento de escribir este libro (1981) está preparando la implantación del IVA en España.

Digamos, por último, que cualquier tipo de subvención a la producción que el Estado otorgue a las empresas tiene el mismo efecto que una reducción de los costes medios variables, medios totales y marginales, ya que generalmente consiste en la transferencia de una cantidad de dinero a la empresa por parte del Estado por unidad de *output* que produzca aquélla. Los efectos de las subvenciones serán, pues, los opuestos a los de la implantación o el incremento de un gravamen específico y *ad valorem* (las subvenciones pueden ser consideradas como impuestos negativos).

Impuestos Fijos

Los impuestos fijos sobre los negocios consisten en un gravamen de una cantidad fija (que no varía cualquiera que sea el volumen de *output* o los beneficios obtenidos por la empresa). Impuestos de este tipo lo constituyen las licencias y otros gravámenes de carácter local. En España este gravamen se paga al obtener la licencia fiscal del impuesto industrial.

Lo primero que debe notarse al analizar los efectos de los impuestos fijos es que éstos no afectan a los costes variables de la empresa, y, en consecuencia, tampoco a los costes marginales de ésta. Estos impuestos sólo afectan a los costes fijos de la empresa, aumentándolos. En consecuencia, la curva de $CMeT$ de las empresas se desplazará hacia arriba, pero no de una forma paralela a la curva de $CMeT$ inicial, sino convergente hacia ésta a medida que aumenta el *output*. El impuesto fijo constituye una cantidad constante (al igual que ocurre con los costes fijos) que, al dividirla por un número creciente de unidades del bien producidas, la magnitud del impuesto que afectará al $CMeT$ se irá haciendo cada vez menor al aumentar el *output*. Véanse las Figuras 27.14, 27.15 y 27.16: las curvas de $CMeT$ (las curvas $CMeT_2$) se desplazan hacia arriba, pero el desplazamiento no es paralelo, sino convergente (las curvas $CMeT_2$ tienden a aproximarse a las curvas $CMeT_1$ al aumentar el *output*).

Como sabemos, un cambio en los costes fijos a corto plazo no afecta a la posición de equilibrio (de máximo de beneficios o de mínimo de pérdidas) de las empresas. De ahí que la implantación de un nuevo impuesto fijo o el aumento de la cuantía de un impuesto fijo ya existente, no tiene ningún efecto a corto plazo ni sobre el precio ni sobre la cantidad producida y transaccionada en los mercados de competencia perfecta y monopolístico. Sólo tendrá un efecto si la cuantía del impuesto es tan elevada que haga que las empresas tengan pérdidas tales que les obliguen a abandonar la industria (cosa que puede esperarse no ocurra, ya que estos impuestos fijos no suelen ser de una cuantía muy elevada). El impuesto fijo se diferencia de los costes fijos en que el primero puede ser evitado simplemente cerrando, mientras que los segundos se incurre en ellos aun cuando se cierre el negocio. De ahí que si el impuesto fijo es de una magnitud elevada y la empresa estaba cubriendo sólo sus costes variables o éstos y algo de los fijos, tras la implantación del impuesto aquélla tendrá de pérdidas la totalidad o la fracción de los costes fijos que no cubra, más la cuantía del impuesto fijo. Por esta razón a la empresa le puede interesar cerrar, con lo que por lo menos evitaría las pérdidas que representa el impuesto fijo.

FIGURA 27.14

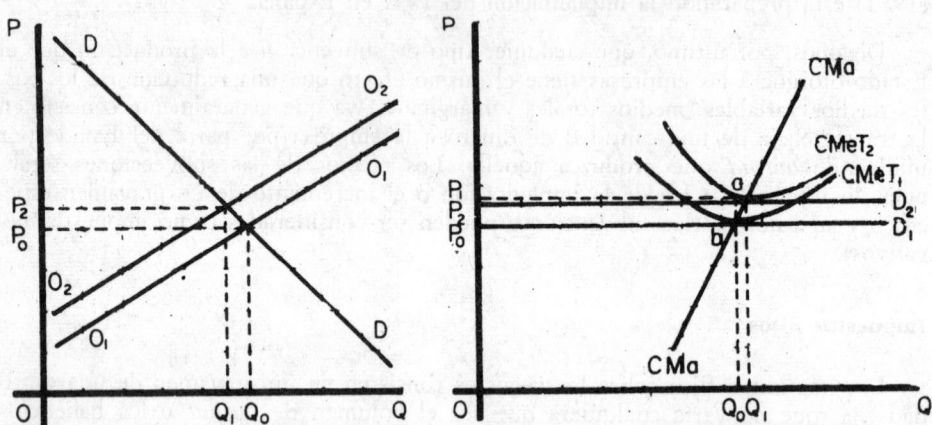

La Figura 27.14 muestra los efectos de un impuesto fijo sobre las empresas que operan en un mercado competitivo. En el diagrama de la izquierda se representa el equilibrio de la industria: las curvas de demanda DD y de oferta O_1O_1 se cortan determinando el precio P_0 y la cantidad transaccionada Q_0 de equilibrio. En el diagrama de la derecha se muestra el equilibrio de la empresa representativa de la industria: al precio P_0 (que le viene dado), la empresa producirá y venderá el *output* Q_0, para el cual $P = IMe = IMa = CMa = CMeT_1$, y los beneficios que obtiene serán los normales. Al gravar a la empresa con un impuesto fijo, su curva de $CMeT$ se traslada hacia arriba de $CMeT_1$ a $CMeT_2$. Dada una curva de demanda inicial D_1, la empresa seguirá estando en equilibrio en el punto b (ya que ni la curva de CMa ni la de IMa son afectadas por el impuesto), en el cual obtiene su beneficio máximo (en este caso sus pérdidas mínimas representadas por el área P_1abP_2). A corto plazo la empresa soportará íntegramente el impuesto fijo.

Pero a largo plazo la empresa no podrá soportar pérdidas indefinidamente. En consecuencia, algunas empresas abandonarán la industria, con lo que la curva de oferta de ésta se trasladará hacia la izquierda de O_1O_1 a O_2O_2 haciendo que el precio suba hasta P_2. A este nuevo precio P_2 (determinado por la curva de demanda D_2), la empresa representativa de la industria dejará de tener pérdidas y volverá a estar en equilibrio ($P = IMa = IMe = CMa = CMeT_2$). El volumen de producción de la empresa aumentará en la cuantía Q_0Q_1 del diagrama de la derecha, y el de la industria disminuirá en la magnitud Q_1Q_0 del diagrama de la izquierda. El precio habrá subido de P_0 a P_2. El *output* de la industria se reduce al desaparecer algunas empresas; sin disponer de mayor información, no es posible predecir cuáles de ellas serán las que abandonen la industria. Si las empresas tienen diferentes curvas de costes, resultarán eliminadas las menos eficientes. Si, por el contrario, todas tienen los mismos costes, todas ellas serán eliminadas al mismo tiempo, siendo reemplazadas por un número menor de nuevas empresas.

Así pues, a largo plazo un impuesto fijo dará lugar a que se contraiga la industria competitiva y a que el precio suba hasta que la totalidad del impuesto sea trasladado a los consumidores.

FIGURA 27.15

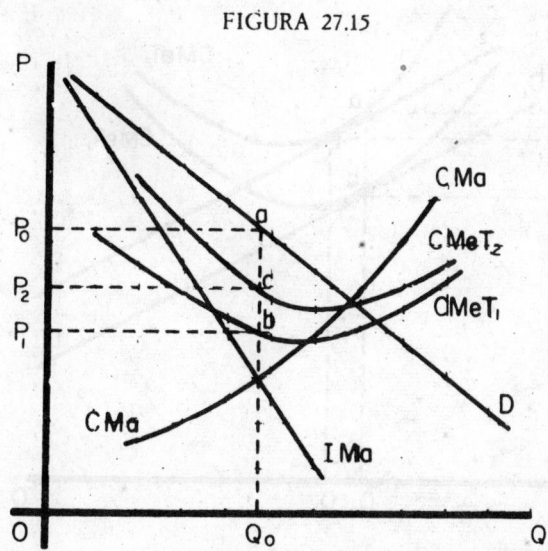

Ya hemos señalado que en el caso del monopolio un impuesto fijo a corto plazo no altera ni el precio ni la cantidad transaccionada. Ello se debe a que ni la curva de CMa ni la curva de IMa son afectadas por el impuesto. Antes del impuesto, como puede verse en la Figura 27.15, el monopolista estaría maximizando sus beneficios produciendo el *output* Q_0 y vendiéndolo al precio P_0. Dada su curva de $CMeT_1$, los beneficios vendrían determinados por el área P_0abP_1. Con el impuesto fijo la curva de $CMeT$ pasa de $CMeT_1$ a $CMeT_2$. Pero el monopolista continúa maximizando sus beneficios en el punto b, por lo que no alterará ni su *output* Q_0 ni el precio al que lo vende (P_0), que viene determinado por la curva de demanda del bien. Los beneficios del monopolista se reducirán en la cuantía P_2cbP_1 (éstos ahora serán P_0acP_2). Concluimos, pues, que a largo plazo las empresas monopolistas que maximizan sus beneficios no alterarán ni sus precios ni sus cantidades producidas en respuesta a la implantación o al incremento de un impuesto fijo, pagando ellas la totalidad del impuesto.

En competencia monopolística la implantación de un impuesto fijo a corto plazo no tendrá ningún efecto ni sobre el precio ni sobre la cantidad comprada y vendida (suponiendo que la empresa a corto plazo está obteniendo beneficios como el monopolista; véase la Figura 26.1 del Capítulo 26).

Esta es, pues, la conclusión o predicción general que el Análisis Económico permite hacer: en principio los impuestos fijos sobre empresas maximizadoras de los beneficios que se enfrentan con curvas de demanda que tienen una pendiente negativa (el caso del monopolio y el de la competencia monopolística) no son trasladables hacia adelante ni a corto ni a largo plazo (los soporta la empresa). La causa de este fenómeno estriba en que las curvas de *CMa* de las empresas no son afectadas, y, por tanto, éstas no cambian ni el *output* ni el precio.

FIGURA 27.16

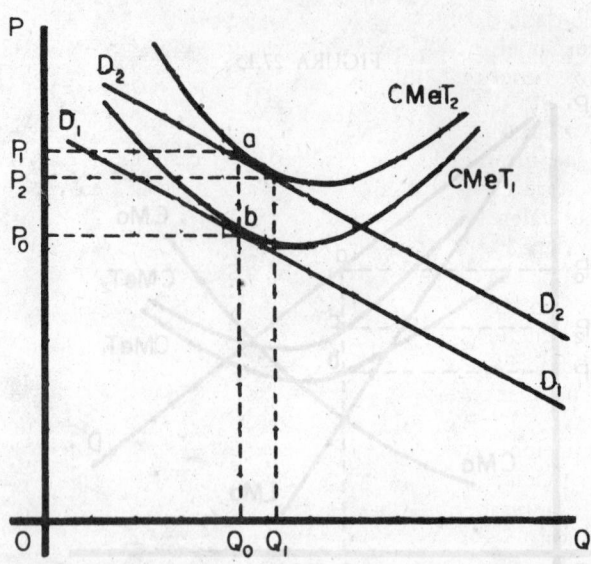

A largo plazo, sin embargo, en competencia monopolística, cuando la empresa se halle en la situación de equilibrio a la que la empuja el mercado competitivo imperfecto, en la cual $P = CMeT$ (véase Figura 26.3 del Capítulo 26) y los beneficios que obtiene son los normales, un impuesto fijo da lugar igualmente a un desplazamiento hacia arriba de la curva de $CMeT$. En la Figura 27.16 representamos esta situación de equilibrio antes y después del impuesto. Dada su curva de demanda (correspondiente a su cuota o fracción que abastece del mercado del bien que produce) y dada su curva de $CMeT_1$ inicial, la empresa produciría el *output* Q_0 y lo vendería al precio P_0; a ese nivel de producción estaría obteniendo beneficios normales. Con el impuesto fijo, la curva de $CMeT$ se traslada de $CMeT_1$ a $CMeT_2$, con lo que la empresa incurre en las pérdidas representadas por el área P_1abP_0 (la curva de demanda no es afectada en absoluto por el impuesto). A largo plazo algunas empresas abandonarán la industria, con lo que la curva de demanda de la empresa representativa de la industria se desplazará hacia arriba (pasará de D_1 a D_2) hasta hacerse tangente a la nueva curva de $CMeT$ ($CMeT_2$). De esta forma, el precio subirá en la totalidad de la cuantía del impuesto (sería trasladado a los consumidores a través de una subida del precio de la magnitud correspondiente a la cuntía del impuesto dividida por el número de unidades producidas: el precio sube de P_0 a P_2), la industria se contraería al reducirse el número de empresas en ella, y la empresa representativa de aquélla incrementaría su producción (de Q_0 a Q_1 en el caso de la empresa de la Figura 27.16).

El Impuesto sobre los Beneficios de las Sociedades

Generalmente se afirma que un impuesto que represente un porcentaje fijo de los beneficios de una empresa que está maximizando éstos no afecta ni al precio del bien que elabora ni a la cantidad de éste que produce. Esta proposición, sin embargo, no es completamente correcta. Es cierto que el impuesto sobre los beneficios de las sociedades (en España este impuesto se denomina el impuesto sobre la renta de sociedades y es del 33 por 100 de los beneficios) no afecta a ninguna de las curvas de costes de éstas. No obstante, en competencia perfecta a corto plazo el precio les viene dado a las empresas, por lo que no les es posible a éstas elevar los precios para pagar el impuesto, con lo que verán reducidos sus beneficios a un nivel inferior a los beneficios normales para la industria.

Sin embargo, a largo plazo, algunas o todas las empresas que integran la industria competitiva encontrarán que los beneficios normales (que son reducidos por el nuevo impuesto sobre éstos o por la elevación del gravamen) ya no son suficientes como para que valga la pena continuar en el negocio, por lo que abandonarán la industria. Esto dará lugar a un desplazamiento de las curvas de oferta de las industrias hacia arriba, con lo que los precios de los bienes producidos por las industrias gravadas subirán hasta que los beneficios post-impuesto de las empresas sean iguales a los beneficios normales originarios. Como sucedía en el caso del impuesto fijo, la incidencia efectiva del impuesto sobre los beneficios de las sociedades que actúan en un mercado competitivo recaerá sobre los consumidores.

Esta argumentación es igualmente aplicable a la competencia monopolística. Partamos de la situación de equilibrio de las empresas a largo plazo, en la que $CMeT = P$ y la empresa representativa de la industria está obteniendo beneficios normales. El impuesto sobre los beneficios hará que éstos caigan por debajo de los que se consideran apropiados para las industrias que operan en los mercados de competencia monopolística. En consecuencia, algunas empresas abandonarán las industrias, con lo que las curvas de demanda de cada una de las empresas que permanezcan en ellas se desplazarán hacia arriba, haciendo que suban los precios y que las empresas que continúen en las industrias vuelvan a obtener beneficios normales.

Esta argumentación le puede parecer errónea al lector, ya que la curva de $CMeT$ no es afectada por el impuesto sobre los beneficios. En consecuencia, podría argumentar el lector, un desplazamiento hacia arriba de la curva de demanda (dada la curva de $CMeT$, que no se desplaza) dará lugar a que las empresas obtengan beneficios superiores a los normales (que podrían ser los representados por el área P_1abP_0 de la Figura 27.16 si la demanda se desplazara de D_1 a D_2). Tal razonamiento es erróneo debido a que la definición de beneficios que se utiliza en Economía es distinta de la que se emplea en la legislación fiscal. Esta cuestión la consideraremos unos párrafos más adelante en este epígrafe.

En el caso del monopolio, la Teoría Económica nos permite predecir que un impuesto sobre los beneficios no afecta ni al precio ni a la cantidad producida y vendida; y esto es así tanto en el corto como en el largo plazo. Si el monopolista de la Figura 27.15 maximiza sus beneficios produciendo el *output* Q_0 y vendiéndolo al precio P_0 (éste obtiene los beneficios P_0abP_1 cuando tiene la curva de costes $CMeT_1$), es evidente que no le interesa variar su *output*, ya que a cualquier otro nivel de producción sus beneficios totales serían menores. Puesto que el impuesto sobre los beneficios toma la forma de un porcentaje fijo de éstos, cuanto mayor sea el volumen absoluto de beneficios antes del impuesto, mayor será la cantidad de beneficios que le restarán tras pagar el impuesto: con un impuesto del 33 por 100, cuando el monopolista obtiene 100 millones de pesetas de beneficios pagará al Fisco 33 millones y le restarán 67; si obtuviera sólo 80 millones de pesetas de beneficios, pagaría a Hacienda 26,4 millones de pesetas (el 33 por 100 de 80) y sólo le quedarían 53,6 millones de pesetas. Es obvio, pues, que al monopolista no le interesa variar ni el *output* ni el precio si estaba maximizando sus beneficios antes de la implantación del impuesto, y que aquél soportará la totalidad del impuesto.

La conclusión general a la que hemos llegado consiste en que la incidencia efectiva de los impuestos sobre los beneficios es la misma que la incidencia aparente (los agentes económicos que realmente pagan el impuesto son los mismos que los sujetos pasivos del impuesto) siempre que las empresas maximicen sus beneficios. Si la empresa está ya obteniendo los máximos beneficios posibles, un cambio en éstos sólo puede perjudicarle (sólo puede reducirle el volumen de beneficios post-impuestos que obtiene). Las empresas maximizadoras de los beneficios no cambiarán su política de precios y producción como consecuencia de la implantación de un impuesto consistente en un porcentaje fijo de los beneficios o de la variación de este porcentaje.

Pero esta predicción está basada en la hipótesis de la maximización del beneficio por parte de las empresas a corto plazo. No obstante, los trabajos empíricos realizados en este campo muestran que la mayoría de las empresas no se comportan de la forma que postula la hipótesis de la maximización de los beneficios a corto plazo. Generalmente las empresas fijan sus precios utilizando alguna variante del sistema del *mark-up* descrito en el Capítulo 26 (también conocido como sistema de *cost plus*); con frecuencia las empresas fijan el precio tomando el coste medio total de producir su artículo y añadiéndole una cantidad (que se denomina margen) en concepto de beneficios. Si las empresas siguen esta política en la fijación de los precios, entonces los impuestos sobre los beneficios puede que sean trasladados hacia adelante y repercutidos en los precios (pagados en parte por los consumidores).

La Figura 27.17 muestra el caso de una empresa cuya curva de *CMeT* es la curva *CMeT₁*. Los gerentes de esta empresa siguen la política de fijar el precio de su producto a un nivel que cubre el coste medio total de fabricar éste más un margen que ellos consideran razonable. Sumando el *CMeT* y el margen correspondiente a los beneficios que se desea alcanzar, la empresa obtiene su curva de oferta *CMeT₂*. Un impuesto sobre los beneficios del 50 por 100 de éstos daría lugar a un desplazamiento de la curva de *CMeT₂* hasta la curva *CMeT₃*, que se convierte en su nueva curva de oferta. Veamos por qué.

Antes de establecerse el gravamen del 50 por 100 de los beneficios, la empresa estaba en equilibrio produciendo el *output* Q_0 y vendiéndolo al precio P_0: añadía a los *CMeT* (costes totales unitarios) una cantidad fija de la cuantía *ef* (con lo que la curva de *CMeT₁* se desplaza hacia arriba en esa magnitud y de forma paralela hasta la curva *CMeT₂*). A este nivel de producción la empresa está obteniendo los beneficios representados por el área P_0efP_1. Tras la implantación de un impuesto sobre los beneficios del 50 por 100 de éstos, la empresa cambia su curva de oferta de *CMeT₂* a *CMeT₃* (como sabemos, la curva de demanda no es afectada por el impuesto: los consumidores simplemente se mueven dentro de su curva de demanda en respuesta a las variaciones en el precio del bien).

Dada la curva de demanda, el nuevo equilibrio de la empresa se determina al nivel del *output* Q_1 y al precio P_2. Con esta producción y estas ventas la empresa obtiene los beneficios representados por el área P_2adP_3, que es la diferencia entre el coste total unitario o medio OP_3 (o la distancia Q_1d) y el ingreso medio (o precio) OP_2 (o la distancia Q_1a) multiplicada por el número de unidades producidas y vendidas. El Fisco se lleva el 50 por 100 de estos beneficios, magnitud que corresponde a la mitad del área P_2adP_3: el área P_4cdP_3. A la empresa le restarían finalmente los beneficios representados por el área P_2acP_4 (la otra mitad del área P_2adP_3). De ahí que el desplazamiento de la curva $CMeT_2$ hasta la curva $CMeT_3$ sea de la misma magnitud que el desplazamiento de la curva $CMeT_1$ hasta la curva $CMeT_2$ (la distancia cd es igual a la distancia ac. La empresa mantiene así la tasa de beneficios que considera razonable obtener.

FIGURA 27.17

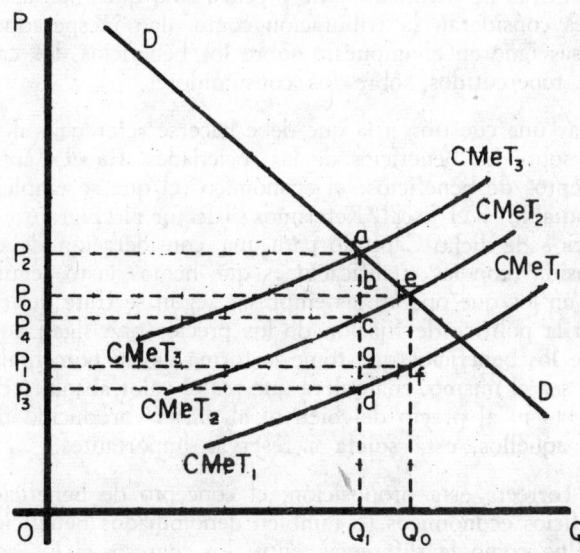

Vemos, pues, que el impuesto sobre los beneficios de las empresas en general afecta tanto al precio como a la cantidad producida y transaccionada de los bienes y servicios, aumentando el primero y reduciendo la segunda, en contra de la predicción de que no tiene repercusiones sobre estas variables hecha a partir de la hipótesis de la maximización de los beneficios a través de la igualación del CMa con el IMa. Estas dos conclusiones no son contradictorias entre sí. Las dos son correctas y se deducen de las premisas o supuestos de los que se parta sobre el comportamiento que siguen las empresas en la determinación del precio del bien o servicio que elaboran y de la cantidad de *output* que deciden producir.

Queda por tratar la cuestión de quién paga en último extremo el impuesto. Según la Figura 27.17 claramente los consumidores pagan una parte del impuesto, ya que el precio por unidad del bien ha aumentado en la cuantía P_0P_2. En consecuencia, pagan la fracción P_2abP_0 de la cuantía total del impuesto P_2acP_4. La fracción del impuesto que paga finalmente la empresa de la Figura 27.17 la podemos ver igualmente en el gráfico. La empresa está obteniendo la misma cantidad de beneficio por unidad de producto (la distancia ef es igual a la distancia ac), pero vende una cantidad menor de *output* que antes del impuesto (inicialmente vendía Q_1 y tras el impuesto vende Q_0). De ahí que los beneficios de la empresa se reduzcan en la cuantía del área *begf*. La incidencia efectiva del impuesto recae, pues, sobre la empresa y sobre los consumidores: la primera paga la cantidad *begf* y los segundos pagan la cuantía P_2abP_0. Debemos hacer notar también que el impuesto da lugar a una pérdida o reducción del excedente del consumidor (y, por tanto, de su bienestar) de la cuantía *abe*, reducción experimentada por aquellos consumidores que ahora encuentran el bien demasiado caro y no lo adquieren.

Esta conclusión se basa en el supuesto de que las empresas actúan de forma racional en su tratamiento del impuesto sobre los beneficios; es decir, se supone que éstas fijan sus precios de tal forma que el margen que desean obtener en concepto de beneficios se refiere al beneficio post-impuesto. No obstante, parece ser que muchas empresas no tienen en cuenta la tributación sobre beneficios al determinar sus políticas de inversión y de precios, sino que fijan su margen de beneficios y después consideran la tributación como algo inesperado. En tanto en cuanto las empresas ignoren el impuesto sobre los beneficios, los cambios en este impuesto no son repercutidos sobre los consumidores.

Finalmente, hay una cuestión a la que debe hacerse referencia al tratar los efectos del impuesto sobre los beneficios de las sociedades. En el Capítulo 21 hablamos de tres conceptos de beneficios: el económico (el que se emplea en la Teoría Económica), el contable y el fiscal. Referimos al lector al epígrafe «Distintos Conceptos de Beneficio» de dicho Capítulo para una consideración de estos tres conceptos. La conclusión (con las cualificaciones que hemos visto según los distintos tipos de mercado en los que operan las empresas según se trate del corto o del largo plazo, y según la política de fijación de los precios que sigan aquéllas) de que un impuesto sobre los beneficios que tome la forma de un porcentaje fijo de éstos (que el porcentaje sea el mismo, cualquiera que sea el valor absoluto del volumen de beneficios) no afecta ni al precio del bien ni al *output* producido por la empresa maximizadora de aquéllos, está sujeta a reservas importantes.

Para que sea correcta esta proposición, el concepto de beneficio utilizado ha de ser el de beneficios económicos (o también denominados beneficios puros), que el economista define como la diferencia entre los ingresos y los costes de todos los factores utilizados en la producción, calculados los precios de éstos a su coste de oportunidad. De hecho, el concepto fiscal de beneficio a efectos de determinar la base gravable difiere del concepto económico de beneficio. Diversos costes imputados (tales como el pago del rendimiento del capital utilizado que es propiedad del empresario, el pago del riesgo que se corre en la actividad productiva de la industria de que se trate, los salarios imputados al trabajo de los propietarios, etc.), no son considerados como costes desde el punto de vista fiscal, y, en consecuencia, aparecen como beneficios gravables. Otros costes imputados, tales como las amortizaciones de los factores fijos, pueden ser superiores en el sentido fiscal (los cargos a costes que permite la ley en concepto de amortizaciones) al coste de oportunidad de estos factores.

Si esto ocurre (y ocurre con frecuencia), los beneficios antes de los impuestos, tal como los define la legislación fiscal, incluyen, por una parte, pagos a ciertos factores (pagos que en realidad son costes en el sentido económico), y por otra, subvenciones a otros factores (que en realidad son beneficios económicos). De ahí que, de hecho, un impuesto sobre los beneficios en el sentido fiscal sea con frecuencia un impuesto sobre el pago de algunos factores. Tales impuestos que recaen sobre el uso de factores de la producción tendrán un efecto sobre el precio y la cantidad producida por las empresas gravadas.

Supongamos que una industria tiene un riesgo tal en su actividad productiva que requiere que el capital que se emplea en ella reciba una retribución del 6 por 100 (además de la retribución normal que obtendría ese capital colocado en activos sin riesgo alguno: por ejemplo, en un depósito en un banco, en un título de deuda pública, etc.) en orden a que resulte atractivo para los propietarios de aquél el invertirlo en esta industria. Imaginémonos que la industria está obteniendo un 7 por 100 de sus inversiones antes de pagar el impuesto sobre los beneficios. Un impuesto del 33 por 100 sobre éstos reduciría la retribución por el riesgo a un nivel inferior al que hace atractiva la inversión en la industria. Los recursos serían retirados de la industria por sus propietarios, y, en consecuencia, la curva de oferta de aquélla se desplazaría hacia la izquierda (al disminuir el número de empresas). Obviamente, el precio del bien producido por esta industria aumentaría y la cantidad producida y vendida disminuiría. También el impuesto afectaría adversamente a la predisposición de las empresas a introducir innovaciones. A medida que algunas empresas abandonaran la industria y la oferta disminuyera, los precios aumentarían hasta que las empresas que permanecieran en la industria volvieran a obtener un nivel de beneficios suficiente como para compensarles por el riesgo asumido.

Esta distinción entre beneficios fiscales y beneficios económicos es muy importante a fin de deducir predicciones correctas sobre los efectos del impuesto sobre los beneficios de las sociedades; el confundir estos dos conceptos de beneficios lleva a realizar predicciones erróneas sobre la realidad. La Teoría Económica predice que un impuesto sobre los beneficios puros (los beneficios económicos) no tendrá ningún efecto sobre el precio que carga el monopolista ni sobre el *output* que produce éste, pero que un impuesto sobre los beneficios en el sentido fiscal ciertamente tendrá una repercusión sobre estas variables. Recordemos que los beneficios de las empresas que no toman la forma jurídica de sociedades mercantiles son considerados como renta de los propietarios de aquéllas, y, en consecuencia, no son gravados (son gravados con el impuesto de la renta de las personas físicas).

Digamos, por último, que las predicciones que hemos podido derivar simplemente aplicando las reglas de la Lógica o las teorías sobre las diferentes estructuras de mercado, se basan en dos supuestos. El primero es el supuesto de *céteris páribus;* así, al estudiar los efectos de un cambio de la demanda, hemos supuesto que las demás variables (costes de la producción, impuestos, etc.) permanecen constantes. Sabemos que en la realidad están cambiando continuamente todas las variables. Esto no invalida, sin embargo, nuestras argumentaciones y predicciones: lo único que hace es complicar los procesos de los razonamientos. Los cambios en más de una de las variables simultáneamente tienen también unos efectos finales, que podemos calcular sumando los efectos que mueven a las curvas de oferta y demanda hacia la izquierda (hacia arriba) y hacia la derecha (hacia abajo), y obteniendo así las repercusiones que finalmente, y tras el desarrollo de los procesos de ajuste, tienen estos cambios sobre los precios y las cantidades transaccionadas. Esta cuestión la tratamos ampliamente en el Capítulo 8. Recordamos al lector que este análisis es más cualitativo que cuantitativo, y que nos permite deducir la dirección en la que se moverán las variables. La clara separación en todo momento entre los factores que afectan a la demanda y los que afectan a la oferta constituye una pieza clave en este análisis.

El segundo supuesto sobre el que descansan estas predicciones estriba en la hipótesis de que las curvas de costes a corto plazo tienen forma de V. En la medida en que las curvas de costes sean totalmente elásticas (horizontales) en sus tramos relevantes a efectos del análisis, estas predicciones habrán de ser matizadas. En el apéndice a este Capítulo se habla de la moderna concepción de las curvas de costes a corto plazo, en la que se hipotetiza que éstas son totalmente elásticas. El lector puede someter a prueba su comprensión de la Teoría de los Precios analizando gráficamente los efectos que sobre los precios y las cantidades transaccionadas tendrán los cambios en la demanda y en los costes, así como los diferentes impuestos, a partir de curvas de costes horizontales a corto plazo. Por ejemplo, con curvas de costes de este tipo, un aumento de la demanda sólo produciría un incremento de la cantidad producida y transaccionada de los bienes, permaneciendo los precios inalterados.

Resumiendo, pues, en los tres epígrafes anteriores hemos visto cómo es posible aplicar la Teoría de los Precios de Mercado (o lo que hemos llamado las teorías sobre las diferentes estructuras de mercado) para deducir un conjunto de predicciones de carácter general sobre el comportamiento de las industrias y de las empresas ante cambios en la demanda, en los costes y en los impuestos. Partiendo de los supuestos generales de la Teoría de la Oferta y de la Demanda, hemos añadido al análisis la información constituida por las condiciones que definen cada tipo de mercado. Con estos elementos hemos podido derivar un número considerable de predicciones acerca de lo que ocurrirá con los precios y las cantidades transaccionadas de los bienes y servicios en las diferentes clases de mercado ante cambios en diversas variables.

Como exponemos en el apéndice a este Capítulo, con frecuencia se critica la teoría tradicional de la empresa (la que nosotros hemos considerado aquí), poniendo de manifiesto sus fallos y sus limitaciones. Sin duda esta teoría está lejos de ser perfecta; no obstante, es necesario reconocer que constituye una construcción teórica notable, y que su poder explicativo y predictivo no es desdeñable. Como señala Lipsey: «La teoría de la competencia perfecta muestra de una forma bastante general cómo un gran número de empresas independientes entre sí y que maximizan sus beneficios, sin una coordinación consciente, pueden producir un equilibrio que depende tan sólo de los "datos técnicos" de costes y demanda. Las actitudes y las excentricidades individuales de los productores y un gran número de otros factores son ignorados con éxito, y se muestra cómo un equilibrio puede darse sólo a partir de las condiciones de los costes y de la demanda. El análisis es aplicable *mutatis mutandis* a los casos de competencia monopolística y de monopolio. Este análisis, sin embargo, no se puede aplicar al oligopolio. En el caso de la competencia entre unos pocos productores ya no es cierto que la solución sólo depende de "factores objetivos" como los costes y la demanda de mercado. Las actitudes de cada competidor ante las estrategias de sus pocos oponentes se convierten en un factor importante, de forma que con los mismos costes y la misma demanda, el equilibrio de la industria variará de modo considerable según la psicología de los competidores. Es aquí donde la teoría tradicional ha tenido menos éxito, y puede que sea cierto que habrá que desarrollar una estructura teórica o marco analítico totalmente diferente del actual para analizar con éxito algunos aspectos del oligopolio» (*Introducción a la Economía Positiva*, ed. cit., pág. 345).

Hemos transcrito esta larga cita de Lipsey porque resume magistralmente el estado actual de la Teoría de la Empresa y de la Teoría de los Precios de Mercado. Muchos de los productos manufacturados (coches, electrodomésticos de toda clase, la mayoría de las bebidas alcohólicas y no alcohólicas, gran número de los productos alimenticios elaborados, muchas de las prendas de vestir, etc.) son fabricados por industrias oligopolísticas. La inexistencia de una teoría adecuada del oligopolio constituye sin duda el gran fallo de la Teoría de los Precios de Mercado.

Digamos, no obstante, que se pueden aducir dos argumentos en favor de la teoría de que disponemos. En primer lugar, aunque los mercados de muchos bienes y servicios son oligopolísticos, existe un gran número de bienes que son producidos en condiciones de competencia perfecta, monopolio o competencia monopolística. En la economía abundan los mercados en los que los compradores y los vendedores ajustan las cantidades que demandan y ofertan respectivamente a unos precios que les vienen dados y que no pueden cambiar individualmente. Los mercados de la mayoría de los productos agropecuarios, los mercados de títulos valores, los mercados de divisas, los mercados de oro y otros metales preciosos, los mercados de futuros y los mercados de la mayoría de las materias primas tienen estructuras muy próximas a las de la competencia perfecta. En el comercio al por menor, en la gran mayoría de los servicios (espectáculos, hoteles, restaurantes, bares, cafés, discotecas, peluquerías, fontanerías, servicios médicos, asesoramiento jurídico, etc.) y en algunas industrias fabriles (la del calzado, la de los muebles, la de los juguetes, la de algunos tejidos y prendas de confección) se dan las condiciones del mercado de competencia monopolística. En consecuencia, la teoría de que disponemos tiene un ámbito de aplicación bastante amplio. El segundo factor que se puede aducir en favor de la utilidad de la Teoría existente de los Precios de Mercado estriba en que su marco analítico (sus supuestos y sus instrumentos de análisis) también es aplicable en alguna medida al estudio de los mercados oligopolísticos.

En el apéndice a este Capítulo exponemos algunas teorías sobre el comportamiento de la empresa alternativas a la teoría basada en la maximización de los beneficios. En definitiva, se trata de tomar en consideración factores tales como las relaciones de poder dentro de la empresa, los factores institucionales dentro de los que se desarrollan las actividades de los distintos miembros integrantes de la empresa y los resultados a los que aquéllos conducen (los procesos de toma de decisiones, etc.), así como las posibles estrategias que pueden seguir las empresas en sus políticas de producción, precios y salarios y en sus relaciones con otras empresas y con sus empleados. De esta forma la teoría sobre el comportamiento de la empresa y sobre la determinación y las variaciones de los precios y de las cantidades transaccionadas ganaría en realismo, pero perdería en generalidad.

EVALUACIÓN DE LAS DISTINTAS ESTRUCTURAS DE MERCADO EN CUANTO A LA EFICIENCIA EN LA ASIGNACIÓN DE LOS RECURSOS Y EL BIENESTAR DE LOS CONSUMIDORES

En realidad ya hemos visto en los Capítulos 24 y 25 las ventajas e inconvenientes de la competencia perfecta y del monopolio, respectivamente. No obstante, consideraremos esta cuestión una vez más por su importancia e implicaciones. Debemos señalar, sin embargo, que este aspecto de la eficiencia de los diferentes tipos de mercado en cuanto a la asignación de los recursos es precisamente el tema de estudio de una rama sustantiva de la Teoría Económica, a saber la llamada Economía del Bienestar.

Nosotros no nos vamos a ocupar aquí de esta rama de la Economía por dos razones principales. En primer lugar, porque la Economía del Bienestar es una materia difícil y compleja, cuya exposición exige un nivel de formalización matemática más elevado que el que se utiliza en este curso introductorio; y en segundo lugar, porque la Economía del Bienestar, de un lado, es una teoría puramente formal (una teoría encaminada a determinar matemáticamente las condiciones de un óptimo: las condiciones que han de darse en una economía para que se obtenga la asignación óptima de los recursos de una sociedad, y, en caso de no ser esto factible, las condiciones que han de cumplirse para alcanzar la segunda o la tercera mejor alternativa posible); y de otro, en buena medida es una teoría normativa, en el sentido de que está orientada a permitir derivar las medidas que deben tomarse para alcanzar la asignación óptima de los recursos. Aunque sin duda ésta es una cuestión importante para cualquier país, sin embargo, con frecuencia el problema de las sociedades no es tanto la asignación eficiente de los recursos, sino el conseguir que los recursos estén empleados (es decir, el problema más grave es el desempleo). De ahí que esta materia se suela estudiar en cursos más avanzados que éste.

De lo expuesto en los Capítulos 24 y 25 el lector puede haber sacado la conclusión de que el monopolio es incuestionablemente malo y que la competencia perfecta constituye la estructura ideal de mercado para la sociedad. Con frecuencia, tanto en los escritos de economistas profesionales como en publicaciones y argumentaciones de profanos en materia de Economía, se mantiene que el monopolio es malo porque implica una explotación de los consumidores por parte de un monopolista todopoderoso, mientras que la competencia entre productores de un mismo bien redunda en beneficio de los consumidores. Sin duda hay algo de verdad en esta aseveración. Pero la cuestión no está tan claramente delineada en términos de buenos (la competencia) y malos (el monopolio). Veamos por qué.

Como señalamos en el Capítulo 24, las ventajas de la competencia perfecta en lo referente a la eficiencia en la asignación de los recursos de una sociedad y al bienestar de los consumidores son fundamentalmente tres:

1) Las condiciones del mercado competitivo son tales que hacen que a largo plazo las empresas produzcan aquel nivel de *output* para el cual los costes medios totales son los más bajos posibles. Cada unidad del bien producido por las empresas que operan en un mercado competitivo es elaborada con la cantidad más reducida posible de factores. Puesto que los costes reflejan las oportunidades alternativas de utilizar los recursos, el producir un bien al coste más bajo posible implica que no es factible encontrar un uso mejor o más productivo para ninguno de los recursos empleados (la sociedad está, pues, utilizando sus recursos de la forma más eficiente que tiene a su alcance). Al mismo tiempo, la competencia entre las empresas productoras hace disminuir el precio del bien hasta su nivel más bajo posible.

2) Igualmente a largo plazo el coste marginal se hace igual al precio, lo que significa que se iguala lo que a la sociedad le cuesta producir el bien al nivel de *output* de equilibrio, con la valoración que los consumidores hacen en el margen para esa misma cantidad producida del bien. De esta forma (dados los costes de producción del bien y la demanda de éste por parte de las economías domésticas), el excedente del consumidor que se obtiene es el mayor posible.

3) Las empresas sólo obtienen beneficios normales, lo cual implica que los propietarios de las empresas competitivas sólo perciben por este concepto la renta que recompensa su actividad en una cuantía suficiente para que permanezcan en la industria.

Por el contrario, en el monopolio la empresa no se ve obligada a producir a aquel nivel de *output* para el que $CMa = P$. Las fuerzas del mercado no la obligan a igualar la demanda con su oferta, sino que el monopolista puede producir el nivel de *output* para el que $CMa = IMa$. Como para toda curva de demanda con una pendiente negativa $IMa < P$, esto significa que el monopolista restringe la producción a un nivel inferior al que sería deseable, dada la valoración que los consumidores hacen del bien según muestra su curva de demanda y dadas las curvas de costes de producir el bien en cuestión.

La Figura 27.8 muestra este fenómeno. Si la industria a la que corresponden las curvas de demanda D y de oferta o de CMa que se representan en ella fuera competitiva, se produciría el *output* Q_0 y el bien se vendería al precio P_0. Por contraposición, si esta industria (por las razones que fuere) se convirtiera en un monopolio, el *output* descendería a Q_1 y el precio aumentaría a P_1 (el monopolista maximizaría sus beneficios produciendo el nivel de *output* para el cual $CMa = IMa$; el precio que se determinaría sería aquel que los consumidores están dispuestos a pagar por esa cantidad del bien según su curva de demanda).

Vemos, pues, que con el monopolio se reduce la cantidad producida del bien y aumenta el precio de éste. El monopolista no obliga a los consumidores a pagar un precio superior al que éstos desean pagar para cada cantidad del artículo; simplemente fija su *output* al nivel al cual $CMa = IMa$ y deja que el precio lo determine la curva de demanda. Dadas las curvas de CMa y de demanda, a los consumidores les interesaría que aumentara la producción del bien de Q_1 a Q_0, ya que al nivel de *output* Q_1 el coste de producir el bien es menor que el valor que aquéllos le atribuyen a éste para esa cantidad. La sociedad se beneficiaría aumentando la producción de este bien hasta Q_0 (y no más allá).

Al producir el *output* Q_1, los factores de la producción no están siendo utilizados de la forma más eficiente posible. Dichos factores están recibiendo una retribución superior a su coste de oportunidad, y, en consecuencia, la asignación de los factores para la economía en su conjunto se mejoraría si se retiraran factores de la producción de otros bienes y se destinaran a elaborar una mayor cantidad del bien que analizamos. Al hacer esto (y suponiendo costes crecientes), el CMa del bien en cuestión aumentaría y la UMa del mismo bajaría (al consumir las economías domésticas una mayor cantidad de éste). Por consiguiente, al aumentar la cantidad producida, vendida y consumida del bien, el CMa tendería a igualarse con el precio.

Pero el monopolista tiene el poder de impedir que otras empresas entren en la industria. La entrada de nuevas empresas supondría el empleo de una mayor cantidad de factores en la producción del bien (aumentaría la producción de éste), proceso que continuaría hasta que la retribución que recibieran los factores fuera igual a su coste de oportunidad (el pago que recibirían en la mejor alternativa que se les ofreciera). La retribución superior a su coste de oportunidad que los factores obtienen en el monopolio se materializa en la forma de obtención de beneficios superiores a los normales por parte de los empresarios (y no necesariamente en el pago al trabajo, a las materias primas y a los demás factores de unos precios superiores a los que éstos perciben en otras industrias). De esta forma el monopolista impide que se obtenga la asignación óptima de los recursos de la sociedad: en la producción del bien en cuestión se emplean éstos en una cuantía inferior a la que sería deseable, mientras que en la producción de otros bienes se utilizan cantidades de esos mismos factores en cuantías superiores a las que convendría (desde el punto de vista de la eficiencia).

Esta es en esencia la argumentación clásica que el Análisis Económico permite formular en contra del monopolio. Como hemos visto, esta argumentación tiene dos aspectos: por una parte, las condiciones del mercado hacen posible que las empresas se comporten de distinta forma en monopolio que en competencia perfecta; y por otra, existen razones objetivas para concluir que los resultados a los que lleva la competencia perfecta (en cuanto a cantidad producida y precio de los bienes) son preferibles a los que se producen con el monopolio, juzgados éstos desde el punto de vista de la eficiencia en la asignación de los recursos y de la obtención del máximo bienestar posible por parte de los consumidores (máximo bienestar equivale en este contexto al máximo excedente del consumidor).

La argumentación clásica contra el monopolio se basa en una sola proposición, a saber: si una industria perfectamente competitiva se monopolizara (si todas las empresas de la industria se fusionaran en una sola empresa, cualquiera que fuera el número de plantas que ésta tuviera), y las curvas de costes de todas las unidades productivas de esta industria no se vieran en absoluto afectadas por este cambio, el precio del bien fabricado por ésta aumentaría y la producción se reduciría. Esta argumentación se basa en la teoría estática de la asignación de los recursos con una tecnología que se supone constante. Como recordará el lector, este análisis del comportamiento de los precios y de las cantidades producidas en los dos tipos de mercado está referido al largo plazo: los resultados descritos se producían tras el proceso de ajuste que las distintas condiciones existentes en cada uno de los dos tipos de mercado obligaban a realizar a las empresas (aun cuando éstas siempre buscaran maximizar sus beneficios). Pero cuando se toma en consideración el muy largo plazo, estas conclusiones o predicciones no han de ser necesariamente válidas.

Antes de considerar los fenómenos que pueden ocurrir cuando se contempla el muy largo plazo, digamos que la Economía Positiva no nos permite concluir que los cambios que se operarán cuando una industria competitiva se monopoliza son buenos o malos. La Economía Positiva nos permite predecir los resultados de un fenómeno, pero no nos autoriza a deducir si éstos son o no deseables. Tal deducción implica utilizar juicios de valor, cuestión ésta que cae fuera del ámbito de la Economía Positiva. Los economistas clásicos aceptaron no sólo el supuesto que conducía a la predicción de que se produciría una cantidad menor del bien bajo monopolio que bajo competencia perfecta (el supuesto de que los costes no cambian al monopolizarse una industria competitiva); sino que además consideraron como deseables los resultados a los que conduce la competencia perfecta. Estos resultados fueron aceptados como objetivos o metas deseables, por considerar que su consecución a su vez satisfaría ciertos valores que ellos entendían eran básicos: la soberanía del consumidor, la no concentración o la dispersión del poder económico, y la eficiencia en la asignación de los recursos.

La creencia de que la competencia perfecta conduce a resultados ideales mientras que el monopolio produce consecuencias nocivas ha llevado a la implantación de una legislación anti-monopolio en la mayoría de los países. En España existe la Ley de Prohibición de Prácticas Restrictivas de la Competencia, cuya aplicación y vigilancia está encomendada al Tribunal de Defensa de la Competencia, organismo dependiente del actual (1981) Ministerio de Economía y Comercio. Asimismo, esta creencia ha conducido a la regulación de ciertas industrias consideradas como monopolios naturales. Estas industrias son aquéllas en las que no puede darse competencia entre empresas por la naturaleza del bien o servicio que proveen. El abastecimiento de agua, gas y electricidad; la provisión de la mayoría de los distintos medios de transporte (ferrocarril, metro, avión, barco e incluso autobús; el servicio telefónico; y la construcción y explotación de autopistas y puertos, son algunos de los bienes y servicios cuya provisión no permite la competencia.

Estas actividades que requieren monopolios naturales son consideradas como excepciones al supuesto clásico de que los costes no son afectados por la organización del mercado. Obviamente, argumentaban los economistas clásicos, se obtiene una reducción en los costes de producción cuando sólo existe una compañía de abastecimiento de agua en una ciudad determinada (en lugar de tener tres o siete, por citar alguna cifra). Pero (la argumentación continuaba) el hecho de que la existencia de un solo productor-oferente pueda dar lugar a una reducción en los costes de producción, no justifica que el monopolista maximice sus beneficios a través de cobrar el precio que desee. De ahí la necesidad de regular la actividad de las empresas que proveen estos servicios.

A estas empresas se las denomina empresas concesionarias de servicios públicos, aun cuando en muchos casos sean empresas privadas. Generalmente la autoridad pública (el Estado, las corporaciones locales, etc.) competente otorga una concesión administrativa a la empresa privada que haya de proveer el servicio. La autoridad que otorga la concesión impone a la empresa concesionaria el precio que ésta ha de cobrar, la cantidad de servicio que ha de proveer y las condiciones (frecuencia, horario, etc.) en que debe hacerlo. Los precios suelen estar calculados de tal forma que la empresa concesionaria obtenga una rentabilidad normal sobre el capital invertido. El principio que suele inspirar esta política de control de las actividades de las empresas concesionarias de servicios públicos estriba en regular a los monopolios naturales de forma tal que se obtengan los resultados (en cuanto a precios, producción y oferta de los bienes y servicios, y beneficios) que se darían si existiera competencia en la industria.

Como hemos señalado, la cuestión crucial que se plantea al comparar el monopolio con la competencia estriba en si los costes de la industria son o no afectados por el cambio de una situación de competencia a otra de monopolio. La conclusión a la que llegábamos (de que al monopolizarse una industria aumenta el precio y disminuye el *output*) exige que se cumpla la condición de que los costes no son afectados. Pero lo más probable es que los costes sufran algún cambio. Es posible que la fusión de varias empresas en una sola dé lugar a una reducción en los costes. El que la monopolización de una industria inicialmente competitiva lleve o no a que el precio del bien o servicio suba o baje con respecto al precio originario, dependerá de si se da o no una reducción en los costes y (en caso de darse) de la magnitud de esta reducción.

La figura 27.18 muestra el caso de una industria competitiva que se monopoliza. Inicialmente la industria estaba en equilibrio cuando se producía el *output* Q_0 y éste era vendido al precio P_0. Al monopolizarse la industria (y suponiendo que no cambiaran los costes), el precio subiría a P_1 y el *output* disminuiría a Q_1. Pero si al monopolizarse la industria, la reducción en los costes es tal que la curva de CMa_{00} se traslada hasta la curva CMa, el precio descenderá hasta P_2 (que es inferior a P_0) y el *output* aumentará hasta Q_2 (que es superior a Q_0).

Por supuesto, también la monopolización de una industria puede dar lugar a una reducción de la eficiencia, con el consiguiente aumento de los costes, lo que haría que se produjera un desplazamiento de su curva de CMa hacia la izquierda. Obviamente, en este caso subiría el precio y disminuiría el *output* en mayor cuantía de lo que lo harían si los costes no variaran.

En ocasiones se arguye que la monopolización de una industria competitiva reducirá los costes, ya que será posible eliminar duplicaciones (llevar la gerencia con un solo equipo directivo, utilizar una sola red comercial, etc.) y/u obtener economías de escala en algunas áreas de la producción y de la comercialización. Por otra parte, también se argumenta que la competencia lleva a la eficiencia, ya que las empresas individuales se ven obligadas a reducir sus costes al nivel más bajo posible si desean sobrevivir frente a sus competidores. El monopolista, por el contrario, no está tan motivado para ser eficiente, ya que, si bien la ineficiencia reduce sus beneficios, esto no implica para él la bancarrota.

FIGURA 27.18

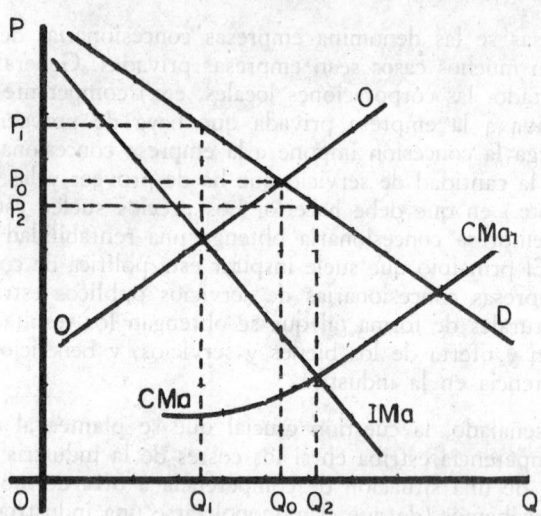

Concluimos, pues, que no es posible *a priori* predecir los efectos que sobre el precio y la cantidad producida de un bien o servicio tendrá la monopolización de la industria que lo elabora. Para poder efectuar predicciones es necesario conocer lo que ocurrirá con los costes de la industria al producirse la fusión. A menos que se conozcan los efectos que la monopolización tendrá sobre la estructura de costes de la industria, no es posible predecir lo que ocurrirá con el precio y la cantidad producida.

En cuanto al incentivo que las empresas que operan en una y otra clase de mercado tienen para conseguir los costes más bajos posibles a través de ser eficientes e introducir innovaciones, la teoría nos permite predecir que tanto el monopolista como el competidor perfecto incrementan sus beneficios si reducen sus costes. Tanto a corto como a largo plazo (recuerde el lector que para el monopolista no existe diferencia entre estos dos períodos, ya que tiene el poder de impedir la entrada de nuevas empresas en la industria), el monopolista está incentivado para reducir sus costes, ya que con ello incrementa sus beneficios (suponemos que desea maximizar éstos).

En competencia perfecta a corto plazo la empresa también tiene una motivación para reducir sus costes, ya que vendería su producto al precio que le viene dado, mientras que sus costes unitarios habrían disminuido, con lo que sus beneficios aumentarían (obtendría beneficios superiores a los normales). Pero a largo plazo se puede esperar que otras empresas introduzcan la innovación que permitió a la empresa inicial reducir sus costes y que, al existir beneficios en la industria, nuevas empresas entren en ella, terminando por hacer desaparecer los beneficios superiores a los normales. Puede decirse que la eficacia de los beneficios como incentivo para reducir los costes por parte de una empresa competitiva dependerá de la magnitud de los beneficios extra que se puedan obtener con la reducción de los costes, y de lo extenso que sea el período de tiempo durante el que se puede seguir obteniendo estos beneficios. Cuanto más cuantiosos sean los beneficios y más tiempo se puedan mantener éstos, más incentivada estará la empresa competitiva para reducir sus costes. Los potenciales beneficios extra han de ser suficientemente cuantiosos como para compensar a la empresa por el riesgo y los costes en que incurre al desarrollar e implantar una innovación. De igual modo, si la innovación es tal que les llevará años a las demás empresas el poder introducirla, ello constituirá un incentivo para la empresa innovadora.

Como puede verse, en último análisis, la cuestión crucial que se plantea es la de determinar en qué medida la estructura del mercado (el tipo de mercado: el número de productores, la libertad de salida y entrada en la industria, las características de los bienes, los procesos productivos que se emplean en la elaboración de éstos, las regulaciones legales, etc.) afecta a las innovaciones que se introducen en las industrias (el número de innovaciones y la frecuencia con la que se introducen). El economista austríaco Schumpeter (en sus obras *Capitalismo, Socialismo y Democracia* y *La Teoría del Desarrollo Económico*) sostuvo (por contraposición a la postura de los clásicos) que el único incentivo que mueve a los hombres a asumir los grandes riesgos que conlleva la introducción de innovaciones son los beneficios. En este sentido, el poder monopolístico es mucho más estimulante que la competencia en orden a crear el clima adecuado para que se introduzcan innovaciones. Según Schumpeter, los beneficios a corto plazo del monopolista constituyen un poderoso motor que empuja a otros empresarios a encontrar la forma de producir el mismo bien por otro procedimiento más barato y crearse así su propio poder monopolístico. Schumpeter denominó a este proceso de sustitución de un monopolio por otro el «proceso de destrucción creativa».

La ley de patentes no es más que una forma de alargar el período de tiempo durante el cual el empresario innovador puede impedir que otros empresarios imiten su nuevo método de producción, y, en consecuencia, hacer que los beneficios extra que obtenga el primero sean suficientes como para compensarle y hacer atractivo el introducir la innovación. Dado que los procesos patentados siempre pueden ser imitados, algunos economistas argumentan que las patentes favorecen más a los monopolistas que a las empresas competidoras debido a que los primeros disponen de mayores cantidades de recursos financieros para desarrollar, patentar y mantener en reserva procesos productivos que les permitan impedir eficazmente que competidores potenciales amenacen su poder.

Digamos finalmente que otro argumento que se utiliza a favor del monopolio estriba en que éste dispone de más recursos que la empresa competitiva para desarrollar innovaciones (realizar investigación) e implantarlas.

Así, pues, si se toma en consideración el muy largo plazo (el período de tiempo en el que la tecnología puede cambiar), la conclusión de que el monopolio es malo y la competencia es buena no puede ser sostenida *a priori*. Los costes pueden y suelen cambiar en el muy largo plazo y, lo que es aún más importante, los cambios en los costes están relacionados (dependen en alguna medida) de la estructura (las condiciones) del mercado en el que operan las empresas. Es necesario tener presente que (sobre la base de la teoría de que disponemos) no es posible concluir *a priori* que el monopolio es malo (recuerde el lector que en este contexto monopolio no significa la existencia de un solo productor, sino el disfrute de algún grado de poder monopolístico por parte de una empresa). Desde el punto de vista de la Economía Positiva, antes de llegar a una conclusión a este respecto es necesario disponer de información sobre lo que ocurrirá con los costes en el muy largo plazo.

En cuanto al aspecto normativo de la cuestión, la Economía no permite concluir si una forma de organización de mercado es mejor que otra a menos que previamente se hayan especificado las metas u objetivos que se considera deseable alcanzar. Los economistas han desarrollado el criterio del llamado óptimo de Pareto, que afirma que una asignación de los recursos es óptima cuando no es posible mejorar el bienestar de uno o más sujetos sin perjudicar a otro u otros individuos (se entiende que la asignación óptima de los recursos es tal que si la variamos, la nueva asignación daría lugar a que se perjudicara por lo menos un individuo sin que se beneficiara ningún otro). Este criterio que emplean los economistas, a pesar de su asepsia ideológica y de su fundamentación en el concepto de eficiencia (entendida ésta como la producción de la mayor cantidad posible de bienes y servicios con unos recursos dados), lleva también implícito un juicio de valor. Como veremos más adelante, se ha podido determinar en el Análisis Económico que los requisitos que han de darse para obtener una asignación óptima de los recursos de la sociedad son tres: que se den las condiciones de la competencia perfecta en todos los mercados de bienes y servicios y de factores (haciendo así que el coste marginal sea igual al ingreso marginal para todos los bienes y servicios), que no se den efectos económicos externos (ni positivos ni negativos) ni en la producción ni en el consumo, y que la utilidad marginal y la productividad marginal sean decrecientes. Sobre la base de estas condiciones (tan restrictivas que prácticamente no se dan en la realidad) se cimenta la conclusión de que la competencia perfecta es buena y el monopolio malo.

Hagamos, por último, un breve comentario sobre los mercados de competencia monopolística y oligopolio en lo que respecta a la eficiencia en la asignación de los recursos y al bienestar de los consumidores. Desde el punto de vista de la eficiencia en la asignación de los recursos, la competencia monopolística tiene dos grandes desventajas:

a) La gran mayoría de las empresas que operan en este tipo de mercado producen a un nivel de *output* muy inferior al que correspondería al pleno empleo normal de su capacidad productiva instalada. Ello significa que las empresas no están produciendo su *output* al coste unitario total más bajo posible (se sitúan en algún punto del tramo descendente de su curva de $CMeT$). Para la sociedad ello representa un despilfarro de los recursos (naturalmente desde el punto de vista de la eficiencia queremos decir), y para los consumidores esto significa pagar unos precios más elevados de los que pagarían en competencia perfecta (y, por lo tanto, una reducción del excedente del consumidor para cada individuo y para la colectividad).

b) Las empresas realizan cuantiosos gastos en publicidad y en competir entre ellas por otros medios distintos al precio del producto, lo que añade a los costes totales unitarios del bien, ya de por sí más elevados de lo que serían en competencia perfecta.

La ventaja más importante que suele atribuirse a la competencia monopolística reside en el incremento potencial del bienestar del consumidor que representa el que éste pueda escoger entre un gran número de diferentes variantes del mismo bien o servicio, de acuerdo con sus gustos y preferencias y con sus posibilidades económicas. También representa un aumento del bienestar del consumidor el que las empresas produzcan por debajo de su capacidad: resultaría muy incómodo y molesto y requeriría mucho tiempo el obtener un corte de pelo, una entrada de cine, una comida en un restaurante, o una habitación en un hotel si todas las empresas que proveen estos servicios estuvieran produciendo siempre a pleno empleo (el pleno empleo lo entendemos como el uso normal de las instalaciones según el tipo de industria de que se trate) o incluso al 75 por 100 de su capacidad. Tendríamos que hacer largas colas y/o dedicar tiempo y recursos a obtener la reserva del servicio que deseamos.

Por otra parte, se aduce que las empresas que operan en competencia monopolística están incentivadas para competir fuertemente con las demás empresas de la industria por medios distintos a los precios de los bienes y servicios (la calidad de los bienes y/o servicios, la limpieza de los locales, las atenciones de todo tipo al cliente, las revistas en las salas de espera, etc.), lo que redunda en bienestar de los consumidores. No olvidemos que el bienestar de éstos no depende exclusivamente de la cantidad de bienes y servicios específicos consumidos (una cama en la habitación de un hotel, un asiento en un avión, etc.), sino que también está relacionado con aspectos inmateriales (o incluso materiales, pero que no forman en sí parte del bien o servicio) de éstos.

Lo que hemos afirmado respecto de la competencia monopolística es aplicable en parte al oligopolio. Las empresas que operan en mercados oligopolísticos suelen ser grandes empresas (las empresas de las industrias del automóvil, de los electrodomésticos, del disco, de los jabones, del acero, de la construcción de viviendas y estructuras en general, etc.). Con frecuencia éstas producen por debajo de su capacidad, y además se ven obligadas a competir fuertemente con las demás empresas de la industria (a menos que lleguen a algún tipo de colusión entre ellas, cosa que está legalmente prohibida) por medios distintos a los precios de los bienes y/o servicios. Esta competencia la realizan principalmente a través de la publicidad (que muchas empresas en competencia monopolística no efectúan por ser demasiado pequeñas y no resultarles rentables), con el objetivo de diferenciar su producto y desplazar la curva de demanda de éste hacia la derecha todo lo posible. Estos dos factores se añaden a los costes totales unitarios que ha de pagar el consumidor. Como contrapartida a estas desventajas, el operar en un mercado oligopolístico obliga a las empresas a introducir continuamente mejoras e innovaciones, tanto en los métodos de producción como en los artículos (esto explica la necesidad que las empresas de la industria del automóvil tienen de sacar continuamente nuevos modelos al mercado).

APENDICE: LAS TEORIAS ALTERNATIVAS DE LA EMPRESA

LAS CRITICAS A LA TEORIA TRADICIONAL DE LA EMPRESA

En los Capítulos anteriores hemos estudiado la teoría tradicional de la empresa en la que, partiendo de unos supuestos determinados (tales como que el objetivo de la empresa es la maximización del beneficio; que la empresa opera con total certidumbre, de manera que conoce sus funciones de costes y su propia demanda; y que, o bien el empresario era el propietario de la empresa, o, en caso contrario, el director o gerente de la empresa perseguiría idénticos objetivos a los deseados por el propietario o propietarios), obteníamos las normas de conducta que la empresa debía seguir para maximizar los beneficios: producir el volumen de *output* en el que el ingreso marginal se igualaba al coste marginal, en el tramo creciente de la curva de este último. Recordemos también que el volumen de *output* que permitía maximizar los beneficios era único para cada tamaño concreto de planta, y que a corto plazo la empresa se veía obligada (para conseguir el objetivo perseguido de maximización del beneficio) a producir únicamente ese volumen de *output,* ya que cualquier desviación de éste supondría la no maximización del beneficio.

Ya en la 'década de 1930-1940 se empezó a detectar entre los economistas un creciente descontento hacia la teoría tradicional de la empresa, tanto respecto de los supuestos de partida como de las normas de comportamiento de ésta. Podemos clasificar las críticas efectuadas a la teoría tradicional de la empresa en dos grupos:

1) Los ataques contra la teoría tradicional. En términos generales, éstos se han centrado en: la separación entre propietarios de la empresa y directivos (obviamente, con objetivos, cuanto menos, parcialmente distintos); la forma concreta de las curvas de costes de la empresa (éstas no tendrían forma de $V,$ con un único punto mínimo, sino que tendrían un tramo plano en cuya extensión $CMe = CMa,$ y ambos serían constantes, con lo que el *output* de la empresa quedaba indeterminado); la falta de información de la empresa, tanto de su curva de demanda como de sus funciones de costes (lo que le impediría aplicar el principio de $IMa = CMa$ para obtener el máximo beneficio).

2) La elaboración de teorías alternativas a la tradicional, fundamentalmente la Teoría Managerial o Direccionismo y la Teoría Conductista o Behaviourismo.

Los Ataques a la Teoría Tradicional

Examinemos brevemente las críticas efectuadas a la teoría tradicional de la empresa. La mayor parte de la literatura al respecto proviene de una serie de artículos publicados por economistas, defensores unos de la teoría tradicional de la empresa y críticos los otros respecto de ésta, y que dieron lugar a la denominada «controversia marginalista».

En cuanto a la disociación entre propietarios de la empresa y directivos, gerentes o managers, se argumenta que el modelo sencillo del empresario-propietario maximizador de beneficios ya no es válido, por cuanto que las empresas actuales generalmente (o al menos una parte de ellas cuantitativamente significativa, tanto en número como en cifra de negocios) adoptan la forma jurídica de sociedad anónima, y sus accionistas (y, en consecuencia, sus propietarios) son muchos y están muy dispersos. La separación entre propietarios y gerentes tiene una serie de consecuencias sobre los objetivos de la empresa, ya que, debido al escaso control de los accionistas-propietarios sobre los gerentes, éstos tienen una gran libertad en cuanto a la fijación de los objetivos de la empresa. Basándose en esta afirmación, la Teoría Managerial, como veremos más adelante, intenta identificar y jerarquizar esos objetivos, elaborando un modelo alternativo de comportamiento de la empresa.

Con referencia a la crítica de la escasa información que la empresa tiene respecto de sus funciones de demanda y de costes, se afirma que en el mundo real, en el que reina la incertidumbre sobre las condiciones futuras y en el que las circunstancias están en permanente evolución (dada la limitación de tiempo disponible y la capacidad de los directivos para asimilar la información), las empresas no pueden actuar con la racionalidad que implica la teoría tradicional de la empresa (recordemos que para maximizar los beneficios, la empresa debía igualar su *IMa* con su *CMa*, funciones que se derivan a su vez de la función de demanda de la empresa y de la de costes totales respectivamente, y que estas últimas se obtenían en condiciones *céteris páribus*). En un mundo como el descrito, en el que tanto variables como parámetros cambian frecuente y simultáneamente, es prácticamente imposible obtener con exactitud cualquiera de estas funciones, siendo, por tanto, imposible aplicar la regla *IMa = CMa* para conseguir el máximo de beneficios.

Trataremos la crítica respecto de la forma de las curvas de coste de la empresa con mayor detalle por cuanto que provee una teoría alternativa del comportamiento de la empresa, de la que se obtienen interesantes conclusiones. Esta teoría sugiere que, en contra de lo que afirma la Teoría Económica tradicional, la curva de costes medios variables a corto plazo no tiene un único punto (correspondiente a un único volumen de *output*) en el que éste se hace mínimo (es decir, que sólo puede producir con la máxima eficiencia técnica y económica un volumen concreto y determinado de *output*), sino que la curva de costes medios variables tiene un trama plano y horizontal al eje de abscisas, reflejando así el hecho de que una empresa puede producir distintos volúmenes de *output* a un coste medio variable mínimo, y que éste es el mismo para toda una serie de volúmenes de *output*. Es decir, según esta teoría, la empresa cuenta con cierta flexibilidad en su capacidad productiva que le permite alterar el volumen de *output,* manteniendo constante el coste medio variable.

La empresa decide el tamaño de los factores fijos (no olvidemos que estamos en el corto plazo) en función del nivel de *output* que el empresario prevé que va a vender, y elige el tamaño de planta que le permite obtener ese volumen de producción del modo más eficiente posible y con la máxima flexibilidad. La planta así diseñada tendrá una capacidad productiva algo mayor que el nivel esperado de ventas, ya que el empresario desea mantener alguna capacidad productiva en reserva, bien a fin de afrontar fluctuaciones en la demanda de su producto que no puedan solucionarse mediante una política de stocks, bien para poder efectuar reparaciones o sustituir parte de la maquinaria sin tener que interrumpir la producción o reducirla hasta un punto en el que los costes medios crecientes se elevaran hasta un nivel excesivo.

Por tanto, y puestos a elegir, el empresario no escogerá la planta que le permita producir un único volumen de *output* al coste más bajo posible, sino que preferirá instalar aquel equipo que le permita la máxima flexibilidad para un volumen previsto de producción y ventas. De acuerdo con lo expuesto, las gráficas de las distintas funciones de costes medios totales, de costes medios variables y de costes marginales serían como las representadas en la Figura 27.19, indicando que la empresa puede producir cualquier volumen de *output* entre Q_0 y Q_1 sin que cambien los *CMeV*. Como podemos observar, en este tramo (al ser constantes los *CMeV*) los costes marginales también lo son y coinciden necesariamente con aquéllos (en el tramo *ab* las curvas de *CMeV* y de *CMa* son la misma curva). Como puede verse en la Figura 27.19, a niveles de producción inferiores a Q_0 y superiores a Q_1, las curvas de *CMeV* y de *CMa* no coinciden y muestran las formas normales y las relaciones entre ellas que hemos descrito repetidamente. La única diferencia que existe entre estas curvas y las que hemos venido utilizando hasta ahora estriba en que, en lugar de tener un punto mínimo, muestran todo un tramo con valor mínimo para los costes. Al tramo comprendido entre Q_0 y Q_1 se le denomina «reserva de capacidad» y no debe confundírsele con el tramo correspondiente al *output* Q_0Q_1 de la Figura 27.20, que representa una curva de costes tradicional. En esta última, Q_0Q_1 representaría el exceso de capacidad de una planta que tuviera una curva de costes como la representada en la Figura 27.20, y que es siempre un fenómeno no deseado, ya que conduce a costes medios más elevados que los mínimos posibles.

FIGURA 27.19   FIGURA 27.20

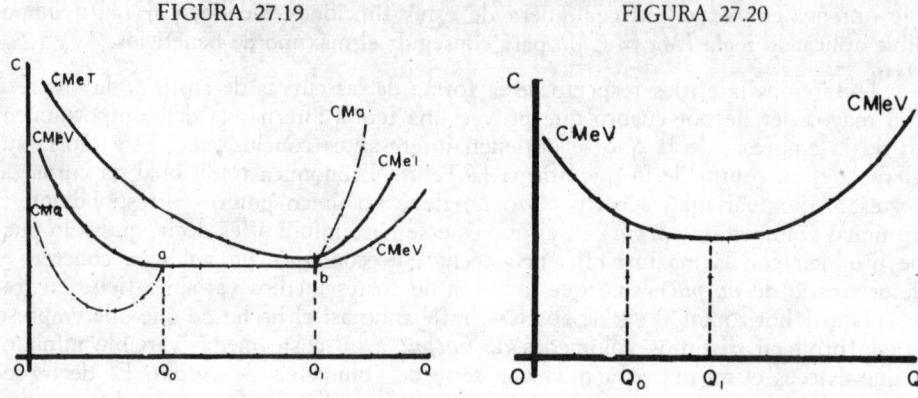

Como podemos ver en la Figura 27.19, las funciones de costes medios y marginales, exceptuando el tramo de reserva de capacidad, siguen la mecánica normal. La curva de $CMeT$ es decreciente, incluso en la extensión del tramo de reserva de capacidad, ya que los costes medios fijos son siempre decrecientes y, al ser constantes los $CMeV$, los primeros tiran del $CMeT$ hacia abajo. Lo mismo ocurre con los $CMeV$ y los CMa. Cuando se llega al tope de la reserva de capacidad, los $CMeT$, $CMeV$ y CMa vuelven a ser crecientes, al hacer su aparición la ley de los rendimientos decrecientes, incrementándose con mayor rapidez el CMa que el $CMeT$, y éste a su vez más rápidamente que el $CMeV$.

El punto en el que se situará el empresario entre Q_0 y Q_1 queda, por tanto, indeterminado. Sin embargo, podemos suponer que el punto concreto dependerá de las previsiones que éste tenga sobre las fluctuaciones de la demanda de su producto. Así, si espera que ésta se comporte de una forma sumamente errática e imprevisible, se situará entre la mitad y los 2/3 de su zona de reserva, acercándose más a una utilización óptima de la planta (que podemos cifrar *a priori* entre un 80 y un 90 por 100 de su capacidad total) cuanto más estable sea el comportamiento de la demanda de su producto.

Este tipo de análisis se va empleando cada vez con mayor frecuencia, hasta el punto que es muy probable que el lector que hojee un texto moderno de Microeconomía encuentre que la curva de oferta de la empresa viene representada por el tramo *ab* de la Figura 27.19 (para el que coinciden las curvas de $CMeV$ y CMa).

Así pues, en la actualidad, muchos autores representan gráficamente la curva de oferta de las empresas y de las industrias como una línea totalmente horizontal (de elasticidad infinito): es decir, consideran que el tramo relevante para la empresa de sus curvas de $CMeV$ y CMa a efectos de determinar su curva de oferta a corto plazo es horizontal (lo que representa la hipótesis expuesta en las páginas anteriores de este epígrafe, de que los $CMeV$ y los CMa a corto plazo se mantienen constantes para una gama relativamente amplia de niveles de producción de las empresas).

Paralelamente, los economistas defensores de la hipótesis de la curva plana de costes medios desarrollan una teoría explicativa de cómo la empresa fija los precios de venta de sus productos. Estos economistas parten de que, en el mundo real, los gustos cambian continuamente y las reacciones de los consumidores son en buena parte imprevisibles, de manera que las empresas no pueden conocer su demanda futura. Por consiguiente, rechazan la función de demanda como instrumento de análisis, abandonando así la mitad del aparato analítico de la teoría tradicional de la empresa.

De acuerdo con estos autores, la empresa determina el precio de venta de su producto añadiéndole a sus *CMeV* un determinado porcentaje de éstos suficiente para cubrir sus costes medios fijos y obtener un beneficio que se estime razonable, para un volumen de *output* planificado, considerado normal, y que sería el correspondiente a la utilización de la capacidad productiva de la empresa a un nivel comprendido entre el 70 y el 85 por 100 del total. Este beneficio será tal que asegure un rendimiento razonable a la inversión realizada, que cubra los riesgos específicos de la producción y venta del bien, y que no atraiga nuevas empresas a la industria.

Por último, esta teoría predice que los precios de los distintos bienes y servicios ofertados son bastante rígidos, tanto frente a variaciones en los costes como frente a variaciones en la demanda. Así, si se produce un aumento en los costes de una cuantía reducida, las empresas tratarán de absorberlo mediante variaciones en la cantidad y/o en la calidad del producto ofertado (por ejemplo, ofreciendo un nuevo envasado que les permita reducir un poco la cantidad sin variar de precio). Si la demanda del producto aumenta (por un cambio en los gustos de los consumidores) y los productores estiman que este aumento es pasajero, no aumentarán sus precios, ya que temen perjudicar su imagen explotando un mercado de ventas temporales y atraer nuevos competidores a la industria estimulados por el alto nivel de beneficios. Sólo si el aumento en la demanda persiste, las empresas instalarán nuevos equipos, aumentando así su capacidad productiva para hacer frente a ese aumento de la demanda.

La Réplica de la Teoría Tradicional

La defensa de la teoría tradicional de la empresa frente a estos ataques siguió tres líneas básicas, centrándose sobre todo en la irrelevancia de las críticas efectuadas. Examinemos brevemente estas tres líneas de defensa.

a) En cuanto a las consecuencias de la separación en la empresa entre propietarios y directivos, los economistas defensores de la teoría tradicional, reconociendo la existencia de este fenómeno, argumentaron que carecía de relevancia a efectos teóricos, ya que los objetivos de ambos (propietarios y directivos) tendían a coincidir en la maximización de beneficios debido a dos factores: de un lado, la educación y formación profesional de los directivos les impulsaba a actuar como si fueran propietarios; por otro, si la actuación de los directivos se apartaba de la obtención del máximo de beneficios, el Mercado de Valores penalizaría este comportamiento, ya que los accionistas-propietarios, descontentos con la política de la empresa (especialmente en cuanto a los dividendos repartidos por acción, o a las ampliaciones de capital en condiciones ventajosas) respecto de otras empresas que al seguir el objetivo de maximización de los beneficios, podrían proporcionar una mayor rentabilidad por acción, venderían sus títulos, haciendo caer la cotización de éstos en Bolsa y facilitando así la absorción (con posterior despido del equipo directivo anterior) de la empresa no maximizadora de beneficios por otra empresa que estimase factible obtener una ganancia mediante la reorganización de la empresa absorbida (véase el Capítulo 18 a este respecto).

b) En cuanto a la crítica de que la empresa desconoce su curva de demanda y sus funciones de costes de manera que no puede aplicar la regla $IMa = CMa$, y, en consecuencia, no obtiene el máximo de beneficios, afirmaron que la teoría tradicional de la empresa es sólo una construcción lógica que emplea el economista para analizar las consecuencias de determinados modelos de comportamiento, y que la regla de $IMa = CMa$ es sólo la expresión económica de las condiciones analíticas de máximo de primer orden de una función. Lo único que se pretende con estas construcciones o modelos es efectuar predicciones contrastables de los acontecimientos frente a variaciones en las circunstancias. No son, ni pretenden tampoco serlo, una descripción real de cómo toman sus decisiones los empresarios.

c) Por último, frente a la teoría de la fijación de precios en base al $CMeV$ se argumentó que el hecho de que las curvas de costes de la empresa adopten la forma representada en la Figura 27.19 no es incompatible con la determinación de un volumen de *output* tal que proporcione a la empresa los máximos beneficios posibles, ya que, si la curva de demanda tiene pendiente negativa, la curva de IMa también tendrá esa forma (descendiendo de izquierda a derecha y por debajo de la curva de demanda), con lo que necesariamente cortará a la curva de oferta horizontal a algún nivel de *output* para el cual $CMa = IMa$, como podemos ver en la Figura 27.21.

FIGURA 27.21

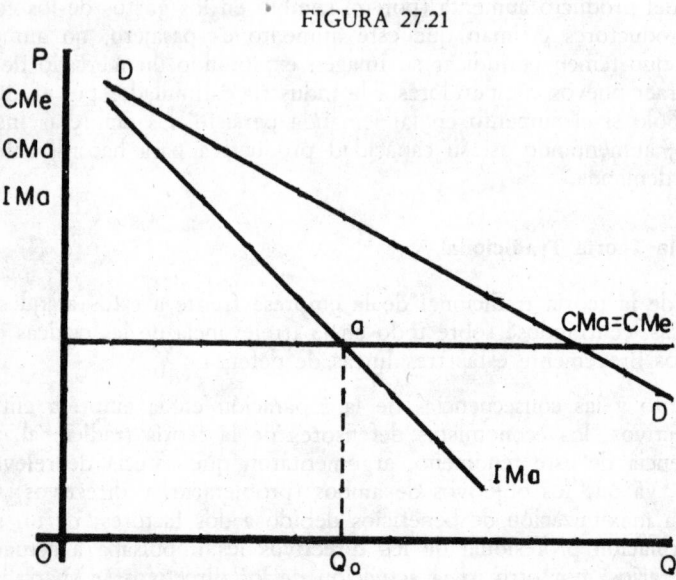

En el punto *a* y para un nivel de producción Q_0 se cumple que el $IMa = CMa$, de manera que la empresa, produciendo y vendiendo ese *output*, estará obteniendo el máximo beneficio posible.

Por otra parte, se afirmó también que la fijación del precio de venta a través del *CMe* no constituía una teoría de la empresa distinta a la existente, ya que, si los empresarios calculan sus precios de venta por el procedimiento anteriormente descrito, están realizando, de hecho, una estimación subjetiva de la elasticidad de la curva de demanda del producto que elabora su empresa (afirmación cuya demostración algebraica no desarrollaremos), con lo que el argumento básico que se utilizaba para diferenciar esta teoría de la tradicional (que los empresarios recurrían a este procedimiento porque, al no poder predecir su demanda futura desconocían su elasticidad) desaparece, quedando entonces esta teoría reducida a una mera cualificación de la teoría tradicional.

LAS TEORIAS ALTERNATIVAS DE LA EMPRESA

Las Teorías Manageriales

Bajo este título se agrupan un conjunto de teorías que proveen un modelo distinto al tradicional sobre el comportamiento de la empresa. La característica esencial y el supuesto básico de todos estos modelos es la separación entre la propiedad de la empresa y la dirección y el control de ésta. Los propietarios de la empresa son los accionistas, mientras que la dirección y el control corresponden a unos ejecutivos (los gerentes o directores) designados por el Consejo de Administración de la firma. Esta disociación entre propiedad y dirección permite a los gerentes desviarse del objetivo tradicional de obtención del máximo de beneficios (objetivo que a su vez maximizaría la utilidad de los accionistas-propietarios, ya que así obtendrían una mayor rentabilidad por acción por la vía de reparto de dividendos más elevados y/o la obtención de nuevas acciones procedentes de ampliaciones de capital en condiciones ventajosas) y perseguir objetivos que hagan máxima su propia utilidad (véase al respecto el Apéndice al Capítulo 18 sobre la Financiación de la Empresa).

Es decir, se postula que los gerentes tienen una función de utilidad propia, cuyos argumentos (o variables independientes que la integran) no coinciden con los de la función de utilidad de los accionistas-propietarios, y que aquéllos seleccionan los objetivos que maximizan su propia utilidad. Entre los argumentos o variables que integran la función de utilidad de los directores suelen incluirse los emolumentos percibidos por éstos (entiendo aquí por emolumentos no sólo el salario, sino también todo el conjunto de percepciones monetarias que los gerentes obtienen en el desempeño de sus funciones, y que incluyen participaciones en beneficios, cuentas de gastos de representación, etc.); el prestigio derivado de su posición en el organigrama o la jerarquía interna de la empresa; la actitud frente al riesgo (generalmente se supone que los gerentes son contrarios a éste: entre dos proyectos de inversión con una rentabilidad similar, siempre elegirán el menos arriesgado); la seguridad en el empleo; las posibilidades futuras que les abre el prestigio para obtener puestos más importantes y mejor remunerados en otras empresas más grandes, etc.

Sin embargo, el poder discrecional de los gerentes para fijar los objetivos de la empresa no es ilimitado, sino que está sujeto a determinadas restricciones. Así, por ejemplo, se requiere un nivel mínimo de beneficios para repartir un dividendo razonable entre los accionistas y que simultáneamente permita un cierto volumen de autofinanciación que haga posible llevar a la práctica las inversiones necesarias de la empresa. Si estas condiciones no se satisfacen, los gerentes corren el peligro de ser despedidos.

No hay un consenso extendido entre los economistas que elaboran estas teorías sobre cómo se alcanza la maximización de la utilidad de los gerentes. Así, más que hablar de una Teoría Managerial de la empresa se admite la existencia de varias teorías en función de este dato. Unos autores postulan que la utilidad de los gerentes se maximiza cuando se hace máximo el crecimiento del volumen de los ingresos de la empresa por ventas, mientras que otros sugieren que los directores persiguen el máximo crecimiento equilibrado de la empresa (esto es, el aumento equilibrado de las ventas y del activo de la empresa). Si esto se logra, se maximiza la utilidad de los directores y de los propietarios de la empresa, ya que cabe esperar un aumento en el valor de mercado de las acciones de la firma.

Las Teorías Conductistas

Los autores partidarios de estas teorías sugieren que (dada la falta de información, la limitación de tiempo y de capacidad de los gerentes para procesar la información, y otras restricciones) las empresas no pueden actuar con la racionalidad global que implica la teoría tradicional de la empresa, ya que la incertidumbre generalizada imposibilita la maximización de cualquier variable, sea ésta cual fuere. Dados estos supuestos, se postula que la empresa no busca la maximización de nada, sino que los objetivos de la empresa se centran en «niveles satisfactorios»: beneficios satisfactorios, crecimiento satisfactorio, etc., y argumentan que este comportamiento es racional, dado el conjunto de limitaciones señaladas.

Así, según estas teorías, las empresas actúan con racionalidad limitada, ya que éstas tienen restricciones en la persecución de sus objetivos, restricciones establecida por factores tanto internos como externos a la propia empresa.

Los partidarios de estas teorías rechazan todo tipo de preconcepción o supuesto de partida sobre los objetivos y el comportamiento de la empresa, y su método de análisis consiste en estudios empíricos del proceso de toma de decisiones de las empresas individuales. Estas teorías se hallan aún en un estadio de desarrollo embrionario, no habiendo alcanzado la aceptación lograda por las Teorías Manageriales.

Decíamos al principio de este apéndice que los escritos iniciales de crítica a la teoría tradicional de la empresa, que dieron lugar a la controversia marginalista de mediados de la década de 1940, se concibieron con el propósito de forzar al abandono de esta teoría tradicional. Sin embargo, y tras las réplicas de los teóricos del marginalismo, podemos concluir que el resultado de la polémica fue un relativo empate: la teoría marginalista tradicional en torno a la empresa se sigue empleando, ocupando aún una posición dominante en la Teoría de la Empresa; pero puede apreciarse una mayor reserva en cuanto a las conclusiones obtenidas y un conjunto de referencias a intentos generales de una mayor aproximación a la realidad.

BIBLIOGRAFIA SELECCIONADA

Samuelson, P.: *Curso de Economía Moderna,* op. cit., Cap. 9.
Lipsey, R.: *Introducción a la Economía Positiva,* op. cit., Caps. 23, 24 y 25.
Bilas, R.: *Teoría Microeconómica. Un Análisis Gráfico,* op. cit., Caps. 8 y 9.
Clower, R., y Due, J.: *Microeconomía,* op. cit., Caps. 8 y 9.
Lancaster, K.: *Introducción a la Microeconomía Moderna,* op. cit., Cap. 6.
Stigler, G.: *La Teoría de los Precios,* op. cit., Caps. 9, 10 y 12.
Quir, J. P.: *Microeconomía,* Ed. Antoni Bosch, Barcelona, 1977.
Ferguson, C. E.: *Teoría Microeconómica,* op. cit., Cap. 7, págs. 193 y sigs.
Kautsoyannis, M.: *Modern Microeconomics,* MacMillan, Londres, 1975.
Hawkins, C. J.: *Theory of the Firm,* Macmillan Studies in Economics, The Macmillan Press Ltd., Londres, 1973.

LA TEORIA DE LA DISTRIBUCION

CAPITULO 28

LA DEMANDA Y LA OFERTA DE FACTORES

INTRODUCCION

Hasta ahora hemos venido estudiando la determinación de los precios y de las cantidades demandadas y ofertadas de los bienes y servicios de consumo (de los bienes y servicios que sirven para satisfacer las necesidades últimas de los individuos). Completada esta tarea al nivel elemental que se expone aquí la materia, pasamos ahora a considerar la teoría de la determinación de los precios y de las cantidades transaccionadas de los factores productivos. Al estudiar la determinación de los precios de los bienes y servicios de consumo a través de la oferta y la demanda, suponíamos que los precios de los factores les venían dados a las empresas. Estos precios, junto con la tecnología existente en cada momento, determinaban los costes de las empresas, costes que a su vez determinaban la oferta de bienes y servicios de consumo por parte de éstas.

Al considerar el funcionamiento del sistema de precios o de la economía de mercado, vimos cómo los mercados de factores están conectados con los mercados de bienes y servicios. Dada una distribución de la riqueza (de los recursos naturales, de los inmuebles, de los recursos financieros, etc.) y dada una población (con una distribución por edades, sexo, etc., y con un nivel de educación y capacitación profesional), los ingresos o renta de cada una de las economías domésticas dependerán de las cantidades de recursos que posea, de la fracción de éstos que venda en el mercado, y de los precios que los factores alcancen igualmente en el mercado. Con estos ingresos las economías domésticas financian sus compras de bienes y servicios de consumo. La demanda de los consumidores indica a los empresarios los bienes y servicios de consumo que han de producir (ya que ellos producen para vender y venderán los bienes que los consumidores demanden). En orden a producir estos bienes y servicios, los empresarios han de adquirir los factores necesarios a este fin, para lo cual acuden a los mercados de factores, en los que la oferta y la demanda de éstos determinan sus precios y las cantidades transaccionadas. De esta forma se cierra el círculo.

Vemos, pues, que los precios de los factores y las cantidades transaccionadas de éstos son variables muy importantes. En consecuencia, hemos de estudiar y explicar cómo se determinan tales precios y cantidades. Esta tarea la podemos realizar con la ayuda de la Teoría de los Precios. En definitiva, la Teoría de la Distribución (denominada así por tener como objeto de estudio la determinación de la renta que los distintos factores o los propietarios de éstos perciben al venderlos a unos precios y en unas cantidades determinadas) no es más que la aplicación de la Teoría de los Precios al estudio de la determinación de los precios y de las cantidades transaccionadas de los factores a través del juego de la oferta y la demanda de éstos en sus respectivos mercados.

Los precios de los factores y las cantidades transaccionadas de éstos juegan, pues, un papel fundamental en la distribución del Producto Nacional, ya que aquéllos determinan los ingresos o renta de los individuos, y, en consecuencia, los bienes y servicios de consumo y las cantidades de éstos que disfruta cada economía doméstica (dadas sus preferencias y su riqueza). En esta parte de la Teoría Económica se estudia, pues, la cuestión de «para quién» o de «quién disfruta los bienes y servicios» que en el Capítulo 1 señalábamos como una de las cuestiones importantes que ha de resolver todo sistema económico. Al mismo tiempo (como hemos señalado), la teoría de los precios de los factores ofrece el nexo que conecta la distribución de los recursos con la demanda de bienes y servicios de consumo.

En consecuencia, en esta parte de la Economía vamos a estudiar la determinación de los precios y de las cantidades transaccionadas de los factores. Para ello analizaremos los factores de los que dependen la demanda y la oferta de los diferentes factores productivos (valga la redundancia, ya que otros términos, tales como elementos o determinantes no son suficientemente expresivos de lo que pretendemos poner de manifiesto). A este fin, en primer lugar expondremos una teoría de la determinación de los precios y de las cantidades transaccionadas de los factores en general; y seguidamente analizaremos las características específicas de los mercados de trabajo y de capital. La teoría que desarrollamos aquí es fundamentalmente la llamada teoría neoclásica (al igual que lo es la Teoría de los Precios que hemos considerado anteriormente), basada en el supuesto de maximización de beneficios por parte de las empresas y de la renta o los ingresos por parte de las economías domésticas (éstas son en último extremo las propietarias de todos los factores existentes en la economía con la excepción de aquéllos que son propiedad del Estado), y en la utilización del aparato analítico de la teoría marginalista.

LA DEMANDA DE FACTORES

La Demanda de Factores como Demanda Derivada

Los factores productivos no se demandan por ellos mismos, sino por la utilidad que tienen para elaborar un bien o unos bienes y/o servicios que son deseados (demandados) por los individuos. En consecuencia, se puede afirmar que la demanda de factores es una demanda derivada de la demanda de los bienes y servicios en cuya producción pueden ser utilizados.

Se han formulado tres hipótesis sobre los determinantes de la demanda de factores productivos (tierra o recursos naturales, capital y trabajo de todo tipo), a saber:

a) La cantidad de un factor que demandan los productores depende directamente del nivel de la demanda (la cuantía de la demanda) de los bienes y/o servicios de consumo en cuya elaboración se emplea dicho factor. Cuanto más elevado sea el nivel de la demanda de los bienes y servicios producidos con el factor, mayor será la demanda de éste; y al revés: cuanto más bajo esté el nivel de la demanda de los bienes y servicios elaborados con el factor, menor será la demanda de éste.

b) La cantidad de un factor que demandan los productores (los empresarios) depende inversamente del precio relativo de éste. Cuanto más elevado sea el precio relativo de un factor (el precio de éste en relación con los precios de otros factores que pueden ser igualmente utilizados en la elaboración de los bienes y servicios de que se trate), menor será la demanda de dicho factor; y al revés: cuanto más bajo sea el precio relativo de un factor, mayor será la demanda de éste.

Generalmente en la producción de la mayoría de los bienes y servicios se pueden emplear diferentes factores. Así, en la fabricación de una mesa se puede utilizar madera de distintos tipos (lo que ya permite una cierta sustituibilidad entre éstos), tablero de conglomerado, metales de varias clases, plástico, o una combinación de dos o más de estos factores. La sustituibilidad entre capital y trabajo (la sustitución de trabajo por capital y de capital por trabajo) es igualmente factible en prácticamente todos los procesos productivos y constituye un fenómeno de la mayor trascendencia en la actividad económica. El constante avance de la tecnología y la subida secular de los salarios han dado lugar a un proceso continuo de sustitución de trabajo por capital, sustitución que ha hecho aumentar la relación (o coeficiente) capital-trabajo (el número de unidades de capital por unidad de trabajo medidas todas ellas en dinero).

La subida de los salarios ha sido al mismo tiempo la causa y el efecto del aumento de la productividad del trabajo y de la consiguiente elevación del nivel de vida. Al avanzar la tecnología, la productividad del trabajo ha aumentado, lo cual ha permitido la subida de los salarios y del nivel de renta; la elevación del nivel de renta ha incrementado enormemente la demanda de todo tipo de bienes de consumo; este incremento ha hecho posible la utilización de los métodos de producción en serie y la consiguiente obtención de las economías de escala; éstas a su vez han estimulado y hecho factible el progreso de la tecnología, la creación de innovaciones y su introducción en los procesos productivos, y el aumento de la relación capital-trabajo.

De esta forma, principalmente a partir de la revolución industrial iniciada a finales del siglo XVIII, se ha dado un proceso de avance de la tecnología, de incremento de la relación capital-trabajo, de aumento de la productividad del trabajo, de subida de los salarios, de aumento de la renta, de incremento de la demanda de bienes y servicios de consumo, de aumento de la producción y del empleo y de aumento del ahorro.

Se define el ahorro como la renta ganada y no gastada en bienes y servicios de consumo (véase el Capítulo 34). Este ahorro es colocado de diversas formas por los agentes económicos que lo realizan: en la compra de fincas e inmuebles; de oro, joyas y obras de arte; y sobre todo de activos financieros de todo tipo (véase el Capítulo 40 para una definición y clasificación de éstos). Estos activos financieros toman la forma de recursos financieros, los cuales constituyen el capital financiero con el que se adquieren los bienes capital o capital real (las máquinas de todo tipo, los edificios industriales y comerciales, las instalaciones de toda clase, los camiones, los tractores, etc.). El aumento de la renta ha dado lugar a un incremento del ahorro total realizado en las economías (ya que éste es una función directa

de aquélla). Este incremento del ahorro ha significado un aumento de la oferta
de capital. El crecimiento de la producción ha aumentado la demanda de trabajo,
lo que (dada una oferta de éste) ha llevado con frecuencia a situaciones de pleno
o próximas al pleno empleo. Todo esto ha tenido el resultado de que el trabajo se
haya hecho relativamente escaso y el capital se haya hecho relativamente abundante
(nos referimos naturalmente a los países industrializados; en los países subdesarrollados, el fenómeno es el opuesto). Según la Teoría de los Precios ello debía llevar
a que el precio relativo (los salarios reales) del trabajo aumentara con relación al
precio relativo (el interés) del capital, y, en consecuencia, a que se sustituyera trabajo por capital. Este es precisamente el fenómeno que ha tenido lugar, de acuerdo
con esta segunda hipótesis sobre los determinantes de la demanda de un factor.

Cuando los factores son complementarios en los procesos productivos (en lugar de ser sustitutivos) entonces puede ocurrir el fenómeno de que, al bajar el
precio de un factor, la cantidad demandada de otro factor complementario del
primero aumente, aun cuando su precio absoluto no varíe (lo cual implica que su
precio relativo sube). Por ejemplo, si el precio de los tornos baja, se puede esperar que aumente la demanda de torneros, aun cuando el precio de éstos (el salario) se haya hecho más caro relativamente hablando. Al menos en el corto plazo,
el torno y el tornero son factores complementarios, aunque a largo plazo pueden
ser sustitutivos, si se inventan tornos cuyo manejo requiera menos mano de obra.

c) La cantidad demandada de un factor depende de la productividad del factor. *Céteris páribus,* cuanto más elevada sea ésta, mayor será la demanda del factor. Recordemos que la productividad se define como la cantidad (número de unidades o fracción de unidad) del bien producido que se obtiene por unidad del
factor (el número de pares de zapatos producidos por kilo de cuero, o por jornada
de trabajo). *A sensu contrario,* dadas unas demandas de los bienes en cuya elaboración se utiliza el factor en cuestión, y dados el precio de éste y los precios de los
demás factores sustitutivos y complementarios del que analizamos, cuanto menor
sea su productividad menor será su demanda.

Con estas tres hipótesis se toman en consideración los tres determinantes que
mayor importancia tienen sobre la demanda de un factor: la demanda de los bienes y servicios de consumo en cuya elaboración se puede utilizar éste, su precio
relativo (su coste), y su productividad (su rendimiento relativo).

De estas tres hipótesis podemos derivar algunas conclusiones sobre la elasticidad de la demanda de un factor. Así, se pueden realizar las tres afirmaciones siguientes:

a) La elasticidad de la demanda de un factor varía directamente con la elasticidad de la demanda del producto o productos finales en cuya elaboración se emplea o puede emplearse dicho factor. Una subida del precio del factor que analizamos dará lugar a un aumento de los costes de producción del bien final, cuyo precio consecuentemente subirá (se traslada hacia la izquierda su curva de oferta). Si
el aumento del precio del bien produce una disminución grande en la cantidad demandada de éste (si su curva de demanda es bastante elástica), entonces la demanda
del factor en cuestión disminuirá en gran medida.

b) Cuanto más reducida sea la fracción que el coste del factor representa en
el coste total del producto, más inelástica será la curva de demanda del factor. Esta
hipótesis equivale a lo que afirmábamos en relación con la elasticidad de la demanda de un bien: el gasto diario en azúcar representa una fracción muy pequeña del
gasto total en consumo que cualquier individuo realiza por día, y, en consecuencia,

la curva de demanda del azúcar es inelástica (el que éste no tenga buenos sustitutivos es otra razón que explica la reducida elasticidad de la curva de demanda de azúcar, pero recuerde el lector que siempre empleamos el supuesto de *céteris páribus* al analizar cualquier fenómeno).

Del mismo modo, cuanto menor sea el porcentaje que el coste realizado en un factor represente en el coste total de elaborar un bien o servicio, menor será la variación que se producirá en la cantidad demandada del factor al cambiar su precio. Si la tapicería de los asientos de un avión Boeing 707 representa sólo el 0,1 por 100 del coste total de éste, es de esperar que aunque el precio de la tapicería aumente en un 30 por 100, la cantidad demandada de ésta para tapizar asientos de aviones Boeing 707 prácticamente no varíe. Por el contrario, si la fracción del coste total del producto que representa el coste en el factor que analizamos es elevada, al variar el precio de éste se puede esperar que la cantidad que se demande de él cambie sustancialmente. Naturalmente, estamos suponiendo otras cosas constantes: dada una elasticidad de las curvas de demanda de los bienes y servicios en cuya elaboración se utiliza el bien, y dado un grado de sustituibilidad del factor por otros factores.

c) La demanda de un factor será más elástica cuanto más fácil sea sustituir este factor por otro u otros factores en la producción de los bienes y servicios. Esto es lógico: cuanto más fácil sea sustituir un factor por otro u otros (en cuanto a obtener los mismos resultados o productos y en cuanto a rapidez en poder efectuar la sustitución), mayor se puede esperar que sea la variación en la cantidad demandada del factor ante un cambio determinado en su precio.

Una vez más, insistimos en dos cuestiones importantes a tener en cuenta al estudiar la demanda de factores y su elasticidad:

1) Al formular cada una de estas hipótesis estamos suponiendo que los demás determinantes permanecen constantes a un nivel dado. Así, decimos que dado el porcentaje que el coste realizado en el factor representa en el coste total del bien que se produce, y dada la elasticidad de la curva de demanda de los bienes en cuya elaboración se emplea dicho factor, cuanto mayor sea el grado de sustituibilidad del factor por otros factores, mayor será la elasticidad de su curva de demanda. Naturalmente la combinación de estos tres elementos y su importancia relativa respecto de un factor determinarán la elasticidad de la curva de demanda de éste. Así, si el coste de un factor representa un porcentaje alto en el coste total del bien producido, pero no puede ser sustituido por otros factores en la elaboración del bien, la curva de demanda del factor en cuestión será inelástica.

2) Al analizar la demanda de un factor se está continuamente pasando de la demanda de éste a la demanda de los bienes y servicios en cuya elaboración se emplea aquél. Debido a que la demanda de los factores es una demanda derivada de la de los productos en la fabricación de los cuales se emplean los factores, es necesario estar haciendo continuamente referencia a la forma de la demanda de dichos productos. Ello exige del lector un poco de gimnasia mental al comienzo del estudio de esta rama de la Economía, pero pronto se acostumbrará a este análisis realizado simultáneamente en dos planos distintos. Después veremos que la cuestión se complica un poco más al tener que tomar en consideración el precio del factor, la productividad marginal física del factor (lo que hemos llamado anteriormente productividad en relación con la última unidad empleada del factor), y el valor del producto marginal de éste (el valor en unidades monetarias del producto marginal físico).

A partir de las hipótesis que hemos expuesto sobre la forma de la curva de demanda de un factor, es relativamente fácil determinar aproximadamente cómo será la demanda de un factor por parte de una industria concreta, ya que sabemos la forma de la curva de demanda del bien que ésta elabora, la fracción del coste total de fabricar éste que representa el coste en el factor en cuestión, y el grado de sustituibilidad de éste por otros factores dentro del proceso productivo que se emplea en la industria. Así, el papel representa una parte pequeña del coste total de imprimir y comercializar un libro y además es insustituible; en consecuencia, se puede esperar que su curva de demanda sea inelástica, a pesar de que la demanda de libros en general puede que no sea muy inelástica (aun cuando la demanda de un buen libro de texto, de una buena novela, o de una novela que se haya puesto de moda y mucha gente se sienta obligada a leerla sea bastante inelástica).

Por el contrario, resulta mucho más difícil el determinar la forma de la demanda total de un factor por parte de todas las industrias que lo emplean (o que potencialmente pueden utilizarlo). Así, el acero juega un papel relativamente más importante en la industria de la construcción naval que en la industria de la construcción de viviendas. En consecuencia, obviamente la demanda de barcos tendrá una mayor influencia sobre la elasticidad de la curva de demanda de acero que la demanda de viviendas. Para poder determinar aproximadamente la forma de la curva de la demanda total de un factor hay que tomar en consideración su demanda por cada una de las industrias que lo emplean o pudieran emplearlo. Generalmente la elasticidad de la demanda de los factores es más elevada de lo que a primera vista puede parecer. El hecho de que la demanda de un factor sea una demanda derivada y que generalmente los factores sean sustituibles (por supuesto, unos tienen más y/o mejores sustitutivos que otros) como mínimo a largo plazo, hace que la elasticidad de la demanda de la mayoría de los factores tienda a ser superior a la unidad.

Derivación de la Curva de Demanda de un Factor Según la Teoría de Productividad Marginal

Como ocurre con la demanda de la gran mayoría de los bienes y servicios de consumo, la curva de demanda de un factor cualquiera tiene una pendiente negativa (desciende de izquierda a derecha). La teoría de la productividad marginal explica esta afirmación, proposición que es correcta siempre que las empresas maximicen sus beneficios. Recordemos que la primera de las dos condiciones que han de cumplirse para que la empresa maximice los beneficios es la de que $CMa = IMa$. Esta condición equivale a afirmar que (para maximizar sus beneficios) la empresa aumentará su producción hasta aquel nivel de *output* para el cual la última unidad del factor variable utilizado añade a sus ingresos totales lo que añade a sus costes totales. Veamos por qué.

Los ingresos que la utilización de una unidad adicional de un factor proporciona al empresario están integrados por dos elementos: el aumento que se da en la cantidad producida del bien que se elabora (el número de unidades o fracción de unidad del bien en que aumenta el *output* total de éste), y el precio al que se venden esas unidades o fracción de unidad del bien. Multiplicando estas dos magnitudes se obtiene lo que se denomina el valor del producto marginal *(VPMa)* del factor. Este se define como el incremento que experimentan los ingresos totales del empresario al emplear éste una unidad más de un factor determinado. El *VPMa* está referido lógicamente a un factor (hablamos del *VPMa* de un factor).

Así pues, el *VPMa* está integrado por dos elementos:

a) El aumento físico de la producción al emplear una unidad más del factor variable; es decir, el número de unidades o fracción de unidades del bien que se elabora obtenidas al utilizar en la producción una unidad más del factor variable. A esta magnitud se la denomina el producto marginal físico (PMaF).

b) El aumento que se da en los ingresos totales del empresario al vender una unidad más del bien en el mercado. A este aumento en los ingresos lo hemos denominado anteriormente el ingreso marginal. El lector recordará que definíamos el *IMa* como el incremento que se daba en el ingreso total al venderse una unidad más del bien producido. El concepto de *IMa* que utilizamos aquí es el mismo que empleamos en el Capítulo 23. El producto o bien que se elabora tendrá una curva de demanda, de la que se podrá derivar una curva de *IMa*. Si la curva de demanda tiene una pendiente negativa, $IMa < P$; y si la curva de demanda es totalmente elástica, $IMa = P$. Recuerde el lector que en el análisis de la demanda de factores pasamos continuamente del mercado del factor que se estudia al mercado del producto en cuya elaboración se emplea aquél. Así pues:

$$VPMa = PMaF \times IMa$$

Como hemos visto en el Capítulo 20, la función de producción se define como la relación técnica entre los *inputs* que nos da la cantidad de *output* que se puede fabricar con unas cantidades determinadas de factores. Cada cantidad de un bien cualquiera puede ser producida con diversas combinaciones de cantidades de unos factores, y con diferentes factores. Dado que es posible sustituir unos factores por otro u otros, la función de producción nos dice que existe un gran número de combinaciones alternativas de factores para producir una misma cantidad de unidades de un bien. La función de producción explica, pues, la forma de la curva de costes totales de la empresa, y, en consecuencia, de la demanda de factores por parte de ésta. Recordemos que el producto marginal físico de un factor se define como la cantidad adicional del producto obtenida al emplear una unidad más del factor, suponiendo que los demás factores se mantienen constantes.

Al estudiar las curvas de costes de la empresa supusimos dos cosas:

a) Generalmente se cumplía la ley de los rendimientos marginales decrecientes. Señalábamos que esta ley podía entrar en juego a niveles más o menos elevados de *output* según las combinaciones iniciales de los factores de los que se partiera; pero que llegaría un momento en el que se daría, siempre que se mantuviesen fijas las cantidades que se empleaban de unos factores mientras que se variaban las de otros (véanse a este respecto las Figuras 20.1, 20.2, 20.3 y 27.19).

b) Las curvas de costes representan el gasto más bajo posible para cada cantidad producida de *output*.

La cuestión que se plantea es la de saber cómo la empresa puede determinar esos costes mínimos, ya que suponemos que la empresa minimiza sus costes como uno de los requisitos para maximizar sus beneficios. La empresa puede sustituir unos factores por otros hasta alcanzar el coste más bajo posible para una determinada cantidad de *output*. Esto lo puede conseguir comparando el precio del factor con el producto marginal de éste. Para obtener el máximo rendimiento por unidad de factor empleada, la empresa tendrá que conseguir que se cumpla la condición:

$$\frac{PMaF \, de \, A}{Precio \, de \, A} = \frac{PMaF \, de \, B}{Precio \, de \, B} = \frac{PMaF \, de \, C}{Precio \, de \, C} = \ldots$$

Es decir, la empresa ha de combinar los factores en las cantidades de éstos que hagan que el *PMaF* que obtenga por peseta gastada en cada factor sea el mismo. Si ocurriera que:

$$\frac{PMaF\ de\ A}{Precio\ de\ A} > \frac{PMaF\ de\ B}{Precio\ de\ B}$$

la empresa podría reducir sus costes de producir una determinada cantidad de *output* sustituyendo unidades del factor B por unidades del factor A, ya que estaría obteniendo un mayor *PMaF* por peseta gastada en el factor A que en el factor B (dadas las cantidades concretas de ambos que está empleando). Al aumentar el número de unidades que emplea del factor A (suponiendo que se dé la ley de la productividad marginal decreciente, de los rendimientos decrecientes, o de los costes crecientes), el *PMaF* de éste disminuirá; si el precio de A no varía, la razón

$$\frac{PMaF\ de\ A}{Precio\ de\ A}$$

se hará más pequeña. Del mismo modo, al reducir el número de unidades del factor B que se emplean, su *PMaF* aumentará; como el precio del factor B no varía, la razón

$$\frac{PMaF\ de\ B}{Precio\ de\ B}$$

aumentará de valor.

De esta forma tiende a igualarse el *PMaF* por peseta gastada en todos los factores. La empresa minimiza los costes cuando alcanza esta situación. Recuerde el lector que esta condición que ha de cumplirse para obtener la minimización de los costes corresponde al requisito que el consumidor debía cumplir para maximizar su utilidad total (la *UMa* por peseta gastada en los diferentes bienes debía ser la misma; véase el Capítulo 16). La empresa sustituirá unos factores por otros (en la medida en que ello sea técnicamente factible) hasta que no sea posible reducir más los costes.

Esto nos explica la forma de las curvas de costes de la empresa y sus desplazamientos. Si el precio de un factor sube, las curvas de costes se desplazan hacia arriba, debido a que la razón

$$\frac{PMaF}{P}$$

del factor en cuestión disminuye de valor, lo que implica un aumento del coste por unidad de producto. La empresa sustituirá el factor por otro (cuyo precio no haya variado o lo haya hecho en menor cuantía que el primero) hasta que no sea posible reducir más los costes. No obstante, tras el proceso de sustitución que se ha efectuado, los costes serán superiores como consecuencia de la subida del precio del factor.

Una vez que hemos visto la condición que ha de cumplirse para que la empresa esté minimizando los costes, tratemos ahora de derivar la curva de demanda de un factor por parte de una empresa. Para obtener la demanda de un factor, además de la condición del coste mínimo anteriormente expuesta, hemos de recordar también la condición de $CMa = IMa$ del producto que ha de cumplirse para que se maximicen los beneficios. Esta última condición determina la cantidad de *output* que ha de producir la empresa. La producción de esta cantidad de *output* exige la utilización de unas cantidades de factores, y ocurre que empleando esas cantidades de factores se cumple la condición de:

$$VPMa_A = P_A; \quad VPMa_B = P_B; \quad VPMa_C = P_C; \quad \ldots$$

La empresa maximiza los beneficios cuando: *a)* minimiza los costes, y *b)* hace $CMa = IMa$ y el CMa está creciendo. Sabemos cuál es la condición que ha de cumplirse para minimizar los costes (que el $PMaF$ por peseta gastada sea el mismo para todos los factores). Sabemos igualmente que la condición $CMa = IMa$ significa que ha de cumplirse que lo que a la empresa le cuesta producir una unidad adicional del bien que se elabora sea igual al ingreso que esta unidad le reporta al venderla en el mercado (que lo que la última unidad producida añade al coste total sea igual que lo que añade al ingreso total de la empresa productora).

Esta condición de maximización de los beneficios se la puede traducir del coste y del ingreso del bien producido al coste (precio) y al rendimiento del factor variable empleado en la elaboración de la unidad del bien que hace que para ese *output* $CMa = IMa$. Si en lugar de considerar unidades del bien que se produce pensamos en términos de unidades de los factores que se emplean, afirmar que en equilibrio $CMa = IMa$ del producto es lo mismo que decir que $VPMa = P$ del factor variable. Con unos rendimientos marginales de los factores, primero crecientes (a los que corresponden los niveles de *output* para los que las curvas de costes tienen tramos descendentes), y después decrecientes, el empresario aumentará la producción hasta aquel nivel para el cual la última unidad del factor variable utilizada añade al ingreso total lo que añade al coste total.

Esta condición se puede formular de otra manera. En lugar de considerar unidades del producto, pensemos en términos de unidades del factor. Para cada nivel de *output,* una unidad del factor variable (suponemos que sólo se emplea un factor variable) producirá una cantidad determinada del bien (una unidad, varias unidades, una fracción de unidad, etc.). Podemos tomar esta cantidad del bien en bloque como el cambio marginal en la cantidad producida (aun cuando se trate de más de una unidad del bien). Esta cantidad del bien, vendida a su precio de mercado, en realidad constituye (o corresponde) al IMa de la condición de máximo de beneficios. Del mismo modo, el CMa de producir esa cantidad de *output* (el correspondiente al cambio en la producción total al utilizar una unidad más del factor variable) es exactamente el precio pagado por esta unidad.

En consecuencia, decir que $CMa = IMa$ del producto es exactamente igual que decir que $VPMa = P$ del factor variable utilizado. En el primer caso se habla de producir una unidad más de *output* (cualquiera que sea el número de unidades o fracción de unidad del factor variable que sean necesarias para su elaboración), y en el segundo se habla de utilizar una unidad más de dicho factor (cualquiera que sea el número de unidades o fracción de unidad del bien elaborado que se produce con ella). El empresario que maximiza sus beneficios, aumenta su *output* hasta aquel nivel para el cual $CMa = IMa$ del producto o $VPMa = P$ del factor variable.

Pasamos a considerar ahora por qué la curva de demanda de un factor cualquiera tiene una pendiente negativa. Sabemos que en equilibrio de maximización de beneficios:

$$VPMa = P \; del \; factor$$

Asimismo, $VPMa = PMaF \times IMa$

Pero $PMaF = g(Q)$ e $IMa = f(Q)$

Es decir, el $PMaF$ es una función del nivel de *output*, e igualmente el IMa es una función del nivel de *output* y ventas (o lo que es lo mismo, del nivel de compras del bien en cuestión por parte de los consumidores, según su curva de demanda).

En consecuencia:

$$VPMa = PMaF \times IMa = g(Q) \cdot f(Q)$$

Si se cumple la hipótesis de los rendimientos decrecientes, entonces el $PMaF$ necesariamente disminuirá a partir de algún nivel de *output*. Por su parte, el IMa (al estar derivado de la curva de demanda del producto por parte de los consumidores) sólo puede ser constante (en el caso de una curva de demanda totalmente elástica) o decreciente (en el caso de una curva de demanda normal con pendiente negativa), pero nunca creciente (para ello la curva de demanda a la que correspondiera debería tener una pendiente positiva).

Como hemos visto ampliamente en los Capítulos 19 al 23, a corto plazo se puede esperar que la empresa tenga unas curvas de $CMeT$, $CMeV$ y CMa que muestran un tramo descendente a medida que se aumenta el *output* a partir de niveles muy bajos de éste (se mejora la combinación de los factores fijos con los variables), un punto mínimo (que corresponde al *output* para el cual la combinación de los factores es la más rentable posible), y un tramo ascendente (correspondiente a los niveles de *output* para los que la ley de los rendimientos marginales decrecientes entra en juego). En consecuencia, se puede esperar que, al aumentar progresivamente el número de unidades del factor que se utilizan, el $PMaF$ sea primero creciente, alcance un valor máximo, y después empiece a decrecer. Por su parte, el IMa puede ser constante (en el caso de competencia perfecta) o decreciente (cuando la curva de demanda del producto con la que se enfrenta la empresa tiene una pendiente negativa), al aumentar el número de unidades del factor que se utilizan y al incrementarse la cantidad de unidades del bien que se producen y venden.

De aquí concluimos que (si se cumple la hipótesis de los rendimientos marginales decrecientes y las empresas tienen las curvas de costes en forma de V que se pueden considerar normales), el $VPMa$ de cualquier factor crecerá inicialmente cuando se van empleando cantidades de unidades cada vez mayores (cuando se empiezan a producir unidades del bien y se va aumentando progresivamente el *output* de éste), alcanzará un valor máximo al emplearse una cantidad determinada de unidades de dicho factor, y empezará a decrecer (disminuirá de valor, pero no será negativo) a partir de que se utilice un número de unidades mayor que la cantidad anterior.

FIGURA 28.1 FIGURA 28.2

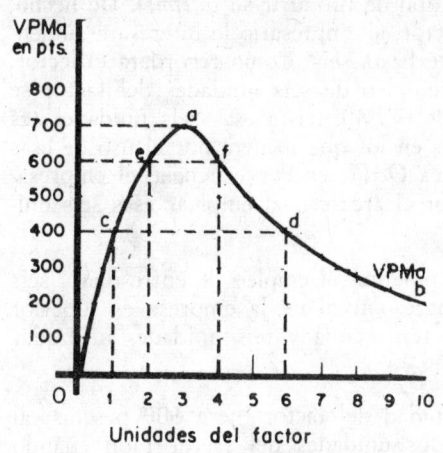

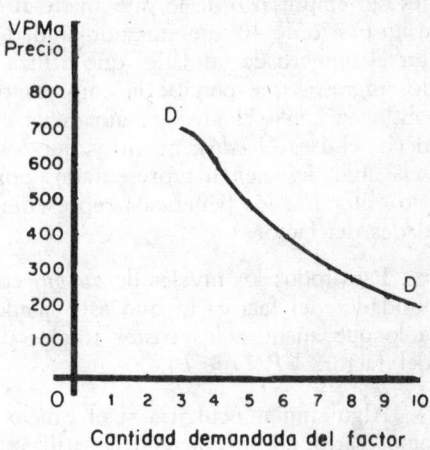

Gráficamente podemos representar esta hipótesis sobre el comportamiento del *VPMa* de un factor variable al utilizar cantidades crecientes de unidades de éste en la producción de un bien (al aumentar progresivamente el *output* de éste), tal como se hace en la Figura 28.1. Al emplear cero unidades del factor, lógicamente *VPMa = 0,* ya que no se produce ningún *output* y, por lo tanto, la empresa no obtiene ningún ingreso por este concepto. Al utilizar entre una y tres unidades del factor, el *VPMa* va creciendo hasta alcanzar su valor máximo de 700 pesetas. Esto implica que los *CMa* son decrecientes hasta producir la cantidad de *output* que se elabora con tres unidades del factor. Esta afirmación no tiene que ser exactamente cierta, ya que el *VPMa* está integrado por los dos componentes *PMaF* e *IMa,* y, suponiendo que el precio del factor no cambia, el *PMaF* es el único de estos dos elementos que determina al *CMa;* de ahí que la curva del *VPMa* puede que empiece a decrecer antes de que los *CMa* comiencen a aumentar, debido a que el *IMa* esté ya disminuyendo desde las primeras unidades vendidas del producto. Cuando se emplean tres unidades del factor, el *VPMa* obtiene su valor más alto (700 ptas.). Al utilizar sucesivas unidades más del factor, el *VPMa* decrece, aunque es positivo.

Dada la curva del *VPMa* representada en la Figura 28.1, que suponemos tiene una empresa al utilizar cantidades crecientes de un factor variable determinado, y dado el precio de éste, podemos derivar fácilmente la curva de demanda del factor en cuestión por parte de la empresa. Si ésta desea cumplir la condición de minimización de los costes (*VPMa =P* del factor), entonces la empresa tendrá como curva de demanda del factor la curva del *VPMa* de éste en su tramo decreciente (el tramo *ab* de la curva del *VPMa* de la Figura 28.1.

La explicación de este fenómeno es muy sencilla. Si en el eje de ordenadas de la Figura 28.1 representamos también el precio del factor, podemos ver fácilmente que en el punto *c* de la curva del *VPMa* la empresa está igualando el *VPMa* al precio del factor (utiliza una unidad de éste, y el *VPMa* y el precio se igualan a 400 ptas.). Pero es evidente que la empresa no se limitaría a producir la cantidad de *output* que le permitiera elaborar el empleo de una sola unidad del factor, ya que (suponiendo que el precio del factor se mantuviera constante al comprar más unidades de éste, cosa que puede esperarse ocurra) aumentando el número de unidades que emplea del factor, el *VPMa > P,* lo que le permite obtener beneficios (ya que cada unidad adicional que utiliza del factor añade más a los ingresos totales del empresario de lo que añade al coste total de producir su *output*). De hecho, a un precio de 400 pesetas por unidad del factor, al empresario le interesará aumentar el número de unidades que utiliza de éste hasta seis. Como recordará el léctor, los ingresos que percibe la empresa por el empleo de seis unidades del factor se obtienen como el área debajo de la curva del *VPMa* hasta esas seis unidades (es decir, el área *Ocad6*), mientras que los costes en los que incurre por el uso de esas seis unidades vienen representados por el área *Ocd6;* en consecuencia, el empresario obtendría los beneficios representados por el área *cad* al emplear esas seis unidades del factor.

Para todos los niveles de *output* correspondientes al empleo de entre una y seis unidades del factor, lo que éste añade al ingreso total de la empresa es superior a lo que añade a los costes totales de ésta (entre una y seis unidades utilizadas del factor, *VPMa* > *P*).

Algo similar ocurriría si el precio por unidad del factor fuera 600 pesetas: al empresario no le convendría utilizar sólo dos unidades del factor (aun cuando *VPMa* = *P* del factor a ese nivel de *output*), sino que emplearía cuatro unidades (si utiliza dos en lugar de cuatro unidades, dejaría de obtener los beneficios representados por el área *eaf*). Del mismo modo, si el precio del factor fuera de 200 pesetas, el empresario no utilizaría media unidad del factor, sino diez unidades de éste. Al empresario nunca le convendrá detenerse en los puntos de la curva del *VPMa* correspondientes al tramo creciente de ésta, ya que, aumentando la producción del bien que elabora y, en consecuencia, empleando más unidades del factor, *CMa* < *IMa* del producto; o lo que es lo mismo, *VPMa* > *P* del factor.

Concluimos, pues, que la curva del *VPMa* de un factor tiene la forma que se representa en la Figura 28.2: si el precio del factor permanece constante al comprar más unidades de éste, y si el empresario maximiza sus beneficios a través de minimizar sus costes, entonces la curva de demanda de dicho factor por parte del empresario será el tramo decreciente (con pendiente negativa) de la curva del *VPMa* (el tramo *ab* de la curva del *VPMa* de la Figura 28.1 que hemos representado por la curva *DD* de la Figura 28.2).

Dada la forma de esta curva, para cada precio por unidad del factor el empresario puede igualar el *VPMa* del factor con su precio utilizando dos cantidades distintas del factor (el empresario tiene dos opciones entre las que elegir). Pero si desea maximizar sus beneficios, deberá elegir la mayor de las dos cantidades. Esto ocurre para todos los precios hasta llegar a 700 pesetas (el punto más elevado de la curva del *VPMa,* en el cual el empresario sólo tiene la opción de emplear tres unidades del factor). Así pues, para el empresario maximizador de los beneficios, la curva de demanda de un factor es la curva del *VPMa* de éste en tramo decreciente (el tramo creciente de la curva no es relevante para el empresario como curva de demanda del factor). Esto explica por qué, según la teoría de la productividad marginal, la curva de demanda de los factores tiene una pendiente negativa.

La igualación del *VPMa* con el precio de un factor significa que este factor recibe como precio exactamente el valor de su producto marginal. Dicho de otra forma, esta teoría afirma que cada factor recibe como pago (y, en consecuencia, su propietario percibe como renta) exactamente el valor de su contribución al Producto Nacional. Tal conclusión parece a primera vista bastante lógica e incluso justa. Además, esta teoría tiene el atractivo de que las Teorías del Comportamiento del Consumidor, de la Producción y de los Costes, de los Precios de Mercado, de la Empresa y de la Distribución quedan perfectamente integradas. El consumidor maximiza su utilidad y la empresa maximiza los beneficios a través de minimizar los costes. Después veremos cómo los precios de los factores no vienen determinados exclusivamente por el valor de su $PMaF$. Sin duda esta teoría explica muchas cosas (en cuanto a los precios de los distintos factores y las diferencias entre aquéllos), pero sabemos que elementos políticos, de poder, de amistad, de habilidad en la presentación (por parte del propietario o del agente encargado de su venta) juegan un papel importante en la determinación de los precios de los factores y, en consecuencia, de los ingresos o renta de sus propietarios.

La curva de demanda de mercado (la demanda total) de un factor será la suma horizontal de las curvas de demanda por parte de todas las empresas que lo emplean, y tendrá también una pendiente negativa. Existe, sin embargo, una pequeña complicación cuando se trata de agregar las curvas de demanda individuales (las curvas de las diversas empresas). Se trata de la siguiente cuestión: si en respuesta a una disminución del precio de un factor, todas las empresas que lo utilizan aumentan la cantidad empleada de él y, en consecuencia, incrementan la producción del bien que elaboran con él, el precio del artículo disminuirá al aumentar su oferta (la curva de oferta de éste se desplaza hacia la derecha). Esto hace disminuir el $VPMa$ del factor al hacerse más pequeño el IMa (recordemos que $VPMa = PMaF \times IMa$; si el IMa se hace más pequeño al bajar el precio del producto, aun cuando el $PMaF$ no varíe, el $VPMa$ se reducirá). La consecuencia de este fenómeno será que la curva de demanda agregada del factor tendrá una pendiente mayor que las curvas de demanda de éste por parte de las diferentes empresas.

LA OFERTA DE FACTORES

La Oferta Total de Factores

La oferta total de los factores no es tan inelástica como podría pensarse a primera vista. La oferta de trabajo está constituida por el número de horas de trabajo que la población de un país está dispuesta a ofertar a los distintos niveles de salarios. La oferta de trabajo es una función de tres factores: el tamaño de la población, y su distribución por edades, sexo, estado civil, educación y formación profesional; la proporción de ésta que está dispuesta a trabajar, y el número de horas que trabaja cada individuo. La población varía de acuerdo con muchos factores, tales como el avance de la medicina, los hábitos sociales y morales, los recursos alimenticios, etc. (estas cuestiones constituyen el objeto de estudio de la Demografía). La fuerza de trabajo o la mano de obra depende, por una parte, de la distribución de la población por edades (en España la población activa o población en edad de trabajar en 1979 estaba integrada por 13.100.000 personas; la población total era de 37.107.700 personas); y por otra, de los cambios en la demanda de trabajo, ya que éstos dan lugar a variaciones en los salarios.

Cuando los salarios suben hasta niveles suficientemente atractivos, puede que personas que antes no deseaban trabajar ahora busquen empleo (algunas mujeres adultas solteras y/o casadas, muchachos y muchachas que han cumplido la edad escolar y que deciden no continuar su educación, personas jubiladas, etc.), y/o que personas ya empleadas decidan trabajar horas extraordinarias.

Pero también puede ocurrir que al alcanzar los salarios ciertos niveles elevados (lo que permite a los individuos un nivel de vida alto), la gente desee disfrutar de más ocio, ya que éste sin duda constituye un bien tan deseado y valioso

como los bienes y servicios de todo tipo. En la Figura 28.3 se muestra una recta de
balance (la línea *ab*) que representa las combinaciones de ocio y bienes y servicios
que el individuo puede alcanzar (ambas magnitudes se expresan en pesetas a través de los ingresos que el sujeto obtendría por hora trabajada), dados un nivel de
salarios y unos precios de los bienes y servicios. El individuo ha de decidir en qué
punto de esta recta de balance se sitúa, dadas sus preferencias por el ocio y por
los bienes y servicios (cuánto ocio y cuántos bienes y servicios de consumo, incluyendo el ahorro, disfrutar). Un aumento de los salarios da lugar a un cambio de la
recta de balance de *ab* a *ac*: disfrutando una una misma cantidad de ocio (*Od*),
ahora puede el individuo aumentar su consumo de bienes de B_0 a B_1; o alternativamente, consumiendo la misma cantidad de bienes y servicios (*B_0*), ahora puede
aumentar su ocio de *Od* a *Oe* (naturalmente también puede hacer una combinación
aumentando el consumo y el ocio, y situándose en cualquier punto de su nueva
recta de balance entre los puntos *f* y *g*.

FIGURA 28.3

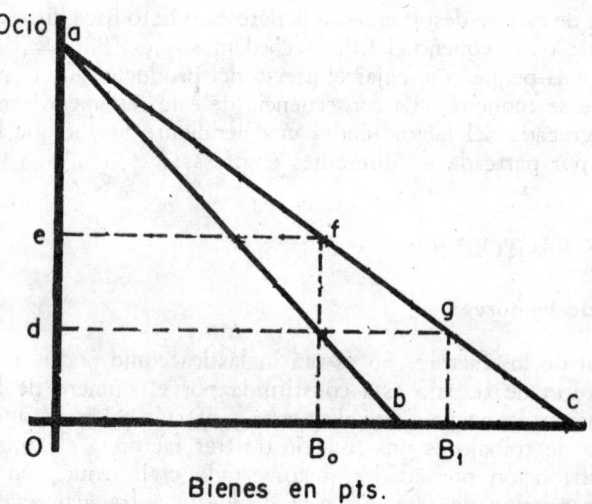

Así pues, la oferta total de trabajo es bastante elástica, a pesar de que la población total y la población activa no cambien con rapidez. Según los estudios
empíricos realizados sobre el tema, los impuestos sobre la renta de las personas
físicas no parecen tener un efecto significativo sobre la oferta de trabajo a nivel
general: los elevados tipos impositivos no parecen disminuir la oferta de trabajo
excepto en el caso de unos pocos individuos con ingresos muy elevados. Lo que
sí es cierto es que el aumento de la renta *per cápita* ha hecho disminuir considerablemente el número de horas que los individuos en general desean trabajar por
período de tiempo.

La oferta total de tierra difiere según que se la considere como superficie seca
(que es inelástica) o como tierra fértil (que es más elástica, ya que su cantidad
puede variar a través de meterse tierra en regadío, mejorar el sistema de irrigación, etc.). Para el análisis de la mayoría de los problemas económicos, la oferta
de tierra cultivable es la que interesa tener en cuenta, y ésta no es perfectamente
inelástica. Tampoco los recursos naturales tienen una oferta totalmente inelástica.
Piénsese, por ejemplo, en la oferta de petróleo; sin duda los yacimientos que exis-

ten en el mundo son fijos, pero su descubrimiento y explotación dependen de los recursos que se destinen a ello, y éstos a su vez están relacionados con el precio del petróleo (en consecuencia, la oferta de petróleo se puede decir que es relativamente elástica). La oferta total de capital (entendido éste en su doble acepción de recursos financieros y de bienes capital) es bastante elástica, ya que la cantidad existente de éste no viene fijada por la naturaleza, sino que es determinada por los agentes económicos.

La Oferta de Factores para Usos Concretos: El Principio de La Máxima Ventaja Neta

Como hemos señalado repetidamente, la gran mayoría de los factores pueden ser utilizados en varios usos (lo que precisamente da lugar a la necesidad de elegir, necesidad que, junto con la escasez de estos factores, constituye la esencia del problema económico), entre varias industrias, y (dentro de cada una de éstas) entre varias empresas. La Teoría Económica postula que los propietarios de los factores escogerán para éstos aquel uso (de entre los varios posibles) que le reporte las máximas ventajas netas. Según este principio, los propietarios tratarán de obtener por sus factores las mayores ventajas que puedan, incluyendo en éstas los ingresos pecuniarios y las ventajas no pecuniarias (tales como el interés del trabajo que se realiza, el lugar donde se vive, las vacaciones que se tienen, el horario de trabajo, el tipo de personas con las que se relaciona uno, etc.). Para ello buscarán la ocupación que más les convenga para sus factores en orden a maximizar las ventajas netas. Empleamos el término ventajas por ser más general que ingresos (éstos los consideraremos incluidos en aquéllas).

Cualquier cambio en el tamaño relativo del pago que recibe un factor en un uso concreto con relación al pago que recibe en otro uso, dará lugar a que los propietarios de este factor aumenten la cantidad que ofertan para el uso en el que ha aumentado el precio del factor. El fenómeno contrario ocurrirá cuando el precio de un factor se haga más bajo (en términos relativos) en un uso que en los demás posibles empleos alternativos de aquél.

Según este principio, podría concluirse que las ofertas de factores son muy elásticas. En realidad la elasticidad de la oferta de un factor depende fundamentalmente de la movilidad de éste; es decir, de la mayor o menor facilidad y rapidez con las que el factor puede pasar de un uso a otro, y de un lugar a otro. Paradójicamente la tierra tiene una gran movilidad, ya que se la puede dedicar a muchos usos diversos (agricultura, y dentro de ésta a gran cantidad de cultivos diferentes, a solares para distintos tipos de edificios, a finca de recreo, etc.) y es relativamente fácil cambiarla de un uso a otro. Así, se costea (o es rentable) derruir un edificio y construir otro nuevo en su lugar cuando el valor de la tierra en el nuevo uso excede al valor de ésta en el primer uso más el coste de derruir el edificio viejo. Cuanto mayor sea este último componente, menor será la movilidad de la tierra.

Por lo que respecta al capital, hemos de distinguir entre bienes capital y capital financiero. Los primeros a corto plazo tienen muy poca movilidad, ya que cualquier máquina ha sido construida para fabricar un determinado producto, y, en consecuencia, no se la puede cambiar a otro uso. Esta es la razón por la que a las empresas les resulta difícil salir de una industria (una vez que han adquirido maquinaria sólo pueden venderla como chatarra), y por la que decíamos que a corto plazo la empresa continuará produciendo aun cuando sólo cubra los costes variables y algo de los fijos. A largo plazo, sin embargo, los bienes capital tienen movilidad, ya que son convertidos en capital o recursos financieros a través de la amortización. El capital financiero obviamente tiene una movilidad total, ya que puede ser utilizado en todos los usos y se le puede trasladar de un lugar a otro con facilidad.

El trabajo, como puede comprenderse, es un factor peculiar. En éste los elementos no pecuniarios (o no monetarios) juegan un papel más importante en la movilidad del factor del que tienen en el caso de otros factores; la causa de esta peculiaridad estriba en que el factor y su propietario son inseparables. La mano de obra es mucho más móvil a largo plazo que a corto plazo (esto es cierto en general para todos los factores); para un período de tiempo dado, tiene una mayor movilidad entre trabajos en la misma localidad que entre diferentes localidades, y dentro de una misma ocupación que entre ocupaciones distintas. Naturalmente la movilidad dentro de una ocupación y en una ciudad es mucho mayor que entre ocupaciones y en diferentes ciudades. En general, muchas personas tienen un gran apego a su ciudad natal o la ciudad en la que han crecido, por lo que están dispuestas a trabajar por un salario más bajo antes que tener que dejar su patria chica.

También existen barreras artificiales que añaden a la falta de movilidad del trabajo creada por las barreras naturales (la habilidad de las personas, el apego al lugar donde se ha crecido, etc.). Entre aquéllas las más importantes son: la titulación exigida para ejercer muchas profesiones, los requisitos que exigen los colegios profesionales, y en ocasiones el poder que tienen los sindicatos sobre la contratación en determinadas industrias o empresas. La especialización es otro factor que contribuye a restar movilidad al factor trabajo; las personas especializadas en una actividad que se encuentran en paro con frecuencia prefieren esperar a encontrar un trabajo de su especialidad antes que realizar un trabajo de una especialidad distinta. Esto ha dado lugar a la segmentación del mercado laboral; es decir, el mercado de trabajo se encuentra dividido en muchos submercados desconectados entre ellos, lo que reduce la movilidad de la mano de obra. Esta segmentación del mercado de trabajo es considerada por algunos economistas como una de las causas del desempleo actual.

Digamos, no obstante, que a pesar de todas estas limitaciones a la movilidad de los factores productivos, el principio de la máxima ventaja neta determina en **buena medida la oferta de factores para usos concretos.**

LA DETERMINACION DEL PRECIO DE LOS FACTORES EN LOS MERCADOS COMPETITIVOS

Una vez que hemos estudiado los determinantes de la demanda (según la teoría de la productividad marginal) y de la oferta (según el principio de la máxima ventaja neta) de los factores, podemos ahora pasar a considerar la determinación del precio de éstos en los mercados competitivos. En los dos Capítulos siguientes estudiaremos las peculiaridades específicas de los mercados de trabajo y de capital, y sus desviaciones respecto del modelo de competencia perfecta (es decir, las imperfecciones de estos mercados).

Dado que los precios de los factores pueden variar (aumentar o disminuir), la Teoría Económica nos permite predecir que en principio los precios y las cantidades que se empleen de éstos tenderán a aquellos niveles para los cuales la oferta se iguala a la demanda (como ocurre en el mercado de cualquier bien o servicio de consumo).

Las variaciones en los precios relativos de los factores y en la parte o fracción de la Renta Nacional que va a parar a un factor, se producen a través de cambios en los precios monetarios de aquéllos. Pero el que el precio monetario de un factor haya subido o bajado no nos dice nada sobre el pago real del factor. Si deseamos conocer lo que ha ocurrido con los precios relativos, tenemos que saber cuáles son los precios monetarios de al menos dos factores, de tal forma que podamos determinar el precio real de cada uno en términos de unidades del otro. Del mismo modo, si queremos saber lo que ha pasado en un período con la fracción de la Renta Nacional que va a parar a un factor, hemos de conocer su renta monetaria y el valor monetario de la totalidad de la Renta Nacional.

Si todos los tipos de mano de obra fueran idénticos (en habilidad, fuerza física, capacidad mental, imaginación, diligencia, etc.), entonces se tendería a que todos recibieran el mismo precio o salario. En caso de que se pagara un sueldo más elevado en una ocupación que en las demás, ello haría que aumentara la oferta de trabajo en la primera, dando lugar así a que bajara el salario. El proceso de ajuste y de cambio continuaría hasta que desaparecieran los incentivos para cambiar de ocupación (es decir, hasta que los salarios o precios fueran iguales en todas las ocupaciones). Esta igualdad se establecería cualquiera que fuera la demanda de trabajo en las diferentes industrias. Observe el lector que decimos que el salario tendería a ser igual en todas las industrias, lo cual no quiere decir que precios iguales impliquen que las diferentes industrias empleen la misma cantidad de un factor. Cada industria empleará la cantidad apropiada del factor hasta hacer que $VPMa = P$.

Las causas de las diferencias en los precios de los factores son de dos tipos: dinámicas o de desequilibrio, y estáticas o de equilibrio. Las diferencias dinámicas están asociadas con cambios varios tales como el auge de una industria y el declive de otra (así, si la industria de coches de caballos está en declive porque su demanda se ha reducido mucho, los especialistas en fabricar coches de caballos recibirán sueldos bajos; por el contrario, si la industria de la informática está en auge, un programador de ordenadores recibirá un sueldo más alto que la media de los salarios). Las diferencias en los precios de los factores harán cambiar las ofertas de éstos, cambios que tenderán a eliminar esas diferencias. Si la demanda del producto A aumenta y la demanda del producto B disminuye, esto hará aumentar la demanda de factores en la industria que produce el bien A y disminuir la de la industria del bien B. De esta forma, los precios de los factores utilizados en la industria primera aumentarían y los de los factores empleados en la segunda disminuirían. La duración de esas diferencias en los precios dependerá de la facilidad con la que cambien los factores de una industria a la otra (es decir, de la movilidad de los factores).

Las diferencias estáticas o de equilibrio no tienden a desaparecer con el tiempo, y se deben a la propia naturaleza de los factores o a las diversas ventajas no monetarias de los diferentes usos de éstos. También se deben a diferencias (valga la redundancia) en la calidad o habilidad (en el caso de los diferentes tipos de trabajo) de los factores. Por ejemplo, si existe un número limitado de personas que están capacitadas para efectuar un deteminado trabajo y que además están dispuestas a realizar ese trabajo especializado, y si es imposible para individuos no especializados el poder llegar a realizar el trabajo en cuestión, entonces se puede esperar que estas personas obtengan salarios más elevados que la media.

Estas diferencias en la habilidad, capacitación y disposición para realizar determinados trabajos explican en buena medida las diferencias salariales entre las diferentes profesiones. Un cirujano del corazón puede realizar operaciones en esta víscera, y también puede efectuar muchos otros trabajos para los que no se requieren conocimientos especiales o se exige sólo una capacitación fácil de adquirir (limpiar las calles, conducir un coche, servir bebidas en un bar, etc.). Pero un individuo que sólo sabe barrer las calles no puede efectuar operaciones del corazón. De ahí que la oferta de trabajo para realizar operaciones del corazón sea muy reducida (que la curva de oferta esté situada muy próxima al eje de ordenadas); dada una demanda, que además es muy inelástica (las personas que necesitan ser operadas del corazón están dispuestas a pagar casi cualquier precio), se puede esperar que se determine un precio elevado por operación del corazón. En cambio, para barrer las calles pueden integrar la oferta de trabajo prácticamente todos los individuos que componen la población laboral (las personas especialistas en algo y las personas no cualificadas); dada una determinada demanda de trabajo para limpiar calles, dado que la oferta es grande, el salario se puede esperar que sea bajo.

No obstante, en ocasiones observamos que los individuos de determinadas profesiones que requieren un nivel de capacidad relativamente bajo, obtienen salarios elevados; tal es el caso de los fontaneros, los electricistas, etc. La explicación estriba en que la oferta no es tan grande como en principio se puede pensar que sea, debido posiblemente a razones de prestigio social. Con frecuencia las personas prefieren ganar sueldos más bajos, pero realizar actividades que estén bien consideradas (o que no estén mal o poco consideradas), en cuyo caso ese prestigio forma parte de las que hemos llamado ventajas o incentivos no pecuniarios.

Anteriormente hemos considerado el concepto de renta económica, y la definíamos como la diferencia entre el valor del factor en el uso mejor que se le ofrece y su valor en el empleo alternativo mejor pagado. Desde el punto de vista de la sociedad, el pago que se le hace a un factor puede ser dividido en dos componentes o partes: la cantidad pagada a un factor que es suficiente para hacer que éste permanezca en la industria (para que no se traslade a otra industria) y el resto del precio. Al primer componente del pago de un factor se le llama ingresos de transferencia, y al segundo se le conoce como renta económica.

Una reducción de los ingresos de transferencia puede dar lugar a que los factores cambien de un uso a otro, pero no ocurre este fenómeno con las rentas: una variación en el salario de ministro o de juez del Tribunal Constitucional no dará lugar a un cambio en la oferta de trabajo para estas actividades (no variará el número de personas que desean ocupar estos cargos).

Esta distinción tiene una gran importancia en lo referente a los impuestos y a sus efectos. Los ingresos de un factor cualquiera generalmente están integrados por ingresos de transferencias y por renta económica simultáneamente (éste es el caso de la inmensa mayoría de los factores). Pero puede ocurrir que aquéllos sean sólo ingresos de transferencia o renta. Si la oferta de un factor con la que se enfrenta una empresa es totalmente elástica, entonces los ingresos del factor son sólo ingresos de transferencia. Por el contrario, si la oferta de un factor es totalmente inelástica para un uso, entonces los ingresos de aquél son sólo renta económica. La oferta de factores tales como la habilidad para jugar al fútbol, para cantar ópera, actuar en un escenario, pintar, etc., se acerca mucho a ser totalmente inelástica, ya que las personas que la poseen ofertan esa habilidad (que es una cantidad fija) a casi cualquier precio que obtengan por ella. En este sentido, desde el punto de vista de la sociedad, los ingresos de estas personas están constituidos en su mayor parte por renta económica (los ingresos de transferencia o el pago en la mejor alternativa que se le ofrece a un futbolista representan una parte muy pequeña de sus ingresos). Lo que ocurre es que para los clubs de fútbol, lo que pagan éstos a sus futbolistas son ingresos de transferencia, ya que éstos pueden cambiar de unos equipos a otros. Para la industria del fútbol, los pagos a los futbolistas son renta, pero para los clubs individuales éstos son ingresos de transferencia.

FIGURA 28.4

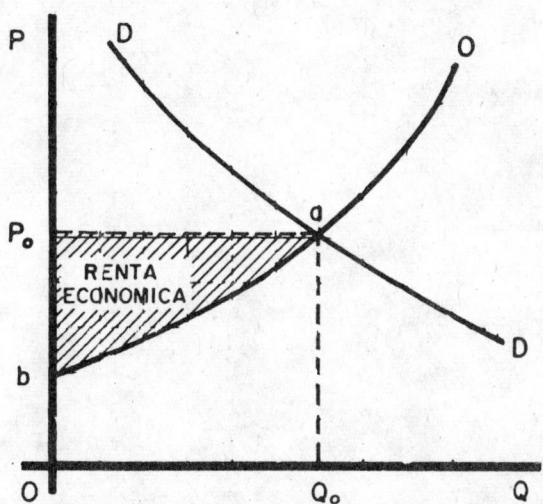

En la Figura 28.4 puede verse cómo la curva de oferta del factor indica el precio que hay que pagar por una unidad determinada de éste. Pero las unidades anteriores del factor podrían obtenerse por la industria que lo emplea a un precio más bajo. De ahí que cuando se alcanza el equilibrio en el mercado del factor por la igualdad de la oferta y la demanda, se determina un precio (P_0) y una cantidad transaccionada (Q_0) del factor, los ingresos de ésta están representados por el área P_0aQ_0O, la cual está integrada por el área baQ_0O (que constituyen los ingresos de transferencia), y por el área P_0ab (que representa renta económica obtenida por el factor).

BIBLIOGRAFIA SELECCIONADA

Samuelson, P.: *Curso de Economía Moderna,* op. cit., Cap. 27.
Lipsey, R.: *Introducción a la Economía Positiva,* op. cit., Caps. 26 y 27.
Lancaster, K.: *Introducción a la Microeconomía Moderna,* op. cit., Cap. 8.
Fleming, M.: *Introducción al Análisis Económico,* Oikos-tau S. A. Ediciones, Barcelona, 1972, Caps. XVIII y XIX.
Becker, G.: *Teoría Económica,* op. cit., Caps. 7 y 8.
Friedman, M.: *La Teoría de los Precios,* op. cit., Caps. 9, 10 y 11.

CAPITULO 29

EL TRABAJO, LOS SALARIOS Y LOS SINDICATOS

INTRODUCCION

El trabajo es un factor productivo con una serie de características peculiares que lo diferencian de los restantes factores. Estas características peculiares se derivan del hecho de que el trabajo es realizado por los individuos, lo que supone todo un conjunto de implicaciones de tipo sociológico que no se plantean al analizar los restantes factores de la producción. Al precio o remuneración del trabajo se le denomina salario. Si tenemos en cuenta que para la mayoría de los individuos el salario constituye su único ingreso, podemos darnos cuenta de la importancia que tienen su determinación y variaciones.

Además, el trabajo es el único factor capaz de organizarse a fin de conseguir una remuneración o pago por sus servicios más elevado (esto constituye una simplificación, ya que quienes de hecho se agrupan y organizan son los individuos). Debido a este y otros factores específicos que posteriormente analizaremos con detalle, los mercados de trabajo se apartan bastante del modelo de competencia perfecta. En el presente Capítulo, no obstante, iniciaremos nuestro análisis con la determinación del nivel de salarios en un mercado competitivo, para ir introduciendo posteriormente algunos elementos que aproximen el modelo así elaborado a la realidad.

Otra característica del factor trabajo es su elevada movilidad (entendiendo ésta como la capacidad que tiene un factor para desplazarse, bien geográficamente, bien de un uso a otro). Si bien todos los factores productivos tienen cierta movilidad de un tipo u otro (la tierra puede utilizarse como tierra de cultivo o como solar para la construcción de edificios, y un mismo bien capital puede emplearse en distintos procesos productivos), la movilidad del trabajo es muy superior a la de los restantes factores, tanto en lo referente a su capacidad de desplazamiento físico (movilidad geográfica) como en lo referente a la posibilidad de ser empleado en distintos procesos desempeñando tareas diferentes. Esta elevada movilidad es consecuencia de que el trabajo lo realizan los individuos.

Digamos, por último, que los tres elementos componentes de la Renta Nacional (salarios, beneficios y rentas), los primeros constituyen la fracción más importante en términos cuantitativos. Concretamente en España y para 1980, las remuneraciones a los asalariados ascendieron al 58 por 100 del total de la Renta Nacional correspondiente a dicho año.

LA DETERMINACION DEL NIVEL DE SALARIOS EN REGIMEN DE COMPETENCIA PERFECTA

La demanda de trabajo (u oferta de empleo) la realizan las empresas, ya que son éstas quienes desean utilizar cierta cantidad de este factor, a fin de implementar sus procesos productivos y obtener un volumen de *output*. La oferta de trabajo (o demanda de empleo) la efectúan los individuos, ya que éstos ceden su trabajo a las empresas, a fin de obtener cierto volumen de ingresos. Supondremos a efectos del análisis que vamos a efectuar (y al contrario de lo que suele ocurrir en la realidad) que el mercado de trabajo presenta las características propias de los mercados de competencia perfecta: tanto el número de compradores (empresas) como de vendedores (individuos) es lo suficientemente grande como para que las acciones individuales no tengan efecto sobre el precio y la cantidad transaccionada; que el trabajo ofertado por todos los individuos tiene las mismas características (o lo que es lo mismo, que el trabajo efectuado por el individuo A es un sustitutivo perfecto del trabajo que realiza cualquier otro individuo); y que tanto compradores como vendedores tienen perfecto conocimiento de los precios a los que se transaccionan las distintas cantidades de trabajo (medidas éstas en unidades de tiempo). Del enfrentamiento entre la oferta y demanda realizado en este mercado surgirá un precio de equilibrio (el salario), que vendrá expresado en unidades monetarias por período de tiempo (hora, día, mes, etc.).

Sin embargo, en lo que tanto empresas como trabajadores están fundamentalmente interesados no es en la cantidad de dinero por período de tiempo que se determine (el salario monetario). Los individuos están interesados en el conjunto de bienes que pueden adquirir con la suma de dinero recibida (con el salario monetario obtenido). A esta magnitud se le denomina salario real, y se obtiene dividiendo el importe del salario monetario por el nivel general de precios. Por tanto, el salario real así calculado puede sufrir cambios debido a dos factores: la variación en el salario monetario, y/o la alteración en el nivel general de precios. Por su parte, la empresa calcula sus costes salariales en términos de unidades o fracciones de unidad del producto que ella elabora, de acuerdo con el precio de mercado de éste; es decir, si una empresa fabrica cajas de cerillas cuyo precio es de 2 pesetas y el salario monetario por día de un obrero asciende a 1.000 pesetas, el coste diario de ese obrero para la empresa es de 500 cajas de cerillas.

La Demanda de Trabajo

Decíamos que la demanda de trabajo la efectúan las empresas. Estas cuentan con cierta capacidad productiva instalada, determinada por el stock de capital del que disponen, que en nuestro estudio vamos a suponer fijo, ya que estamos operando en el corto plazo. En consecuencia, también la tecnología se mantiene constante. Las empresas, en base a esa capacidad productiva, contratarán más o menos trabajadores según el nivel de los salarios reales, de manera que sólo contratarán obreros mientras que éstos añadan más a la producción de la empresa de lo que a ésta le cuestan sus salarios en términos reales. En el momento en que el último trabajador contratado incremente el *output* en la misma cantidad que se le debe pagar en concepto de salario, la empresa no contratará más obreros.

Por cuanto que el trabajo, al igual que los restantes factores productivos, está sometido a la ley de los rendimientos decrecientes, a medida que el número de obreros contratados por una empresa crezca, la adición de éstos al producto total de la empresa se hará menor. Por tanto, las empresas sólo estarán dispuestas a aumentar el número de obreros contratados si los salarios reales disminuyen.

FIGURA 29.1

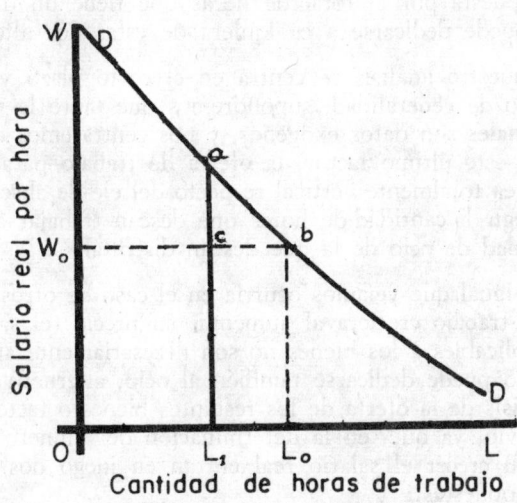

Podemos observar gráficamente toda esta serie de proposiciones en la Figura 29.1, en la que en abscisas representamos la cantidad de trabajo demandada medida en horas, y en ordenadas el salario real por hora. La curva DD muestra la relación existente entre la cantidad de trabajo demandada y el nivel salarial; su pendiente negativa indica la relación inversa existente entre ambas magnitudes. La línea DD es la curva de productividad marginal del trabajo; a un nivel del salario real de W_0, la empresa sólo demandará L_0 horas de trabajo (el paso de obreros a horas de trabajo es relativamente sencillo, atribuyendo a cada obrero un número de horas de trabajo por período de tiempo: día, semana, mes, etc.). Si a ese nivel salarial contratara sólo L_1 horas, aumentando la cantidad de trabajo hasta L_0 obtendría un beneficio adicional representado por el área abc (el lector debe comprobar esta afirmación basada en el cálculo del ingreso y costes salariales totales en base a los datos suministrados por la Figura 29.1).

La pendiente negativa de la curva DD nos indica, por tanto, que cuanto mayor sea el nivel de salarios reales, menor será la cantidad de trabajo que la empresa deseará contratar; y que las empresas sólo están dispuestas a emplear mayor cantidad de este factor si los salarios reales descienden.

La Oferta de Trabajo

La provisión de trabajo requiere la participación directa de los individuos en el proceso productivo. Así pues, las preferencias personales entre el trabajo y el ocio, y las actitudes personales hacia las condiciones laborales influirán grandemente sobre la oferta de este factor. Por tanto, los determinantes de la oferta de trabajo en una economía son:

a) La población total capaz de trabajar.

b) Un conjunto de factores institucionales, tales como la edad mínima laboral, la legislación salarial, las disposiciones sobre jubilación, etc.

c) Las preferencias de la población entre trabajo y ocio (ya que existe una limitación impuesta por el total de horas que tiene un día) en cuanto al tiempo que puede dedicarse a cualquiera de estas dos alternativas.

Por cuanto que nuestro análisis se centra en el corto plazo y deseamos que tenga un amplio grado de generalidad, supondremos que tanto la población como los factores institucionales son datos exógenos, y nos centraremos en el tercer determinante. Debido a este último factor, la oferta de trabajo para una población concreta no es una línea totalmente vertical respecto del eje de abscisas, ya que los individuos pueden elegir la cantidad de horas que desean trabajar a cada nivel de salario real y la cantidad de ocio de la que desean disfrutar.

Cabría esperar, al igual que veíamos ocurría en el caso de otros factores o bienes, que la oferta de trabajo creciera al aumentar su precio (el salario real). Sin embargo, las reglas aplicables a los bienes no son necesariamente aplicables al trabajo, ya que el tiempo puede dedicarse también al ocio, alternativa que no suele presentarse en el análisis de la oferta de los restantes bienes o factores. Por tanto, el resultado no es obvio, ya que, en la determinación del número total de horas de trabajo ofertadas al crecer el salario real entran en juego dos elementos que operan en direcciones opuestas:

a) El efecto sustitución, que opera en el sentido de aumentar el número de horas ofertadas al crecer el salario real, ya que la alternativa al trabajo (el ocio) se encarece en términos relativos, con lo que (de acuerdo con la Teoría de la Preferencia Revelada, que veíamos en el Capítulo 16) la gente tenderá a sustituir ocio por trabajo, al reportar éste mayores ingresos por hora.

b) El efecto renta, que opera en sentido contrario. Al aumentar el precio por hora, el individuo obtiene una renta mayor por un número concreto de horas trabajadas. El resultado será que deseará consumir más de todos los bienes no inferiores que consumía antes, entre los que se halla el ocio, con lo cual es posible que reduzca el número de horas de trabajo que oferta.

Ya que ambos efectos actúan en direcciones opuestas, el resultado neto es imposible de conocer *a priori*. Sin embargo, la evidencia disponible nos sirve para arrojar alguna luz sobre la cuestión. Se ha observado que a niveles salariales relativamente bajos, al aumentar éstos, la cantidad de horas de trabajo ofertadas aumentaba (el efecto sustitución era más fuerte que el efecto renta), obteniéndose así una curva de oferta con pendiente positiva. Sin embargo, a partir de un determinado nivel de salario real suficientemente alto, el resultado era el opuesto: al crecer los salarios, se reducía la cantidad de trabajo ofertada (el efecto renta predominaba sobre el efecto sustitución), con lo que la curva de oferta pasaba a tener pendiente negativa. Una curva de oferta de este tipo podemos verla en la Figura 29.2; la curva *OO* es creciente hasta la cantidad de trabajo ofertada L_0, reduciéndose ésta al aumentar los salarios reales. En nuestro análisis, sin embargo, sólo tomaremos en cuenta el tramo creciente de la curva.

FIGURA 29.2

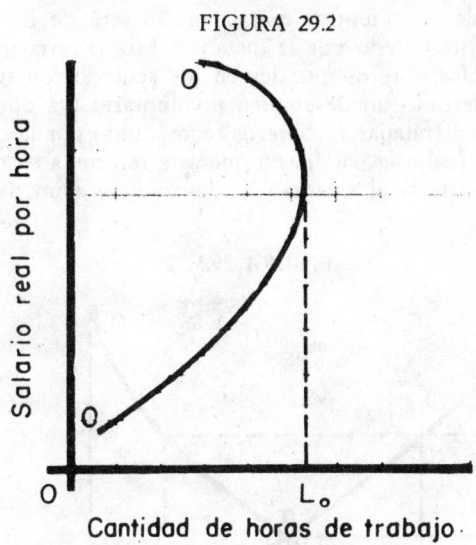

Este fenómeno es constatable en las distintas economías. Puesto que la oferta de trabajo puede crecer, bien porque la población activa trabaje un número mayor de horas, bien por la incorporación de individuos no incluidos anteriormente entre la población activa y que se incorporan a ella (amas de casa, estudiantes, etc.), cabe esperar que, si los salarios son muy bajos, los individuos piensen que no vale la pena trabajar, dedicándose, en consecuencia, a ocupaciones marginales. Al aumentar los salarios, los individuos se irán incorporando progresivamente a la oferta de trabajo, y, si aquéllos crecen lo suficiente, determinados estratos de la población empleados en estas ocupaciones alternativas (estudios, trabajo doméstico) pasarán a engrosar la población activa. Sin embargo, si los salarios siguen creciendo, llegará un momento en el que bastará con que trabaje un solo individuo por familia; en consecuencia, las amas de casa se retirarán de la población activa, y probablemente los hijos aumenten su tiempo de escolaridad, con lo que la oferta total trabajo disminuirá.

La Determinación del Salario de Equilibrio en Competencia Perfecta

Podemos ver cómo se determina el salario de equilibrio en la Figura 29.3. Dadas las curvas de demanda *DD* y de oferta *OO*, el salario real de equilibrio se obtiene de forma análoga a la de cualquier otro precio, mediante la intersección de ambas curvas a un nivel W_0, y simultáneamente obtenemos la cantidad de equilibrio, que sería de L_0 horas. Al ser *a* un punto de la curva *DD*, que como veíamos era la curva de productividad marginal del trabajo, podemos concluir que, en equilibrio, el salario es igual al valor de la productividad marginal del trabajo.

Decíamos antes que podemos pasar fácilmente en el análisis de horas de trabajo utilizadas a número de individuos empleados por período de tiempo, atribuyéndoles a cada uno de éstos el número de horas de trabajo que realiza en dicho período (por ejemplo, 8 horas por hombre y día, ó 40 horas por hombre a la semana). Así, en el caso de la Figura 29.3, bastaría con dividir por 8 el número de horas indicado en abscisas para obtener la cantidad de hombres empleados por día (lógicamente, en ordenadas representaríamos el salario real por día de trabajo o, lo. que sería idéntico en este caso, por individuo). Si ahora el salario real se sitúa en W_1, la demanda será de L_1, mientras que la oferta será de L_2; habrá, por tanto, un exceso de oferta representado por la distancia L_1L_2. Por cuanto que los empresarios sólo contratarán los obreros que deseen (de acuerdo con su curva de demanda), aparecerá en el mercado un desempleo involuntario (ya que a un salario real de W_1 están dispuestos a trabajar L_2 obreros) constituido por la diferencia $L_2 — L_1$, y que forzará al salario real a la baja hasta que éste retorne a su nivel de equilibrio, W_0. Lo contrario ocurriría si el salario real descendiera a un nivel inferior a W_0.

FIGURA 29.3

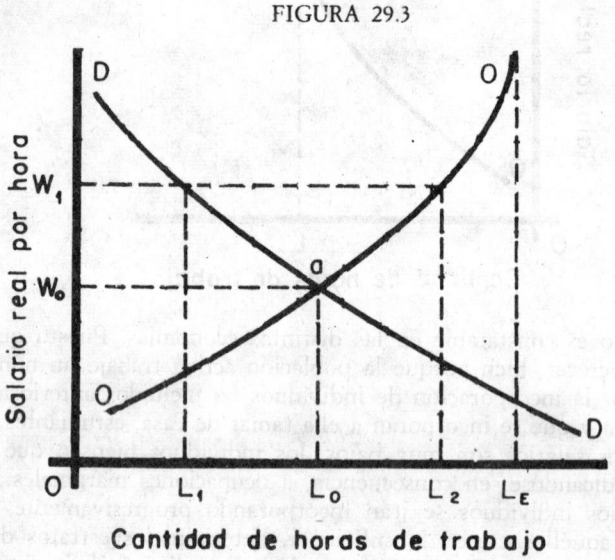

Cantidad de horas de trabajo

LAS DIFERENCIAS SALARIALES EN LOS MERCADOS COMPETITIVOS

En el epígrafe anterior hemos determinado el nivel general de salarios reales. Sin embargo, sabemos que en una economía no existe un único nivel de salarios, sino que, por el contrario, lo normal es que éstos difieran bastante entre un trabajo y otro y, dentro de un mismo tipo de trabajo, de un punto geográfico a otro. A la diferencia existente entre el salario más bajo y el más alto para un segmento de la economía (e incluso para la economía en su conjunto) se le llama «abanico salarial». Este concepto es muy empleado en el caso de empresas e industrias y se utiliza también como indicador de la proporción existente entre los salarios menores y los mayores. Así, si se nos dice que en la empresa A el abanico salarial es de 3,8, quiere significar que el sueldo más elevado que se paga en esa empresa es 3,8 veces el sueldo más bajo pagado en la misma.

El resultado de un único nivel de salarios para el conjunto de una economía lo obteníamos en base a tres supuestos muy restrictivos:

a) Que el trabajo ofertado y demandado era homogéneo; es decir, que los servicios prestados por un obrero son un sustitutivo perfecto de los que puede prestar cualquier otro, y que las empresas demandaban un único tipo de servicios de trabajo que todos los obreros podían suministrar indistintamente.

b) Que la información sobre los niveles salariales era perfecta, tanto por parte de compradores (empresas) como de vendedores (obreros) a nivel de la totalidad de mercado. Ello implica que, para un mismo trabajo, y en ausencia de otros factores, el salario pagado en Barcelona sería el mismo que el que se paga en Sevilla, por ejemplo.

c) Que la movilidad del trabajo era total y que, en consecuencia, los desplazamientos geográficos de éste, tenderían a igualar los salarios en toda la extensión del mercado.

En este nivel de análisis abandonaremos estos supuestos a fin de explicar el fenómeno de los distintos tipos de salarios, y así aproximar a la realidad las conclusiones obtenidas. Es evidente que los supuestos b) y c) no se cumplen en la realidad; de manera que, incluso manteniendo la hipótesis de que el trabajo es homogéneo, encontraremos diferencias salariales entre empresas situadas en una misma zona geográfica, y con más razón entre empresas situadas en puntos distintos. Es conocida la resistencia de las empresas a dar a conocer los salarios que pagan (esto es tanto más cierto cuanto más elevado está dentro de la jerarquía de la empresa el puesto de trabajo de referencia) e incluso las dificultades existentes a la hora de comparar los salarios pagados por dos empresas distintas para un mismo puesto de trabajo, ya que normalmente suelen incluirse en éstos toda una serie de compensaciones no monetarias (transporte gratuito, servicios de comedor, cursillos de promoción, prestigio derivado de trabajar en una u otra empresa) que pueden hacer variar bastante la remuneración total que percibe el obrero, entendida ésta en un sentido amplio. Por otra parte, las diferencias geográficas que persisten durante períodos de tiempo más o menos largos pueden deberse a la dificultad que tenga para los obreros el trasladarse de una ciudad a otra, con todo el coste que ello implica, y que hace que la oferta no responda con tanta rapidez como cabría esperar a los cambios en la demanda. Ello se debe a que el mercado de trabajo no es nacional, sino que sólo cubre un área o región determinada. En un momento concreto, el nivel salarial en cada mercado dependerá de las condiciones oferta-demanda locales y de la relativa inmovilidad geográfica del trabajo, debida a los factores descritos. Ello no impide que, a largo plazo, se dé una tendencia hacia la igualación salarial, ya que el trabajo tenderá a acudir a las zonas de salarios altos; pero según la evidencia empírica, esta tendencia es lenta e irregular.

Sin embargo, el factor más importante es el considerado en el apartado a). No puede hablarse de «el trabajo» como un factor perfectamente homogéneo y único, ya que lo que de hecho existe son diferentes tipos y categorías de trabajos, poseyendo cada una de ellas un conjunto de características específicas que hacen que los individuos las valoren de un modo distinto. Así algunas de las diferencias existentes en los salarios se explican por el tipo de trabajo que éstos remuneran. Cabe esperar que cuanto más molesto, pesado o, en general, desagradable sea un trabajo concreto, mayor sea el salario que deba pagarse para atraer a los individuos hacia ese empleo, a fin de compensar la desutilidad que supone el desempeñarlo. Cabe esperar, por tanto, que el sueldo de un minero sea más elevado que el de un portero, o que los salarios correspondientes al turno de noche de una fábrica sean mayores que los del turno de día. Lo mismo ocurrirá si se trata de trabajos que exijan una elevada responsabilidad, o que para desempeñarlos sea necesario un largo, costoso y complejo período de adiestramiento previo, Esto explica que cobre más un médico que un camarero, por ejemplo, ya que la diferencia de sueldo debe ser tal que compense al médico los costes explícitos e implícitos en que incurrió al estudiar la carrera de medicina, y que comprenden no sólo el coste de matrículas, libros, etc., sino también los salarios que dejó de ganar durante los años de estudio si se hubiera ocupado en la mejor alternativa alcanzable (el coste de oportunidad).

Pero, además, estas diferencias entre los diversos tipos de trabajo no explican todas las diferencias existentes entre salarios, ya que el mundo real podemos ver que los trabajos más agradables suelen ser los mejor pagados. Si bien algunas veces estas diferencias se deben a que los mercados no son perfectamente competitivos (lo que estudiaremos posteriormente con más detalle), ya que si lo fueran se daría un aflujo de personas hacia esos trabajos mejor pagados (con lo cual los salarios se reducirían hasta igualarse con las remuneraciones de otras profesiones u oficios de características similares), algunas divergencias seguirían existiendo aún en el caso de que el mercado fuera perfectamente competitivo. Ello se debe a las enormes diferencias cualitativas que existen entre los distintos individuos, y que suponen diferentes productividades marginales del trabajo para cada sujeto en relación con los demás.

A efectos de determinar los distintos tipos de salarios, el propio mercado de trabajo agrupa a los individuos en distintas categorías relativamente homogéneas, cada una de las cuales tiene su propio salario de equilibrio. A cada una de estas categorías o clasificaciones se les denomina «grupos no competidores en el mercado de trabajo». Sin embargo, este término es engañoso, ya que en cierta medida los diferentes grupos así establecidos compiten de algún modo entre sí, puesto que dos categorías de obreros así establecidas constituyen sustitutivos parciales que pueden efectuar una misma tarea, aunque de distinto modo. Un empresario puede elegir entre contratar a un obrero hábil y experimentado para realizar una tarea (cuyo salario será alto), o bien puede contratar a un obrero menos hábil para efectuar el mismo trabajo (un aprendiz, por ejemplo) cuyo salario será más reducido.

Los obreros pueden, en cierta medida, pasar de un grupo a otro, en respuesta a las diferencias salariales. Así, si el salario de un albañil fuera de 120.000 pesetas al mes, probablemente se produciría un desplazamiento desde otros grupos a éste; es decir, aún cuando los salarios correspondientes a distintos grupos laborales sean diferentes, las diferencias cuantitativas entre los salarios siguen sujetas a las leyes de la oferta y la demanda.

LAS IMPERFECCIONES DEL MERCADO DE TRABAJO

Los mercados de trabajo que existen en el mundo real distan mucho del modelo de competencia perfecta. En algunos casos, el empresario tiene una posición dominante, y toma la iniciativa fijando los salarios; los obreros sólo pueden elegir entre trabajar o no hacerlo en base a la cifra establecida. En este caso el empresario actúa como monopolista de la demanda de trabajo (ya que es éste quién fija el precio): se dice entonces que el empresario actúa como monopsonista. El monopsonio es, por tanto, el monopolio de demanda, en la que un solo comprador (o un grupo de compradores puestos de acuerdo entre sí y actuando como una sola unidad de decisión) fijan los precios de compra de un factor, y el número de vendedores es lo suficientemente grande como para que no puedan contrarrestar esta situación. Veamos cómo se determinará en tal caso el nivel de salarios.

El empresario monopsonista puede ofrecer cualquier tipo de salario que elija, y los trabajadores (que son en este caso precio-aceptantes) pueden optar entre contratarse a ese salario o bien permanecer inactivos (o, en último extremo, desplazarse hacia otra región). La curva de oferta de trabajo mostrará el salario que debe pagarse por unidad para contratar una cantidad determinada de este factor: para el empresario monopsonista, por tanto, la curva de oferta de trabajo es la curva de *CMe* de este factor. Sabemos, por otra parte, que la curva de oferta es creciente (para contratar mayor número de obreros, el empresario debe elevar el tipo de salarios que paga), lo que implica que la curva de *CMa* del factor trabajo para el empresario es también creciente, y se sitúa por encima de la curva de *CMe*. Véase, al efecto, la Figura 29.4, en ésta *OO* es la curva de oferta de trabajo, y *CMa* la curva de costes marginales, que también es creciente y cuya pendiente es mayor que la de la línea *OO*. Veamos esto con un sencillo ejemplo. Supongamos que un

FIGURA 29.4

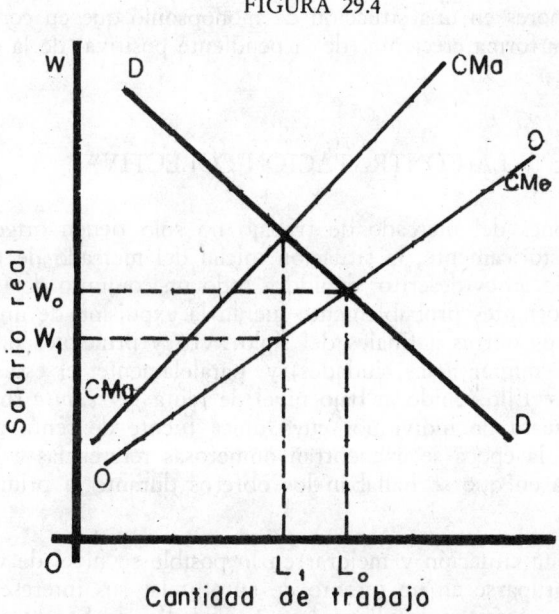

empresario tiene 10 trabajadores a los que paga diariamente un salario de 1.000 pesetas por obrero. El coste total de emplear a esos 10 obreros es de 10.000 pesetas. Supongamos ahora que quiere contratar 1 obrero más; y, de acuerdo con la curva de oferta del trabajo, que sabemos que es creciente, deberá pagar un salario superior para atraer a ese nuevo trabajador. Supongamos ahora que el nuevo salario es de 1.100 pesetas por obrero y día; el *CT* de emplear 11 obreros será $1.100 \times 11 = 12.100$ pesetas; y el *CMa* será $12.100 - 10.000 = 2.100$. Como podemos ver el *CMa* > *CMe*, ya que el empresario debe ahora pagar 1.100 pesetas a todos los obreros (suponemos que el empresario no puede discriminar).

En consecuencia, el coste de obtener un obrero adicional es mayor que el *CMe*, y, si recordamos que el *CMe* es el salario, el *CMa* es superior al salario pagado. Para maximizar el beneficio, el empresario seguirá la regla de *CMa = IMa*. Ahora bien, recordemos que el IMa viene dado por la curva de demanda del trabajo multiplicada por el precio del producto fabricado (la curva de demanda coincidía con la curva del PMa del trabajo en términos físicos; para pasar a expresarlo en términos monetarios y obtener el IMa, multiplicaremos el PMa del trabajo por el precio del producto fabricado). Así, en equilibrio será el CMa y no el salario el que se. iguale al IMa del trabajo. En la Figura 29.4 podemos apreciar la diferencia existente entre esta situación y la de competencia perfecta. Si la curva de demanda de trabajo del empresario viene representada por la línea DD, en un mercado competitivo el salario se igualará al valor del PMa del trabajo, con lo que el salario de equilibrio sería W_0 y la cantidad de obreros contratada L_0, mientras que en una situación de monopsonio la cantidad de trabajo comprada y el salario de equilibrio son, respectivamente, L_1 y W_1, que, como podemos apreciar en la Figura 29.4, son inferiores a los correspondientes a una situación de competencia perfecta. Es importante resaltar que el empresario monopsonista no puede determinar simultáneamente el salario y la cantidad de trabajo que desea adquirir; lo único que puede hacer es fijar el importe del salario (W_1) mediante la aplicación de la regla $IMa = CMa$, quedando determinada la cantidad por la curva de oferta de trabajo, OO. El hecho de que tanto el salario de equilibrio como la cantidad de trabajo comprada sean menores en una situación de monopsonio que en competencia perfecta se deriva de la forma creciente (de la pendiente positiva) de la curva de oferta de trabajo.

LOS SINDICATOS Y LA CONTRATACION COLECTIVA

Las imperfecciones del mercado de trabajo no sólo tienen origen en el lado de la demanda. Históricamente, la situación inicial del mercado de trabajo era similar al monopsonio antes descrito, debido a todo un conjunto de factores de los cuales los más importantes probablemente fueran la expulsión de un gran número de campesinos de sus tierras a finales del siglo XVIII y principios del XIX (que se vieron obligados a emigrar a las ciudades) y, paralelamente, el escaso número de industrias existentes. Ello, unido al bajo nivel de renta *per cápita* supuso la aparición de toda una masa de individuos cuya única fuente de renta era su trabajo (en la literatura de la época se encuentran numerosas referencias a las miserables condiciones de vida en que se hallaban los obreros durante la primera mitad del siglo XIX).

Para afrontar esta situación y mejorar en lo posible su nivel de vida, los obreros empezaron a agruparse en un intento de autotutelar sus intereses. Estas agrupaciones tienen su origen en las llamadas «Sociedades de Socorros Mutuos» de las que la primera de la que se tiene referencia es la constituida por los tejedores de la ciudad de Lyon en 1834 (ello no quiere decir que con anterioridad los obreros no se asociaran; pero normalmente estas asociaciones tenían una vida efímera, ya que estaban dirigidas a la resolución de algún problema concreto en una fábrica o taller determinado, careciendo, por tanto, de una estructura y organización estables y definidas). Podemos situar la aparición de los modernos sindicatos en Inglaterra en el período de tiempo comprendido entre 1830 y 1850.

Como podemos deducir de esta breve y apretada síntesis histórica, los sindicatos no siempre han ocupado la preponderante posición que hoy detentan en la estructura institucional de las economías y sociedades modernas. Digamos al respecto tan sólo que la actitud hacia los sindicatos por parte del Gobierno y de los empresarios a lo largo de los últimos ciento cincuenta años ha pasado por una serie de fases que van desde la prohibición en sus inicios hasta la situación actual de reconocimiento jurídico y político de sus actividades.

Si bien un sindicato cubre en sus actividades múltiples facetas, aquí lo analizaremos en el sentido de su actuación como monopolista de la fuerza de trabajo: consideraremos que un sindicato es fundamentalmente una asociación de obreros cuyo fin primordial es conseguir, mediante la negociación con los empresarios (convenientemente acompañada de un conjunto de medidas legales de presión) un nivel salarial más alto para los obreros, influyendo, bien sobre el tipo de salario de equilibrio, bien sobre la cantidad de trabajo ofertada. Analizaremos por separado las consecuencias de la introducción de un sindicato en un mercado competitivo y en un mercado monopsónico. .

En un mercado competitivo el sindicato puede fijar, en base a su poder monopolístico, un nivel salarial idéntico al de equilibrio (W_0 en la Figura 29.3); ello no tendrá en principio ningún efecto sobre la cantidad de trabajo contratada ni sobre el nivel del salario medio; pero si, debido a la defectuosa información que tienen tanto obreros como empresarios en lo referente a los salarios, se había producido anteriormente una dispersión del nivel salarial en torno al punto de equilibrio, el anuncio por parte del sindicato de que el salario acordado es de W_0 contribuirá a la reducción de estas deficiencias del mercado, permitiendo así un mejor ajuste entre oferta y demanda. Sin embargo, es más factible que el sindicato aproveche su poder monopolístico para fijar un nivel de salarios superior al correspondiente a la situación competitiva. Supongamos que éste es W_1 en la Figura 29.3: veíamos que, como no puede obligarse a las empresas a que contraten un número superior de obreros al que desean (y que viene determinado por su curva de demanda, DD), el resultado será la aparición de un cierto nivel de desempleo, que vendría dado por la distancia L_1L_2 en el eje de abscisas.

Sin embargo, a ese salario .(W_1) estarían dispuestos a trabajar L_2' obreros, de los que una parte de ellos no encontrarían empleo. Estos obreros en paro estarían dispuestos a trabajar por un salario menor, lo que a su vez supondría un beneficio para el empresario, que los contrataría a un salario más bajo que W_1. Los sindicatos, por tanto, sólo pueden conseguir su propósito (mantener el salario en W_1) cuando son capaces de imponer un salario único y resistir la presión ejercida a la baja causada por los obreros desempleados al salario fijado por el sindicato.

No desarrollaremos en detalle el caso de las consecuencias sobre el nivel de salarios y empleo derivado de la introducción de un sindicato en un mercado de trabajo de estructura monopsonista. Digamos simplemente que, en tales circunstancias se produce lo que en Teoría Económica se llama el monopolio bilateral, ya que en un mismo mercado se enfrentan dos monopolistas: el empresario, que actúa como monopolista por el lado de la demanda (monopsonio) y el sindicato, que actúa como monopolista por el lado de la oferta. En tal caso, el resultado, tanto en precio (salario) como en cantidad, queda indeterminado; y la fijación de una de las dos magnitudes (normalmente el salario, quedando determinada la otra por la curva de demanda del empresario) está en función de la habilidad en la negociación de cada una de las partes. Al decir que en el monopolio bilateral el resultado queda indeterminado, no estamos queriendo decir que no haya en tal situación un salario y un número de trabajadores contratados (de hecho, ésta es la situación usual en las economías modernas, en las que se enfrentan por un lado las asociaciones de empresarios o patronales, que actúan como monopsonistas, y por otro los sindicatos en su condición de monopolistas del factor trabajo). Lo que queremos decir es que la Teoría Económica no prevé un único punto de equilibrio, sino que hay todo un conjunto o gama de éstos; la combinación precio-cantidad definitiva surgirá en base a otros mecanismos (en este caso, la negociación).

La actividad de los sindicatos es muy importante en una economía desarrollada, ya que, como decíamos antes, al fijar el nivel salarial para un conjunto de industrias, reducen los costes de información (pensemos en el elevado coste que puede suponer para un individuo el obtener por sí mismo datos sobre los salarios que se pagan en una economía de no contar con este tipo de institución), eliminando rigideces en el mercado de trabajo y contribuyendo a la integración en un área mayor de los distintos submercados regionales o locales. Por otra parte, los salarios fijados mediante estas negociaciones sirven de guía para establecer los niveles de salarios de otras empresas o trabajadores que no hayan participado en la negociación o que no estén afiliados a los sindicatos respectivamente vía efecto-demostración.

Por otra parte, en determinados países en los que los sindicatos se hallan fuertemente implantados entre los obreros, aquéllos pueden establecer la cantidad de trabajadores que se van a contratar, dejando que la curva de demanda del empresario sea quien determine el salario. Estas prácticas son corrientes en los países anglosajones, distinguiéndose entre el *closed shop* y la *union shop*. En el primer caso sólo pueden ser contratados obreros afiliados a un sindicato concreto. Ello restringe enormemente la libertad de contratación del empleador, pero refuerza la posición del sindicato, ya que así se impide la contratación de obreros a un salario menor que el fijado en la negociación colectiva. La *union shop* es una solución de compromiso entre la contratación libre y el *closed shop*: el empresario puede contratar los trabajadores que desee, pero éstos deben ingresar en el sindicato en un período de tiempo determinado, si con anterioridad no pertenecían a él. Tales prácticas están expresamente prohibidas por la legislación española.

Un comentario sobre las barreras de entrada. Los individuos componentes de una profesión determinada pueden decidir agruparse a fin de restringir la oferta de trabajo correspondiente a esa especialidad. Ello es bastante usual entre las profesiones liberales o entre obreros que ejecutan determinados tipos de trabajo especializado. Estas asociaciones suelen tomar la forma de Colegios Profesionales, siendo obligatoria en algunos casos la pertenencia a ellos para poder ejercer la profesión. Los Colegios Profesionales además suelen fijar unas tarifas mínimas a sus asociados, tarifas que éstos deben cobrar obligatoriamente por los servicios prestados. En tanto en cuanto estas asociaciones estén protegidas por la ley, tienen un gran poder sobre la oferta del servicio concreto, pudiendo actuar como verdaderos monopolistas de éste.

En otras profesiones es corriente la exigencia de una titulación previa para su ejercicio: tal es el caso de la medicina o la abogacía. Si bien en principio este requisito está pensado para proteger de posibles fraudes al consumidor de esos servicios, en tanto en cuanto la obtención de la titulación lleve aparejada un conjunto de exigencias anexas (colegiación, pago de determinadas tarifas al Estado, etc.) tiene el efecto de una barrera de entrada que actúa restringiendo la oferta de tales servicios.

Veamos por último si los sindicatos son capaces de alterar la distribución de la renta entre los componentes de ésta que, como sabemos, son los salarios de los obreros, los beneficios empresariales y las rentas derivadas de la propiedad de los factores productivos distintos del trabajo (la tierra y el capital). Si bien la Teoría Económica no tiene una respuesta concreta a este interrogante, nos limitaremos a señalar algunos aspectos relevantes del problema. Supongamos una economía en que los sindicatos están bien implantados y que deciden aumentar el nivel del salario monetario. En principio, cabe esperar que los ingresos de los obreros crezcan y que los beneficios empresariales caigan, aumentando la participación de los primeros en la renta nacional. Sin embargo, sabemos también que un sindicato no puede controlar simultáneamente el precio y la cantidad de trabajo; en consecuencia, si fija el salario, los empresarios contratarán tantos obreros como indique su curva de demanda para ese nivel salarial. Como veíamos, ésta es decreciente, de manera que el número de obreros contratados será menor que antes, y el resultado será que tendremos un número menor de obreros que cobran unos salarios superiores. De acuerdo con lo estudiado en el Capítulo correspondiente a la función de demanda, el resultado final dependerá de la elasticidad de ésta.

Pero aún actúa otro factor. Si los empresarios disfrutan de cierto poder para aumentar los precios de los productos que fabrican, trasladarán ese aumento de los salarios (que son un coste más de la producción) a los precios: el resultado final será un aumento en el nivel de precios, con lo que el salario real disminuirá.

Estas predicciones concuerdan bastante bien con los estudios empíricos realizados por el economista inglés Nicholas Kaldor (1908-......), que, mediante el análisis de series temporales de renta y salarios, llegó a la conclusión de que las participaciones relativas del trabajo y el capital se habían mantenido casi constantes durante largos períodos de tiempo.

En consecuencia, no podemos afirmar nada al respecto sobre los resultados de la acción de los sindicatos. Si bien es indudable que sus actividades tienen un cierto efecto sobre el funcionamiento de la economía, al intentar precisar cuáles son estos efectos e intentar cuantificarlos, vemos que las conclusiones no son inmediatas, por evidentes que puedan parecer *a priori*.

LA CONTRATACION COLECTIVA EN ESPAÑA

La contratación colectiva consiste en la fijación de las condiciones de trabajo, no sólo en cuanto a salarios, sino en lo referente a multitud de aspectos tales como vacaciones, ascensos, etc., mediante la negociación entre obreros y empresarios. Los acuerdos que se alcanzan en estas negociaciones se materializan en los llamados convenios colectivos, documentos en los que se especifican todos los aspectos de la negociación sobre los que se ha llegado a un acuerdo, así como las condiciones de dicho acuerdo. En definitiva, los convenios colectivos (resultado de la negociación colectiva) son un contrato de tipo genérico que provee el marco dentro del cual se establecerán los contratos particulares que la empresa realiza con cada uno de sus obreros. Es evidente que una vez establecido el convenio, no puede ser modificado en sentido peyorativo por los contratos individuales de trabajo, que la empresa concierte con sus obreros.

En España, país en el que el movimiento sindical es aún relativamente débil y la afiliación reducida por comparación con la existente en otras naciones, la negociación colectiva plantea un problema: la extensión del convenio a las empresas y obreros no pactantes. Las negociaciones se efectúan a nivel nacional entre una representación empresarial (la Confederación Española de Organizaciones Empresariales conocida por las siglas CEOE) y otra del o de los sindicatos con mayor número de afiliados en la industria de que se trate (Comisiones Obreras y Unión General de Trabajadores); sin embargo, éstas no son las únicas entidades representadas en las partes que negocian los convenios, ya que junto a ellas existen otras de menor en-

tidad (la Confederación Española de Pequeñas y Medianas Empresas —CEPYME—
por el lado empresarial, y una constelación de sindicatos de menor importancia del
lado de los trabajadores: la Unión Sindical Obrera, el Sindicato Unitario, etc.), e incluso empresas y obreros que no se hallan afiliados a ninguna organización colectiva.

La eficacia general de lo pactado en el convenio (la extensión a la totalidad
de empresarios y obreros de las cláusulas de éste) es una reivindicación constante
de movimiento sindical español, ya que, por razones de eficiencia e incluso de supervivencia, los sindicatos precisan de este mecanismo de aplicación generalizada,
ya que, en caso contrario, su poder negociador queda muy debilitado.

La normativa respecto a la mecánica de la negociación colectiva en el Derecho
español está contenida parcialmente en la Constitución Española de 1978 y en
el Estatuto de los Trabajadores de 1980. Sin ánimo de profundizar en la materia
que es objeto de estudio del Derecho Laboral, haremos un breve comentario sobre
algunos de los aspectos más interesantes:

a) Los convenios se articulan y jerarquizan en base a su ámbito de ampliación:
éste puede ser geográfico (en cuyo caso tendríamos los convenios nacionales, regionales y locales), o funcional (por ramas o sectores industriales: metal, construcción,
químico, etc.).

b) La capacidad de negociar convenios se atribuye a los sindicatos representativos según el ámbito del que se trate; y se entiende por sindicato representativo
«aquel que cuente con un mínimo del 10 por 100 de representantes de los trabajadores del ámbito geográfico o funcional al que se refiera el convenio». Los diversos sindicatos representativos (ya que obviamente puede existir más de uno
para cada ámbito concreto) se integran en una comisión negociadora que, para que
el convenio tenga validez, debe representar como mínimo a los obreros del 51
por 100 de las empresas que puedan quedar afectadas por los resultados de la negociación.

c) El contenido del convenio queda a la negociación entre las partes contra-
tantes. Este contenido puede ser tan amplio como se desee («toda clase de cuestiones de índole laboral o social»), siempre y cuando no se oponga a lo dispuesto
en las normas de rango superior.

d) Por último, es posible que, iniciadas las negociaciones por ambas partes,
debido a diversas circunstancias, no se llegue a un acuerdo. En tal caso, la ley
prevee un mecanismo distinto, el laudo, que consiste en la fijación por parte de
la autoridad laboral de los términos del acuerdo, siendo en tal caso obligatoria
su aceptación por ambas partes. Está previsto un procedimiento similar si una vez
firmado el convenio colectivo surgieran conflictos entre las partes debidos a diferencias de interpretación del contenido del convenio.

LA POLITICA DE RENTAS

Hemos visto que la determinación de los precios de los factores en un sistema
de mercado crea desigualdades excesivas en las rentas percibidas por los propietarios de aquéllos. Hemos hablado también de las razones fundamentales por las
que generalmente existe un *consensus* social sobre la necesidad de reducir estas diferencias y asegurar un mínimo vital a toda la población. Hemos señalado, además,
que es el Estado la institución encargada por la sociedad de reducir las desigualdades en los ingresos, a través de una serie de medidas que consideraremos en los

próximos apartados. Estas medidas constituyen la política de distribución de la renta entre los diferentes factores, y de redistribución de ésta entre las economías domésticas.

Generalmente se distinguen dos planos en la distribución de la renta: el de la distribución funcional y el de la distribución personal. La primera es la distribución de la Renta Nacional entre los factores de la producción (tierra y recursos naturales, capital, trabajo y actividad empresarial) según su contribución a la actividad productiva durante un período determinado. La segunda es la distribución de la Renta Nacional entre las economías domésticas.

La Distribución Funcional. Según esta distribución, las rentas se dividen en cuatro grandes grupos, correspondientes a los factores que las generan: las rentas de la tierra y de los demás recursos naturales, los sueldos y salarios de los diversos tipos de prestación personal o trabajo, los intereses de los activos de capital (activos reales y activos financieros), y los beneficios de la actividad empresarial.

El estudio de los mecanismos que gobiernan la determinación de las partes relativas de los factores de la producción en la Renta Nacional ha constituido siempre un tema central en la Teoría Económica. No vamos a exponer aquí las diversas teorías que se han elaborado sobre la distribución de la renta entre los factores. Bástenos saber que ya los clásicos ingleses (Adam Smith, David Ricardo y John Stuart Mill) se ocuparon ampliamente de la cuestión. Marx aportó una nueva explicación con sus teorías del valor-trabajo y de la plusvalía.

A finales del siglo XIX se formuló la teoría neoclásica de la productividad marginal de los precios de los factores de producción. Esta consiste, como hemos visto, en un estudio microeconómico de los mercados y de los precios de los factores en condiciones de competencia perfecta. La teoría de la productividad marginal se basa en la hipótesis de que la demanda del producto que se fabrica con unos determinados factores, viene dada y es constante; ello implica que los precios de los factores y, como consecuencia las rentas, pueden variar sin que se dé cambio alguno en la demanda del producto. Pero la demanda de un producto sólo será constante si los gustos de los consumidores no varían (cosa poco probable), si los precios de los demás bienes no cambian, y sobre todo si la renta total permanece constante. Centrada esencialmente en explicar la demanda de los factores por parte de las empresas, la teoría de la productividad marginal no parece ofrecer una línea fructífera de análisis que permita explicar y determinar la parte relativa de la renta que corresponde a cada uno de los factores.

De ahí que algunos autores hayan tratado de trasladar algunos de los instrumentos analíticos de la teoría neoclásica al plano macroeconómico. Entre ellos pueden citarse a los americanos Charles Cobb y Paul Douglas, y al polaco Kalecki. Los primeros, famosos por la función de producción que formularon, intentaron verificar estadísticamente las leyes de la producción, que a su vez explicarían los fenómenos de la distribución. Parten de la teoría de la productividad marginal, ya que utilizan una función de producción en su análisis de la distribución, pero saltan, del estudio macroeconómico de los mercados y de los precios de los factores, a la investigación de la parte de la renta que va a parar a cada uno de los factores globalmente considerados. Kalecki, por su parte, tras un análisis muy elaborado, llega a la conclusión de que la parte relativa de la renta que corresponde a los ingresos brutos del capital y de los sueldos en la cifra global de negocios en la producción, está directamente determinada por el grado medio de monopolio de la economía. Los salarios del trabajo manual y el coste de las materias primas constituyen los otros componentes del valor total de la producción. Si el coste de las materias primas viene dado, entonces la renta de los salarios también depende del grado de monopolio de la economía.

Aunque Keynes no trató en su *Teoría General* de la distribución de la renta, su enfoque renta-gasto de la actividad económica macroagregada, sugirió un estudio de la distribución distinto del análisis neoclásico. Keynes estableció que a nivel macroeconómico existe una interdependencia entre las funciones de demanda de los factores y las remuneraciones de éstos. Un cambio en el precio de un factor, dada su oferta, llevará consigo variaciones en la demanda total, y, en consecuencia, dará lugar a cambios en el nivel de empleo, en la Renta Nacional y en la distribución de ésta entre los factores. Esto es particularmente aplicable a los salarios, por la alta proporción de la renta que representan. El continuo desequilibrio dinámico de la economía hace que las relaciones entre los costes, los precios y los beneficios estén siempre cambiando. En su *Tratado sobre el Dinero,* Keynes analiza las relaciones fundamentales entre los beneficios, el nivel de precios, la inversión y el consumo, concluyendo que los beneficios totales son determinados por las decisiones de los distintos grupos de agentes económicos: decisiones de consumo de los trabajadores, decisiones de invertir de los empresarios, demanda de liquidez de las unidades económicas, decisiones de las autoridades monetarias en cuanto a la oferta de dinero, etc.

Economistas postkeynesianos, entre los que destacan Kalecki, Boulding y Kaldor, han tratado y están tratando de elaborar una teoría macroeconómica de la distribución que explique las relaciones que unen los fenómenos de distribución, empleo, precios, crédito, demanda y oferta de dinero, gastos e ingresos del Estado, balanza de pagos, etc. Esto exige utilizar el enfoque del análisis del equilibrio general. Por otra parte, aunque los factores institucionales (distribución de la propiedad, régimen de ésta, sistemas políticos) también afectan de alguna manera a la distribución de la renta entre factores, tiene mayor interés el conocer si existen unas leyes generales que rijan dicha distribución según los imperativos de la producción. Todavía no se han encontrado tales leyes.

La Distribución Personal: Desde este punto de vista se estudian los elementos que integran las rentas de las economías domésticas y los factores que determinan su nivel.

La renta de un individuo está compuesta por todas las remuneraciones y transferencias que aquél percibe en concepto de propietario de los diferentes factores de la producción y de beneficiario de las diferentes medidas de redistribución de la renta que realiza el Estado con la finalidad de alcanzar una distribución equitativa de la Renta Nacional. Se distingue también entre rentas ganadas o rentas obtenidas como contrapartida de una prestación personal (rentas del trabajo), y rentas no ganadas, que son todas las demás.

Los ideales de justicia social, las aspiraciones a disfrutar de una seguridad económica, la presión política de los diferentes grupos sociales, y los imperativos económicos de estabilidad de los precios, de pleno empleo, y de crecimiento continuado del Producto Nacional, constituyen el motor detrás de las numerosas medidas de distribución (distribución funcional) y redistribución (distribución personal) de la renta que encontramos hoy en todos los países.

Hemos señalado que es el Estado el agente ejecutor de estas medidas. Sus instrumentos principales son su poder regulador y sus finanzas (la recaudación de impuestos y el gasto presupuestario). El Estado, que juega un papel fundamental en la determinación final de las rentas personales, interviene fundamentalmente de dos maneras:

a) A través de influenciar el proceso de formación de los precios de los bienes y de los factores, protegiendo a los agentes económicos desfavorecidos para tratar de garantizarles unos ingresos superiores a los que el juego de la oferta y la demanda les atribuiría. También puede imponer restricciones al mercado para impedir que las unidades económicas favorecidas por la oferta y la demanda obtengan rentas muy elevadas.

b) Por medio de intervenir después de la percepción de las rentas por los agentes de la producción, detrayendo parte de los ingresos a las unidades económicas de renta alta y transfiriendo rentas a las de ingresos bajos. Esto dará lugar a una modificación de la demanda de bienes y servicios, que, a su vez, afectará a la distribución personal de la renta.

La Política de Rentas: Fines y Principales Instrumentos

Llamamos políticas de rentas a las medidas del primer tipo enumeradas en el apartado anterior. Las políticas de rentas tienen dos vertientes:

a) Las medidas destinadas a incrementar o reducir directamente las rentas de los diferentes grupos. Aquí la acción del Estado toma tres formas principales: la política de salarios, la política de sostenimiento de los precios agrícolas y la política de control de las rentas del capital.

b) Las medidas encaminadas a impedir que el aumento de las rentas de los diferentes grupos ponga en peligro (a través de la inflación) los objetivos de alto nivel de empleo y crecimiento continuado del Producto Nacional. Las medidas empleadas a este fin son el control y la congelación de los salarios, de los dividendos, de los intereses y de los precios.

Los dos tipos de medidas se interfieren directamente con los procesos económicos, afectando a las rentas en el período de su formación. Consideramos la primera vertiente:

1) La política de control de los salarios tiene su justificación en la necesidad de proteger a los trabajadores, dado que su posición en la negociación de los salarios es más débil que la de los empresarios, y que los salarios constituyen generalmente la totalidad de sus ingresos; ocurre, además, que los salarios, por ser contractuales, tienden a seguir con retraso las elevaciones de los precios.

Esta protección toma la forma del establecimiento por el Estado de un salario mínimo interprofesional, que ha de pagarse a toda persona que trabaje una jornada laboral en cualquier parte del país. Como los precios suben continuamente, para proteger el poder adquisitivo de los ingresos de los trabajadores, se puede aplicar una escala móvil de salarios que implica un aumento automático de los salarios al subir el índice del coste de la vida, o revisar periódicamente el salario mínimo de acuerdo con la subida de los precios.

La eficacia distributiva y económica del salario mínimo ha sido y es muy discutida. La productividad del trabajo varía de persona a persona, y entre los sectores, las industrias y las empresas. De ahí que el salario mínimo suela ser más bajo que los salarios que se están pagando en la gran mayoría de las actividades. No obstante, la existencia de un salario mínimo y sus revisiones al alza tienen unos

efectos favorables: los trabajadores de algunas actividades, sobre todo la agricultura, tienen muy poca fuerza negociadora. Con el salario mínimo se les asegura
unos ingresos mínimos. Además, el salario mínimo o salario base afecta a toda la
gama de sueldos y salarios, ya que se le toma como guía de la relación salarios-
precios.

2) La política de sostenimiento de los precios agrícolas consiste en establecer por parte del Estado los precios de algunos productos agrícolas por encima
de los que se fijarían en el libre mercado, con el fin de aumentar los ingresos de
los agricultores. Veremos esta política con más detalle en el próximo epígrafe.

3) La política de control de las rentas del capital expresa la idea de redistribuir la renta del grupo de los capitalistas o propietarios de bienes de capital
hacia los demás grupos sociales. Los instrumentos utilizados aquí son: a) la política de dinero barato, que hace que los tipos de interés sean bajos, y, en consecuencia, los rendimientos del capital también lo sean; b) el control y el bloqueo de los
alquileres, que hace que éstos sean más bajos de los que el mercado fijaría, be-
neficiando así a los inquilinos, que son la gran mayoría de la población, y perjudi-
cando a los propietarios de inmuebles, y c) la limitación en la distribución de dividendos por parte de las empresas. Tanto las medidas de tipos de intereses bajos
como las de control de la distribución de los dividendos, forman también parte de
lo que hemos llamado la segunda vertiente de las políticas de rentas; es decir, aquellas medidas de política económica dirigidas a mantener el pleno empleo y el crecimiento.

A este segundo aspecto de las políticas de rentas se le llama específicamente
la política de rentas. Desde hace algunos años todos los países, desarrollados y
subdesarrollados, se han propuesto como objetivos alcanzar y mantener un alto
nivel de empleo y un crecimiento de la producción y de las rentas. La mayor parte
de los países tienen una economía de mercado y un número considerable ha experimentado en los últimos años un aumento casi continuado de los precios. Como
sabemos, la inflación afecta desfavorablemente a la balanza de pagos, a la estructura de la producción y, en último extremo, al nivel de producción y empleo y
a la distribución de la renta entre los grupos sociales y entre las personas. Se
ha intentado controlar la inflación a través de reducir la demanda agregada de
bienes de consumo (por medio de aumentar el impuesto sobre la renta y los impuestos indirectos sobre dichos bienes) y la demanda de bienes de capital (es decir,
contener la inversión) a través de restringir el crédito y subir los tipos de interés.
Estas medidas han reducido la tasa de crecimiento del Producto Nacional de muchos países y han creado desempleo.

De ahí que se buscara un enfoque a la solución del problema de la inflación
que fuera menos costoso para la sociedad. Se centró el interés entonces en el proceso de determinación de los costes y de los precios: los procedimientos y principios de fijación de los salarios, de los beneficios, de las rentas y de los tipos de
interés. Como medida anti-inflacionista, tales políticas tienen como objetivo evitar
el crecimiento excesivo de las rentas monetarias en relación con el aumento de
la producción. La finalidad que se persigue no es la distribución de la renta de una
manera directa, retirándole parte de sus ingresos a unos grupos de agentes económicos e incrementándoselos a otros. La meta es controlar el proceso de ajuste de
las rentas de los diferentes grupos, manteniéndoles sus ingresos reales según su
contribución a la producción, e impidiendo que el aumento desproporcionado de
las rentas de uno o varios de los grupos lleve a la inflación, vía costes (el caso
de los salarios), o directamente sobre el nivel de precios (la fijación de los precios
por las empresas y los comerciantes).

Cuando se aplican políticas de rentas, los salarios generalmente están controlados. Los aumentos que se hagan han de ser negociados y autorizados por el Gobierno. Incluso en ocasiones extremas, cuando la tasa de inflación se considera excesiva y la balanza de pagos se ha deteriorado hasta el punto de exigir medidas radicales, se llega a la congelación de los salarios; es decir, se prohíbe a las empresas que aumenten los salarios durante un período determinado. Esto tiene el doble efecto de impedir que los costes de las empresas aumenten y, en consecuencia, el que el Gobierno tenga la autoridad moral para prohibirles a éstas que suban sus precios, conteniendo las subidas de éstos y mejorando la competitividad de los productos del país en el exterior, a la vez que reducir la de los productos extranjeros en el país (mejora de la balanza de pagos), y de disminuir la presión sobre los precios de los bienes de consumo a través del efecto psicológico que la congelación de los salarios tiene sobre el gasto de las economías domésticas. Naturalmente, los trabajadores no aceptarán tal medida si ésta no es aplicada igualmente a las demás rentas.

Generalmente, lo que el Gobierno busca es impedir que los salarios aumenten más de prisa en términos reales que la productividad del trabajo. Si los salarios y la productividad aumentan en la misma proporción, los costes no varían. El sistema de ajuste de los salarios dentro del marco de una política de rentas suele ser muy elaborado y complejo, dados los intereses importantes que están en juego y la necesidad de que los sindicatos colaboren voluntariamente.

El control de los precios es difícil de implementar plenamente y más aún durante un período largo de tiempo. Generalmente, lo que hace un Gobierno es seleccionar un número de productos y servicios que sean importantes en el índice de precios y mantener un control sobre las subidas de sus precios. Las empresas que desean subir éstos tendrán que solicitar la autorización del Gobierno, previa justificación de su demanda, y éste podrá o no concederla. Esto ocurre con productos tales como el acero, la electricidad, la gasolina, los zapatos, el pan, el aceite, la leche, y servicios como la habitación de un hotel, entre otros.

La Política Agraria

Hemos hablado ya del carácter reducido e inestable de las rentas agrícolas. La intervención del Estado para aumentarlas y hacerlas más estables toma varias formas:

a) El mantenimiento de los precios de ciertos productos, bien a través de fijar un precio y comprar a los agricultores toda su producción (éste es el caso de los cereales en España), o bien fijando un precio igualmente y comprándole a los productores los excedentes que no puedan colocar en el mercado (esto ocurre con el aceite y el vino).

b) La concesión de ayuda financiera, bien a través de crédito en condiciones favorables en cuanto a tipo de interés y plazo de reembolso (para compra de maquinaria, ampliación y mejora de las explotaciones), o bien por medio de la concesión de subsidios, bonificaciones e indemnizaciones en casos de catástrofes.

c) La prestación de ayuda técnica por medio de los servicios de ordenación rural y concentración parcelaria. El Estado facilita los servicios técnicos para concentrar la tierra y racionalizar las explotaciones. También facilita a los agricultores las semillas y el ganado adecuado y de mayor rendimiento, así como el asesoramiento para su cultivo y cría. Ultimamente se proyecta ayudar a los agricultores en el plano de la comercialización de sus productos.

La Política de Redistribución de la Renta:
sus Clases, Instrumentos y Limitaciones

Constituye esta política la serie de medidas que efectúan una redistribución entre las personas de las rentas ya percibidas por los distintos aspectos productivos. Se lleva a cabo a través de la política financiera y social del Estado:

a) La política financiera realiza una redistribución de la renta por el lado de los ingresos del Estado a través de la política impositiva (que detrae parte de los ingresos de los agentes económicos), y de la concesión de subvenciones y transferencias dinerarias y de la prestación de servicios colectivos por el lado del gasto.

La política fiscal o impositiva es redistributiva en la medida en que la carga tributaria grave desigualmente a los agentes económicos. Los impuestos más importantes a efectos redistributivos de la renta son: 1) el impuesto sobre las sucesiones, que grava la transmisión por herencia de la propiedad. Su efecto es limitado por afectar principalmente a las fortunas consistentes en propiedad rústica o bienes inmuebles; 2) el impuesto sobre la renta, tanto del trabajo como de otros orígenes. Este es en las sociedades modernas el instrumento más eficaz de redistribución de la renta por dos razones: puede tener un carácter progresivo (aplicándose tipos impositivos mayores a medida que la base impositiva es más elevada) y permite la discriminación (se pueden aplicar tipos impositivos diferentes según que la renta tenga su origen en el trabajo personal o en la propiedad). También permite discriminar en el cálculo de la base impositiva y en las deducciones que se hagan a ésta. Así, una familia con una renta inferior a la mínima imponible estará exenta de pagar este impuesto; también se le detraen a la base impositiva cantidades concretas por número de hijos y otras personas dependientes del perceptor de la renta; 3) el impuesto sobre los beneficios de la empresa.

El gasto del Estado tiene también gran importancia en la redistribución de la renta en varios aspectos:

1) El suministro de bienes y servicios colectivos: educación, sanidad, administración de justicia, orden público, defensa, carreteras, pantanos, etc.

2) La concesión de subvenciones a las instituciones encargadas de suministrar ciertos servicios (transportes urbanos y ferrocarriles) a precios por debajo de su coste y que son utilizados por la mayor parte de la población. También es frecuente la concesión de subvenciones a actividades económicas poco rentables o útiles para el país (agricultura, exportación, ciertas industrias).

3) La realización de gastos sociales propiamente dichos, que consisten en subsidios a clases sociales determinadas: contribuciones del Estado a la Seguridad Social, becas a estudiantes, etc.

b) La política social juega un papel cada vez más importante en la redistribución de la renta. Los principales instrumentos son la Seguridad Social y la ayuda a la familia. La primera incluye los seguros de enfermedad, desempleo, accidentes, invalidez y muerte, y las pensiones de vejez. Las prestaciones en concepto de ayuda familiar incluyen los subsidios familiares de maternidad, viudez, orfandad y vejez, para las personas que no tengan derecho a una pensión.

Se ha discutido mucho y se sigue discutiendo sobre si todas las medidas redistributivas de la renta que hemos enumerado realizan realmente una redistribución vertical, es decir, de las personas de rentas altas a las de rentas bajas. Unos tratadistas afirman que sí, mientras que otros creen que la renta se redistribuye principalmente de una manera horizontal; es decir, entre los grupos de renta similar. Esta es una cuestión a determinar empíricamente.

Se discute, además, si la política de redistribución de la renta tiene o no efectos perjudiciales sobre los estímulos económicos, estímulos que son importantes para el crecimiento y el progreso de la economía, tanto respecto de los trabajadores como de los empresarios. Se arguye, además, que la redistribución de la renta disminuye el ahorro total y, en consecuencia, afecta desfavorablemente a la inversión y al crecimiento económico. También estas cuestiones, y con independencia del enfoque ideológico que se les dé, sólo pueden zanjarse a través del análisis empírico.

BIBLIOGRAFIA SELECCIONADA

Samuelson, P.: *Curso de Economía Moderna,* op. cit., Cap. 29.
Lipsey, R.: *Introducción a la Economía Positiva,* op. cit., Cap. 28.
Lancaster, K.: *Economía Moderna I,* op. cit., Cap. 16.
Lancaster, K.: *Introducción a la Microeconomía Moderna,* op. cit., Cap. 8.
Clower, R., y Due, J. F.: *Microeconomía,* op. cit., Cap. 12.
Ferguson, C. E.: *Teoría Microeconómica,* op. cit., Cap. 13.
Feller, W., y Haley: *Teoría de la Distribución de la Renta,* op. cit.
Watson, D.: *Política Económica,* Editorial Gredos, Madrid, 1965.
Turner, H. A., y Zoetewei, H.: *Prices, Wages and Income Policies in Industrialized Market Eco nomies,* International Labour Office, Ginebra, 1966.
Kaldor, N.: *Alternative Theories of Distribution,* The Review of Economic Studies, febrero 1956.
Kalecki, M.: *Essays in the Theory of Economic Fluctuations,* 1939.

INTRODUCCION

En los Capítulos anteriores hacíamos referencia continuamente a los recursos productivos, a los que también llamábamos factores de la producción. En el Análisis Económico es clásica la distinción entre recursos naturales (los que proporciona directamente la naturaleza: tierra, minerales, agua), trabajo y capital. A los recursos naturales y al trabajo se les denomina también recursos primarios, queriendo con ello resaltar que están disponibles directamente (ello no impide que, si queremos poner en cultivo una extensión de bosque, debamos previamente talarla y desbrozarla; o que si queremos emplear agua de mar para regar un huerto, tengamos que desalinizarla; o que debamos adiestrar a los individuos antes de emplearlos en una tarea concreta). Los procesos productivos que emplean únicamente recursos naturales y trabajo se llaman procesos productivos directos.

Sin embargo, los bienes capital requieren un proceso productivo capaz de elaborarlos previamente a su empleo en la obtención de otros bienes. Debido a esto, se dice que los bienes capital son un factor de la producción producido: factor de la producción en cuanto que se emplean en la elaboración de otros bienes; y producido en cuanto que deben fabricarse para poder ser utilizados. El conjunto de bienes capital existentes en una economía determinada (que es una magnitud stock) o stock de capital de una economía consiste, pues, en la maquinaria de todo tipo, los edificios, los túneles, las autopistas, los barcos, las instalaciones recreativas, etc., existentes en un momento determinado. Podemos, por tanto, definir al stock de capital de una economía como el conjunto de bienes que sirven para producir otros bienes y/o servicios. A los procesos productivos que emplean bienes capital se les llama procesos productivos indirectos.

Sin embargo, así definido, el stock de capital (o más simplemente, el capital) presenta un problema de agregación; es decir, de cálculo y expresión de su volumen total. Para comprender mejor el problema veamos lo que ocurre en el caso de que deseemos agregar los otros dos factores productivos, a fin de obtener su volumen total para una economía. En el caso de la tierra, podemos sumar la totalidad de superficie disponible para el cultivo u otros usos (edificaciones, por ejemplo) y obtendríamos así una cifra total de hectáreas o de kilómetros cuadrados. En el caso del trabajo, podemos sumar la capacidad de trabajo de una economía en términos de horas de trabajo standard por unidad de tiempo (por ejemplo, por día) multiplicando el número de horas de una jornada normal de trabajo por el número de individuos que componen la población activa (o población en edad de trabajar). El obstáculo aparente que representan las distintas calidades de trabajo de los individuos (no es lo mismo una hora de trabajo de un obrero experimentado que una hora de trabajo realizada por un aprendiz) lo obviamos reduciéndolo a diferencias en cantidad mediante el artificio de atribuir mayor número de horas standard a los obreros más productivos y menos a aquellos cuya productividad es más baja. Es decir, tanto la tierra como el trabajo se pueden medir en unidades físicas (hectáreas u otras medidas de superficie, y horas u otras medidas de tiempo, respectivamente).

Pero el caso del capital es distinto. Tal y como lo hemos definido, éste es un conjunto de bienes heterogéneos, cuya suma de unidades físicas resulta imposible, ya que, como sabemos, el resultado de sumar tornos con bloques de apartamentos y autopistas carece de sentido. Por otra parte, no podemos reducir los bienes capital a múltiplos de un bien capital sencillo (es decir, no podemos afirmar que una fresadora equivale a 300 metros de autopista, y así sucesivamente con los restantes bienes, para acabar expresando la totalidad del stock de capital en términos de kilómetros de autopista), de manera que el recurso que se emplea para agregar (sumar) la totalidad de los bienes capital consiste en multiplicar el número de unidades existentes de cada tipo de bien por el precio de una unidad de dicho bien.

Así, si en una economía hay 1.000 tornos y cada uno vale 100.000 pesetas, y 200 buques, cada uno de los cuales vale 10.000.000 de pesetas, el capital total de esa economía ascenderá a 2.100 millones de pesetas. Ello explica el doble sentido que tiene la palabra capital, ya que con ella nos podemos estar refiriendo a una suma de dinero (los 2.100 millones de pesetas) o a un conjunto de bienes físicos (los 1.000 tornos y los 200 buques). En general, para referirse al dinero se suele emplear la expresión capital financiero, mientras que para referirse a los bienes capital se utiliza capital físico. En ocasiones suele incluirse en este último los stocks de bienes de consumo existentes en un momento dado, y que forman el llamado capital consuntivo. Este procedimiento de agregación en términos monetarios ha sido objeto de una fuerte controversia en la Teoría Económica.

LA PRODUCTIVIDAD DEL CAPITAL

Definíamos el capital como el conjunto de bienes que, siendo obtenidos mediante procesos productivos, se emplean a su vez en la elaboración de otros bienes y/o servicios. Por tanto, los bienes capital no son útiles para la satisfacción de necesidades mediante su consumo directo: no son, por consiguiente, bienes que se deseen por sí mismos a diferencia de los bienes de consumo final. Ahora bien, si esto es así ¿por qué se dedican recursos productivos a su elaboración? ¿No sería mejor emplear los factores utilizados en la fabricación de bienes capital a la producción de bienes de consumo? Decíamos antes que los bienes capital sirven de ayuda para la producción de otros bienes al entrar como *inputs* en los procesos productivos; pero además, el proceso que emplea bienes capital es a menudo más eficiente que el proceso que no los emplea. Es decir, si para obtener 1.000 kilos de trigo necesitamos 100 hectáreas de tierra y 10 hombres, puede que utilizando un tractor, la misma cantidad de *output* se obtenga con 50 hectáreas de tierra y dos hombres. El enorme aumento en la producción que supuso la Revolución Industrial de los siglos XVIII y XIX se debió en buena parte a la introducción sistemática de maquinaria en los distintos procesos productivos.

Este aumento de *output* se obtiene, lógicamente, a un coste: el coste de producir los bienes capital. En un mundo en el que los recursos son escasos, el desvío de cierta cantidad de factores hacia la producción de bienes capital implica que se destinen menor cantidad de recursos a la elaboración de bienes de consumo, que, como sabemos, son los que tienen la facultad de satisfacer las necesidades de los individuos. Además, la introducción de bienes capital en los procesos productivos implica una espera, ya que deberemos dedicar cierto tiempo a la producción de estos bienes, tiempo que podríamos dedicar a la producción de bienes de consumo. Pero, una vez que los bienes capital han sido producidos y puestos a funcionar en la economía (implementando procesos productivos indirectos), observamos que, aun dedicando parte del *output* obtenido a la reposición de los bienes capital empleados (ya hemos visto en Capítulos anteriores que si bien en general la duración de estos bienes es elevada, debido al uso y al transcurso del tiempo van sufriendo un desgaste que acaba haciéndoles inservibles), el *output* restante es aún superior al que obtendríamos empleando únicamente procesos productivos directos.

Por tanto, el capital tiene una productividad o rendimiento neto. Podemos medir esta productividad o rendimiento de dos maneras: bien como el volumen total del *output* añadido tras el empleo de capital en el proceso productivo (descontadas las asignaciones por depreciación), o bien como un cociente entre el rendimiento neto anteriormente calculado y la totalidad del capital empleado en el proceso productivo. Veamos esto con un sencillo ejemplo. Supongamos que con 100 hectáreas de tierra y 10 hombres obtenemos 1.000 kilos de trigo netos (es decir, tras el pago de los salarios). Si empleamos un tractor y mantenemos iguales los restantes factores (es decir, las 100 hectáreas y los 10 hombres), la cosecha se eleva a 1.500 kilos de trigo. Por tanto, el rendimiento bruto tras la introducción del tractor es de *1.500 — 1.000 = 500* kilos de trigo.

Sin embargo, nosotros estamos interesados en el cálculo del rendimiento neto, y para ello debemos descontar la amortización del tractor. Como ya sabemos, si éste nos costó 100.000 pesetas y esperamos mantenerlo en funcionamiento durante 10 años, en cada cosecha (suponemos que sólo hay una cosecha al año) retiraremos del producto bruto 10.000 pesetas, que nos servirán al cabo de 10 años para comprar otro tractor. Ahora bien, el *output* bruto viene expresado en unidades físicas (toneladas de trigo), mientras que la cuota de amortización viene expresada en unidades monetarias; para poder restarla del output bruto (a fin de hallar el output neto) deberemos reducir ambos a una medida común: en este caso, a pesetas. Si la tonelada de trigo vale 100 pesetas, el *output* bruto valdría 150.000 pesetas; el *output* neto *150.000 — 10.000 = 140.000* pesetas; y el aumento en el *output* debido al empleo de capital será *140.000 — 100.000 = 40.000* pesetas. El rendimiento o productividad neta del capital sería entonces $\frac{40.000}{100.000} \times 100 = 40\,\%$.

Ya que la producción u *output* es una magnitud flujo, el rendimiento será un porcentaje o tipo que también vendrá referido a un período de tiempo concreto. En nuestro ejemplo anterior, ya que hemos elegido el año, diríamos que el tipo de rendimiento neto del capital es del 40 por 100 anual. Mediante este procedimiento se puede comparar la productividad del capital en los distintos procesos en los que éste se emplea, de modo que podamos observar en qué procesos es más productivo el capital y en cuál es menos. A la introducción de capital en un proceso productivo se le denomina inversión, y en este sentido emplearemos el término a lo largo de este Capítulo. Así, cuando hablemos de inversión nos estaremos refiriendo a la introducción de bienes capital en un proceso productivo: a la inversión en capital físico.

Llegados a este punto, podemos suponer razonablemente que la introducción de capital en los distintos procesos productivos (es decir, la inversión) dependerá del tipo de rendimiento neto del capital. Ya que éste, a su vez, depende de dos factores (el precio del bien capital y el rendimiento de la inversión), pasaremos a estudiarlos con detenimiento.

EL PRECIO DEL CAPITAL

El Valor Actual de una Renta Futura

Veamos cómo se relaciona la productividad neta o rendimiento neto de una inversión con su precio. Para simplificar, supondremos que la inversión se limita a la introducción de un bien de capital (una máquina, por ejemplo) en un proceso productivo determinado. Sabemos que la productividad del capital se relaciona con un flujo futuro de *output,* debido a que la duración de estos bienes es superior a un período productivo (en el ejemplo anterior el tractor duraba 10 cosechas, correspondientes a 10 años). Por tanto, debemos calcular qué valor le damos a ese flujo de *output* (renta) que recibiremos en el futuro.

Para efectuar este cálculo, empezaremos con un sencillo ejemplo. Supongamos un individuo que tiene unos ingresos determinados y que, una vez cubiertas sus necesidades más perentorias, le sobran 1.000 pesetas. El individuo en cuestión puede dedicar esas 1.000 pesetas a aumentar su consumo, ya que supondremos que la UMa de los bienes adquiridos con esas 1.000 pesetas es aún positiva. Sin embargo, el individuo se enfrenta a dos alternativas: puede dedicar, como decíamos, esas 1.000 pesetas a aumentar su consumo o puede prestarlas a otro individuo que desee incrementar el suyo; pero sólo tomará esta segunda alternativa si se le devuelve una cantidad superior a la que prestó inicialmente, de manera que el primer individuo quede compensado por la molestia que le supone no emplear esas 1.000 pesetas en aumentar su consumo propio. Por tanto, si el plazo del préstamo es de un año y el tipo de interés de mercado anual está al 10 por 100, el individuo exigirá que se le devuelvan, al terminar el año, al menos 1.100 pesetas. El cálculo de la suma a devolver lo efectuamos mediante la conocida fórmua:

$$VF = VA \, (1 + i)$$

en que VF sería el valor final (valor al término del año) de esas 1.000 pesetas, VA serían las 1.000 pesetas (el valor al principio del año, o valor actual del préstamo) e i el tipo de interés de mercado (el 10 %).

Supongamos ahora que el mismo individuo decide prestar esas 1.000 pesetas durante tres años, percibiendo la totalidad de capital e intereses al final de dicho período. En tal caso, las 1.000 pesetas irían creciendo de año en año al tipo de interés de mercado, ya que al final del primer año la suma prestada habría aumentado a 1.100 pesetas. Es decir, al final del primer año:

$$VF_1 = VA \ (1 + i)$$
$$1.100 = 1.000 \ (1 + 0.1)$$

Al final del segundo año:

$$VF_2 = VF_1 \ (1 + i)$$
$$1.210 = 1.100 \ (1 + 0.1)$$

Y al final del tercer año:

$$VF_3 = VF_2 \ (1 + i)$$
$$1.331 = 1.210 \ (1 + 0.1)$$

Si ahora queremos calcular directamente la suma que percibirá al final del tercer año:

$$VF_1 = VA \cdot (1 + i)$$
$$VF_2 = VF_1 \ (1 + i)$$
$$VF_3 = VF_2 \ (1 + i)$$

sustituyendo el VF_3 de la tercera expresión por su valor calculado en la segunda, tendríamos:

$$VF_3 = VF_1 \ (1 + i) \ (1 + i)$$

a su vez, expresando VF_1 en términos de VA,

$$VF_3 = VA \ (1 + i) \ (1 + i) \ (1 + i)$$
$$VF_3 = VA \ (1 + i)^3$$
$$1.331 = 1.000 \ (1 + 0.1)^3$$

y, en general, para un período de n años,

$$VF_n = VA \ (1 + i)^n$$

siendo esta última la conocida expresión empleada en el cálculo del valor final de una suma de dinero colocada a interés compuesto durante n años.

De esta fórmula podemos despejar cualquiera de sus elementos. Supongamos ahora que un individuo va a percibir al cabo de n años una suma de dinero concreta, y desea conocer cuál sería su valor actual equivalente; para ello, despejaría en la fórmula anterior el valor de VA. En este caso, VA es el valor de la cantidad que ha de colocar a interés compuesto para obtener al cabo de n años VF_n:

$$VA = \frac{VF_n}{(1 + i)^n}$$

De acuerdo con esta última fórmula podemos decir que el valor actual de una determinada cantidad pagadera en el futuro será tanto menor cuanto más alejada esté en el tiempo la fecha de pago y cuanto más alto sea el tipo de interés.

Hemos visto hasta aquí el valor de una cantidad pagadera en el futuro. Calculemos ahora el valor actual de una suma que rinde indefinidamente (es decir, durante un número infinito de años) un interés determinado, concretamente un 10 por 100; lo que queremos determinar es el valor actual de esa corriente perpetua de renta. Si la suma es tal que el rendimiento anual al 10 por 100 es de 100 pesetas, el valor actualizado de esas 100 pesetas durante un número infinito de años, cabe suponer en principio que sería también infinito. Sin embargo, hemos visto antes que cuanto más alejados estén en el tiempo los pagos, menos se valorarán, por lo que, a medida que transcurre el tiempo, el valor actual de esas 100 pesetas se irá reduciendo progresivamente. La fórmula empleada en el cálculo es:

$$VA = \frac{R}{i}$$

siendo R el rendimiento anual e i el tipo de interés; en nuestro ejemplo:

$$VA = \frac{100}{0,1} = 1.000$$

E lector experimentado en matemáticas puede obtener la fórmula como el resultado de la suma de los inifinitos términos de una progresión geométrica que tiende a 0. Para comprobar la fórmula, observemos que el valor actual del flujo futuro de renta es de 1.000 pesetas, valor que coincide con el importe de la suma que debemos prestar al 10 por 100 para obtener una renta anual de 100 pesetas. Como podemos ver, el valor actual sigue siendo inversamente proporcional al tipo de interés; cuanto mayor sea éste, menor será VA.

El Valor Actual de los Bienes Capital

Veamos ahora cómo determinar el valor de un bien capital (una máquina, por ejemplo). Sabemos que este tipo de bienes se demandan no por su utilidad (por su capacidad de satisfacer las necesidades humanas mediante el consumo directo), sino porque, empleados en los procesos productivos, aumentan el volumen de *output* obtenido; es decir, de su utilización en dichos procesos se deriva una productividad neta que definíamos como el rendimiento neto del capital (el rendimiento bruto menos la amortización del bien capital de que se trate). Veíamos también que los bienes capital son susceptibles de utilizarse durante varios períodos productivos en cada uno de los cuales producirán ese rendimiento.

Supongamos que la máquina anterior tiene una duración de 3 años, y que los rendimientos netos anuales derivados del empleo de la máquina en un determinado proceso productivo son R_1, R_2 y R_3. Si el tipo de interés del mercado es i, y queremos actualizar al momento presente esos rendimientos, tendremos:

$$VA = \frac{R_1}{(1+i)} + \frac{R_2}{(1+i)^2} + \frac{R_3}{(1+i)^3}$$

Veámoslo con un sencillo ejemplo. Supongamos que la máquina es un tractor, que el tipo de interés de mercado es del 10 por 100, y que los rendimientos esperados derivados del empleo del tractor (el aumento en la cosecha de trigo, descontadas las cuotas de amortización) expresados en términos monetarios son de 10.000

pesetas el primer año, de 20.000 el segundo y de 15.000 el tercero. El valor actual de dichos rendimientos será:

$$VA = \frac{10.000}{1 + 0,1} + \frac{20.000}{(1 + 0,1)^2} + \frac{15.000}{(1 + 0,1)^3} = 36.888$$

Por tanto, el valor de ese tractor empleado en ese proceso productivo sería de 36.888 pesetas, ya que es la totalidad de la renta que se podría obtener mediante su utilización, y éste sería su precio. Puede verse que si el precio del tractor fuera inferior a 36.888 pesetas, a la gente le resultaría rentable comprarlo y ponerlo a funcionar, ya que en tal caso obtendrían un beneficio adicional, con lo cual la demanda crecería y su precio aumentaría. Pero si el precio del tractor fuera superior a 36.888 pesetas, nadie desearía comprarlo, ya que el valor actualizado de las rentas que se obtendrían de su empleo sería inferior a su precio, con lo que el resultado sería una pérdida y, en consecuencia, su precio disminuiría. Por tanto, el precio de equilibrio de ese tractor (y, en general, de cualquier bien capital) será igual al valor actual de los rendimientos futuros que produzca en el transcurso de su vida útil.

EL RENDIMIENTO DEL CAPITAL

Veamos ahora el otro factor del que depende el tipo del rendimiento del capital. En el ejemplo anterior decíamos que el valor del tractor empleado en ese proceso productivo era de 36.888 pesetas, y lo calculábamos actualizando el valor de la corriente futura de los rendimientos esperados. Así definido, puede suponerse que el valor del tractor variará según se emplee en un proceso productivo u otro, ya que según el empleo que se le dé (es decir, según se le utilice en un proceso productivo u otro) los rendimientos esperados variarán; en consecuencia, cambiará su valor actual y también el valor del bien capital (por ejemplo, es posible utilizar al tractor como vehículo de transporte por carretera; en tal caso, los rendimientos derivados del uso del tractor serían distintos, con lo que su valor no coincidiría con el anteriormente calculado).

Sin embargo, los bienes capital van a ser empleados en los procesos en los que su productividad sea mayor. Así, si tenemos varias alternativas de uso del tractor, el precio de éste se igualará con el valor actualizado de los rendimientos de la mejor alternativa posible (es decir, de los rendimientos obtenidos mediante su empleo en el proceso productivo en el que éstos sean mayores) de entre todas las alternativas disponibles. Así, una economía implementará primero aquellas inversiones (entendidas en el sentido que decíamos de introducción de bienes capital en procesos productivos) cuya productividad sea más elevada, y posteriormente aquellas cuya productividad sea menor.

Por otra parte, el capital, al igual que los restantes factores productivos, está sometido a la ley de los rendimientos decrecientes. Estudiemos este punto con mayor detenimiento. Supongamos una economía con un volumen de población fija, con una extensión de tierra dada, y cuya tecnología no cambia durante el período que consideramos (esto no es más que una especificación de aquellos factores que vamos a mantener constantes en el análisis: la aplicación de la cláusula *céteris páribus*). Si la economía está empleando la totalidad de los recursos (es decir, se emplea en la producción toda la tierra y la mano de obra existentes), y si ahora aumenta el stock de capital existente en esa economía, la combinación de los factores productivos variará: se emplearán más unidades de capital por unidad de trabajo o de tierra. Este proceso se denomina «intensificación del capital». Pero a medida que la intensificación del capital se haga mayor, y al tener que combinarse cada vez más unidades de capital con menos unidades de trabajo y de los demás factores, el *output* por unidad de capital empleada decrecerá. Esto podemos representarlo gráficamente tal como se hace en la Figura 30.1.

FIGURA 30.1

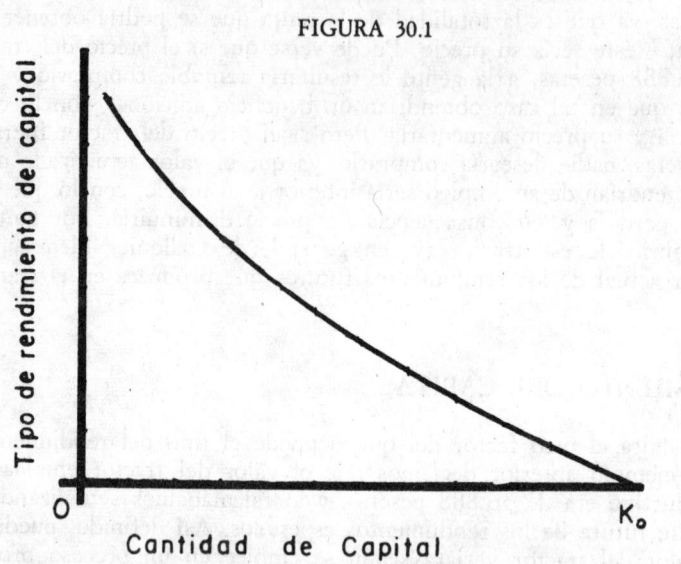

En ordenadas medimos el tipo de rendimiento del capital, y en abscisas la cantidad de este factor. La relación entre ambas variables nos vendrá dada por una línea de pendiente negativa, indicando la relación inversa existente entre ambas, y que es consecuencia de la existencia de rendimientos decrecientes para un factor productivo cuando (manteniendo constante la cantidad empleada de los restantes factores) aumentamos el número de unidades empleadas del primero.

Por tanto, los bienes capital se emplearán primero en aquellos procesos en los que la productividad neta derivada de su empleo sea mayor; y, posteriormente, se irán introduciendo en los procesos en los que la productividad neta sea más reducida. En principio, cabe esperar que se aumentará el stock de capital de la economía hasta el punto en el que dicha productividad sea 0; sin embargo, no se va a llegar nunca, de hecho, a ese volumen de capital, fenómeno que estudiaremos en el próximo epígrafe

LA RELACION ENTRE EL TIPO DE INTERES Y EL TIPO DE RENDIMIENTO DEL CAPITAL

En base a los conceptos empleados hasta aquí, podemos desarrollar una teoría simple que nos relacione el tipo de interés con el tipo de rendimiento del capital. De lo dicho anteriormente puede deducirse con facilidad que en una economía no se emplearán bienes capital a menos que el tipo de rendimiento que proporcione su utilización sea mayor que el tipo de interés de mercado del dinero. Esto es evidente, ya que, si una vez descontados todos los costes, el tipo de rendimiento que proporciona una máquina es del 5 por 100 anual, mientras que el tipo de interés anual de mercado está en el 10 por 100, será más provechoso prestar al 10 por 100 en el mercado el importe del valor de la máquina.

FIGURA 30.2

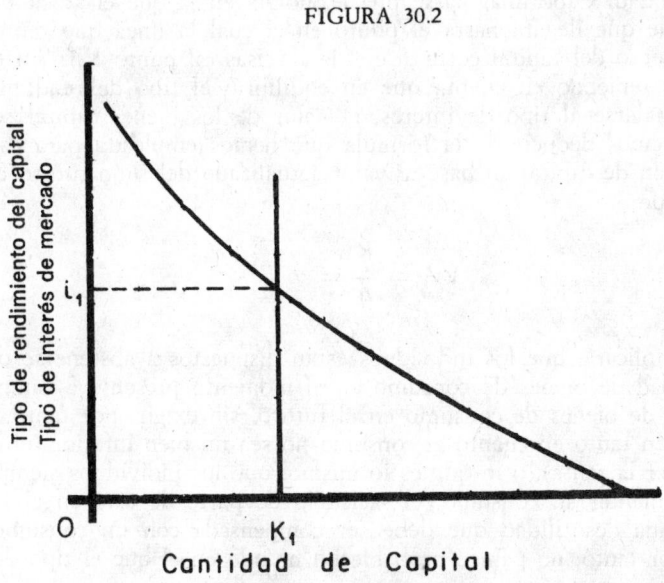

Cantidad de Capital

·Esta conclusión se ilustra en la Figura 30.2. En ordenadas medimos el tipo de interés de mercado y el tipo de rendimiento del capital, y en abscisas la cantidad de capital. Si el tipo de interés de mercado está en i_1, el stock de capital de esa economía llegará sólo hasta K_1, ya que, si dicho stock es inferior, se podrá obtener un beneficio pidiendo dinero prestado y ampliando el stock de capital de la economía, implementando aquellos procesos en los que el tipo de rendimiento es mayor que el tipo de interés: con los rendimientos derivados de la introducción de bienes capital en tales procesos, podremos atender los pagos por intereses del préstamo y obtener una rentabilidad adicional, constituida por la diferencia entre el tipo de rendimiento del capital y el tipo de interés de mercado.

Podemos concluir, por tanto que, en equilibrio, el tipo de interés de mercado y el tipo de rendimiento del capital tienden a coincidir. Una de las implicaciones lógicas de esta teoría estriba en que, *a sensu contrario*, a medida que el stock de capital aumente, el tipo de interés deberá disminuir. Sin embargo, en las sociedades capitalistas los tipos de interés se han mostrado razonablemente estables, a pesar de la aparente saturación de capital. Ello se debe sobre todo a los avances tecnológicos, ya que, como recordaremos, habíamos mantenido constante la tecnología en la determinación de la curva del tipo de rendimiento del capital. Estos avances han supuesto un desplazamiento hacia la derecha de dicha curva, compatibilizando mayores cantidades de capital con tipos de rendimiento similares. Si el progreso técnico se detuviera y el stock de capital siguiera creciendo, el tipo de rendimiento (y con él el tipo de interés) iría reduciéndose progresivamente.

ALGUNAS CUESTIONES EN TORNO AL TIPO DE INTERES

Veamos, para terminar esta exposición en torno al tipo de rendimiento del capital y al tipo de interés, algunas cuestiones finales.

Cabría preguntarse si sería posible en una economía que el tipo de interés cayera hasta igualarse a cero. Si bien ello es en principio teóricamente posible, no lo es en la realidad. Cabe imaginarse una economía en la que el stock de capital fuera tan grande que llegara hasta el punto en el cual la línea que representa al tipo de rendimiento del capital corta al eje de abscisas (al punto K_0). Sin embargo, en ese punto y teniendo en cuenta que en equilibrio el tipo de rendimiento del capital debe igualarse al tipo de interés, el valor de los bienes capital sería infinito, como podemos deducir de la fórmula que hemos empleado para calcular el precio de un bien de capital en base al valor actualizado del flujo futuro de rentas esperadas, ya que:

$$VA = \frac{R}{0} = \infty$$

Además, ello implicaría que los individuos están dispuestos a abstenerse de adquirir cierta cantidad de bienes de consumo en el momento presente a cambio de la misma cantidad de bienes de consumo en el futuro, sin exigir, por tanto, ninguna compensación. En tanto en cuanto el consumo no sea un bien inferior (el consumo aumente al crecer la renta), o lo que es lo mismo, que los individuos siempre estén dispuestos a aumentar su consumo, el sacrificio de parte de éste en el momento actual supone una desutilidad que debe ser compensada con un consumo futuro más elevado. Por tanto, no parece probable un mundo en el que el tipo de interés sea nulo.

Otra cuestión a considerar es la diferencia existente entre el tipo de interés monetario y el tipo de interés real. El análisis anterior lo hemos efectuado suponiendo que el nivel general de precios no cambiaba. Si éste varía hay que distinguir entre los dos tipos de interés mencionados. El tipo de interés monetario relaciona la suma de dinero prestada con la suma devuelta al finalizar el préstamo. Así, si por cada 100 pesetas prestadas nos devuelven 110, diremos que el tipo de interés monetario es del 10 por 100. El tipo de interés real relaciona el poder adquisitivo del dinero prestado con el poder adquisitivo del dinero devuelto. Así, si en el caso anterior se ha dado en la economía un aumento del nivel general de precios de un 6 por 100 durante el período de vigencia del préstamo, está claro que las 110 pesetas devueltas han experimentado una pérdida de valor del 6 por 100. Para calcular el tipo de interés real se descuenta del tipo de interés monetario el aumento en el nivel de precios: en nuestro ejemplo anterior, el tipo de interés real sería *10 % — 6 % = 4 %.*

En períodos inflacionistas los acreedores intentan defenderse de la pérdida de valor de las sumas prestadas elevando los tipos de interés monetario a los que están dispuestos a prestar fondos. Ello explica los elevados niveles en los que se han situado los tipos de interés en los últimos años de la década de los 70.

Otra cuestión importante hace referencia al papel de la incertidumbre en el análisis que hemos efectuado, tanto del tipo de interés como del tipo de rendimiento del capital. Hasta ahora, hemos operado como si todos los préstamos fueran a devolverse con certeza en los plazos fijados, o como si se pudieran determinar con exactitud los rendimientos futuros derivados de la introducción de un bien de

CURSO DE ECONOMIA

659

capital en un proceso productivo. Si bien esto es factible en determinados casos, no siempre puede hacerse, ya que los rendimientos futuros están siempre afectados de cierto grado de incertidumbre en cuanto a su realización y cuantía. Por tanto, el tipo de rendimiento del capital debe ser siempre algo mayor que el tipo de interés de mercado, a fin de compensar el mayor riesgo que supone invertir en capital físico; y, teniendo en cuenta que los individuos tienen aversión al riesgo (en el sentido de que siempre preferirán 1.000 pesetas con una certeza del 100 por 100 a 2.000 con una probabilidad de ganancia del 50 por 100) exigirán mayores compensaciones cuanto más elevado sea el riesgo asociado a una inversión concreta.

Por último, y conectado con la cuestión anterior, está el tema del plazo; es decir, la duración del préstamo. Normalmente, el tipo de interés suele ser más alto cuanto mayor es la duración del plazo de préstamo, ya que la incertidumbre de devolución suele ser mayor cuanto más largo es éste. Por otra parte, los individuos deben abstenerse de consumir durante un período mayor de tiempo; y, en consecuencia, exigirán una compensación mayor.

RESUMEN Y CONSIDERACIONES FINALES SOBRE LA TEORIA DE LA DISTRIBUCION

Resumen sobre la Teoría de la Distribución

La Teoría de la Distribución que hemos expuesto afirma que los precios de los factores (y en consecuencia los ingresos o la renta de sus propietarios) pueden ser explicados por la oferta y la demanda de aquéllos. Esta teoría descansa fundamentalmente sobre dos hipótesis:

a) En teoría, la oferta de factores viene determinada por el principio de igual (o máxima) ventaja neta, según el cual los propietarios de los factores venderán éstos para su empleo en aquel uso que más ventajas netas les proporcione (incluyendo en las ventajas los ingresos monetarios y los llamados incentivos no pecuniarios). Decimos ventajas netas debido a que el uso de un factor (principalmente el trabajo) en cualquier empleo generalmente proporciona a su propietario ventajas y desventajas; por ejemplo, todo tipo de trabajo tiene ventajas (ingresos altos si el sueldo es elevado, interés de la actividad que se realiza, proximidad al lugar donde se vive, horario cómodo, vacaciones largas, etc.) o desventajas (ingresos reducidos si el sueldo es bajo, horario estricto, horario incómodo, lejanía respecto del lugar donde se vive, vacaciones cortas, poca consideración social del oficio, tensión física o mental al realizar la tarea, etc.). El trabajo que un individuo concreto realiza puede estar bien pagado, pero exigir un gran esfuerzo mental, o no ser interesante, o el lugar de trabajo estar lejos del lugar de residencia; el trabajo puede ser interesante, tener vacaciones largas y un horario flexible, pero estar mal pagado (este es el caso del trabajo académico), etc. De ahí que la hipótesis afirme que el propietario de un factor trata de maximizar las ventajas netas (las ventajas menos las desventajas) al vender éste.

Puede ocurrir que existan obstáculos a la movilidad de los factores, obstáculos que dan lugar a las diferencias en el precio que para un mismo factor observamos se dan en la realidad. La movilidad y la disponibilidad (la cantidad existente) de un factor determinan la elasticidad de la oferta de éste. En consecuencia, las características del factor (que en buena medida definen su movilidad), la cantidad existente de éste y el horizonte temporal que se considere (el corto, el medio o el largo plazo) explican la magnitud de los cambios en la cantidad ofertada de aquél al variar su precio.

Recuerde el lector que la movilidad de casi todos los factores aumenta directamente con la duración del período considerado. Dada su educación, a un individuo le puede resultar difícil cambiar de un oficio a otro, pero sus hijos pueden aprenderlo. Los bienes capital (la maquinaria de todo tipo y las instalaciones) a corto plazo no tienen movilidad, ya que sólo se pueden dedicar a la producción de los bienes o servicios para la que han sido diseñados; pero a largo plazo, adquieren una movilidad total al ser convertidos en recursos financieros a través de las amortizaciones. A corto plazo la tierra plantada de naranjos no puede ser dedicada a otro cultivo, pero a largo plazo un huerto de naranjos puede ser transformado en una plantación de melocotoneros.

b) La demanda de un factor está constituida por su curva del $VPMa$ en su tramo descendente, siempre que el factor se compre en un mercado competitivo y que la empresa que lo utiliza esté maximizando sus beneficios a corto plazo. La empresa que no iguala el $VPMa$ con el precio de cada uno de los factores que emplea, no estará maximizando sus beneficios (ya que no estará minimizando sus costes; dados un precio del producto para una determinada cantidad vendida de éste y su correspondiente $IMa,$ si la empresa reduce sus costes, sus beneficios aumentarán necesariamente). La maximización de los beneficios por parte de la empresa constituye, pues, una condición necesaria para que los factores obtengan un precio que corresponda a su $VPMa$ (si la empresa está maximizando sus beneficios es porque está haciendo que $VPMa = P$ para cada uno de los factores que emplea). De ahí que la validez de la teoría de la demanda de factores según la teoría de la productividad marginal vaya unida a la validez de la teoría basada sobre el supuesto de la maximización de los beneficios por parte de las empresas. Si ésta es refutada, la primera también lo será.

Partiendo de estas hipótesis, la Teoría Marginalista de la Distribución (o teoría neoclásica) permite efectuar predicciones sobre el comportamiento de los precios y de las cantidades transaccionadas de los factores. Así, se puede esperar que la demanda de un factor dependa, de y varíe con los cambios en la demanda de los bienes y/o servicios en cuya elaboración participa. Del mismo modo, la teoría afirma que las condiciones técnicas de la producción (la tecnología disponible y los procesos productivos conocidos) ejercen una influencia sobre la demanda de un factor. Los movimientos de los recursos o factores entre empresas, entre industrias, entre ocupaciones y entre lugares geográficos tendrán lugar en respuesta a los cambios en los precios de aquéllos.

Esta Teoría de la Distribución (que hemos llamado marginalista o neoclásica) ha sido y es ampliamente criticada. En puridad de conceptos al decir teoría marginalista nos estamos refiriendo a la teoría de la demanda de factores basada en la teoría de la productividad marginal de éstos. El otro aspecto de la teoría lo constituye la teoría de la oferta de factores basada en la hipótesis del principio de igual ventaja neta.

Más adelante señalaremos algunas de las limitaciones de la Teoría de la Distribución que hemos expuesto. Digamos, no obstante, que algunas de las críticas que con frecuencia se le hacen son erróneas. La teoría de la demanda de factores basada en la hipótesis de la productividad marginal no supone que exista competencia en todos los mercados de bienes y servicios, sino sólo en los mercados de factores. Tampoco supone la teoría que se dé pleno empleo de los factores, ya que ésta constituye sólo una teoría sobre la demanda de éstos y no afirma nada sobre su oferta. Del mismo modo, es errónea la afirmación de que la teoría de la productividad marginal supone que el empresario conoce la cuantía y el valor del producto marginal de un factor; puede que el empresario no conozca exactamente estas magnitudes, pero el lector debe recordar que si la empresa maximiza los beneficios, implícitamente está pagando a sus factores un precio igual a su *VPMa* (formular esta crítica equivale a decir que puesto que los profanos en Física no conocemos la fórmula de la Ley de la gravedad, no tenemos cuidado de no caernos ni sabemos la diferencia que representa la caída desde una altura u otra).

Asimismo, no es correcto afirmar que esta teoría predice que los trabajadores recibirán un salario igual al *VPMa* de su trabajo y que en consecuencia no se puede dar la explotación de los trabajadores por parte de los patronos; la teoría no predice tal cosa, sino que supone que los mercados de factores son competitivos y que las empresas maximizan los beneficios. De ahí se deduce que el salario será igual al *VPMa* del trabajo al que éste corresponde. En principio, a los empresarios les interesará aumentar la cantidad de trabajo que emplean en tanto en cuanto $VPMa > P$ de éste, y dejarán de incrementar la cantidad de trabajo empleada cuando $VPMa = P$ (o salario). La teoría permite explicar que el trabajo recibe un salario inferior a su *VPMa* cuando existe monopsonio. De hecho, la teoría del monopsonio predice que esto ocurrirá en un mercado monopsonístico, lo cual no constituye una refutación de la teoría de los mercados competitivos de los factores, sino simplemente una aplicación de la teoría del monopolio.

Tampoco es correcta la crítica de que esta teoría es inhumana debido a que considera al trabajo (que es realizado por seres humanos) como a cualquier otro factor productivo. Tal crítica no tiene sentido, ya que la finalidad de esta teoría es explicar científicamente los salarios que se determinan para los diferentes tipos de trabajo, y esto se puede conseguir en buena medida empleando el análisis de oferta y demanda que se aplica al estudio del mercado de cualquier bien, servicio o factor. Los salarios que deberían (en el sentido normativo) percibir los distintos tipos de trabajo o los diferentes individuos es una cuestión que sólo se puede determinar aplicando unos juicios de valor (por ejemplo, un criterio podría ser el de que toda persona debe percibir un salario tal que le permita tener un nivel de vida adecuado a lo que se entiende corresponde a una vida digna, o cualquier otro juicio de valor). No parece existir ninguna razón *a priori* para justificar el que se necesite una teoría para explicar los salarios y otra distinta para explicar los precios de los demás factores; lo que sí hay que hacer para efectuar un análisis correcto es pura y simplemente tomar en consideración los elementos o características específicas de la oferta y de la demanda de cada tipo concreto de trabajo.

Finalmente, digamos que la teoría no supone que se pagará el mismo precio por unidad de un mismo factor en todas las industrias que lo utilizan. La teoría afirma que, si los factores tienen movilidad, se tenderá hacia la igualación de los precios de éstos. Pero de ella se deduce también que la falta de movilidad de los factores, los componentes no pecuniarios del pago de éstos y las barreras de entrada naturales y artificiales pueden dar lugar a diferencias en los precios de los factores entre empresas, industrias, lugares geográficos y ocupaciones.

Es necesario admitir que esta teoría explica en buena medida los precios de los factores y las diferencias en estos precios para un mismo factor. La mayor parte de los factores productivos no humanos (materias primas, bienes capital, recursos financieros, tierra, etc.) se venden en mercados bastante competitivos, en los que demandantes y oferentes generalmente son precio-aceptantes. La teoría predice que los ingresos de los factores son principalmente determinados por las condiciones del mercado (la oferta y la demanda de éstos), y que los cambios en esos ingresos se deben en gran medida a variaciones en estas condiciones. Tal predicción es corroborada por la evidencia en el caso de muchos factores.

Los mercados de trabajo son sin duda los más complejos de analizar, debido al papel que en éstos juegan los factores políticos, las barreras naturales y artificiales de entrada, las consideraciones no pecuniarias, la especialización de los individuos, las enormes diferencias en habilidad que existen entre éstos, y la extensión del período de tiempo que se considere en el análisis. De ahí que se haya desarrollado una rama específica de la Economía que tiene por objeto de estudio los mercados laborales y que, lógicamente, se denomina Economía Laboral.

En los mercados laborales con frecuencia se dan elementos monopolísticos en ambos lados de aquéllos (en la oferta y en la demanda). De ahí que éstos se estudien empleando una mezcla de teoría de la competencia y de teoría del monopolio. La especialización da lugar a una segmentación del mercado laboral (o un fraccionamiento de éste en muchos submercados, uno para cada especialidad), segmentación que incrementa la falta de movilidad del trabajo. Curiosamente, el trabajo tiene una movilidad más reducida de la que a primera vista puede pensarse. En el análisis de la determinación de los salarios es necesario identificar y especificar muy claramente los elementos monopolísticos del mercado de que se trate, así como la importancia de los incentivos no pecuniarios, si se desea alcanzar conclusiones correctas.

Los cambios en los ingresos de los factores constituyen señalizadores cuya función consiste en atraer recursos a aquellas actividades productivas que más los necesitan (debido a que la demanda de sus productos por parte de los consumidores es elevada), y en inducirlos a que abandonen las industrias en las que se necesitan menos (a causa de que la demanda de los productos que fabrican se ha reducido). En el caso de los factores no humanos existe evidencia de que dichos cambios en los ingresos producen efectivamente una variación en las cantidades de los recursos que se destinan a la producción de los diferentes bienes. De esta forma, los precios de los factores juegan un papel fundamental en la asignación de los recursos en la producción de los diferentes bienes y servicios de consumo a través del mecanismo del mercado.

La Teoría de la Distribución y la Justicia Social

Hemos señalado que la condición de equilibrio que, según la teoría de la productividad marginal, ha de cumplirse en los mercados competitivos estriba en que todos los factores reciban un precio igual al valor de su producto marginal. Se ha afirmado que esta teoría no sólo es válida, sino que, además, es justa, en el sentido de que (al cumplirse) lleva al mismo tiempo a una distribución equitativa de la Renta Nacional y del Producto Nacional, ya que los factores reciben como pago unos ingresos que son iguales en valor a su contribución al Producto Nacional.

Obviamente esta es una cuestión muy discutible. La distribución de la renta que efectúa el mercado entre los individuos depende del número, cantidad y calidad de los factores que cada sujeto posee, además del precio que sus factores alcancen en el mercado y de la cantidad de ellos que logre vender. La cantidad y calidad de los factores que un individuo posee en un momento determinado dependen de muchas cosas, entre las que podemos citar lo que haya heredado de sus antepasados, la distribución de la riqueza existente en un momento dado en la sociedad (distribución que es consecuencia de factores históricos, jurídicos, institucionales, políticos, etc.), la acumulación de riqueza que él haya podido realizar a través de su trabajo en períodos anteriores, y su habilidad y capacitación en lo referente al trabajo (formación que generalmente depende de la clase social y económica a la que se pertenece).

Pero, además, como ya hemos señalado, existen imperfecciones en los mercados de factores (principalmente en los mercados de trabajo) que hacen que los precios no correspondan necesariamente a la productividad marginal de los factores, y que los cambios en ésta no siempre se reflejen en aquéllos.

Debe señalarse, sin embargo, que la teoría de la productividad marginal afirma que cada trabajador (o unidad de cualquier otro factor) no recibe como salario el valor de la contribución que él personalmente hace al Producto Nacional, sino que percibe el valor de lo que un trabajador adicional añadiría a la producción, si todos los demás factores permanecieran constantes. No es, pues, correcto afirmar que según esta teoría cada factor recibe como pago su contribución al Producto Nacional, sino que percibe el $VPMa$ que la última unidad de éste que se emplea añade al Producto Nacional. Obviamente sólo para esta última unidad ocurre que $VPMa = P$; las demás unidades de ese mismo factor se entiende que obtienen como precio el $VPMa$ de esa última unidad. De hecho, cuando se emplean varios factores conjuntamente en la producción, generalmente es imposible dividir la producción total entre los distintos factores según la contribución que cada uno de ellos ha realizado al *output*.

El que esta distribución de la renta se considere o no como justa es una cuestión que sólo puede ser decidida utilizando juicios de valor, materia ésta que cae fuera del campo de la Economía Positiva. Digamos, no obstante, que la distribución de la renta que observamos en las economías de mercado muestra grandes desigualdades en los ingresos percibidos por los diferentes individuos. Como hemos señalado, ello puede deberse a la distribución inicial de la riqueza, a los elementos monopolísticos y a las imperfecciones del mercado, y a las diferencias entre los factores. En cualquier caso, esa desigualdad generalmente es considerada como inaceptable en las sociedades evolucionadas actuales (de acuerdo con los principios y valores éticos dominantes), por lo que suele intervenir el Estado llevando a cabo lo que se denomina una política de redistribución de la renta (un volver a distribuir la renta distribuida por el mecanismo del mercado) a través de los ingresos públicos (los impuestos principales) y de los gastos públicos (la provisión de bienes públicos y los pagos de transferencias fundamentalmente).

Algunas Limitaciones de la Teoría de la Distribución

Así pues, las dos principales críticas que pueden hacerse a la Teoría tradicional de la Distribución son:

a) A nivel teórico fundamental, la Teoría de la Distribución existente no explica la fracción de la Renta Nacional que va a parar a cada uno de los factores productivos (tierra, capital, trabajo y actividad empresarial) a nivel agregado. Evidentemente, esta es una cuestión importante, que ha ocupado la atención de los economistas. David Ricardo (1772-1823), en su obra clásica *Principios de Economía Política y Tributación*, se propuso como principal tarea de su análisis «el determinar las leyes que regulan la distribución (entre las diferentes clases de propietarios de tierra, capitalistas y trabajo) del producto de la industria». Su enfoque consistió en construir un modelo teórico que hiciera abstracción de las complejidades de una economía concreta en un período determinado, y que permitiera explicar los factores que determinan la distribución de la renta entre los recursos productivos.

Este enfoque del tema de la distribución de la renta según factores a nivel agregado constituye un enfoque macroeconómico (por contraposición al enfoque microeconómico que nosotros hemos expuesto aquí, y que simplemente trata de explicar los precios y las cantidades transaccionadas de los diferentes tipos de factores). La construcción de una teoría sobre la llamada distribución funcional de la renta (es decir, según las funciones de los factores) se ha mostrado como una tarea muy difícil de llevar a cabo. El economista inglés de origen húngaro Nicholas Kaldor (1908) ha formulado una teoría macroeconómica de la distribución que, aunque no explica la determinación de los precios de los factores productivos, intenta explicar la fracción de la Renta Nacional que va a parar a cada uno de los factores a través de utilizar una extensión del modelo keynesiano de la determinación de la renta (en los Capítulos 34 al 37 exponemos un modelo keynesiano sencillo). Uno de los objetivos principales de la teoría de Kaldor era el de explicar el fenómeno observado de que las fracciones o porcentajes de la Renta Nacional que van a parar al trabajo y a los beneficios se han mantenido constantes a lo largo del tiempo (que la participación de los salarios y de los beneficios en la Renta Nacional no ha variado apenas a lo largo de un período de tiempo de unos cincuenta años, durante el cual se han producido cambios importantes en los procesos productivos empleados, y en las condiciones políticas, ideológicas y sociales). La teoría expuesta por Kaldor no ha tenido una aceptación general entre los economistas, y desde luego no ha suplantado a la teoría tradicional.

La teoría tradicional u ortodoxa que nosotros hemos expuesto en este Curso de Economía no puede ser refutada por la teoría macroeconómica formulada por Kaldor y por otros economistas (véase el epígrafe «La Política de Rentas» del Capítulo 29), ya que aquélla no realiza predicción alguna sobre la distribución de la renta entre los factores a nivel agregado. Para poder efectuar predicciones sobre la renta de los factores a nivel agregado sería necesario conocer las elasticidades de la demanda y de la oferta de todos los factores de la producción, lo cual a su vez exigiría conocer las elasticidades de la demanda de todos los bienes y servicios de consumo (de la que se derivan las demandas de los diferentes factores).

La Teoría tradicional de la Distribución es una teoría sobre el mercado de los factores que no permite explicar la distribución de la renta entre los salarios, los intereses, la renta de la tierra y los beneficios. Para que fuera posible formular una teoría tal, tendría que disponerse de una teoría acabada que explicara la demanda de los factores y de los precios existentes en todos los mercados de la economía. Por el momento se está muy lejos de elaborar una teoría que explique cuestiones tan importantes como la fracción de la Renta Nacional que reciben como pago los distintos factores (la denominada distribución funcional de la renta), los efectos que sobre ésta tienen los cambios en las ofertas de factores a nivel agregado, los impuestos (o los cambios en éstos) sobre un factor determinado, el creciente papel que juegan los sindicatos, las patronales y otras organizaciones, y otros aspectos de gran trascendencia para las sociedades, para su estructura política y social y para su futuro.

La teoría de determinación del tipo de interés constituye un ejemplo ilustrativo a este respecto. Marshall había afirmado que la tasa de interés es la «recompensa por esperar» (la recompensa que reciben los individuos propietarios de renta por no gastar ésta en consumo por el momento y gastarla más adelante; esta espera se supone que constituye un sacrificio que debe ser recompensado). Pero en realidad «esperar» sólo significa poseer riqueza (ya que la renta que no se gasta en consumo constituye riqueza, y sólo se puede «esperar» consumir más en el futuro si se posee riqueza). Por otra parte, la riqueza se ha podido llegar a poseerla *de facto* por herencia, o por cualquier otro medio moral o inmoral, legal o ilegal. La hipótesis de que el tipo de interés se determina por la oferta y la demanda de fondos prestables es bastante inadecuada. La demanda de fondos la realizan principalmente las empresas (con la finalidad de financiar la inversión), pero también proviene de las economías domésticas (con el objeto de financiar gasto en consumo en exceso de la renta que obtienen en un período dado) y del Gobierno (para financiar su déficit). La oferta de fondos se supone que proviene del ahorro fundamentalmente de las economías domésticas, que con él compran acciones y/u obligaciones, y sobre todo lo colocan en las instituciones financieras y éstas lo prestan a los demandantes. La igualación de la oferta y la demanda de estos fondos prestables se supone que determina el tipo de interés existente en la economía.

En los Capítulos 30 y 35 se exponen algunas hipótesis sobre la relación que existe entre la demanda de recursos para inversión y el tipo de interés. Aquí no vamos a analizar estas hipótesis y sus limitaciones. Desde el lado de la oferta de recursos financieros, se supone que la tasa de interés es explicada por la tasa de descuento que los propietarios aplican a la riqueza futura. Cada individuo se supone que continúa ahorrando hasta aquel nivel para el cual su tasa de descuento (la tasa de descuento subjetiva que tiene ese sujeto) se hace igual al tipo de interés de mercado. Pero para que esto sea posible, tendría que existir una tasa de interés de mercado con la que el individuo pudiera comparar su tasa subjetiva de descuento. En la realidad existe una gran variedad de tipos de interés, lo cual hace muy compleja y difícil esta comparación para el sujeto. Por otra parte (y esto es aún más importante), esta teoría del tipo de interés tiene poco poder explicativo cuando se acepta la hipótesis keynesiana de que es el ahorro el que es influenciado por la inversión (véanse los Capítulos 36 y 37) y no la inversión la que es influenciada por el ahorro.

Así pues, la distribución de la Renta Nacional entre el trabajo y la propiedad (que constituye el capital), o lo que es lo mismo, entre la renta ganada con el trabajo y la renta no ganada trabajando, no es adecuadamente explicada por la Teoría de la Distribución ortodoxa. Algo similar ocurre con la teoría sobre los beneficios de las empresas. Milton Friedman (1912) afirma que los ingresos elevados deben ser considerados como una recompensa por tomar y correr riesgos. Estas cuestiones son de la mayor importancia, ya que la Teoría de la Distribución, aunque tiene como principal objetivo la explicación de la asignación de los recursos entre los diferentes productos, también trata de la distribución de los bienes y servicios de consumo entre los individuos.

b) La segunda crítica a la Teoría de la Distribución que hemos expuesto aquí (y a la que hemos llamado la teoría marginalista, tradicional u ortodoxa) se basa en que ésta tampoco explica adecuadamente el precio (o la renta) de los factores concretos en los mercados individuales a nivel local y nacional; es decir, que incluso la teoría microeconómica de la distribución tampoco es satisfactoria. La Teoría de la Distribución en su aspecto microeconómico no explica satisfactoriamente los niveles relativos de los diferentes tipos de renta ganada con el trabajo (los sueldos y salarios de las diferentes clases de trabajo).

La teoría de la productividad marginal afirma que en competencia perfecta un empresario se supone que emplea un número de trabajadores tal que el valor monetario que para él tiene el producto marginal de esa cantidad de hombres empleados (tomando en cuenta el precio de su *output* y el coste de su planta) es igual al salario monetario que les paga a cada uno de estos obreros. En consecuencia, de aquí se deduce que el salario real de cada tipo de trabajo mide su producto marginal para la sociedad (hablamos de cada tipo de trabajo y no de cada trabajador). El problema que se plantea con esta teoría estriba en que la argumentción es circular: el salario real se determina por su igualdad con el *VPMa,* y éste a su vez se determina por su igualdad con el salario real; pero no existe ninguna unidad de medida de los valores de los productos marginales excepto los propios salarios. Esto significa que en realidad no disponemos de una Teoría de la Distribución mínimamente sólida, teoría que debería explicar la cuestión que más afecta a los individuos: la cantidad de bienes y servicios que disfrutan.

Por otra parte, la inflación persistente que han experimentado y están sufriendo las sociedades industrializadas en los últimos años también está haciendo que se pierda confianza en la Teoría tradicional de la Distribución. Todos podemos ver cómo nuestros ingresos relativos (la renta que obtenemos por comparación con la que perciben otros propietarios de factores, procedente de todos los recursos pero principalmente del trabajo) dependen en buena medida del poder de negociación que tenga el grupo (sindicato, patronal, colegio profesional, asociación de todo tipo) al que pertenecemos. Incluso los ingresos que obtenemos de los bienes que poseemos (en el sentido de propiedad) depende en parte de la habilidad nuestra o de la habilidad de los agentes que empleamos para comprarlos, venderlos y/o alquilarlos. Así, las ganancias de capital que potencialmente podemos obtener en Bolsa dependen en buena medida de nuestra habilidad o de la habilidad del asesor financiero que utilicemos.

Todo esto implica que factores de poder político y social y de información juegan un papel muy importante en la determinación de los ingresos (los precios) de los diferentes factores, sobre todo a nivel agregado pero incluso también a nivel de los propietarios individuales. Naturalmente, es posible tomar en consideración algunos de estos factores dentro del marco analítico de la oferta y la demanda como elementos que introducen imperfecciones en los mercados de los recursos. Pero algunos otros de estos factores resultan muy difíciles de introducir en el modelo (debido a su naturaleza intangible). De ahí que cada vez con mayor profusión se esté aplicando la Teoría de Juegos al análisis de los mercados de factores, y que se esté dando cada vez mayor énfasis al desarrollo de teorías de los precios de los factores basadas en el poder de negociación de los grupos de oferentes y demandantes de éstos (especialmente en el área de la determinación de los salarios).

Galbraith (1908) mantiene que las sociedades modernas deberían prestar mucha más atención a la distribución de la renta entre los diferentes grupos sociales. Según este economista, en las economías avanzadas se están despilfarrando los recursos en la persecución del objetivo de crecer por crecer. Por otra parte, los economistas teóricos están demasiado influidos por la vieja tradición existente en la disciplina de estudiar la eficiencia de la competencia, como para prestar la suficiente atención al hecho incontrovertible de que las sociedades modernas engendran (o llevan necesariamente) a sistemas de poder monopolístico. El monopolio en la industria da lugar a la aparición de un «poder compensador» monopolístico o monopsonístico en la distribución de los bienes y servicios, en la oferta y en la demanda de trabajo, e incluso en los organismos del Gobierno al efectuar sus compras de bienes y servicios y factores.

Resumiendo, pues, digamos que la Teoría de la Distribución es aquella rama de la Economía que tiene por objeto de estudio la explicación de cómo se determinan los precios de los factores (tierra, capital y trabajo), y en consecuencia la renta o ingresos que éstos perciben. Esta Teoría intenta explicar la forma en la que el flujo total de bienes y servicios disponibles para su consumo en una economía en un período dado es distribuido entre los individuos que la integran. El enfoque tradicional consiste en analizar el tema de la distribución de la renta en términos de análisis de mercado; es decir, se parte de la idea de que todo factor es comprado y vendido en un mercado. Las características de la oferta y de la demanda (disponibilidades de los factores, características de éstos, número de compradores y vendedores, grado de libertad de entrada y salida, características de la demanda de los bienes y servicios en cuya elaboración se emplean, factores políticos, regulación legal, etc.) de cada factor determinan su precio de equilibrio (la renta de la tierra, los sueldos y salarios del trabajo, y el interés del capital) y la cantidad utilizada de éste igualmente de equilibrio. El producto del precio por la cantidad correspondiente nos da el flujo total de renta que percibe cada factor. Puesto que en la teoría tradicional la curva de demanda de un factor de la producción es determinada por su productividad marginal, esta Teoría de la Distribución es conocida como la teoría de la distribución basada en la productividad marginal.

Las deficiencias de esta teoría están llevando al desarrollo de otras teorías que dan importancia a los factores políticos, sociales, de habilidad de compradores y vendedores al realizar las transacciones y de poder negociador. Estas teorías son las llamadas teorías del poder de negociación.

BIBLIOGRAFIA SELECCIONADA

Samuelson, P.: *Curso de Economía Moderna,* op. cit., Cap. 30.
Lipsey, R.: *Introducción a la Economía Positiva,* op. cit., Cap. 29.
Clower, R., y Due, J. F.: *Microeconomía,* op. cit., Cap. 13.
Lancaster, K.: *Introducción a la Microeconomía Moderna,* op. cit., Cap. 8.
Lancaster, K.: *Economía Moderna, II,* op. cit., Cap. 17.
Ferguson, C. F.: *Teoría Microeconómica,* Editorial Fondo de Cultura Económica, Madrid, 1977.

III
LA DETERMINACION
DE LA RENTA NACIONAL
(Macroeconomía)

EL FLUJO CIRCULAR DE LA RENTA Y SUS FLUCTUACIONES

CAPITULO 31

CONCEPTO Y CONTENIDO DE LA MACROECONOMIA O TEORIA MACROECONOMICA

INTRODUCCION

En los Capítulos 1 y 2, especialmente en este último, expusimos la enorme complejidad de cualquier economía, y en particular la de una economía de mercado. La economía española, por ejemplo, es una máquina o mecanismo integrado por más de 30 millones de piezas, cada una de ellas con vida propia. Estas piezas son las economías domésticas, las empresas, los sindicatos, el Gobierno, las asociaciones de consumidores, etc. No existe una persona o una institución que organice y que sea responsable del funcionamiento coordinado y ordenado de todas estas piezas o agentes, sino que cada uno de ellos actúa con bastante independencia (en el sentido de no ser obligado) de los demás. No obstante, estas piezas encajan entre sí, y la máquina que integran funciona razonablemente bien la mayor parte de tiempo. Hasta el momento hemos estudiado el comportamiento de estas piezas individualmente o en grupos, así como la forma y los mecanismos a través de los que éstas se interrelacionan. Ahora vamos a cambiar de enfoque y nos proponemos estudiar el funcionamiento de la economía en su conjunto. En lugar de estudiar los árboles individuales, vamos a analizar el bosque como un todo.

La Microeconomía tiene como objetivo y contenido el estudio detallado del funcionamiento de los mercados individuales y de las interrelaciones que existen entre éstos. Las cuestiones principales que trata de explicar la Teoría Microeconómica son la asignación de los recursos escasos entre sus usos alternativos posibles, y la determinación de la estructura de los precios relativos (el precio de cada uno de los bienes y servicios y de los factores en términos de los demás bienes y factores). Las dos cuestiones están íntimamente relacionadas entre sí: se trata de estudiar la determinación de los precios y de las cantidades transaccionadas en todos los mercados de la economía. Los instrumentos analíticos básicos empleados en este análisis son la oferta y la demanda, y la teoría trata de explicar el comportamiento de éstas.

En la Macroeconomía dejamos de preocuparnos del estudio de las interrelaciones entre las distintas piezas y partes de la economía, y pasamos a analizar el comportamiento de las magnitudes agregadas de ésta. Estas magnitudes son: el consumo agregado, la inversión agregada, el ahorro agregado, la producción total que se da en la economía, el nivel o volumen de empleo, el nivel o volumen de la renta personal, el nivel general o medio de los precios, el tipo de interés, los ingresos del Gobierno, los gastos del Gobierno, las importaciones y las exportaciones, la oferta y la demanda de dinero, y la tasa de variación de todas estas magnitudes.

La cuestión principal o el tema central de estudio de la Macroeconomía es la determinación del flujo de la renta; es decir, la Macroeconomía trata de explicar la cuestión básica de cómo se determinan los niveles de producción, renta y empleo agregados que se dan en una economía en un período de tiempo determinado, así como las fluctuaciones de aquéllos. La Macroeconomía tiene por objeto de estudio el explicar por qué los niveles de renta, producción y empleo son los que se dan en una economía en un período concreto. La estructura teórica que se emplea en este análisis es el modelo del flujo circular de la renta, que explicaremos más adelante.

LAS VARIABLES MACROECONOMICAS

Hemos dicho que la Macroeconomía estudia los valores medios de unas variables (el nivel medio de precios, el tipo de interés) y los valores agregados de otras (el producto nacional, la renta nacional, el empleo, etc.). Estos valores medios y agregados son conocidos como las macromagnitudes o las macrovariables, cuyo comportamiento constituye el objeto de estudio de la Macroeconomía.

No es difícil distinguir las variables microeconómicas (que hemos estudiado hasta ahora) de las macroeconómicas. El gasto de una economía doméstica en todos los bienes y servicios de consumo que compra y el gasto de todos los consumidores en un bien o servicio concreto (durante un período de tiempo) son dos variables microeconómicas; el gasto agregado (en el sentido de la suma del gasto realizado por todos los individuos) de todas las economías domésticas en bienes y servicios de consumo (durante un período de tiempo determinado) es una variable macroeconómica. La inversión que realiza una empresa o todas las empresas de una industria en un período (para renovar y/o ampliar su equipo capital o factores fijos, o lo que también hemos llamado capacidad productiva instalada) es una variable microeconómica; el gasto agregado en maquinaria y equipo e instalaciones que efectúan todas las empresas de todas las industrias de una economía durante un período de tiempo es una variable macroeconómica (la llamada inversión privada). El precio de un bien o servicio o de un factor en un momento determinado es una variable microeconómica; el nivel general de precios al consumo (un índice agregado de un grupo representativo de bienes y servicios de consumo) es una variable macroeconómica.

En general, podemos considerar las variables económicas a diferentes niveles de agregación. Por ejemplo, es posible estudiar: el gasto de un individuo concreto en un bien específico; el gasto de cada economía doméstica en todos los bienes y servicios de consumo que adquiere; el gasto de grupos de economías domésticas en todos los bienes y servicios, en conjuntos de bienes o en un bien o servicio determinado (las economías domésticas pueden ser divididas en grupos según regiones, edades, educación, profesiones, estado civil, tamaño de la familia, niveles de renta, según que vivan en la ciudad o en el campo, según el tamaño de la ciudad en la que vivan, etc., y comparar el comportamiento de unos grupos con otros; este comportamiento se puede estudiar en cuanto al gasto total en consumo, al gasto en bienes y/o servicios concretos, al gasto en grupos de bienes, etc.); y el gasto de todas las economías domésticas en todos los bienes y servicios. Sólo este último nivel de agregación es el que se estudia en la Macroeconomía.

Podemos, pues, concebir las variables económicas micro y macro como representando valores de unas magnitudes consideradas a diferentes niveles de agregación, niveles que van desde el gasto de una sola economía doméstica en un solo bien durante un período de tiempo, hasta el gasto total de todos los individuos en todos los bienes y servicios de consumo en el mundo durante un tiempo concreto. Hasta ahora hemos considerado los distintos niveles de agregación que van desde las economías domésticas y empresas individuales que compran o producen un bien, hasta todas las economías domésticas y todas las empresas que producen un bien. Digamos que la Microeconomía estudia el comportamiento de los agentes económicos individuales en todos los aspectos de su actuación, y el comportamiento de grupos de agentes (consumidores, productores y propietarios de los factores) en el mercado de un bien, servicio o factor concretos. La Macroeconomía, por el contrario, estudia las variables económicas a un nivel más alto de agregación o suma: el gasto de todas las economías domésticas de un país en bienes de consumo duraderos (electrodomésticos, coches, muebles, viviendas), en bienes de consumo no duraderos (comida, bebidas, ropa, zapatos, etc.), y en servicios; el gasto de todas las empresas de un país en maquinaria y bienes de equipo, en estructuras e instalaciones, en materias primas y energía, y en mano de obra; el gasto total del Gobierno en sueldos y salarios, en bienes de consumo y en bienes capital; y el gasto neto total del resto del mundo en bienes y servicios producidos en la economía que estudia.

Recuerde el lector la distinción entre variables stock y variables flujo, distinción que hicimos en el Capítulo 4 y que es importante comprender. Como sabemos, las variables stock no tienen una dimensión temporal si bien están referidas a un momento en el tiempo (el número de alumnos que hay en la clase en un momento dado es una variable stock). Por el contrario, las variables flujo sólo pueden ser expresadas por unidad de tiempo: el número de kilómetros que se recorren por hora (la velocidad), el número de coches que pasan por un punto determinado en una hora (el tráfico), el número de metros cúbicos de agua que consume una familia al mes, etc.

En relación con las variables macroeconómicas que vamos a utilizar tenemos que: el dinero o la oferta de dinero en un momento dado es una variable stock; los gastos o las transacciones son una variable flujo; la riqueza (el valor de todos los activos físicos de un país y de los activos financieros de éste frente al resto del mundo) es una variable stock; el ahorro realizado durante un período es una variable flujo (el ahorro existente en un momento es una variable stock; nosotros utilizaremos sólo el ahorro en un sentido de variable flujo); la inversión es una variable flujo; el stock de bienes capital (la cantidad total de bienes capital de todo tipo existentes en una economía en un momento dado; o lo que es lo mismo, la inversión acumulada) es una variable stock; la renta nacional es una variable flujo; el producto nacional es una variable flujo; las exportaciones y las importaciones son variables flujo; el nivel de empleo es una variable stock.

Otras variables macroeconómicas tienen carácter de ratios o razones entre dos variables, pudiendo ser éstas variables stock o variables flujo. Así, un precio no necesita de una dimensión temporal y puede ser concebido como la razón de dos flujos: un flujo de dinero y un flujo de bienes. La liquidez (definida como el porcentaje que los activos líquidos representan en el total de activos de un individuo o de la economía en su conjunto) es la razón de dos variables stocks. La velocidad de circulación del dinero (el número de veces que por término medio una peseta pasa de un individuo a otro durante un período de tiempo determinado en el curso de la realización de las transacciones que se efectúan en una economía) es una razón entre una variable flujo (el flujo de las transacciones monetarias o de renta) y una variable stock (la cantidad de dinero existente). El ahorro como porcentaje de la renta es una razón de dos flujos: el ahorro realizado en un período de tiempo y la renta obtenida en ese período.

Las variables flujo han de ser expresadas en una unidad de tiempo, y ésta puede ser cualquiera (un día, un mes, un trimestre, un año, etc.), aunque generalmente se utiliza un año. Debe notarse, sin embargo, que un flujo es, o bien una tasa instantánea en algún momento en el tiempo, o bien la media de todas las tasas instantáneas que se han dado en los diferentes momentos que integran el período de tiempo considerado. Así, podemos decir que a las 7 de la tarde del día 23 de diciembre de 1979 el gasto en consumo privado estaba a una tasa anual de 11 billones de pesetas (lo que significa que el gasto en consumo en esa hora de ese día de ese año fue tal que si en todas las horas en que están abiertos los comercios de todos los días laborables del año las economías domésticas se gastaran lo que se gastaron en esa hora, el consumo privado alcanzaría un volumen anual de 11 billones de pesetas). También podemos decir que para el año 1979, el consumo privado interior (el consumo realizado por las economías domésticas españolas, sin tener en cuenta las exportaciones) alcanzó la tasa de 9.475.034 millones de pesetas por año, lo que significa que ésta fue la tasa media del flujo de gasto en consumo privado interior durante el año 1979. En unos momentos o períodos del año la tasa sería más elevada que en otros, pero la tasa media para todo el año dio lugar a un consumo privado del valor indicado. La velocidad de un coche se puede medir en un momento determinado o referida a un período concreto (en cuyo caso, es la media de todos los momentos del período).

Las variables stock sólo cambian a través de flujos (excepto cuando se las revalúa para contabilizar su valor a los precios actuales: sin cambiar la cantidad física, las existencias de una empresa pueden pasar a valer más, simplemente porque se las valora a precios más elevados). Así, por ejemplo, el stock de bienes capital de una economía sólo cambia cuando existe un flujo de nueva inversión (inversión en exceso de la inversión de reposición), o la riqueza privada aumenta a través de incrementos en la renta privada o de reducciones en el consumo privado (definiendo el consumo privado como la renta ganada por las economías domésticas y gastada en bienes y servicios de consumo). El que los cambios en las variables stock sean rápidos o lentos tiene una gran importancia; los efectos sobre las variables stock son los mismos cualquiera que sea la velocidad del cambio, pero los flujos que producen los cambios en las variables stock implican transacciones (compras de bienes de consumo, de bienes capital, de factores productivos, etc.), transacciones que afectan a las tasas de cambio de los demás flujos.

EL OBJETO DE ESTUDIO DE LA MACROECONOMIA

En cuanto al contenido de lo que estudian la Micro y la Macro, repitámoslo una vez más, ya que es una cuestión importante. La Microeconomía estudia el comportamiento y la interacción de las economías domésticas y de las empresas, así como los mecanismos a través de los que se interrelacionan aquéllas. Las economías domésticas tienen unas necesidades y unos deseos de disfrutar unos bienes y servicios, necesidades y deseos que varían de unas a otras, según sus preferencias. Asimismo disponen de unos recursos (tierra, capital y trabajo) en diversas cuantías y calidades. Estos recursos son generalmente insuficientes (la renta que les producen los recursos es generalmente insuficiente) para satisfacer sus deseos y necesidades de bienes y servicios.

Esta insuficiencia o inadecuación entre necesidades y deseos por una parte y medios por otra, obliga a las economías domésticas a elegir entre los muchos bienes y servicios pueden adquirir. Las elecciones o selecciones las realizan a través del mercado (los mercados de los bienes y servicios de consumo que compran, y los mercados de los factores productivos que venden). Las economías domésticas están dispuestas a comprar cantidades determinadas de los distintos bienes y servicios a los diferentes precios de éstos (para cada conjunto de precios las economías domésticas realizan un conjunto de elecciones). Lo mismo ocurre con los factores: las economías domésticas están dispuestas a vender determinadas cantidades de cada uno de los factores a los diferentes precios de éstos. De esta forma se determinan las demandas de los bienes y servicios de consumo, y las ofertas de los factores.

Por su parte, las empresas, dada la tecnología disponible en un momento determinado, han de decidir los bienes y servicios que producen, los métodos de producción que utilizan, y las cantidades (y las calidades) que producen de aquéllos. Al hacerlo determinan la oferta de bienes y servicios de consumo y la demanda de factores productivos. La interrelación entre las demandas y las ofertas determinan los precios de los bienes y servicios de consumo y de los factores, así como las cantidades que se transaccionan de cada uno de ellos (y naturalmente, las cantidades que se producen de cada uno de los bienes y servicios, y consiguientemente los factores y las cantidades de éstos que se destinan a la producción de cada bien y servicio).

Como hemos visto, todas estas decisiones están interrelacionadas y se afectan mutuamente. Los precios de cada uno de los bienes y servicios y de los factores constituyen los señalizadores a los que responden las economías domésticas y las empresas. Las primeras demandan cantidades de los bienes y servicios en función de los precios de éstos (dadas sus preferencias y su renta); del mismo modo, las empresas ofertan bienes y servicios en función de los precios (dados sus costes de producción). El enfrentamiento de las ofertas y de las demandas determinan los precios (precios que son relativos, si bien son expresados en valores monetarios absolutos). Dados los costes de las empresas (que dependen de la tecnología y de los precios de los factores), éstas responden a las variaciones en los precios de los bienes y servicios producidas por los cambios en la demanda. Y dadas sus preferencias o utilidades marginales, los consumidores responden a las variaciones en los precios de los bienes y servicios de consumo producidas por los cambios en los costes de producción. De esta forma consumidores y productores afectan a los precios.

Los precios de los bienes y servicios de consumo sirven de indicadores para las empresas en sus decisiones de qué bienes producir, con qué métodos y en qué cantidad y con qué calidad. Las empresas producirán los bienes y servicios que les resulte más rentable elaborar (que les den mayores beneficios), y en las cantidades convenientes a este fin. Para poder producir, las empresas demandan factores en las cantidades adecuadas a las decisiones que han tomado sobre las cantidades que desean producir de cada bien y servicio, cantidades que a su vez dependen de las demandas de los consumidores. Estas demandas de los factores (derivadas de las demandas de los bienes y servicios en cuya elaboración se utilizan) afectan asímismo a los precios de los factores (ya que constituyen uno de los dos elementos que determinan dichos precios; el otro elemento es la oferta).

Los propietarios de los factores responden igualmente a los precios de éstos, y dichos precios les llevan a elegir a qué empresas se los venden. De esta forma se determinan las ofertas de factores para los distintos usos por las diferentes empresas. Los empresarios tratan de igualar el valor del producto marginal de cada factor con su precio (condición que ha de cumplirse para que el empresario minimice los costes), y las economías domésticas (propietarios de los factores) intentan obtener la mayor ventaja neta posible por sus factores (el mayor precio posible y/u otras cosas que puedan tener valor para ellos, tales como interés del trabajo, lugar en el que trabajan, vacaciones, etc.). Finalmente, los precios de los factores y las cantidades transaccionadas determinan los ingresos de las economías domésticas, ingresos que son utilizados para comprar los bienes y servicios que aquéllas desean adquirir, dadas sus preferencias o utilidades.

De esta forma se cierra el círculo. Este es el mecanismo que hace funcionar a la economía de mercado. De esta manera se determinan qué bienes y servicios producir, cómo producirlos y quién los disfruta, así como la asignación de los recursos de la economía entre sus diferentes usos (en la producción de los distintos bienes y servicios). Pero al estudiar este mecanismo desde la perspectiva microeconómica no se dice nada sobre el volumen de este flujo de bienes y servicios producidos y de factores utilizados, ni sobre las fuerzas que tienden a hacer que el tamaño de ese flujo aumente o disminuya. En cierto modo, el análisis microeconómico supone implícitamente que todos los recursos están siendo utilizados, ya que los precios de éstos subirán o bajarán (según que haya exceso de demanda o defecto de ésta) hasta que la oferta se iguale a la demanda. Del mismo modo, los bienes y servicios subirán o bajarán hasta que la oferta de cada uno de ellos se iguale a su demanda.

Sin embargo, sabemos que en determinadas ocasiones existe desempleo (personas que desean trabajar y que no encuentran empleo, y capacidad productiva instalada que no está siendo utilizada en su totalidad), y que en otras la economía en su conjunto está funcionando a un nivel próximo al de pleno empleo; que en unos períodos la producción total, la renta total y el empleo agregado aumentan, y que lo hacen a distintas tasas en unos períodos que en otros; que en otros períodos la producción, la renta y el empleo agregados disminuyen, igualmente en distintas cuantías en los diversos períodos; que la demanda agregada aumenta unas veces y disminuye otras; que el nivel general de precios aumenta, disminuye o permanece constante en determinados períodos. En el análisis microeconómico no se estudian las condiciones bajo las cuales el flujo total de bienes y servicios producidos permanece constante de un año para otro, ni tampoco los factores que le hacen fluctuar. Se habla en este análisis de aumentos y disminuciones en las demandas de los bienes y servicios concretos, atribuyendo estas variaciones a cambios en las preferencias de los consumidores, en los precios de los bienes sustitutivos y complementarios, y/o en la renta de las economías domésticas, pero no se explica por qué varía la renta.

Este flujo de la producción de los bienes y servicios y de la renta varía, y lo hace, como veremos enseguida, según que las entradas que se dan en él sean superiores o inferiores a las salidas. Las causas por las que el volumen de producción, renta y empleo aumenta, disminuye o permanece constante constituyen cuestiones de la mayor importancia para la Teoría Económica y para la política económica, y representan los temas centrales de estudio de la Macroeconomía.

Así pues, la Macroeconomía estudia el comportamiento de la economía en su conjunto. Más concretamente, la Teoría Macroeconómica tiene por objeto de estudio el nivel general de la producción, la renta, el empleo y los precios. La Microeconomía, por su parte, estudia la división de la producción total entre las diferentes industrias, productos y empresas, así como la distribución de la renta. Su centro de interés son los precios relativos de los bienes y servicios concretos. En la Microeconomía también se emplean magnitudes agregadas, tales como una industria (compuesta por las empresas que la integran) o la demanda de carne de pollo en una ciudad, región o país (integrada por las demandas individuales de todos los consumidores), pero no son magnitudes que estén referidas a la economía en su conjunto.

Por el contrario, en Macroeconomía se utilizan agregados relativos a la economía como un todo, junto con subagregados que, o bien engloban grupos de productos elaborados por varias industrias (tales como la producción total de bienes de consumo o la producción total de bienes de inversión), o bien se suman para obtener un agregado referido al conjunto de la economía (por ejemplo, la producción total de bienes de consumo, de bienes de inversión y de bienes producidos por el Estado constituyen la producción total de la economía, o las rentas del trabajo y las rentas de la propiedad integran la renta nacional). Vemos, pues, que en la Macroeconomía también se utilizan agregados que no engloban toda la economía, pero sólo en el contexto de un total referido a la economía en su conjunto. En la Microeconomía se utilizan asimismo agregados, pero no en un contexto que los refiere a un total concerniente a la economía en su conjunto. Esta distinción es sutil pero real, y el lector debe comprenderla.

De forma resumida podemos decir que las cuestiones fundamentales que estudia la Macroeconomía son:

a) La determinación del nivel de producción, renta y empleo que se da en una economía en un período determinado, así como las fluctuaciones que se producen en estas magnitudes. En definitiva, se trata de explicar las causas que determinan el nivel de producción, renta y empleo de los recursos (especialmente de la mano de obra) que alcanza una economía, y los cambios que experimentan estas variables a lo largo del tiempo. En la Microeconomía se considera el nivel general de empleo como una magnitud dada y sólo se estudia su distribución entre sus distintos usos o actividades productivas. En la Macroeconomía esta variable no se toma como dada, sino que se pretende explicar el valor que toma.

b) La determinación del nivel general de precios y las fluctuaciones de éste. El nivel general de precios al consumo es una abstracción que se efectúa en Economía a partir de los precios de los bienes y servicios de consumo más representativos. A través de técnicas estadísticas, se elabora un índice de precios al consumo por medio de seleccionar los bienes y servicios más importantes y representativos que consumen las economías domésticas, darles una ponderación y obtener un índice agregado.

Al conjunto de bienes y servicios seleccionados se le conoce como la cesta de la compra, e incluye la vivienda (el alquiler), el colegio de los niños, la comida (el pan, la carne de varios tipos, el aceite, el pescado, la leche, el azúcar, las verduras, la fruta, etc.), el vestido (diversas prendas de ropa), los productos de limpieza de la casa, el agua, el gas, la electricidad, el teléfono, la gasolina y otros artículos para el uso del coche, los transportes públicos, el esparcimiento y recreo (libros, cine, teatro, comidas en restaurantes, bebidas consumidas en bares, hoteles, etc.), el tabaco, los periódicos y revistas, entre otros bienes y servicios que pueden considerarse como representativos de los que consume una familia media. A estos bienes y servicios se les asigna una ponderación (o importancia relativa) dentro del gasto total en consumo realizado igualmente por una familia media.

Por ejemplo, supongamos que la familia media realiza la siguiente distribución de su gasto en consumo: 20 por 100 en vivienda; 10 por 100 en ropa; 25 por 100 en comida; 10 por 100 en el colegio de los niños; 20 por 100 en esparcimiento, recreo y vacaciones; 7 por 100 en gasolina y mantenimiento del coche y transporte (incluyendo la póliza de seguro del coche), y 8 por 100 en servicios médicos y medicamentos. A su vez, dentro de cada uno de estos grupos de gastos hay un conjunto de bienes o servicios concretos a cada uno de los cuales se le asigna una ponderación. A partir de los precios de estos bienes y servicios seleccionados se calcula estadísticamente un índice que refleja la variación que se produce en el conjunto de los precios de esos bienes de un año a otro o de un mes a otro. Así, cuando se dice que el coste de la vida subió en un año determinado en un 15 por 100, esto significa que, como promedio y teniendo en cuenta la ponderación dada a cada uno de ellos, los bienes y servicios que integran la cesta de la compra experimentaron una subida de esa magnitud.

Dentro del índice de precios al consumo se distinguen el índice general (el que hemos descrito), el índice de los precios alimenticios, y el índice de los productos no alimenticios (entre los que se incluyen varios índices para grupos de productos: vestido y calzado, vivienda, etc.). También se elaboran otros índices de precios, tales como el de precios al por mayor, dentro del que se incluyen un índice general, un índice para productos alimenticios, bebidas y tabaco, y un índice para componentes no alimenticios. Asimismo, dentro de los precios al por mayor se elaboran un índice para las materias primas, otro para los productos acabados, otro para los productos agrícolas, otro para los productos agrícolas industrializados y otro para los productos industriales. En nuestro país la institución responsable de la elaboración y publicación de estos índices es el Instituto Nacional de Estadística, que es una institución pública.

En Microeconomía el nivel general de precios se toma como dado, y sólo se explica la estructura de los precios relativos. Por el contrario, la Macroeconomía intenta explicar los fenómenos de la inflación (la subida generalizada y persistente del nivel medio de los precios) y de la deflación (el descenso generalizado y persistente del nivel medio de los precios). Como veremos, la inflación y la deflación tienen una influencia sobre el nivel de actividad de la economía en su conjunto, afectando a la producción, a la renta y al empleo.

c) La determinación y las fluctuaciones del nivel general de los salarios monetarios. La Microeconomía se ocupa de estudiar las diferencias salariales entre las profesiones, las industrias y las regiones de un país (en definitiva, los salarios relativos); mientras que la Macroeconomía trata de explicar el nivel medio de los salarios monetarios (el coste medio por hora de trabajo).

d) La determinación del consumo agregado y de la inversión agregada, y la consiguiente asignación de los recursos entre la producción de bienes y servicios de consumo y la producción de bienes capital.

e) La determinación de la tasa de crecimiento de la economía. En el apartado a) nos referíamos a la determinación del nivel de producción, renta y empleo, y de sus fluctuaciones en el corto plazo (de un año a otro, de un semestre a otro, o de un trimestre a otro; esto es lo que se conoce como la coyuntura de la economía). Aquí hablamos de los cambios en la capacidad productiva de la economía a largo plazo. Se trata de determinar los factores de los que depende el que una economía aumente su capacidad de producir bienes y servicios a una tasa o porcentaje anual de una determinada magnitud.

f) La determinación de los efectos que el comercio internacional de un país (sus importaciones y sus exportaciones) tiene sobre el nivel de producción, renta, empleo y precios, y sobre la tasa de crecimiento de la economía.

g) La determinación de los instrumentos que pueden utilizar las autoridades económicas para controlar e influenciar el nivel de actividad económica, y sus efectos. Los instrumentos de control de que dispone el Gobierno son fundamentalmente los fiscales (los ingresos y los gastos públicos) y los monetarios (la oferta de dinero y el tipo de interés).

Resumiendo, pues, la Macroeconomía es la parte de la Teoría Económica que estudia principalmente las relaciones entre las magnitudes económicas agregadas. Las más importantes de estas variables son: la renta nacional, el producto nacional, el consumo agregado, el ahorro agregado, la inversión, el nivel de empleo (o desempleo), la oferta de dinero, la demanda de dinero, el nivel de precios y la balanza de pagos. Se ocupa de explicar los determinantes de los valores que toman estas magnitudes y sus tasas de cambio a lo largo del tiempo. También estudia el papel de los gastos y de los ingresos (principalmente de los impuestos) del Gobierno, y de la política monetaria en la determinación del nivel general de actividad económica y sus fluctuaciones. La Macroeconomía trata de determinar y analizar las relaciones existentes entre las magnitudes agregadas, de encontrar las condiciones bajo las que el sistema económico en su conjunto está en equilibrio estático o dinámico, y las características del estado de equilibrio, y de explicar los cambios de las magnitudes agregadas a lo largo del tiempo. Esta teoría permite realizar predicciones sobre las consecuencias que los cambios en las magnitudes macroeconómicas clave, tales como la inversión, el gasto del Gobierno o las exportaciones, tienen sobre los niveles de producción, renta, empleo y precios de una economía.

LA JUSTIFICACION TEORICA DEL ANALISIS MACROECONOMICO O DE LA MACROECONOMIA

En principio se puede pensar que el Análisis Económico sólo puede tener sentido al nivel microeconómico (al nivel de las unidades o agentes económicos, o de grupos de éstos, que son los que experimentan necesidades y deseos, y toman decisiones sobre la compra de bienes y servicios, la venta de factores, la producción, la venta de bienes y servicios y la compra de factores). En consecuencia, se puede plantear la cuestión de si es posible construir o elaborar una Teoría Macroeconómica (tal como la hemos definido) que sea significativa (que explique la realidad) y que tenga alguna utilidad para afectar a ésta.

La respuesta a este interrogante es afirmativa. La Teoría Macroeconómica se fundamenta sobre tres principios:

1) El análisis a nivel agregado de las variables toma en consideración muchas limitaciones y relaciones que no son aplicables a las partes individuales que integran aquéllas. Por ejemplo, a nivel individual una empresa o una industria pueden aumentar su producción y el número de trabajadores y demás factores que emplean, a través de sustraer estos factores a otras empresas o industrias por medio de pagar precios más elevados que éstas; pero si la economía está en pleno empleo, la industria en su conjunto no puede aumentar la producción y el empleo (el

aumento de la producción de una industria es cancelado por la disminución de la de otra). Otro ejemplo: un individuo puede reducir la cantidad de dinero (medios de pago: billetes y monedas y depósitos en cuenta corriente) que mantiene en su poder a través de pagar una cantidad de dinero mayor de la que recibe en un período de tiempo; pero a menos que la oferta total de dinero existente en la economía varíe, la colectividad no puede reducir la cantidad total de dinero que se mantiene a nivel agregado. El dinero del que se deshace un individuo a través de hacer compras, regalos o préstamos, lo recibe otro u otros individuos en una cadena sin fin. Alguien ha de mantener ese dinero mientras que éste no desaparezca de la economía. Asimismo, un país concreto puede tener unas exportaciones superiores a sus importaciones, pero para todos los países del mundo en su conjunto las exportaciones han de ser iguales necesariamente a las importaciones (lo que un país exporta ha de ser importado por otro u otros países).

Como veremos, el estudio del significado y de las implicaciones de estos datos obvios o identidades a nivel agregado constituyen una parte importante de la Teoría Macroeconómica. Así, veremos que para cualquier individuo o grupo de individuos la renta obtenida y el gasto realizado en un período pueden ser (generalmente lo son) distintos; pero para una economía en su conjunto, el gasto total y la renta total (definidas estas magnitudes adecuadamente) han de ser necesariamente iguales. Un sujeto cualquiera individualmente considerado puede ahorrar sin invertir, o invertir sin haber ahorrado previamente o estar ahorrando; sin embargo, definidas de una forma concreta, para la economía en su conjunto, el ahorro y la inversión han de ser iguales. Así pues, la Macroeconomía descansa en ciertas identidades que se dan a nivel agregado, pero que no tienen por qué darse a nivel de las economías individuales. Ciertas relaciones entre las magnitudes macroeconómicas derivadas de las definiciones que se hacen de éstas permiten arrojar luz sobre los fenómenos que ocurren a nivel agregado de la economía.

2) Las variables agregadas muestran un comportamiento que no se puede explicar tomando sólo en consideración el comportamiento de los individuos que las integran. Debido a que la composición de muchas variables agregadas es relativamente estable o a que varía sistemáticamente con los cambios en las magnitudes de los agregados, es posible deducir relaciones funcionales entre éstas. La Macroeconomía trata de determinar estas relaciones entre las variables económicas agregadas. Naturalmente las teorías sobre estas relaciones descansan en hipótesis sobre el comportamiento y las motivaciones de los agentes económicos (los trabajadores individuales, las economías domésticas y las empresas).

Los individuos tienden a reaccionar de una forma similar ante cambios en las circunstancias con las que se enfrentan. Por ejemplo, *céteris páribus,* las economías domésticas tienden a gastar más en consumo cuando su renta aumenta. Obviamente, cada familia reacciona de una forma distinta ante un aumento de su renta, o incluso una misma familia actúa de distinta forma en diferentes momentos. No obstante, la ley de los grandes números, al tratar con un número elevado de individuos, permite obtener regularidades en el comportamiento del gasto total en consumo.

Ello se debe a que generalmente se da una mayor regularidad en el comportamiento de un colectivo que en el comportamiento de cada uno de los individuos que lo integran (es difícil predecir con certeza si el individuo A tomará el autobús a las 11 de la mañana de un día determinado, pero es posible calcular con bastante aproximación el número de individuos que tomarán el autobús a esa hora y ese día en la ciudad de Valencia).

Las teorías que establecen relaciones funcionales entre dos o más variables económicas agregadas sólo pueden ser derivadas a partir de teorías sobre el comportamiento de los individuos si la composición de los agregados es constante, o si esta composición cambia de una forma regular a medida que las magnitudes agregadas varían. Las regularidades empíricas del comportamiento de los sujetos individualmente considerados, y de los pequeños grupos, son consistentes con una regularidad empírica del comportamiento de la magnitud agregada sólo bajo las mismas circunstancias (si las circunstancias no varían). Afortunadamente en la realidad se observa que la composición de los agregados más útiles analíticamente que se emplean en la Macroeconomía es suficientemente estable o cambia de una forma suficientemente sistemática como para poder elaborar teorías significativas sobre el comportamiento de estas magnitudes agregadas.

3) Muchos de los cambios de las variables más significativas en la explicación del comportamiento económico de los agentes individuales se cancelan o contrarrestan entre sí cuando se considera el colectivo. Por ejemplo, si el precio de un bien sube con respecto al de otro bien (el primero puede hacerse más caro que el segundo en términos relativos debido a que: su precio sube mientras que el del otro bien permanece constante, su precio sube más que el del segundo, su precio sube y el del segundo baja, o su precio baja menos que el del segundo), obviamente el precio del segundo bien ha bajado con respecto al del primero. Asimismo, si una industria o un producto gana o pierde clientes o recursos productivos en respuesta a un cambio en los precios relativos, otra industria u otro producto puede que los pierda o gane en una cuantía que deje inalteradas a las magnitudes agregadas (la producción total en este caso). La Microeconomía estudia estos cambios internos entre industrias y entre productos, mientras que la Macroeconomía los ignora (sólo analiza los cambios de las magnitudes agregadas). Esta es una de las ventajas más significativas de la Teoría Macroeconómica.

Digamos, por último, que la dualidad de los niveles micro y macroeconómico plantea problemas metodológicos, teóricos y estadísticos muy difíciles y que aún no han sido resueltos. Se habla del problema del *no-bridge* entre los dos niveles de análisis (la inexistencia de un puente o conexión teórica entre ellos), y, de hecho, en buena medida se acepta que cada uno de los dos niveles de análisis tiene una existencia independiente del otro. Se han hecho y se continúan haciendo esfuerzos por establecer una relación teórica entre la Micro y la Macro, pero hasta el momento el problema no ha sido resuelto de una forma satisfactoria.

La comparación entre los niveles micro y macroeconómico se ha planteado con frecuencia como la búsqueda de una fundamentación del nivel macro a partir del nivel microeconómico por considerarse insatisfactoria la autonomía del primero. Este planteamiento es una muestra del llamado individualismo metodológico, que afirma que, en líneas generales, las explicaciones de las ciencias sociales, para ser satisfactorias, han de tener como supuestos iniciales hipótesis sobre la conducta o propiedades relativas a los individuos.

No obstante, puede observarse que si bien se puede advertir entre los economistas teóricos un fuerte movimiento de fundamentación de las funciones macroeconómicas en conceptos microeconómicos, lo que reflejaría cierta influencia del individualismo metodológico, no por ello aparecen como menos fundadas las opiniones en sentido contrario como la que muestra Peston al indicar que «la justificación o relevancia empírica de una gran parte de la Macroeconomía clásica no depende en absoluto de las analogías microeconómicas», por lo que si una «relación macroeconómica aparece invalidada no se debe tanto a que sus variables están incorrectamente agregadas de variables micro como a que incluye variables irrelevantes, excluye a otras relevantes o postula incorrectamente el modo de acontecer de tales variables».

Aunque pueda parecer lo contrario, la tesis sustentada por Peston es perfectamente compatible con la fundamentación de la Macroeconomía en la Micro. Porque una cuestión es la validez de ambos tipos de teorías en la que es correcta la autonomía de ambos niveles, y otra cuestión distinta es la del sentido explicativo que la Microeconomía ofrece para la Macroeconomía; sentido obvio, si bien no hay razones concluyentes para afirmar que el único camino posible para explicar la Macroeconomía sea por medio del nivel Microeconómico.

LAS RAMAS DE LA MACROECONOMIA

Como ya señalamos en el Capítulo 3, la Macroeconomía está integrada por las siguientes ramas:

a) La Teoría de la Determinación de la Renta que estudia las causas que determinan el nivel de producción, renta y empleo que se da en una economía en un período corto de tiempo (el llamado corto plazo).

b) La Teoría de los Ciclos, que estudia las causas de las fluctuaciones de ese nivel de producción, renta y empleo, tanto a corto como a largo plazo.

c) La Teoría del Crecimiento y del Desarrollo económicos, que estudia las causas de que una economía aumente su capacidad productiva a lo largo del tiempo (naturalmente también aquí se' estudian los factores que hacen que una economía permanezca estancada o incluso vea disminuida su capacidad de producir bienes y servicios). La Teoría del Crecimiento se ocupa del estudio de estas cuestiones referidas a los países desarrollados o industrializados, mientras que la Teoría del Desarrollo estudia los problemas de los países subdesarrollados o en vías de desarrollo.

d) La Teoría Monetaria, que tiene por objeto de estudio las cuestiones monetarias a nivel agregado, y su relación con el nivel de actividad económica. Aquí se estudia fundamentalmente la demanda de dinero, la oferta de dinero, el tipo de interés, el nivel de precios (la inflación y la deflación), y sobre todo la relación entre los fenómenos monetarios y los fenómenos reales (la cuestión básica que se plantea en esta teoría es la determinación de los efectos que el dinero tiene sobre el nivel de producción, renta y empleo).

La Macroeconomía, como teoría sustantiva en el sentido moderno que hemos tratado de describir, nace con la obra *La Teoría General del Empleo, el Interés y el Dinero* (más conocida como *La Teoría General*), publicada en 1936 por el economista inglés John Maynard Keynes (1883-1949). Como veremos más adelante, con anterioridad a Keynes los economistas se habían ocupado de estudiar el desempleo, los ciclos y el crecimiento de las economías, pero fue este gran economista inglés el que formuló una teoría comprehensiva de la determinación del volumen de producción, renta y empleo que se da en una economía a nivel agregado. Por supuesto, la Teoría Macroeconómica keynesiana ha sido y continúa siendo criticada, refutada y reformulada, y suplantada por otras teorías, pero el enfoque del análisis a nivel agregado y sus hipótesis básicas perviven y constituyen un auténtico paradigma (el llamado paradigma keynesiano). El fenómeno actual del desempleo con inflación está llevando a una crisis del paradigma o modelo keynesiano. No obstante, nosotros estudiaremos aquí fundamentalmente un modelo keynesiano sencillo, debido a que por el momento no se dispone en la Teoría Económica de un modelo mejor. También consideraremos brevemente a otras teorías macroeconómicas.

BIBLIOGRAFIA SELECCIONADA

Lipsey, R.: *Introducción a la Economía Positiva,* op. cit., Cap. 33.
Ackley, G.: *Teoría Macroeconómica,* UTEHA, Méjico, 1965, Cap. 1.
Heilbroner, R.: *Comprensión de la Macroeconomía,* UTEHA, Méjico, 1966, Cap. 1.
Brooman, F.: *Macroeconomía,* Aguilar, Madrid, 1969, Cap. 1.
Mckenzie, R., y Tullock, G.: *Economía Política Moderna,* Espasa Calpe, Madrid, 1981, Cap. 23.
Branson, W. H.: *Teoría y Política Macroeconómica,* Fondo de Cultura Económica, Méjico, 1978.

CAPITULO 32

EL MODELO DEL FLUJO CIRCULAR DE LA RENTA

EL FLUJO CIRCULAR DE LA RENTA

Mientras que la Microeconomía se ocupa de estudiar el comportamiento de los compradores y de los vendedores en los mercados individuales, la Macroeconomía tiene por objeto de estudio el comportamiento de todos los compradores y de todos los vendedores en todos los mercados. La justificación de este enfoque utilizado en la Macroeconomía reside en dos ideas: por una parte, las magnitudes agregadas (aunque obviamente son el resultado del comportamiento de muchos agentes económicos individuales) tienen una cierta vida propia susceptible de análisis (esta cuestión la hemos tratado ampliamente en el Capítulo anterior); y por otra, en un sistema económico existe una interrelación entre todas las magnitudes y entre todos los agentes económicos.

Como ya hemos señalado, uno de los principios básicos (y una de las contribuciones más importantes) de la Teoría Económica es el de que en una economía todo depende de todo. Directa o indirectamente, las ventas de una empresa cualquiera o los ingresos de una economía doméstica determinada son influenciados por lo que esté ocurriendo en los demás mercados de bienes y factores de la economía (e incluso en los mercados de otros países, ya que las economías nacionales están interrelacionadas a través del comercio internacional).

Por otra parte, en una economía de mercado, tanto los bienes y servicios de consumo como los factores de la producción están siendo continuamente intercambiados por dinero. Asimismo, las economías domésticas actúan como compradores o demandantes en los mercados de bienes y servicios de consumo, y como vendedores u oferentes en los mercados de factores; y las empresas actúan como vendedores u oferentes en los mercados de bienes y servicios de consumo y como demandantes o compradores en los mercados de factores. Las economías domésticas adquieren de las empresas los bienes y servicios a cambio de los cuales les pagan a éstas unas cantidades de dinero, cantidades que constituyen los ingresos de las empresas. Con estos ingresos las empresas pagan a las economías domésticas los factores productivos que adquieren de éstas, pagos que constituyen los ingresos de las economías domésticas y que son los que ellas utilizan a su vez para comprar a las empresas los bienes y servicios de consumo.

Vemos pues, que, considerada en su conjunto, la actividad económica toma la forma de un enorme flujo circular que está dando vueltas continua e independientemente en tanto en cuanto haya actividad de producir y consumir (mientras que la economía no se paralice). Este flujo circular está integrado por dos circuitos: el monetario, que recoge los pagos dinerarios de las economías domésticas a las empresas por los bienes y servicios de consumo que las primeras compran a las segundas, y de las empresas a las economías domésticas por los factores productivos que las primeras adquieren de las segundas; y el real, que recoge los bienes y servicios de consumo que van de las empresas a las economías domésticas, y los factores que van de las economías domésticas a las empresas.

Naturalmente, estamos simplificando la realidad y suponiendo que sólo existen en la economía dos grupos de agentes (las economías domésticas y las empresas) cuando en la vida real tenemos también a los Gobiernos y al resto del mundo. Esta concepción del funcionamiento de la economía en su conjunto como un gran flujo circular integrado por las corrientes de dinero, y de bienes y servicios y de factores entre las economías domésticas, las empresas, el Gobierno y el resto del mundo permite comprender, visualizar y modelizar dicho funcionamiento a un nivel agregado. La economía funciona como un gran circuito en el que las economías domésticas, las empresas, el Gobierno y el resto del mundo actúan de bombas que bombean (valga la redundancia) continuamente los bienes y servicios y los factores por una parte, y la renta por otra, de unos agentes económicos a otros.

LOS FLUJOS DE BIENES Y DINERO ENTRE INDIVIDUOS

Veamos cómo funciona ese gran flujo. Cuando un individuo compra un bien a otro sujeto, el primero le paga una cantidad de dinero al segundo a cambio de dicho bien. El dinero recibido por el segundo individuo constituye su renta (el pago por su actividad de producir el bien). A su vez este sujeto puede utilizar ese dinero o renta para comprar un bien o servicio a un tercer sujeto. El dinero obtenido por el tercer individuo constituye su renta, que a su vez puede emplear para comprar bienes y/o servicios de los tres primeros y/o de otros individuos. De esta forma continúa la cadena *ad infinitum*: el dinero pasa de un sujeto a otro continuamente a cambio de bienes y servicios. Este fluir del dinero implica que el primer individuo ha realizado una actividad productora (ha elaborado un bien que entrega al segundo), por la que recibe una renta (el pago que le hace el comprador). A su vez, el segundo individuo entrega una cantidad de dinero al primero, renta que ha debido obtener como resultado de alguna actividad productiva (realizada por él o por los sujetos que hayan ganado esa renta). En cualquier caso lo que nos interesa resaltar es el hecho de que el dinero pasa de unas manos a otras como una cantidad de líquido dentro de un circuito, y que la producción implica renta y la renta implica producción.

Empecemos con un modelo muy sencillo, que iremos haciendo más complejo paulatinamente.

Supongamos que en una economía existieran sólo cinco sujetos, y que cada uno de ellos produjera un bien determinado. Imaginémonos asimismo que sólo hubiera un billete de 1.000 pesetas en la economía, y que cada uno de los cinco sujetos compra sólo de uno de los otros cuatro individuos una cantidad del bien que éste elabora por valor de 1.000 pesetas. Una posible secuencia podría ser la siguiente: el sujeto I compra al individuo II una cantidad del bien que éste produce por valor de 1.000 pesetas; a su vez el individuo II gasta su renta de 1.000 pesetas adquiriendo del individuo III una cantidad del bien o servicio que éste produce por un valor de 1.000 pesetas; por su parte, el sujeto III compra al individuo IV el bien que éste elabora en una cuantía equivalente a 1.000 pesetas; el individuo IV con su renta de 1.000 pesetas adquiere del sujeto V una cantidad del bien que éste produce correspondiente a las 1.000 pesetas; y finalmente el sujeto V compra al individuo I el bien producido por éste en la cuantía que le permiten sus 1.000 pesetas de renta.

Obviamente el flujo no tiene que seguir esta secuencia. Existen infinidad de otras posibilidades: que el individuo I compre bienes al sujeto II por valor de 500 pesetas, al individuo IV por valor de 300 pesetas, y al individuo V por valor de 200 pesetas; y algo similar podrían hacer los demás sujetos al gastar su renta.

Lo que interesa resaltar es que, si se toma un período de tiempo (un día, un mes, un año, etc.), los individuos sólo podrán realizar un número determinado de transacciones entre ellos. En el caso del ejemplo empleado, se han realizado cinco transacciones, cada una de ellas por un valor de 1.000 pesetas. Aunque, como hemos señalado, se podrían haber efectuado muchas más transacciones con diferentes valores cada una de ellas, sin embargo, el valor total de éstas habría sido de 5.000 pesetas suponiendo que en el período de tiempo considerado, cada individuo produce un único bien con un valor sólo de 1.000 pesetas, por lo que su renta es igualmente 1.000 pesetas. Naturalmente, cada individuo podría producir más de un sólo bien y en cantidades diversas. Además está también la cuestión del precio de los bienes, aspecto éste que por ahora dejamos al margen (la renta que obtiene un individuo depende sólo de la cantidad del bien que posea y venda y del precio que obtenga por él).

No obstante, lo que importa hacer notar aquí es que si estas cinco transacciones se hubieran realizado, por ejemplo, en una semana, la renta total obtenida por los cinco individuos en esa semana habría sido de 5.000 pesetas. Sin embargo, la cantidad de dinero existente en esta hipotética economía es de sólo 1.000 pesetas. Vemos, pues, que la renta total generada en la economía en un período determinado de tiempo es superior a la cantidad de dinero en circulación existente en aquélla. Ello se explica porque el mismo billete de 1.000 pesetas sirvió para realizar cinco transacciones, cada una de ellas por un valor de 1.000 pesetas. En consecuencia, es un hecho importante de la actividad económica a nivel agregado que en una economía la renta total no es igual a la cantidad total de dinero existente en esta economía, debido a que cada unidad de dinero permite realizar (en un período de tiempo) transacciones de bienes y servicios por un valor de varias unidades monetarias. El valor de las transacciones totales (transacciones que implican producción y renta) depende del número de veces que la unidad monetaria pase de unas manos a otras en el período considerado (si una misma peseta pasa de unos individuos a otros 100 veces en un año, se habrán realizado transacciones por valor de 100 pesetas).

El número de veces que el dinero cambia de manos como término medio en un período de tiempo es conocido como la velocidad de circulación del dinero. La cantidad de dinero existente en la economía es una variable stock, mientras que la renta es una variable flujo. Un ejemplo nos puede aclarar esta cuestión.

Supongamos un circuito en el interior del cual hay 100 litros de agua, a los que una bomba hace dar vueltas continuamente dentro del sistema de tuberías. La cantidad de agua dentro del circuito es una variable stock (en nuestro ejemplo 100 litros). Pero la cantidad de agua que pasará por un punto concreto del circuito durante un período de tiempo (un minuto, una hora, un día) es una variable flujo, y puede tomar diversos valores dependiendo de la rapidez con la que la bomba haga circular el agua. Si durante un minuto la bomba hace dar cuatro vueltas a los 100 litros, la cantidad de agua que pasará por un punto determinado del circuito será de 400 litros por minuto.

Es evidente que la cantidad de agua que pasará por un punto del circuito durante un período de tiempo determinado (magnitud que es una variable flujo) dependerá de la cantidad de agua que exista en el circuito y de las veces que ésta dé vueltas durante un período. Aun cuando no cambie la cantidad de agua que hay en el circuito, el número de litros que pasará por un punto concreto durante un período de tiempo variará con el número de vueltas que la bomba le haga dar al agua. Cuanto mayor sea el número de vueltas por período, mayor será la cantidad de agua que pasará por un punto del circuito en ese período.

La cantidad de agua en el circuito equivale a la cantidad de dinero existente en circulación en la economía en un momento determinado (una variable stock), la cantidad de agua que pasa por un punto del circuito durante un período de tiempo equivale a la renta (una variable flujo), y el número de veces que el agua da vueltas dentro del circuito equivale a la velocidad de circulación del dinero. Dado que la renta es una variable flujo, obviamente ésta tiene una dimensión temporal (está referida a un período de tiempo). La renta de un individuo, de una empresa o de la economía en su conjunto generalmente está referida a un período de tiempo de un año.

LOS FLUJOS DE BIENES Y DINERO ENTRE LAS ECONOMIAS DOMESTICAS Y LAS EMPRESAS

Pero en una economía moderna, la producción de los bienes y servicios es realizada en su mayor parte por las empresas y no por cada uno de los individuos aisladamente. Ya hemos visto repetidamente que las empresas producen los bienes y servicios de consumo que venden a las economías domésticas a cambio de dinero, dinero que aquéllas emplean en comprar los factores de la producción a éstas. Esas compras se materializan en el pago de sueldos y salarios, intereses del capital, rentas de la tierra y beneficios de la actividad empresarial. Con esta renta las economías domésticas pagan a las empresas los bienes y servicios que adquieren de éstas. La Figura 32.1 muestra este circuito.

El dinero pagado por las empresas a las economías domésticas por la compra de los factores se convierte en los ingresos o la renta de éstas, y el dinero pagado por las economías domésticas a las empresas por los bienes y servicios de consumo constituyen los ingresos de éstas. El dinero fluye continuamente en el circuito pasando de las empresas a las economías domésticas y al revés en un proceso sin fin. De ahí que a este flujo se le llame el flujo circular de la renta, y que a la economía en su conjunto se la modelice de esta forma.

La Teoría Macroeconómica tiene por objeto de estudio el explicar cómo se determina el volumen de renta que fluye dentro del circuito y cuáles son las causas que dan lugar a fluctuaciones o variaciones en ese volumen. La Macroeconomía ' analiza las condiciones que han de darse para que exista equilibrio en el modelo del flujo circular de la renta, y trata de formular hipótesis sobre el comportamiento de los determinantes del flujo circular. Esta teoría permite además predecir cómo se comporta el flujo circular (si aumenta o disminuye su cuantía) al producirse cambios en las magnitudes o variables que lo determinan (como, por ejemplo, una variación en el gasto en consumo de las economías domésticas, en la inversión privada, en el gasto público, en las exportaciones, etc.). De ahí que la Teoría Macroeconómica sea de gran utilidad para decidir las medidas de política económica que el Gobierno adopta en cada momento.

FIGURA 32.1

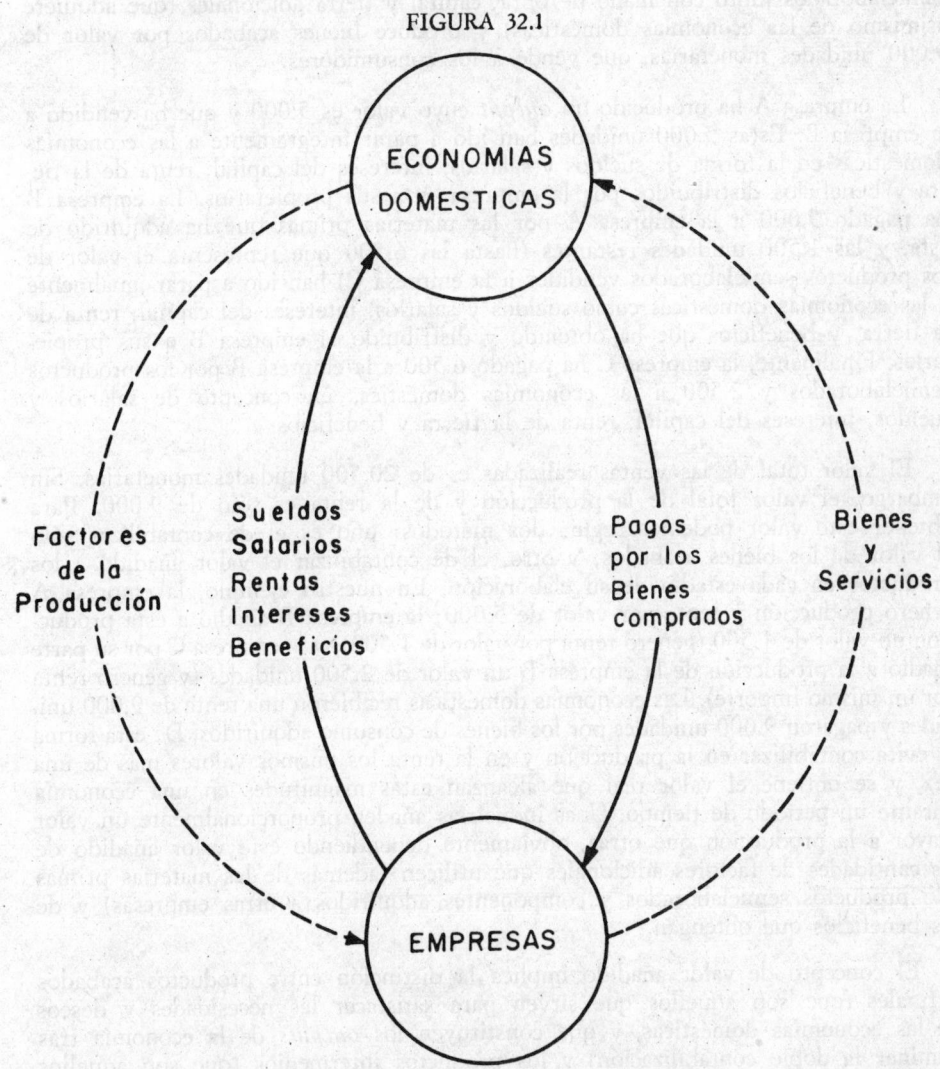

Hasta ahora hemos supuesto que las empresas sólo producían bienes y servicios de consumo acabados. Pero en las economías modernas la mayor parte de las empresas producen materias primas, productos semielaborados, y productos que se utilizan como *inputs* en la elaboración de otros bienes. Existen, pues, diversos estadios en la producción de los bienes y servicios que finalmente consumen las economías domésticas. La existencia de tales estadios plantea la cuestión del valor de la producción y de la renta total que se genera en una economía en un período determinado. Supongamos tres empresas que participan en los tres estadios en los que se elabora un bien. La empresa A compra a las economías domésticas factores productivos (tierra, capital y trabajo), y elabora materias primas que vende a la empresa B por 5.000 unidades monetarias. Esta a su vez reelabora estas materias primas (materialmente utilizando mano de obra, capital y tierra que adquiere igualmente de las economías domésticas) y las vende a la empresa C por un valor de 6.500 unidades monetarias. Finalmente, la empresa C utiliza estos productos semielaborados junto con mano de obra, capital y tierra adicionales (que adquiere asimismo de las economías domésticas) y produce bienes acabados por valor de 9.000 unidades monetarias, que vende a los consumidores.

La empresa A ha producido un *output* cuyo valor es 5.000 y que ha vendido a la empresa B. Estas 5.000 unidades han ido a parar íntegramente a las economías domésticas en la forma de sueldos y salarios, intereses del capital, renta de la tierra y beneficios distribuidos por la empresa A a sus propietarios. La empresa B ha pagado 5.000 a la empresa A por las materias primas que ha adquirido de ésta, y las 1.500 unidades restantes (hasta las 6.500 que representa el valor de los productos semielaborados vendidos a la empresa C) han ido a parar igualmente a las economías domésticas como sueldos y salarios, intereses del capital, renta de la tierra, y beneficios que ha obtenido y distribuido la empresa B a sus propietarios. Finalmente, la empresa C ha pagado 6.500 a la empresa B por los productos semielaborados y 2.500 a las economías domésticas en concepto de salarios y sueldos, intereses del capital, renta de la tierra y beneficios.

El valor total de las ventas realizadas es de 20.500 unidades monetarias. Sin embargo, el valor total de la producción y de la renta es sólo de 9.000. Para obtener este valor podemos seguir dos métodos: uno es el de contabilizar sólo el valor de los bienes acabados; y otro, el de contabilizar el valor añadido a los productos en cada estadio de su elaboración. En nuestro ejemplo, la empresa A generó producción y renta por valor de 5.000; la empresa B añadió a esta producción un valor de 1.500 (generó renta por valor de 1.500); y la empresa C por su parte añadió a la producción de la empresa B un valor de 2.500 unidades (y generó renta por un mismo importe). Las economías domésticas recibieron una renta de 9.000 unidades y pagaron 9.000 unidades por los bienes de consumo adquiridos. De esta forma se evita contabilizar en la producción y en la renta los mismos valores más de una vez, y se obtiene el valor real que alcanzan estas magnitudes en una economía durante un período de tiempo. Unas industrias añaden proporcionalmente un valor mayor a la producción que otras, obviamente dependiendo este valor añadido de las cantidades de factores adicionales que utilicen (además de las materias primas y/o productos semielaborados y componentes adquiridos a otras empresas) y de los beneficios que obtengan.

El concepto de valor añadido implica la distinción entre productos acabados o finales (que son aquellos que sirven para satisfacer las necesidades y deseos de las economías domésticas, y que constituyen los *outputs* de la economía tras eliminar la doble contabilización) y los productos intermedios (que son aquellos bienes y servicios que se emplean como *inputs* en un estadio posterior de la producción).

El modelo del flujo circular de la renta toma en consideración sólo el valor añadido que se genera en los distintos estadios de la producción. El valor de las ventas entre las empresas de materias primas, productos semielaborados y componentes se cancelan en el cómputo final (las compras de estos *inputs* por una empresa son las ventas de otra).

El modelo se ocupa de estudiar la determinación de la magnitud agregada resultante de sumar los valores añadidos. A esta magnitud se le conoce como el Producto Nacional.

LAS RENTAS O INGRESOS DE LOS FACTORES

Ya hemos señalado que los pagos de los factores productivos están integrados por los sueldos y salarios del trabajo, los intereses del capital, las rentas de la tierra, y los beneficios de las empresas. Los tres primeros grupos de ingresos o rentas de los factores son pagados por éstas en el momento en que son utilizados en la producción o con un retardo pequeño (los propietarios del trabajo, de la tierra incluyendo en ésta las materias primas, y del capital que no es propiedad de la empresa suelen recibir su renta por el pago de estos factores durante el período en el que se efectúa la producción en la que se les emplea). De ahí que un aumento o una disminución de la producción generalmente dé lugar a un incremento o a una reducción en la renta o ingresos de estos factores.

En el caso de los factores fijos (el capital utilizado en la compra de maquinaria, equipo e instalaciones) esta relación es sólo cierta si se considera un período largo de tiempo (el período necesario para que las empresas aumenten o reduzcan su capacidad productiva instalada). En la relación entre la cantidad de trabajo utilizada o empleo y el nivel de producción también se da un cierto retardo (la no existencia de despido libre o en cualquier caso la indemnización por despido hacen que las empresas no reduzcan el número de trabajadores que emplean inmediatamente que disminuyen la producción). No obstante, puede decirse que existe una relación bastante inmediata entre el nivel de producción y la renta de estos factores: un aumento de la producción lleva a un incremento de las rentas de estos factores, y una disminución de la producción conduce a una reducción de sus ingresos (en ambos casos con un retardo temporal muy corto, si bien para los factores fijos esta relación haya que considerarla en el contexto de un período largo de tiempo).

Los beneficios, por el contrario, sólo se materializan cuando los bienes y servicios son vendidos. La diferencia entre los ingresos por los bienes y/o servicios vendidos a sus precios de mercado y los costes de las materias primas y de los factores contratados o adquiridos de otros agentes económicos, constituye la remuneración que obtiene la empresa por el uso de sus propios factores (el capital propio, la tierra propia y el trabajo de los propietarios) más los beneficios puros que haya obtenido (recordemos que en Economía sólo estos últimos son considerados como beneficios, si bien la empresa suele tomar como beneficios la diferencia entre ingresos y pagos efectuados por la compra de los factores que adquiere de otros agentes económicos).

En cualquier caso, los beneficios tal como los entiende la empresa no llegan a ésta hasta que ha vendido sus productos. Sólo entonces estos beneficios se convierten en renta para los propietarios de la empresa. En consecuencia, los beneficios de las empresas difieren de otras rentas de los factores en que aquéllos no fluyen inmediatamente a sus propietarios (al aumentar o disminuir la producción, la renta procedente de los beneficios no se incrementa o se reduce inmediatamente o dentro de un período corto de tiempo). En el caso de las sociedades anónimas incluso con frecuencia éstas no distribuyen todos los beneficios. Estos beneficios no distribuidos pertenecen a las economías domésticas propietarias de las sociedades anónimas, pero no van a parar a los individuos en forma de renta. De ahí que un aumento de la producción no conduce inmediatamente a un incremento de los beneficios, y en consecuencia tampoco lleva a un aumento de la renta de los individuos propietarios de las empresas.

PRODUCTO NACIONAL, RENTA NACIONAL Y RENTA DISPONIBLE

Para seguir avanzando en la exposición del modelo del flujo circular de la renta necesitamos introducir los conceptos de Producto Nacional Bruto (PNB), renta total y renta nacional. Sin perjuicio de que las definamos con más precisión al hablar de la Contabilidad Nacional, estas tres magnitudes pueden considerarse como conceptos intercambiables que significan el valor total de todos los bienes y servicios producidos en la economía durante un período de tiempo dado (generalmente un año). El Producto Nacional Bruto es el valor de todos los bienes y servicios finales producidos (9.000 en nuestro ejemplo anterior), y la renta total es la suma de los valores añadidos en todos los estadios de la producción de los bienes y servicios (igualmente 9.000). Ambas magnitudes son, pues, la misma: la primera contempla el fenómeno desde el punto de vista de la producción, y la segunda desde el ángulo de la renta o ingresos de los factores que han intervenido en la producción. Toda producción implica renta y toda renta implica producción (incluso la renta obtenida por herencia, regalo, juego, la lotería o las quinielas implica que alguien ha realizado una actividad productiva. Sólo la renta conseguida por medio de la especulación no tiene una contrapartida de producción). Estos conceptos son inferiores al valor de las transacciones totales (20.500 en el ejemplo).

Por otra parte, en ellos no se distingue entre los bienes capital que incrementan la capacidad productiva instalada en la economía (lo que se denomina nueva inversión o inversión neta), y los bienes capital que se destinan a reemplazar la maquinaria, equipo e instalaciones deterioradas (lo que se conoce como inversión de reposición). Se utilizan los conceptos de Producto Nacional Bruto y renta total en relación con la demanda total de factores y el nivel de empleo, ya que la construcción de una máquina requiere la utilización de recursos productivos cualquiera que sea el uso que se haga de ella, ya se utilice como adición al stock o cantidad de bienes capital, o como inversión de reposición o mantenimiento del stock de capital de la economía al mismo nivel).

La renta nacional, la renta neta o el Producto Nacional Neto (PNN) son conceptos igualmente intercambiables, y se refieren al PNB o a la renta total menos aquella fracción del valor de todos los bienes producidos que se asigna o destina a reemplazar los bienes capital que se desgastan en la producción. En la economía existe un stock o volumen de bienes capital que se emplean en la elaboración de todos los bienes y servicios que se producen durante un período de tiempo dado. Esos bienes capital se van deteriorando con su uso, y al cabo de un tiempo hay que sustituirlos o reemplazarlos. A este fin se calcula anualmente una cantidad o fracción del PNB, que se resta de éste para obtener la renta nacional o el PNN. A esta magnitud (que incluye las amortizaciones de las empresas privadas y públicas, más la asignación que por deterioro se hace al stock de viviendas privadas y edificios públicos, y a las carreteras y demás bienes públicos) se le denomina en las Cuentas Nacionales el consumo de capital fijo.

La renta nacional o el PNN permiten determinar la cantidad máxima de bienes y servicios que los individuos de una economía pueden consumir manteniendo constante su stock de bienes capital (sin que éste aumente ni disminuya). Si las economías domésticas desean consumir un volumen superior al PNN, lo pueden conseguir produciendo una cantidad de bienes capital inferior a la necesaria para reemplazar los bienes capital que se deterioren y dedicando esos recursos a la producción de bienes y servicios de consumo (su stock de·bienes capital disminuirá consecuentemente). Del mismo modo, las economías domésticas pueden consumir un volumen de bienes y servicios de consumo inferior al PNN produciendo una cantidad de bienes capital superior a la necesaria para reemplazar la maquinaria, equipo e instalaciones que se deterioren, retirando recursos de la producción de bienes y servicios de consumo y destinándolos a la producción de bienes capital (el stock de bienes capital de la economía aumentaría al producirse bienes capital en una cuantía superior a la necesaria para sustituir los deteriorados u obsoletos).

También se emplea el concepto de renta disponible, que es la renta de que finalmente disponen las economías domésticas para gastar en consumo y/o ahorrar. Esta magnitud es igual a la renta nacional menos los beneficios no distribuidos de las empresas, menos los impuestos sobre los beneficios de las sociedades, y menos los impuestos sobre la renta de la personas físicas. Más adelante definiremos estas magnitudes con mayor precisión, de acuerdo con las normas de la Contabilidad Nacional.

EL MODELO DEL FLUJO CIRCULAR DE LA RENTA

Tras esta larga introducción podemos ahora construir el modelo del flujo circular de la renta. Comencemos con un modelo simplificado. Supongamos una economía en la que sólo existen economías domésticas y empresas (el país al que corresponde esta economía no tiene un Gobierno, ni relaciones con los demás países). Asimismo, imaginemos que las economías domésticas gastan la totalidad de la renta que obtienen en comprar bienes y servicios de las empresas (los individuos no ahorran), que las empresas venden toda su producción (no varían sus existencias), y que las empresas pagan a las economías domésticas la totalidad de los ingresos que obtienen por la venta a éstas de su producción en la forma de sueldos y salarios, intereses, rentas y beneficios (las empresas no ahorran o, lo que es lo mismo, distribuyen todos sus beneficios).

En una economía de estas características la suma de los ingresos de todos los factores sería igual al valor de la producción, los ingresos de las empresas serían iguales a los ingresos de las economías domésticas, y la renta total sería igual a la renta disponible. Bajo estas condiciones, una vez puesto en marcha, el flujo circular de la renta continuaría dando vueltas indefinidamente al mismo nivel de producción, renta y empleo. En tanto en cuanto las economías domésticas. gastaran toda la renta que obtienen (por la venta de sus factores a las empresas nacionales) en comprar bienes y servicios producidos por éstas, y a su vez las empresas del país paguen a las economías domésticas todos sus ingresos (procedentes de la venta de sus productos a éstas) por la compra de factores, el flujo continuará dando vueltas. En tal situación no se darían ni entradas ni salidas del flujo, que sería el representado por la Figura 32.1 (sería un circuito cerrado). Por empresas nacionales simplemente queremos decir las empresas privadas y públicas del país que analizamos por contraposición a las empresas extranjeras; en modo alguno queremos decir empresas nacionalizadas.

Una vez que hemos considerado el modelo sencillo en el que sólo existen economías domésticas y empresas, y no se dan ni entradas ni salidas del circuito, podemos pasar a completar el modelo y acercarlo a la realidad. Una entrada o inyección al flujo circular la constituye cualquier adición a la renta de las economías domésticas del país que no provenga del gasto de las empresas de la nación en el pago de factores (incluyendo en éste los beneficios distribuidos) o cualquier adición a los ingresos de las empresas nacionales que no proceda del gasto de las economías domésticas nacionales en los bienes y servicios de consumo producidos por aquéllas. Asimismo, una salida del flujo la constituirá cualquier renta que las economías domésticas del país que analizamos hayan recibido de las empresas de la nación y no la reviertan a éstas a través de la compra de bienes y servicios, y cualesquiera ingresos que las empresas de la nación obtengan de la venta de bienes y servicios a las economías domésticas del país y no los retornen a éstas en la forma de pago por la compra de factores. Veamos cuáles son las posibles entradas o inyecciones y salidas o escapes del flujo circular.

El Ahorro

En primer lugar, tenemos el ahorro. Las economías domésticas en su conjunto no gastan toda la renta que ganan u obtienen en un período dado, sino que ahorran una parte de ella. El ahorro de las economías domésticas se define como la renta ganada y no gastada en bienes y servicios de consumo. Este ahorro puede que finalmente llegue a las empresas a través de préstamos directos de las economías domésticas a las empresas, o de los préstamos de las instituciones financieras (en las que aquéllas lo depositan) a éstas. Las empresas también ahorran, y este ahorro está constituido por la parte de sus beneficios que no distribuyen entre sus propietarios. Del mismo modo, el ahorro de las empresas generalmente vuelve al flujo circular en la forma de nueva inversión realizada por éstas. No obstante, el ahorro de las economías domésticas y de las empresas constituye una salida del flujo circular de la renta, independientemente de lo que ocurra después con ese dinero.

La Inversión

La inversión constituye una entrada al flujo circular. Esta se define como el gasto realizado en bienes que no son de consumo. La inversión la constituye fundamentalmente el gasto en bienes capital (maquinaria, equipo, instalaciones), pero también se incluye en ella el gasto que las empresas hacen al aumentar sus existencias de materias primas, productos en proceso de elaboración y productos acabados (para las empresas el aumento de sus existencias significa inmovilizar o invertir recursos financieros, que entran en el flujo circular al haberse pagado a las economías domésticas los factores que han sido utilizados en la producción de los bienes que pasan a incrementar las existencias).

Dentro de la inversión en bienes capital se suele distinguir entre inversión de reposición (la inversión realizada para reponer la maquinaria, el equipo y las instalaciones deterioradas por el uso), y la nueva inversión o inversión neta (la inversión que constituye una adición o incremento del stock de capital de la economía). Precisamente la diferencia entre el PNB y el PNN estriba en que el primero incluye la inversión total o bruta (la realizada en existencias, la de reposición y la nueva o neta). Así pues, el PNN es igual al PNB menos la inversión de reposición o lo que hemos llamado el consumo de capital fijo.

La inversión es una inyección o entrada al flujo circular de la renta debido a que constituye un ingreso de las empresas adicional al que obtienen éstas procedente de las economías domésticas por la venta de los bienes y servicios de consumo. La venta de bienes capital se realiza entre empresas, y, por lo tanto, las empresas que efectúan las ventas obtienen unos ingresos; el incremento de las existencias implica que las empresas que lo realizan han obtenido unos recursos financieros de alguna forma, recursos que constituyen unos ingresos (aunque éstos representen una deuda). para aquéllas. En ambos casos estos ingresos no provienen del gasto de las economías domésticas en bienes y servicios de consumo.

Por otra parte, la producción de los bienes capital y la de los bienes de consumo que pasan a incrementar las existencias de las empresas genera una renta (constituida por el pago que las empresas que producen estos bienes hacen a las economías domésticas por los factores que obtienen de ellas y que emplean en la elaboración de dichos bienes). De esta forma, las economías domésticas obtienen una renta adicional a la que reciben por la venta de los factores utilizados en la producción de los bienes y servicios de consumo elaborados y efectivamente vendidos por las empresas. Los ingresos de las empresas procedentes de la inversión han de ser iguales (siempre que no existan impuestos de ningún tipo y las empresas distribuyan todos sus beneficios) a las rentas percibidas por las economías domésticas propietarias de los factores empleados en la producción de los bienes capital correspondientes a dicha inversión.

La financiación de la inversión procede de varias fuentes. Una la constituyen las amortizaciones de las empresas. Otra fuente son las reservas de las empresas que están integradas por los beneficios obtenidos (en el pasado y/o en el presente) y no distribuidos. La fuente más importante de financiación reside en los préstamos que las empresas obtienen de los bancos, cajas de ahorro y demás instituciones financieras. Finalmente, también obtienen financiación las empresas a través de la emisión de acciones y obligaciones colocadas directamente entre las economías domésticas (véase el apéndice al Capítulo 18 «La Financiación de la Empresa»).

Así pues, la inversión bruta constituye una inyección al flujo circular de la renta, ya que representa una adición a éste sin que se produzca ningún cambio en el gasto de las economías domésticas en bienes y servicios de consumo. En la Teoría Económica se supone que la inversión sólo la realizan las empresas (entendiendo por éstas cualquier unidad de producción y venta de artículos, aun cuando no tenga la forma de sociedad mercantil); las economías domésticas sólo compran bienes y servicios de consumo y/o ahorran, y venden factores de la producción.

El Comercio Exterior

Generalmente los países tienen relaciones económicas con otras naciones. Las importaciones de todo tipo de productos (bienes de consumo, materias primas, productos semielaborados, piezas o productos que se utilizan como *inputs,* y bienes capital acabados) y de servicios (turismo y viajes de españoles en países extranjeros; fletes, seguros y transportes que proveen compañías extranjeras a empresas e individuos de nuestro país; asistencia técnica y licencias concedidas por compañías extranjeras a empresas españolas para la producción de determinados bienes patentados por las primeras; y renta o beneficios obtenidos por la inversión extranjera en España) constituyen una salida del flujo circular de la renta. Las exportaciones de productos de todas clases y de servicios constituyen una entrada al flujo circular de la renta. Veamos cómo.

Cuando las economías domésticas de un país compran bienes de consumo importados (wiskey escocés, champaña francés, cigarrillos norteamericanos o camisas de Hong-Kong) están haciendo que parte de la renta que obtuvieron de las empresas nacionales no revierta a éstas, sino que esa renta vaya a parar a las empresas extranjeras que fabricaron los productos importados.

Lo mismo ocurre con los servicios de consumo. Cuando un español viaja al extranjero consume una serie de bienes y servicios (comidas en restaurantes, servicios de hoteles, etc.) y compra algunos productos. Todos ellos los paga con renta ganada en nuestro país, con lo cual esa renta no revierte a las empresas españolas. El turismo y los viajes de los ciudadanos de un país a otras naciones equivale a una importación de los servicios y de los bienes que consumen y adquieren aquéllos en éstos (una importación realizada por el país del que son residentes los viajeros y los turistas).

El proceso a través del que la renta gastada por las economías domésticas interiores o nacionales en bienes y servicios importados va a parar a las empresas extranjeras que los producen es el siguiente: la empresa importadora (existen empresas cuyo negocio consiste en importar y/o exportar bienes; cómo en cualquier actividad comercial, sus beneficios brutos proceden de la diferencia entre el precio que cobran por los bienes y el precio que pagan por éstos) solicita una licencia de importación de la autoridad competente para adquirir en un país extranjero una cantidad determinada de un bien concreto. Si la solicitud está de acuerdo con la normativa vigente sobre importaciones (si no está prohibida la importación de ese bien, ni se ha importado ya la cantidad permitida en el caso de que se haya establecido una cuota o un contingente máximo de importación de dicho bien), el importador obtiene el permiso de importación. Con este permiso el importador acude al Banco de España, donde se le entrega la cantidad de moneda extranjera o divisas (se entiende por divisas las monedas extranjeras que son aceptadas y utilizadas como medio de pago por todos los países en sus transacciones internacionales: el dólar norteamericano, el marco alemán, la libra esterlina inglesa, el franco suizo, el yen japonés y el franco francés, principalmente) necesaria para adquirir en el país de origen la cantidad del producto que se le autoriza a importar. A cambio, el importador entrega en el Banco de España la cantidad correspondiente de pesetas (naturalmente esa cantidad depende del tipo de cambio que se dé en ese momento entre la peseta y la moneda extranjera que obtenga; por ejemplo, si un dólar norteamericano vale 85 pesetas y desea obtener 1.000 dólares, entregará al Banco de España 85.000 pesetas.).

Las pesetas normalmente las habrá obtenido el importador del pago que le hacen los mayoristas y/o minoristas que le compran el producto, los cuales a su vez lo habrán recibido de las economías domésticas que lo compran en los establecimientos comerciales. Por su parte, el importador con la moneda extranjera conseguida (supongamos que ha obtenido francos franceses, ya que importa perfume de la casa Christian Dior) paga a la empresa extranjera productora, la cual a su vez ya había pagado o paga en ese momento a los propietarios de los factores que empleó en la fabricación del producto (incluyendo los beneficios que distribuye entre los propietarios de la empresa).

Naturalmente, no tiene que coincidir que el dinero que el importador español deposite en el Banco de España sea exactamente el dinero físico que pagan los consumidores españoles del producto importado (entre otras razones, porque en el momento de solicitar la moneda extranjera, el bien no ha sido todavía importado), ni que la moneda física concreta que el productor extranjero recibe del importador español sea la que aquél paga a los propietarios de los factores que ha utilizado en la elaboración del producto. Como sabemos, el proceso de producción y venta de los bienes es un flujo continuo. El importador está importando y vendiendo, y realizando pagos y obteniendo ingresos simultáneamente; lo mismo ocurre con las economías domésticas españolas, y con las empresas extranjeras que fabrican el producto.

Pero en último análisis, y si se sigue paso a paso el camino recorrido por el dinero empleado en las transacciones, vemos que las importaciones de bienes y servicios de consumo finalmente representan una salida del flujo circular de la economía que las realiza (la renta que las economías domésticas nacionales gastan en productos importados la han obtenido de las empresas nacionales a las que han vendido sus factores, pero no la revierten a éstas, sino que va a parar a las empresas extranjeras que los han producido, y finalmente a las economías domésticas extranjeras propietarias de los factores empleados en su elaboración).

Lo mismo ocurre con la importación de materias primas, productos semielaborados, componentes y piezas que se utilizan como *inputs,* bienes capital (maquinaria, camiones, etc.) y servicios. Las empresas nacionales que adquieren estos productos o servicios (y que los utilizan en la elaboración de los bienes que fabrican, ya sean de consumo o de inversión) realizan pagos a las empresas extranjeras que los fabrican. El dinero que han utilizado para pagar esas importaciones lo han obtenido ellas de las empresas nacionales que les compran sus productos (si producen bienes capital), o de las economías domésticas nacionales (si producen bienes de consumo), y no lo revierten a éstas. En último extremo, pues, tanto estas importaciones como las de bienes y servicios de consumo constituyen una salida del flujo circular de la economía que se considera.

Por las mismas razones, y *a sensu contrario,* las exportaciones de bienes de consumo, de bienes capital, de materias primas, de productos semielaborados, de componentes y partes, y de servicios de todo tipo (incluyendo aquí el turismo y los viajes de extranjeros, las rentas de la inversión, la asistencia técnica y los *royalties* o pagos por la utilización de patentes nacionales en el extranjero, y otros servicios) constituyen una entrada al flujo circular de la renta de la economía que se estudia. Cuando, por ejemplo, Seat exporta coches a Inglaterra, esta empresa obtiene libras, dólares, pesetas o cualquier otra moneda en la que se acuerde que se efectúe el pago. Si obtiene pesetas será porque éstas previamente han ido a parar a Inglaterra de alguna forma (por la compra de productos ingleses de todo tipo por parte de españoles, por los gastos en turismo y viajes de españoles a Inglaterra, por la venta de servicios a este país por empresas españolas, por la inversión realizada en Gran Bretaña por empresas españolas, o por préstamos que instituciones privadas o públicas españolas han hecho al Reino Unido). En cualquier caso, las pesetas existentes en Inglaterra (cualquiera que sea la forma en que han llegado allí) constituyen una salida del flujo circular de la renta en nuestro país (como hemos visto al hablar de las importaciones).

Así pues, la obtención de las pesetas por Seat constituye una adición o inyección al flujo circular de la renta en España, ya que representa un ingreso adicional de las empresas españolas (en exceso de lo que gastan las economías domésticas y las empresas españolas en productos nacionales), y en último extremo de las economías domésticas españolas propietarias de los factores que se han utilizado en la fabricación de los coches. El gasto de un turista extranjero en España es igualmente una entrada al flujo de la renta de nuestro país. El francés que viene a España, o bien trae pesetas que ya ha cambiado en su país por francos, o bien trae francos que cambia por pesetas en España (o trae una mezcla de pesetas, francos, chesques de viaje, etc.).

En cualquier caso, y haciendo abstracción de todo el mecanismo del cambio de unas monedas en otras y del proceso que éstas siguen hasta llegar a sus últimos destinatarios, el gasto de un turista extranjero en España es una entrada al flujo y equivale o tiene el mismo efecto que una exportación: un ingreso de las empresas españolas adicional al que obtienen éstas de la venta de bienes y servicios a las economías domésticas españolas, y una renta de las economías domésticas españolas propietarias de los factores productivos utilizados en la elaboración de los bienes y servicios consumidos por el turista (una adición a la renta obtenida por la producción de los bienes y servicios elaborados en España y consumidos por las economías domésticas españolas).

Resumiendo, pues, con independencia de lo que ocurra subsiguientemente con el dinero utilizado en las transacciones, el acto de importar bienes y servicios de todo tipo constituye una salida de fondos del flujo circular de la renta de una economía, y el acto de exportar representa una entrada de fondos al circuito de la economía exportadora. Decimos con independencia de lo que ocurra subsiguientemente con ese dinero, porque obviamente la renta que un país inyecta a su flujo cuando exporta unos bienes o servicios la puede retirar después o simultáneamente a través de importar otros bienes. Desde el punto de vista analítico lo que importa es sentar claramente que toda importación es una salida del flujo, y que toda exportación es una entrada a él. Como vimos al estudiar la oferta y la demanda y la separación de los factores que afectan a una y a otra, lo importante es distinguir lo que son entradas y lo que son salidas (aunque ambas se estén produciendo simultáneamente, y unas afecten a las otras, como veremos más adelante). Esto es fundamental en el modelo del flujo circular de la renta, ya que el centro de la Macroeconomía es la determinación de la magnitud del flujo que circula dentro del circuito.

La Actividad del Sector Público

Finalmente la actividad del Sector Público también implica entradas y salidas del flujo circular de la renta de una economía. En el Sector Público se incluyen la Administración central del Estado, la Administración local, los entes públicos, las empresas públicas (que ya definimos en el epígrafe «La Naturaleza de la Empresa» del Capítulo 17) y la Seguridad Social.

Las empresas públicas, que constituyen una parte importante del Sector Público y que actúan en buena medida como empresas privadas (compran recursos productivos a las economías domésticas y venden bienes y servicios a éstas a través del mercado), no se rigen exclusivamente por los principios del mercado. Las empresas públicas pueden tener como finalidad el proveer unas determinadas cantidades de unos bienes o servicios concretos, el vender éstos a unos precios que se consideran adecuados (por razones no exclusivamente económicas) con independencia del efecto que tenga sobre sus beneficios, el facilitar empleo a un número dado de trabajadores, o una combinación de estos tres objetivos. En definitiva, las empresas públicas generalmente no se comportan de acuerdo con los principios del mercado (minimización de los costes y producción del nivel de *output* y/o fijación del precio que les lleva a maximizar los beneficios), aunque algunas de ellas en ocasiones lo hagan.

Por otra parte, si bien muchas empresas públicas actúan a través del mecanismo del mercado (compran factores y venden bienes y servicios aunque no se rijan por los principios de éste), sin embargo, sus pérdidas y sus beneficios no tienen los mismos efectos que los de las empresas privadas. Los beneficios de las empresas públicas no van a parar a las economías domésticas (como renta) en forma de dividendos, sino que constituyen ingresos del Gobierno. Del mismo modo, las pérdidas de las empresas públicas no dan lugar una reducción de la renta de las economías domésticas (como ocurre con la renta de las economías domésticas propietarias de las empresas privadas que tienen pérdidas), sino que aquellas son financiadas con cargo al presupuesto del Estado (con ingresos públicos procedentes fundamentalmente de los impuestos). No obstante este carácter general de las empresas públicas, algunas de éstas (aquellas que tienen participación de capital privado, como por ejemplo Telefónica) en ocasiones distribuyen beneficios (cuando los tienen) en forma de dividendos como cualquier empresa privada.

No obstante formar parte del Sector Público, a efectos del análisis del flujo circular de la renta nosotros incluimos a las empresas públicas dentro del sector empresas (las excluimos del Sector Gobierno). Hacemos esto debido a que la actuación de las empresas públicas es de la misma naturaleza y tiene idénticas consecuencias para el circuito de la renta (comprar factores y producir y vender bienes y servicios) que la actividad de las empresas privadas. Así pues, el concepto de Sector Público (o Sector Gobierno) que utilizamos aquí incluye todos los subsectores mencionados al principio de este epígrafe con la excepción de las empresas públicas. Más adelante veremos las consecuencias que los beneficios y las pérdidas de las empresas públicas tienen para el flujo circular de la renta.

La intervención o participación del Sector Público en el flujo circular de la renta es múltiple. Por una parte, el Sector Público actúa como cualquier otro productor (compra factores productivos a las economías domésticas y les vende bienes y servicios a éstas). Tal es el caso de Correos y Telégrafos, Telefónica, Renfe y todas las demás empresas públicas. Estas actividades comerciales del Sector Público por las que compra factores productivos a las economías domésticas y vende a éstas la producción resultante las consideramos como incluidas en el sector empresas. Así, cuando hablamos de las actividades de las empresas nos referimos a las actividades de compra de factores, producción y ventas de bienes y servicios de las empresas públicas y privadas. En consecuencia, en este apartado sólo consideramos las entradas y salidas al flujo que están constituidas por las demás actividades del Sector Público, actividades a las que nos referimos en los párrafos siguientes a éste.

Por otra parte, el Sector Público obtiene unos ingresos, que constituyen una detracción de renta de las economías domésticas y de las empresas, detracción que reduce la cantidad de aquélla que los agentes económicos privados pueden gastar. El Sector Público obtiene ingresos principalmente a través de hacer uso de su poder de establecer y recaudar impuestos. Otras fuentes de ingresos del Sector Público son las tasas (los pagos de una matrícula académica, por ejemplo), las contribuciones de patronos y empleados a la Seguridad Social, y los beneficios de las empresas públicas (estos últimos constituyen una cantidad negativa a sustraer de los anteriores cuando las empresas públicas tienen pérdidas).

El gasto del Gobierno (o la reversión al flujo del dinero sustraído de éste a través de los medios que hemos visto) toma varias formas. De un lado, el Gobierno realiza un gasto en bienes y servicios que compra a las empresas (bienes y servicios de consumo como comida y ropa para el ejército, o servicios de limpieza de las oficinas públicas; y bienes capital, como el armamento del Ejército y las carreteras, los pantanos y los edificios públicos, cuya construcción el Gobierno contrata a empresas privadas o asigna a empresas públicas). Por otra parte, el Estado compra factores productivos a las economías domésticas, principalmente el trabajo necesario para hacer funcionar la Administración Pública, central o local, la defensa nacional, la administración de justicia, el orden público, la enseñanza y la Seguridad Social. Aquí se incluyen todos los funcionarios del Estado, tanto de plantilla como interinos. Finalmente, el Sector Público realiza directamente pagos a las economías domésticas (ayuda familiar, pensiones de vejez, subsidio de desempleo, becas escolares, etc.) y a las empresas (subvenciones y ayudas de todo tipo). Tales pagos (que no tienen una contraprestación de entrega de factores productivos o bienes y servicios por parte de las economías domésticas y de las empresas del sector privado perceptoras) se denominan pagos de transferencia o transferencias.

Como veremos más adelante, en un período determinado el Sector Público puede realizar unos gastos superiores o inferiores a los ingresos que obtiene en dicho período. La contabilización de los ingresos y gastos públicos se realiza a través de los llamados Presupuestos Generales del Estado (Presupuestos que no incluyen los ingresos y gastos de las empresas públicas). Si los ingresos son inferiores a los gastos, a esa diferencia se le denomina déficit presupuestario, y puede ser financiada con préstamos internos (préstamos otorgados al Estado por las instituciones financieras del país, y/o por la emisión de deuda pública interior), con préstamos externos (préstamos concedidos por instituciones extranjeras públicas y/o privadas, y/o emisión de deuda pública exterior), y por la creación de dinero por el Estado (naturalmente cabe una combinación de estos tres medios de financiación, combinación que es la que generalmente se usa). Cuando en un país los ingresos públicos son superiores a los gastos públicos (fenómeno poco frecuente actualmente en el mundo) se da un superávit presupuestario. Más adelante consideraremos las cuestiones que plantean los déficits y los superávits presupuestarios y sus implicaciones.

De momento sólo nos interesa resaltar que los ingresos del Sector Público constituyen una salida del flujo circular de la renta, y que los gastos de aquél representan una inyección o entrada al flujo. Al gravar a las empresas, parte del dinero obtenido por éstas (procedente de la venta de sus productos a las economías domésticas nacionales y al Sector Público, y de las exportaciones) no vuelve a las economías domésticas. Del mismo modo, al gravar a las economías domésticas, parte del dinero que éstas reciben de las empresas (por la venta de los factores, incluyendo los beneficios distribuidos por las empresas) y del Sector Público, no vuelve al flujo circular.

Por supuesto, estos ingresos del Sector Público generalmente vuelven al circuito a través de los gastos públicos que ya hemos descrito (sólo en el caso de que el Sector Público tuviera un superávit que no lo gastara ni lo prestara al sector privado se reduciría permanentemente el flujo circular). No obstante, hemos de resaltar que, cualquiera que sea el uso que el Sector Público haga posteriormente del dinero que constituye el superávit, los ingresos públicos (constituidos principalmente por los impuestos) representan una salida de fondos del flujo circular de la renta.

Del mismo modo, los gastos públicos realizados en la compra de servicios de los factores productivos (trabajo) a las economías domésticas, constituyen unos ingresos de éstas que no provienen de las empresas, y los gastos públicos en bienes y servicios adquiridos a las empresas representan ingresos de éstas que no proceden del gasto de las economías domésticas. En consecuencia, todos los gastos del Sector Público en factores y en bienes y servicios son considerados como una inyección al flujo (recuérdese la definición que hacemos de Sector Público en el que no incluimos las empresas públicas; en realidad deberíamos llamarle Sector Gobierno o sector gubernamental).

EL MODELO COMPLETO DEL FLUJO CIRCULAR DE LA RENTA

Una vez más recordamos al lector que, aunque muchas de estas entradas y salidas en parte se cancelan entre sí (por ejemplo, los ingresos de divisas que se obtienen con las exportaciones se utilizan para pagar las importaciones, los ingresos del Sector Público se emplean para financiar los gastos de éste, y el ahorro puede ser utilizado para financiar la inversión), es importante distinguirlas por separado. Y ello por tres razones: en primer lugar, porque *ex ante* (cuando los agentes económicos que los protagonizan realizan sus planes) las exportaciones no han de ser necesariamente iguales a las importaciones, ni los ingresos públicos iguales a los gastos públicos, ni la inversión igual al ahorro; en segundo lugar, porque las inyecciones y las retiradas (con la excepción de los ingresos y los gastos públicos, que los realiza el Estado) son efectuadas por agentes económicos distintos (las exportaciones las realizan las empresas del país y las importaciones son efectuadas para satisfacer los deseos de las economías domésticas; el ahorro lo realizan principalmente las economías domésticas y la inversión la efectúan las empresas); y en tercer lugar, porque aunque las entradas y las salidas del flujo se están produciendo continua y simultáneamente, sin embargo, el ahorro que finalmente financie una inversión determinada no ha de darse necesariamente en el momento de producirse ésta (lo mismo ocurre con las exportaciones y las importaciones, y con los ingresos y gastos públicos). Como veremos, estos factores tienen una gran influencia sobre el volumen del flujo circular de la renta, sobre sus fluctuaciones, y sobre su crecimiento.

La Figura 32.2 muestra el flujo circular de la renta de una economía con todas las entradas y salidas del mismo. Recordemos que partíamos de una economía en la que sólo había economías domésticas y empresas públicas y privadas, que las primeras gastaban en bienes y servicios de consumo toda la renta que obtenían de las empresas, que éstas sólo producían bienes y servicios de consumo que vendían en su totalidad (no variaban sus existencias), y que las empresas distribuían todos sus beneficios entre sus propietarios. El flujo representado por la compra y la venta de los bienes y servicios de consumo y por la compra y la venta de los factores productivos necesarios para elaborar aquéllos constituye la magnitud fundamental dentro del circuito y de la que partimos.

A partir de este modelo simplificado hemos ido introduciendo en escena las entradas y las salidas del flujo circular de la renta que se dan en la realidad de cualquier economía. En el lado derecho del circuito tenemos, en primer lugar el ahorro de las economías domésticas (la renta obtenida de la venta de factores, los beneficios distribuidos y las transferencias del Sector Público a las economías domésticas, y que no es gastada por aquéllas en consumo), que constituye una salida del flujo. Este ahorro lo representamos con la letra S, que viene de la palabra inglesa *savings* (que significa ahorro) y que se utiliza internacionalmente.

La segunda salida la integran las transferencias privadas al Estado. Aquí se incluyen los pagos de patronos y empleados a la Seguridad Social. A estos pagos los designamos con la letra *T,* ya que tienen el carácter de un impuesto (la letra *T* proviene de la palabra inglesa *tax* que significa impuesto).

La tercera salida del flujo en el lado derecho del diagrama la constituyen las importaciones de bienes y servicios (incluyendo aquí todo tipo de productos y servicios, como ya hemos explicado). En definitiva las importaciones representan pagos que las empresas del país han realizado a las economías domésticas (por los factores que aquéllas han comprado a éstas para la producción de los bienes y ser-vicios de consumo de las materias primas y productos semielaborados y de los bie-nes capital exportados), y que no revierten a las empresas nacionales. Constituyen, pues, una salida que denominamos con la letra *M.*

FIGURA 32.2

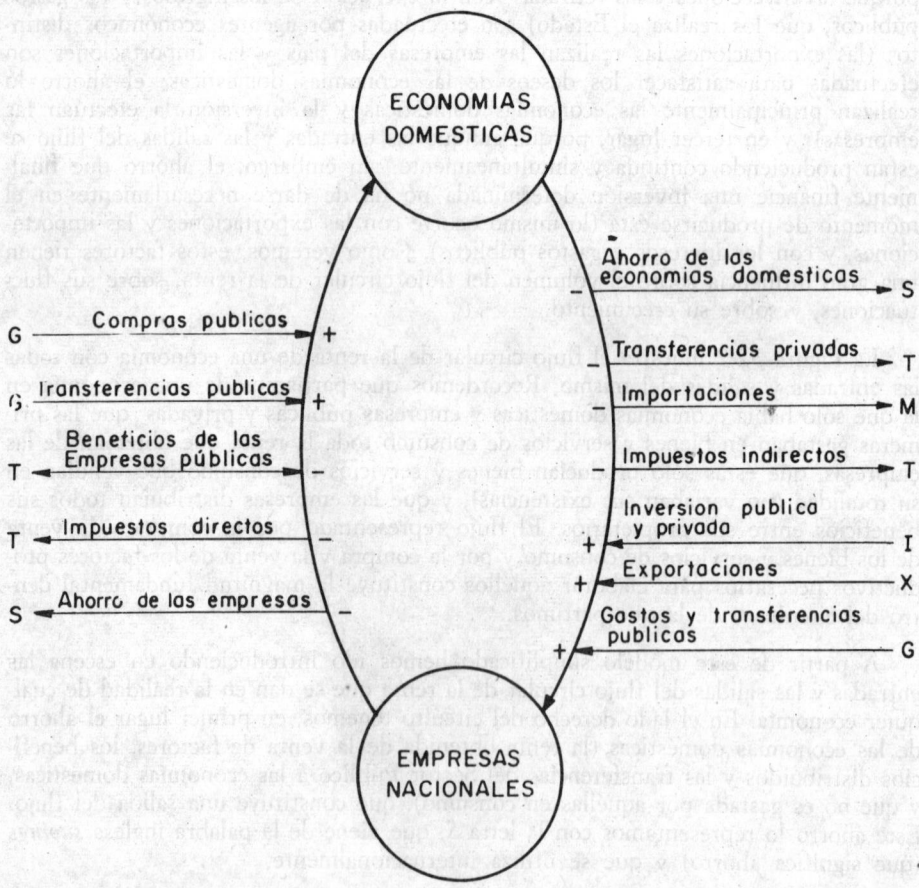

La cuarta salida está representada por los impuestos indirectos (los impuestos sobre consumos específicos y sobre las ventas), ya que éstos constituyen un gasto de las economías domésticas (los pagos al comprar los bienes y servicios) que no va a parar a las empresas. Los denominamos igualmente con la letra T.

En el lado derecho del diagrama tenemos tres entradas que constituyen ingresos (recuerde el lector que queremos decir ingresos y no beneficios) de las empresas nacionales adicionales a los que obtienen procedentes de las economías domésticas del país por la venta a éstas de bienes y servicios de consumo. En primer lugar está la inversión pública y privada (los ingresos que obtienen las empresas privadas y públicas nacionales por las ventas de bienes capital que se efectúan entre ellas y que hacen al Sector Público). En segundo lugar, tenemos las exportaciones de bienes y servicios de todo tipo. Y en tercer lugar están los gastos del Gobierno en bienes y servicios de consumo y las transferencias públicas a las empresas (subvenciones y subsidios del Gobierno a las empresas para la producción).

Recordemos que utilizamos los términos Sector Público, Gobierno y Estado de manera sinónima. No obstante, señalemos que en este contexto el Sector Público no incluye las empresas públicas, que las consideramos como parte del sector empresas a efectos de la exposición del flujo circular de la renta, aunque, como hemos señalado, forman parte del Sector Público (de ahí que utilicemos también los términos Gobierno y Estado). No obstante, en sentido estricto, el Sector Público incluye el Sector Gobierno y las empresas públicas, y así debe entenderlo el lector cuando encuentre este término en publicaciones o conversaciones.

Todas las entradas y salidas del lado derecho del diagrama de la Figura 32.2 representan una idea muy simple: las economías domésticas tienen unos ingresos totales; de esos ingresos, sólo van a parar a las empresas nacionales el gasto que aquéllas hacen en bienes y servicios de consumo (el resto de esos ingresos o renta se sale del circuito a través del ahorro de las economías domésticas, del gasto que el país hace en la importación de bienes y servicios de todo tipo, y de los impuestos indirectos).

Pero al mismo tiempo las empresas nacionales obtienen otros ingresos además del gasto de las economías domésticas del país en bienes y servicios de consumo. Estos ingresos son los procedentes de la inversión pública y privada (incluyendo aquí las variaciones en las existencias de las empresas públicas y privadas), de las exportaciones, de los gastos públicos en bienes y servicios de consumo, y de las transferencias públicas a las empresas (recordamos al lector que el concepto de transferencia significa el pago de una cantidad de dinero por un agente económico a otro sin contrapartida alguna: sin que el segundo entregue nada a cambio al primero).

En el lado izquierdo del diagrama tenemos las entradas y salidas al flujo que hacen que los ingresos de las empresas públicas y privadas nacionales puedan diferir de los ingresos o renta que finalmente obtienen las economías domésticas del país. Partimos de los ingresos que han obtenido las empresas nacionales (queremos decir, del país que se analiza) por todos los conceptos que hemos considerado en el lado derecho del diagrama. Dichas empresas hacen pagos a las economías domésticas nacionales por los factores productivos que obtienen de éstas para elaborar los bienes y servicios de consumo y los bienes capital que fabrican. Pero, en primer lugar, una parte de los beneficios que obtienen las empresas privadas no van a parar a las economías domésticas, sino que aquéllas los retienen (estos beneficios no distribuidos constituyen el ahorro de las empresas). A este ahorro de las empresas privadas lo denominamos igualmente por la letra S. En segundo lugar, una parte de los beneficios de las empresas es transferida por éstas al Estado en concepto del impuesto directo sobre la renta o beneficios de las sociedades (en consecuencia, este dinero no va a parar a las economías domésticas). Al impuesto sobre la renta de sociedades lo designamos, asimismo, por la letra T.

En tercer lugar, una parte de la renta pagada por las empresas a las economías domésticas es sustraída a éstas por el Estado en la forma del impuesto directo sobre la renta de las personas físicas (en consecuencia, esta renta es renta ganada, pero no disponible para las economías domésticas). A este impuesto sobre la renta de las personas físicas lo denominamos con la letra T. En cuarto lugar, las economías domésticas perciben del Estado unas transferencias que incrementan su renta obtenida de las empresas (los pagos de la Seguridad Social, la ayuda familiar, las becas escolares, etc.). A esta renta o gasto del Gobierno la denominamos con la letra G. En quinto lugar, tenemos los beneficios netos de las empresas públicas. Decimos beneficios netos porque esta magnitud es la diferencia entre los beneficios de unas empresas públicas y las pérdidas de otras. El valor de esta variable puede ser, por tanto, positivo, negativo o cero (según que los beneficios de las empresas que los obtengan sean superiores, inferiores o iguales a las pérdidas en que incurran otras). Los beneficios netos positivos de las empresas públicas constituyen una salida del flujo, y las pérdidas netas una entrada al flujo circular de la renta (cualquiera que sea la forma en que se financien). A los beneficios de las empresas públicas los designamos con la letra T. Finalmente, las economías domésticas obtienen renta procedente de la compra de los factores productivos directamente por el Gobierno. Aquí se incluyen principalmente los sueldos y salarios de todos los funcionarios.

Consideradas entradas y salidas del circuito o del flujo circular de la renta, es fácil comprender que el volumen de éste y sus variaciones dependerán de la magnitud de aquéllas. Podemos agrupar los diferentes gastos públicos (los gastos en bienes y servicios de consumo, las transferencias a las empresas y las transferencias a las economías domésticas) en una sola magnitud (ya que todas ellas representan entradas al flujo), a la que denominaremos G. La inversión pública la mantenemos incluida en la magnitud inversión, que engloba también la privada, por la importancia especial que veremos tiene la inversión en la actividad económica. Asimismo, podemos reunir todos los ingresos públicos (los impuestos indirectos, los impuestos directos y las transferencias privadas al Sector Público y los beneficios netos de las empresas públicas) en una sola magnitud, ya que todos ellos tienen el carácter de una detracción del flujo circular, a la que designamos con la letra T.

Dado un nivel de precios (los precios a los que se transaccionan los bienes y servicios de todas clases y los factores productivos de todo tipo), el valor absoluto del flujo dependerá del volumen de bienes y servicios de consumo que se produzcan por las empresas nacionales y se compren por las economías domésticas del país, y del volumen agregado de las entradas y de las salidas de aquél. Cuanto mayores sean estas tres magnitudes, mayor será el volumen agregado de producción, renta y empleo. Obviamente, el volumen absoluto de producción, renta y empleo no nos dice nada sobre el grado en el que se están utilizando los recursos de los que dispone una sociedad. Como veremos más adelante, el flujo circular está en equilibrio (no cambia de tamaño) cuando las entradas son iguales a las salidas. Para ser más precisos, el flujo tiende a aquel volumen para el que las entradas son iguales a las salidas, y ese volumen puede ser el correspondiente al nivel de pleno empleo de la economía o a cualquier nivel de desempleo de ésta, según sea el volumen de entradas y salidas en relación con el volumen que potencialmente éstas pueden alcanzar (dados los recursos de la economía). Las entradas y las salidas dependen de ciertos factores o variables (unas endógenas y otras exógenas al sistema económico).

Precisamente la Teoría de la Determinación de la Renta trata de explicar estas relaciones funcionales, y en consecuencia el nivel de renta, producción y empleo que se da en una economía en un período de tiempo, así como sus fluctuaciones.

CAMBIOS EN EL FLUJO CIRCULAR DE LA RENTA

Ya hemos descrito la visión de la economía en su conjunto como un gran circuito integrado por dos flujos: los flujos de dinero que van de los compradores a los vendedores, y los flujos de bienes y servicios que van de los vendedores a los compradores. Los compradores están constituidos por las economías domésticas del país (que compran bienes y servicios de consumo), las empresas (que compran materias primas, bienes capital y servicios del trabajo), el Gobierno (que compra bienes y servicios de consumo, bienes capital y servicios del trabajo que transforma en bienes y servicios públicos que son consumidos por las economías domésticas: carreteras, pantanos, aeropuertos, universidades, educación, defensa, administración de justicia, orden público, los servicios de las Administraciones central y local, etc.), y el resto del mundo (que compra la magnitud neta representada por las exportaciones de bienes y servicios menos las importaciones; a esta magnitud se la denomina el saldo neto de la balanza de pagos en cuenta corriente, que puede ser positivo, negativo o cero, según que $X > M$, $X < M$ o $X = M$, respectivamente).

La suma de todas estas compras constituye lo que se denomina la demanda agregada. La oferta agregada la integran la producción de bienes y servicios de consumo por las empresas nacionales y por el Gobierno, la producción de bienes de inversión igualmente realizada por las empresas, y el posible saldo neto negativo de la balanza de pagos en cuenta corriente. Esta es la oferta total de bienes y servicios disponibles en la economía para su venta en un período de tiempo. A su vez la demanda total dependerá de los recursos disponibles o renta de los compradores y de los deseos que tengan éstos de adquirir los bienes y servicios. Así, las economías domésticas del país comprarán bienes y servicios nacionales y extranjeros (importados) según la renta disponible que tengan y la propensión a gastar en consumo y a ahorrar que experimenten (la renta disponible dependerá de los pagos que reciban de las empresas y de las partidas del lado izquierdo del diagrama de la Figura 32.2).

Las empresas por su parte demandarán bienes de inversión en función de la demanda de bienes de consumo que tengan, de su visión de las perspectivas de futuro (las llamadas expectativas de los empresarios) y de sus posibilidades de obtener recursos financieros. Estas posibilidades dependen del ahorro que hayan realizado las empresas (la llamada autofinanciación), de los subsidios y subvenciones del Gobierno, de la venta de acciones a las economías domésticas, y sobre todo de la obtención de crédito. El crédito lo obtienen de las instituciones financieras cuyos recursos provienen del ahorro que las economías domésticas realizan y colocan en ellas (de esta manera el ahorro vuelve al flujo circular de la renta en la forma de inversión). Como veremos más adelante, la inversión requiere que se realice un ahorro de igual cuantía, aunque el que se haya efectuado ahorro no lleva necesariamente a que se invierta.

El ahorro se define como renta ganada y no gastada en bienes y servicios de consumo. En consecuencia, el ahorro significa que se liberan recursos productivos de la producción de bienes y servicios de consumo, y que pueden destinarse a producir bienes capital. Si toda la renta que se genera en la producción fuera a parar a las economías domésticas y éstas se la gastaran íntegramente en bienes y servicios de consùmo, entonces habría que dedicar todos los recursos de las economías a producir sólo bienes y servicios de consumo (y las empresas lo harían porque les interesaría). El ahorro implica que no hay que producir un volumen de bienes y servicios de consumo igual en valor a la renta generada en la producción, y que, por lo tanto, quedan factores productivos para su empleo en otros usos (concretamente en la producción de bienes capital).

De ahí que para que sea posible la inversión es necesario que haya ahorro. El ahorro se puede producir con anterioridad a la inversión, simultáneamente a ésta, o incluso con posterioridad a la inversión. Pero la existencia de ahorro no lleva necesariamente a la realización de inversión, ya que el ahorro lo realizan principalmente las economías domésticas (por razones de seguridad frente al futuro o de planes de consumo futuros, y depende de su renta), mientras que la inversión la efectúan principalmente las empresas (y depende fundamentalmente de las expectativas de futuro que tengan éstas). Como veremos más adelante, *ex ante* el ahorro no tiene que ser igual a la inversión, pero *ex post* (cuando el flujo circular tiende a su nivel de equilibrio y los agentes económicos realizan sus planes) ambas magnitudes han de ser iguales. Insistimos en que es importante comprender la relación entre el ahorro y la inversión.

Por otra parte, la relación entre el ahorro y la inversión no es directa. Al realizarlos diferentes agentes económicos, ninguno de éstos sabe lo que están haciendo los demás. El ahorro llega fundamentalmente a las empresas (si es que éstas deciden invertir, cosa que puede no ocurrir) a través de las instituciones financieras, que actúan de intermediarios entre las economías domésticas y las empresas. Las primeras efectúan el ahorro y lo depositan en los bancos, cajas de ahorro y demás instituciones financieras (también compran directamente acciones y obligaciones a las empresas). A su vez estas instituciones prestan el ahorro a las empresas (y también a las economías domésticas que desean gastar en consumo una cantidad de dinero superior a su renta), que de esta forma pueden financiar la inversión.

Como veremos posteriormente, las instituciones financieras juegan un papel importante en este mecanismo de trasvase de los fondos de unas unidades económicas a otras a través de la creación y destrucción de dinero, y de su actuación en la captación del ahorro y en la concesión de préstamos a las empresas, a las economías domésticas y al Gobierno (las cantidades de recursos financieros que prestan, las condiciones de plazo y tipo de interés a las que las prestan, y los agentes a los que se las prestan). También el Gobierno puede afectar a este mecanismo de trasvase a través de su control y manipulación de la oferta de dinero y del tipo de interés (la política monetaria). El hecho de que las transacciones económicas se realizan con el dinero como medio de pago, hace que éste juegue un papel importante en la actividad económica de producir bienes y servicios de todo tipo. De ahí que en Macroeconomía se hable de sector real (la producción física de bienes y servicios y su venta, y el empleo que genera) y del sector monetario (el papel del dinero y de los precios en la economía y su influencia sobre la producción real y el empleo).

Es muy importante comprender la relación entre el ahorro y la inversión. Para que pueda efectuarse la inversión es necesario que se hayan producido bienes capital. A su vez, para que se hayan elaborado bienes capital se requiere que se hayan destinado recursos productivos a su producción. Esto implica que estos recursos productivos han sido sustraídos de la producción de bienes y servicios de consumo. Y para que esto haya sido posible es necesario que las economías domésticas no hayan gastado toda su renta (hayan ahorrado) en bienes y servicios de consumo.

Esta relación es la que subyace en el fondo de la determinación del nivel de renta, producción y empleo. Aunque el aspecto monetario de este fenómeno (el hecho de que el ahorro y la inversión toman la forma de recursos financieros que se materializan en dinero, y el que, como veremos, la cantidad existente de éste u oferta monetaria pueda ser manipulada) puede ejercer una influencia sobre él, sin embargo, la relación en términos físicos (en términos de factores productivos) entre el ahorro y la inversión es de una importancia cardinal en la determinación del nivel de actividad de cualquier economía y de sus fluctuaciones.

El lector recordará que en el Capítulo 2 afirmábamos que una de las cuestiones importantes que habían de decidirse en una economía era la cantidad de los recursos disponibles que se destinan a la producción de bienes y servicios de consumo, y, por ende, la que se asigna a la producción de bienes capital. La inversión es especialmente importante porque a corto plazo representa demanda de bienes (es un componente de la demanda agregada, demanda que en buena medida, como veremos, determina el nivel de producción, renta y empleo), y a largo plazo tiene el efecto de aumentar la capacidad productiva de la economía en la que se efectúa. La inversión o gasto en bienes capital la deciden las empresas principalmente en función de la demanda que tienen de los bienes que producen y de la que esperan tener en el futuro. Esta inversión representa la demanda que tienen las empresas que producen bienes capital. Estas empresas compiten con las empresas que producen bienes y servicios de consumo para la obtención de los factores productivos necesarios. Cuanto mayor sea la demanda de bienes y servicios de consumo, mayor será la competencia entre los dos grupos de empresas por la obtención de los factores. Sólo si la demanda de bienes y servicios de consumo no es igual a la renta total obtenida por las economías domésticas (por la venta de factores para la producción de éstos y de los bienes capital) será posible destinar recursos a la producción de bienes de inversión. De ahí que el ahorro sea necesario para que pueda darse inversión.

Por su parte, el Gobierno demandará bienes y servicios de consumo, bienes de inversión y factores productivos (éstos se transforman en los bienes y servicios públicos que ya hemos señalado y que pone a disposición de las economías domésticas gratuitamente o a precios inferiores a los costes) en función de sus ingresos impositivos, de las transferencias netas que recibe del sector privado (las transferencias que recibe de éste menos las que hace él al sector privado), de los beneficios netos de las empresas públicas, y del déficit o superavit presupuestario en que esté dispuesto a incurrir. A su vez el déficit presupuestario dependerá de los gastos que el Gobierno desea realizar, de las posibilidades que tiene de obtener préstamos interiores y exteriores, y de la cantidad de dinero que esté dispuesto a crear. Finalmente, la demanda neta de bienes y servicios por parte del resto del mundo está constituida por la diferencia entre las exportaciones y las importaciones (las primeras dependen de la demanda de los bienes del país por parte de las demás naciones, y las importaciones son función del nivel de renta y actividad económica del país).

En el corto plazo el flujo circular de la renta aumentará si las entradas son superiores a las salidas, es decir, si:

$$(I + G + X) > (S + T + M)$$

donde I es la inversión pública y privada; G es la suma de los gastos del Gobierno en bienes y servicios de consumo y de las transferencias netas (las que el Gobierno hace a las empresas y a las economías domésticas menos las que recibe de ellas) y de las compras de factores por parte de aquél; X son las exportaciones de bienes y servicios; S es la suma del ahorro de las economías domésticas y de las empresas; T son los impuestos directos y los indirectos, y los beneficios netos de las empresas públicas, y M las importaciones de bienes y servicios.

Por el contrario, el flujo disminuirá cuando:

$$(I + G + X) < (S + T + M)$$

Como veremos más adelante, en esencia ésta es la teoría de la determinación de la renta y de sus fluctuaciones. En el corto plazo el volumen de renta, producción y empleo tiende a determinarse a aquel nivel para el cual las entradas son iguales a las salidas, aumenta cuando las primeras son superiores a las segundas, y disminuye cuando las primeras son inferiores a las segundas. En ocasiones la demanda agregada (las entradas descritas más la demanda de bienes y servicios de consumo producidos en el país por parte de las economías domésticas nacionales) es insuficiente para comprar todos los bienes y servicios ofertados en el mercado a los precios existentes, lo que lleva a una reducción de la producción y de la renta, y a un aumento del desempleo. En otros períodos la demanda agregada es superior a la oferta agregada a los precios existentes, lo que conduce unas veces a un aumento de la producción, la renta y el nivel de empleo (si previamente existía desempleo), otras a un aumento de los precios o inflación (si ya existía pleno empleo en la economía), y otras a un incremento de la producción y de los precios simultáneamente.

Digamos, no obstante, que en la actualidad se están dando simultáneamente desempleo e inflación, fenómeno éste que la Teoría Macroeconómica no ha conseguido explicar todavía de una forma satisfactoria. Los problemas del desempleo y de la inflación constituyen el meollo del Análisis Macroeconómico.

El modelo del flujo circular de la renta ofrece un instrumento de medida del nivel de actividad económica. Para períodos cortos de tiempo la actividad de comprar de los demandantes y la actividad de producir de los oferentes pueden incrementarse o reducirse. El resultado de estos cambios son las fluctuaciones a corto plazo en la renta nacional y en el PNB alrededor de la tendencia a largo plazo que se da en el nivel de actividad económica de un país. Cuando la actividad de comprar y vender disminuye, el empleo se reduce y se produce un volumen menor de bienes y servicios. Cuando la actividad de comprar aumenta, los vendedores intentan satisfacer la creciente demanda de bienes y servicios por parte de los consumidores. Aumentar la producción sólo es posible si existe capacidad productiva instalada que no está siendo utilizada y mano de obra desempleada. Una vez que se está utilizando la totalidad de la capacidad productiva instalada, los vendedores pueden fijar precios más altos para su *output* limitado (e insuficiente en relación con la demanda), lo que da lugar a la subida generalizada de los precios o inflación. Las fluctuaciones a corto plazo de la actividad económica son frecuentes y pueden dar lugar a una subutilización o una sobreutilización de los recursos valiosos de una economía.

Las variaciones a largo plazo del flujo circular de la renta son más complejas y constituyen el objeto de estudio de la Teoría del Crecimiento y del Desarrollo. En general, a largo plazo en la mayoría de los países se ha dado una tendencia al aumento de la cantidad y calidad de los recursos y de los productos disponibles y al incremento del valor real de la producción de bienes y servicios. Existen diversas teorías sobre este fenómeno. Digamos brevemente que este crecimiento está relacionado con el avance de la tecnología, con el descubrimiento de nuevos factores productivos y la mejora de otros, con el diseño de nuevos productos y el perfeccionamiento de otros, con la acumulación de bienes capital, y con el aumento del ahorro y la inversión en relación con la renta y el gasto.

Señalemos que es muy importante el haber comprendido correcta y completamente el mecanismo del flujo circular de la renta. En definitiva, lo que haremos en los siguentes Capítulos será sólo profundizar en el funcionamiento de este mecanismo. Trataremos de explicar los factores de los que dependen las entradas y las salidas (las relaciones funcionales entre las variables macroeconómicas), pero los resultados de éstas son los descritos en este Capítulo. De ahí que rogamos al lector que invierta el tiempo necesario para entender lo expuesto aquí, pues ello constituye el centro de la Macroeconomía.

BIBLIOGRAFIA SELECCIONADA

Lipsey, R.: *Introducción a la Economía Positiva,* op. cit., Cap. 34.
Heilbroner, R.: *Comprendiendo la Macroeconomía,* op. cit., Caps. 2 y 3.
Mckenzie, R., y Tullock, G.: *Economía Política Moderna,* op. cit., Cap. 28.
Schultze, C.: *National Income Analysis,* Prentice-Hall, Inc. Englewood Cliffs, New Jeysey, 1964, Cap. 1.

CAPITULO 33

LA INTERRELACION ENTRE TODAS LAS VARIABLES MACROECONOMICAS

Como hemos señalado, las magnitudes macroeconómicas están estrechamente relacionadas entre sí. En realidad, en una economía todo depende de todo, pero esta dependencia es lógicamente muy estrecha y muy directa entre las variables agregadas. Así, a nivel microeconómico puede que la demanda de carne de ternera en la ciudad de Valencia no dependa de forma significativa de la demanda de barcos producidos por los astilleros españoles (aunque sin duda ésta ejerce alguna influencia sobre aquélla). Pero a nivel agregado o macroeconómico las variables están muy interrelacionadas: el nivel de empleo depende muy estrechamente del nivel de producción, éste depende del nivel de la demanda agregada, ésta a su vez depende en buena medida del nivel de renta, y ésta a su vez depende del nivel de producción y empleo.

Todas las variables macroeconómicas de una economía son interdependientes, y, en consecuencia, cualquier cambio que se produzca en una o varias de ellas necesariamente tiene unas repercusiones sobre las demás. Estas repercusiones se implementan a través de reajustes o cambios en los valores de las magnitudes que dan lugar a variaciones en el nivel de actividad de la economía en su conjunto.

Por ejemplo, supongamos que las exportaciones de un país aumentan como consecuencia de un incremento de la demanda exterior de los bienes y servicios producidos por aquél. La demanda exterior puede aumentar como consecuencia de un incremento en el nivel de producción, renta y empleo de los países demandantes; el aumento de la renta y de la producción en estos países lleva a un incremento del gasto en bienes y servicios de consumo y posiblemente en bienes capital, una parte de los cuales serán bienes importados, entre los que se pueden encontrar los bienes y servicios del país que analizamos.

El incremento de las exportaciones de un país significa un aumento de su demanda agregada (una adición a la demanda agregada existente antes de que el resto del mundo aumentara sus compras de bienes del país en cuestión). El efecto inmediato del aumento de la demanda exterior será una reducción de las existencias de las empresas exportadoras. Como sabemos, las empresas mantienen existencias precisamente para poder servir pedidos adicionales o hacer frente a aumentos de la demanda antes de que les dé tiempo a incrementar la producción. Puede que la reducción de las existencias de las empresas nacionales no sea suficiente para abastecer la nueva demanda exterior, con lo que en el corto plazo pudiera ocurrir que disminuyera la oferta de estos bienes para uso interior (que las empresas productoras sustrajeran parte de los productos que antes vendían en el mercado interior o nacional, y la destinaran a satisfacer la demanda exterior). En este caso pudiera suceder que en el corto plazo, al disminuir la oferta interior de los bienes exportados y la demanda interior permanecer inalterada, los precios de éstos aumentaran; o, lo que es lo mismo, que al permanecer constante la oferta total interior de estos bienes y aumentar la demanda agregada (la demanda interior o nacional más la exterior), los precios de éstos subieran. Asimismo, si las existencias eran suficientes para hacer frente a la nueva demanda, posiblemente los precios no variarían.

Pero éste no será el final del proceso. A plazo más largo (el necesario para aumentar la producción con la capacidad productiva disponible, siempre que ésta no esté siendo utilizada totalmente) las empresas aumentarán la producción. Si los pedidos extranjeros han sido esporádicos (no se mantienen, sino que se han dado por una sola o unas pocas veces), las empresas aumentarán la producción para reponer las existencias que habían reducido a un nivel inferior al normal. El nivel normal de existencias para cada empresa será aquel que ésta considera adecuado para hacer frente inmediatamente a las fluctuaciones en la demanda del producto que elabora (dados su volumen de producción y ventas por período, las fluctuaciones que suelen producirse en sus pedidos, y el período de tiempo que implica su proceso de producción). Si, por el contrario, la demanda exterior adicional se mantiene firme (si los pedidos continúan llegando durante un período de tiempo lo suficientemente largo como para concluir que aquéllos se van a mantener, y/o se firman contratos de abastecimiento para períodos extensos de tiempo), con mayor razón las empresas aumentarán su nivel de producción para ajustar ésta a la nueva demanda. En ambos casos, el aumento de las exportaciones da lugar a un incremento de la producción.

Si las empresas disponen de capacidad productiva no utilizada y si hay recursos disponibles en la economía (mano de obra, materias primas, etc.), cosa muy probable, el incremento de la producción supondrá un aumento de la cantidad de factores no fijos que se compran y emplean en la economía (también implica un mejor uso de los factores fijos ya existentes, pero éste no crea empleo adicional), y, en consecuencia, de la renta de los propietarios de esos factores (incluyendo la de los propietarios de las empresas al obtener éstas mayores beneficios, y la de los propietarios de los recursos financieros que posiblemente las empresas habrán tomado prestados para obtener el capital circulante adicional necesario para aumentar la producción).

Si las empresas están utilizando su capacidad productiva (sus factores fijos) en una cuantía próxima al pleno empleo de aquélla, entonces expandirán esta capacidad (aumentará la inversión agregada, dado el suficiente tiempo para implementarla). Suponiendo que existan recursos productivos no utilizados (mano de obra, materias primas, energía y productos intermedios) en la economía, para aumentar la producción las empresas tendrán que adquirir no sólo factores variables adicionales, sino también factores fijos nuevos (realizar nueva inversión). De esta forma aumentará la renta de los propietarios de los factores variables adicionales utilizados, y la de los propietarios de los factores que han intervenido en la producción de los bienes capital que constituyen la nueva inversión realizada.

Sólo en el caso muy poco probable de que las empresas que reciben el aumento de la demanda exterior estuvieran produciendo a plena capacidad (concepto éste muy relativo, ya que siempre en el caso de las empresas industriales y de servicios es posible hacer horas extraordinarias o aumentar los turnos de trabajo de la planta), y que todos los recursos de la economía estuvieran siendo utilizados (toda la mano de obra estuviera empleada, y todas las materias primas, energía, etc., estuvieran siendo utilizadas) sería imposible aumentar la producción en términos reales. En este caso, si los consumidores extranjeros estuvieran dispuestos a pagar precios suficientemente elevados por los productos, las empresas nacionales productoras de éstos competirían por los factores productivos con las demás empresas del país, con lo que los precios de éstos subirían y harían aumentar los costes de todas las empresas que los utilizan (incluyendo los costes de las empresas que elaboran los productos cuya demanda exterior ha aumentado). El resultado sería un aumento de los precios de estos bienes, tanto de los que se venden en el exterior como de los que se transaccionan en el interior del país (se produciría un desplazamiento de las curvas de costes de las empresas nacionales hacia la izquierda, con lo que los precios subirían más aún de lo que ya lo habían hecho como consecuencia del aumento de la demanda). También ocurriría que habrían de producirse cantidades menores de otros bienes y servicios (aquellos que tendrían que dejarse de producir como consecuencia de la retirada de recursos de las empresas que los elaboran y el paso de estos recursos a las empresas exportadoras que pagan precios más elevados por ellos), con lo que posiblemente subirían los precios de éstos, y las rentas de los propietarios de los factores aumentarían.

Lo más probable es que un aumento de las exportaciones dé lugar a un incremento de la producción, incremento que se obtendrá en parte a través de un mayor grado de utilización de la capacidad productiva por algunas de las empresas, y en parte a través de la ampliación de esa capacidad (nueva inversión) por otras. El intervalo de tiempo necesario para que aumente la producción como consecuencia del incremento de la demanda agregada dependerá de la duración del período productivo de los bienes exportados. En el caso de los productos agropecuarios, éste dependerá del ciclo vegetativo de las plantas o animales de que se trate, mientras que para los productos industriales y mineros el retardo en la adaptación de la oferta a la demanda generalmente será más corto.

Por tanto, en los reajustes a corto plazo (un posible aumento de los precios de los bienes) como en los que se producen a largo plazo (un aumento de la producción y quizá una subida de los precios de los factores), el resultado de un aumento de las exportaciones (y de la demanda agregada) será un incremento de los ingresos del sector exportador, incremento que tendrá repercusiones sobre otras magnitudes macroeconómicas.

Al aumentar la producción y el empleo se incrementa la renta de las economías domésticas nacionales por la venta de factores (toda producción implica renta). Como veremos más adelante, el gasto en consumo de las economías domésticas depende de una forma directa del nivel de renta de éstas (si la renta aumenta se puede esperar que se incremente el gasto en consumo). Como consecuencia de esta relación entre la renta y el consumo, al aumentar la primera se incrementarán el gasto en consumo y el ahorro (ambos aumentarán en términos absolutos, aun cuando no varíe el porcentaje de su renta que las economías domésticas destinan al consumo y al ahorro).

El aumento del gasto en consumo significa un incremento adicional de la demanda agregada (la demanda total de bienes y servicios de consumo y de inversión), incremento que (si existe desempleo en la economía) llevará a un aumento de la producción de estos bienes y servicios por parte de las economías nacionales, y un incremento de las importaciones de bienes y servicios de consumo (una parte de los
bienes y servicios que se consuman serán importados). Asimismo, para producir
esta cantidad adicional de bienes y servicios de consumo elaborados en el país, algunas de las empresas tendrán que ampliar su capacidad productiva (realizar nueva
inversión) o reponer la maquinaria deteriorada u obsoleta (realizar inversión de reposición). Esta inversión adicional a la que ya se estaba realizando antes del aumento de las exportaciones y a la que podía requerir la producción de éstas implica
igualmente un aumento de la producción total dentro del país. El aumento adicional
de la producción total a su vez genera nuevo empleo y nueva renta, renta que asimismo lleva a un aumento del consumo, del ahorro, de las importaciones y, posiblemente, de la inversión.

Pero este proceso tiene también un aspecto monetario. Ya hemos visto que en
una primera fase los precios de los productos cuya demanda exterior ha aumentado
pueden subir y también aumentar los precios de algunos de los factores productivos.
Estas subidas de los precios de los productos y de los factores dependerán, por una
parte, de la elasticidad de la oferta de ambos, y por otra, del incremento de su
demanda. Los aumentos de los precios a su vez tienen una doble vertiente: la variación de los precios relativos (la subida de unos precios mientras que otros permanecen constantes) y la variación del nivel general de precios (la inflación si se trata
de una subida). La primera afecta a los beneficios de las empresas e influye sobre la
asignación de los recursos productivos entre los distintos sectores, industrias y empresas; y la segunda tiene un efecto sobre la distribución de la renta y sobre el
nivel general de actividad económica (como veremos más adelante).

Si no se produjeran cambios ni en las demás variables macroeconómicas ni en
las relaciones funcionales entre éstas (la propensión marginal a consumir y a ahorrar, la proporción de su renta que los individuos desean mantener en dinero efectivo, las relaciones capital-producto y capital-trabajo) el proceso continuaría hasta
agotarse (hasta que se igualaran otra vez las entradas y las salidas al flujo al correspondiente nivel superior de producción, renta, empleo y precios que aquéllos determinaran). Recordemos que el aumento de las exportaciones constituye una de las entradas al flujo circular de la renta.

El aumento de las entradas estaría constituido por el incremento de las exportaciones, del gasto en consumo y en inversión, y de los gastos del Gobierno. El incremento de las salidas estaría integrado por el aumento del ahorro, de las importaciones y de los ingresos del Gobierno. Estos últimos aumentarían como consecuencia
de que los impuestos directos se giran sobre el volumen de la renta de las personas
físicas y de los beneficios de las sociedades, y los indirectos sobre las ventas de
bienes y servicios; al aumentar estas tres magnitudes se incrementarían los ingresos
del Gobierno procedentes de la recaudación de impuestos. Al final del proceso,
el nivel de producción, empleo, renta y precios se volvería a estabilizar a un volumen en el que todas estas magnitudes tendrían un valor absoluto más elevado que antes de producirse el incremento de las exportaciones.

Pero lo normal es que se produzcan (simultáneamente o en algún momento del
proceso descrito) cambios en las demás variables macroeconómicas por razones distintas a las expuestas como consecuencia del incremento de las exportaciones. Pueden variar en diferentes magnitudes y en distintos sentidos (aumentar o disminuir)

una o varias de las siguientes variables: el consumo privado y/o público, el ahorro de las economías domésticas y/o de las empresas, la inversión privada y/o pública, las importaciones, los ingresos del Gobierno, la demanda de dinero, la oferta de dinero y el tipo de interés. También pueden cambiar las relaciones funcionales entre las variables macroeconómicas, relaciones que en parte determinan el valor absoluto de aquéllas. Así, la propensión marginal a consumir o porcentaje del incremento de su renta que las economías domésticas están dispuestas a gastar en bienes y servicios de consumo, junto con el valor absoluto de ese incremento de la renta, determina el volumen del gasto adicional en consumo.

Dados el valor del incremento de la producción de todo tipo de bienes y servicios que ha provocado el aumento de las exportaciones, la capacidad productiva no utilizada que tengan las empresas en ese momento, el nivel de beneficios de éstas, el coste del crédito o tipo de interés y las posibilidades y condiciones de obtenerlo, y las expectativas de los empresarios, un incremento en la relación capital-producto (el número de unidades de capital necesarias para producir una unidad del *output*, todas ellas expresadas en unidades monetarias, número que depende de la tecnología y del tipo de interés) dará lugar a un aumento de la inversión.

Dada una oferta de dinero (que puede ser variada por el Gobierno a través de la política monetaria, como veremos más adelante), un cambio en la demanda de dinero (o, lo que es lo mismo, una variación en la velocidad de circulación de éste) afectará al tipo de interés y a la disponibilidad del crédito que las instituciones financieras conceden a las empresas y a las economías domésticas, y, en consecuencia a la inversión y al gasto en consumo. Más adelante definiremos la oferta de dinero: digamos aquí que ésta la constituyen la suma de los billetes y monedas de curso legal que están en circulación y los depósitos en cuenta corriente existentes en los bancos y cajas de ahorro (los depósitos contra los que se pueden girar cheques, y que, por lo tanto, sirven como medio de pago). La demanda de dinero se define como la cantidad de medios de pago (billetes y monedas y depósitos en cuenta corriente) que desean mantener las economías domésticas y las empresas.

Los cambios en las variables macroeconómicas y en las relaciones funcionales entre ellas producen efectos y reacciones en cadena cuyas ramificaciones se extienden virtualmente a toda la economía. Estos cambios se están produciendo continuamente en prácticamente todas las variables y dan lugar a procesos de ajuste del nivel de producción, empleo, renta y precios cuyos efectos finales sobre éste serán la resultante de sumar las entradas y restar las salidas del flujo circular de la renta. Las exportaciones representan un estímulo procedente del exterior de la economía que se analiza (constituyen lo que se denomina una variable exógena). Podemos igualmente seguir el rastro de los efectos que por todos los ámbitos de la economía tienen las repercusiones de un estímulo que se origine en el interior de esta economía. Tal es el caso de una decisión gubernamental de incrementar la tasa de inversión pública para reducir el desempleo y estimular el crecimiento, o de un incremento de la inversión privada por parte de las empresas. Como ejercicio el lector puede intentar seguir la pista de las implicaciones y de las consecuencias que un cambio en cualquiera de estas variables tiene sobre la economía en su conjunto.

Como veremos más adelante, la economía por sí sola tiende a que se obtenga aquel nivel de producción, empleo y renta para el cual las entradas son iguales a las salidas. A su vez, las entradas y las salidas dependen de las relaciones funcionales entre las variables, del nivel de actividad en el resto del mundo en lo que respecta a las exportaciones, y de las políticas fiscal (política de ingresos y gastos) y monetaria (el control de la oferta de dinero y del tipo de interés) del Gobierno.

A ese nivel de producción, empleo y renta se le denomina el nivel de equilibrio de la renta, si bien tal denominación (como en el caso de una empresa o de un mercado) no implica que ese nivel sea el mejor o el más deseable (por ejemplo, el nivel de renta de pleno empleo). Como veremos al estudiar la Teoría de la Determinación de la Renta, el nivel de renta de equilibrio sólo significa aquel nivel para el que las entradas son iguales a las salidas (dados los factores de los que dependen ambas). Ese nivel puede corresponder al de pleno empleo de la economía o a cualquier nivel de desempleo de ésta. Se dice que es el nivel de renta de equilibrio porque las distintas fuerzas que actúan en diferentes direcciones dentro de la economía se contrarrestan de tal forma que la situación tiende a mantenerse estable. De hecho, ese nivel de equilibrio no se alcanza nunca debido a que continuamente se están dando cambios en las variables macroeconómicas y en las relaciones funcionales entre éstas, cambios que dan lugar a variaciones en el nivel de producción, empleo, renta y precios.

Al considerar las repercusiones que sobre el nivel de actividad económica tiene un aumento de las exportaciones hemos puesto de relieve cómo en el Análisis Macroeconómico se concibe o modeliza a la economía como un conjunto orgánico. Esto es posible gracias a que existen unas correlaciones fundamentales entre los diferentes componentes del producto y de la renta nacional. Los cambios de origen interno o externo en estos componentes tienen como resultado un cierto número de reacciones conexas que llevan a un nuevo nivel de equilibrio de la renta. Como hacíamos al considerar los cambios en las variables microeconómicas (la demanda, la oferta, la producción), cuando hablamos de consumo, ahorro, inversión, producción, exportación, etc., nos referimos a una cantidad por período de tiempo (éstas son variables flujo). En consecuencia, al afirmar que se ha producido, por ejemplo, un aumento en la inversión queremos decir que la inversión actual por período de tiempo es la que se realizaba anteriormente más la cantidad adicional en la que se ha incrementado aquélla. Es muy importante que el lector tenga siempre presente esta idea. Recomendamos volver a leer lo que decíamos sobre las variables macroeconómicas en el Capítulo 31.

LA MEDICION DE LA RENTA NACIONAL: LA CONTABILIDAD NACIONAL

Hemos visto la total interdependencia que existe entre todas las variables o magnitudes macroeconómicas. Asimismo, hemos señalado que la Teoría Macroeconómica tiene por objeto de estudio precisamente estas interrelaciones y sus implicaciones para el nivel de producción, renta y empleo que se da en una economía en un período determinado, así como para las fluctuaciones de éste a corto y a largo plazo.

Obviamente las cuestiones relativas al nivel de producción, renta y empleo, y a sus fluctuaciones revisten la mayor importancia para los ciudadanos de un país y para su Gobierno. Un nivel de producción inferior al *output* potencial agregado de la economía (*output* potencial que depende de la cantidad de recursos productivos de los que dispone ésta, especialmente mano de obra) implica un despilfarro de los recursos de la sociedad, un nivel de vida de sus ciudadanos más bajo del que podrían disfrutar, y sobre todo implica desempleo. Al afectar a los individuos y a sus familias, el desempleo (además de constituir el despilfarro de un recurso escaso: el tiempo que las personas no trabajan no puede ser recuperado, se pierde irremisiblemente, ya que la vida de éstas transcurre ininterrumpidamente estén o no trabajando y además tiene una duración limitada) reviste unas implicaciones negativas muy importantes para los individuos y para la sociedad en los aspectos humano, social y político. El desempleo da lugar a auténticos dramas personales y a graves problemas sociales y políticos, problemas que pueden y suelen tener enormes costes de todo tipo para las sociedades que lo padecen. Obviamente el grado de desempleo (el porcentaje de la mano de obra que no tiene trabajo) puede ser mayor o menor, y cuanto mayor es, más elevados son los costes en que incurre la sociedad.

Por otra parte, hemos señalado que el Análisis Macroeconómico se basa en buena medida en relaciones puramente definitorias entre las magnitudes macroeconómicas. Por ejemplo, como veremos más adelante, definidas de una determinada forma, las entradas al flujo han de ser necesariamente iguales a las salidas, y el ahorro ha de ser igual a la inversión. Estas identidades se derivan precisamente de las llamadas Cuentas Nacionales, que consisten en un sistema de cuentas en las que se definen una serie de magnitudes macroeconómicas y se establecen unas relaciones definitorias entre éstas.

Así pues, a efectos de la construcción de una Teoría Macroeconómica y con la finalidad de desarrollar unos instrumentos de política económica que permitan a las autoridades políticas influir sobre el nivel de actividad económica (a partir de los conocimientos teóricos existentes, diseñar las medidas de política económica que son necesarias para alcanzar los objetivos que se proponga obtener el Gobierno: la reducción del desempleo, la estabilidad de los precios, una determinada tasa de crecimiento, una determinada distribución de la renta entre los factores productivos y entre los distintos grupos sociales, o una combinación de todos estos objetivos), se han elaborado por los economistas varios métodos de medir el volumen de bienes y servicios producidos en una economía durante un periodo de tiempo dado, así como las demás variables macroeconómicas.

Las variables macroeconómicas PNB, Renta Nacional, consumo privado de bienes y servicios, ahorro, inversión, variaciones en las existencias, etc., son magnitudes agregadas o conceptos que plantean problemas de definición, de medición y de relaciones definitorias entre ellas. Para resolver estos problemas se han desarrollado diversos sistemas de contabilizar o medir estas magnitudes. Estos sistemas de Contabilidad Nacional o Cuentas Nacionales constituyen sistemas comparables a los sistemas de contabilidad que utilizan las empresas: se definen unas magnitudes y se establecen unas relaciones puramente definitorias entre ellas. Tales sistemas están integrados por una serie de cuentas de doble entrada en las que aparecen las magnitudes y sus relaciones. Naturalmente estos sistemas de Contabilidad Nacional son convencionales, y, en consecuencia, a lo largo del tiempo van siendo cambiados y perfeccionados (lo que da lugar a la sustitución de unos sistemas por otros).

En España la Contabilidad Nacional es eleborada por el Instituto Nacional de Estadística, organismo público autónomo dependiente en la actualidad del Ministerio de Economía y Comercio. La mayoría de los países tienen una institución de este tipo responsable de realizar y publicar las Cuentas Nacionales, institución que se pretende sea solvente, de tal forma que las cifras que publique sean aceptadas por todos los miembros de la sociedad como razonablemente fiables.

Desde 1976 el Instituto Nacional de Estadística elabora la Contabilidad Nacional de España utilizando un sistema de cuentas inspirado en el Sistema de Contabilidad Nacional confeccionado por las Naciones Unidas (publicado por primera vez en inglés en 1968 con el título de *Un Sistema de Cuentas Nacionales*) y principalmente en el Sistema Europeo de Cuentas Económicas Integradas en 1970 publicado por la Oficina Estadística de las Comunidades Europeas. Anteriormente el

INE utilizaba el sistema Normalizado de Cuentas Nacionales elaborado por la Organización de Cooperación y Desarrollo Económico (conocida por las siglas OCDE)).

Todos los países emplean alguno de los sistemas generalmente aceptados (principalmente el de la ONU) por dos razones: en primer lugar, porque estos sistemas de cuentas han sido elaborados por reconocidas autoridades en el tema; y en segundo lugar (y como factor más importante) porque ello permite que las cifras de las Cuentas Nacionales de los diferentes países sean homogéneas a efectos de análisis y comparación del comportamiento de las economías de aquéllos. Por supuesto que la fiabilidad (el grado de mayor o menor exactitud con el que se aproximan a la realidad que pretenden medir) de los datos estadísticos que muestran las Cuentas Nacionales varía mucho de unos países a otros. La fiabilidad o veracidad de las cifras (que naturalmente es una cuestión de grados) depende de la existencia o disponibilidad de los datos, de la recolección de éstos, y de las estimaciones, tratamiento y elaboración estadísticos que se hagan de ellos. Obviamente, los países más desarrollados económica, social y culturalmente disponen de más datos y más fiables y los elaboran mejor que los países atrasados.

La publicación del Instituto Nacional de Estadística que recoge las Cuentas Nacionales de la Economía Española se denomina *Contabilidad Nacional de España;* aparece anualmente e incluye las cifras de avance para el año anterior al de su aparición, las cifras provisionales para el año precedente a éste, y las cifras definitivas para los años anteriores a partir del año base que es 1970. Así, por ejemplo, la publicación de 1980 recoge las cifras de avance para 1979, las provisionales para 1978 y las definitivas (por el momento) para los años 1970-1977. La denominación de cifras de avance significa que estas cifras son una primera estimación, por lo que lógicamente serán revisadas cuando se disponga de más datos y se las pueda elaborar más detalladamente. Las cifras provisionales quieren significar que dichas cifras son más fundadas que las de avance (que al elaborarlas se ha dispuesto de más datos), pero que, no obstante, todavía serán revisadas una vez más. El año base (1970) es el año del que parte la serie de los datos.

La razón de esta distinción en la calificación que se le da a las cifras reside en las dificultades y retardos que se producen en la recolección de los datos, y en las complejidades técnico-estadísticas de su elaboración y tratamiento. Puesto que no se dispone de datos sobre cada bien y servicio de todo tipo producido, ni de cada bien, servicio y factor vendido (de la cantidad producida y transaccionada de cada una de ellas, y de los precios a los que se transaccionan), las cifras son estimaciones. Se dispone de algunos datos precisos facilitados por las empresas, pero nunca de la totalidad de los datos (ya que es imposible contar todos los bienes y servicios que se han producido en un período de tiempo, así como los que se han vendido). De ahí que las cifras sean siempre estimaciones. Las estadísticas se sirven de muestreos estadísticos y encuestas para medir el PNB. Las muestras y las encuestas tienen siempre un margen de error; de ahí que hablemos de estimaciones.

No obstante, estimaciones no significan adivinanzas. Las estimaciones están elaboradas sobre la base de mediciones de las magnitudes en las distintas fases o momentos del flujo de bienes y servicios y de dinero (la compra de factores por las empresas, la producción por éstas, las ventas de las empresas, las compras de los mayoristas, las ventas de éstos, las compras de los minoristas o comercios que venden al público, las ventas de éstos, y el gasto de las economías domésticas), y de la comparación y comprobación entre sí de los valores obtenidos en esas mediciones. A los datos obtenidos por medio de estimaciones directas (por ejemplo, los datos facilitados por las empresas sobre la producción de un bien) y de estimaciones indirectas (por ejemplo, los datos obtenidos sobre el consumo de factores por las empresas, y los reunidos sobre el volumen de producción de ese bien procedentes de las encuestas sobre el gasto realizado por los consumidores en los distintos bienes y servicios entre los que se encuentra el bien en cuestión) los expertos del INE aplican técnicas estadísticas sofisticadas con el fin de conseguir que dichos datos se acerquen lo más posible a la realidad que pretenden representar y cuantificar.

Los problemas puramente estadísticos de recolección y fiabilidad de los datos (muchos de los agentes económicos facilitan datos erróneos por diversas razones, entre ellas las fiscales) son, pues, muy numerosos y difíciles de resolver. Con frecuencia se dice que las cifras de la Contabilidad Nacional constituyen sólo una aproximación a la realidad, y que son más útiles para conocer la tendencia de las magnitudes macroeconómicas que para determinar su valor absoluto. En cualquier caso, éstas son las únicas cifras de las que disponemos para el Análisis Macroeconómico de la economía. No obstante, digamos que continuamente se están realizando mejoras en la calidad y tratamiento de los datos macroeconómicos. Naturalmente esta mejora implica realizar mayores gastos en esta tarea. Para obtener más y mejores datos es necesario obligar de alguna forma (por ejemplo, por ley) a las economías domésticas y a las empresas a que faciliten más información sobre sus actividades (lo que supone un coste para ellas) y contratar más estadísticos y personal auxiliar por parte de las instituciones responsables de la elaboración de las Cuentas Nacionales. Sin duda las cifras que éstas muestran pueden ser mejoradas en cuanto a su fiabilidad y precisión, pero hemos de aceptar que siempre serán imperfectas, ya que representan un esfuerzo por resumir las actividades de millones de personas (en el caso de España de 37 millones de individuos), por lo que las cifras sólo pueden ser una aproximación al panorama complejo y vasto que pretenden representar en valores numéricos precisos.

Además de permitir observar el comportamiento de las variables macroeconómicas (a efectos de teorizar sobre este comportamiento y sobre las relaciones funcionales entre ellas), los datos de la Contabilidad Nacional ofrecen a los estudiosos, a los agentes económicos implicados e interesados (empresas, sindicatos, etc.) y a los responsables de la política económica información sobre la marcha de la economía del país y de los demás países. Aunque la historia económica de los países del mundo occidental muestra un continuo crecimiento de la producción y del nivel de vida de sus ciudadanos, sin embargo, en el corto plazo el comportamiento de las economías es mucho menos positivo. La marcha ascendente (en cuanto a capacidad productiva y producción) se ve continuamente interrumpida por períodos de depresión y recesión que conllevan un coste muy elevado en términos de desempleo y pérdida de bienestar de los individuos, y por períodos de inflación que afectan drásticamente a la distribución de la renta entre los grupos sociales. La Teoría Macroeconómica trata de explicar estos fenómenos, y la política económica tiene como objetivo prevenir y poner remedio al desempleo y a la inflación, así como hacer que la economía obtenga la tasa de crecimiento más elevada posible y realizar la redistribución de la renta entre los sujetos y los grupos sociales que la sociedad considere más deseable. Incluso si las teorías de que disponemos sobre el comportamiento de las magnitudes macroeconómicas fueran perfectas y los instrumentos de política económica fueran completamente adecuados a los fines que se desean alcanzar, sería necesario disponer de cuantificaciones de las variables macroeconómicas, tales como la Renta Nacional, el PNB, etc., magnitudes que son las que la Contabilidad Nacional trata de ofrecer. Esas cuantificaciones o mediciones son las que nos dan idea de la marcha de la economía y, en consecuencia, son necesarias para poder explicar ésta y tratar de influir sobre ella.

Los datos que provee la Contabilidad Nacional son utilizados para múltiples fines. Los teóricos de la Economía los emplean para formular y contrastar sus hipótesis. También los utilizan para construir modelos que expliquen el funcionamiento de la economía y permitan hacer predicciones sobre el comportamiento de las magnitudes macroeconómicas; los economistas que trabajan como asesores de los políticos y del Gobierno los usan para analizar la marcha de la economía y formular recomendaciones de política, así como para estimar los ingresos impositivos del Gobierno y los gastos a los que éste previsiblemente ha de hacer frente; las empresas los emplean para analizar la tendencia y estructura de la producción y del consumo, y de esta forma estimar sus posibles ventas futuras; los sindicatos los emplean para analizar el estado de la economía y estimar las previsiones de producción y empleo futuros; los planificadores militares los usan para estimar el potencial de un país para mantener una guerra; etc.

Vemos, pues la enorme importancia que tiene la Contabilidad Nacional. Esta empezó a desarrollarse a partir de los planteamientos de la Teoría Macroeconómica keynesiana en los años 1930. La nueva explicación teórica que en 1936 ofreció Keynes sobre cómo funciona una economía a nivel agregado hizo necesaria la recolección de datos sobre las variables macroeconómicas que empleaba esta teoría, y la elaboración de la Contabilidad Nacional. En este campo fueron pioneros los Profesores ingleses Hicks y Stone, y sobre todo el Profesor norteamericano Simon Kuznets (que recibió el premio Nóbel de Economía en 1971) y el National Bureau of Economic Research de los Estados Unidos. El profesor Stone preparó en 1947 un sistema de Cuentas Nacionales por encargo de las Naciones Unidas, y posteriormente otro en 1950 y 1952 que sería el *Sistema Simplificado de Cuentas Nacionales* de la OCDE. Fue, pues, a partir de los años 40 cuando la Contabilidad Nacional se desarrolló en profundidad como consecuencia de la teoría keynesiana y de la necesidad que sintieron los Gobiernos de los países industrializados de poseer técnicas analíticas más refinadas y poderosas, a fin de poder diseñar la política económica más conveniente, tanto durante la guerra como en el período postbélico.

Nosotros no vamos a exponer aquí los aspectos técnicos de la Contabilidad Nacional, ni las cuentas que incluye ésta por considerarlo innecesario a efectos de comprender la Macroeconomía que estudiamos en este curso. No obstante, vamos a considerar los conceptos más importantes que se utilizan en la Contabilidad Nacional (que lógicamente corresponden a las variables macroagregadas que empleamos en la Teoría Macroeconómica), y las relaciones definitorias que se establecen entre ellas por ser éstas de gran utilidad para la comprensión de la Teoría Macroeconómica y para poder interpretar adecuadamente las noticias económicas que se dan en los medios de comunicación. Digamos solamente que la Contabilidad Nacional constituye un sistema contable aplicado a la economía en su conjunto, de partida doble, y con el número necesario de cuentas para que el sistema sea cerrado. En el sistema utilizado por el INE existen seis cuentas: la cuenta de bienes y servicios, la cuenta de producción, la cuenta de explotación, la cuenta de ingresos y gastos, la cuenta de capital y la cuenta de operaciones corrientes. Los sectores o agentes que aparecen en las Cuentas Nacionales son: las empresas, las economías domésticas e instituciones privadas sin fines de lucro, las administraciones públicas y el resto del mundo (véase el apéndice a este capítulo sobre «La Contabilidad Nacional en España»).

PRODUCTO NACIONAL Y RENTA NACIONAL

Ya hemos señalado que se puede establecer una analogía entre el flujo de renta y bienes y servicios que se da en una economía, y el flujo de agua que circula por un circuito. Para medir el volumen de agua que circula por el sistema durante un período de tiempo (digamos un año) podemos colocar un contador en cualquier punto del circuito. En tanto en cuanto el flujo de agua esté en equilibrio (es decir, el flujo tenga el mismo volumen de una hora a otra o de un día para otro) el punto en el que coloquemos el contador no tendrá importancia, ya que la magnitud del flujo que pasará por cada punto del circuito será la misma. No ocurrirá así cuando haya entradas y salidas del circuito que no sean iguales, ya que entonces el flujo tendrá un volumen diferente en los distintos puntos de aquél (recuérdense las entradas y salidas del flujo descritas en el Capítulo anterior, así como el momento del flujo en el que se producían).

Este principio tan sencillo constituye la base de la Contabilidad Nacional. Cuando la magnitud de la renta es constante, el flujo de ésta que pasa por cualquier punto de la economía tiene el mismo volumen que el que pasa por cualquier otro punto o estadio del proceso económico de producir, obtener renta y gastar. De la misma forma que se puede medir el flujo de agua que circula en un circuito en diferentes puntos de éste, es factible medir el Producto Nacional y la Renta Nacional en tres estadios del flujo circular de ésta:

a) El estadio de la producción realizada: el flujo de bienes y servicios finales producidos en un período, medido en unidades monetarias (el valor de mercado de todos los bienes y servicios finales producidos en la economía en un período dado de tiempo).

b) El estadio del pago de renta a los factores productivos utilizados en la producción: el flujo del valor de todos los pagos a todos los factores de la producción en un período de tiempo determinado. Como sabemos, toda producción tiene una contrapartida de igual magnitud en renta generada. Si aquí se incluyen los sueldos y salarios del trabajo, las rentas de la tierra y los alquileres de los edificios, los intereses del capital, y los beneficios de las empresas, esta magnitud ha de ser igual al valor de los bienes y servicios finales producidos.

c) El estadio del gasto: el valor total de los gastos realizados en la economía. En la economía simplificada que estamos considerando, suponemos que las economías domésticas se gastan la totalidad de los ingresos que obtienen de las empresas (suponemos que no ahorran) por la venta a éstas de los factores (incluyendo los beneficios), y que las empresas venden todo lo que producen (no aumentan ni disminuyen sus existencias).

En una economía de este tipo, el flujo que pasa por los tres estadios del proceso económico ha de ser necesariamente igual. La Tabla 33.1 muestra un sencillo ejemplo de este fenómeno.

TABLA 33.1

PRODUCTO, RENTA Y GASTO NACIONALES

Producto Nacional

Sector	Valor del Producto
Agricultura y pesca	10
Industria	40
Servicios	50
Producto total	100

Renta Nacional

Valor	Valor de la Renta
Sueldos y salarios	60
Intereses	10
Rentas y alquileres	15
Beneficios	15
Renta total de los factores	100

Gasto Nacional

Bienes y Servicios	Valor del Gasto
Consumo de productos industriales	40
Consumo de productos agrícolas y de la pesca ...	10
Consumo de servicios	50
Consumo total	100

Pero, como hemos visto, la economía es más compleja. Por una parte, existe un Sector Público y un sector exterior o unas relaciones de la economía con el resto del mundo; y por otra, se da el ahorro y la inversión.

El Producto Nacional desde la Perspectiva de la Producción

Desde el punto de vista de la producción, el PNB (Producto Nacional Bruto) se define como el valor de mercado de todos los bienes y servicios finales producidos en una economía durante un período de tiempo (generalmente un año). Se elige el valor de mercado para sumar los diferentes bienes y servicios debido a que los precios de mercado de éstos reflejan la valoración que de ellos hacen los consumidores. Algunos de los bienes producidos no se venden, sino que pasan a incrementar las existencias de las empresas productoras. No obstante, estos bienes son igualmente valorados a precios de mercado, ya que, de hecho, tienen ese mismo valor (un tocadiscos «Philips» de un modelo determinado en una tienda tiene el mismo valor que los demás tocadiscos de ese modelo que han sido vendidos).

Dentro de los bienes finales se incluyen los bienes y servicios de consumo (los bienes y servicios que sirven para satisfacer las necesidades y deseos de los individuos y que son vendidos a éstos), los bienes capital (maquinaria y utillaje de todo tipo, instalaciones, y edificios y estructuras de todas clases; es decir, los bienes en los que se realiza la inversión de las empresas), y todos los gastos del Gobierno. Estos últimos son considerados como productos finales porque incluyen tres clases de gastos: el gasto en bienes y servicios de consumo (comida y ropa para el Ejército, etc., bienes y servicios que son equiparables a los que compran las economías domésticas, y que, por lo tanto, representan producción), el gasto en inversión o bienes capital (carreteras, edificios públicos, pantanos, etc., que son del mismo carácter que los bienes de inversión que compran las empresas), y el gasto en el pago de funcionarios.

Este último gasto permite al Gobierno ofrecer a los individuos los servicios públicos que éstos consumen gratuitamente o pagando un precio simbólico (la educación, la defensa nacional, el orden público, la administración de justicia, los servicios de la Administración central y local, etc.). Ello implica que estos servicios constituyen una producción de servicios como cualquier otra, pero tales servicios no son vendidos a precios de mercado (los precios que se determinarían si se enfrentaran la oferta de estos realizada por empresas privadas o públicas que actúan como privadas, y la demanda por parte de las economías domésticas). De ahí que estos servicios producidos se contabilicen a coste de factores (su valor se calcula como el coste en que incurre el Gobierno al producirlos).

Las compras de productos intermedios por las empresas no son considerados como bienes finales. La razón ya hemos visto que estriba en el deseo de evitar la doble contabilización de los bienes. Pero, en último extremo, la denominación del bien final es una cuestión convencional: cuando una empresa compra una máquina o un camión esta compra es tratada como un bien final; en cambio, cuando una empresa compra una tonelada de acero, esta compra no es considerada como un bien final (se contabilizan como bienes finales las neveras o el coche en cuya elaboración se ha utilizado la tonelada de acero).

Los bienes y servicios son producidos por los sectores: economías domésticas, empresas (públicas y privadas), Gobierno, y resto del mundo. La suma de los bienes y servicios producidos por estos cuatro sectores constituye el PNB. La mayor parte de los bienes y servicios son producidos por las empresas (en Economía se supone que en general las economías domésticas no producen, sino que venden factores de la producción a las empresas). Aquéllos están integrados por la suma de las ventas a los usuarios últimos (los bienes y servicios de consumo producidos y vendidos a las economías domésticas del país y al Gobierno, más los exportados) y de la inversión bruta. Esta incluye, por una parte, los cambios en las existencias de las empresas productoras (tanto de materias primas como de productos intermedios y en proceso de elaboración, como de productos acabados de consumo y de inversión) y de los comerciantes, y por otra, los bienes capital. Los cambios en las existencias pueden ser negativos o positivos. Si al principio del año había existencias por valor de 100 y al final del año las existencias (tras la producción y ventas realizadas en ese período) son de 110, la variación ha sido de + 10; si al final del año las existencias valen 90, la variación ha sido de — 10.

Los bienes capital incluyen todos los gastos en equipo, maquinaria y muebles utilizados por las empresas (recuérdese que se considera como empresa toda unidad de producción y venta de bienes y/o servicios: un médico, un abogado, un comerciante, una sociedad anónima son todos considerados como empresas), y todos los gastos en construcción. Los edificios y construcciones destinados a fábricas, almacenes y oficinas obviamente constituyen inversión, ya que se dedican a la producción. Pero también se considera como inversión la construcción de edificios destinados a hoteles, pisos de alquiler, y pisos y viviendas propias de todo tipo. La construcción de edificios destinados a viviendas presenta una peculiaridad en la Contabilidad Nacional: por una parte, es considerada como una inversión realizada por los constructores y/o promotores, y por otra, es contabilizada como gasto en consumo de bienes duraderos, ya que las viviendas no se consumen inmediatamente con su uso, sino que proveen servicios durante un período largo de tiempo (se considera que los propietarios de viviendas alquilan éstas a sí mismos y a otras personas). Los bienes capital producidos incluyen los bienes vendidos en el país y los exportados.

Además del concepto de PNB, se utiliza el de Producto Nacional Neto (PNN). El PNN es igual al PNB menos lo que en la Contabilidad Nacional se denomina el consumo de capital fijo. En la producción de los bienes y servicios elaborados en un período (un año) se emplean los bienes capital que integran el stock de éstos que tiene la economía. Estos bienes se deterioran en alguna medida durante ese período (se deprecian). En el consumo de capital fijo se incluyen las amortizaciones de las empresas (los costes imputados a la producción de un período en concepto de deterioro y obsolescencia de los factores fijos) y la depreciación que el INE estima imputable a los edificios destinados a viviendas, a los edificios públicos, a las carreteras, aeropuertos, puertos, pantanos y demás bienes capital públicos. En definitiva, el PNN es el *output* disponible para su uso después de que la economía ha reemplazado los bienes capital utilizados en la producción efectuada durante el año. El PNN nos indica la producción de bienes y servicios que efectúa la economía durante un año, manteniendo su stock de capital al mismo nivel existente al comienzo del período.

Ya hemos señalado que el sector Gobierno produce algunos bienes, y sobre todo provee servicios que no son vendidos a precios de mercado, y que, en consecuencia, éstos son contabilizados a coste de factores (el *output* del sector gubernamental es evaluado como el total de los sueldos y salarios de los funcionarios). También las economías domésticas producen algunos servicios, tales como el servicio doméstico. En este sector se incluyen también las instituciones privadas sin fines de lucro, tales como la Cruz Roja y las fundaciones privadas. Como en el caso del Gobierno, el *output* de estas instituciones es medido como el coste de los sueldos y salarios que pagan.

El Producto Nacional desde la Perspectiva del Gasto

Desde el punto de vista del gasto, el Producto Nacional está integrado por las partidas que aparecen en la Tabla 33.2.

TABLA 33.2

Aproximación al PN desde la Perspectiva del Gasto

Gasto en consumo de las economías domésticas		1.500
Bienes duraderos	200	
Bienes no duraderos	600	
Servicios	700	
Gasto en inversión bruta privada interior		350
Nueva construcción	200	
Equipo y maquinaria	130	
Cambio en las existencias	20	
Gasto del gobierno en bienes y servicios		600
Exportaciones netas		— 30
Total Gasto Nacional Bruto		2.420

Las cifras que aparecen en la Tabla 33.2 son imaginarias. El gasto realizado en la economía sería de 2.420 unidades de la moneda del país (supongamos que se trata de miles de millones de unidades de la moneda en cuestión). La suma de todas estas partidas constituye el gasto que se hace en bienes y servicios finales producidos en la economía. Las exportaciones netas corresponden a la diferencia entre las exportaciones de bienes y servicios menos las importaciones de éstos. Las importaciones se detraen porque el gasto en ellas no constituye gasto en bienes y servicios producidos en el país. Dado que una parte de los bienes y servicios consumidos por las economías domésticas, de los factores utilizados por las empresas en la producción de los bienes finales (materias primas, productos semielaborados y servicios) y de los bienes capital comprados por éstas (máquinas, camiones, etc.), y de los bienes y servicios comprados por el Gobierno (material de guerra, por ejemplo) son importados, es necesario detraer las importaciones para obtener el gasto nacional.

En el ejemplo de la Tabla 33.2 las exportaciones netas son negativas, lo que implica que el valor de las exportaciones de bienes y servicios es inferior al de las importaciones de éstos para la economía en cuestión y durante el período de que se trate. Este es el caso de España en la actualidad. En el gasto en consumo distinguimos entre bienes duraderos (aquellos que no se agotan inmediatamente con su uso, sino que proveen servicios durante un período de tiempo: los electrodomésticos, los coches y los inmuebles destinados a viviendas) y bienes no duraderos (los que se agotan inmediatamente con su uso: la comida, la bebida, el calzado, la ropa).

Así pues, desde la perspectiva del gasto:

$$GNB = C + I + G + (X - M)$$

donde C es el gasto en consumo de las economías domésticas, I es la inversión bruta privada y pública interior (la realizada dentro del país), G es el gasto del Gobierno en bienes y servicios y $(X - M)$ es el saldo neto de la balanza de pagos en cuenta corriente.

Esta magnitud ha de ser igual al PN calculado desde la perspectiva de la producción (contabilizado éste, bien como el valor de los bienes y servicios finales producidos, o bien como el valor añadido en los diferentes estadios de la producción de todos los bienes y servicios producidos). En la medición del Producto Nacional desde la perspectiva del gasto nacional se pretende determinar adónde va a parar la producción.

Todo bien o servicio producido en la economía ha de ir a parar necesariamente a alguna parte: es decir, alguien ha de pagar por él (ese alguien será el agente económico que se lo apropie). Las economías domésticas nacionales compran bienes y servicios de consumo, las empresas compran bienes y servicios de inversión (ejemplo de servicios de inversión son los servicios de empresas consultoras o la venta de las patentes), el Gobierno consume algunos bienes y servicios (y los factores necesarios para producir los servicios públicos ya mencionados), y el resto del mundo compra las exportaciones de la economía en cuestión menos las importaciones que ésta hace procedentes de los demás países. Al incluir el cambio en las existencias en la inversión, tenemos que:

$$PNB \equiv GNB$$

es decir, el *PNB* es idéntico al *GNB* (el signo $\equiv$ significa identidad entre las dos magnitudes), ya que el *GNB* es el *PNB* desglosado según los sectores que adquieren el *output*.

El Producto Nacional desde la Perspectiva del Pago de los Factores

La tercera perspectiva desde la que se considera el Producto Nacional o la Renta Nacional es la del pago de los factores que intervienen en la producción. En principio ha de ser factible medir el PN a partir de los pagos que se hacen a los factores que se emplean en la elaboración del PNB, siempre que se incluyan en aquéllos los beneficios de las empresas. La Tabla 33.3 muestra las partidas que incluyen estos pagos, ilustradas con unas cifras imaginarias (cuyo total es igual al que aparece en la Tabla 33.2).

TABLA 33.3

Aproximación al PN desde la Perspectiva del Pago de los Factores o de la Renta

Sueldos y salarios y otras retribuciones de los trabajadores ...		1.480
Rentas y alquileres		50
Intereses netos		95
Rentas de las empresas individuales		200
Depreciación		195
Beneficios de las sociedades antes de los impuestos		198
Dividendos	103	
Beneficios no distribuidos	30	
Impuestos sobre la renta de sociedades	65	
Impuestos indirectos		202
		————
Total pago de factores		2.420

«Otras retribuciones de los trabajadores» incluyen todos los ingresos adicionales de éstos que representan costes para las empresas, fundamentalmente las contribuciones de éstas a la Seguridad Social por sus trabajadores, pero también cualesquiera ayudas para el pago de los transportes de éstos, para la educación de sus hijos, vales para economatos mantenidos por las empresas, etc. Las rentas y los alquileres incluyen los pagos por el arrendamiento de todo tipo de bienes inmuebles, más los alquileres imputados a las viviendas que son propiedad de sus usuarios. Los intereses netos incluyen todos los intereses pagados en la economía por el uso de recursos financieros tomados a préstamo, menos los intereses que paga el gobierno por la deuda pública y por los préstamos que éste obtiene del sector privado. Se deducen los intereses pagados por el Gobierno, debido a que éstos se consideran como pagos de transferencias (y no pagos por la compra de factores: en este caso, la compra de los servicios del factor capital).

Todos los impuestos sobre la actividad de las empresas (los impuestos sobre los beneficios y los impuestos sobre las ventas o impuestos indirectos) están incluidos como costes o como beneficios de éstas y, en consecuencia, forman parte del Producto Nacional. Estos impuestos pueden ser considerados como el pago por los servicios que el Gobierno provee a las empresas (como la contrapartida de los gastos del Gobierno incluidos en la Tabla 33.2). También se los puede considerar a estos impuestos de la siguiente forma: toda peseta pagada en impuestos por las empresas bien aumenta el precio de los bienes y servicios producidos por éstas, bien reduce sus beneficios, o bien produce una combinación de los dos efectos anteriores (la magnitud en que se dará uno u otro efecto dependerá de la medida en que las empresas puedan trasladar los impuestos a los consumidores). La suma de los dos efectos (aumento del precio de los bienes y reducción de los beneficios de las empresas gravadas) de la recaudación de una peseta de impuestos es por definición una peseta. Esto es así debido a que el valor de mercado de un bien final cualquiera por definición es igual (es idéntico) a todos los costes incurridos en su elaboración excepto los beneficios de la empresa productora y los impuestos pagados por ésta en relación con dicho bien, más los beneficios de ésta y más los impuestos pagados (por la producción y venta del bien en cuestión). En consecuencia, es necesario incluir los impuestos a fin de que sean iguales el valor de mercado de la producción y los ingresos de los factores que intervienen en ella. Todos los beneficios de las empresas (sean o no distribuidos) forman parte del Producto Nacional o Renta Nacional.

La aproximación al Producto Nacional desde el punto de vista del pago de los factores o, lo que es lo mismo, desde la perspectiva de la renta percibida por los propietarios de éstos, se basa en el hecho de que toda producción implica una contrapartida de renta (los ingresos de los propietarios de los factores que han intervenido en su elaboración). Si se incluyen los beneficios entre los ingresos o renta, entonces necesariamente el valor de la producción ha de ser igual al valor de los ingresos de los factores.

La compra de factores o *inputs* implica flujos de dinero que constituyen la renta de las economías domésticas. Estos flujos toman la forma de sueldos y salarios, rentas, intereses y beneficios. Sumando todas estas rentas (incluyendo naturalmente «otras remuneraciones de los trabajadores») y añadiéndoles la depreciación (el valor de los bienes capital desgastados) obtenemos una magnitud igual al *PNB* y al *GNB*. A la magnitud así obtenida se la denomina Renta Nacional Bruta *(RNB)*.

Las tres magnitudes *(PNB, GNB y RNB)* son iguales por definición (como consecuencia de la definición que se hace de ellas; es decir, de las partidas que se incluyen en cada una de las tres). El *PNB* es igual al *GNB,* debido a que el primero mide quién produce los bienes y servicios, mientras que el segundo mide quién los compra. La *RNB* es igual al *GNB* porque los gastos que implica éste son financiados con los ingresos que incluye aquélla. Y la *RNB* es igual al *PNB* porque las rentas pagadas a los factores de la producción constituyen los costes de elaborar el *PNB*. En consecuencia,

$$PNB \equiv GNB \equiv RNB$$

esta identidad la podemos expresar en la forma que aparece en la Tabla 33.4.

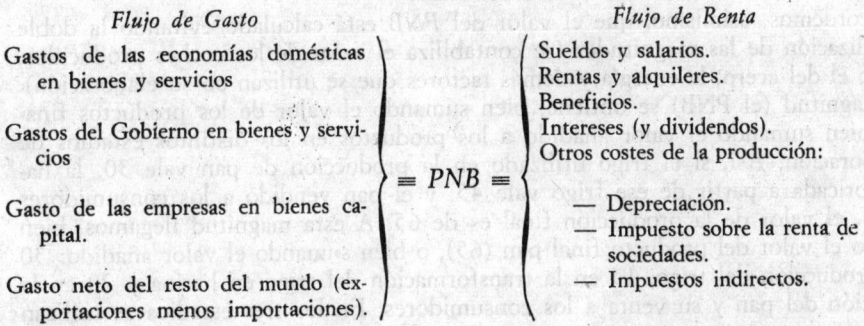

TABLA 33.4

Flujo de Gasto		Flujo de Renta
Gastos de las economías domésticas en bienes y servicios		Sueldos y salarios.
		Rentas y alquileres.
Gastos del Gobierno en bienes y servicios		Beneficios.
	$\equiv PNB \equiv$	Intereses (y dividendos).
		Otros costes de la producción:
Gasto de las empresas en bienes capital.		— Depreciación.
		— Impuesto sobre la renta de sociedades.
Gasto neto del resto del mundo (exportaciones menos importaciones).		— Impuestos indirectos.

Concluimos, pues, que como consecuencia de la definición que se hace del *PNB,* del *GNB* y de la *RNB,* estas tres magnitudes son necesariamente iguales. La Contabilidad Nacional tiene como finalidad el medir estas magnitudes y el mostrar las relaciones entre ellas a través de un sistema de cuentas de doble entrada.

LAS RELACIONES CONTABLES ENTRE LAS PRINCIPALES MAGNITUDES MACROECONOMICAS

Ya hemos visto algunas de las principales magnitudes macroeconómicas y las relaciones contables (de acuerdo con la Contabilidad Nacional) entre ellas. El Producto Nacional lo hemos definido como el flujo de bienes y servicios que se da en una economía en un período de tiempo determinado (un año), y la Renta Nacional la hemos definido como el flujo de renta que se da en una economía en ese mismo período. No obstante, para fines de análisis se utilizan conceptos más precisos, que se han convertido en normas de investigación y que son los siguientes:

— Producto Nacional Bruto *(PNB)* al coste de factores y a precios de mercado
— Producto Interior Bruto *(PIB)* al coste de factores y a precios de mercado
— Producto Nacional Neto *(PNN)* al coste de factores y a precios de mercado
— Renta Nacional *(RN)*
— Renta privada neta y bruta
— Renta personal
— Renta personal disponible

Producto Nacional Bruto, Producto Interior Bruto y Producto Nacional Neto

El *PNB* a precios de mercado se define como el valor de todos los bienes y servicios finales producidos en un país durante un período de tiempo dado (generalmente el período se refiere a un año) calculados estos valores a los precios de mercado de dichos bienes y servicios. Recordemos que en los bienes finales se incluyen los bienes acabados de consumo, los bienes acabados de inversión, y las variaciones en las existencias de materias primas y productos en proceso de elaboración que mantienen las empresas. Otra forma de contabilizar el PNB a precios de mercado consiste en sumar los bienes capital producidos y vendidos, los bienes y servicios de consumo producidos y vendidos, y las variaciones (los incrementos constituyen valores positivos, y las reducciones representan valores negativos) de las existencias de los dos tipos de bienes (tanto de las mantenidas por las empresas como de las mantenidas por los comerciantes) y de las materias primas y productos en proceso de elaboración.

Recordemos, asimismo, que el valor del *PNB* está calculado evitando la doble contabilización de las magnitudes (se contabiliza el valor de los coches producidos, pero no el del acero, la energía y demás factores que se utilizan en su elaboración). Esta magnitud (el PNB) se obtiene, bien sumando el valor de los productos finales, o bien sumando el valor añadido a los productos en los distintos estadios de su elaboración. Así, si el trigo utilizado en la producción de pan vale 30, la harina fabricada a partir de ese trigo vale 45, y el pan vendido a los consumidores vale 65, el valor de la producción final es de 65. A esta magnitud llegamos, bien tomando el valor del producto final pan (65), o bien sumando el valor añadido: 30 en la producción del trigo, 15 en la transformación del trigo en harina y 20 en la fabricación del pan y su venta a los consumidores. En los tres estadios se utilizan factores productivos (mano de obra, bienes capital, tierra y edificios, energía, etc.) y las empresas obtienen unos beneficios.

El *PNB* a precios de mercado, que se le suele denominar simplemente como el *PNB*, constituye uno de los principales instrumentos del Análisis Macroeconómico. Este concepto, junto con los cambios en sus componentes, se emplea principalmente en el análisis del gasto nacional, gasto que, como sabemos, es la contrapartida del Producto Nacional. Recuérdese que cuando encontramos el concepto de *PNB* sin más especificación, éste se refiere al *PNB* a precios de mercado.

El *PNB* al coste de factores es igual al *PNB* a precios de mercado menos los impuestos indirectos y' más los subsidios y subvenciones del Gobierno a la producción. Si en el coste de los factores de producir un bien o servicio se incluyen los sueldos y salarios y otras retribuciones del trabajo, las rentas de la tierra y los alquileres, los intereses del capital y los beneficios de las empresas, es obvio que el precio al que se vende ese bien o servicio en el mercado será el coste de producirlo más el impuesto sobre su venta o consumo y menos la subvención que por la producción de ese bien haya podido recibir la empresa procedente del Gobierno. Este en ocasiones da subvenciones a las empresas para la producción de bienes y/o servicios con la finalidad de estimular ésta y/o reducir el precio al que se vende el producto a los consumidores (ya que las subvenciones a la producción en realidad constituyen una reducción de los costes: un desplazamiento de las curvas de costes hacia la derecha; a este respecto recuerde el lector el análisis que se efectuaba en el Capítulo 27).

Supongamos, por ejemplo, que el coste de factores de producir un bien es 100, coste que se desglosa en salarios 60, intereses 15, rentas 5, y beneficios 20. Si el Gobierno grava ese producto con un impuesto al consumo de 20, el precio de mercado de aquél será de 120. Si, por el contrario, el Gobierno da a la empresa productora una subvención de 5 por la fabricación del producto, el precio de mercado de aquél será de 95. Así pues, para pasar del *PNB* al coste de factores al *PNB* a precios de mercado es necesario sumar al primero los impuestos indirectos y restarle las subvenciones a la producción. Las subvenciones a la producción pueden ser consideradas como un impuesto indirecto negativo.

El producto Interior Bruto *(PIB)* de un país es igual al *PNB* de éste menos las rentas de los factores del país situados en el extranjero y más las rentas de los factores extranjeros que son utilizados en el país. En definitiva, el *PIB* está constituido por la magnitud resultante de sumar el valor de los bienes y servicios de consumo adquiridos en el país (tanto por las economías domésticas como por el Gobierno), el valor de los bienes de inversión adquiridos en el país (la llamada formación bruta de capital, que incluye la formación bruta de capital fijo y las variaciones en las existencias), y el valor de las exportaciones de bienes y servicios, y de restarle a esa suma el valor de las importaciones de bienes y servicios realizadas por el país. El *PIB* representa, pues, la producción de bienes y servicios realizada en el país (efectuada por los agentes económicos nacionales) durante un período. El *PIB* puede ser igualmente considerado al coste de factores y a precios de mercado, siendo éste igual al primero más los impuestos indirectos y menos las subvenciones a la producción o subvenciones de explotación.

El Producto Nacional Neto *(PNN)* al coste de factores es por definición igual al *PNB* al coste de factores menos el consumo de capital por concepto de depreciación. La depreciación ya la hemos definido y no necesita de más explicación. En la Contabilidad Nacional se la denomina «consumo de capital fijo». El *PNN* mide la cantidad de bienes y servicios de todo tipo que realmente representan una adición al stock de éstos de que dispone el país, ya que los bienes capital que se deterioran es necesario reponerlos (el consumo de capital fijo constituye un coste en consumo de recursos como cualquier otro uso de éstos). El *PNN* puede igualmente ser considerado al coste de factores y a precios de mercado (el segundo es igual al primero menos los impuestos indirectos y más las subvenciones a la producción).

La Renta Nacional

La Renta Nacional es la suma de las rentas obtenidas por todos los factores productivos del país, y equivale al *PNN* al coste de factores. La renta que se genera en la economía en un período de tiempo dado está integrada por los sueldos y salarios, las rentas y los alquileres, los intereses del capital y los beneficios de las empresas. Los tres primeros conceptos constituyen costes de la producción a los que hay que añadir la depreciación para obtener los costes totales de aquélla. Esta depreciación no puede, en consecuencia, considerarse como renta (las amortizaciones no van a parar a los propietarios de los factores, sino que son retenidas por las empresas para financiar la reposición de los factores fijos deteriorados u obsoletos).

La *RN* tiene una gran significación económica, ya que muestra las retribuciones que perciben los factores productivos. A partir de ella se obtienen los conceptos de renta *per cápita* (la *RN* dividida por el número de habitantes del país) y de renta por individuo activo (la *RN* dividida por la población activa). Ambas magnitudes son importantes, ya que reflejan el nivel de vida de los ciudadanos del país y la productividad de la mano de obra. No obstante, la renta *per cápita* no nos da ninguna información sobre la distribución de la renta entre los distintos factores (trabajo, tierra, capital y actividad empresarial), y entre los distintos individuos y entre los diferentes grupos sociales y profesionales.

Renta Privada, Renta Personal y Renta Disponible

La relación entre el *PNB* a precios de mercado y la Renta Privada Neta es la siguiente:

Producto Nacional Bruto a precios de mercado
menos:

a)   Depreciaciones

b)   Contribuciones de patronos y empleados a la Seguridad Social

c)   Impuestos indirectos menos subvenciones a la producción (subvenciones de explotación)

d)   Beneficios de las empresas públicas

e)   Impuestos directos sobre la renta de las personas físicas y de las empresas

más:

f)   Transferencias del Gobierno a las economías domésticas
es igual a la *Renta Privada Neta*

La relación entre el *PNB* a precios de mercado y la Renta Personal de un lado y la Renta Personal disponible de otro, es la siguiente:

Producto Nacional Bruto a precios de mercado
menos:

a)   Depreciaciones (consumo de capital fijo)

b)   Contribuciones de patronos y empleados a la Seguridad Social

c)   Impuestos indirectos menos subvenciones estatales a la producción (subvenciones de explotación)

d)   Beneficios de las empresas privadas no distribuidos

e)   Impuestos sobre los beneficios (la renta) de las empresas antes de la distribución de éstos

f)   Beneficios de las empresas públicas

más:

g)   Transferencias del Gobierno a las economías domésticas
es igual a la *Renta Personal*
menos:

Impuestos sobre la renta de las personas físicas
es igual a la *Renta Personal Disponible*

Veamos estas dos relaciones y las partidas que aparecen en ellas. En la primera se trata de derivar la Renta Privada Neta a partir del *PNB* a precios de mercado. Esta se define como los ingresos netos del sector privado (economías domésticas y empresas). Las partidas *a*, *b*, *c*, *d* y *e* obviamente constituyen rentas que no van a parar al sector privado (las depreciaciones o amortizaciones las mantienen las empresas, pero no pueden disponer de ellas, ya que han de utilizar estos recursos en reponer sus bienes capital). Las partidas *b*, *c*, *d* y *e* constituyen ingresos del Sector Público (las partidas *b*, *c* y *e* son detracciones al sector privado, mientras que los beneficios de las empresas públicas constituyen ingresos directos del Estado procedentes de su actividad empresarial). La Renta Privada Bruta es igual a la Renta Privada Neta más las amortizaciones de las empresas productoras privadas. Los conceptos de *RPN* y *RPB* tratan de medir los ingresos netos y brutos del sector privado (por contraposición al Sector Público).

La Renta Personal está constituida por la renta que obtienen las economías domésticas por el pago de todos los factores que venden (incluyendo la actividad empresarial que es retribuida con los beneficios de las empresas). Distinguimos, pues, entre sector privado y sector economías domésticas (de ahí la denominación de Renta Personal: la renta que obtienen las personas). Para obtener la Renta Personal a partir de *PNB* a precios de mercado se deducen de éste las depreciaciones (que las retienen las empresas), los beneficios obtenidos y no distribuidos por las empresas privadas (que los retienen igualmente éstas), los beneficios de las empresas públicas (que van a parar al Estado o Gobierno, y, en consecuencia, no los reciben las economías domésticas), y las detracciones que hace el Gobierno (en forma de impuestos indirectos, impuestos sobre los beneficios de las sociedades, y contribuciones de los patronos y de los trabajadores a la Seguridad Social. Estas últimas pueden ser consideradas como un impuesto).

A la magnitud resultante se le añaden las transferencias del Gobierno a las economías domésticas. Estas comprenden principalmente los pagos de la Seguridad Social: pensiones de todo tipo, subsidio de desempleo, compensaciones por accidentes, ayuda familiar, etc. También se incluyen en las transferencias los intereses que el Estado paga por la deuda pública que emite. Estos intereses son considerados por convención como una transferencia (un pago sin contrapartida de prestación de bienes o servicios) del Gobierno a las economías domésticas, a pesar de que constituyen un pago por el préstamo de recursos financieros que éstas hacen al Estado al comprar y mantener los títulos de Deuda Pública. Del mismo modo, los pagos de la Seguridad Social a las economías domésticas son considerados convencionalmente como transferencias de la primera a las segundas, a pesar de que las economías domésticas cotizan a aquélla.

La Renta Personal es, pues, la magnitud resultante de restar del *PNB* a precios de mercado las partidas *a, b, c, d, e* y *f*, y sumarle la partida *g*. Pero la Renta Personal no es la renta de que disponen las economías domésticas para gastar en consumo y ahorrar, ya que éstas han de pagar al Gobierno el impuesto sobre la renta que obtienen las personas. De ahí que la Renta Personal Disponible se obtenga restando a la Renta Personal los pagos realizados por las economías domésticas al Gobierno en concepto del impuesto sobre la renta de las personas físicas. Las economías domésticas disponen de su renta personal de tres formas: gastando en consumir, ahorrando y pagando el impuesto sobre la renta de las personas físicas. La Renta Personal Disponible es la renta de la que finalmente pueden disponer las economías domésticas, y tiene especial importancia porque de ella, como veremos más adelante, depende el gasto privado en consumo, magnitud ésta que constituye una de las variables macroeconómicas clave.

Las contribuciones de patronos y empleados a la Seguridad Social, los impuestos indirectos menos las subvenciones a la producción (éstas constituyen una transferencia del Gobierno a las empresas, y, por lo tanto, un pago de éste), los beneficios de las empresas públicas, y los impuestos sobre la renta de las empresas y de las personas físicas representan ingresos del Gobierno; por el contrario, las transferencias del Gobierno a las economías domésticas (ya hemos visto las partidas que integran aquéllas) son pagos de aquél. Se pueden consolidar estas partidas, sumando las que constituyen ingresos del Gobierno y restando a la cantidad resultante las que representan pagos. La magnitud resultante constituye los ingresos netos gubernamentales, que representan todos los pagos por concepto de impuestos del sector privado al Gobierno, menos los pagos de éste en concepto de subvenciones a la producción y de transferencias a las economías domésticas (estos pagos pueden sonsiderarse como impuestos negativos).

Resumiendo, podemos decir que el *PNB* a precios de mercado menos las depreciaciones, menos los pagos netos del sector privado al Gobierno, es igual a la Renta Privada Neta. En consecuencia, la Renta Privada Bruta es igual al *PNB* a precios de mercado menos los pagos netos del sector privado al Gobierno. Asimismo, la Renta Nacional es igual al *PNN* al coste de los factores.

La Renta o Producto Disponible en el País

Por esta magnitud o variable se entiende la suma de todos los bienes y servicios producidos en el país, menos las exportaciones y más las importaciones de bienes y servicios. Este concepto mide la cantidad total de recursos de que se dispone en un país durante un año para consumo privado y público y para inversión privada y pública. Mientras que el *PIB* representa los bienes y servicios producidos en el país en un período de tiempo, el Producto Disponible constituye los bienes y servicios que realmente se utilizan en aquél durante ese mismo período.

La relación existente entre el Producto Disponible y el Producto o Gasto Nacional Bruto puede expresarse por la fórmula siguiente:

$$Y = C + I + G + (X - M)$$

donde Y es el Producto o Gasto Nacional Bruto, C es el consumo privado (incluidas las importaciones de bienes de consumo), I es la inversión pública y privada (incluidos los bienes capital importados y las variaciones en las existencias), G es el gasto del Gobierno en cuenta corriente (el gasto público que no es de inversión), X las exportaciones y M las importaciones.

Podemos reordenar esta fórmula de la manera siguiente:

$$Y + (M - X) = (C + G) + I$$

El primer miembro de la igualdad, $Y +)M - X)$, representa el Producto Disponible en el país; mientras que el segundo miembro muestra el uso que se hace de este producto: $(C + G)$ es el consumo total privado y público, e I la inversión total privada y pública.

LAS PRINCIPALES MAGNITUDES MACROECONOMICAS DE LA ECONOMIA ESPAÑOLA EN EL AÑO 1986

A título ilustrativo de lo expuesto sobre la Contabilidad Nacional presentamos a continuación el Cuadro Resumen de los principales agregados de la Contabilidad Nacional de España que aparece en la *Contabilidad Nacional de España* publicada por el Instituto Nacional de Estadística en 1987.

CUADRO RESUMEN DE LOS PRINCIPALES AGREGADOS
DE LA CONTABILIDAD NACIONAL DE ESPAÑA. AÑO 1986

Valores absolutos a precios corrientes expresados en miles de millones de ptas.

Agregados	1986
1. Consumo nacional	24.706,0
1.1. Consumo privado	20.287,0
1.2. Consumo público	4.419,0
2. Formación bruta de capital	6.546,0
2.1. De capital fijo	6.334,0
2.2. Variación de existencias	212,0
DEMANDA NACIONAL (1+2)	31.252,0
3. Exportaciones de bienes y servicios	6.495,0
4. Importaciones de bienes y servicios	5.741,0
5. Producto interior bruto a precios de mercado (1+2+3−4)	32.006,0
5.1. Ramas agraria y pesquera	1.803,0
5.2. Ramas industriales	12.026,0
5.3. Rama de servicios	18.177,0
6. Impuestos ligados a la producción y a la importación	3.560,5
7. Subvenciones de explotación	652,2
8. Remuneración neta de los asalariados por el resto del mundo	39,9
9. Rentas netas de la propiedad y de la empresa, procedentes del resto del mundo.	−339,9
10. Consumo de capital fijo	3.715,7
11. Transferencias corrientes, impuestos y operaciones de seguros de accidentes, netas, procedentes del resto del mundo	102,2
12. Renta Nacional Neta Disponible a precios de mercado (5+8+9+11−10) ...	28.092,5
13. Población total (millones de habitantes)	38,6
14. Renta Nacional Neta Disponible a precios de mercado, per cápita:	
— en miles de pesetas	727,8
— en dólares	5.196,7
15. Producto Interior Bruto a precios de mercado por habitante en pesetas (5 : 13)	829.171,0

Digamos brevemente que las cifras son estimaciones (no son cifras definitivas) y que están calculadas a precios corrientes (se entiende por precios corrientes los precios existentes en el año al que se refieren las cifras). La rúbrica 5 muestra el valor del *Producto Interior Bruto* a precios de mercado, desglosado por ramas de actividad. La partida 6 está integrada por los impuestos ligados a la producción y a la importación que constituyen pagos obligatorios realizados por las unidades productoras y recaudados por las Administraciones públicas. Esos impuestos gravan la producción e importación de bienes y servicios o la utilización de los factores de producción; estos impuestos se recaudan independientemente de la realización de beneficios de explotación. El renglón 8 presenta los ingresos de los asalariados españoles que trabajan en el extranjero menos los de los extranjeros que trabajan en España.

La partida 9 muestra igualmente las rentas de la propiedad y de la actividad empresarial de las empresas españolas en el extranjero, menos las rentas de la propiedad y de la actividad empresarial de las empresas extranjeras en España. Estas rentas incluyen intereses de los activos financieros, alquileres, intereses imputados sobre los compromisos derivados de los contratos de seguro, dividendos y otras rentas. Como puede verse en el Cuadro Resumen, esta partida tiene signo negativo, debido fundamentalmente a que el número de empresas extranjeras implantadas en España y su volumen de producción son muy superiores al número de empresas españolas y su volumen de producción que operan en el extranjero (las rentas de la empresa que salen de España son mucho más cuantiosas que las rentas de la empresa que entran en nuestro país).

Las transferencias corrientes diversas netas del resto del mundo (partida 12) contabilizan las transferencias que realizan a nuestro país Gobiernos e instituciones privadas de otras naciones, menos las que nuestro Gobierno e instituciones privadas españolas hacen a otros países (los pagos que hace el Gobierno norteamericano por el arriendo de las bases españolas a Estados Unidos constituyen una transferencia que el resto del mundo hace a nuestro país, mientras que la ayuda que el Gobierno español presta a Guinea Ecuatorial representa una transferencia que España hace al resto del mundo). El valor positivo de esta magnitud significa que España recibe un volumen de transferencias superior al que ella hace al resto del mundo.

Vemos, pues, que siguiendo las estimaciones del INE, el *PIB* a precios de mercado en 1986 superó los 32 billones de pesetas a precios corrientes. El lector puede pasar fácilmente de unas magnitudes a otras simplemente sumando y restando los renglones que se indican entre paréntesis. Así, la *RNN* Disponible a precios de mercado se obtiene sumando y restando las rúbricas que aparecen en el Cuadro anterior, es decir $5 + 8 + 9 + 11 - 10$.

APENDICE: LA CONTABILIDAD NACIONAL EN ESPAÑA

Antecedentes

Si bien algunos economistas e instituciones privadas habían realizado con anterioridad estimaciones de la cuantía de la renta nacional la primera cifra oficial de esta magnitud aparece en 1945, elaborada mediante el empleo de métodos indirectos por la Comisión de la Renta Nacional, organismo dependiente del Consejo de Economía Nacional. Esta Comisión publicó cifras oficiales de renta nacional hasta 1964.

En 1965, se le encomienda al Instituto Nacional de Estadística la elaboración de la Contabilidad Nacional de España. El modelo seguido fue el «Sistema Normalizado de Contabilidad Nacional de la OECE» (a partir de 1959, OCDE), tomando como año base 1964 y publicando los valores de los años 1965 a 1972. Si bien la Contabilidad Nacional de España con base en 1964 proveyó la información necesaria para el análisis e instrumentación de los Planes de Desarrollo, y sirvió para detectar los fallos existentes en el sistema de estadísticas económicas y de recogida de datos, acabó viéndose desbordada. El cambio en la estructura económica española que se produjo en ese período, y la imposibilidad de introducir en el marco de la Contabilidad Nacional las mejoras realizadas en las estadísticas oficiales, aconsejaron su sustitución en 1973.

Así, en ese año, el Instituto Nacional de Estadística decidió actualizar el sistema de Cuentas Nacionales, armonizándolo con las últimas disposiciones internacionales en la materia, básicamente el sistema de Cuentas Nacionales de la ONU (1968) y el Sistema Europeo de Cuentas Económicas Integradas (SEC-1970), y adaptando la Contabilidad Nacional de España a las nuevas normas que afectaban, tnto a la estructura del sistema contable como a los conceptos, clasificaciones y métodos de valoración.

Como consecuencia de la labor de mejora llevada a cabo por el Instituto Nacional de Estadística desde entonces, la actual Contabilidad Nacional de España se elabora sobre una nueva base, cuyo año inicial es 1980.

La Contabilidad Nacional de España, base 1980 (CNE-80)

La CNE-80 representa un importante avance con respecto al sistema anterior en lo que a conocimiento de la actividad y estructura económica española se refiere. A diferencia del sistema anterior (CNE-70), presenta por primera vez la elaboración de la tabla *input-output,* una mayor desagregación de los sectores institucionales y de las operaciones económicas de éstos. Además, la CNE-80 supone un cambio de base del conjunto de agregados y variables de la economía española.

Las características principales de la CNE-80 estriban, además de lo anteriormente señalado, en las diversas cuentas en que divide a la economía y a los sectores en que fracciona la actividad económica.

Las cuentas reflejan distintos aspectos del circuito económico y recogen las operaciones que se equilibran, bien en virtud de las definiciones establecidas o bien mediante un saldo contable significativo para el Análisis económico.

El sistema contable establecido opera con las siguientes cuentas:

1) *Cuenta de bienes y servicios.* Esta cuenta se elabora para el conjunto de la economía nacional y para las distintas ramas de actividad, poniendo de relieve el equilibrio global de Recursos y Empleos de bienes y servicios de la economía. Está equilibrada por definición. Los Recursos incluyen: valor total de la producción de bienes y servicios, importaciones de bienes y servicios e impuestos ligados a la importación. En Empleos aparecen: conjunto de bienes y servicios dedicados a consumo intermedio, consumo final (público y privado), formación bruta de capital fijo, variación de existencias y exportaciones.

2) *Cuenta de producción.* . Se establece para la Economía Nacional, Sectores Institucionales y Ramas de actividad. Muestra las operaciones que constituyen el proceso de producción propiamente dicho. En Recursos aparece el valor de la producción y en Empleos, los consumos intermedios. El saldo de la misma es para el conjunto de ramas y sectores, el valor añadido bruto a precios de mercado y para la economía nacional, el Producto Interior Bruto a precios de mercado.

3) *Cuentas de explotación.* Esta cuenta registra las operaciones de distribución que están ligadas al proceso de producción, por lo que puede obtenerse tanto por Ramas de Actividad como por Sectores Institucionales. En Recursos figuran: Valor añadido bruto a precios de mercado (Producto Interior Bruto para la cuenta homónima de la Economía Nacional) y las subvenciones de explotación. En empleos se incluye: impuestos ligados a la producción y remuneración de asalariados. Su saldo es el Excedente Bruto de Explotación.

4) *Cuenta de renta.* Esta cuenta y las sucesivas sólo pueden elaborarse para Sectores Institucionales y Economía Nacional. En ella se recogen las operaciones que surgen de las relaciones de comportamiento de las diferentes unidades institucionales que actúan en la actividad económica y, por tanto, sólo pueden contemplarse desde la óptica del análisis institucional. Se recogen las diversas operaciones de distribución y redistribución de rentas (intereses, dividendos, beneficios distribuidos, transferencias corrientes, etc.) que tienen lugar entre los diferentes agentes o sectores institucionales de la economía.

El Saldo de esta cuenta es la Renta Bruta Disponible de cada sector y para la Economía Nacional, la Renta Bruta Disponible a precios de mercado.

5) *Cuenta de utilización de renta.* Esta cuenta pone en evidencia, para aquellos sectores que tienen consumo final (Administraciones públicas y Hogares) como se reparte la correspondiente Renta Bruta entre consumo y ahorro. El saldo de la misma es el Ahorro Bruto de cada sector y para la Economía Nacional, el Ahorro Nacional Bruto.

6) *Cuenta de capital.* Esta cuenta contempla para cada sector y para la Economía Nacional las operaciones ligadas a las inversiones en activos no financieros y las transferencias de capital que se consideran como operaciones de distribución del patrimonio (como empleos de la cuenta). Entre los recursos aparecen: Ahorro Bruto y conjunto de transferencias de capital recibidas. El saldo de esta cuenta, según su signo, será la Capacidad o Necesidad de Financiación de cada Sector y de la Economía Nacional.

Para el sector denominado Resto del Mundo (que agrupa a las unidades no residentes en cuanto que realizan operaciones con unidades residentes), la CNE-80 prevé dos tipos de cuentas: la Cuenta de Operaciones Corrientes y la Cuenta de Capital.

7) *Cuenta de operaciones corrientes.* Esta cuenta recoge en Recursos el conjunto de operaciones de tipo importación realizadas por España con el resto del mundo, excepto las operaciones de capital que se recogen en la cuenta de capital correspondiente. Así, en Recursos aparecerán las importaciones de bienes y servicios, las rentas del trabajo y capital pagadas al Resto del Mundo, las transferencias corrientes pagadas, etc. En empleos lo harán las exportaciones, las rentas recibidas, las transferencias recibidas, etc. El saldo de esta Cuenta se denomina Saldo de las Operaciones Corrientes con el resto del Mundo.

8) *Cuenta de Capital*.   La Cuenta de Capital refleja las operaciones de transferencias de capital con el Resto del Mundo. Como primer recurso aparece el Saldo
de las Operaciones Corrientes. El saldo final es de nuevo la Capacidad o Financiación nacional, desde la óptica de las cuentas con el exterior.

BIBLIOGRAFIA SELECCIONADA

Samuelson, P.: *Curso de Economia Moderna*, op. cit., Cap. 10.

Lipsey, R.: *Introducción a la Economía Positiva*, op. cit., Cap. 14.

Trías Fargas, R.: *Principios de Economía Política Española*, Ediciones Ariel, Barcelona, 1973, páginas 14-62.

Rojo Duque, L. A.: *Renta, Precios y Balanza de Pagos*, Alianza Editorial, Madrid, 1974, páginas 11-54.

Ackley, G.: *Teoría Macroeconómica*, op. cit., Cap. II.

Brooman, F. S.: *Macroeconomía*, Aguilar, Madrid, 1969, Cap. II.

Instituto Nacional de Estadística: *Contabilidad Nacional de España, base 1980. Cuentas Nacionales y Tablas Input-Output*, Madrid, 1986.

LA TEORIA DE LA DETERMINACION
Y DE LAS FLUCTUACIONES
DEL NIVEL DE RENTA

INTRODUCCION

Comenzamos ahora la exposición de la Teoría Macroeconómica propiamente dicha; es decir, la teoría que trata de explicar el nivel de producción, renta y empleo que se da en una economía durante un período de tiempo determinado, así como las fluctuaciones o cambios de aquél, tanto en el corto plazo (de un trimestre a otro, o de un año a otro) como en el largo plazo (durante períodos de varios años, e incluso durante largos períodos de tiempo).

La exposición de la Teoría Macroeconómica a un nivel elemental (como el nivel que empleamos en este Curso de Economía) plantea al tratadista dos problemas de difícil solución. Por una parte, no existe un cuerpo de teoría básica incontrovertible y generalmente aceptado, como ocurre en la mayor parte de la Microeconomía. Hasta la crisis de la década de los 70, el modelo keynesiano era el que disfrutaba de una mayor aceptación (sobre todo a efectos de política económica), si bien el llamado modelo neoclásico era considerado por muchos economistas como más acabado que el keynesiano desde el punto de vista teórico. La llamada síntesis neoclásica constituía una especie de acuerdo entre los teóricos del keynesianismo (que en su momento fue llamado la Nueva Economía) y los del resurgimiento del neoclasicismo. Ambos grupos de teóricos, sin embargo, utilizaban el mismo modelo básico de renta-gasto para explicar la determinación del nivel de producción, renta y empleo. Este modelo de renta-gasto es el que corresponde a la concepción de la economía en su conjunto como un gran flujo circular con entradas y salidas como el que hemos descrito. La crisis reciente (desde principios de los años 70) y actual, en la que se dan simultáneamente inflación y desempleo, ha hecho que la teoría keynesiana sea puesta en tela de juicio y que la teoría monetarista de estos fenómenos haya cobrado un mayor auge.

El segundo problema que se le presenta al expositor de la Teoría Macroeconómica a un nivel elemental es la integración de los aspectos real (la teoría relativa a la determinación del nivel de producción y empleo en términos reales) y monetario (la teoría relativa al papel del dinero y de los precios en la determinación del nivel de actividad económica). La Teoría Macroeconómica incluye estos dos aspectos y la exposición de esta Teoría en su totalidad exige hacerlo a un nivel de complejidad superior al que se considera que se debe alcanzar en un curso elemental. De ahí que, en general, los tratados de introducción a la Economía adolezcan de una exposición de la Macroeconomía insuficiente e insatisfactoria (por comparación con la que se suele hacer de la Microeconomía).

Nosotros nos enfrentamos igualmente con estos dos problemas e intentamos resolverlos siguiendo el método que emplean la mayoría de los autores. Este método consiste en exponer, en primer lugar, un modelo de corte keynesiano sencillo y simplificado, en el que sólo se toma en consideración el sector real de la economía (el sector de la producción en términos de volumen físico de bienes y servicios, y del empleo). En segundo lugar, consideraremos el dinero (la oferta y la demanda de dinero), y expondremos una teoría igualmente simplificada del papel de éste en la determinación del nivel general de precios y en el nivel de actividad económica.

La justificación de seleccionar un modelo keynesiano sencillo como la teoría que aquí exponemos más detalladamente sobre la determinación del nivel de producción, renta y empleo, reside en que este modelo (llamado de renta-gasto) responde al enfoque o concepción de la actividad económica a nivel agregado como un gran flujo circular de la renta, flujo en el que se dan entradas y salidas que determinan el nivel de ésta. Este modelo sigue constituyendo el enfoque que generalmente se emplea por las diversas corrientes que se dan actualmente en la Teoría Macroeconómica, si bien en las diversas teorías se postulan distintas elasticidades de las variables y diferentes velocidades en los procesos de ajuste de éstas. Por esta razón y porque no existe por el momento otra teoría de los fenómenos macroeconómicos superior (científicamente hablando) a ésta, nosotros vamos a exponer fundamentalmente este modelo.

La Teoría Macroeconómica es compleja y sofisticada, por lo que su exposición a un nivel elemental constituye una tarea de difícil ejecución, que sólo se salda con un tratamiento insuficiente e inadecuado de aquélla, tratamiento que seguramente dejará insatisfecho al lector curioso y exigente. Quizá le sirva de consuelo saber que los teóricos de la Macroeconomía también se encuentran insatisfechos con el estado actual de ésta. En cualquier caso, el lector que desee ampliar sus conocimientos de Macroeconomía puede consultar alguno de los varios magníficos manuales existentes en el mercado. Entre éstos se encuentran las obras de los Profesores Rojo Duque, Ackley, Bailey y Branson que se citan en la bibliografía seleccionada de éste y de los siguientes capítulos.

LA DEMANDA AGREGADA

Al igual que el volumen que se produce y transacciona de un bien cualquiera durante un período dado viene determinado por la oferta y la demanda de éste, también es posible concebir la producción de todos los bienes y servicios que se realiza en la economía en su conjunto durante un año como una magnitud que es determinada por la oferta y la demanda agregada.

Definimos la oferta agregada (la suma de las ofertas de todos los bienes y servicios) como el valor del *output* disponible para ser comprado en la economía nacional en un período de tiempo dado. Esta oferta agregada obviamente es igual al *PNN* (es decir, al *PNB* o la totalidad de los bienes y servicios finales producidos, menos la parte de ésta que constituye el consumo de capital fijo o depreciaciones). La demanda agregada de una economía se define como el valor del *output* (bienes y servicios) que están dispuestos a comprar (durante un período de tiempo determinado) los consumidores, las empresas, el Gobierno y el resto del mundo. La demanda neta de bienes y servicios producidos en la economía que analizamos por parte del resto del mundo naturalmente ha de ser considerada como el valor de las exportaciones menos el de las importaciones. Como veremos después, la economía tiende a aquel nivel de producción, renta y empleo para el cual la demanda agregada es igual a la oferta agregada.

En una economía con cierto nivel de desempleo (con mano de obra desempleada y con capacidad productiva instalada y no utilizada plenamente), la demanda agregada determina el nivel de producción, renta y empleo. La explicación es muy simple: las empresas están interesadas en producir la mayor cantidad posible de *output,* y en el corto plazo aumentarán la producción hasta el límite de su capacidad productiva instalada. Como en toda economía normalmente existe algún grado de desempleo, en consecuencia, la producción total será la que corresponda a la cantidad de bienes y servicios de todo tipo que se demanden. Como ya hemos señalado, en una economía de mercado la mayor parte de la producción la realizan las empresas privadas y públicas, y éstas producirán las cantidades de bienes y servicios que se les demanda (cualesquiera que sean los agentes económicos que los demandan: economías domésticas nacionales, empresas nacionales, Gobierno o resto del mundo). El Gobierno también produce bienes y sobre todo servicios. y esta producción, asimismo, depende en buena medida de la demanda existente de ellos por parte de los ciudadanos del país. Así pues, en una economía con desempleo, la demanda agregada determina el nivel de producción, renta y empleo.

LOS COMPONENTES DE LA DEMANDA AGREGADA O GASTO NACIONAL BRUTO

Como ya hemos señalado, el gasto total que se realiza durante un período de tiempo dado en bienes y servicios producidos en una economía (gasto al que hemos denominado demanda agregada) está integrado por:

1) El gasto en consumo privado de bienes y servicios.

2) El gasto en inversión (la inversión interior bruta).

3) El gasto del sector gubernamental

4) El gasto neto del resto del mundo en bienes y servicios producidos por los agentes económicos del país. Este gasto neto está constituido por las exportaciones menos las importaciones de bienes y servicios (o lo que se denomina el saldo neto de la balanza de pagos por cuenta corriente).

Vemos, pues, que los componentes de la demanda agregada corresponden a la suma del gasto que realizan los cuatro motores o grupos de agentes que hemos distinguido: las economías domésticas nacionales, las empresas del país, el Gobierno de la nación y el resto del mundo. Las cuatro categorías de gasto corresponden a las fuerzas que realmente determinan el nivel de producción, renta y empleo al que opera la economía. Cuando las economías domésticas deciden consumir más o consumir menos, obviamente afectan al nivel de demanda agregada. Cuando las empresas privadas varían su gasto en inversión, están afectando a la demanda agregada. Lo mismo ocurre con los cambios en los gastos del Gobierno y en las exportaciones e importaciones. Si el lector lo piensa detenidamente comprenderá que en la economía sólo se demandan bienes por esos cuatro conceptos. Nos referimos naturalmente a la demanda de bienes y servicios producidos en la economía, ya que esa demanda es la que determina el volumen de producción, renta y empleo de dicha economía (y, por lo tanto, el nivel de vida de sus miembros).

Como hemos visto en el capítulo anterior, la demanda agregada (o gasto nacional bruto) viene expresada por la fórmula:

$$Y = C + I + G + (X - M)$$

A continuación vamos a estudiar la naturaleza de cada uno de los componentes de la demanda agregada, así como las relaciones funcionales que existen entre ellos. Estas magnitudes o variables son de dos tipos: exógenas y endógenas. Las variables exógenas son aquellas cuyos valores son determinados por influencias o factores externos al sistema económico que se estudia; mientras que las variables endógenas son variables cuyas magnitudes quedan o son determinadas total o parcialmente por otras variables del modelo. La finalidad última de este análisis es construir un modelo simplificado mediante el cual se ponga de manifiesto cómo la acción recíproca de las variables estratégicas del sistema (las relaciones funcionales entre ellas) determinan el nivel de producción, renta y empleo de la economía. En definitiva, se trata de desarrollar una teoría que permita explicar el nivel de producción, renta y empleo que se determina en una economía en un período de tiempo concreto, así como la magnitud en la que dicho nivel es influenciado por las variaciones de algunos de los componentes básicos de la demanda agregada.

EL CONSUMO AGREGADO DE LAS ECONOMIAS DOMESTICAS

El consumo privado de bienes y servicios constituye el componente más importante de la demanda agregada (en 1979 el consumo privado interno realizado en España representó el 71 por 100 del PIB a precios de mercado). En este consumo se incluyen las compras de bienes no duraderos (comida, bebidas, ropa, calzado, etc.), las compras de bienes duraderos (electrodomésticos, televisiones, tocadiscos, coches, viviendas, etc.), y las compras de servicios (vacaciones, servicios médicos, espectáculos, educación privada, comidas en restaurantes, etc.).

El cálculo del consumo privado en bienes y servicios plantea problemas en la Contabilidad Nacional. En los países que disponen de una información estadística apropiada, esta magnitud se obtiene mediante un cálculo directo de los bienes y servicios consumidos durante el año. Pero son muy pocos los países que disponen de la organización estadística necesaria para calcular el consumo privado de una forma directa. Generalmente el consumo privado se obtiene como una magnitud residual partiendo del Gasto Nacional Bruto y deduciendo de éste los gastos de inversión pública y privada, los gastos del Gobierno y el saldo neto de la balanza de pagos en cuenta corriente. A su vez el Gasto Nacional Bruto se obtiene mediante un cómputo del PNB o de la renta de los factores (según las identidades que ya conocemos).

Un problema que se plantea en la estimación indirecta del consumo estriba en el cálculo de las variaciones en las existencias de bienes de consumo, tanto de las empresas como de los comerciantes. Como ya hemos indicado, éstas se incluyen por definición en la inversión. Si las variaciones de las existencias se sobreestiman (si el valor que se les atribuye es superior a su valor real), el consumo privado queda subvalorado; mientras que si las variaciones en las existencias se subestiman, el gasto en consumo calculado será superior al realmente efectuado. Para minimizar estas desviaciones del valor estimado del consumo privado respecto al valor real de éste, el INE efectúa una comprobación del valor calculado a través de realizar un cálculo independiente basado en un muestreo suficientemente amplio del consumo de varios bienes básicos, tales como productos alimenticios, ropa de todo tipo, etc. Recordemos que el INE realiza el cálculo de las macromagnitudes desde diversas perspectivas y contrasta los valores obtenidos de las distintas fuentes con la finalidad de hacer las cifras lo más próximas a la realidad que sea posible.

A un nivel teórico más fundamental se plantea la cuestión de lo que constituye gasto en consumo por parte de las economías domésticas. Ya hemos señalado que en Economía se supone que por definición éstas no invierten (la inversión la realizan las empresas y el Gobierno). Con su renta las economías domésticas pagan sus impuestos directos, consumen y ahorran. El ahorro se define como la renta ganada u obtenida y no gastada en consumir. Esta renta ahorrada se la puede mantener o colocar en varias formas: en dinero efectivo (atesoramiento), en una cuenta corriente, en una cuenta de ahorro a distintos plazos, en certificados de depósito, en acciones, en obligaciones, en bonos del Tesoro, en bonos de caja de los bancos, o en títulos de Deuda Pública. Pero también se puede colocar el ahorro en la compra de bienes que no se destinan al consumo, tales como oro, diamantes, todo tipo de joyas, cuadros y demás objetos de arte, y bienes inmuebles (un piso, una casa, un solar, etc.).

La distinción un tanto arbitraria entre gasto en consumo y ahorro es puesta de manifiesto por la compra de un piso o de una casa por parte de una economía doméstica. Dados el largo período de duración que tiene una casa o piso, su alto coste y su forma especial de financiación (junto con el hecho de que generalmente las viviendas se revalúan con el paso del tiempo), muchos economistas consideran que la compra de una vivienda es una forma de ahorro, y que la economía doméstica (con posterioridad a la compra) realiza un gasto en consumo que puede estimarse en el alquiler que el propietario tendría que pagar si la vivienda no fuera suya. Los alquileres pagados por el uso de viviendas ajenas son considerados como gasto en consumo (ya que el pago de éstos no produce un rendimiento financiero a los inquilinos por contraposición al rendimiento que la revaluación de las viviendas produce a sus propietarios). El mismo problema se plantea con todos los demás bienes duraderos. Como veremos más adelante en este Capítulo, algunos economistas consideran el gasto en éstos como un gasto en lo que llaman capital de consumo (que constituye una acumulación de riqueza), mientras que el gasto en consumo propiamente dicho lo representan los servicios derivados de esos bienes.

La Función de Consumo Keynesiana

En la Teoría Macroeconómica el consumo privado es considerado como una variable endógena. Más concretamente, y a partir de Keynes, se considera que el consumo privado depende de la renta disponible de las economías domésticas. Esta relación funcional entre el consumo y la renta se expresa a través de la llamada función de consumo, y constituye una de las relaciones funcionales (por contraposición a las relaciones derivadas de las definiciones que se emplean en la Contabilidad Nacional) más importantes de la Teoría Económica, tanto por su valor científico como por su utilidad a efectos de política económica.

Keynes fue el primer economista en formular de una manera explícita la hipótesis de que el consumo privado agregado depende de la renta y que esta relación es directa: al aumentar la renta aumenta el consumo de una forma predictible, y viceversa. A medida que la renta de los individuos aumenta, éstos cambian sus estructuras de consumo de una manera bastante predictible. Cuando su renta es muy baja, los sujetos gastan la casi totalidad de ésta en bienes alimenticios, ropa y vivienda. Cuando sobrepasan cierto nivel de renta, aquéllos gastan un porcentaje menor de ésta en comida y destinan una mayor proporción de sus ingresos a bienes, tales como vivienda y transporte (quizás empiezan a ahorrar un poco). A medida que su renta continúa aumentando (se entiende a medida que ésta se incrementa en términos reales), el porcentaje de sus ingresos que destinan a bienes básicos tales como comida, vestido, vivienda y transporte se va haciendo cada vez más pequeño (aunque en términos absolutos gasten más renta en ellos). Al mismo tiempo aumenta la fracción de ésta que destinan a bienes y servicios, tales como esparcimiento (espectáculos, vacaciones, comidas en restaurantes, etc.), educación de los hijos y servicios médicos. También ahorran un porcentaje mayor de su renta.

Formalmente esta relación entre el consumo privado y la renta personal disponible se expresa con la función:

$$C = f(Y)$$

A esta relación funcional se le han dado distintas formulaciones. Nosotros vamos a utilizar aquí la formulación más sencilla, que es la siguiente:

$$C = C_0 + cY$$

donde C es el gasto en consumo por parte de las economías domésticas, C_0 es un volumen mínimo de consumo que es independiente del nivel de renta (el nivel de consumo que se daría si la renta fuera cero: si $Y = 0$, $cY = 0$, y en consecuencia $C = C_0$), c es la llamada propensión marginal al consumo $(PMaC)$, e Y es la renta personal disponible. Esta fórmula nos dice que el gasto en consumo consta de dos componentes: uno fijo (C_0) y otro que varía de una manera proporcional con la renta personal disponible (cY). La cuantía de esa proporcionalidad depende del valor que toma c (la $PMaC$).

Los cambios que se producen en el gasto en consumo de las economías domésticas al variar su renta tienen particular interés para el Análisis Económico, y concretamente para el estudio de la función de consumo. A esa relación entre la renta y el consumo se la denomina la propensión a consumir (la propensión o tendencia que las economías domésticas tienen a gastar una parte de su renta en consumo). A efectos analíticos se distinguen dos tipos de propensión a consumir: la propensión media al consumo $(PMeC)$ y la propensión marginal al consumo $(PMaC)$.

La propensión media al consumo se define como la razón entre el consumo total y la renta total (el porcentaje de la renta total que se gasta en consumo). Es decir:

$$PMeC = \frac{C}{Y}$$

siendo C el gasto total en consumo e Y la renta personal disponible total para el
conjunto de la economía.

Ya hemos indicado que tras pagar el impuesto directo sobre la renta (cuya deducción de la renta personal nos da la renta personal disponible), las economías
domésticas hacen uso o emplean su renta en consumir y ahorrar. En consecuencia,
el ahorro es también una función directa de la renta personal disponible:

$$S = f(Y)$$

Esta relación (simétrica de la del gasto en consumo) entre la renta y el ahorro
se denomina la propensión a ahorrar. En consecuencia, podemos igualmente definir
la propensión media al ahorro (PMeS) como:

$$PMeS = \frac{S}{Y}$$

siendo S la cantidad total de ahorro e Y la cantidad total de renta disponible a nivel agregado para la economía en su conjunto. Tanto a nivel de una economía
doméstica concreta como para la economía en su conjunto es posible que en un
período determinado se gaste en consumo una cantidad superior al valor de la renta disponible. En este caso se dice que se da un desahorro en la cuantía correspondiente a la diferencia entre el consumo y la renta (si un individuo durante un año
obtiene una renta de 1.000.000 de pesetas y gasta 1.200.000 pesetas ha efectuado
un desahorro por un valor de 200.000 pesetas en ese período). Tanto los individuos
como la sociedad en su conjunto pueden desahorrar consumiendo parte de su riqueza
acumulada del pasado u obteniendo préstamos de otros agentes económicos.

Así, una persona en un período de tiempo dado puede gastar en consumo una
cantidad mayor que la renta que percibe a través de reducir la cantidad de dinero
que tiene en sus cuentas en instituciones financieras, vendiendo activos (financieros
tales como acciones, obligaciones, etc.; o reales tales como piso, una finca, un coche, la cubertería, etc.), y/o tomando dinero a préstamo. En los dos primeros casos,
el sujeto está reduciendo su riqueza (el valor de los activos financieros y/o reales
que tiene en un momento dado), riqueza que en definitiva es una acumulación de
ahorro realizado en el pasado por él y/o por las personas de las que ha heredado
total o parcialmente su riqueza. En el caso de que obtenga préstamos, el sujeto
está utilizando el ahorro efectuado por otras personas en el pasado. Si el préstamo
lo obtiene de una institución financiera (un banco o una caja de ahorro), ésta se
lo ha podido conceder porque alguien ha efectuado un ahorro y lo ha colocado
en dicho banco o caja de ahorro.

Del mismo modo, un país puede gastar en consumir una cantidad superior a
la magnitud de la renta que se genera por la producción que se realiza en él durante un período. Ello puede hacerlo consumiendo parte de la riqueza acumulada
del pasado: reduciendo su stock de bienes de consumo (tales como animales de carne, grano, etc.) y no reponiendo total o parcialmente los bienes capital que se deterioren. Recordemos que las amortizaciones no forman parte de la renta personal
disponible; en consecuencia, no reponer los bienes capital deteriorados implicaría
distribuir esos fondos entre los propietarios de las empresas, los cuales los des-
tinarían a consumo o ahorro.

También puede la sociedad en su conjunto gastar en consumo una magnitud
superior a su renta nacional reduciendo los activos que tiene frente al resto del

mundo (por ejemplo, liquidando inversiones de agentes económicos nacionales en el extranjero, o vendiendo activos financieros exteriores, tales como deuda pública emitida por los Gobiernos de otros países y adquirida por agentes económicos nacionales), y/o endeudándose frente al exterior. Ambas acciones le permitirían al país importar bienes y servicios en una cuantía superior a la que exporta. Lo que no puede hacer el país en su conjunto es concederse préstamos a sí mismo; un individuo puede obtener préstamos de otros sujetos en la economía, pero ésta no puede prestarse a sí misma. Todo activo financiero de un agente económico (un depósito en un banco, una acción, etc.) es necesariamente un pasivo de otro agente. En consecuencia, a nivel agregado, en una economía los activos y los pasivos financieros se cancelan entre sí. La economía en su conjunto sólo puede obtener un préstamo de agentes exteriores a ella (Gobiernos de otras naciones, instituciones financieras internacionales o nacionales de otros países, empresas privadas o individuos de otras economías). El único activo financiero que se discute si es al mismo tiempo un pasivo de alguien (se acepta que es un activo de quien lo posee) es el dinero fiduciario (los billetes y las monedas en circulación). Veremos más adelante las cuestiones que plantea la creación de dinero por el Gobierno.

Se ha podido observar empíricamente que a medida que el nivel de renta de los individuos aumenta, su *PMeC* disminuye (gastan en consumir un porcentaje menor de ésta), lo que no significa que el gasto total en consumo sea menor. El que la *PMeC* de los individuos tienda a hacerse menor a medida que aumenta su nivel de renta implica que su gasto total en consumo se incrementa, pero que la fracción de su renta total que gastan en consumir disminuye. Este fenómeno es generalizable a la economía en su conjunto: a medida que aumenta la renta personal disponible, la *PMeC* tiende a hacerse más pequeña. Esto no significa que todas las economías domésticas observen este comportamiento, sino que este fenómeno se da para la economía considerada en su conjunto. Unas economías domésticas gastan todo lo que ganan o incluso más, y otras ahorran casi toda su renta; pero, como término medio y para el colectivo de todos los individuos, en todas las economías la *PMeC* tiende a hacerse menor al aumentar la renta.

Dado que la *RPD* (renta personal disponible) por definición es igual al consumo más el ahorro (*RPD* = *C* + *S*), si la *PMeC* tiende a disminuir al aumentar el nivel de renta, ello implica que la *PMeS* se hace mayor (aumenta tanto el valor total del ahorro como el porcentaje de la renta que se ahorra al incrementarse ésta).

Así pues, la *PMeC* y la *PMeS* están relacionadas. Si por definición:

$$RPD = C + S$$

entonces

$$S = RPD - C$$

y, en consecuencia,

$$PMeC + PMeS = 1$$

Es decir, la suma del porcentaje de la renta que se gasta en consumir y del porcentaje de la renta que se ahorra ha de dar el 100 por 100 de la renta. Así, si *RPD* = 100; *C* = 80 y *S* = 20, entonces

$$PMeC = \frac{80}{100} = 0,8, \quad y \quad PMeS = \frac{20}{100} = 0,2$$

en consecuencia,

$$PMeC + PMeS = 0,8 + 0,2 = 1$$

También se puede decir que se consume el 80 por 100 de la renta y se ahorra el 20 por 100 de ésta, con lo que la suma de los dos porcentajes nos da el 100 por 100 de la renta.

Otros dos conceptos importantes que se emplean son la propensión marginal al consumo *(PMaC)* y la propensión marginal al ahorro *(PMaS)*. La primera se define como el incremento que se produce en el consumo al darse un aumento determinado de la renta. Formalmente:

$$PMaC = \frac{\Delta C}{\Delta Y}$$

Del mismo modo, la *PMaS* se define como el incremento que se produce en el ahorro total al darse un aumento determinado en la renta total: Formalmente:

$$PMaS = \frac{\Delta S}{\Delta Y}$$

Como puede observar el lector, aquí se habla de cambios en los valores absolutos de las variables y no de los valores absolutos mismos. Si la renta aumenta de 100 a 150 en un período de tiempo, y el consumo total pasa de 80 a 115 y el ahorro total aumenta de 20 a 35, entonces $\Delta Y = 50$, $\Delta C = 35$ y $\Delta S = 15$. En consecuencia:

$$PMaC = \frac{35}{50} = 0,7, \quad y \quad PMaS = \frac{15}{50} = 0,3$$

Una vez más, $PMaC + PMaS = 1$, o lo que es lo mismo: $\Delta Y = \Delta C + \Delta S$, ya que los individuos disponen de su renta gastando en consumo y ahorrando. También podemos expresar estas relaciones en términos porcentuales. Si de un aumento de 50 en la renta, 35 se han destinado al consumo, ello significa que del incremento de la renta se ha gastado en consumir un 70 por 100 y, en consecuencia, se ha ahorrado un 30 por 100. La suma de los dos porcentajes necesariamente nos da el 100 por 100 del aumento de la renta. En adelante designaremos a la *PMaC* con la letra *c* (para distinguirla de la *C* con la que nos referimos al gasto total en consumo), y a la *PMaS* con la letra *s* (para distinguirla igualmente de la *S* con la que denominamos el ahorro total). Si, como hemos visto al principio de este párrafo,

$$c + s = 1, \text{ entonces } c = 1 - s, \text{ y } s = 1 - c$$

En realidad estas relaciones son identidades o tautologías. Si definimos la disposición de la renta por parte de los individuos como el gasto en consumo y el ahorro, entonces necesariamente $RPD = C + S$, $PMeC + PMeS = 1$, $PMeC = 1 - PMeS$, $PMeS = 1 - PMeC$, $c + s = 1$, $c = 1 - s$ y $s = 1 - c$.

Los conceptos de *PMaC* y de *PMaS* tienen una gran utilidad, tanto a efectos teóricos (de elaboración de la Teoría del Consumo) como para fines de política económica. Supongamos una situación en la que el Gobierno considera que la tasa de desempleo existente es demasiado elevada y decide intentar reducirla. Una de las posibles armas de política económica que tiene a su alcance el Gobierno es la de reducir el impuesto sobre la renta de las personas físicas (con lo que·aumentaría la RPD de las economías domésticas), y/o los impuestos indirectos (con lo que posiblemente bajarían los precios de los bienes y servicios; dado un nivel de RPD, una reducción de los precios implica un aumento de la capacidad adquisitiva de los individuos, lo que equivale a un aumento de la RPD en términos reales). El aumento de la RPD llevará a un incremento del gasto total en consumo y, en consecuencia, de la demanda agregada (lo que dará lugar a un aumento de la producción y del empleo).

Naturalmente, el Gobierno no puede reducir los impuestos sin más, ya que tiene unos gastos que han de ser financiados de alguna forma. Si desea estimular la demanda de bienes y servicios de consumo a través de aumentar la RPD por medio de reducir los impuestos, el Gobierno tendrá que estimar, por una parte, la magnitud en la que habrá de reducir sus ingresos impositivos para alcanzar un determinado incremento en el gasto privado en consumo; y por otra, su nuevo nivel de gastos e ingresos totales (dada la reducción en sus ingresos procedentes de los impuestos), así como las fuentes de financiación del probable déficit en el que incurrirá.

En el cálculo de la cantidad en la que han de reducirse los ingresos impositivos para obtener un determinado aumento del gasto en consumo es donde juega un papel esencial la PMaC. Como veremos en seguida, la PMaC a nivel agregado tiene un valor mayor que cero y menor que la unidad $(0 \leq c < 1)$; es decir, a nivel agregado los incrementos de la renta dan lugar a aumentos del gasto en consumo, pero éstos son menores en términos absolutos que aquéllos (los incrementos de la renta no son gastados en su totalidad en consumo, sino que se ahorra una parte de ellos). Si la PMaC es menor que la unidad $(c < 1)$, esto significa que el aumento de la RPD producido por la reducción de los impuestos no llevará a un incremento del gasto en consumo de la misma magnitud que esta reducción (el aumento en el consumo será menor que la reducción en los ingresos impositivos, ya que una parte del incremento de la RPD se destina al ahorro).

De ahí que el Gobierno necesite conocer el valor aproximado de la PMaC para determinar la reducción que ha de obtener en sus ingresos impositivos, dado el aumento que desea que se produzca en el gasto en consumo privado. Por ejemplo, si la $PMaC = 0,8$ y el Gobierno pretende que el gasto en consumo aumente en 100, tendrá que reducir sus ingresos impositivos en 125 (ya que aumentando la RPD en 125, el gasto en consumo se incrementará en 100; las 25 unidades restantes serán ahorradas, al ser $s = 0,2$). En consecuencia, cuanto mayor sea la PMaC menor será la magnitud en la que el Gobierno habrá de reducir los impuestos; y, al revés, cuanto menor sea la PMaC, mayor tendrá que ser la reducción en los ingresos impositivos para obtener un determinado aumento del gasto privado en consumo.

La Representación Gráfica de la Función de Consumo Keynesiana

En el apartado anterior señalamos que utilizamos la función de consumo

$$C = C_0 + cY$$

Esta es una función lineal directa que consta de un elemento constante C_0 (un volumen mínimo de consumo que es independiente del nivel de renta), y un elemento cY, denominado consumo inducido (el volumen de consumo determinado por el nivel de renta a través de la PMaC).

La relación entre el gasto total en consumo y la renta total de las economías domésticas fue expuesta por primera vez por el economista inglés Keynes y jugó un papel central en la teoría de la determinación de la renta que él formuló. Keynes expuso cuatro hipótesis a este respecto:

1) Debido a la que él llamó «una ley psicológica fundamental», a medida que aumenta la renta, el gasto en consumo se incrementa. Dicho de una forma más precisa, para Keynes el gasto realizado en consumo durante un período de tiempo depende de la renta real corriente de ese período y es una función estable de ésta. En el último epígrafe de este Capítulo veremos cómo esta relación funcional ha sido reformulada, fundamentalmente en la dirección de considerar al consumo como dependiente de la riqueza (entendiendo por riqueza el valor actualizado del flujo de renta que se espera obtener en el futuro).

2) La *PMaC* es mayor que cero y menor que la unidad; es decir, a medida que la renta aumenta, el gasto en consumo se incrementa, pero el aumento en el consumo es menor que el incremento de la renta (una parte del incremento en la renta se ahorra).

3) La *PMaC* es menor que la *PMeC*, lo que implica que la última se hace más pequeña al aumentar la renta. De nuestra función de consumo $C = C_0 + cY$ podemos derivar esta proposición:

$$PMeC = \frac{C}{Y} = \frac{C_0 + cY}{Y} = \frac{C_0}{Y} + c$$

como C_0 e Y son positivos, esto significa que siempre que $C_0 \geq 0$, $PMeC \geq PMaC$.

4) La *PMaC* probablemente se hace menor al aumentar la renta.

Las proposiciones 3 y 4 tienen menor importancia que las dos primeras en el sistema teórico keynesiano. En cualquier caso, la función de consumo es considerada como una invención de Keynes y constituye una pieza central de su teoría de la determinación de la renta. Para algunos economistas la formulación de la función de consumo constituye la aportación más importante que hizo Keynes a la Teoría Económica.

Veamos la representación gráfica de la función de consumo $C = C_0 + cY$. La Figura 34.1 muestra una representación de ésta. La función es lineal y, en consecuencia, la línea que refleja la relación entre C e Y es una línea recta con pendiente positiva (asciende de izquierda a derecha). La función tiene un componente constante (C_0) independiente de la renta, y que hace que cuando $Y = 0$, $C = C_0$; en consecuencia, la línea representativa de la función de consumo arranca del eje de ordenadas (exactamente del punto de éste correspondiente al valor de C_0). Finalmente, la pendiente de la línea que representa la función de consumo es exactamente el valor de la *PMaC*, c; esto es evidente, ya que la pendiente de la línea muestra la magnitud en la que cambia C al variar Y. Como puede verse en la Figura 34.1, $\Delta C < \Delta Y$, lo que responde a la hipótesis keynesiana de que $0 < c < 1$. Asimismo, el que la línea sea recta implica que estamos suponiendo que la *PMaC* permanece constante para todos los niveles de renta representados en el diagrama. Si la *PMaC* se hiciera menor a partir de algún nivel de renta concreto, la línea de consumo perdería pendiente y dejaría de ser recta.

La *PMeC* $(\frac{C}{Y})$ para cualquier nivel de renta se obtiene hallando la pendiente de la línea que une al origen de los ejes con el punto de la línea de consumo correspondiente al nivel de renta para el que deseamos calcular aquélla. Así, en la Figura 34.2, la *PMeC* para el nivel de renta *Y*, la obtenemos como $\dfrac{aY_1}{OY_1}$, que es la pendiente de la línea *Oa*. Obviamente, la *PMeC* disminuye a medida que aumenta el nivel de renta. Así, puede verse en la Figura 34.2 que la pendiente de la línea *Oa* es menor que la pendiente de la lína *Ob* (la razón $\dfrac{aY_1}{OY_1}$ es mayor que la razón $\dfrac{bY_2}{OY_2}$.

FIGURA 34.1   FIGURA 34.2

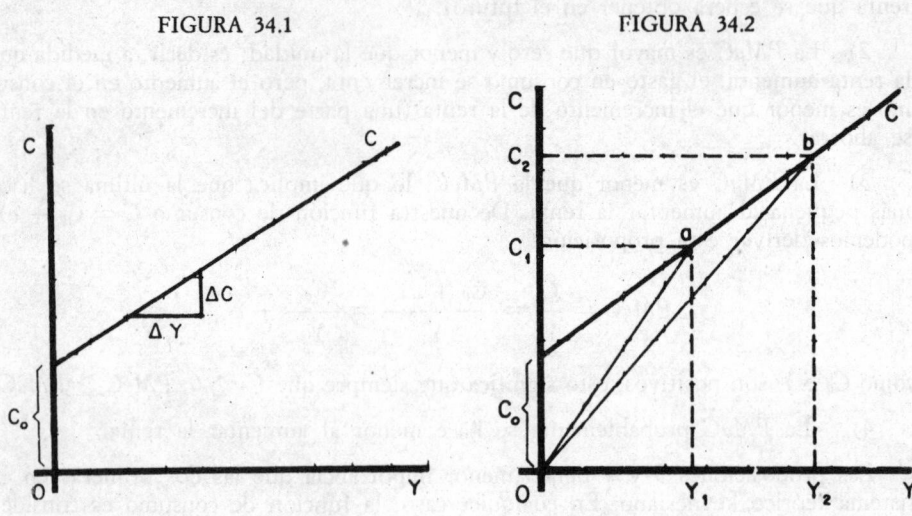

La explicación de este fenómeno es muy simple: dado que existe una cantidad de consumo cuando $Y = 0$, (C_0), a niveles de renta muy bajos la *PMeC* es muy elevada. Al aumentar la renta y la *PMaC* ser constante (cosa que suponemos al trazar la función de consumo con forma rectilínea), esa magnitud de consumo constante e independiente de la renta se va haciendo una fracción cada vez menor del gasto total en consumo (la suma del consumo autónomo y del consumo inducido). De ahí que aunque la *PMaC* sea constante (de cada incremento de la renta se gaste en consumo un porcentaje igual), la *PMeC* se vaya haciendo menor. Esta tiende a acercarse a la *PMaC*, pero nunca llega a tener el mismo valor (al arrancar la línea de consumo de un punto del eje de ordenadas y no del origen de los ejes, todas las líneas que unan a éste con los puntos de la línea de consumo tendrán una pendiente superior a la de ésta).

La Figura 34.3 muestra una cuestión importante: a niveles de renta inferiores a Y_1 el gasto en consumo *(C)* es mayor que la renta *(Y)*, lo que implica que *PMeC* > 1, si bien ésta va disminuyendo al aumentar la renta; al nivel de renta Y_1, $C = Y$ $(C_1 = Y_1)$, y *PMeC* = 1; y a niveles de renta superiores a Y_1, $C < Y$, y *PMeC* < 1 (y ésta se va haciendo progresivamente más pequeña). La línea que arranca del origen y que divide al plano delimitado por los dos ejes en dos mitades iguales (la línea divide el ángulo de 90 grados formado por los ejes en dos ángulos de

FIGURA 34.3

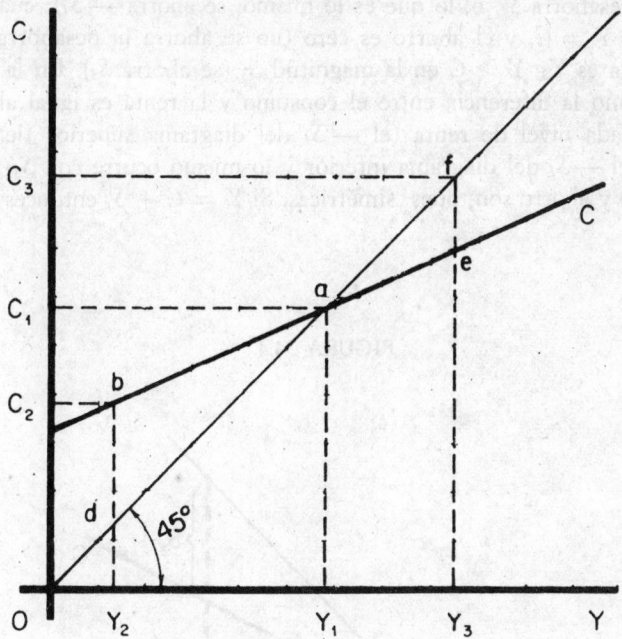

45 grados cada uno) la introducimos en el diagrama como un artificio gráfico a efectos exclusivamente de servicios de ayuda para ver si C es mayor, igual o menor que Y a los distintos niveles de ésta. Por definición, a cada punto de esta línea de 45" (el superíndice o significa grados) corresponde un valor igual en los dos ejes. Por esta razón nos servimos de ella para visualizar (sin necesidad de efectuar un cálculo) cuándo el consumo es superior, igual o inferior a la renta y en qué medida difieren estas dos magnitudes. Al nivel de renta Y_2, el consumo es C_2: $C_2 > Y_2$ en la magnitud bd (la sociedad desahorra esta cantidad); al nivel de renta Y_1, $C_1 = Y_1$ (se consume toda la renta y no se produce ahorro ni desahorro); y al nivel de renta Y_3, $C_3 < Y_3$ en la cuantía fe (se ahorra esta cantidad).

Veamos ahora la representación gráfica de la función de ahorro. Ya hemos dicho que, si por definición, las economías domésticas sólo emplean su renta en consumir y ahorrar, entonces:

$$S = f(Y)$$

Asimismo, si la función de consumo que empleamos toma la forma de:

$$C = C_0 + cY, \text{ entonces: } S = -C_0 + sY$$

El ahorro es, pues, también una función lineal directa de la renta. En el diagrama inferior de la Figura 34.4 representamos la función de ahorro S. En esta Figura puede verse cómo: cuando $Y = 0$, $C = C_0$ y $S = -S_0$ (siendo $-S_0$ igual a C_0 en valor absoluto: cuando la renta es cero, se consume C_0 y, en consecuencia, se desahorra o se realiza un ahorro negativo en una magnitud igual a C_0; de ahí que la línea de ahorro arranque del eje de ordenadas en un punto en el que éste

tiene un valor negativo igual a C_0); cuando el nivel de renta es Y_1, $C > Y$ en la
cuantía S_1 (se desahorra S_1, o, lo que es lo mismo, se ahorra $- S_1$); cuando el nivel
de renta es Y_2, $Y = C$, y el ahorro es cero (no se ahorra ni desahorra); y cuando
el nivel de renta es Y_3, $Y > C$ en la magnitud S_3 (se ahorra S_3). En la Figura 34.4
puede verse cómo la diferencia entre el consumo y la renta es igual al ahorro que
se produce a cada nivel de renta (el $- S_1$ del diagrama superior tiene la misma
magnitud que el $- S_1$ del diagrama inferior y lo mismo ocurre con S_3). Las funciones de consumo y ahorro son, pues, simétricas. Si $Y = C + S$, entonces $S = Y - C$

FIGURA 34.4

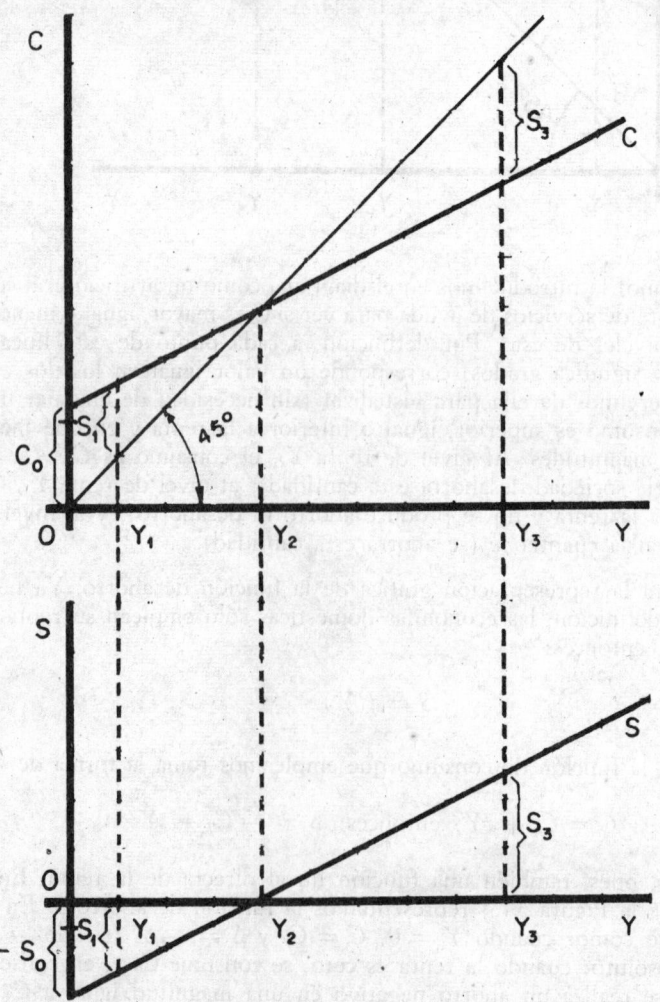

y $\Delta S = \Delta Y - \Delta C$. Dividiendo estas dos identidades por Y y ΔY respectivamente, tenemos:

$$\frac{S}{Y} = 1 - \frac{C}{Y} = 1 - PMeC = PMeS$$

$$\frac{\Delta S}{\Delta Y} = 1 - \frac{\Delta C}{\Delta Y} = 1 - c = s$$

Estadísticamente la $PMeC$ se puede calcular como la proporción entre el gasto en consumo y la RPD, o como la proporción entre el consumo y la renta privada neta RPN (en ocasiones para calcular la $PMeC$ se utiliza también el PNN al coste de factores). Dado que la renta privada neta incluye los beneficios no distribuidos de las empresas, esta magnitud resulta menos adecuada que la RPD para calcular la $PMeC$. No obstante, suponiendo una cierta estabilidad (por lo menos a corto plazo) de la política financiera de las empresas en relación con sus reservas (suponiendo que las empresas en el corto plazo no cambian drásticamente el porcentaje de sus beneficios que reparten en forma de dividendos, ya que los accionistas esperan obtener unos ingresos mínimos -por sus acciones), entonces la RPN (que es más fácil de obtener que la RPD) constituye una aproximación estadística aceptable de ésta y se puede utilizar en el cálculo de la $PMeC$.

Ya hemos visto que la RPN se obtiene deduciendo del PNN a precios de mercado el saldo neto del Gobierno en sus transacciones con el sector privado (véanse las relaciones entre estas magnitudes expuestas en el capítulo anterior). En consecuencia, la relación entre la RPN y el PNN es una magnitud que varía de unos países a otros, y en general refleja el impacto de la carga impositiva sobre la renta privada.

Así pues, la función de consumo muestra el gasto en consumo que las economías domésticas de un país desean (planean) hacer a cada nivel de renta. Las palabras «planean» o «desean» son muy importantes para comprender las funciones de consumo. Equivale a una curva de demanda que relaciona el consumo total (la variable dependiente) con la renta total (la variable independiente). En la representación gráfica de esta función (y como generalmente se hace, excepto en la representación de la oferta y la demanda de bienes y servicios concretos) se sitúa el consumo o variable dependiente en el eje vertical y la renta en el eje horizontal.

El ahorro está relacionado con el consumo a través de la definición que hacemos de aquél como el acto de abstenerse de gastar en consumo. En consecuencia, si el consumo es una forma de demanda (constituye una parte de la demanda agregada), el ahorro representa una reducción de la demanda. Es decir, la demanda total de bienes y servicios se reduce cuando un individuo decide ahorrar. Si este ahorro no es utilizado por alguien (si ningún empresario lo toma prestado para invertir en su empresa, ni ninguna economía doméstica lo toma a préstamo para gastar en consumo en exceso de su renta, ni el Gobierno lo obtiene a préstamo para financiar su déficit presupuestario), entonces la producción de bienes y servicios realizada en la economía puede disminuir, (y con ella, la renta y el nivel de empleo).

La posibilidad de que el ahorro pueda ser superior a la inversión y que aquél no sea utilizado constituye uno de los problemas básicos de las economías. El descubrimiento por Keynes de que pueda darse esta posibilidad representó toda una revelación en la Teoría Económica; y un golpe devastador a la Teoría Económica clásica, que postulaba que el ahorro siempre se igualaría a la inversión a través de cambios en el tipo de interés.

El ahorro lo realizan fundamentalmente las economías domésticas, y la cantidad de éste que planean o desean realizar a cada nivel de renta depende de su *PMaS*. La inversión la realizan principalmente las empresas; y la cantidad de ésta que planean efectuar depende de factores tales como las expectativas de los empresarios sobre el futuro, el tipo de interés y la productividad marginal de capital (el valor del producto marginal del capital). En consecuencia, la cantidad que los individuos planean ahorrar puede no ser (y generalmente no es) igual a la cantidad que las empresas desean invertir. Como veremos más adelante, el valor absoluto del ahorro y de la inversión y la diferencia en las cantidades planeadas de éstos juegan un papel determinante en el nivel de producción, renta y empleo que se da en una economía en un período determinado, así como en las fluctuaciones de dicho nivel.

El Comportamiento de la Función de Consumo

Por su importancia dentro del modelo de la determinación de la renta (recuerde el lector que en éste, como veremos, la demanda agregada determina el nivel de producción, renta y empleo, y que el consumo privado representa un porcentaje de aquélla que siempre es superior al 70 por 100 y en la mayoría de los países se sitúa entre el 80 y el 90 por 100), la función de consumo ha sido ampliamente estudiada por los economistas. Los numerosísimos intentos de determinar empíricamente el valor de la *PMaC* y de la *PMeC* en muchos países han llevado al descubrimiento de que el gasto en consumo realizado en un período no depende exclusivamente de la renta absoluta corriente (con el término renta corriente nos referimos a la renta del período en cuestión. El término corriente es una traducción literal de la palabra inglesa *current*, y en español se le ha dado el sentido que tiene en inglés: el valor de la variable de que se trate en el período que se está considerando). También se ha descubierto que la función de consumo se desplaza hacia arriba y hacia abajo.

Los estudios empíricos han puesto de manifiesto que a largo plazo las funciones de consumo y ahorro son bastante estables; es decir, los consumidores tienden a gastarse en consumo una porción estable de su renta. Así, en sus estudios sobre la RN en Estados Unidos por períodos de diez años a partir de 1979, Kuznets ha encontrado que la *PMaC* en este país ha tenido un valor constante de 0,86. La estabilidad secular de la relación consumo-renta se debe al hecho de que la propensión al consumo no es más que un índice estadístico agregado del comportamiento del consumo, comportamiento que está determinado por la estructura institucional y sociológica de la sociedad. En tanto en cuanto no se produzcan cambios fundamentales en esta estructura, se puede esperar que se dé una estabilidad secular de la *PMaC*. Parece, pues, que para períodos largos de tiempo, el gasto en consumo y el ahorro totales están determinados por los cambios en la renta total (y en la riqueza, como veremos en el epígrafe siguiente), lo que implica que se dan movimientos dentro de las curvas que representan las funciones de consumo a largo plazo y no desplazamientos de aquéllas. En cualquier caso, se continúa estudiando el comportamiento del consumo a largo plazo y es de suponer que se harán nuevas aportaciones al conocimiento de éste.

Sin embargo, en los estudios empíricos se ha encontrado que a corto plazo la relación entre el consumo y la renta está sujeta a fluctuaciones considerables. Estas fluctuaciones pueden dar lugar a desplazamientos de la función de consumo hacia arriba o hacia abajo. La Figura 34.5 muestra tres funciones de consumo (la C_1, la C_2 y la C_3). Un aumento de la *PMeC* llevaría a un desplazamiento de la función de consumo hacia arriba (el porcentaje de la renta total que a cada nivel de ésta se gastaría en consumo sería mayor), con lo que la función de consumo pasaría de C_1 a C_2; y una disminución de la *PMeC* llevaría a un desplazamiento de la función de consumo hacia abajo, que pasaría de C_1 a C_3. Obsérvese que las tres funciones de consumo tienen la misma pendiente (la misma *PMaC*); las nuevas funciones de consumo (C_2 y C_3) las hemos trazado paralelas a la inicial, porque suponemos que la *PMaC* permanece constante. Si ésta variara, la pendiente de las funciones de consumo también cambiaría.

FIGURA 34.5

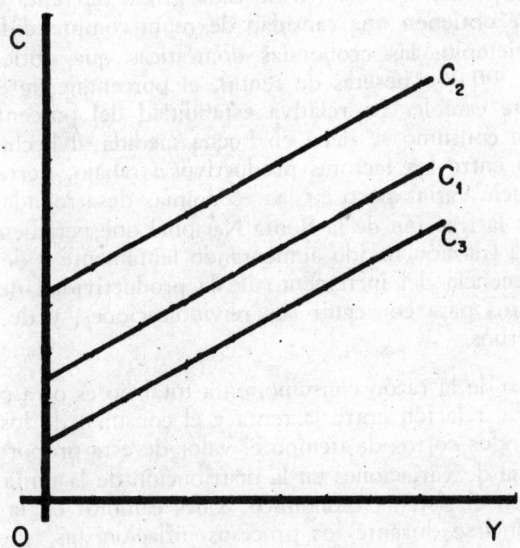

Los factores más importantes que determinan las fluctuaciones a corto plazo de la función de consumo son los cambios en la distribución de la renta, las variaciones en las cantidades de activos líquidos (dinero efectivo, depósitos de todo tipo en instituciones financieras, certificados de depósito, bonos de caja, acciones y obligaciones, bonos del Tesoro, títulos de la Deuda Pública, y otros activos financieros que pueden ser convertidos fácilmente en dinero; la liquidez de un activo se define como la facilidad con la que éste puede ser convertido en dinero por su propietario sin pérdidas en su valor) que mantienen las economías domésticas, y las expectativas de los consumidores sobre lo que ocurrirá en el futuro con los precios de los bienes y servicios (si aquéllos creen que los precios van a subir o bajar). El corto plazo debe entenderse en este contexto como un período de tiempo más largo que el atribuido al corto plazo en las Teorías de la Producción, de los Costes y de los Precios.

Ya hemos señalado que la $PMeC$ tiende a disminuir a medida que aumenta la renta. Esta hipótesis del comportamiento del consumo a corto plazo ha sido corroborada por la evidencia empírica, tanto en el estudio del consumo total en relación con la renta total como en los análisis que se han hecho de los presupuestos familiares (uno de los caminos que se han seguido para analizar el consumo ha sido el de estudiar el presupuesto de gastos de muchas familias a lo largo del tiempo y ante variaciones en su renta).

No vamos a exponer aquí las complejidades de los análisis estadísticos que se han realizado en el estudio de la función de consumo, ni los múltiples problemas de todo tipo que se han presentado en su realización. Tampoco vamos a considerar todos los hallazgos que se han obtenido en los innumerables estudios empíricos llevados a cabo para analizar la función de consumo de un gran número de países. Digamos solamente que se ha observado que a corto plazo los tres factores señalados anteriormente ejercen una influencia sobre el gasto en consumo.

Se ha podido comprobar que dentro de cada grupo de renta (de cada colectivo de individuos que obtienen una cantidad de renta comprendida entre dos tramos de ésta: por ejemplo, las economías domésticas que obtienen anualmente entre 1.000.000 y 1.200.000 pesetas de renta), el porcentaje de ésta que se ahorra es razonablemente estable. La relativa estabilidad del porcentaje de la renta total que se gasta en consumo se debe en buena medida al hecho de que la distribución de la renta entre los factores productivos (trabajo, tierra, capital y actividad empresarial) suele variar poco en las economías desarrolladas, especialmente en lo que concierne a la fracción de la Renta Nacional que perciben los asalariados. En el largo plazo esta fracción ha ido aumentando lentamente y de una forma predictible, como consecuencia del incremento de la productividad del trabajo, de la fuerza de los sindicatos para conseguir sus reivindicaciones, y de las políticas de salarios de los Gobiernos.

El valor estadístico de la razón consumo-renta total no es otra cosa que un promedio ponderado de la relación entre la renta y el consumo de los diferentes grupos de renta. En períodos cortos de tiempo el valor de esta proporción puede cambiar como consecuencia de variaciones en la distribución de la renta producidas por trastornos ocurridos en el sistema económico. Tales cambios en la distribución de la renta pueden producirse durante los procesos inflacionistas, y constituyen uno de los síntomas más característicos de éstos.

También se dan estos cambios en la distribución de la renta como consecuencia de variaciones violentas y repentinas de los precios en sectores en los que la súbita elevación de la demanda se enfrenta con una oferta relativamente inelástica (por ejemplo, cuando aumenta fuertemente la demanda de exportaciones y el sector exportador está produciendo a un nivel cercano a su plena capacidad). Tanto en el caso de la inflación como en el de un aumento de las exportaciones se producirá una modificación en la distribución de la renta en favor de los beneficios. Como consecuencia de ello, la relación consumo-renta experimentará un cambio debido a que la $PMaC$ de los grupos de renta más elevada (en este caso los perceptores de los beneficios de las empresas) es menor que la de los grupos de renta más baja. No debe concluirse de la afirmación de que la inflación favorece a los beneficios el que ésta sea buena para las empresas. Como veremos más adelante, la inflación puede aumentar los beneficios de los empresarios y sobre todo de los comerciantes en un primer estadio. Pero la persistencia de la inflación crea problemas financieros a las empresas, y sobre todo tiene efectos muy perjudiciales para el funcionamiento del sistema de precios (y la asignación de los recursos), para el comercio exterior y para la distribución de la renta, lo que termina redundando en una reducción del nivel de producción, renta y empleo de la economía en su conjunto.

Los cambios en la cantidad de activos líquidos (dinero, depósitos en instituciones financieras, y otros activos financieros fácilmente convertibles en dinero) también afectan directamente a la función de consumo. La causa estriba en que la demanda de consumo originada en la renta corriente se amplía o se debilita según que los consumidores utilicen para acelerar sus compras de bienes de consumo las tenencias de activos líquidos acumuladas en el pasado, o, por el contrario, se abstengan de consumir la proporción acostumbrada de su renta con el fin de aumentar sus disponibilidades en efectivo. El primer fenómeno se da con frecuencia después de períodos en los que el abastecimiento de bienes de consumo ha sido excepcionalmente bajo (por ejemplo, una guerra). En tales circunstancias los individuos acumulan activos líquidos debido a que no pueden gastarlos, lo que da lugar a la llamada demanda diferida, demanda que se manifiesta en el mercado tan pronto como hay bienes de consumo disponibles.

Esto es lo que ocurrió en USA después de la Segunda Guerra Mundial. Muchos economistas pronosticaron que (debido al desempleo que produciría la desmovilización del Ejército y a la reducción drástica en la producción de material bélico) se daría una recesión o incluso una depresión en la economía. Los economistas hicieron esta predicción en base a la idea de que el gasto en consumo depende de la renta corriente. Pero no se dio la reducción pronosticada del gasto en consumo, debido a que durante la guerra se había producido una gran acumulación de activos líquidos (dinero, depósitos bancarios, bonos del Gobierno, etc.). Esta acumulación de activos hizo aumentar fuertemente el consumo privado, con lo que la economía entró en un período de expansión.

El fenómeno opuesto ocurre, por ejemplo, cuando en un país se lleva a cabo una reforma monetaria. Generalmente la finalidad de una reforma monetaria consiste en absorber del público un excedente de fondos líquidos que se manifiesta en la forma de una demanda excesiva frente a una oferta de bienes inadecuada. Una reforma monetaria realizada en forma tal que absorba las tenencias de efectivos (dinero) en la moneda antigua, no sólo tiene como resultado una absorción de poder adquisitivo acumulado. También ejerce un efecto restrictivo sobre el consumo corriente en la moneda nueva, debido a que los individuos reducen la porción de su renta que gastan en consumo para llegar a acumular en la nueva moneda las tenencias en efectivo que consideran adecuadas (la fracción de su renta y riqueza que desean mantener en activos líquidos). Este fenómeno se dio en Alemania Federal con la reforma monetaria de 1948.

Las expectativas que los consumidores tienen sobre los cambios a corto plazo de los precios de los bienes y servicios de consumo también juegan un papel en las variaciones de la *PMeC* a corto plazo. Cuando a nivel colectivo se piensa que los precios van a bajar (que se va a dar una deflación) y/o que la renta va a disminuir, los individuos reducen su gasto en consumo (su *PMeC* se hace más pequeña). Por el contrario, si existen las perspectivas de que a corto plazo se van a dar un alza de los precios, una devaluación de la moneda, una escasez de la oferta (desabastecimientos) o un aumento de la renta, los individuos gastarán en consumo una proporción mayor de su renta corriente.

Una variante de este último caso se produce en las situaciones de hiperinflación (una subida generalizada muy rápida y muy fuerte de los precios). En estas situaciones suele darse una psicosis de atesoramiento de bienes, que puede destruir por completo el patrón normal del consumo, y aumentar desmesuradamente la *PMeC*.

Señalemos, por último, que existen otros factores que afectan o influencian el gasto en consumo. El stock o cantidad de activos no líquidos que posean los individuos también juega un papel en el valor de la *PMeC* (en los posibles desplazamientos hacia arriba o hacia abajo de la función de consumo). Así, cuantos más bienes duraderos posee una familia (muebles, coches, aparatos de TV, electrodomésticos, etc.) menos gastará en consumo (en el sentido de compras) en un período dado. Lo mismo ocurrirá con objetos de arte y joyas. Otros activos, tales como oro y diamantes, que generalmente se revalúan (su precio sube con el tiempo) pueden hacer que aumente el gasto en consumo de sus propietarios (al incrementarse la riqueza de éstos como consecuencia de la revaluación). Finalmente, los activos constituidos por los bienes inmuebles (casas, pisos, solares, fincas) pueden generar ingresos a sus propietarios, que, junto con la renta procedente del trabajo, llevan a un gasto en consumo adicional.

Como veremos detenidamente en el epígrafe próximo, la moderna teoría de la función de consumo considera al gasto en consumo como una función de la riqueza (que incluye todos los activos: los financieros y los reales). Las actitudes culturales también afectan al valor de la *PMeC* y de la *PMaC*. Si los individuos de una sociedad valoran altamente el ahorro, obviamente gastarán una proporción menor de su renta en consumo. Históricamente han existido sociedades en las que el ahorro era mal considerado. En otras, como el Japón actual, socialmente se valora el ahorro, con lo que la tasa de ahorro que se da en la economía japonesa es elevada.

LAS NUEVAS TEORIAS SOBRE LA DETERMINACION DEL CONSUMO AGREGADO

En el epígrafe anterior de este Capítulo hemos expuesto en detalle la función de consumo tal como la formuló Keynes. Recordemos que decíamos que, según Keynes, el consumo de una economía era una función directa del nivel de renta corriente (es decir, el consumo de una economía en un período de tiempo concreto depende de la renta obtenida en ese período). Asimismo, señalábamos que, de acuerdo con lo que Keynes había definido como «una ley psicológica fundamental», al aumentar la renta, el consumo crecía, pero menos que proporcionalmente al incremento experimentado por la renta (lo que formalizábamos diciendo que $0 < PMaC < 1$). Por último, veíamos también que $PMeC > PMaC$, y que, lógicamente, al aumentar la renta, si $PMaC < 1$, $PMeC$ tiene que ir decreciendo continuamente.

Esta última afirmación condujo a la elaboración por el economista americano Alvin Hansen de la llamada tesis del estancamiento. Muy brevemente, consistía ésta en lo siguiente: si el consumo se comporta como predecía Keynes, la economía, dejada a su libre funcionamiento, acabaría estancándose. Si

$$Y = C + I + G$$

y dividimos ahora los dos miembros de la ecuación por Y, obtenemos

$$1 = \frac{C}{Y} + \frac{I}{Y} + \frac{G}{Y}$$

siendo $\dfrac{C}{Y}$ la *PMeC*. Ahora bien, la teoría predice que $\dfrac{C}{Y}$ disminuye con los sucesivos

aumentos de Y; y ya que, en principio, no hay razón para suponer que $\dfrac{I}{Y}$ aumenta

al crecer Y (como veremos en el Capítulo 35 la inversión depende de las expectativas

de los empresarios, del tipo de interés, de la *EMaI*, etc.), entonces $\dfrac{G}{Y}$ debe crecer

para compensar la caída de $\dfrac{C}{Y}$ con el objeto de mantener un nivel de demanda sufi-

ciente para que se siga dando el pleno empleo al crecer la renta. Es decir, de acuerdo
con esta tesis, a menos que el gasto público creciera en una cuantía suficiente como

para compensar la caída de $\dfrac{C}{Y}$, la economía acabaría estancándose, al caer la de-

manda agregada.

Por otra parte, durante la Segunda Guerra Mundial, la economía americana
creció rápidamente al expansionarse los gastos del Gobierno a fin de obtener el
material bélico necesario. Pero al terminar la guerra, muchos economistas, basándose en la tesis del estancamiento temieron que al reducirse los gastos gubernamentales la economía se hundiría en la depresión; sin embargo, ocurrió precisamente
lo contrario. Una explicación razonable a este fenómeno podría ser que, durante
la guerra, debido a las escaseces de bienes de consumo corrientes (al estar la economía volcada hacia la producción de material bélico) la gente había colocado gran
parte de sus rentas en activos financieros muy líquidos (tales como, por ejemplo,
títulos de deuda pública u obligaciones de las empresas). Al terminar la guerra,
los individuos convirtieron ese excedente de activos financieros en dinero, con el
que adquirieron bienes de consumo.

Esta explicación sugiere que los activos de los individuos (en otras palabras,
su riqueza) tienen algo que ver con el consumo. Es decir, a fin de explicar este
fenómeno, debemos incluir como variable explicativa en la función de consumo,
además de la renta corriente, la riqueza.

En 1946 Simon Kuznets realizó un estudio sobre el comportamiento del consumo y el ahorro en la economía americana desde 1860. Los datos de Kuznets señalaron dos cuestiones importantes en torno a la conducta de los consumidores. En
primer lugar, se observaba que la *PMeC* a largo plazo no mostraba tendencia a caer
con los aumentos en la renta, tal como predecía la teoría, de manera que la *PMaC*
se igualaba con la *PMeC* a largo plazo. Es decir, de acuerdo con esto, la función
de consumo a largo plazo vendría representada por una línea recta que pasaría por
el origen de coordenadas, y cuya pendiente sería, simultáneamente la *PMeC* y la
PMaC al coincidir ambas tal como muestra la línea *OA* de la Figura 34.6.

En segundo lugar, el estudio de Kuznets evidenció que en los períodos de auge
(concepto que veremos más detalladamente al estudiar la Teoría de los Ciclos; aquí
lo utilizaremos en el sentido de boom económico, período en el cual la renta de
una economía está a un nivel superior al de su tendencia secular) la *PMeC* era inferior a la *PMeC* de largo plazo; mientras que en los años de recesión (en los que

la renta se halla a un nivel inferior al de su tendencia a largo plazo) la *PMeC* era mayor que la *PMeC* de largo plazo. Es decir, la *PMeC* variaba inversamente a como lo hacía la renta en las fluctuaciones cíclicas de la economía. Por tanto, a corto plazo la función de consumo tendría la forma usual, representada por la línea C_l en la Figura 34.6.

El siguiente paso en la investigación de la función de consumo fue la elaboración de teorías más rigurosas que permitieran explicar tanto el comportamiento de los consumidores tras la Segunda Guerra Mundial como las irregularidades estadísticas observadas por Kuznets. Milton Friedman, Franco Modigliani, Robert Ando y James Duesenberry sugirieron tres teorías distintas basadas todas ellas en la Teoría Microeconómica de la Preferencia del Consumidor y que estudiaremos a lo largo de este capítulo.

FIGURA 34.6

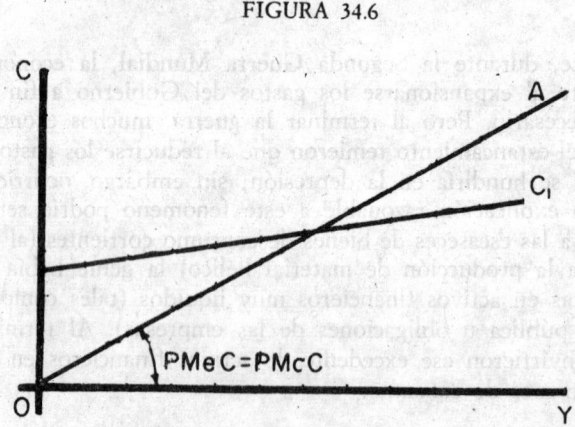

La Teoría de la Renta Relativa

Esta teoría fue desarrollada en 1949 por el economista americano James Duesenberry, y constituye el primer intento de apartarse de la teoría keynesiana de la renta corriente o absoluta. La teoría de la renta relativa postula que para el consumidor, a la hora de determinar su consumo, lo importante no es la renta corriente absoluta sino su nivel de renta actual en relación con algún nivel anterior considerado como standard, en el caso de series temporales, o el de la renta en relación con la de un grupo social de referencia en el caso de series de corte transversal.

Se entiende por serie temporal los datos relativos a una variable correspondiente a varios períodos sucesivos de tiempo (por ejemplo, la renta de una familia, un grupo de familias, o el país para una serie consecutiva de años: 1960, 1961, 1962, hasta 1980). Los datos de corte transversal son los datos sobre una misma variable, pero referidos a distintos agentes económicos en el mismo período de tiempo (por ejemplo, el gasto en consumo como porcentaje de la renta realizado en un año concreto: por el grupo de las economías domésticas que obtuvieron una renta inferior a 1.000.000 de pesetas, por el grupo de las familias que obtuvieron una renta entre 1.000.000 y 1.500.000 pesetas, etc.).

La teoría de la renta relativa postula que el gasto en consumo de los individuos no sólo depende de la renta que ellos obtienen, sino también de la magnitud de ésta por comparación con la que obtienen otros individuos del mismo grupo social (la renta media que obtienen los sujetos de un determinado grupo social). Si las economías domésticas vivieran aisladas (no tuvieran contacto con otros sujetos) sus propensiones medias a consumir serían independientes de la renta media del grupo al que pertenecen. Pero las economías domésticas son influenciadas por el gasto en consumo de otras economías domésticas. En consecuencia, en cada momento en el tiempo, las familias de renta baja (al intentar estar al nivel de sus vecinos en cuanto a standard de vida) tienen una *PMeC* superior a la que tienen las familias de renta alta.

Dado que la propensión a consumir más elevada de las familias de renta baja es la consecuencia del llamado efecto demostración (la emulación que las economías domésticas hacen de sus vecinos), no existe ninguna razón para esperar que la *PMeC* disminuya a medida que aumenta la renta para períodos largos de tiempo. Pero, además, las economías domésticas no sólo comparan su gasto en consumo con el gasto de otras familias de igual rango social, sino que también comparan su gasto en un período con el nivel de consumo que disfrutaron en el período anterior (más concretamente, con el nivel de consumo que alcanzaron con el nivel de renta más elevado que obtuvieron en los últimos años). De ahí que la teoría de la renta relativa postula que la *PMeC* tiende a hacerse más reducida en los períodos de expansión económica, y a aumentar en los períodos de recesión económica. En definiva, lo que se afirma es que las economías domésticas no reducen su consumo en la misma proporción en la que disminuye su renta, sino que lo hacen en una proporción menor, debido a que a los individuos les resulta difícil reducir su nivel de gasto en consumo cuando han conocido y disfrutado otro superior.

Las Teorías de la Riqueza sobre la Función de Consumo

El segundo intento de construir una teoría del consumo que explicara los anteriores fenómenos lo constituyen las llamadas teorías de la riqueza. Las dos formas principales de este nuevo enfoque fueron desarrolladas en la década de los 50, de forma independiente, por Milton Friedman y Robert Ando y Franco Modigliani. Ambas constituyen intentos de penetrar más allá del concepto de renta corriente y de relacionar el comportamiento del consumo con otros factores considerados relevantes.

Tanto Friedman como Ando y Modigliani parten de un supuesto común: que el comportamiento observado del consumidor es el resultado del intento de éste por maximizar su utilidad, distribuyendo y adaptando el flujo de ingresos que obtiene a lo largo de toda su vida a un patrón de consumo que considera óptimo. Analizaremos primero este punto común para luego estudiar ambas teorías por separado.

El Consumo y el Valor Actual de la Renta

Tomemos a un consumidor cuya función de utilidad sea

$$U = f\,(C_0 \ldots C_i \ldots C_T)$$

que nos indica que la utilidad a lo largo de toda la vida del consumidor, que suponemos de T años, depende de su consumo, C, en cada uno de los años de su vida, hasta T. El consumidor querrá obtener la máxima utilidad posible sujeto a la restricción de que el valor actual (en el momento 0) del consumo total realizado a lo largo de toda su vida, no puede ser mayor que el valor actual de la totalidad de los ingresos que perciba en ésos T años. Ello no implica que el consumo en el 5.º año deba ser igual a los ingresos que obtenga en ese año concreto; pero, es evidente que a lo largo de toda su vida no puede gastar en consumo una cantidad superior a su renta. Formalmente,

$$\sum_{t=0}^{T} \frac{Y_t}{(1+r)^t} = \sum_{t=0}^{T} \frac{C_t}{(1+r)^t}$$

en que Y_t es la renta percibida en cada año desde 0 (el momento actual) hasta T, C_t es el consumo que desea realizar en cada año para maximizar su utilidad y T es la totalidad de años de vida. El consumidor puede trasladar rentas en el tiempo prestando o pidiendo prestado a un tipo de interés r.

Para resolver este problema de un modo sencillo, podemos considerar el caso de un individuo limitado a dos períodos de tiempo, t_0 y t_1, en los que percibe unas rentas Y_0 e Y_1, y en los que desea efectuar unos consumos de C_0 y C_1. La función de utilidad del individuo en cuestión será $u\,(C_0, C_1)$, que desea maximizar sujeto a la restricción de su flujo de rentas, Y_0, Y_1.

De acuerdo con lo expuesto anteriormente, la restricción con la que el individuo se enfrenta podemos expresarla así:

$$C_0 + \frac{C_1}{1+r} = Y_0 + \frac{Y_1}{1+r}$$

que no es más que la restricción expresada en el párrafo anterior de que la suma de los consumos actualizados en t_0 ha de ser igual a la suma del flujo de ingresos actualizados en t_0, referida a 2 períodos. El segundo miembro de esta ecuación es una recta. Esta afirmación podemos verla con más claridad si hacemos

$$VA_y = Y_0 + \frac{Y_1}{1+r}$$

siendo en esta ecuación VA_y el valor actual en el momento t_0 de la renta total percibida en los dos períodos de los que consta la vida de este individuo. La pendiente

FIGURA 34.7

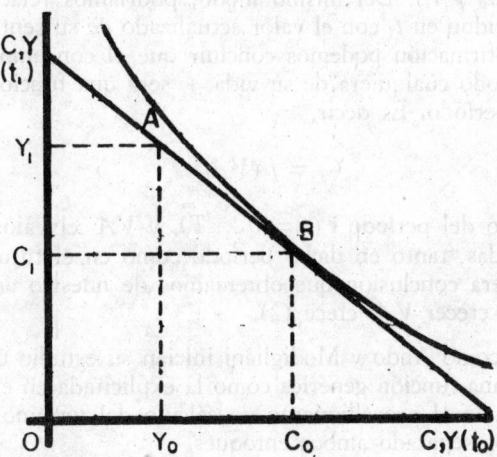

de esta recta sería $-(1 + r)$, y podemos representar en un sistema de ejes como el de la Figura 34.7 en el que en abscisas medimos renta y consumo en el período t_0, mientras que en ordenadas medimos renta y consumo en el período t_1. La función de utilidad nos define una familia de curvas de indiferencia que también representamos en la Figura 34.7.

Como ya sabemos, el consumidor maximizará su utilidad en el punto en el cual la recta de balance (que indica la tasa a la que puede cambiar renta en t_0 por renta en t_1 a través del préstamo) sea tangente a una curva de indiferencia (que nos indica la tasa a la que debe cambiar consumo en t_0 por consumo en t_1, a fin de mantener su nivel de utilidad). Así, si el individuo se hallaba inicialmente en el punto A, le convendrá desplazarse a B, tomando a préstamo en t_0 la cantidad $(C_0 - Y_0)$ para luego devolverla en t_1 junto con sus intereses (la distancia $(Y_1 - C_1)$), ya que en ese punto la utilidad obtenida de esa combinación de consumos será la máxima que pueda alcanzar, sujeto a la restricción que supone el valor de su flujo de ingresos en los dos períodos considerados.

Una consecuencia interesante de este análisis es que un aumento de los ingresos en cualquier período (un aumento de Y_0 o de Y_1) supondrá un desplazamiento paralelo y hacia afuera de la recta de balance. Ello posibilitará al consumidor el acceso a niveles de utilidad superiores. Si el consumo no es un bien inferior (es decir, si el consumo aumenta al crecer la renta, como cabe esperar), siempre que aumente el ingreso en un período, aumentarán los consumos de todos los períodos: es decir, el consumo actual crece como consecuencia del aumento esperado en los ingresos futuros.

Otra consecuencia interesante es que el consumo del período actual variará menos que la renta; en el caso de dos períodos que hemos visto, un aumento en Y_0 se repartiría entre C_0 y C_1. Si este análisis lo ampliamos a diez años, por ejemplo, el resultado de distribuir un aumento en Y_0 a lo largo de esos diez años nos dará un aumento en C_0 muy pequeño en relación con el de Y_0.

Del análisis realizado se desprende que podemos relacionar el consumo efectuado por el individuo en t_0 con el valor actualizado en t_0 de su flujo total de ingresos (su renta en t_0 y t_1). Del mismo modo, podríamos relacionar el consumo realizado por el individuo en t_1 con el valor actualizado de su renta en el período t_1. Generalizando esta afirmación podemos concluir que el consumo realizado por un individuo en un período cualquiera de su vida, t, será una función del valor actual de su renta en ese período. Es decir,

$$C_t = f\,(VA_t)$$

siendo C_t el consumo del período t $(t = 0 \ldots T)$, y VA_t el valor actualizado en t de sus rentas esperadas, tanto en dicho período como en el futuro. Además, y de acuerdo con la primera conclusión que obteníamos de nuestro análisis, f será una función creciente (al crecer VA_t crece C_t).

Tanto Friedman como Ando y Modigliani inician su estudio del comportamiento del consumo con una función genérica como la explicitada en el párrafo anterior. Sus análisis divergen en el procedimiento de cálculo del término VA. A partir de aquí estudiaremos por separado ambos enfoques.

La Teoría del Ciclo Vital de Ando y Modigliani

Para explicar el comportamiento del consumo observado en los estudios empíricos de de Kuznets, Ando y Modigliani construyeron la teoría del llamado Ciclo Vital de consumo. En términos sencillos esta teoría se basa en el supuesto de que el comportamiento del consumidor está determinado por su ciclo de vida completo, cuya representación gráfica podemos ver en la Figura 34.8.

Según estos autores, el consumidor típico tiene una corriente de ingresos durante toda su vida representada por la línea *AB* de la Figura 34.8 relativamente baja al principio y al final de su vida y alta en la mitad de ésta. *T* es la duración esperada de la vida de este consumidor-tipo. Por otra parte, cabe suponer que su corriente óptima de consumo a lo largo de su vida será ligeramente creciente, lo que representamos por la línea *C* de la Figura 34.8. Como veíamos, el consumidor está limitado por el hecho de que el valor actual de su flujo de consumo desde $t = 0$ hasta T no puede superar al valor actual de su flujo de renta desde $t = 0$ hasta T.

La Figura 34.8 indica que el consumidor-tipo en los primeros años de su vida tiene un consumo superior a la renta que percibe; en el período intermedio, el individuo ahorra en una cuantía suficiente (*S*) como para devolver las deudas contraídas en esos primeros años y disponer de ciertas reservas para atender a su consumo tras su jubilación, en que la renta vuelve a caer (podemos ver que esta hipótesis del ciclo vital es bastante aproximada a la realidad: la devolución de las deudas contraídas en los primeros años de su vida de un individuo se supone que consiste en proporcionar educación y estudios a sus hijos; y parte del ahorro realizado en el período intermedio puede que en una sociedad moderna tome la forma de un ahorro forzoso, en que el Estado le detrae parte de sus rentas salariales para pasarle, tras su jubilación, la pensión correspondiente).

Ahora bien, la teoría desarrollada hasta aquí relaciona el consumo con la renta esperada, que es una variable no observable (que no puede medirse). Para obtener una teoría contrastable empíricamente, Ando y Modigliani intentan relacionar la renta esperada con una serie de variables que sean observables. Dividen la renta total del individuo en renta procedente del trabajo y renta procedente del capital (dividendos, intereses), y tras una serie de desarrollos matemáticos en los que no entraremos, obtienen la siguiente función de consumo:

$$C_t = \alpha Y_t + \beta a_t$$

siendo C_t el consumo en t, Y_t es la renta procedente del trabajo en t y a_t el valor de los activos del individuo en cuestión en t; y α y β son dos coeficientes de ajuste que pueden calcularse estadísticamente, y cuyos valores, para la economía americana, estimados por Ando y Modigliani resultaron ser $\alpha = 0,7$ y $\beta = 0,06$.

FIGURA 34.8

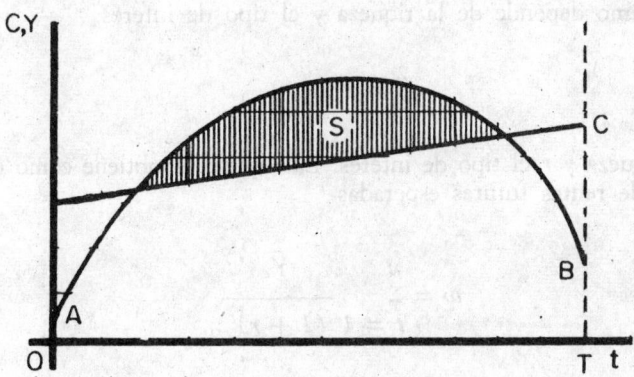

Como podemos ver, esta función incluye explícitamente la riqueza (el término a); y α es la $PMaC$. Así, en las fluctuaciones a corto plazo en que la riqueza de una colectividad no varía, βa_t es el término independiente de la función de consumo sencilla (C_0) que veíamos en el capítulo anterior, con lo que la gráfica de la función de consumo es una recta que corta al eje de ordenadas $(C = C_0 + \alpha Y_t)$; pero, en el largo plazo, en que la riqueza de una colectividad crece debido a la acumulación de ahorro, la función de consumo se desplazará paralelamente hacia arriba; así, obtendremos en los datos de series temporales una serie de puntos de la función de consumo de largo plazo que partirá del origen de los ejes, y en la que $PMaC = PMeC$.

La Teoría de la Renta Permanente de Friedman

La argumentación de Friedman parte de una crítica de las mediciones de la renta y del consumo que se habrían realizado hasta entonces. La crítica consiste en que la renta de un individuo no está constituida por los ingresos corrientes en dinero en un período de tiempo. Si definimos la renta de esta última forma, un trabajador que cobrara todos los viernes tendría una renta de 0 pesetas durante seis días a la semana y una renta alta el viernes. Si se intenta entonces desarrollar una función de consumo basada en esta definición de renta, ese trabajador estaría gastando durante seis días sin obtener renta, mientras que el séptimo recibiría toda su renta y gastaría una fracción relativamente reducida de ésta.

Paralelamente, Friedman argumenta que se confunde el consumo con el gasto del consumidor. Este último concepto engloba la compra de bienes de consumo duraderos (automóviles, frigoríficos) que se utilizan durante un período de tiempo relativamente largo. El consumo propiamente dicho estaría formado por la compra de bienes de consumo no duraderos (alimentos) y por los servicios derivados del uso de los bienes de consumo duraderos, cuantificables mediante la depreciación de éstos.

Por tanto, la teoría de Friedman se basa en una definición adecuada de la renta y el consumo. Así, Friedman desarrolla el concepto de renta permanente como algo distinto de la renta corriente y redefine el consumo para que incluya el uso de los bienes de consumo duraderos en vez de las compras de éstos. De acuerdo con su teoría, el consumo depende de la riqueza y el tipo de interés.

$$C = F\,(w, r)$$

siendo w la riqueza y r el tipo de interés. La riqueza la obtiene como el valor actual del flujo de rentas futuras esperadas

$$w = \sum_{t=1}^{n} \frac{Y_c}{(1+r)^t}$$

siendo Y_c la renta corriente de cada período que va de $t = 1$ hasta $t = n$. Esta riqueza puede sustituirse por una anualidad o ingreso por año.

$$Y_p = w \cdot r$$

$$w = \frac{Y_p}{r}$$

Y_p sería en la teoría de Friedman la renta permanente, que es distinta de los ingresos obtenidos durante un período concreto (por ejemplo, si r es el tipo de interés anual, Y_p sería la renta permanente anual), ingresos que pueden variar mucho de un período a otro. Ahora podemos sustituir esta última expresión de la riqueza en la función de consumo.

$$C = f\left(\frac{Y_p}{r}, r\right)$$

o, lo que es lo mismo,

$$C = f(Y_p, r)$$

Podemos ahora efectuar el supuesto de que el consumo es una fracción, k, de la renta permanente, tal que $0 < k < 1$

$$C = k \cdot Y_p$$

Esta es nuestra hipótesis de la renta permanente, que afirma que, dada la tasa de interés, el consumo será una fracción constante de la renta permanente. La renta permanente puede diferir de los ingresos monetarios en una cantidad positiva o negativa. Friedman llama renta transitoria a esta diferencia. Del mismo modo se puede dividir el gasto en consumo en un componente permanente y otro transitorio, donde el consumo permanente, que incluye los servicios derivados del uso de los bienes duraderos, es una fracción constante de la renta permanente para una tasa de interés dada; es decir:

$$C_p = k \cdot Y_p$$

Friedman utiliza la hipótesis para explicar el conflicto, por una parte, entre el valor constante de la $PMeC$ que se observa a largo plazo y la variabilidad de la $PeMC$ a corto plazo y, por otra, entre las propensiones marginales a consumir a corto y a largo plazo (al ser menor la primera que la segunda).

Según Friedman, lo que observamos en la realidad no es la renta permanente ni el consumo permanente, sino los valores medidos de estas variables, que están compuestos por una parte permanente y otra transitoria:

$$Y_m = Y_p + Y_t$$
$$C_m = C_p + C_t$$

Friedman supone que no existe correlación alguna entre la renta permanente y la transitoria, ni entre el consumo permanente y el transitorio, ni entre la renta transitoria y el consumo transitorio.

Gráficamente se puede representar la hipótesis de la renta permanente de la siguiente forma.

Supongamos que tenemos datos de corte transversal de las rentas y del comportamiento de consumo de la gente. Trazamos una línea de 45° a lo largo de la cual el consumo y la renta son iguales. Nuestra hipótesis nos dice que, debido a que la tasa de interés es positiva, la función de consumo irá por debajo de la línea de 45°. El consumo es una fracción k de la renta permanente, y nuestra función será $C_p = kY_p$, siendo k menor que 1.

Pero lo que realmente observamos no es la renta permanente, sino algún valor medido de la renta que incluye un componente permanente y otro transitorio. La renta medida diverge de la renta permanente en una magnitud que depende del signo del componente transitorio de la renta. Si Y_p es la renta permanente de una unidad consumidora, la renta medida digamos que es Y_m, resultado de la suma de Y_p con un componente transitorio que puede ser positivo o negativo.

Debido al supuesto de que no existe ninguna correlación entre el componente transitorio de la renta y el factor transitorio del consumo, lo que generalmente ocurre es que nosotros observamos (junto con la renta medida) el nivel medido de consumo representado por el punto A.

En consecuencia, para individuos con rentas medidas superiores a su renta per-

manente encontraremos que el punto de consumo generalmente se sitúa por debajo
de la verdadera relación. La razón no es que la teoría está equivocada, sino que el
supuesto de que la renta medida y la renta verdadera son iguales es falso.

FIGURA 34.9

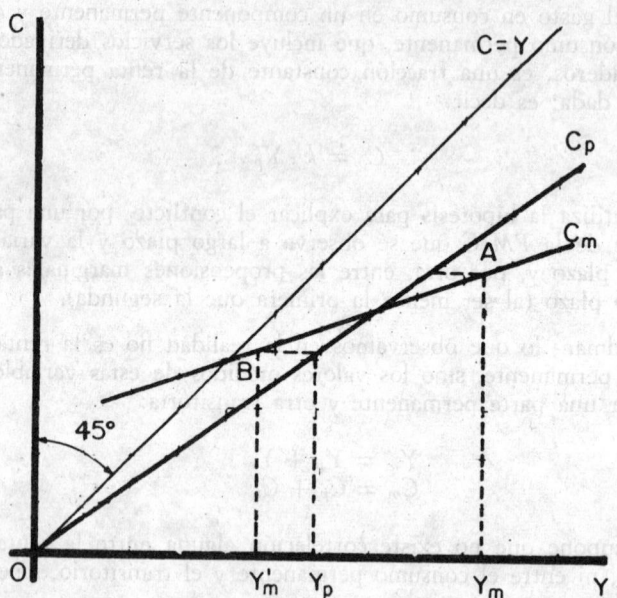

Del mismo modo, si la renta medida es Y'_m, que es inferior a la renta permanente, y no existe ninguna correlación entre los componentes transitorios de la renta y del consumo, entonces encontramos un punto B que nos da el consumo correspondiente a la renta permanente Y_p, y que está situado por encima de la verdadera relación.

Si obtenemos una serie de observaciones como las dos mencionadas, tendremos
un conjunto de puntos, y la relación que los une (la línea C_m en el diagrama) cortará a la línea $C = Y$ en un punto que implicaría que el consumo es igual a la
renta. Por debajo de este nivel se produce desahorro y la proporción de la renta
ahorrada aumenta al crecer la renta.

Friedman utiliza este argumento para demostrar que la relación de la función
de consumo obtenida a partir de estudios de presupuestos familiares o de datos
de series temporales correspondientes a un ciclo es consistente con la verdadera
relación proporcional observada para períodos largos de tiempo superiores al período del ciclo medio. De esta forma es resuelta la aparente contradicción entre
los resultados obtenidos de los estudios de cortes transversales y los de los estudios de series temporales para períodos largos de tiempo.

Según Friedman, exite un *lag* o retardo en el ajuste del consumo a los cambios en la renta debido a que las expectativas no se ajustan inmediatamente. De ahí que se tienda a ahorrar la renta transitoria.

Como resumen debemos señalar que el análisis de Friedman es esencialmente una forma de intentar refinar el concepto de renta hasta convertirlo en el equivalente del concepto de riqueza. La idea de la renta permanente es esencialmente un concepto de riqueza, ya que siempre se puede considerar a la riqueza como una fuente de renta permanente. Y del mismo modo, si se define la renta como la renta permanente, de hecho, se está definiendo la riqueza en lugar de la renta.

BIBLIOGRAFIA SELECCIONADA

Samuelson, P.: *Curso de Economía Moderna,* op. cit., Cap. 11.

Lipsey, R.: *Introducción a la Economía Positiva,* op. cit., Cap. 37.

Heilbroner, R.: *Comprensión de la Economía,* op. cit., Cap. 5.

Brooman, F. S.: *Macroeconomía,* op. cit., Caps. 3 y 5.

Rojo Duque, L. A.: *Renta, Precios y Balanza de Pagos,* op. cit.

Bailey, M.: *Renta Nacional y Nivel de Precios,* op. cit., Cap. 6.

Ackley, G.: *Teoría Macroeconómica,* op. cit., Cap. X, XI y XII.

Branson, W. H.: *Teoría y Política Macroeconómica.* Fondo de Cultura Económica, Méjico, 1978.

Friedman, M.: *Una Teoría de la Función de Consumo,* Alianza Editorial, Madrid, 1973.

Ando, R., y Modigliani, F.: *The Life Cycle Hypotesis of Saving. Aggregate Implications and Tests,* American Economic Review, marzo 1963.

Mayer, T.: *Permanent Income, Wealth and Consumption,* University of California Press, Berkeley, 1972.

LA INVERSION

El segundo componente (en importancia) de la demanda agregada lo constituye la inversión. Formalmente se define la inversión como la compra de *output* (en la forma de bienes capital) con la finalidad de realizar una producción adicional en el futuro; es decir, la inversión es el gasto en bienes capital. Observe el lector que esta definición de la inversión no corresponde al concepto que de ésta se emplea en el lenguaje corriente. Con frecuencia oímos decir que un individuo determinado ha invertido su dinero en acciones, en un piso o en certificados de depósito de un banco. En el Análisis Económico estas actividades no constituyen inversión, sino que sólo representan formas de colocar su dinero por parte de los individuos.

La compra de una acción en bolsa (una acción emitida con anterioridad a esta compra y que ya estaba en posesión de algún individuo) o de un piso no nuevo (es decir, que no es de nueva construcción), por supuesto no constituye inversión. Pero incluso en el caso de que se compre una acción de nueva emisión, la inversión la realiza la empresa que emite la acción (en el caso de que ésta dedique los recursos obtenidos por la emisión a comprar bienes capital) y no la economía doméstica que la compra. Más adelante veremos cómo se considera la compra de nuevas viviendas por las economías domésticas.

Para las economías domésticas y para los individuos la inversión puede parecer como algo remoto y de poca importancia. Sin embargo, para el país en su conjunto la inversión constituye un factor de la mayor trascendencia, por dos razones: en primer lugar, la inversión representa un componente importante de la demanda agregada que da lugar a que se genere producción, renta y empleo en el corto plazo (en 1979 la formación bruta de capital fijo representó en España el 19 por 100 del PIB a precios de mercado, concepto éste que puede considerarse como la demanda agregada); y en segundo lugar, una parte de la inversión (la inversión de reposición) permite mantener al mismo nivel el stock de bienes capital (o capacidad productiva) de la economía, y otra parte de la inversión (la nueva inversión o inversión neta) constituye una adición al acervo de bienes capital del país, y, por lo tanto, ésta representa un incremento de la capacidad de producir bienes y servicios de todo tipo desde el momento en que se realiza la inversión y durante un período de tiempo en el futuro. En 1979 la inversión de reposición representó en España el 47 por 100 de la inversión bruta, y el resto (el 53 por 100 de ésta) constituyó inversión neta o nueva inversión. Esta inversión neta representa un factor clave en la tasa de incremento de la producción y, en consecuencia, en el crecimiento de una economía.

Por lo general, la inversión bruta representa el segundo componente en importancia del PNB. Su participación en éste varía grandemente de un país a otro, y dentro de un mismo país fluctúa considerablemente de un año a otro. En cierto modo, el nivel de inversión de un país determinado proporciona un índice de la dinámica de su crecimiento y desarrollo económicos, ya que existe una relación muy estrecha entre la tasa de crecimiento económico y la tasa de inversión. Un alto nivel de inversión significa que una fracción importante de la renta y de los recursos productivos del país ha sido desviada del consumo hacia la producción y la compra de bienes capital (lo que se denomina formación de capital), con lo que aumentará la capacidad productiva de la economía en el futuro. En ocasiones la inversión se realiza en actividades improductivas o de baja productividad, tales como la construcción pública de edificios y monumentos de prestigio, las industrias no esenciales, la acumulación especulativa de existencias, y otras.

En Economía se distinguen cuatro áreas de inversión de las empresas: la acumulación o incremento de las existencias de todo tipo (bienes de consumo, materias primas, productos en proceso de elaboración y bienes capital), tanto de productos importados como de productos destinados a la exportación; las estructuras e instalaciones de toda clase (plantas para fábricas, oficinas, almacenes, locales comerciales, hoteles, etc.); la maquinaria y el equipo de todo tipo para la fabricación física y el transporte de los bienes y servicios, y equipo y muebles para oficinas; y la construcción de nuevos edificios para viviendas. De hecho, la inversión en viviendas es realizada por las economías domésticas; en consecuencia, la compra de una nueva vivienda es al mismo tiempo un ahorro y una inversión realizadas por las economías domésticas (la compra de una vivienda anteriormente construida por una economía doméstica no constituye una inversión, sino sólo un ahorro). La acumulación de existencias por las empresas puede hacerse de forma voluntaria (cuando se efectúa, por ejemplo, por razones de precaución para poder hacer frente a un incremento futuro de los pedidos, o por motivos de especulación), o involuntaria (como consecuencia de una disminución de la demanda interna y/o externa se produce automáticamente un aumento de las existencias de las empresas productivas).

También el Sector Público realiza inversión. Esta inversión está integrada por la inversión de las empresas públicas (que tiene el mismo carácter que la inversión de las empresas privadas y es realizada por los mismos conceptos) y por la construcción pública (edificios públicos, hospitales de la Seguridad Social, carreteras, aeropuertos, etc.). Nosotros vamos a incluir en la inversión el gasto en bienes capital y en existencias de las empresas privadas, el de las empresas públicas, y el del Gobierno.

Estadísticamente la inversión neta se calcula deduciendo de la inversión bruta total las asignaciones que se estiman imputables al consumo de capital fijo por depreciación y agotamiento del stock de capital del país. Este cómputo conlleva un conjunto de problemas difíciles de resolver para el cálculo estadístico, por lo que las cifras de la inversión neta sólo pueden considerarse como estimaciones aproximativas.

La inversión en existencias ha de entenderse como el cambio neto en el nivel de aquéllas en posesión de los productores y de los distribuidores (incluidos los comerciantes). No se incluyen aquí las variaciones de las existencias en poder de los consumidores, a pesar de que en algunos casos tales variaciones pueden ser de magnitud considerable. No se trata aquí, pues, de los valores absolutos de las existencias, sino de los cambios en el volumen de las mismas. Si al final del período I las existencias eran de 100, y al final del período II aquéllas tienen un valor de 130, la inversión en existencias durante este último período habrá sido de 30. Naturalmente se plantea el problema de los cambios en los precios de las existencias al principio y al final del período, cuestión ésta que no consideramos aquí. Las variaciones en las existencias (tanto de carácter voluntario como involuntario) pueden representar en ocasiones una parte importante de la inversión total y constituir una magnitud suficientemente grande como para representar una fuerza motriz de importancia en las fluctuaciones del nivel de producción, renta y empleo. Los movimientos de las existencias de tal magnitud justifican la denominación de ciertos ciclos económicos como ciclos de existencias.

Desde el punto de vista estadístico, el cálculo del componente de la inversión representado por las variaciones en las existencias es siempre difícil de realizar, incluso en los países que disponen de buena información estadística. La escasez de datos sobre los movimientos de las existencias constituye a menudo un obstáculo para el análisis macroeconómico de la marcha de las economías. Según las estimaciones del INE, las variaciones en las existencias representaron el 65 por 100 de la formación bruta de capital realizada en nuestro país en 1979.

Digamos, por último, que la inversión es una variable flujo. Se considera a esta variable como el gasto en bienes capital por período de tiempo determinado. En cambio, el acervo de bienes capital existente en un momento determinado en una economía es una variable stock. Este sólo puede aumentar cuando se realice inversión neta. Es decir, si sólo se efectúa inversión de reposición en la cuantía correspondiente a las depreciaciones ocurridas, el stock de capital no variará; si la inversión de reposición es inferior a las depreciaciones, el stock de capital de la economía disminuirá; y sólo si la inversión bruta en formación de capital fijo (excluyendo las variaciones en las existencias) es superior a las depreciaciones, el acervo de capital aumentará. Unicamente en este caso se habrá realizado inversión neta, constituida por la diferencia entre la inversión bruta en formación de capital y la inversión de reposición.

Los Determinantes de la Inversión

Ya hemos señalado que la inversión en formación bruta de capital fijo tiene la doble faceta de constituir un gasto (de ser una parte de la demanda agregada) y de representar una adición a la capacidad productiva de la economía (la inversión de reposición puede considerarse como un aumento de la capacidad productiva, ya que, de no realizarse aquélla ésta disminuiría). Pero existe además otra razón para tratar a la inversión como un componente separado de la demanda agregada; esta razón estriba en que la inversión se comporta de una forma bastante diferente de como lo hace el consumo. Mientras que el gasto en consumo es relativamente estable, el gasto en inversión es inherentemente inestable. Por diversas razones que vamos a ver inmediatamente, la inversión fluctúa de un año a otro mucho más fuertemente de lo que lo hace el consumo. Estos cambios en el gasto realizado en inversión tienen un efecto importante sobre el nivel de demanda agregada y, en consecuencia, sobre el nivel de producción, renta y empleo.

Consideramos en primer lugar los factores determinantes de la inversión privada. Aquí sólo vamos a analizar la inversión neta (la nueva inversión), ya que la inversión de reposición podemos suponer que se realiza cuando es necesario reemplazar la maquinaria, debido a que ésta se ha hecho vieja (funciona mal, se avería con frecuencia y su reparación representa un coste significativo) y/u obsoleta (por ejemplo, se ha inventado una nueva maquinaria más eficiente y que, en consecuencia, reduce los costes y/o produce un tipo de bien que no fabricaba la maquinaria inicial).

No obstante, digamos que la inversión de reposición no se comporta de una forma tan estable como parece deducirse de las líneas anteriores (no se reemplaza la maquinaria de una forma tan automática, ni a una fecha fija, aun cuando se haya amortizado). La causa de este comportamiento inestable, incluso de la inversión de reposición, estriba en que las máquinas no dejan de funcionar a plazo fijo. A menos que se haya averiado y sea completamente inutilizable (cosa poco frecuente), a una máquina siempre se le puede hacer funcionar un tiempo más, aun cuando se averíe con frecuencia y haya que realizar gastos en reparaciones. De ahí que la inversión de reposición pueda siempre ser postpuesta por las empresas casi indefinidamente y que, en consecuencia, incluso este componente de la inversión bruta sea una variable que se comporta de una manera inestable y que participa en buena medida del carácter que tiene la nueva inversión, carácter que vamos a analizar seguidamente. De ahí que este análisis sea también en algún grado aplicable a la inversión de reposición.

La cuestión que se plantea es la de explicar por qué invierten las empresas. No hay nada en la actividad normal de una empresa (la actividad de producir y vender su *output*) que le obligue a expansionarse, o a reemplazar su maquinaria si la que tiene todavía funciona bien. Si se excluye la reposición de la maquinaria deteriorada u obsoleta, los gastos que la empresa ha de realizar necesariamente en su actividad ordinaria son el pago de la mano de obra, de las materias primas, de la energía y de los demás factores variables. Sin embargo, las empresas invierten. La justificación de por qué lo hacen estriba sencillamente en que la inversión les puede parecer que va a serles rentable en términos de conseguir mayores beneficios. Si la demanda del producto fabricado por la empresa está aumentando rápidamente o los responsables de ésta creen que va a aumentar, o si éstos consideran que existe la posibilidad de obtener beneficios adicionales en otras líneas de producción afines (en la fabricación de otros productos afines al que elaboran), los empresarios se decididirán a ampliar la capacidad productiva de su planta o a montar otra u otras plantas nuevas (se decidirán a invertir).

El factor más importante en la determinación de la magnitud de la inversión lo constituyen *las expectativas de los empresarios*. Puede que el director de una empresa esté convencido de que si aumentara su producción corriente (la producción del período en el que ha llegado a esa conclusión), sus beneficios se incrementarían sustancialmente. Pero la construcción de la nueva planta o la ampliación de la ya existente, y la compra y la instalación de nueva maquinaria y equipo requieren tiempo. El retardo o desfase en el tiempo entre las necesidades corrientes (del momento en que se estiman) y las condiciones y posibilidades que se darán en el futuro hace que las decisiones sobre invertir sean difíciles de tomar para los empresarios. Los empresarios no pueden tener certidumbre de que las condiciones existentes en el momento de decidir y en el de implementar la inversión seguirán dándose en el futuro (durante el tiempo de vida útil de la nueva inversión). Tampoco pueden estar seguros de que en el futuro se darán las condiciones que han estimado se producirán.

Dado que el rendimiento de los bienes capital se materializa en el futuro (en un período de tiempo posterior al momento en el que se realiza la inversión, y ese período de tiempo dura varios años: la duración de la vida normal de la maquinaria y el equipo), las empresas toman decisiones sobre efectuar inversiones basándose en las expectativas que tienen acerca del futuro. Una empresa expandirá su capacidad para obtener beneficios (su capacidad de producir un volumen mayor de *output*) sólo si tiene confianza en que el mercado para este *output* adicional existirá en el futuro; y ampliará su capacidad productiva hasta aquel nivel correspondiente al porcentaje del mercado de su producto que espera capturar.

En consecuencia, las predicciones sobre el comportamiento de la inversión a nivel agregado son arriesgadas, ya que los distintos empresarios evalúan las condiciones presentes y futuras de forma diferente. De hecho, una de las mayores dificultades con las que se tropiezan los economistas al formular previsiones sobre la marcha futura de la economía estriba en intentar predecir lo que las empresas gastarán en inversión en el futuro próximo. Tanto los responsables de la política económica del Gobierno, como las organizaciones de empresarios, los sindicatos y todas las instituciones interesadas en las cuestiones económicas, tratan de estimar cuáles son los probables planes de inversión de las empresas en el futuro a través de encuestas, pero estos planes son difíciles de predecir, ya que siempre están sujetos a cambios, generalmente en una dirección a la baja. Cuando la situación es mala, los planes de inversión son archivados; y cuando los empresarios ven el futuro con optimismo, los planes de inversión son desarchivados e implementados.

A estas expectativas de los empresarios Keynes las llamó «los espíritus animales» de los empresarios. Estas expectativas no sólo dependen de factores económicos, sino también de factores políticos, tales como la estabilidad o inestabilidad del sistema político del país (lógicamente, cuando la situación política es inestable, los empresarios no invierten), la situación política internacional, etc. De ahí que en circunstancias como las que atraviesa nuestro país en estos últimos años, el Gobierno se esfuerce y trate por todos los medios de convencer a los empresarios de que la situación política es estable.

Otro factor determinante de la inversión lo constituye *el cambio tecnológico*. En su búsqueda de obtener mayores beneficios, las grandes empresas están interesadas en realizar investigación que les permita desarrollar nuevos productos y nuevas técnicas de producción. Muchas de ellas gastan cantidades sustanciales de recursos en investigación, gasto que ya constituye de por sí una forma de inversión. Pero además, cuando una empresa ha desarrollado un nuevo proceso productivo o un nuevo producto que le puede dar una ventaja frente a sus competidores, aquélla está fuertemente motivada para efectuar la inversión en el equipo capital necesario para emplear el primero o fabricar el segundo. A su vez, sus competidores se verán obligados a realizar inversiones en nuevo equipo para ponerse a la altura de aquélla o incluso superarla, si desean sobrevivir.

Las innovaciones en procesos productivos, en productos y en factores tienden a ser aleatorias y erráticas. Además, las innovaciones suelen darse en cadena: generalmente, una vez que se hace un descubrimiento importante, a continuación se produce una sucesión de innovaciones. Así ha ocurrido, por ejemplo, con los descubrimientos y avances efectuados en la electrónica del estado sólido. Estos han llevado a que se realizara una cuantiosa inversión en nuevos procesos de producción y en maquinaria y equipos para la fabricación de aparatos de televisión, radios, equipos estereofónicos, etc. Otra consecuencia o derivación de los descubrimientos en la electrónica del estado sólido ha sido el empleo de los circuitos integrados, que han permitido la fabricación de otros nuevos productos, tales como los relojes digitales y las mini-computadoras. Sólo la computadora ha revolucionado el mundo de la empresa e incluso la sociedad. Las empresas tienen que invertir en computadoras si desean sobrevivir a la competencia.

Las empresas también invierten con la finalidad de reducir sus costes de fabricación. Puede que los bienes o servicios producidos por una empresa no varíen (que continúen siendo esencialmente los mismos: los zapatos, la ropa, muchos productos alimenticios, etc.), pero el método de fabricarlos puede cambiar, y generalmente cambia en la dirección de hacerse más eficiente. Casi siempre este cambio implica el empleo de una tecnología más avanzada. Estos cambios tecnológicos son agrupados con frecuencia bajo la denominación de automatización. El resultado de tales cambios es generalmente un aumento de la productividad por trabajador empleado (o por hora de trabajo).

En ocasiones las empresas introducen procesos más automatizados (invierten en la maquinaria y equipo necesarios) simplemente como un medio más de intentar aumentar sus beneficios. Otras veces las empresas lo hacen como una respuesta a un incremento de los costes (una subida de los precios de las materias primas, de la energía y de los demás factores variables, y/o un aumento de los salarios), y con la finalidad de reducir éstos. Cuando una empresa o una industria invierten en equipo capital con la finalidad de reducir el número de trabajadores que necesita emplear, se dice que aquéllas se están haciendo más intensivas en capital y menos intensivas en trabajo (es decir, que emplean procesos productivos en los que se utiliza un número mayor de unidades de capital por cada unidad de trabajo, ambas unidades expresadas en pesetas). Aunque generalmente el empleo de procesos productivos con una mayor intensidad de capital lleva a una mayor eficiencia, no siempre ocurre esto. Para utilizar eficientemente aquéllos es necesario que la empresa tenga un tamaño mínimo. No obstante, para una economía en su conjunto o para una industria que estén en pleno empleo, es imprescindible introducir procesos productivos con mayor intensidad de capital (es decir, invertir en una mayor cantidad de equipo capital), si desean alcanzar un incremento en su capacidad de producción.

Otro factor que juega un papel importante en la determinación de la inversión son los *cambios en la demanda* (demanda que a su vez depende del nivel de producción, renta y empleo de la economía en su conjunto).

Si la demanda de un bien concreto está aumentando rápidamente, las empresas que lo producen aumentarán sus existencias (en orden a hacer frente a los pedidos futuros), y posiblemente invertirán en nuevo equipo y maquinaria para elevar la producción (para hacer frente a la nueva demanda y evitar perder la oportunidad de obtener beneficios adicionales) si entienden que el aumento de la demanda va a mantenerse en el futuro.

Como veremos más adelante, el nivel de inversión (la magnitud del flujo de gasto en bienes capital por período de tiempo) que se da en una economía depende en parte de la tasa de cambio de la demanda agregada, la cual a su vez, como sabemos, es una función del nivel de producción, renta y empleo. La relación entre el nivel de inversión y el nivel de producción y renta es conocida como el principio del acelerador (principio que expondremos posteriormente), y la inversión producida por esta relación funcional se denomina inversión inducida (en el sentido de que no es autónoma, sino que se produce como consecuencia de los cambios en la demanda agregada y en el nivel de producción, renta y empleo).

Las variaciones en la demanda de los consumidores da lugar a cambios magnificados en la inversión, debido a que la relación capital-producto suele ser superior a la unidad (expresadas las magnitudes en términos monetarios, para producir una unidad de producto generalmente son necesarias varias unidades de capital), y a que la inversión en un momento dado (por tener ésta un período de vida útil de varios años) no está proporcionada al aumento que de la producción se desea hacer en ese momento, sino que es superior proporcionalmente (se invierte para producir cantidades futuras del artículo, y no sólo para elaborar la cantidad que se desea fabricar en el plazo inmediato a la realización de la inversión).

La política económica del Gobierno es otro factor que afecta a la inversión. Esta política ejerce una influencia sobre la inversión privada en tres formas: el nivel de la tributación (la política fiscal en lo que afecta a las empresas), las posibilidades de obtener crédito y el tipo de interés (la política monetaria), y las regulaciones sobre la actividad industrial. La política fiscal tiene efectos importantes sobre la inversión. Las concesiones de exenciones fiscales por inversión y la aprobación por el Ministerio de Hacienda de planes de amortización acelerada autorizados para determinadas empresas, estimulan la compra de bienes capital por parte de éstas.

También una reducción del tipo del impuesto sobre la renta de las sociedades (el porcentaje de sus beneficios que éstas han de tributar) puede estimular la inversión privada, al permitir que aquéllas aumenten sus reservas y/o puedan repartir mayores dividendos (con lo que les puede resultar más fácil colocar nuevas acciones u obligaciones en el mercado de capitales y obtener así recursos para financiar nueva inversión).

Las regulaciones y los requisitos que suele establecer el Gobierno para implantar industrias es un fenómeno reciente producido por la preocupación actual con la conservación y la mejora del medio ambiente y con la seguridad ciudadana. Estas regulaciones y requisitos también afectan a la inversión, en parte negativamente (cuando las regulaciones son muy estrictas y los requisitos exigidos son costosos, o cuando las empresas temen que se vayan a establecer normas rígidas y exigencias costosas), y en parte positivamente (cuando las empresas se ven obligadas a realizar inversión para cumplir con esas regulaciones y exigencias). Las normas contra la polución del aire y del agua obligan a las industrias a invertir, bien en instrumentos de control de la polución (depuradoras del agua, etc.), o bien en nuevos procesos productivos y maquinaria (que no contaminen o que lo hagan en menor medida). En ocasiones (como cuando se prohíbe un producto alimenticio o farmacéutico, o cuando se prohíbe un determinado tipo de polución), estas regulaciones dan lugar a que algunas empresas se enfrenten con la disyuntiva de encontrar un sustitutivo de su producto o cerrar.

Otro factor de la mayor importancia para las decisiones de realizar nueva inversión lo constituyen los *costes de comprar, instalar y manejar nueva maquinaria y equipo.* Estos costes suelen aumentar considerablemente cuando se está en la fase de auge del ciclo económico (ciclo que veremos más adelante), debido a que suben los precios de las máquinas, se hacen más largos los períodos de espera para obtenerlas y cuesta más su instalación (como consecuencia de que la economía está próxima al pleno empleo y no hay factores disponibles en el mercado). Como veremos posteriormente, el aumento de los costes puede jugar un papel crucial en hacer que la nueva inversión caiga a cero (lo que puede dar lugar a que el ciclo económico cambie de tendencia y empiece una recesión). Asimismo, en los períodos de recesión (de bajo nivel de actividad económica y/o de reducción de ésta), los costes de la inversión tienden a disminuir (debido a que es mayor la disponibilidad de mano de obra y materiales), lo que estimula la compra de bienes capital factor que actúa de forma anticíclica.

El tipo de interés que se paga por el dinero es otro factor muy importante en la determinación del flujo de inversión que se da en un período determinado. Como sabemos, el tipo o tasa de interés es el porcentaje que cobran los bancos, las cajas de ahorro y los demás intermediarios financieros (las demás instituciones financieras cuyo negocio o actividad consiste en tomar dinero prestado de unos agentes económicos y prestárselo a otros) por cada 100 pesetas prestadas durante un año. Un tipo de interés de un 18 por 100 anual significa que el agente económico que en un momento determinado toma prestada una cantidad de dinero por un plazo de un año, al vencimiento de ese plazo (al cabo del año) ha de devolver al acreedor 118 pesetas por cada 100 pesetas obtenidas. Naturalmente, el tipo de interés se puede calcular para períodos de tiempo más cortos (un 18 por 100 anual significa un 9 por 100 semestral, un 4,5 por 100 trimestral y un 1,5 por 100 mensual).

Generalmente la devolución del dinero tomado a préstamo para financiar la inversión en bienes capital les lleva más de un año a las empresas (debido a que el inversor sólo libera o recupera el dinero invertido cuando ha amortizado el bien capital; como los bienes capital tienen una duración de varios años, la liberación o recuperación del dinero se va produciendo paulatinamente de año a año a medida que aumenta el porcentaje amortizado del valor del bien capital). En consecuencia, el inversor pagará en total más de 118 pesetas por cada 100 pesetas tomadas a préstamo (pagará 18 pesetas más por cada 100 pesetas por cada año adicional que tarde en devolver el préstamo; véase el Capítulo 30 para calcular el interés compuesto de una cantidad prestada a varios años).

La inversión en capital fijo significa, pues, inmovilizar unos recursos financieros durante un período de tiempo de varios años (tantos como dure la vida normal de los bienes capital), por lo que la financiación obtenida para realizar aquélla implica un coste financiero elevado. Además (debido a la duración de la vida de la maquinaria, del equipo y de las instalaciones), los inversores necesitan que la financiación obtenida sea a largo plazo (que el préstamo que se le haga para financiar la inversión tenga una duración de varios años). Naturalmente nos referimos aquí a la financiación externa a la empresa (la obtenida de otros agentes económicos: bancos, cajas de ahorro, sociedades financieras, etc.), y no a la autofinanciación (la financiación cubierta con las reservas de la empresa). No obstante, el tipo de interés también tiene una influencia sobre la inversión de las empresas financiada con recursos propios, ya que aquél representa el coste de oportunidad que para las empresas tiene el utilizar estos recursos en su inversión (si no los invirtiera, podrían prestar esos recursos al tipo de interés existente y obtener los correspondientes ingresos).

El tipo de interés no sólo es importante para la inversión de las empresas. También lo es, quizá más aún, para la compra de viviendas (para las economías domésticas que desean comprar una vivienda y para ello han de obtener crédito). De ahí que, tanto las economías domésticas que desean adquirir viviendas como las empresas que se proponen invertir en nuevos bienes capital, presten gran importancia al tipo de interés y a las condiciones en las que obtienen el crédito (el período de tiempo por el que se les otorgan los préstamos). Como ya hemos dicho, para las empresas la inversión significa inmovilizar grandes cantidades de dinero durante períodos largos de tiempo. En consecuencia, cuanto más elevado sea el tipo de interés, menor será la demanda de recursos para inversión y más reducida será ésta (sólo los proyectos de inversión más rentables serán implementados). *A sensu contrario,* cuanto más bajo sea el tipo de interés, *ceteris páribus*, mayor será la inversión.

El tipo de interés es, en definitiva, el precio de los recursos financieros (el precio del capital financiero, capital que es el que se convierte en inversión cuando se compra la maquinaria, el equipo, etc.) y, en consecuencia, constituye el coste de la inversión. De ahí que los factores fijos tengan un doble coste: el coste correspondiente a su deterioro y obsolescencia, y el coste de los recursos financieros inmovilizados en ellos. Los factores variables de la producción tienen igualmente el doble coste de su precio y el coste de los recursos financieros que se emplean durante el período de tiempo que dura su compra y utilización. La diferencia entre los factores fijos (la inversión) y los variables estriba en que los recursos que se emplean en estos últimos se liberan mucho más rápidamente que los que se utilizan en los primeros. Los recursos financieros que se emplean en factores variables se liberan en cuanto se venden los productos que se elaboran y, en consecuencia, la extensión de ese período de tiempo depende de la duración del proceso de fabricación de los bienes y servicios que se producen con dichos factores variables.

Por qué el tipo de interés fluctúa es una cuestión que veremos en los Capítulos dedicados al dinero y la banca. Digamos, no obstante, que el tipo de interés responde a las condiciones generales de la economía y que puede ser influido por la política monetaria del Gobierno. Las fluctuaciones del tipo de interés tienen el doble efecto de afectar a la inversión y, al mismo tiempo, de dar estabilidad a ésta. Si aumenta la inversión, ello implica un incremento de la demanda de recursos financieros; dada una oferta de éstos, el tipo de interés subirá, con lo que se reducirá la inversión y, consecuentemente, la demanda de recursos financieros. Concluimos, pues, que una tasa de interés en aumento reducirá la demanda de recursos para inversión y un tipo de interés decreciente estimulará la inversión.

La Eficiencia Marginal de la Inversión

En último análisis, las empresas basan sus decisiones de inversión sobre las expectativas que tienen de obtener beneficios de ésta. Se puede esperar que unos proyectos de inversión produzcan mayores rendimientos que otros. La mayoría de las empresas tienen en cartera varios proyectos de inversión, que implementarán cuando las condiciones sean favorables. Supongamos, por ejemplo, que la empresa A tiene tres proyectos que podría llevar a la práctica. Según las estimaciones de la empresa, el primero podría producirle un rendimiento de un 25 por 100 sobre el dinero invertido, el segundo representa un mayor volumen de inversión y espera que le rinda un 20 por 100, y el tercero constituye una cuantía de inversión menor que los dos primeros y estima que le rendirá un 5 por 100.

Estas tres posibilidades de la empresa son representadas en la Figura 35.1. En el eje de ordenadas se representa la tasa de rendimiento de la inversión, y en el eje de abscisas se expresa el volumen o magnitud de la inversión en pesetas: el primer proyecto requerirá la inversión OI_1, el segundo la inversión I_1I_2 y el tercero el volumen de inversión I_2I_3. Si la empresa tuviera que financiar los tres proyectos con recursos externos (con crédito) y la tasa de interés fuera del 15 por 100, obviamente aquélla implementaría los dos primeros proyectos y postpondría la realización del tercero, ya que el rendimiento esperado de los recursos financieros colocados en ellos es superior al coste de estos recursos. Para determinar los proyectos de inversión que se ponen en práctica, las empresas y el país en su conjunto tratan de estimar la tasa de rendimiento de aquéllos y la comparan con el tipo de interés: los proyectos de inversión cuya tasa de rendimiento sea superior o igual al tipo de interés serán implementados y los demás serán postpuestos hasta que cambien las circunstancias.

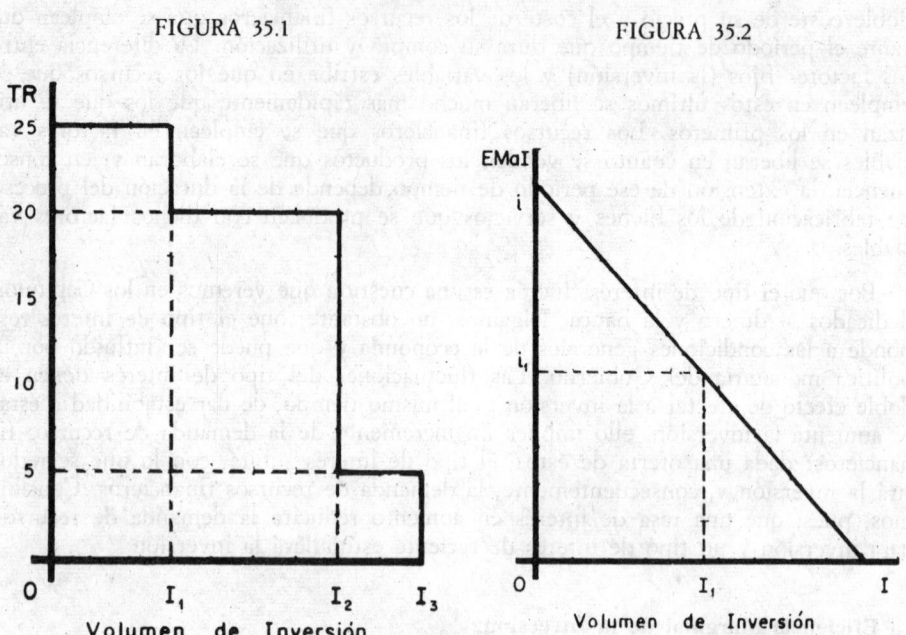

FIGURA 35.1   FIGURA 35.2

En Economía a esta tasa de rendimiento para cada nivel de inversión se la denomina la eficiencia marginal de la inversión *(EMaI)*. La Figura 35.2 muestra la curva de inversión para el conjunto de la economía. Esta curva se obtiene sumando las cantidades que están dispuestas a invertir todas las empresas a los distintos tipos de interés (dada la *EMaI* a cada nivel de inversión). A esta curva se la conoce como la curva de la eficiencia marginal de la inversión. La forma continua de esta curva (por contraposición a la forma discontinua de la línea de la Figura 35.1 correspondiente a una sola empresa) se explica porque, al sumar la inversión de todas las empresas a los distintos tipos de interés, se puede esperar que resulte una línea sin discontinuidades.

La curva de *EMaI* constituye la curva de demanda agregada de bienes de inversión para la economía en su conjunto, y muestra la cantidad de inversión que se realizará a cada tipo de interés (representamos también la tasa de interés en el eje de ordenadas). Si el tipo de interés existente en el mercado es i_1, todos los proyectos que tengan una *EMaI* superior a ella serán implementados; es decir, se realizará la inversión OI_1. Esta curva permite determinar la cantidad de inversión que se efectuará a cualquier otro tipo de interés. Para la inversión superior en volumen a I_1, la *EMaI* será inferior a la tasa de interés y no será realizada por las empresas.

Supongamos que las empresas pueden obtener recursos financieros a un tipo de interés del 15 por 100. Si su *EMaI* es del 20 por 100, entonces les resultará rentable tomar dinero a préstamo, ya que obtendrán un rendimiento neto del 5 por 100 de la inversión que realicen. Si su *EMaI* fuera del 10 por 100, no les interesará obtener crédito para invertir. En general, puede decirse que las empresas realizarán inversión en tanto en cuanto la tasa de interés sea inferior a la *EMaI*.

Incluso cuando no necesiten obtener recursos externos para financiar su inversión (debido a que puedan financiarla con recursos propios), las empresas tendrán en cuenta el tipo de interés existente en el mercado. Si éste fuera del 20 por 100, no sería rentable utilizar estos recursos en financiar un proyecto de inversión cuya *EMaI* se estimara ser del 15 por 100. Les resultaría más ventajoso prestárselos al 20 por 100 a otras empresas que desearan obtener crédito. Esto explica la afirmación que hacíamos en la Teoría de los Costes de que las empresas han de imputar como costes de la producción la magnitud resultante de aplicar a sus propios recursos invertidos el tipo de interés de mercado. Este es el patrón por el que hay que juzgar la rentabilidad de una inversión.

De la curva de *EMaI* se deduce que una variación en el tipo de interés producirá un cambio en el flujo de inversión realizada. Si la tasa de interés disminuye, la cantidad de inversión efectuada aumentará; y si el tipo de interés aumenta, la inversión disminuirá. Los cambios en el tipo de interés producirán movimientos dentro de la curva de *EMaI* (como vimos ocurría con la cantidad demandada de un bien cualquiera al variar su precio). La relación funcional entre la tasa de interés y la *EMaI* es, pues, inversa.

Pero, como hemos visto en el epígrafe «Los Determinantes de la Inversión», existen otros factores (además del tipo de interés) que ejercen una influencia sobre la inversión. Naturalmente cada uno de ellos puede experimentar cambios. Tales cambios producirán desplazamientos hacia la izquierda o hacia la derecha de la curva de *EMaI*. Así, por ejemplo, si los empresarios esperan obtener mayores beneficios en el futuro, la curva de *EMaI* se desplazará hacia la derecha (a cada tipo de interés se realizará un mayor volumen de inversión). Una nueva invención que reduzca los costes de producción también producirá un desplazamiento hacia la derecha de la curva *EMaI*.

Resumiendo, pues, la inversión es una variable inherentemente inestable, que juega un papel crítico en las fluctuaciones del nivel de producción, renta y empleo. Cuando la inversión aumenta, ello estimula a la economía en su conjunto y lleva a que ésta alcance un mayor nivel de renta y empleo. Debido a ese carácter etéreo y voluble de la inversión (y a que en este curso estudiamos un modelo sencillo de determinación de la renta), nosotros la consideraremos como una variable exógena. Así conceptuada, la inversión privada constituye un elemento dinámico de la economía, que induce cambios en otras variables, y que está determinada por factores externos al modelo.

El considerar la inversión como una variable exógena lleva a los modelos simples de determinación de la renta, tales como el modelo keynesiano de:

$$Y = C + I$$

donde I es una variable independiente y C el gasto en consumo (que es una variable endógena que depende de la renta).

En modelos teóricos más complejos se considera a la inversión como una variable en parte endógena, dependiente de otras variables del sistema, tales como las que hemos visto. En algunos de estos modelos, esta relación se expresa en términos de variable con retardos; es decir, la inversión en un período dado se hace depender de los valores de otras variables en períodos anteriores. Un tipo de función de inversión relativamente sencillo es el constituido por la llamada teoría del acelerador (que veremos en el Capítulo 39), en la cual la inversión se relaciona en forma lineal con el consumo y con la tasa de cambio de éste. En cualquier caso, se considera que la inversión inducida por el consumo y su tasa de cambio constituye sólo una parte de la inversión neta, y que la mayor parte de ésta depende de un conjunto de factores difíciles de cuantificar (tales como las expectativas de los empresarios), lo que da a la inversión su carácter inestable.

En cuanto a la inversión pública, los factores de los que depende son muy distintos de los que determinan la inversión privada. En general, en aquélla no juegan ningún papel ni los beneficios, ni la tasa de interés, ni el nivel de la demanda agregada. Nos referimos aquí a la inversión del Gobierno (todo tipo de obras públicas) y no a la inversión de las empresas públicas (ésta la consideramos incluida en la inversión de las empresas). Los factores que determinan la inversión del Gobierno son fundamentalmente dos: la creación de una infraestructura adecuada a las necesidades del país (carreteras, autopistas, pantanos, hospitales, escuelas, universidades, aeropuertos, puertos, canales, etc.), y la actuación anticíclica de la política fiscal. En este último caso el Gobierno realiza inversión con el fin de compensar en parte la deficiencia en la demanda privada. Con ella pretende el Gobierno contribuir a aumentar la demanda agregada y estimular la actividad económica del país en los períodos de recesión. En consecuencia, la inversión del Gobierno puede ser considerada como una variable exógena.

Concluimos, pues que tanto la inversión privada como la pública las consideraremos como variables exógenas dentro del modelo simplificado de determinación de la renta que estudiamos aquí. No obstante, más adelante expondremos brevemente la inversión inducida por la tasa de cambio del gasto en consumo que se postula en la teoría del acelerador.

EL GASTO DEL GOBERNO

El tercer componente de la demanda agregada lo constituye el gasto del Gobierno. Considerando a las empresas públicas dentro del sector empresas (es decir, excluyéndolas del sector Gobierno), los gastos de éste (como vimos en el Capítulo 33) se pueden agrupar en cuatro capítulos:

1)   Los gastos en bienes y servicios en cuenta corriente.

2)   Los gastos de inversión en capital fijo, construcciones y existencias.

3) Las transferencias.

4) Los gastos de los organismos autónomos.

Los gastos gubernamentales en bienes y servicios en cuenta corriente son los que efectúa el Gobierno (los gastos de la Administración central y de la Administración local) en orden a realizar las funciones corrientes de la Administración pública. Los mayores gastos por este concepto los constituyen los pagos de sueldos y salarios a los funcionarios del Estado, incluyendo entre éstos a las Fuerzas de Orden Público y a la Fuerzas Armadas. Se excluyen los pagos a los factores empleados directamente por el Gobierno en los proyectos de inversión, ya que éstos los incluimos en la inversión (que abarca tanto a la pública como a la privada). Otro componente del gasto en cuenta corriente lo constituyen las compras por el Gobierno de bienes y servicios producidos por el sector privado, tales como los abastecimientos de los servicios y oficinas del Estado; y la comida, la ropa y los demás bienes para las Fuerzas Armadas y de Orden Público y para establecimientos como hospitales, escuelas, asilos, etc.

Ya señalamos en el Capítulo 33 que los sueldos y salarios pagados por el Gobierno son incluidos dentro de la demanda agregada (a pesar de que constituyen pagos directos a los factores, cosa que no hacemos en el caso del sector privado, ya que ello representaría contabilizar dos veces una misma magnitud: el pago de los factores y el gasto en los bienes producidos con aquéllos). Como dijimos entonces, la razón de hacerlo estriba en la naturaleza económica de los servicios suministrados por el Gobierno, que son gratuitos para los consumidores de los mismos. Al no venderse estos servicios en el mercado a los precios que determinaran la oferta y la demanda de éstos (y, sin embargo, constituir un consumo), la única forma de contabilizarlos es calculando su valor al coste de factores (los sueldos y salarios pagados para proveerlos). Metodológicamente, pues, las compras de bienes y servicios (incluyendo los sueldos y salarios de los funcionarios) por el Gobierno al sector privado son de la misma naturaleza que los gastos de consumo privado.

Los gastos del Gobierno en inversión los consideramos incluidos en la inversión, y ya les hemos prestado atención al hablar de ésta. Como dijimos allí, tales gastos constituyen parte de la demanda agregada. Las transferencias del Gobierno (las subvenciones a las empresas, los pagos de la Seguridad Social, las becas escolares, la ayuda familiar, etc., más los intereses de la Deuda Pública) no constituyen parte de la demanda agregada, ya que aquéllas son contabilizadas al computar el gasto en consumo de las economías domésticas. Los gastos corrientes de los organismos autónomos en bienes y servicios forman parte de la demanda agregada, como los demás gastos corrientes del Gobierno.

Es importante notar que existe una diferencia entre las compras del Gobierno (lo que en este epígrafe llamamos «el gasto del Gobierno») y la cantidad de dinero gastada por éste. Parte de ésta son pagos de transferencia, pagos que solamente significan una redistribución del dinero de unas personas a otras. Las compras, por el contrario, constituyen parte de la demanda agregada.

El gasto corriente del Gobierno es considerado en el modelo macroeconómico como una variable exógena o como una magnitud autónoma. Los gastos en sueldos y salarios para proveer servicios públicos (educación, defensa, orden público, servicios médicos, etc.) no dependen directamente del nivel de actividad económica, si bien éste puede tener una influencia sobre aquéllos a través de los ingresos impositivos que obtenga el Gobierno (ingresos que dependen de los tipos impositivos y del nivel de actividad económica, ya que ésta determina la renta de las personas físicas, los beneficios de las empresas y el volumen de producción y ventas sobre las que se giran los impuestos indirectos) y su influencia sobre el presupuesto de éste. Más bien estos gastos dependen del nivel de servicios públicos que por diversas razones (entre ellas las necesidades existentes de éstos en la sociedad y las motivaciones políticas) desee proveer el Gobierno a los ciudadanos.

Los gastos del Gobierno en la compra de bienes y servicios (excluyendo la inversión) constituyen, pues, una variable exógena del modelo. Además, no representan una magnitud que el Gobierno puede utilizar a efectos de afectar significativamente a la demanda agregada. El número de funcionarios que el Gobierno emplea no es una variable que éste maneja para influir sobre el nivel de empleo (a pesar de que aquél representa una fracción importante de la cantidad de personas empleadas en la economía), ya que el Gobierno no puede aumentar el número de funcionarios (aunque no los necesite) por el simple hecho de que exista desempleo. El consumo público o gasto del Gobierno representó en España en 1979 próximo al 11 por 100 del PIB.

Los gastos del Gobierno en la compra de bienes y servicios (excluyendo la iningresos) en los llamados Presupuestos Generales del Estado, documento que elabora anualmente el Ministerio de Hacienda a partir de las directrices que decide el Gobierno, y que se convierte en ley al ser aprobado por las Cortes (tras su discusión y debate). En estos presupuestos aparecen los gastos corrientes, los gastos de inversión y las transferencias.

EL SALDO NETO DE LA BALANZA DE BIENES Y SERVICIOS $(X - M)$

Este saldo es la diferencia algebraica entre las exportaciones de bienes y servicios menos las importaciones de éstos por un país en un período determinado (generalmente un año). Este saldo constituye el cuarto componente de la demanda agregada y representa la demanda procedente del resto del mundo (que naturalmente será negativa si $M > X$, positiva si $X > M$, y cero si $X = M$).

Ya hemos explicado ampliamente que las exportaciones de cualesquiera bienes y servicios (incluyendo en ellos el consumo de éstos que hacen los turistas que visitan nuestro país) constituyen una demanda de productos elaborados en nuestra economía, y que las importaciones de bienes y servicios (al igual que ocurre con el ahorro y con los impuestos) reducen la demanda de productos fabricados en el país. Desde el punto de vista de la demanda agregada, la magnitud que nos interesa es el saldo de la balanza de bienes y servicios (que excluye las transferencias privadas y públicas en ambas direcciones: del resto del mundo al país y de éste al exterior). Cuando $X > M$, las exportaciones netas son positivas, y su magnitud representa una adición a la demanda agregada integrada por el consumo, la inversión y el gasto del Gobierno. Pero si $M > X$, las exportaciones netas son negativas, y representa una reducción de la demanda agregada que integran los otros tres componentes.

Los problemas monetarios (la influencia sobre el tipo de cambio y sobre el nivel de los precios de un país) y financieros que plantean los déficits y los superavits de la balanza de bienes y servicios son considerados al estudiar la balanza de pagos. Aquí sólo diremos que las exportaciones de un país constituyen una variable exógena dentro del modelo de determinación de la renta, ya que éstas dependen fundamentalmente del nivel de actividad económica de los países que las importan (toda exportación de un país es necesariamente una importación de otro u otros países).

El Gobierno puede tratar de estimular las exportaciones a través de subvenciones, exenciones fiscales y concesión de créditos a los exportadores. Pero estas medidas están limitadas por los acuerdos internacionales, que prohíben que los países den ayudas a los exportadores más allá de ciertos límites, con la finalidad de evitar que las exportaciones de un país sean deslealmente competitivas con las de las demás naciones, y con los productos nacionales en los mercados internos de los países que las importan. El dumping (la venta en el exterior de productos a precios más bajos de aquéllos a los que se venden en los mercados nacionales) está prohibido internacionalmente. Concluimos, pues, que las exportaciones son, pues, una variable exógena (nos referimos a las exportaciones y no a las exportaciones netas) y en ocasiones las variaciones en la magnitud de aquéllas afectan considerablemente al nivel de actividad económica, tanto en sentido positivo como negativo.

Las importaciones, por el contrario, constituyen una variable endógena del modelo. Estas dependen del nivel de producción, renta y empleo de la economía que se analiza. Como sabemos, el consumo privado depende de la renta, y parte de los bienes y servicios consumidos son importados. Del mismo modo, parte de la inversión depende del nivel de demanda y de la tasa de cambio de ésta, y una fracción de los bienes capital adquiridos son importados. En consecuencia, existe una relación funcional directa entre la renta y las importaciones, relación que expresamos de la siguiente forma

$$M = f(Y)$$

Asimismo, existe una propensión marginal a importar *(PMaM)* que se define como la magnitud en la que cambian las importaciones de bienes y servicios al variar la renta. Formalmente:

$$PMaM = \frac{\Delta M}{\Delta Y}$$

Digamos que las importaciones de un país no sólo dependen del nivel de renta de éste, sino también de los precios relativos de aquéllas (de los precios de los productos extranjeros comparados con los precios internos de esos mismos productos) y de la elasticidad-renta de la demanda de estos bienes en el país. Lo mismo ocurre con las exportaciones de un país, que (además del nivel de actividad económica de los países importadores) también dependen de sus precios relativos (por comparación con los precios de esos mismos productos en los mercados internos de las naciones que los compran), y de las elasticidades-renta de los países importadores (recuerde el lector que la elasticidad-renta de la demanda de un bien se define como el cambio porcentual que se da en la cantidad demandada de éste al variar la renta en un porcentaje determinado).

Como puede verse en el cuadro de los principales agregados de la Contabilidad Nacional incluido en el Capítulo 33, las exportaciones españolas de bienes y servicios en 1979 fueron inferiores a las importaciones. Las primeras representaron el 11 por 100 del PIB, y las segundas el 14 por 100. Esto significa que nuestras exportaciones netas fueron negativas en una magnitud próxima a los 400.000 millones de pesetas en 1979. Como se verá al estudiar la balanza de pagos española (el comercio exterior de nuestro país), generalmente nuestras exportaciones son inferiores a nuestras importaciones, lo que significa una reducción de la demanda agregada de productos elaborados en nuestro país.

Lo importante a retener en el estudio del comercio exterior es que las exportaciones constituyen una entrada al flujo (una adición a la demanda agregada), que dan lugar a producción, renta y empleo, y que son una variable exógena; mientras que las importaciones representan una salida del flujo (una sustración a la demanda agregada), que llevan a una reducción de la producción, la renta y el empleo, y que son una variable endógena. En consecuencia, ambas juegan un papel importante (más importante cuanto mayor sea el comercio exterior del país en relación con su producción total) en la determinación del nivel de producción, renta y empleo, y en las fluctuaciones de aquél. Las recesiones y las expansiones en el nivel de actividad económica de las naciones son transmitidas de unos países a otros a través precisamente del comercio internacional.

BIBLIOGRAFÍA SELECCIONADA

Samuelson, P.: *Curso de Economía Moderna,* op. cit., Cap. II.
Lipsey, R.: *Introducción a la Economía Positiva,* op. cit., cap. 38.
Ackley, G.: *Teoría Macroeconómica,* op. cit., Cap. XVII.
Heilbroner, R.: *Comprensión de la Macroeconomía,* op. cit., Caps. 6 y 8.
Rojo Duque, L. A.: *Renta, Precios y Balanza de Pagos,* op. cit.
Bailey, M.: *Renta Nacional y Nivel de Precios,* op. cit., Cap. 9.
Brooman, F. S.: *Macroeconomía,* op. cit., Caps. VII, VIII y IX.

INTRODUCCION

En los dos Capítulos precedentes hemos estudiado los componentes de la demanda agregada (la cantidad total de bienes y servicios producidos en la economía que se demandan por los cuatro grupos de agentes económicos: economías domésticas, empresas privadas y públicas, Gobierno y resto del mundo). En este Capítulo vamos a exponer la teoría que explica el nivel de producción, renta y empleo que se obtiene en una economía en un período de tiempo determinado, así como sus fluctuaciones a corto plazo (los cambios que experimenta dicho nivel de un año a otro, o de un semestre a otro).

Para poder exponer un modelo sencillo de determinación de la renta es necesario hacerlo en términos reales. Es decir, éste ha de ser un modelo que sólo tome en consideración el sector real de la economía: el sector de la producción física de bienes y servicios (y que incluye las variables PNB, PIB, RN, consumo, inversión, exportaciones e importaciones). Decimos sector real por contraposición al sector monetario. Al estudiar el sector o aspecto monetario de la economía se analizan la oferta y la demanda de dinero, el nivel general de precios y la tasa de interés, así como el papel que estas variables juegan en la determinación del nivel de producción, renta y empleo, y en sus fluctuaciones. El modelo completo de la determinación de la renta incluye, tanto el sector real como el monetario, ya que en toda economía se dan los dos aspectos, que obviamente están interrelacionados. Digamos, no obstante, que el modelo sencillo en términos reales que vamos a exponer en este Capítulo constituye la esencia del modelo keynesiano y de los modelos de renta-gasto que generalmente se han venido utilizando (a efectos de instrumentar políticas económicas) desde la aparición de la «Teoría General» de Keynes. Por otra parte, en Capítulos posteriores introduciremos el dinero en el modelo y expondremos las diversas teorías sobre el papel de éste en la determinación del nivel de producción, renta y empleo.

En orden a poder exponer directamente el meollo de la teoría del flujo circular de la renta, es necesario partir de ciertos supuestos simplificadores sobre el comportamiento de la producción y de los precios (recuerde el lector que un supuesto no es más que una simplificación de la realidad, una condición que imponemos a ésta o de la que partimos para hacer factible el análisis, análisis que sin el supuesto sería más complejo y difícil de efectuar en un primer estadio). Más adelante abandonaremos estos supuestos restrictivos.

El primer supuesto del que partimos es el de que los precios de todos los bienes y servicios son constantes, y que la economía hace frente a los cambios en la demanda de bienes y servicios mediante variaciones en la producción de éstos. En términos del análisis de curvas de oferta y demanda, este supuesto implica que la oferta agregada (la cantidad total de bienes y servicios producidos y, en consecuencia, ofertados en la economía) es totalmente elástica (es una línea horizontal, lo que implica que se pueden producir cantidades crecientes de bienes y servicios sin que, para que aumenten estas cantidades ofertadas, hayan de subir los precios). El supuesto de una oferta agregada totalmente elástica implica que el nivel de producción, renta y empleo viene determinado por el volumen de demanda agregada.

Este supuesto puede ser considerado como razonablemente realista en situaciones en las que existe desempleo en una economía. Siempre que haya mano de obra desocupada y las empresas tengan capacidad productiva instalada que no estén empleando plenamente, se puede esperar que éstas produzcan tanto como se les demande (ya que su negocio es producir y vender, y sus beneficios dependen en buena medida del volumen de su producción). Como generalmente las economías tienen algún margen de capacidad productiva no utilizada y de recursos desempleados (particularmente mano de obra), entonces podemos concluir que la demanda agregada determina el nivel de producción, renta y empleo. Sólo en el caso de que exista pleno empleo ocurrirá que un aumento de la demanda agregada no podrá ser satisfecho o no podrá dar lugar a un incremento de la producción en términos reales (no sería posible producir más bienes y servicios en términos físicos, debido a que no existirían recursos disponibles para destinarlos a esta producción). Posiblemente lo que ocurriría en este caso sería que se produciría una subida del nivel general de precios, con lo que el PNB aumentaría sólo en términos monetarios, y la demanda agregada volvería a ser igual a la oferta agregada. Esta situación la consideraremos más adelante.

El segundo supuesto del que partimos es el de que la fuerza laboral (la oferta agregada de trabajo) es constante. Dado el primer supuesto que hemos introducido, este segundo supuesto implica que un aumento en la demanda agregada dará lugar a un incremento de la producción, el cual a su vez llevará a un aumento del empleo (o, lo que es lo mismo, a una reducción del desempleo). Naturalmente, la fuerza laboral varía de magnitud a lo largo del tiempo (con el aumento de la población, con la distribución de ésta por edades, etc.). No obstante, en este modelo aquélla se toma como constante, debido a que en dicho modelo sólo se estudia la determinación del nivel de producción, renta y empleo a corto plazo. La Teoría del Crecimiento y del Desarrollo económicos toma en consideración la magnitud de la población como una variable que puede afectar a la tasa de crecimiento de las economías.

Los dos supuestos establecidos implican que estamos considerando situaciones de desempleo en la economía; que los precios no cambian, por lo que variaciones en el valor del Producto Nacional significan variaciones en las cantidades físicas de bienes y servicios producidos; que el nivel de producción viene determinado por el nivel de demanda agregada (que el nivel de producción se ajusta o adapta pasivamente a las fluctuaciones en la demanda total que se dan en la economía); y que el volumen de empleo de mano de obra varía directamente con la producción (a mayor nivel de producción, mayor volumen de empleo) e inversamente con ésta. Bajo estos supuestos, una teoría de las fluctuaciones de la demanda agregada constituye una teoría de las fluctuaciones en el nivel de producción, renta y empleo.

Ya hemos estudiado los factores de los que dependen los distintos componentes de la demanda agregada $[C + I + G + (X - M)]$. Excepto en el caso del gasto privado en consumo (que lo hemos estudiado a un nivel teórico relativamente avanzado), hemos expuesto una teoría sencilla de la determinación de estos componentes. No obstante, esta teoría es suficiente para nuestros fines. Ahora ya podemos exponer la teoría keynesiana sobre cómo se determina el valor del PNN y cómo fluctúa éste de un año a otro. En esencia, este modelo predice que el nivel de renta de equilibrio (aquel nivel de renta al que tiende la economía) se determina por la intersección de la curva de la oferta agregada y la curva de la demanda agregada. El equilibrio así establecido determina el nivel de producción, renta y empleo (el PNN o la nueva producción) que alcanza la economía en un período de tiempo determinado. Una vez que expongamos cómo se determina el nivel de renta de equilibrio, podemos explicar cómo fluctúa este nivel de equilibrio al producirse cambios en los componentes de la demanda agregada.

Antes de iniciar la exposición del modelo keynesiano simple de determinación de la renta, digamos que el llamado modelo clásico (el modelo macroeconómico que estaba más o menos implícito en los escritos de los economistas anteriores a Keynes, y que éste formuló de una manera más explícita de lo que lo había hecho ninguno de sus supuestos autores, en orden a poder atacarlo y contrastarlo con su propio modelo), predecía que las economías tienden a alcanzar el nivel de pleno empleo.

Como veremos más adelante, el modelo clásico postula que si los precios de los bienes y servicios son flexibles al alza y a la baja, si los salarios monetarios son igualmente flexibles al alza y sobre todo a la baja (es decir, si los trabajadores y los sindicatos están dispuestos a aceptar que los salarios monetarios bajen cuando haya exceso de oferta de trabajo), si el tipo de interés es asimismo flexible, y si las economías domésticas y las empresas sólo demandan dinero (medios de pago: dinero fiduciario constituido por los billetes y moneda en circulación, y dinero bancario constituido por los depósitos en cuenta corriente) por motivos de transacciones (si sólo demandan el dinero que necesitan o que consideran que necesitan para realizar las transacciones que les permite su nivel de renta y producción, respectivamente; el resto de su renta no lo mantienen en dinero, sino que lo colocan en activos que les rentúen algún ingreso: acciones, obligaciones, pisos, etc.), entonces la economía necesariamente tiende al pleno empleo de los recursos de que dispone.

La flexibilidad de los precios de los bienes y servicios llevaría a que en el mercado de cada uno de ellos se igualara la oferta y la demanda. La flexibilidad de los salarios monetarios llevaría a que se igualaran la cantidad demandada de trabajo (que sería una función inversa del salario real, debido a que el valor del producto marginal del trabajo se puede esperar que disminuya al aumentar la cantidad de mano de obra empleada) con la cantidad ofertada de éste (que se supone es una función directa del salario real: cuanto más elevado sea el salario real, mayor será la cantidad de trabajo ofertada por las economías domésticas. Recuerde el lector que la demanda del factor trabajo la realizan las empresas; mientras que la oferta de trabajo la protagonizan las economías domésticas, que ofrecen su trabajo a cambio de un salario). La flexibilidad del tipo de interés igualaría la demanda de fondos para inversión (ésta sería una función inversa del tipo de interés: dada una productividad marginal decreciente del capital, se puede esperar que la cantidad de inversión varíe inversamente con el tipo de interés, como vimos en el Capítulo anterior) con la oferta de los fondos que los agentes económicos deseen prestar (se supone que las economías domésticas desean prestar aquella parte de su renta que ahorran, ya que prefieren no mantenerla en dinero, debido a que éste no les renta nada. Se supone igualmente que cuanto más elevado sea el tipo de interés, mayor será la cantidad de renta ahorrada, debido a que los ahorradores obtendrán un rendimiento más elevado por el sacrificio que implica el ahorro (ya que, en definitiva, éste consiste en postponer el consumo), y, en consecuencia, mayor será la cantidad ofertada de fondos prestables.

Si se dan todas estas condiciones, o, lo que es lo mismo, si se cumplen todos estos supuestos sobre el comportamiento de estas variables (precios, salarios monetarios, tipo de interés), entonces la economía tiende necesariamente al nivel de pleno empleo de sus recursos. En el fondo de esta teoría subyacía la llamada Ley de Say, denominada así en honor del economista francés Jean Baptiste Say (1767-1832), y que postula que la oferta crea su propia demanda. Los economistas clásicos y neoclásicos de la que podemos llamar corriente ortodoxa, comparten la actitud de que, puesto que todos los individuos son miembros de la sociedad, la contribución que cada persona hace a ésta (la producción y oferta que hace de bienes y/o servicios) es contrarrestada por lo que toma de la sociedad (por la demanda que hace de bienes y servicios). Es decir, si un individuo produce y ofrece bienes es porque desea demandar y comprar bienes en esa misma magnitud: el zapatero intercambia los zapatos que produce por el pan que elabora el panadero y por la carne que vende el carnicero, y el individuo que trabaja en una fábrica intercambia su salario por los productos que elaboran otros trabajadores.

La oferta y la demanda tenderán al equilibrio en cada mercado, y la oferta y la demanda agregadas para todos los mercados tenderán también hacia un equilibrio en el que la mano de obra y todos los demás recursos encontrarán empleo. Un excedente de cualquier bien, servicio o factor se reflejará en un precio más bajo de éstos. Por ejemplo, los trabajadores desempleados estarían dispuestos a aceptar salarios monetarios más bajos (por salario monetario se entiende el salario expresado en pesetas absolutas, sin tener en cuenta el nivel de precios; mientras que el salario real es el salario medido por su valor en términos de los bienes y/o servicios que con él pueden adquirirse, o, lo que es lo mismo, el salario en relación con el nivel de precios). A salarios monetarios más bajos los empresarios demandarán mayor cantidad de trabajo (emplearán más trabajadores), y los salarios continuarán bajando hasta aquel nivel al cual la cantidad ofertada de trabajo por los individuos sea igual a la cantidad demandada de éste por los empresarios. Los precios de los otros recursos se ajustarán de la misma forma.

Por supuesto, el sistema no se ajustará siempre de una forma flexible e inmediata. Podrán darse fluctuaciones y ciclos en el nivel de actividad económica como consecuencia de que muchos productores simultáneamente sobreestimen la demanda de sus productos o que la subestimen. También podrán darse factores exógenos, como guerras o nuevos desarrollos tecnológicos, que pondrán en marcha fluctuaciones en el nivel de actividad económica. Pero estas fluctuaciones o perturbaciones serán temporales, y el sistema económico tenderá por sí solo a volver el equilibrio de pleno empleo. El equilibrio de todos los mercados llevará al equilibrio general de la economía (explicado por la Teoría del Equilibrio General a la que hemos hecho referencia anteriormente).

Esta era la teoría dominante cuando se produjo el «crack» de 1929 y la profunda depresión subsiguiente que experimentó el mundo durante toda la década de los años 30. La producción y el empleo se redujo en muchos países al 40 por 100 del nivel que se había alcanzado antes de 1929. Millones de personas se quedaron sin empleo, miles de empresas cerraron y otras muchas producían muy por debajo de su capacidad. Las consecuencias políticas y sociales (además de las tragedias humanas) de la crisis fueron inconmensurables a nivel nacional e internacional.

En esos años Keynes publicó su obra clásica *La Teoría General del Empleo, el Interés y el Dinero* (1936). Keynes rechazó la argumentación hecha por los economistas clásicos de que una economía competitiva tiende automáticamente y por sí misma hacia el pleno empleo. Por el contrario, argumentó Keynes, una economía puede tender a un nivel de producción, renta, gasto y empleo de equilibrio al cual se dé desempleo (fenómeno que estaba ocurriendo en gran escala en ese momento y que estamos experimentando en la actualidad). Keynes arguyó que la ley de Say es errónea (es decir, que la producción no crea necesariamente su propia demanda), y demostró teóricamente que en una economía capitalista moderna, las fuerzas que gobiernan la oferta y la demanda agregadas pueden hacer que éstas se igualen a un nivel de renta inferior al de pleno empleo. Esto será especialmente cierto (señaló Keynes) si los salarios monetarios son rígidos a la baja (si los trabajadores y los sindicatos no están dispuestos a aceptar reducciones en los salarios monetarios), y no descienden al nivel necesario para que se dé el pleno empleo. Si los salarios monetarios no disminuyen, los precios no disminuirán y los excedentes de bienes no podrán ser vendidos. Asimismo, el ahorro puede ser superior a la inversión o las salidas superiores a las entradas en el flujo circular. Como veremos posteriormente, el modelo keynesiano muestra que la economía precisamente tiende a aquel nivel de producción, renta, gasto y empleo para el cual las entradas son iguales a las salidas, y que a ese nivel puede existir desempleo.

LA DETERMINACION DEL NIVEL DE RENTA DE EQUILIBRIO SEGUN EL MODELO KEYNESIANO SIMPLE

El modelo keynesiano trata de explicar por qué una economía puede producir a un nivel inferior al de pleno empleo (puede no alcanzar su nivel potencial de producción de bienes y servicios, dadas las cantidades de recursos de que dispone) y permanecer a ese nivel de actividad. Dicho con otras palabras, no existe ningún mecanismo en la economía que asegure que ésta tienda automáticamente al nivel de producción de pleno empleo. Más bien al contrario, los factores de los que dependen la demanda agregada y la oferta agregada son tales que pueden hacer que éstas se igualen a un nivel de renta que implique desempleo. Veamos por qué.

Ya hemos visto en los Capítulos anteriores que la demanda agregada está integrada por el gasto en consumo de las economías domésticas en bienes y servicios producidos en el país, más el gasto en inversión de bienes capital producidos en el país, más el gasto del Gobierno y más las exportaciones. Observe el lector que hablamos de bienes y servicios producidos en el país, con lo cual se eliminan las importaciones. Esto es lo mismo que decir que la demanda agregada es igual a $C + I + G + (X - M)$, incluyendo en la C, en la I y en la G los bienes y servicios importados que se adquieran por los respectivos agentes económicos.

De estos componentes de la DA (demanda agregada), la C es una variable endógena que depende de la renta y aumenta al incrementarse ésta. Las entradas al flujo, por el contrario, suponemos que son variables exógenas y que, en consecuencia, no cambian de magnitud al variar el nivel de renta.

A su vez, las salidas (el ahorro de las economías domésticas y de las empresas, los impuestos de todo tipo, y las importaciones) varían directamente con la renta. Ya hemos visto cómo el ahorro es una función directa de la renta. También hemos señalado que (dados los precios de los bienes extranjeros y de los bienes nacionales, y las elasticidades-renta de los bienes importados que tienen las demandas de éstos por parte de las economías domésticas nacionales), las importaciones son una función directa de la renta.

Finalmente, los ingresos impositivos del Gobierno aumentan directamente con los incrementos de la renta: dados unos tipos impositivos y unas tarifas arancelarias, un aumento de la renta de las economías domésticas produce un incremento de los ingresos del Gobierno procedentes del impuesto sobre la renta de las personas físicas; un aumento del gasto de los consumidores en bienes importados da lugar a un incremento de los ingresos del Gobierno procedentes de las tarifas arancelarias sobre las importaciones; un aumento del gasto en consumo de bienes producidos en el país dará lugar a un incremento de los ingresos del Gobierno procedentes de los impuestos indirectos; y un aumento de los beneficios de las sociedades mercantiles llevará a un incremento de los ingresos del Gobierno producidos por el impuesto sobre la renta de sociedades.

Al afirmar que I, G y X son variables exógenas queremos decir que suponemos que no dependen del nivel de renta que se dé en la economía (las exportaciones dependen del nivel de renta de las economías domésticas de otros países, de la elasticidad-renta de la demanda de éstas respecto de los productos del país, y de los precios de los bienes del país exportador en relación con los precios de esos mismos bienes en otros países; el gasto del Gobierno depende de las decisiones de éste; y la inversión depende de las decisiones de las empresas). En consecuencia, las entradas las tratamos como un gasto autónomo (es decir, como variables exógenas que afectan al sistema, pero que no son afectadas por éste) y las consideramos como constantes en relación con el nivel de renta. Esto no significa que estemos afirmando que la I, la G y la X no dependan en alguna medida de otras variables del sistema económico (de hecho, dependen o están relacionadas en algún grado con otras magnitudes); lo que queremos decir es que, a efectos del modelo teórico, no están relacionadas directamente con el nivel de renta. En cada período, y dados los factores de los que dependen, cada una de las entradas (la I, la G y la X) tomarán un valor determinado. Tal valor es el que consideramos como constante al estudiar la determinación del nivel de renta. Ya veremos cómo precisamente los cambios en estas variables exógenas (las entradas) dan lugar a variaciones más que proporcionales en el nivel de producción, renta, gasto y empleo.

Esta idea la podemos representar gráficamente. En la Figura 36.1 se muestra una función normal de consumo, con el gasto en consumo en el eje de ordenadas y la renta (Y) en el eje de abscisas. En la Figura 36.2 representamos las entradas al flujo (la inversión, el gasto del Gobierno y las exportaciones) en el eje vertical y la renta en el horizontal. A la suma de todas las entradas la designamos con la letra E, y la representamos como una línea horizontal (de pendiente cero), lo que significa que consideramos las entradas como independientes del nivel de renta y que (por las razones que sea) esta suma alcanza la magnitud OE_1. Tanto el flujo de la Renta Nacional como el del gasto en consumo y el de las entradas los entendemos como cantidades por año; también empleamos las mismas distancias en los ejes para representar magnitudes iguales (utilizamos la misma distancia para representar un billón de pesetas de renta y para representar un billón de pesetas

FIGURA 36.1

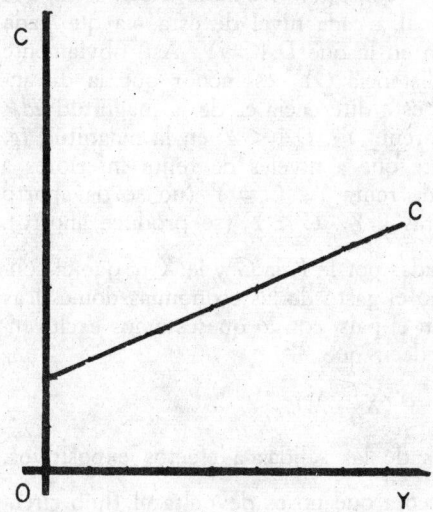

FIGURA 36.2

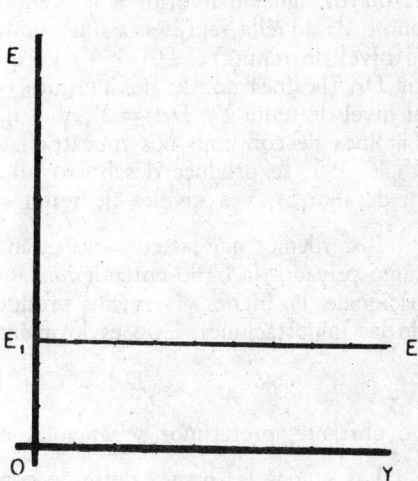

de consumo y de entradas). Las variaciones en las entradas (cualesquiera que sean las causas que las motiven) las representamos con desplazamientos paralelos de la línea E (hacia arriba cuando aumentan, y hacia abajo cuando disminuyen). En el Capítulo anterior hemos explicado los factores de los que dependen las entradas.

FIGURA 36.3

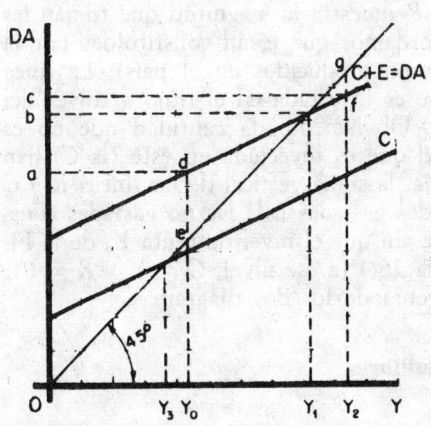

FIGURA 36.4

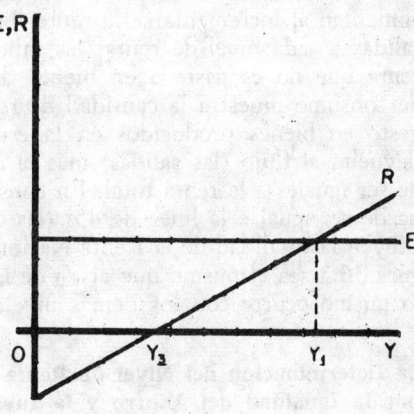

En la Figura 36.3 representamos la suma del gasto en consumo y de las entradas. En el eje vertical se representa la DA y en el horizontal la renta. La línea $C + E = DA$ es la suma vertical de la línea de consumo C de la Figura 36.1 y de la línea de entradas E de la Figura 36.2. Cada uno de los puntos de la línea $C + E$

representa una combinación de renta y gasto: el gasto agregado que se realiza a cada nivel de renta. La línea de 45° nos permite constatar a simple vista si la DA es mayor, igual o inferior a la Renta Nacional a cada nivel de ésta, ya que cada punto de aquélla representa una combinación en la que $DA = Y$. Así, obviamente al nivel de renta Y_0, $DA > Y$, ya que la distancia OY_0 es menor que la distancia DA (la línea de 45° nos permite ver que esta diferencia es de la magnitud ed); al nivel de renta Y_1, $DA = Y$; y al nivel de renta Y_2, $DA < Y$ en la magnitud fg. La línea de consumo nos muestra igualmente que a niveles de renta inferiores a Y_3, $C > Y$ se produce desahorro; al nivel de renta Y_3, $C = Y$ (no se da ahorro ni desahorro); y a niveles de renta superiores a Y_3, $C < Y$ (se produce ahorro).

Recordemos que las entradas están integradas por la I, la G y la X; y que el consumo privado (la C) lo entendemos aquí como el gasto de las economías domésticas nacionales en bienes y servicios producidos en el país, con lo que estamos excluyendo las importaciones. Esto es lo mismo que decir que

$$DA = C + I + G + (X - M)$$

no obstante, preferimos separar las entradas de las salidas a efectos expositivos.

Las salidas las hemos definido como la renta que no es devuelta al flujo circular. En consecuencia, por definición las salidas son la diferencia entre Y y C. En la Figura 36.3 las salidas son representadas por la distancia vertical entre la línea de 45° y la línea de consumo. Al nivel de renta Y_3, las salidas son cero (toda renta ganada es devuelta al flujo en forma de gasto en bienes de consumo); a los niveles de renta superiores a Y_3, las salidas son positivas y se van haciendo mayores a medida que aumenta la renta; y a los niveles de renta inferiores a Y_3, las salidas son negativas $(C > Y)$, lo cual implica que las economías domésticas están reduciendo sus ahorros acumulados en el pasado, y/o tomando dinero a préstamo. En ambos casos el resultado es considerado como una salida negativa.

Para ver este fenómeno más claramente, en la Figura 36.4 representamos las salidas por medio de la línea R. Esta tiene una pendiente positiva, ya que las salidas aumentan al incrementarse la renta. La línea R muestra la magnitud que toman las salidas a cada nivel de renta (las salidas recordamos que están constituidas por la renta que no es gastada en bienes de consumo producidos en el país). La línea de consumo muestra la cantidad de renta que es inyectada en el flujo a través del gasto en bienes producidos en la economía. Obviamente, la cantidad que no es devuelta al flujo (las salidas) más la cantidad que es inyectada en éste (la C) han de ser iguales a la renta total. En consecuencia, la suma vertical de las líneas R y C ha de ser igual a la línea de 45° (las cantidades gastadas más las no gastadas constituyen la totalidad de la Renta Nacional). De ahí que el nivel de renta Y_3 de la Figura 36.3 sea el mismo que el Y_3 de la Figura 36.4 (a ese nivel, $C = Y$ y $R = 0$); lo mismo ocurre con los demás niveles de renta de los dos diagramas.

La Determinación del Nivel de Renta de Equilibrio por la Igualdad del Ahorro y la Inversión

En realidad ya hemos visto cuál será el nivel de renta de equilibrio al que tenderá una economía. Este nivel no será otro que aquel al que las entradas sean iguales a las salidas; o, lo que es lo mismo, el nivel determinado por la demanda agregada. Como hemos señalado, en una economía con desempleo, el nivel de producción que se dará será el que la demanda agregada determine (se producirá la cantidad de bienes y servicios que se demanden), y este nivel de producción tendrá como contrapartida un nivel de renta de igual valor en términos monetarios. Asimismo, dada una tecnología, este nivel de producción requerirá y dará lugar a un nivel de empleo (la cantidad de mano de obra necesaria para producir dicho *output* agregado, dada la productividad marginal de aquélla).

Pero veamos este fenómeno con un poco más de detalle. Comencemos con una economía en la que no existe ni Gobierno ni sector exterior. En esta economía las entradas estarían constituidas sólo por la inversión, y las salidas sólo por el ahorro. Sabemos que el consumo y el ahorro dependen de la renta, y, por lo tanto, son variables endógenas. La inversión, por el contrario, es una variable exógena (no depende de la renta). Asimismo, las economías domésticas disponen de su renta gastándola en consumo y ahorrando. En consecuencia, la ecuación de disposición de la renta por parte de las economías domésticas será:

$$Y = C + S$$

donde Y es la Renta Nacional de nuestra economía simplificada. El ahorro es, pues, una salida que disminuye la demanda agregada (una reducción de la demanda de bienes de consumo).

Por otra parte, las empresas no sólo venden bienes y servicios de consumo a las economías domésticas, sino que también venden bienes capital a otras empresas. En consecuencia, la ecuación que define el gasto total o demanda agregada en esta economía simplificada será:

$$Y = C + I$$

donde Y es la demanda agregada y también el PNN (la producción determinada por la DA; o, lo que es lo mismo, la oferta agregada). La Y de las dos ecuaciones tiene el mismo valor, ya que la renta, el gasto agregado y la producción agregada tienen el mismo valor (según hemos visto en el Capítulo 33).

Si $Y = C + S$ e $Y = C + I$ entonces, $C + S = C + I$ y en consecuencia $S = I$

Pero la igualdad del ahorro y la inversión así obtenida no es más que una tautología (algo que es necesariamente así, debido a que hemos definido las magnitudes de una determinada forma: si decimos que $8 = 6 + 2$, entonces $6 = 8 - 2$ necesariamente), y no nos dice nada sobre el comportamiento de la economía.

Sin embargo, la igualdad $S = I$ expresa una relación entre S e I que es algo más que una mera tautología. La inversión es una variable exógena, que realizan las empresas (en nuestra economía simplificada) por las razones que ya conocemos, y que, por lo tanto, la consideramos constante (al nivel que hayan decidido las empresas) para cualquier nivel de renta. En la Figura 36.5 esta función de inversión la representamos por la línea horizontal I (consideramos que para todos los niveles de renta, la I es constante en la cuantía I_0 durante el período que analizamos). El ahorro, por el contrario, es una función de la renta, y su función la representamos con la línea S de la Figura 36.5. Si $C = f(Y)$, también $S = f(Y)$; y si el consumo es una función lineal del tipo $C = C_0 + cY$, entonces el ahorro es una función simétrica de aquélla: $S = -C_0 + sY$, donde s es la *PMaS* y es igual a $1 - c$.

De esta forma, la ecuación $S = I$ relaciona una magnitud exógena, I, con una magnitud endógena, S, que varía con la renta. El equilibrio del nivel de renta se obtiene como resultado del ajuste dinámico del sistema a un nivel de equilibrio de la renta en el que el ahorro es igual a la inversión; es decir, el ahorro termina igualándose a la inversión a través de cambios en la renta.

Esta afirmación tan simple constituye la esencia del modelo keynesiano sencillo y en ella estriba la tremenda utilidad de aquél (por lo menos así se ha entendido hasta la crisis de los años 1970) para fines de política económica. Lo esencial que debe comprenderse de este modelo es que (en una economía sin Gobierno ni sector exterior) el ahorro lo realizan principalmente las economías domésticas por las razones que sea: la protección frente a la incertidumbre del futuro, el realizar un mayor consumo en el futuro, el acumular riqueza para sí y para los herederos, etc. (también realizan ahorro las empresas, éstas con la finalidad de financiar su futura inversión). Estas economías domésticas en cada período tienen una PMeS y una PMaS determinadas ambas por los hábitos sociales, el nivel de riqueza, etc. Estas propensiones dan lugar a una función de consumo que expresa la cantidad de renta que las economías domésticas desean ahorrar a los distintos niveles de renta. Retenemos, pues, la idea fundamental de que, dadas esas PMeS y PMaS (y también la PMeC y la PMaC, ya que son simétricas), en toda economía a cada nivel de renta se da una salida del flujo de la magnitud que determine la función de ahorro (la cantidad de ahorro que las economías domésticas desean o planean realizar a ese nivel de renta).

Del mismo modo, y determinada por los factores que hemos visto, la inversión la realizan las empresas; en cada período éstas planean realizar inversión en una determinada cuantía. Las economías domésticas no saben lo que las empresas desean invertir en un período determinado, ni éstas tampoco conocen lo que las economías domésticas desean o planean ahorrar a cada nivel de renta. Cada grupo de agentes económicos tiene sus planes propios sin conocer los del otro; las economías domésticas realizan el ahorro por unas razones y las empresas realizan la inversión por otras razones totalmente diferentes de las de aquéllas. Además (y esto es también importante) las economías domésticas generalmente no prestan directamente su ahorro a las empresas (sólo lo prestan directamente cuando compran acciones y obligaciones de nueva emisión), sino que lo colocan en las instituciones o intermediarios financieros (bancos, cajas de ahorro y otras instituciones), los cuales a su vez se lo prestan a las empresas (si éstas demandan crédito a aquéllos, demanda que depende de los planes de inversión de las empresas).

Ex ante (es decir, antes de que se produzcan los cambios en el nivel de actividad económica que implica la implementación de los planes de ahorrar e invertir las cantidades correspondientes a cada nivel de renta que determinan la función de ahorro y la función de inversión, respectivamente) el ahorro (en términos absolutos) no tiene que ser necesariamente igual a la inversión (entendida ésta como el gasto en bienes capital sin incluir las variaciones de las existencias, y expresada en valor absoluto). De hecho, lo más probable es que estas magnitudes difieran ex ante, ya que las realizan agentes económicos distintos y por razones diferentes (y además sin que ninguno de los dos grupos conozca lo que hace el otro, ni las economías domésticas presten directamente su ahorro a las empresas).

Pero ex post (cuando se hayan producido los efectos que la implementación de los planes de ahorrar e invertir tiene sobre el nivel de producción, renta y empleo a través de la diferencia entre la oferta agregada y la demanda agregada), el ahorro se ha de igualar a la inversión, a través de los cambios que se operan en la renta, como consecuencia de la diferencia entre aquéllos.

Expliquemos el proceso por el cual la economía tenderá a aquel nivel de producción, renta, empleo y gasto al cual $S = I$. Por definición, $S \equiv I$ si incluimos en esta última las variaciones en las existencias. Sabemos también que por definición $PN \equiv RN \equiv GN$. Es evidente que puede haber discrepancia entre la magnitud del ahorro que las economías domésticas desean o planean realizar (el ahorro *ex ante*), y el volumen de inversión que las empresas deciden llevar a cabo (la inversión *ex ante*) a un nivel dado de renta y producción. En realidad, no existe ninguna razón *a priori* para que coincidan ambas magnitudes (como ya hemos señalado), y si concidieran sería por mera casualidad.

Cuando el ahorro planeado no es igual a la inversión planeada, la identidad entre estas dos magnitudes se obtiene a través de las variaciones de las existencias. Si en un período determinado la colectividad en su conjunto gasta en consumo una cantidad menor de la que corresponde al valor de la producción de bienes de consumo en dicho período (si la demanda de bienes de consumo producidos en el país es inferior a la oferta o producción de estos bienes igualmente en el país, como consecuencia de la $PMeC$ que tiene la comunidad en ese período), entonces se producirá una acumulación involuntaria de existencias de bienes de consumo por parte de las empresas (las empresas en su conjunto venderán una cantidad de bienes de consumo inferior a la cantidad que producen de éstos; lo cual no excluye el que algunas empresas vendan todo lo que producen); y a la inversa, si el gasto en consumo o demanda de bienes de consumo en un período es superior al valor de la producción y oferta de bienes de consumo en ese período, entonces se dará una reducción de las existencias. Si, por definición, las variaciones en las existencias se incluyen en la inversión, entonces $S \equiv I$.

Esto lo podemos ver con claridad mediante nuestras dos ecuaciones anteriores: la ecuación del producto $Y = C + I$, y la ecuación de disposición o uso de la renta por las economías domésticas $Y = C + S$. Sustituyamos en la ecuación del producto (u oferta agregada) la C por P_c para indicar que ésta representa realmente la producción u oferta de bienes de consumo. Dejamos la C en la ecuación de disposición de la renta para indicar que la C corresponde al gasto realizado en consumo o consumo efectivo (la demanda de bienes de consumo). Naturalmente, P_c y C no tienen que ser idénticos, ya que la producción la realizan las empresas sin saber lo que las economías domésticas desean comprar, y el gasto en consumo lo efectúan los individuos sin conocer la cantidad de bienes que las empresas producen. La diferencia entre P_c y C, que puede ser positiva o negativa, representa obviamente la magnitud de la acumulación (o incremento) o de la reducción de las existencias. Al mismo tiempo, sustituimos la I de la ecuación del producto por I' para indicar que la I' sólo corresponde a la inversión en bienes capital (con exclusión del cambio en las existencias).

Las ecuaciones mencionadas se transforman en:

$$Y = C + S$$
$$Y = P_c + I'$$

Despejando S en esta última ecuación, tenemos que $S = Y - C$. Sustituyendo en esta ecuación la Y por su valor en la primera, tenemos que:

$$S = P_c + I' - C = I' + (P_c - C)$$

Sabemos que $(P_c - C)$ constituye los cambios en las existencias de bienes de consumo; y que su valor será positivo si $P_c > C$ (si la oferta total es mayor que la demanda total de bienes de consumo), negativo si $P_c < C$ (si la oferta es menor que la demanda), y cero si $P_c = C$ (si la oferta es igual a la demanda). Pero, por definición, los cambios en las existencias $(P_c - C)$ se incluyen en la inversión total I, de modo que $I = I' + (P_c - C)$. Por lo que, así definidas ambas variables, necesariamente $S \equiv I$: si $S < I'$ ello es debido a que $P_c > C$, lo que implica que $(P_c - C)$ tiene un valor positivo de una determinada magnitud, y sumando ésta a la I necesariamente tenemos S; si $S > I'$, entonces esto implica que $P_c < C$ y, en consecuencia, $(P_c - C)$ tendrá un valor negativo, que restado de I' (con lo que obtenemos el valor de I) hará que $S \equiv I$; y si $S = I'$, ello significa que $P_c = C$, con lo que no se produce ningún cambio en las existencias $(P_c - C = 0)$ e $I' = I$, en consecuencia, $S \equiv I$.

Pero con esta argumentación no hemos demostrado más que lo obvio: hemos explicado la tautología de que $S \equiv I$ por definición (por la forma en que hemos definido estas variables), y que la diferencia entre el ahorro planeado y la inversión planeada (ambos *ex ante*) se cubre con las variaciones en las existencias, lo que implica que no se da ningún cambio en el nivel de producción, renta y empleo (ya que sólo se han aumentado o reducido las existencias de las empresas; y estas existencias constituían bienes que ya estaban producidos con anterioridad, se les había pagado a los propietarios de los factores empleados en su elaboración las rentas correspondientes, y dichos propietarios habían gastado su renta en consumo de acuerdo con su $PMeC$ y su $PMaC$).

La cuestión crucial aquí estriba en que, aunque $S \equiv I$, por definición, si se incluyen las variaciones de las existencias en la I, en tanto en cuanto la inversión (entendida como el gasto de bienes capital, con exclusión de los cambios en las existencias) sea superior o inferior al S (la entrada sea superior o inferior a la salida) la economía no estará en equilibrio (el flujo circular cambiará de magnitud). Sólo cuando $S = I$ estará la economía en equilibrio y el flujo no variará de volumen.

Las variaciones en las existencias constituyen el ajuste inmediato de la oferta agregada a la demanda agregada, y no implican cambio en el nivel de producción, renta y empleo. Pero las empresas no pueden continuar indefinidamente reduciendo o aumentando sus existencias (ya que éstas tienen un coste). El siguiente desarrollo en este proceso de ajuste de la oferta agregada a la demanda agregada constituirá un cambio en la producción y en la renta. Si $S < I$, $P_c < C$ y las existencias disminuyen. A continuación (si las empresas tienen capacidad productiva instalada y no utilizada, y si existe mano de obra desempleada), los empresarios aumentarán la producción, lo que dará lugar a un incremento de la renta y, en consecuencia, del ahorro (ya que éste es una función de la renta). El proceso de incremento de la producción, del empleo, de la renta y del ahorro continuará hasta que $S = I$ (recordemos que I es aquí el gasto en bienes capital, excluyendo las variaciones de las existencias). Si, por el contrario, $S > I$, $P_c > C$, las existencias aumentarán, y los empresarios reducirán la producción, con lo que disminuirá el ahorro en la cuantía correspondiente (determinada ésta por la función de ahorro). El proceso de reducción de la producción, de la renta y del ahorro continuará hasta que $S = I$.

Este fenómeno podemos verlo gráficamente en la Figura 36.5. A los niveles de renta inferiores a Y_0, $S < I$. La producción aumentará y con ella la renta y el ahorro, tal como señala la función de éste representada por la línea S (la economía se moverá en la dirección de la flecha dibujada a la izquierda de Y_0). A los niveles de renta superiores a Y_0, $S > I$, las empresas acumularán existencias en un primer momento, y a continuación, y con la celeridad que puedan hacerlo (dependiendo ésta de las características de los procesos productivos que empleen) reducirán la producción. Con esta reducción disminuirá la renta y el ahorro hasta alcanzar el nivel de renta Y_0 al que $S = I$, la oferta agregada es igual a la demanda agregada, y las empresas tendrán el nivel de existencias que consideren adecuado con su nivel de producción y con el nivel previsto de demanda (la economía se moverá en la dirección de la flecha dibujada a la derecha de Y_0). Sólo cuando el nivel de producción sea el correspondiente al nivel de renta Y_0, la economía estará en equilibrio, ya que entonces las empresas no desearán ni aumentar ni disminuir la producción.

La conclusión de que, en una economía sin Gobierno ni sector exterior, ésta tenderá a aquel nivel de producción, renta y empleo para el cual $I = S$ es de trascendental importancia. Ella implica que, dadas las funciones de consumo, ahorro e inversión existentes en una economía cualquiera, ésta tenderá a aquel nivel de producción, renta y empleo para el cual $S = I$. Para cada nivel de renta, las economías domésticas planean realizar una cantidad de consumo y de ahorro (según sus funciones de consumo y ahorro) y las empresas planean realizar una cantidad de inversión (de acuerdo con su función de inversión). Estas magnitudes serán la inversión y el ahorro *ex ante*.

FIGURA 36.5

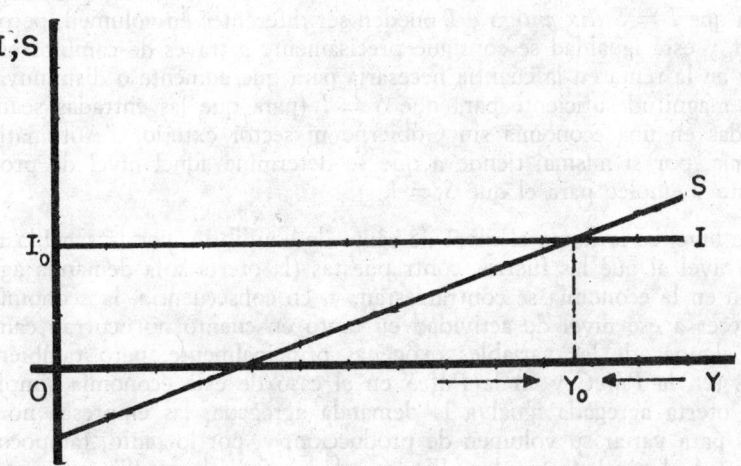

Si la inversión planeada es superior al ahorro planeado, la economía no estará en equilibrio (lo que supone que la DA será superior a la oferta agregada), y se pondrá en marcha un proceso de ajuste de aquélla que consistirá en un aumento de la producción y de la renta, hasta que ésta se incremente en la cuantía necesaria para que (dada la función de ahorro) se genere el volumen de ahorro adecuado para que $S = I$. Por ejemplo, si $S = 90$, $I = 100$ y la $PMaS = 0,2$ la producción aumentará hasta que se genere renta por valor de 50, ya que al incrementarse la renta en 50, las economías domésticas, dada su $PMaS$, ahorrarán 10 ($50 \times 0,2 = 10$).

Si la inversión planeada es inferior al ahorro planeado, la DA será inferior a la oferta agregada, e igualmente se pondrá en marcha un proceso de ajuste de la economía; proceso que consistirá en una reducción de la producción y de la renta, hasta que ésta se reduzca en la magnitud necesaria para que (dada la función de ahorro), éste disminuya en el volumen requerido para que $S = I$. Por ejemplo, si $S = 150$, $I = 125$ y la $PMaS = 0,2$, la producción se reducirá hasta que disminuya la renta en una cuantía de 125, ya que al reducirse la renta en 125, las economías domésticas, dada su $PMaS$, reducirán su ahorro total en 25 ($125 \times 0,2 = 25$).

La enorme importancia de este mecanismo reside en que, cualquiera que sea la inversión y el ahorro planeados, existen fuerzas en la economía que hacen que ésta tienda al nivel de producción, renta y empleo para el que el ahorro se hace igual a la inversión. Esta igualdad se consigue por un proceso de ajuste de la oferta agregada (de la producción de las empresas) a la demanda agregada, proceso que da lugar al cambio en la producción, en la renta y en el empleo necesario para que $I = S$. *Ex ante* el ahorro planeado puede no ser (y generalmente no lo es) igual en volumen a la inversión planeada (también en términos absolutos), pero tras implementarse el proceso de ajuste que se pone en marcha como consecuencia de esa desigualdad, el ahorro realizado y la inversión realizada terminan haciéndose iguales (el ahorro *ex post* y la inversión *ex post* se igualan necesariamente).

Así pues, dadas la función de ahorro (y consumo) y la función de inversión que en un momento existen en una economía, las diferencias entre S e I (que dan lugar a divergencias de esa misma magnitud entre la oferta agregada y la demanda agregada) ponen en marcha un proceso de cambio de la producción, la renta y el empleo (de ajuste de la oferta agregada a la demanda agregada), proceso que durará hasta que $I = S$. *Ex ante* S e I pueden ser diferentes en volumen, pero *ex post* se igualan, y esta igualdad se consigue precisamente a través de cambios en la producción y en la renta en la cuantía necesaria para que aumente o disminuya el ahorro en la magnitud suficiente para que $S = I$ (para que las entradas sean iguales a las salidas en una economía sin Gobierno ni sector exterior). Automáticamente la economía, por sí misma, tiende a que se determine aquel nivel de producción, renta, gasto y empleo para el que $S = I$.

A este nivel se le llama el nivel de renta de equilibrio, por la sencilla razón de que es el nivel al que las fuerzas contrapuestas (la oferta y la demanda agregadas) que actúan en la economía se contrarrestan, y, en consecuencia, la economía tiende a permanecer a ese nivel de actividad en tanto en cuanto no ocurran cambios en alguna o algunas de las variables exógenas principalmente, pero también en las endógenas (en la $PMeC$ y en la $PMeS$ en el caso de esta economía simplificada). Al ser la oferta agregada igual a la demanda agregada, las empresas no tendrán incentivos para variar su volumen de producción, y, por lo tanto, tampoco variará ni la renta ni el nivel de empleo. Este nivel de renta de equilibrio puede corresponder (y generalmente corresponde) a un nivel de producción que no es el de pleno empleo.

La conclusión que se deduce de esta Teoría Macroeconómica es muy importante y obvia: no existe ningún mecanismo por el que la economía haya de alcanzar necesariamente el pleno empleo. Más bien al contrario, el modelo keynesiano nos permite predecir que, dejada a su libre funcionamiento, la economía de mercado muy probablemente tenderá a un nivel de producción, renta y empleo por debajo de sus posibilidades. El nivel de renta que la economía tenderá a alcanzar dependerá de las funciones de consumo, ahorro e inversión que se den en ella en cada momento.

Ya hemos señalado que en una economía sin sector exterior ni Gobierno, las entradas están constituidas sólo por la inversión, y las salidas sólo por el ahorro. Hemos dicho, asimismo, que el nivel de renta de equilibrio se determina por la igualdad de la *DA* y de la oferta agregada, y que esto es lo mismo que decir que $S = I$. Esta afirmación la podemos constatar en la Figura 36.6. En el gráfico superior la línea de 45° representa la oferta agregada (ya que a cada uno de sus puntos corresponde un nivel de renta que tiene una contrapartida en un nivel de producción de la misma magnitud en valor) que denominamos con las letras *OA*. La línea *C* representa la función de consumo (el gasto planeado en consumo a cada nivel de renta), y la línea $C + I$ (la suma vertical del gasto en consumo y del gasto en inversión) constituye la *DA*.

FIGURA 36.6

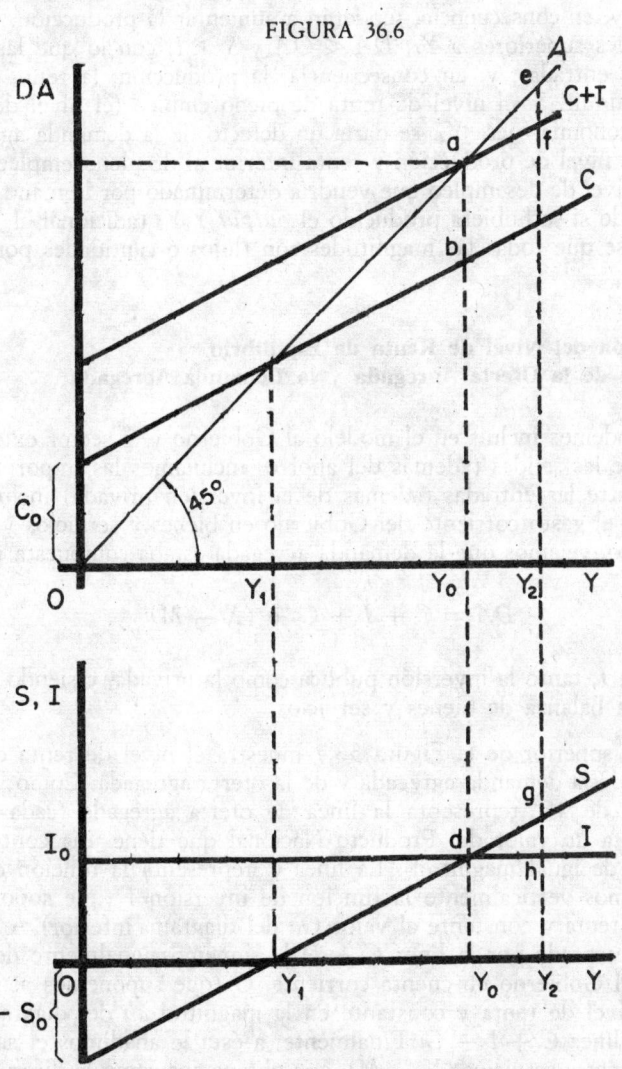

El nivel de renta de equilibrio será Y_0, al cual $DA = OA$ (cuando las empresas venden todo lo que producen; o, lo que es lo mismo, cuando sus existencias no varían).

En el gráfico inferior representamos las funciones de inversión y de ahorro por las líneas I y S, respectivamente. Obsérvese que la función de S está derivada de la función de C del gráfico superior: el valor C_0 de la función de consumo $C = C_0 + cY$ es exactamente igual al desahorro $(-S_0)$ que se produce cuando $Y = 0$; $S = 0$ cuando $C = Y$ al nivel de renta Y_1; y el valor S cuando $Y = Y_0$ está representado por la distancia ab en el diagrama superior y por la distancia dY_0 en el diagrama inferior, siendo ambas distancias iguales. Suponemos que la inversión que los empresarios desean realizar es de la magnitud I_0.

Sólo al nivel de renta Y_0 se cumple que $DA = OA$ y $S = I$. A niveles de renta y PN inferiores a Y_0, $DA > OA$ y $S < I$, con lo que las entradas son mayores que las salidas, y, en consecuencia, tenderán a aumentar la producción, la renta y el empleo. A niveles superiores a Y_0, $DA < OA$ y $S > I$, con lo que las salidas son superiores a las entradas, y, en consecuencia, la producción, la renta y el empleo tenderán a disminuir. Si el nivel de renta de pleno empleo (el nivel de *output* potencial) de la economía fuera Y_2, se daría un defecto de la demanda agregada de la magnitud ef, un nivel de producción y renta inferior al de pleno empleo en la cuantía Y_0Y_2, y un nivel de desempleo que vendría determinado por la mano de obra que se habría ocupado si se hubiera producido el *output* Y_0Y_2 (adicional al Y_0 de equilibrio). Recuérdese que todas las magnitudes son flujos o cantidades por período de tiempo.

La Determinación del Nivel de Renta de Equilibrio, por la Igualdad de la Oferta Agregada y la Demanda Agregada

Ahora ya podemos incluir en el modelo al Gobierno y al sector exterior. Recordemos que entre las salidas (además del ahorro) incluíamos las importaciones y los impuestos; y entre las entradas (además de la inversión privada) incluíamos la inversión pública, el gasto corriente del Gobierno en bienes y servicios y las exportaciones. Asimismo, veíamos que la demanda agregada estaba compuesta por:

$$DA = C + I + G + (X - M)$$

incluyendo en la I, tanto la inversión pública como la privada, y siendo $(X - M)$ el saldo neto de la balanza de bienes y servicios.

El diagrama superior de la Figura 36.7 muestra el nivel de renta de equilibrio por la igualdad de la demanda agregada y de la oferta agregada. Como ya hemos señalado, la línea de 45° representa la línea de oferta agregada (cada uno de sus puntos representa un valor del Producto Nacional que tiene una contrapartida en Renta Nacional de igual magnitud). La línea C representa la función de consumo. A ésta le sumamos verticalmente la función de inversión I (que suponemos independiente de la renta y constante al valor Oa del diagrama inferior). A la magnitud resultante (representada por la línea $C + I$) le sumamos igualmente de forma vertical el gasto del Gobierno en cuenta corriente, G (que suponemos asimismo independiente del nivel de renta y constante en la magnitud ab del diagrama inferior) y obtenemos la línea $C + I + G$. Finalmente, a ésta le añadimos el saldo neto de la balanza de bienes y servicios $(X - M)$, que obtenemos como la diferencia entre la distancia bd del diagrama inferior (el valor de X) menos la distancia fg de este mismo diagrama (el valor de M). De esta forma obtenemos la línea $C + I + G + (X - M)$, que representa la demanda agregada. Esta línea corta a la recta de 45° u oferta agregada en el punto h de ésta, con lo que la Renta Nacional queda determinada al nivel Y_0, el PN al nivel l, y la DA igualmente al nivel l. Como puede verse (y de acuer-

FIGURA 36.7

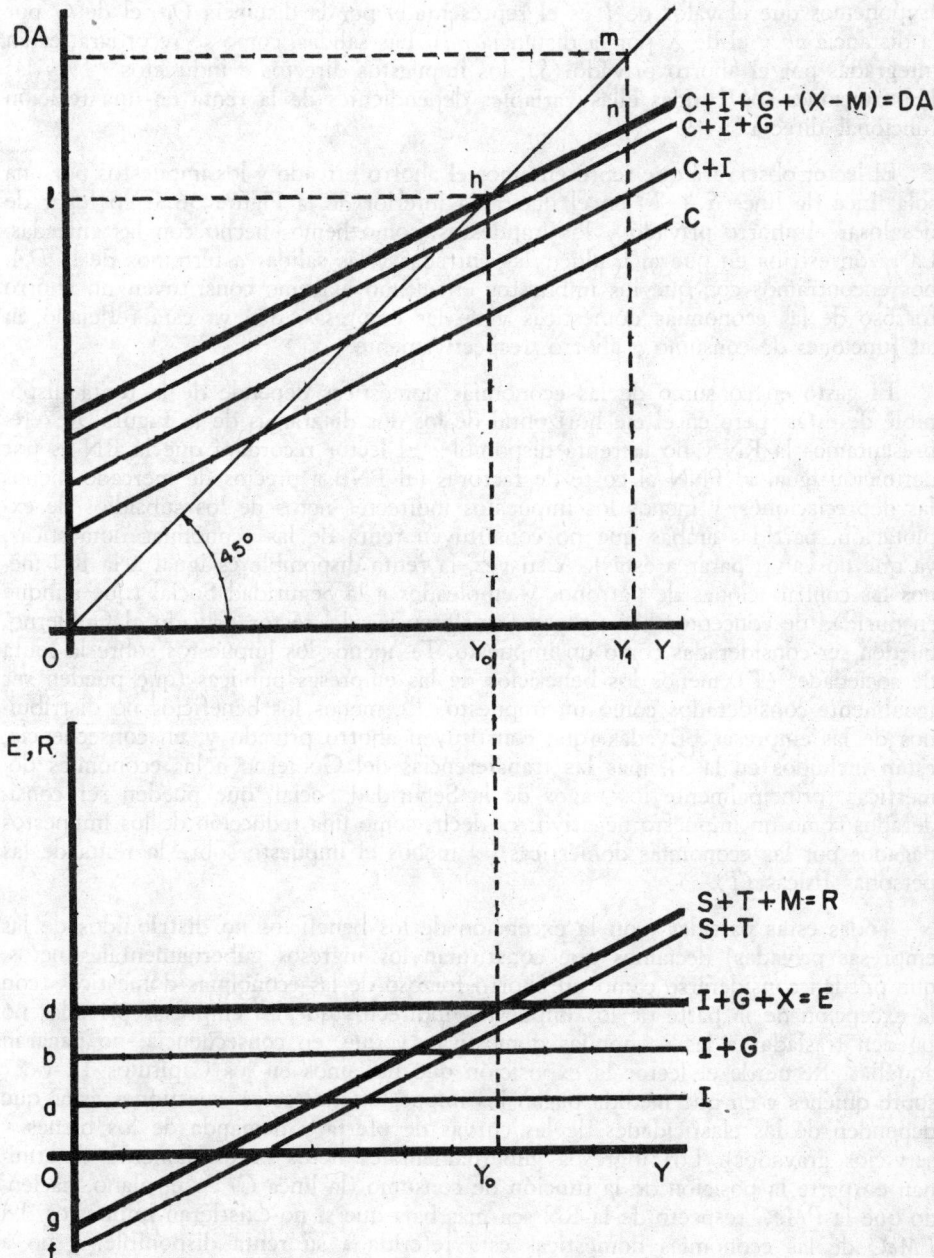

do con la hipótesis de que la *DA* determina el nivel de producción, renta y empleo, siempre que existan recursos desempleados en el punto *b*):

$$DA = PN = RN$$

En el diagrama inferior de la Figura 36.7 se muestran las entradas y salidas del flujo circular. Las entradas, como sabemos, las consideramos como independientes del nivel de *Y*, y su magnitud la obtenemos sumando verticalmente $I + G + X$ (suponemos que el valor de *I* es el representado por la distancia *Oa*, el de *G* por la distancia *ab* y el de *X* por la distancia *bd*). Las salidas, como se recordará, están integradas por el ahorro privado *(S)*, los impuestos directos e indirectos *(T)* y las importaciones *(M)*, todas ellas variables dependientes de la renta en una relación funcional directa.

El lector observará que representamos el ahorro privado y los impuestos por una sola línea (la línea $S + T$) en el diagrama inferior de la Figura 36.7, en lugar de desglosar el ahorro privado y los impuestos, como hemos hecho con las entradas. La razón estriba en que al traducir las entradas y las salidas a términos de la *DA*, nos encontramos con que los impuestos en último extremo constituyen un ahorro forzoso de las economías domésticas y de las empresas, que ya está reflejado en las funciones de consumo y ahorro, respectivamente.

El gasto en consumo de las economías domésticas depende de la renta disponible de éstas, pero en el eje horizontal de los dos diagramas de la Figura 36.7 representamos la RN y no la renta disponible. El lector recordará que la RN es por definición igual al PNN al coste de factores (al PNB a precios de mercado menos las depreciaciones, y menos los impuestos indirectos netos de los subsidios de explotación, partidas ambas que no constituyen renta de las economías domésticas, ya que no van a parar a éstas). A su vez, la renta disponible es igual a la RN menos las contribuciones de patronos y empleados a la Seguridad Social (que aunque en puridad de conceptos constituyen transferencias del sector privado al Gobierno, pueden ser consideradas como un impuesto, *T*), menos los impuestos sobre la renta de sociedades *(T)*, menos los beneficios de las empresas públicas (que pueden ser igualmente considerados como un impuesto, *T*), menos los beneficios no distribuidos de las empresas privadas (que constituyen ahorro privado y, en consecuencia, están incluidos en la *S*), más las transferencias del Gobierno a las economías domésticas (principalmente los pagos de la Seguridad Social, que pueden ser considerados como un impuesto negativo; es decir, como una reducción de los impuestos pagados por las economías domésticas), y menos el impuesto sobre la renta de las personas físicas *(T)*.

Todas estas partidas (con la excepción de los beneficios no distribuidos de las empresas privadas) decíamos que constituían los ingresos gubernamentales netos, que pueden considerarse como un ahorro forzoso de las economías domésticas (con la excepción de la parte de los impuestos indirectos que las empresas privadas no pueden trasladar a las economías domésticas, y que, en consecuencia, no pagarán aquéllas. Recuerde el lector la exposición que hacíamos en los Capítulos 12 y 27 sobre quiénes y en qué medida pagan los impuestos indirectos, cuestiones éstas que dependen de las elasticidades de las curvas de oferta y demanda de los bienes y servicios gravados). Los ingresos gubernamentales netos necesariamente determinan en parte la posición de la función de consumo (la línea *C*) en el plano, haciendo que la *PMeC* respecto de la RN sea más baja que si no existieran impuestos. La *PMeC* de las economías domésticas está referida a su renta disponible, y no a la RN; en consecuencia, la línea *C* (que en el diagrama superior de la Figura 36.7

está relacionada con la RN), se encuentra situada a un nivel más bajo en el plano del que ocuparía si en el eje horizontal representáramos la renta personal disponible. Del mismo modo, la inversión privada (el componente de la I correspondiente a la inversión privada) estará afectada por los impuestos sobre los beneficios de las sociedades y por la parte de los impuestos indirectos que paguen las empresas, haciendo que la línea I esté situada en el plano (que relaciona la I con la RN y no con la renta privada) en una posición inferior a la que tendría de no existir estos impuestos. Esto explica que representemos en una sola línea el ahorro privado y los impuestos, en orden a poder relacionar las entradas y salidas con los componentes de la DA.

De esta forma tenemos que la ecuación de la demanda agregada (y en consecuencia del PN) es:

$$DA = C + I + G + X$$

La ecuación de disposición de la renta es:

$$RN = C + S + T + M$$

En ambas ecuaciones, en la C, en I y en G sólo incluimos los bienes y servicios producidos en el país, de tal manera que podamos separar el sector exterior. En consecuencia:

$$C + I + G + X = C + S + T + M$$

Resumiendo, pues, por el modelo del flujo circular de la renta sabemos que la DA determina el volumen de *output* agregado o PN, que el volumen de *output* determina la renta ganada por todos los factores, y que la renta determina la DA. Si la DA que se da en un período de tiempo determinado es igual a la renta obtenida o generada en ese mismo período, entonces no existe ninguna razón para que cambien ni el nivel de producción, ni el nivel de renta, ni la DA (y tampoco el nivel de empleo). Si la DA es superior a la producción (la oferta agregada) y a la renta, entonces la producción (el PN) se incrementará, y con ella la renta. Si, por el contrario, la DA de un período es inferior al PN y a la RN, entonces tanto la producción como la renta disminuirán.

En la Figura 36.7 el nivel de renta para el cual $DA = RN$ es Y_0. A niveles de **renta superiores a Y_0, $DA < Y$** (por ejemplo, al nivel de renta Y_1 del diagrama superior de la Figura 36.7, la DA toma el valor $Y_1 n$ mientras que la renta tiene la magnitud $Y_1 m$, que es igual a OY_1; la diferencia entre DA y la Y está constituida por la distancia mn), con lo que se existirán presiones en la economía para que se reduzcan la producción y la renta. A niveles de renta inferiores a Y_0, $DA > Y$, con lo que se dará una tendencia de la economía a moverse en la dirección de un nivel más elevado de la producción, la renta y el empleo. Sólo al nivel de renta Y_0 ocurre que $DA = Y$, y, en consecuencia, las empresas no estarán motivadas para cambiar el volumen de producción, ya que venderán la cantidad de *output* que producen.

Recordemos una vez más que este nivel de renta de equilibrio es muy poco probable que se alcance por dos razones. En primer lugar, porque sólo existe un nivel Y al cual $DA = RN = PN$. Dados los factores de los que dependen las variables endógenas y exógenas y las funciones de C, S, I y M, lo más probable es que la DA no sea igual a la oferta agregada, lo que da lugar a cambios en el nivel del PN y de la RN (y también de la *DA,* al ser *C* una función de la renta). Y en segundo lugar, porque continuamente se están dando cambios en las variables, lo que, como veremos en el Capítulo siguiente, produce variaciones en el nivel de producción, renta, gasto y empleo.

Del mismo modo, el término renta de equilibrio en modo alguno significa el nivel óptimo o más deseable de aquélla. Simplemente significa que ése es el nivel de renta que tiende a determinarse, dadas las funciones de consumo, ahorro, inversión e importaciones que tiene la economía, así como las exportaciones que se realizan por ésta y la política fiscal del Gobierno (la política de ingresos y gastos del Gobierno). Este nivel de renta de equilibrio puede corresponder (y generalmente lo hace) a un nivel de producción que no es el de pleno empleo. El nivel de empleo queda determinado así por la cantidad de mano de obra necesaria para producir ese volumen de *output* nacional por período de tiempo (dada la tecnología existente, los recursos disponibles y el stock de capital de la economía).

La enorme utilidad de este modelo reside, por una parte, en explicar el nivel de renta, producción y empleo al que tiende por sí sola una economía de mercado (dadas las funciones y el valor de las variables macroeconómicas existentes en ella); y por otra, en ofrecer unas posibilidades de poder afectar al nivel de actividad económica a través de aumentar o reducir la demanda agregada. El modelo keynesiano predice que si el Gobierno toma las medidas adecuadas para estimular la demanda agregada (a través de la política fiscal), es posible reducir las fluctuaciones del nivel de producción y renta, y luchar contra el desempleo. Como veremos más adelante, este modelo sencillo (sobre el que se ha basado la política económica de los Gobiernos de prácticamente todos los países con economías de mercado más o menos mixtas) ha llevado a las llamadas políticas económicas de manejo de la demanda agregada. En la actualidad la eficacia de estas políticas está siendo puesta en tela de juicio, al producirse simultáneamente desempleo e inflación, y los Gobiernos no conseguir eliminar el primero, a pesar de sus intentos de aumentar la *DA*

BIBLIOGRAFIA SELECCIONADA

Samuelson, P.: *Curso de Economía Moderna,* op. cit., Cap. 12.
Lipsey, R.: *Introducción a la Economía Positiva,* op. cit., Cap. 35.
Bailey, M. J.: *Renta Nacional y Nivel de Precios,* op. cit.
Rojo Duque, L. A.: *Renta, Precios y Balanza de Pagos,* op. cit.
Brooman, F. S.: *Macroeconomía,* op. cit.
Ackley, G.: *Teoría Macroeconómica,* op. cit.
Branson, W. H.: *Teoría y Política Macroeconómica,* op. cit.
Keynes, J. M.: *La Teoría de la Ocupación, el Interés y el Dinero,* Fondo de Cultura Económica, Méjico, 1956.

LOS EFECTOS DE LOS CAMBIOS EN LAS ENTRADAS Y EN LAS SALIDAS DEL FLUJO DE LA RENTA

Según la teoría que hemos expuesto, un cambio en una o varias de las variables que integran las entradas y las salidas dará lugar a una variación del nivel de producción, renta, gasto y empleo. *Céteris páribus,* un aumento de la inversión pública y/o privada, de las exportaciones o del gasto del Gobierno en cuenta corriente (los gastos gubernamentales que no son de inversión o la G de nuestra ecuación de la *DA*) dará lugar a que se produzca un incremento del nivel de producción, renta, gasto y empleo (*a sensu contrario,* una disminución de una o más de estas entradas, llevará a una reducción del PN, de la RN y del empleo). Del mismo modo, *céteris páribus,* una disminución del ahorro privado, de los impuestos o de las importaciones llevará necesariamente a un aumento de la RN, del PN, del gasto agregado y del nivel de empleo (igualmente, *a sensu contrario*, un aumento de las salidas producirá una reducción del nivel de actividad de la economía).

Sabemos que los cambios en la inversión privada se pueden deber a factores tales como una variación en las expectativas de los empresarios, en la tasa de interés, en la eficiencia marginal del capital, etc.; los cambios en las exportaciones dependen fundamentalmente de las variaciones en el nivel de actividad económica de los demás países y de los precios relativos de los productos del país que analizamos (los precios de los productos del país en relación con los precios en las demás naciones); los gastos del Gobierno (tanto los corrientes como los de inversión) dependen de los objetivos que en cada momento persiga éste (la reducción del desempleo, la provisión de unos determinados servicios y de una infraestructura, la reducción de la tasa de inflación, el alcanzar una tasa determinada de crecimiento de la economía, el que el partido en el poder sea reelegido, etc.) y de sus ingresos (los cuales a su vez dependen de los tipos impositivos, dado un nivel de renta y gasto).

Del mismo modo, dado un nivel de renta, el gasto en consumo privado depende de la *PMeC* (y por tanto, de la *PMeS*); las importaciones dependen de la *PMeM* y de los precios relativos de los productos importados (en la *PMeM* influye la elasticidad-renta de la demanda de los productos importados por parte de las economías domésticas del país); y los ingresos impositivos (dado un nivel de renta y gasto, variables éstas que constituyen las magnitudes sobre las que se giran los impuestos o la base impositiva) dependerán de los tipos impositivos (los porcentajes con los que se gravan las rentas, los beneficios, las ventas y las importaciones).

Un empeoramiento de las expectativas de los empresarios dará lugar a un desplazamiento de la función de inversión (la línea *I* de la Figura 36.6) hacia abajo, y, por tanto, la línea de las entradas se desplazará hacia abajo igualmente (una mejora de las expectativas llevará a un desplazamiento de las líneas *I* y *E* hacia arriba); un aumento del tipo de interés producirá (*céteris páribus*) un desplazamiento de la línea *E* hacia abajo; un aumento de las *X* llevará a un desplazamiento de la línea *E* hacia arriba, y una disminución de las *X* producirá un desplazamiento de ésta hacia abajo; un aumento de la *PMeC* hará desplazarse simultáneamente hacia arriba la línea *C* y hacia abajo la línea *S* (se producirá una desplazamiento hacia abajo de la línea *R*); un aumento de los tipos impositivos llevará a un desplazamiento de la línea *E* hacia abajo (y una reducción de aquéllos producirá una desplazamiento de ésta hacia arriba); un aumento en el gasto del·Gobierno en consumo y/o en inversión (*céteris páribus*: por ejemplo, siempre que no se incrementen sus ingresos impositivos) dará lugar a un desplazamiento de la línea *E* hacia arriba, y una reducción de aquél provocará un desplazamiento de ésta hacia abajo; y un aumento de la *PMeM* o una subida de los precios internos llevarán a un desplazamiento de la línea de *R* hacia arriba, y una disminución de la *PMeM* o una reducción de los precios interiores producirán un desplazamiento de ésta hacia abajo.

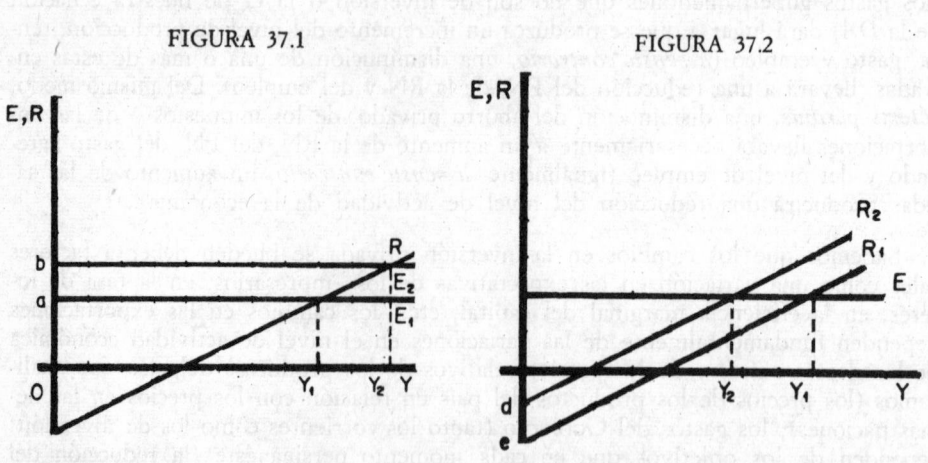

FIGURA 37.1   FIGURA 37.2

En las Figuras 37.1 y 37.2 pueden verse respectivamente un desplazamiento hacia arriba (un aumento) de la línea de entradas, que pasa de *E₁* a *E₂*, y un desplazamiento igualmente hacia arriba (un aumento) de las salidas, que pasan del nivel *R₁* al *R₂*. En el caso del aumento de las entradas (permaneciendo constantes las salidas), la renta se incrementa de *Y₁* a *Y₂* (observe el lector que el aumento de Y es muy superior al de E, fenómeno que explicaremos en el próximo epígrafe de este Capítulo; y en el caso del incremento de las salidas de la Figura 37.2, la Y de este capítulo); y en el caso del incremento de las salidas de la Figura 37.2, la Y disminuye de Y_1 a Y_2 (igualmente se da una disminución mayor que el aumento de las salidas).

Naturalmente pueden y suelen cambiar simultáneamente varias de las variables de las que dependen las entradas y las salidas (el tipo de interés, la eficiencia marginal del capital, los precios internos y los de los bienes extranjeros, etc.), así como los coeficientes que expresan las relaciones funcionales entre las variables (las $PMeC$ y $PMaC$, las $PMeS$ y $PMaS$, las $PMeM$ y $PMaM$, la relación capital-trabajo, los tipos impositivos, la relación capital-producto, etc.). Estos cambios, sumados los que afectan a las entradas (sumados los que aumentan las entradas, y en la magnitud en la que lo hacen, y restados los que las reducen y la cuantía en la que las disminuyen), y los que afectan a las salidas, se obtiene el efecto final que aquéllos tienen sobre el nivel de producción, renta, gasto y empleo al que tiende la economía.

Digamos, asimismo, que para que se dé el equilibrio, no es necesario que una entrada concreta tenga que ser igual a una salida determinada (por ejemplo, que $X = M$, o que $S = I$, o que $G = T$). La condición de equilibrio es:

$$S + M + T = I + X + G$$

lo que no significa que S sea igual a I ni que M sea igual a X ni que T sea igual a G (es la suma de las entradas la que ha de ser igual a la suma de las salidas). Esto implica que es posible que se den cambios compensatorios entre las distintas entradas y salidas. Si una cualquiera de las entradas cambia, una variación en igual cuantía, pero de signo contrario en otra u otras de las entradas dejará el valor total de las entradas al mismo nivel, y, en consecuencia, no cambiará el nivel de renta. Del mismo modo, una variación de una o varias de las salidas (en la misma dirección y en igual cuantía que el cambio en una de las entradas) dejará la renta al mismo nivel.

Así, supongamos una situación de pleno empleo en la que el presupuesto del Estado está equilibrado ($G = T$, incluyendo en la G las inversiones públicas), e igualmente está equilibrada la balanza de bienes y servicios ($X = M$). Esto implica que necesariamente $S = I$ (ya que en equilibrio las entradas totales han de ser iguales a las salidas totales). Supongamos ahora que las empresas privadas deciden invertir menos (reducir su gasto en inversión por período de tiempo). La teoría keynesiana predice que (céteris páribus) ello llevaría a una reducción de la producción, de la renta, del gasto y del empleo.

Pero para que este fenómeno tenga lugar es necesario que se cumpla la condición de que no cambien ninguna de las demás variables. Para intentar evitar esta disminución del nivel de renta, el Gobierno tiene la posibilidad de tomar diversas medidas de política económica. Una de ellas es la de aumentar el gasto público en la misma cuantía que ha disminuido la inversión privada. De esta forma las entradas totales no cambiarían, y la Renta Nacional continuaría al nivel de pleno empleo. Pero en la nueva situación $S > I$ (recordemos que inicialmente había disminuido I, con lo que $S > I$) y $G > T$ (el Gobierno incurriría en un déficit presupuestario).

Otra posible medida de política económica que podría poner en práctica el Gobierno sería la de reducir los impuestos en la magnitud necesaria para compensar la reducción de la I (a través de bajar los tipos impositivos y/o estrechar la base de los impuestos). En este caso disminuirían las salidas totales en orden a compensar la reducción de las entradas. El nivel de renta no variaría, pero el Gobierno incurriría igualmente en un déficit presupuestario, ya que entonces $G > T$. Estos cambios compensatorios en las entradas y en las salidas son enormemente importantes y constituyen la base de la política económica de los Gobiernos. Nosotros los estudiaremos más adelante al considerar la política fiscal.

EL MULTIPLICADOR DE LA RENTA

En el epígrafe anterior vimos que cualquier cambio en las entradas y en las salidas daba lugar a una variación de la renta en una magnitud superior al valor de dicho cambio. Esta afirmación puede constatarse en las Figuras 37.1 y 37.2. En la primera, un aumento de las entradas al flujo de magnitud ab da lugar a un incremento de la renta en la cuantía Y_1Y_2; del mismo modo, en la Figura 37.2 puede verse cómo un incremento de las salidas de la magnitud ed produce una disminución de la renta de la cuantía Y_2Y_1. La explicación de este fenómeno nos la da la teoría del multiplicador, o lo que se denomina el efecto multiplicador. Este concepto o mecanismo de funcionamiento de la economía fue desarrollado por el economista inglés Kahn y empleado por primera vez por Keynes como parte de su modelo macroeconómico de explicación del nivel de renta que tiende a determinarse en una economía y sus fluctuaciones.

En esencia, la teoría del multiplicador afirma que si, en una economía en equilibrio se produce un cierto gasto exógeno adicional (se da un incremento de las entradas al que designamos como ΔE), el incremento de la producción, de la renta, del gasto y del empleo totales que resultará de dicho gasto, será, por lo general, superior en magnitud al gasto adicional y al empleo inicial que a aquél corresponden: es decir, que, por ejemplo, un aumento de la inversión en 50 dará lugar a un incremento de la renta y de la demanda agregada superior a 50 (y también generará una cantidad adicional de empleo superior al que se requiera para producir esas 50 unidades). Veamos por qué.

La afirmación anterior la podemos formalizar de la siguiente manera:

$$\Delta Y = m\Delta E$$

donde m es el llamado multiplicador de la renta y es mayor que la unidad. Observe el lector que hablamos de cambios en las variables, y no de valores absolutos de éstas. Inicialmente existían un gasto en consumo, unas entradas, unas salidas, un nivel de *output*, un nivel de renta y un nivel de empleo (todas estas magnitudes expresadas en flujos de cantidades por período de tiempo). Supongamos que se produce un incremento en las entradas; es decir, que ahora se dan las magnitudes anteriores más una cantidad adicional (si inicialmente las entradas por período eran 100, ahora pasan a ser, supongamos, 120 igualmente por período).

En un primer examen de la teoría del multiplicador generalmente se toma ΔE como nueva inversión que realizan las empresas y/o el Gobierno (lo que hemos denominado inversión neta); y ello por la sencilla razón de que la inversión privada es la variable más voluble (el prototipo de gasto exógeno), ya que depende de las expectativas de los empresarios y éstas son muy etéreas. No obstante, el argumento es generalizable: el gasto adicional puede también ser cualquier gasto del Gobierno (o para ser más precisos, cualquier incremento del saldo neto de los gastos menos los ingresos gubernamentales), un aumento en el superavit de la balanza de bienes y servicios (un incremento en la diferencia ya positiva entre X y M), o una disminución en el déficit de esta misma balanza (una reducción en la magnitud $X < M$).

Señalemos que, asimismo, este incremento del gasto puede surgir de un aumento del consumo privado como consecuencia de un incremento de la $PMeC$ de la colectividad, de la utilización por parte de las economías domésticas de algunos de los activos líquidos que tienen acumulados para gastar en consumo más allá de lo que les permite su renta corriente, o de un cambio en la distribución de la renta en favor de los grupos de renta más baja (lo que hará incrementarse la $PMeC$ para el conjunto de las economías domésticas). En los tres casos señalados se produce un desplazamiento hacia arriba de la línea de consumo (y hacia abajo de la línea de ahorro).

No obstante, el cambio autónomo en el gasto en consumo se considera como poco probable que se dé, ya que, como sabemos, $C = f(Y)$, y, en consecuencia, se puede esperar que C no cambie mientras que no varíe Y. Como partimos de un nivel de renta de equilibrio, en principio C no cambiará hasta tanto no varíe aquélla. Además, como lo que estamos tratando de explicar son las fluctuaciones a corto plazo del nivel de renta, no podemos partir de un cambio espontáneo de ésta. La secuencia de la cadena de causa-efecto ha de ser: se da un cambio en alguna o algunas de las variables que determinan el nivel de renta; a continuación varía la producción y la renta; seguidamente cambia la parte de la demanda agregada dependiendente de ésta (concretamente el consumo, y el saldo neto de la balanza de bienes y servicios al ocurrir que $M = f(Y)$). Concluimos, pues, que es posible que se den cambios autónomos (no producidos por una variación de la renta) en el consumo, como consecuencia de una variación en la $PMeC$ de la sociedad, pero que lo más probable es que éstos ocurran con poca frecuencia y de una forma lenta (ya que la $PMeC$ depende principalmente de los hábitos de consumo de la gente y de su nivel de riqueza, factores ambos que cambian lentamente en el tiempo). Lo mismo ocurre con la $PMaM$ (y, por lo tanto, con el gasto o salida M), y con los ingresos impositivos del Gobierno que dependen de la carga impositiva o presión fiscal (la cual a su vez depende de los tipos impositivos existentes, tipos que no suelen cambiarse drásticamente de un día para otro). De ahí que se considere que el cambio en el gasto autónomo muy probablemente se origine en una variación en alguna o algunas de las variables exógenas o que no dependen de la renta (la inversión pública y privada, y las exportaciones fundamentalmente).

El supuesto básico de la teoría del efecto multiplicador estriba en que el incremento de la renta (resultante del gasto adicional inicial, ΔE) dará lugar a un consumo adicional, como consecuencia de que $C = f(Y)$. Este consumo adicional llevará a un aumento de la producción de los bienes y servicios de consumo adicionalmente demandados (a menos que la nueva demanda sea cubierta con una reducción de las existencias —que son bienes ya producidos y que, por lo tanto, no genera nueva renta— y que las existencias no sean repuestas con nueva producción). La producción de estos bienes de consumo adicionales da lugar a un incremento de la renta de igual cuantía, el cual a su vez llevará a un aumento adicional de la demanda de bienes y servicios de consumo. Se inicia una nueva cadena de producción, pago de renta a los factores que se utilizan en esa producción, nuevo aumento del gasto en consumo, y así sucesivamente.

La explicación de estas sucesivas rondas de producción, renta, gasto en consumo, nueva producción, nueva renta, nuevo gasto en consumo, etc., estriba en que $C = f(Y)$, y como consecuencia de esta relación funcional, la colectividad tiene una $PMaC$. Al experimentar un incremento en su renta, los individuos gastarán en bienes y servicios la proporción de ésta que su *PMaC* represente; la existencia de una relación funcional directa entre el gasto en consumo y la renta da lugar a que un incremento de la demanda agregada (suponemos que originada por un aumento en alguna de las variables exógenas o independientes de la renta) ponga en marcha un proceso de sucesivas vueltas en las que se generan nueva producción, nueva renta y nuevo gasto en consumo.

Supongamos que, además de la inversión total que se está realizando en un período de tiempo, un empresario compra una nueva máquina que vale 100. Imaginémonos, asimismo, que esta máquina es producida expresamente para el empresario en cuestión (se da nueva producción). La empresa que ha fabricado la máquina habrá producido en ese período el *output* que elaboraba inicialmente más la máquina en cuestión. Esto implica que la empresa habrá pagado a los factores adicionales que haya empleado en la fabricación sus precios correspondientes (en adición a los que pagaba por la producción del *output* inicial), y posiblemente habrá obtenido unos beneficios. Los pagos de los factores empleados en la fabricación de la nueva máquina más los beneficios constituyen renta adicional que va a parar a las economías domésticas a las que pertenecen los factores, incluyendo los propietarios de la empresa que obtiene los beneficios. En consecuencia, la compra de una nueva máquina por la que se paga 100 implica una producción adicional por valor de 100, y un incremento de la renta de magnitud 100 (siempre que la máquina constituya una producción adicional a la que se realizaba antes de comprarse aquélla).

Pero el proceso no se acaba con el aumento por valor de 100 de la producción y de la renta. Los individuos que reciben esa renta tienen una *PMaC*. Supongamos que ésta es de 0,8 *(c = 0,8)*, lo que implica que se gastan en consumir el 80 por 100 del incremento de la renta. En consecuencia, las economías domésticas que reciben esa renta adicional demandarán ahora la cantidad de bienes y servicios de consumo que compraban antes de aumentar su renta (cantidad ésta que vendría determinada por su renta total y su *PMeC*: si su renta total era de 1.000 y su *PMeC = 0,85*, gastaban en consumo 850), más 80 (es decir, 930). Estas 80 unidades adicionales de gasto en consumo dan lugar a un incremento en la producción de bienes y servicios de consumo por valor de 80 (suponemos que no se cubre esta nueva demanda con una reducción de las existencias, o, que si se hace esto en un primer momento, después se realiza la producción necesaria para reponerlas al nivel anterior). La producción adicional de esos bienes y servicios genera nueva renta por valor de 80 (el pago de los factores utilizados en su elaboración, incluyendo los beneficios de las empresas que los producen). Las economías domésticas se encuentran con que su renta se ha incrementado en 80. De estas 80 unidades de renta volverán a gastar el 80 por 100 (64). Esto a su vez dará lugar a una producción adicional de 64, y a la generación de renta por valor de 64.

La Tabla 37.1 muestra un sencillo ejemplo numérico de este proceso. Se supone que *PMaC = 0,8* (y en consecuencia, la *PMaS = 0,2*). En el ejemplo se parte de una economía en equilibrio: *Y = 1.000, I = 200* y *S = 200* (las entradas *I* son iguales a las salidas *S* en esta economía sin sector exterior ni Gobierno). A continuación se produce un incremento en la *I* por valor de 100 (por ejemplo, debido a que han cambiado las expectativas de los empresarios en un sentido optimista), incremento que mostramos en la columna de ΔI. Hemos puesto los valores de ΔY, de ΔC y de ΔS a distintas alturas en la Tabla 37.1 para que se vea más claramente la secuencia del proceso: se parte de una situación de equilibrio *(S = 200 = I = 200* e *Y = 1.000);* se produce un $\Delta I = 100$ e inmediatamente aumenta la producción y la renta en 100 *(Y = 1.100* y $\Delta Y = 100$*);* a continuación y tras un período corto de tiempo, C aumenta en 80 (tras el tiempo necesario para que las economías puedan gastar su ΔY, fenómeno que nosotros mostramos colocando esta cifra un renglón más bajo que la correspondiente al ΔY). con lo que $\Delta C = 80$, $C = 880$, $\Delta S = 20$ y $S = 220$; seguidamente y tras un breve período de tiempo (el necesario para producir los bienes y servicios adicionales que se demandan, por lo que la cifra de ΔY está situada un renglón más abajo que el ΔC que lo originó), la renta vuelve a aumentar: $\Delta Y = 64$ e $Y = 1.244,0$; y así sucesivamente en las siguientes vueltas del proceso.

TABLA 37.1

ΔI	I	ΔY	Y	ΔC	C	ΔS	S
	200,0		1.000,0		800,0		200,0
100,0	300,0	100,0	1.100,0				
				80,0	880,0	20,0	220,0
		80,0	1.180,0				
				64,0	944,0	16,0	236,0
		64,0	1.244,0				
				51,2	995,2	12,8	248,8
		51,2	1.295,2				
				41,0	1.036,2	10,2	259,0
		41,0	1.336,2				
				32,8	1.068,0	8,2	267,2
		32,8	1.369,0				
				26,2	1.094,2	6,6	273,8
		26,2	1.395,2				
				21,0	1.115,2	5,2	279,0
100,0	300,0	500,0	1.500,0	400,0	1.200,0	100,0	300,0

El primer efecto de este incremento en la inversión es un aumento de la producción y de la renta por valor de 100 (Y pasa de 1.000 a 1.100 y $\Delta Y = 100$). A continuación se produce un aumento del consumo de 80 ($\Delta C = 80$, ya que $\Delta C = c\Delta Y = 0,8 \times 100 = 80$), pasando el gasto total en consumo de ser 800 a representar 880. Al mismo tiempo se da un aumento del ahorro en una magnitud de 20 ($\Delta S = 20$, ya que $\Delta S = s\Delta Y = 0,2 \times 100 = 20$), con lo que se incrementa el ahorro total de 200 a 220. El aumento del gasto en consumo en 80 lleva a un incremento de la producción y de la renta por valor de 80. De estas 80 unidades de renta las economías domésticas vuelven a gastar el 80 por 100 y a ahorrar el 20 por 100. Y así continúa el proceso hasta que éste se agota por sí mismo.

En la Tabla 37.1 se muestran los sucesivos incrementos que se dan en la producción, la renta, el consumo y el ahorro, así como los valores absolutos que toman estas variables en las primeras siete rondas del proceso. Hemos preferido no mostrar los valores de las variables en todas las rondas de la cadena hasta el final del proceso para evitar obtener una tabla excesivamente larga, y para permitir al lector someter a prueba su comprensión del fenómeno del multiplicador calculando algunos más de los subsiguientes valores que toman las magnitudes.

Tres aspectos deben destacarse de este proceso. En primer lugar, los sucesivos aumentos de la producción, la renta, el gasto en consumo y el ahorro dependen de la $PMaC$. Esta determina la fracción que de cada incremento de la renta es devuelta al flujo (asimismo y simétricamente, la *PMaS* determina la posición de dicho incremento que es detraída del flujo). Cuanto más elevada sea la *PMaC,* mayor será el porcentaje de los sucesivos incrementos de la renta que volverá a entrar en el flujo.

En segundo lugar, los incrementos de la renta, del consumo y del ahorro se van haciendo cada vez más pequeños en valor absoluto, por lo que (si no ocurre un cambio en ninguna otra variable) el proceso tiende a agotarse por sí solo. La razón de este fenómeno estriba en que la *PMaC* suponemos que es menor que la unidad (tal como lo postuló Keynes), lo que inplica que de cada incremento de la renta, una fracción de ésta es detraída del flujo y ahorrada. Como la *PMaC* < 1, y ésta actúa sobre el valor absoluto del cambio en la renta, entonces en cada vuelta de renta-gasto en consumo, la cantidad que vuelve a entrar en el flujo se va haciendo menor en términos absolutos; así, si $PMaC = 0,8,$ cuando $\Delta Y = 100,$ $\Delta C = 80;$ estas 80 son las que vuelven al flujo en forma de producción y renta adicional y sobre ellas actúa de nuevo la *PMaC.* (ahora $\Delta Y = 80,$ y, por lo tanto, $\Delta C = 64$).

En tercer lugar, cuando el proceso se haya agotado, la inversión volverá a ser igual al ahorro. Dado el aumento de la inversión, esta igualdad se ha obtenido a través de un aumento de la renta en la cuantía suficiente como para que (dada la *PMaS*) el ahorro aumente en una magnitud igual al incremento de la inversión. De esta forma el sistema vuelve otra vez al equilibrio, habiéndose obtenido la igualdad entre *I* y *S* a través de un cambio en la producción, la renta y el empleo (afirmación ésta que constituye la esencia de la teoría keynesiana de la determinación del nivel de la renta y del consiguiente nivel de empleo).

Este mecanismo de funcionamiento de la economía es de trascendental importancia, ya que cualquier incremento en las entradas o reducción en las salidas pone en marcha un proceso de generación de producción, renta y empleo, que generalmente conduce a que se obtenga una variación en el volumen de producción, renta y empleo de una magnitud superior a la del cambio inicial. El proceso funciona en ambas direcciones: una reducción de las entradas o un aumento de las salidas pone en marcha un proceso que da lugar a una disminución de la producción, la renta y el empleo de una cuantía superior a la del cambio inicial; y un aumento de las entradas o una reducción de las salidas da lugar a una variación en la producción, la renta y el empleo superior en magnitud absoluta al valor del cambio (es decir, si $\Delta E = 100,$ $\Delta Y > 100$).

Hemos dicho que en una economía sin sector exterior ni Gobierno (en la que *I* es la única entrada y *S* la única salida) la magnitud del cambio total que se habrá operado en *Y* al final del proceso depende del valor de la *PMaC.* Veamos esta relación de una manera formal. Según se observa en la Tabla 37.1, el valor de ΔY lo podemos obtener matemáticamente de la siguiente forma:

$$\Delta Y = \Delta E + c\Delta E + c(c\Delta E) + c\,(c\,.\,c\Delta E) + \dots$$

siendo ΔE el valor del gasto adicional exógeno y *c* la *PMaC.* Esta fórmula simplemente expresa el hecho de que el valor del cambio que se opera en la renta es la suma del primer incremento en la producción (que es necesariamente del mismo valor que la magnitud de $\Delta E,$ ya que la producción ha aumentado exactamente en la cuantía de éste), más los sucesivos incrementos de la renta generada por la producción de los bienes y servicios de consumo que se vayan demandando adicionalmente en las sucesivas vueltas. Así, el segundo componente de la suma que da el valor total de ΔY es $c \cdot \Delta E$; es decir, el aumento primero de la renta (ΔE) multiplicado por la *PMaC* (la fracción de la renta que los individuos destinan al consumo) que es $c \cdot \Delta E = 0,8 \times 100 = 80$. El tercer miembro de la suma es $c (c \cdot \Delta E)$; ya hemos dicho que tras aumentar la renta en 100, el consumo se incrementa en 80 ($c \cdot \Delta E = \Delta C = 80$); este aumento del consumo da lugar a un incremento de la producción y de la renta por valor de 80; las economías domésticas volverán a gastar el 80 por 100 de este aumento de su renta, y, en consecuencia, el nuevo $\Delta C = c(c \cdot \Delta E)$, siendo $c \cdot \Delta E$ el aumento de la renta que se ha producido en la segunda ronda (y también el aumento del consumo que se dio en la primera vuelta). Cada miembro dentro del paréntesis representa la magnitud de la renta que vuelve al flujo en forma de gasto en consumo, y sobre esa magnitud actúa la *PMaC* en cada ronda.

Puesto que

$$c \times c = c^2, \quad c \times c \times c = c^3, \ldots$$

tenemos que:

$$\Delta Y = \Delta E + c \cdot \Delta E + c^2 \cdot \Delta E + c^3 \cdot \Delta E + \ldots + c^n \cdot \Delta E$$

Podemos sacar factor común ΔE, ya que ésta forma parte de todos los miembros del lado izquierdo de la ecuación, y tendremos que:

$$\Delta Y = \Delta E (1 + c + c^2 + c^3 + \ldots + c^n)$$

La expresión entre paréntesis es una serie geométrica convergente con el término inicial igual a 1 y una razón, c, que tiene un valor menor que la unidad. La suma de esta serie es igual a $\dfrac{1 (1 - c^n)}{1 - c}$ (como podrá comprobar el lector en cualquier libro de Matemáticas). Dado que $c < 1$, c^n tenderá a cero (al elevar un número menor que la unidad a potencias de orden sucesivamente creciente, éste tiende a cero). En consecuencia, esta suma será igual a $\dfrac{1 (1 - 0)}{1 - c} = \dfrac{1}{1 - c}$.

La magnitud $\dfrac{1}{1 - c}$ es el multiplicador de la renta. En consecuencia, su valor depende del valor de la *PMaC*. En el ejemplo numérico de la Tabla 37.1 hemos supuesto que $c = 0,8$. Según nuestra fórmula, el multiplicador, al que podemos llamar m, será:

$$m = \frac{1}{1 - 0,8} = \frac{1}{1 - \dfrac{4}{5}} = \frac{1}{\dfrac{1}{5}} = 5$$

Como sin duda el lector sabe, 0,8 es igual a $\dfrac{4}{5}$ de unidad (el 80 por 100 de una unidad); en consecuencia:

$$1 - \frac{4}{5} = \frac{5}{5} - \frac{4}{5} = \frac{1}{5}; \quad \frac{1}{\dfrac{1}{5}} = \frac{1}{1} : \frac{1}{5} = \frac{5}{1} = 5$$

(recuerde el lector que para dividir un quebrado por otro se multiplican éstos en cruz).

Recordemos también que $c + s = 1$, y, en consecuencia, $s = 1 - c$; por lo tanto:

$$\frac{1}{1 - c} = \frac{1}{s}$$

El valor del multiplicador de la renta en una economía en la que no existe ni Gobierno (no existen impuestos, y por lo tanto, no se da una tasa impositiva o porcentaje proporcional de la renta que se detrae en impuestos) ni sector exterior (no tenemos una *PMaM;* la tasa impositiva y la *PMaM* tienen el mismo carácter que la *PMaS* y son igualmente parámetros que relacionan la renta con las salidas representadas por los ingresos impositivos del Gobierno, las importaciones y el ahorro, respectivamente), es igual a la inversa de la *PMaS*. En el ejemplo de la Tabla 37.1, $s = 0,2$ y, en consecuencia:

$$m = \frac{1}{0,2} = \frac{1}{\frac{1}{5}} = 5$$

Podemos, pues, concluir que el ΔY generado por el ΔE se obtiene como:

$$\Delta Y = \frac{1}{1 - c} \cdot \Delta E = \frac{1}{s} \cdot \Delta E$$

donde

$$m = \frac{1}{1 - c} = \frac{1}{s}$$

De aquí se deduce que cuanto mayor sea la *PMaS* o s, más reducido será el incremento de la renta que se producirá como consecuencia de un gasto adicional exógeno dado, ΔE (un cambio en las entradas). Este fenómeno tiene una explicación sencilla en términos económicos: cuanto mayor sea la *PMaC* (y por consiguiente, cuanto menor sea la *PMaS*, ya que $c + s = 1$ o $\Delta Y = \Delta C + \Delta S$; por definición las economías domésticas disponen de su renta gastando en consumo y ahorrando) mayor será la fracción que de cada incremento sucesivo de la renta es devuelta al flujo, y por lo tanto mayor será el incremento total de éste al final del proceso. Así, si $s = 0,2$, $m = 5$, y un ΔE de 100 dará lugar a un aumento de la renta de 500:

$$\Delta Y = \frac{1}{s} \cdot \Delta E; \quad \Delta Y = 5 \times 100 = 500$$

Si

$$s = 0,5, \ m = \frac{1}{\frac{1}{2}} = 2, \ \text{y} \quad \Delta Y = 2 \times 100 = 200$$

En la Tabla 37.1 vimos que al final del proceso de aumento (en sucesivas rondas) de la producción, la renta, el ahorro y el consumo (y cuando aquél se había agotado), el ahorro volvía a ser igual a la inversión, gracias a que se había generado una cantidad nueva de ahorro igual al incremento inicial de la inversión (a través de un aumento de la renta de la cuantía necesaria para ello, dada la *PMaS*).

Observe el lector que hemos supuesto que no se ha producido ningún otro gasto exógeno además de ΔE. Al producirse éste, la economía dejaba de estar en equilibrio (es decir, entraba en una situación de desequilibrio al ser $I > S$), con lo que se ponía en marcha un proceso de cambio en la dirección de alcanzar un nuevo equilibrio. Este se obtiene (suponiendo que no ocurra ningún cambio en otra u otras de las demás variables) cuándo la renta total cambia en la suficiente cuantía como para que el ahorro total aumente o disminuya hasta que vuelva a darse $I = S$ o se alcanza el equilibrio. Esta es la conclusión más importante de la teoría keynesiana de la determinación del nivel de renta y de sus fluctuaciones. El ahorro y la inversión planeados pueden ser diferentes y no están relacionados directamente, pero el ahorro y la inversión efectivamente realizados terminan igualándose, y ello se consigue a través de cambios en el nivel de producción, renta y empleo (S e I están, pues, indirectamente relacionados a través de la renta).

La afirmación de que $S = I$ al final del proceso, puesto que marcha por el ΔE, la podemos demostrar igualmente de una forma aritmética sencilla:

$$\Delta S = s\Delta E + s\,(c \cdot \Delta E) + s\,(c^2 \cdot \Delta E) + s\,(c^3 \cdot \Delta E) + \ldots + s\,(c^n \cdot \Delta E)$$

sancando $s \cdot \Delta E$ factor común, tenemos:

$$\Delta S = s\Delta E\,(1 + c + c^2 + c^3 + \ldots + c^n) = s \cdot \Delta E\,\frac{1}{1-c} = s \cdot \Delta E\,\frac{1}{s} = \Delta E$$

Como

$$s \cdot \Delta E\,\frac{1}{s} = \Delta E\,\frac{s}{s}, \quad \frac{s}{s} = 1 \quad \text{y} \quad \Delta E \times 1 = \Delta E$$

tenemos que

$$s \cdot \Delta E\,\frac{1}{s} = \Delta E \quad \text{y en consecuencia} \quad \Delta S = \Delta E$$

Las operaciones que hemos efectuado aquí son las mismas que realizamos al obtener el valor del cambio producido en la renta como consecuencia del ΔE. El primer término del lado derecho de la ecuación es obviamente el primer incremento de la renta producido por ΔE, que necesariamente es igual a ΔE (ya que éste da lugar a producción y renta por un valor igual a su propia magnitud, siempre que la demanda adicional que representa ΔE no sea cubierta o satisfecha con una reducción de las existencias o si se cubre, no se repongan éstas; es decir, siempre que ΔE dé lugar a nueva producción) multiplicado por la $PMaS$.

Esta afirmación puede constatarse en la Tabla 37.1. Allí vemos que $\Delta I = 100$ da lugar a $\Delta Y = 100$ y a $\Delta S = 20$ ($\Delta S = s\,\Delta Y = 100 \times 0{,}2 = 20$). En la fórmula para obtener el ΔY producido por ΔE, el primer incremento de la renta era el propio ΔE, debido a que éste daba lugar inmediatamente a la generación de una cantidad de renta igual a su propio valor (la compra de una máquina adicional requería la producción de esa máquina, y, por lo tanto, la generación directa de renta por el valor de aquélla).

El segundo término de la suma, $s(c \cdot \Delta E)$, es obviamente la magnitud resultante de multiplicar la $PMaS$ por la cantidad que vuelve al flujo en forma de gasto en consumo y que genera una cantidad de renta de igual cuantía (sobre la que actúa la $PMaS$, o de la que las economías domésticas ahorran la fracción que determine su $PMaS$).

El cambio total en el ahorro, ΔS, será obviamente la suma del ahorro que se produzca en las sucesivas rondas del proceso hasta el agotamiento de éste. El proceso tiende a agotarse debido a que la cantidad que es devuelta al flujo en cada ronda se va haciendo progresivamente más pequeña: al ser $PMaC < 1$, de cada incremento de la renta sólo se devuelve al flujo una fracción de ese aumento (el 80 por 100 de 100 es mayor que el 80 por 100 del 80 por 100 de 100: el primero tiene un valor absoluto de 80, y el segundo de 64, debido a que el 80 por 100 de 100 son 80, y el 80 por 100 de 80 son 64). De ahí que el valor de ΔS en la segunda ronda sea 16: $\Delta S = s\Delta Y = 0,2 \times 80 = 16$. Recuerde el lector que en la fórmula donde $\Delta S = \Delta E$, ΔS representa el cambio total del ahorro que se ha producido en el proceso (la suma de todos los valores de la columna de ΔS en la Tabla 37.1). En cada vuelta del proceso se da un cambio en el ahorro, y la suma de todos ellos será el ΔS total generado por ΔE (igual a 100 en la Tabla 37.1)

La dirección del proceso de implementación de los cambios en las magnitudes macroeconómicas producidos por ΔE (el tiempo necesario para que se den las sucesivas rondas de producción, renta, consumo, producción, etc.) varía de unos países a otros, y depende de la elasticidad de la oferta de los bienes y servicios de consumo que se demanden adicionalmente. Este período se ha calculado que para Estados Unidos tiene una duración de tres a tres meses y medio, pero se puede esperar que para economías menos industrializadas dicho período tenga una duración mayor. Desde el punto de vista teórico, el efecto acumulativo total del gasto inicial ΔE sólo se habrá producido en su totalidad a lo largo de un período de tiempo infinitamente largo. Pero realmente la mayor parte del efecto se produce en las primeras cuatro o cinco rondas del proceso. Si suponemos $PMaC = 0,8$, como sabemos, el multiplicador tiene un valor de 5 (el efecto final sobre la Y será $5 \times \Delta E$: el efecto tiene una magnitud multiplicadora de 5). La adición total a la renta después de cuatro vueltas, incluyendo el gasto original ΔE será de $1,0 + 0,8 + 0,8^2 + 0,8^3 + 0,8^4 = 3,36$, magnitud ésta que representa las dos terceras partes del valor del efecto total (que, como sabemos, es de 5). Dicho con otras palabras: el incremento de la renta generada en cada ronda sucesiva desciende rápidamente de valor, concentrándose lógicamente los mayores incrementos en las rondas inmediatamente posteriores a que se produzca el gasto adicional inicial

FIGURA 37.3   FIGURA 37.4

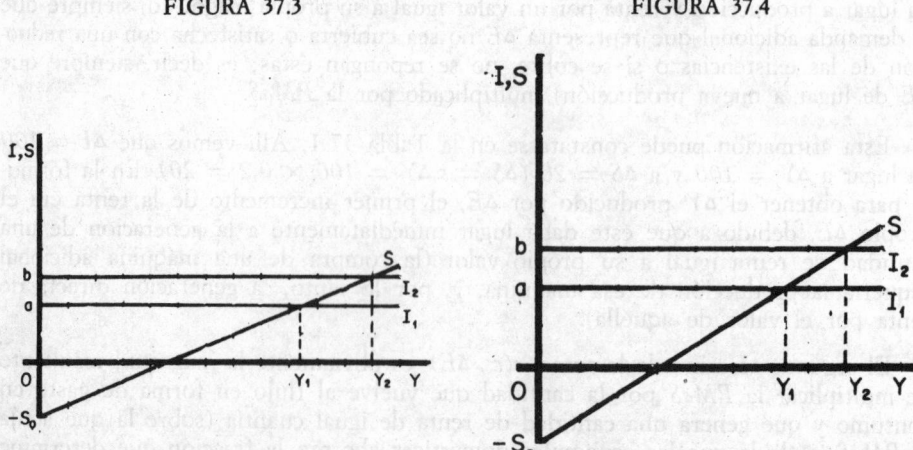

La representación gráfica del efecto multiplicador en realidad la hemos visto ya en las Figuras 37.1 y 37.2. No obstante, mostramos dicho efecto multiplicador de una forma más clara en las Figuras 37.3 y 37.4 En éstas representamos la I como la única entrada al flujo y el ahorro como la única salida (suponemos que la economía no tiene ni sector exterior ni Gobierno). Dadas las funciones de inversión y ahorro, la economía está en equilibrio en ambos diagramas cuando la renta alcanza el nivel Y_1. La I es de la misma magnitud en los dos diagramas (representada ésta por la distancia Oa correspondiente a I_1), cada uno de los cuales suponemos que corresponde a una economía distinta.

Imaginémonos que se da un incremento de I en la cuantía ab en ambas economías. Digamos previamente que en ambos diagramas representamos las magnitudes a la misma escala (por ejemplo, la distancia correspondiente a cada cuadro en los ejes representa un billón de pesetas). Con una misma cantidad de inversión por período en ambas economías, el nivel de renta de equilibrio que se determina es mayor en la economía a la que corresponde la Figura 37.3 que en la economía representada por la Figura 37.4. Ello se debe a que la $PMaS$ de la colectividad es menor en la primera que én la segunda (la pendiente de la línea S de la Figura 37.3 es menor que la pendiente de la línea S en la Figura 37.4), lo que implica que el componente C de la DA en aquélla es mayor que en ésta. Como el componente I de la DA es igual en ambas economías, de aquí se deduce que la DA es mayor en la economía de la Figura 37.3 que en la de la Figura 37.4, y, en consecuencia, el nivel de renta de equilibrio que se determina en la primera es mayor que el que se obtiene en la segunda (la Y_1 es mayor en la Figura 37.3 que en la Figura 37.4).

Introducimos ahora un aumento de la inversión de igual cuantía en ambas economías (la inversión pasa de I_1 a I_2). El aumento que se produce en la renta de equilibrio en la Figura 37.3 viene representado por la distancia Y_1Y_2 (dos billones y medio de pesetas, de acuerdo con el valor que atribuimos a la distancia correspondiente a cada cuadro en el eje horizontal). En cambio, el incremento de la renta que se obtiene en la Figura 37.4 (la distancia Y_1Y_2) es de sólo un billón y medio de pesetas. En ambos casos el aumento de la renta es superior al incremento de la inversión (que según se representa en las dos Figuras es de un billón de pesetas). Ello se debe al efecto multiplicador: al aumentar la I, se ha puesto en marcha un proceso de incremento de la producción, de la renta, del consumo y del ahorro, proceso que ha continuado hasta que se ha generado la cantidad de renta necesaria para que (dadas las $PMaS$ de las dos economías) el ahorro aumente hasta igualarse a la inversión al nuevo nivel de ésta.

El incremento mayor de la renta en la economía de la Figura 37.3 se explica porque la $PMaS$ es menor en esta economía que en la de la Figura 37.4 (recuérdese que la $PMaS$ viene dada por la pendiente de la línea de S). Ello significa que la fracción que de cada incremento de la renta no es devuelta al flujo (es ahorrada) es menor en el caso de la Figura 37.3 que en el de la Figura 37.4. De ahí que el incremento total de la renta sea mayor en la primera que en la segunda (con lo que la diferencia en el valor total de la renta ya existente antes de que aumentara I, se hace aún más grande). El que la renta haya aumentado en 2,5 billones de pesetas tras un incremento de la I en un billón de pesetas significa que el multiplicador tiene un valor de 2,5 en la economía de la Figura 37.3. En el caso de la economía de la Figura 37.4 el valor del multiplicador será de 1,5.

Existen varias limitaciones al funcionamiento teórico del multiplicador. En primer lugar, para que opere el multiplicador en toda su magnitud es necesario que el ΔE dé lugar a un aumento de la producción en la magnitud de éste. Si las em-

presas cubrieran totalmente este incremento de la demanda agregada con una reducción de sus existencias y no repusieran éstas aumentando posteriormente la
producción a un nivel superior a sus ventas (es decir, si no se diera nueva pro-,
ducción adicional a la que ya se estaba obteniendo antes del ΔI), entonces el multiplicador tendría un valor de cero (debido a que las existencias constituyen *output*
ya producido, con lo que no se generaría nueva renta al no darse nueva producción). El valor del multiplicador se reducirá en la proporción en la que la nueva
demanda sea satisfecha con una reducción de las existencias y éstas no sean repuestas. Así, si $\Delta I = 100$, $s = 0,2$ y las empresas cubren esa nueva demanda reduciendo sus existencias en 50 y produciendo las otras 50, el multiplicador tendrá un
valor de 2,5 en lugar de 5.

Del mismo modo, para que el multiplicador surta la totalidad de su efecto potencial es necesario que existan los recursos disponibles (no empleados) necesarios
para aumentar la producción en la cuantía que determina el multiplicador. Si la
economía estuviera en pleno empleo y no fuera posible aumentar la producción, el
valor del multiplicador sería igualmente cero; y si sólo fuera posible producir la
mitad del incremento de la *DA*, el valor del multiplicador se reduciría igualmente
a la mitad de su efecto potencial. En este caso subirían los precios (al ser la *DA*
superior a la oferta agregada y estar la economía en una situación próxima a la de
pleno empleo), ya que la nueva demanda sólo podría ser satisfecha parcialmente
en términos reales. Con la subida de los precios, la *DA* se haría igual a la oferta
agregada. Una parte de la demanda agregada sería cubierta con nueva producción
(hasta donde lo permitieran los insuficientes recursos disponibles), y el resto sería
absorbido con una subida de los precios de los bienes y servicios demandados.

El efecto multiplicador tiene además otras limitaciones que reducen su magnitud. Una interpretación mecanicista de este efecto, sin tomar en cuenta las hipótesis implícitas que encierra el mecanismo de su funcionamiento, puede llevar a
error. La limitación más importante estriba en los llamados escapes. Estos consisten en que una parte de la renta que se genera al producirse un gasto exógeno,
no es devuelta al flujo de la producción y la renta. No nos referimos aquí al escape constituido por el ahorro, ya que éste es precisamente el que determina el valor
del multiplicador en una economía simplificada. Si la *PMaS* fuera cero, el valor
del multiplicador sería infinito, ya que la *PMaC* sería 1, y ello implicaría que toda
la renta generada en cada vuelta del proceso sería devuelta íntegramente al flujo,
con lo que la renta aumentaría infinitamente:

$$\text{si} \quad c = 1, \ m = \frac{1}{1-1} = \frac{1}{0} = \infty)$$

Un posible escape se da cuando las economías domésticas utilizan parte de su
nueva renta para pagar deudas acumuladas con anterioridad (con lo que la *PMaC*
se reduciría, y con ella el valor del multiplicador, en la proporción en la que la
nueva renta se destina al pago de deudas). Otro escape lo integra el gasto en importaciones; se puede demostrar que, dada una *PMaM* a la que designamos con
la letra *a*, el valor del multiplicador pasa de ser:

$$\frac{1}{1-c} \quad \text{a ser} \quad \frac{1}{1-(c-a)}$$

Por ejemplo, supongamos que $c = 0,8$ y $a = 0,05$.

El multiplicador pasaría de ser:

$$m = \frac{1}{1 - c} = \frac{1}{1 - 0,8} = 5$$

en una economía sin importaciones, a ser:

$$m = \frac{1}{1 - (0,8 - 0,05)} = \frac{1}{1 - (0,75)} = \frac{1}{\frac{1}{4}} = 4$$

en una economía con sector exterior.

El valor del multiplicador se reduce así de 5 a 4. La *PMaM* tiene sobre el valor del multiplicador el mismo efecto que la *PMaS* (representa igualmente un escape). En el cálculo anterior en realidad lo que hemos hecho ha sido sumar la *PMaM* a la *PMaS*, cuya adición pasa de 0,2 a 0,25, con lo que se reduce proporcionalmente el valor del multiplicador.

Otro escape importante lo constituye la tasa impositiva o proporción de la renta que es detraída del flujo a través de los impuestos. Este escape reduce igualmente la magnitud del efecto multiplicador, como veremos al tratar de la política fiscal.

En resumen, el efecto multiplicador se produce como consecuencia de que existe una relación funcional directa entre el gasto en consumo y la renta. Esta relación hace que cualquier incremento de la demanda agregada que dé lugar a un aumento de la producción, ponga en marcha un proceso de incremento de la producción, la renta, el empleo y el gasto en consumo, que, en sucesivas vueltas, conduce a un incremento total de la renta superior al gasto adicional inicial que lo origina. La magnitud del efecto multiplicador de la renta depende directamente de la *PMaC*, e inversamente de la *PMaS,* de la *PMaM* y de la tasa impositiva.

LAS FLUCTUACIONES DEL NIVEL DE RENTA EN EL CORTO PLAZO

Ya hemos indicado que la economía por sí sola tiende al nivel de renta de equilibrio para el cual $I = S$. Supongamos una economía simplificada en la que sólo hubiera dos sectores, uno productor de bienes de consumo y otro productor de bienes de inversión. En esta economía tenemos que la ecuación del producto, la renta y la *DA* es:

$$C + I = Y$$

La función de consumo sabemos que es:

$$C = C_0 + cY$$

sustituyendo el valor de la C de la segunda ecuación en la primera, tenemos:

$$C_0 + cY + I = Y$$
$$C_0 + I = (1 - c) Y$$

hemos pasado cY al segundo miembro y hemos sacado Y factor común. En consecuencia:

$$Y = \frac{C_0 + I}{1-c} = \frac{1}{1-c}\,C_0 + \frac{1}{1-c}\,I$$

Conocidos los valores de C_0, I y c, el nivel de renta Y queda determinado. Esta ecuación nos indica que, partiendo de un nivel determinado de inversión exógena I y de un nivel dado mínimo de consumo C_0, se determina el nivel de renta nacional Y por medio del funcionamiento del multiplicador.

Las ecuaciones anteriores constituyen las ecuaciones fundamentales de la teoría keynesiana. De ellas se deduce el papel estratégico que juega en el modelo keynesiano la inversión, tanto privada como pública. Ya hemos señalado que la conclusión que se desprende de este modelo teórico es de una importancia trascendental. La renta puede alcanzar un nivel de equilibrio estable a cualquier nivel de empleo (con el correspondiente nivel de desempleo) siempre que éste sea el que corresponda al nivel de inversión que se realiza en la economía. No existe, pues, ningún mecanismo de autoajuste por el cual la economía tienda por sí sola al pleno empleo (por contraposición a lo que se desprendía del modelo neoclásico).

La teoría keynesiana predice que el equilibrio del ahorro y la inversión se obtiene a través de un ajuste de las existencias (en un primer momento) y de la producción y de la renta (en un período inmediatamente posterior). Por el contrario, la teoría neoclásica predecía que cualquier incremento del ahorro sería absorbido automáticamente por la inversión mediante el mecanismo de la tasa de interés (ésta se reduciría), produciendo como resultado el que el flujo total de renta se mantuviera a un nivel de pleno empleo.

Más exactamente, según la teoría neoclásica un aumento del ahorro significa que la colectividad se hace más frugal o que posterga parte del consumo para el futuro. En consecuencia, el tipo de interés tiende a descender (se produce un desplazamiento de la oferta de fondos prestables hacia la derecha), con lo que la inversión que antes no se realizaba porque la *EMaI* era menor que la tasa de interés, ahora es efectuada. En consecuencia, el aumento del ahorro sería compensado automáticamente por el incremento de la inversión y se mantendría al mismo nivel el flujo total de renta, si bien se daría un cambio en el empleo de una parte de los recursos, que pasarían de ser utilizados en la producción de bienes de consumo a la fabricación de bienes capital.

Keynes, por el contrario, afirma que la inversión es fundamentalmente una variable exógena (que depende principalmente de las expectativas de los empresarios, y sólo en alguna medida del tipo de interés o precio de los recursos), y que el ahorro depende primordialmente del nivel de renta (y sólo en muy poca medida del tipo de interés). En consecuencia, la igualdad del ahorro y la inversión no se consigue a través de variaciones en el tipo de interés, sino a través de cambios en el nivel de renta (y, por lo tanto, en el nivel de producción y de empleo). Según Keynes, dadas las funciones de inversión y ahorro existentes en una economía, el nivel de renta que se determina por la igualdad $S = I$ puede ser un nivel de renta que implique desempleo.

Introduzcamos ahora el sector exterior y el Gobierno. La ecuación del producto y de la *DA* sabemos que es:

$$Y = C + I + G + (X - M)$$

Como hasta ahora hemos hecho, suponemos que todas estas variables son exógenas, con excepción del gasto en consumo privado. Este es una función lineal de la renta privada que designamos por Y_p (y que ya definimos en el Capítulo 33). De esta forma la función de consumo será:

$$C = C_0 + cY_p$$

La diferencia entre Y e Y_p se recordará que la constituyen los ingresos netos del Gobierno procedentes del sector privado (las detracciones de todo tipo, principalmente las impositivas que hace el Gobierno al sector privado, menos las transferencias y subvenciones que aquél realiza a éste). A estos ingresos gubernamentales netos los designamos con la letra W.

En consecuencia:

$$Y_p = Y - W$$

Con esta matización de que $C = f(Y_p)$ y que, por lo tanto, $C = C_0 + cY_p$, y siendo C la única variable endógena del sistema, tenemos que la ecuación del producto y de la DA será:

$$Y = C_0 + cY_p + I + G + (X - M) - W$$

Omitiendo las operaciones algebraicas, la expresión de Y será:

$$Y = \frac{1}{1-c}C_0 + \frac{1}{1-c}[I + G + (X - M)] - \frac{1}{1-c}W$$

De esta ecuación se desprende que el nivel de renta (partiendo del supuesto simplificador de que C es la única variable endógena del sistema, ya que se considera como una función directa de la renta privada) viene determinado por los niveles de inversión pública y privada, del gasto del Gobierno en cuenta corriente, del saldo de la balanza de bienes y servicios y de la fiscalidad.

Un aumento de G, de I o de $(X - M)$ tenderá a incrementar el nivel de producción, renta, gasto y empleo. Asimismo, *céteris páribus,* una reducción de la fiscalidad (de las detracciones impositivas del Gobierno) tenderá a aumentar el nivel de renta. *A sensu contrario,* una reducción en el nivel de I, G o $(X - M)$ tenderá a hacer disminuir el nivel de renta; y un aumento de la fiscalidad o carga fiscal tendrá también el mismo efecto. El aumento o la disminución en el nivel de las variables I, G, $(X - M)$ y W tendrá un efecto sobre el nivel de renta de una magnitud superior al cambio en estas variables como consecuencia de la actuación del multiplicador. Dada la cuantía del cambio en una o más de las variables exógenas, la magnitud de la variación en la renta dependerá del valor que tome el multiplicador. Recordemos que la $PMaM$ reduce el tamaño de éste.

Podemos reformular la ecuación anterior de la siguiente forma:

$$Y = \frac{1}{1-c}C_0 + \frac{1}{1-c}[I + (X - M) + (G - W)]$$

siendo $(G - W)$ el déficit presupuestario en cuenta corriente (que excluye los gastos del Gobierno en inversión). De esta forma puede verse que los elementos estratégicos en el nivel de Renta Nacional son: el consumo autónomo, la inversión pública y privada, el saldo neto de la balanza comercial y el déficit presupuestario. La expresión $(G - W)$ será negativa cuando el Gobierno tenga un superávit en cuenta corriente.

Podemos examinar este modelo desde la perspectiva del ahorro. Recordemos que la ecuación del Producto Nacional era:

$$Y = C + I + G + (X - M)$$

La ecuación de disposición de la renta por parte del sector privado es:

$$Y_p = C + S_p$$

siendo Y_p la renta privada bruta y S_p el ahorro privado (que incluye el ahorro de las empresas; o, lo que es lo mismo, los beneficios no distribuidos de éstas).

Como sabemos, por definición:

$$Y_p = Y - W$$

En consecuencia:

$$Y_p - W = C + S_p$$
$$Y = C + S_p + W$$

combinando esta última ecuación con la ecuación del Producto Nacional, tenemos:

$$C + S_p + W = C + I + G + (X - M)$$

Podemos eliminar la C en los dos lados de la ecuación, ya que la posible diferencia entre la C como demanda de bienes y servicios de consumo y la C como producción u oferta de éstos, está incluida en la I (recordemos que las variaciones en las existencias se consideran como inversión).

Eliminando la C en ambos lados de la ecuación y reordenando los miembros de ésta, tenemos:

$$S_p = I + (X - M) + (G - W)$$

Esta ecuación es el desarrollo del modelo sencillo de la economía sin sector exterior ni Gobierno que vimos anteriormente:

$$Y = C + I$$
$$Y = C + S$$
$$I = S$$

Desde el punto de vista estructural, los términos $(X - M)$ y $(G - W)$ tienen el mismo carácter que I, ya que los gastos de inversión, los pagos que representan el déficit presupuestario y el superávit de la balanza de pagos originan renta privada que no tiene una contrapartida en oferta de bienes de consumo.

El nivel de equilibrio de la renta se determinará por un proceso dinámico de ajuste y cambio de la producción, la renta y el empleo que durará hasta que el volumen de ahorro privado (que es una función de la renta) se haga igual a la suma de las magnitudes exógenas I, $(G - W)$ y $(X - M)$. Digamos que si $G < W$, entonces la magnitud $(G - W)$ tiene un valor negativo (se da un superávit presupuestario en cuenta corriente), valor que constituye lo que se denomina el ahorro público. Del mismo modo, si $X < M$, ocurre que $(X - M)$ toma un valor negativo, valor que igualmente constituye ahorro disponible en la economía para financiar la inversión interior. Si $M > X$, esto significa que el país está importando una cantidad de bienes y servicios mayor que la que exporta. Esto sólo lo puede hacer un país reduciendo sus reservas (véase el Capítulo 35 para la definición de este concepto) y/u obteniendo crédito del exterior. En ambos casos aquél está utilizando ahorro ya realizado. Cuando se reducen las reservas propias se está disminuyendo el ahorro realizado por el país y prestado en último extremo a los países emisores de las monedas en las que se mantienen las reservas (en el sentido de que al mantener un país reservas en la moneda de otros países, aquél no está utilizando el derecho que tiene a comprar bienes en estos países por la cantidad correspondiente al valor de las reservas). Cuando se recibe crédito del exterior para financiar el déficit de la balanza comercial se está recibiendo ahorro del exterior, ya que si nosotros podemos importar más que exportamos es porque alguno o algunos países exportan más que importan, lo que significa que ahorran (reciben del exterior más de lo que pagan a éste).

En consecuencia, la ecuación

$$S_p + (W - G) + (M - X) = I$$

nos dice que la inversión pública y privada que se realiza en un país es financiada por el ahorro privado, el ahorro del Gobierno en cuenta corriente, y el ahorro recibido del exterior. Por supuesto, $(W - G)$ puede ser negativo, como también puede serlo $(X - M)$.

Estas ecuaciones permiten igualmente explicar las fluctuaciones del nivel de producción, renta y empleo que se dan en las economías a corto plazo. Como hemos señalado, los factores estratégicos en el cambio del nivel de actividad económica son los componentes inversión, déficit presupuestario y excedente de exportaciones. Dados los parámetros del modelo (la *PMaC,* la *PMaS,* la *PMaM* y la relación capital-producto), este sistema de ecuaciones permite determinar la magnitud de las fluctuaciones que se darán en el nivel de renta como consecuencia de un cambio en una o más de las variables. Como hemos visto, el valor del multiplicador de la renta juega un papel determinante en la magnitud de las fluctuaciones.

Estas fluctuaciones se producen como consecuencia de un cambio en cualquiera de las variables. Ya hemos estudiado los factores de los que dependen éstos en los Capítulos 34 y 35. Los cambios en estos factores (las expectativas de los empresarios, la tasa de interés, la *EMaI,* la coyuntura internacional, el nivel de precios del país y de otras naciones, las decisiones del Gobierno en cuanto a sus gastos y sus ingresos) dan lugar a variaciones en las magnitudes de estas variables. Estas variaciones ponen en marcha un proceso de cambio en el nivel de renta que es amplificado por la actuación del multiplicador.

La Figura 37.5 muestra una vez más la determinación del nivel de renta de equilibrio por la igualdad de la *DA* y de la oferta agregada. La línea de trazo grueso que arranca del punto *a* del eje vertical representa la suma de $C + I + G + (X - M)$ en el caso de una economía que, como la española, tiene un déficit en la balanza de bienes y servicios (la magnitud $(X - M)$ es negativa y este saldo lo detraemos de la suma $C + I + G$). El nivel de renta que se determina con este nivel de demanda efectiva (DA_1) es Y_1. Si se produce un incremento en una o varias de las variables I, G, C o X que sumado represente la magnitud *ab,* la *DA* pasa de ser DA_1 a ser DA_2, y la renta aumenta en la cuantía Y_1Y_2 y alcanza el nivel Y_2. Si, por el contrario, la *DA* disminuye de DA_1 a DA_3, la renta se reduce en la magnitud Y_1Y_3 y cae al nivel Y_3.

Además de explicar el nivel de renta de equilibrio al que tiende la economía y las fluctuaciones de éste, el modelo keynesiano que hemos expuesto permite deducir las medidas de política económica que han de adoptarse para tratar de alcanzar el nivel de renta de pleno empleo de la economía, reducir las fluctuaciones, y evitar o combatir la inflación. El análisis que este modelo permite realizar consiste esencialmente en medir los movimientos de la demanda efectiva en relación con la oferta agregada. Este modelo ha inspirado las llamadas políticas de manejo de la demanda efectiva o demanda agregada que consideraremos en el epígrafe sobre la política fiscal, y que han sido las políticas que han seguido los Gobiernos de prácticamente todos los países del mundo desde la década de los años 40.

FIGURA 37.5

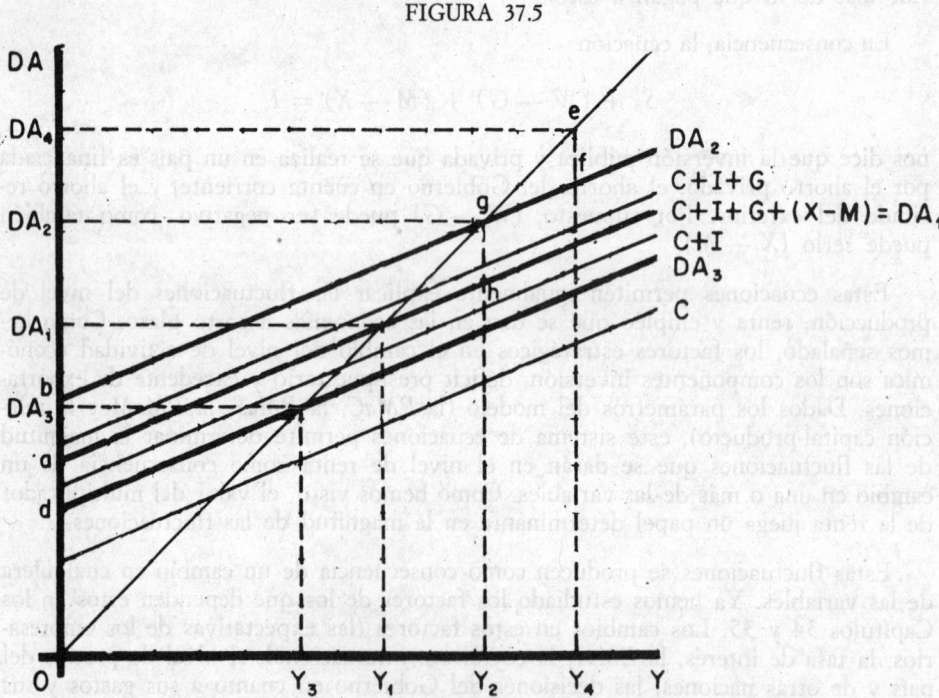

Digamos, asimismo, que este modelo no explica ni los ciclos que se dan en el nivel de actividad económica, ni el crecimiento y desarrollo de las economías. El modelo keynesiano simplificado explica la magnitud y las fluctuaciones del nivel de renta en el corto plazo. Sus piezas claves son la demanda agregada efectiva, y la función de consumo y su corolario la $PMaC$ que da lugar al efecto multiplicador y al tamaño de éste. La inversión es considerada sólo desde su perspectiva de componente de la demanda agregada o de gasto en un período determinado. Pero la inversión tiene también un efecto determinante sobre el crecimiento de una economía, al constituir una adición al stock de bienes capital de ésta, y, por lo tanto a su capacidad de producir bienes y servicios de todo tipo.

Keynes no estaba interesado en el crecimiento a largo plazo de las economías, sino en explicar por qué se daba el elevado nivel de desempleo· existente en los años 30; y cuando se le criticó que su teoría no explicaba los fenómenos económicos a largo plazo, él contestó que a largo plazo «todos estamos muertos». Por supuesto, el modelo keynesiano completo (en parte explicitado por Keynes y en parte deducido de sus escritos por sus seguidores) es mucho más complejo que el aquí expuesto. No obstante, el modelo sencillo que hemos visto constituye la esencia de la teoría keynesiana de determinación del nivel de renta de equilibrio y de sus fluctuaciones a corto plazo.

BIBLIOGRAFIA SELECCIONADA

Samuelson, P.: *Curso de Economía Moderna,* op. cit., Caps. 12, 13 y 14
Lipsey, R.: *Introducción a la Economía Positiva,* op. cit., Caps. 39 y 40.
Heilbronner, R.: *Comprensión de la Macroeconomía,* op. cit., Caps. 7 y 8.
Brooman, F. S.: *Macroeconomía,* op. cit., Caps. VI, VII, VIII y IX.
Rojo Duque, L. A.: *Renta, Precios y Balanza de Pagos,* op. cit.
Branson, W. H.: *Teoría y Política Macroeconómica,* op. cit.

En realidad ya hemos visto la importancia que tienen los ingresos y los gastos del Gobierno en la determinación de la demanda agregada, así como el hecho de que cualquier cambio en aquéllos da lugar a una variación en el nivel de producción, renta y empleo magnificado por el multiplicador. Asimismo, hemos explicado cómo (dada una DA de una determinada magnitud) la economía tiende a un nivel de renta de equilibrio. Este nivel generalmente es inferior al nivel potencial o de pleno empleo que tiene la economía, e incluso en ocasiones es superior a este nivel de pleno empleo (con lo que la DA es superior a la oferta agregada, produciéndose lo que se denomina un *gap* o brecha inflacionista, que da lugar a una subida generalizada de los precios o inflación).

En la Figura 37.5 podemos ver que si el nivel de renta de pleno empleo fuera Y_4, dada la DA_2 existente en la economía, en ésta habría la cantidad de desempleo correspondiente a la producción del *output* y la renta Y_2Y_4 (producción que no se realiza y que podría realizarse, dada la cantidad de factores no utilizados que hay en la economía; esta cantidad de factores están desempleados precisamente porque no se produce la cantidad de *output* Y_2Y_4. En este caso la DA es inferior a la oferta agregada en la magnitud *ef* (la oferta agregada está representada por la línea de 45° y la DA por la línea DA_2). A la magnitud *ef* se le denomina *gap* o brecha deflacionista. Dada la *PMaC* (que es la que determina la pendiente de la línea DA_2, ya que el consumo es la única variable que se considera como endógena o dependiente de la renta; las demás variables son consideradas como exógenas), si la DA aumenta en la cuantía *ef*, la renta se incrementaría en Y_2Y_4 a través del funcionamiento del mecanismo del efecto multiplicador. La magnitud *ef* (o defecto de la demanda agregada en el sentido de que representa la cuantía en la que la DA es inferior a la oferta agregada) constituye el factor determinante del nivel de desempleo.

Por el contrario, si el nivel de renta de pleno empleo de la economía fuera Y_1 y la DA fuera DA_2, se daría un exceso de DA que llevaría a la inflación. Este exceso sería el representado por la distancia *gh*, y es denominado brecha o *gap* inflacionista, ya que (al no ser posible satisfacer ese exceso de demanda por no existir los recursos desempleados necesarios para producir los bienes y servicios que aquélla representa) subirán los precios, y de esta forma será absorbido el exceso de la demanda.

La *DA* se concreta en una magnitud expresada en términos monetarios. Si la *DA* > *OA* y no es posible aumentar ésta en términos reales (no es posible producir más bienes y servicios en términos físicos), entonces el equilibrio *DA* = *OA* se obtiene a través de una subida del nivel general de precios, con lo que *OA* aumenta en términos monetarios, y la *DA* queda satisfecha, ya que los agentes económicos estarán gastando la cantidad de dinero que desean gastar. Con la subida de los precios, los agentes económicos que protagonizan la *DA* gastan una cantidad mayor de dinero y obtienen la misma cantidad de bienes y servicios en términos físicos (de esta forma el exceso de *DA* es absorbido). Del mismo modo que vimos ocurre en el caso de una brecha deflacionista, dada la *PMaC*, la *DA* sólo tendría que disminuir en la cuantía *gh* para evitar que la inflación fuera tal que el nivel de *output* Y_1 aumentara sólo en términos monetarios hasta alcanzar el valor Y_2.

Vemos, pues, que en cualquier caso, del modelo keynesiano se deduce que si de alguna forma se consigue influir sobre la magnitud que toma la demanda agregada, se estará afectando al nivel de producción, renta y empleo que se da en la economía, así como a las fluctuaciones de ésta y a las variaciones del nivel de precios. En una economía de mercado, las empresas privadas y las economías domésticas actúan con independencia del Gobierno y toman sus propias decisiones: las primeras sobre la producción que realizan, los procesos productivos que utilizan, los factores que demandan, y la inversión que efectúan; y las segundas sobre los factores que ofertan, y sobre el gasto que realizan en consumo de bienes y servicios nacionales y extranjeros.

El Gobierno puede afectar a estas decisiones de los agentes económicos privados a través de normas que regulan las actividades económicas de producir, transaccionar y consumir bienes. Pero es sobre todo por medio de la política fiscal (la política de ingresos y gastos públicos) cómo el Gobierno trata de influir sobre la *DA*. Esta política fiscal tiene dos facetas: una estriba en la influencia que estos ingresos y gastos públicos ejercen sobre las decisiones de los agentes económicos privados; y otra reside en el efecto directo que aquéllos tienen sobre la oferta y la demanda agregadas (los componentes *G* y *W* de la ecuación de la determinación del nivel de renta que hemos visto).

La Teoría de la Política Fiscal

El término política fiscal hace referencia a aquellas decisiones del Gobierno relacionadas con los gastos y los impuestos (ya que éstos constituyen ·la mayor parte de sus ingresos) que más directamente afectan al nivel de actividad económica. A las actuaciones fiscales tomadas en orden a remediar o combatir problemas económicos inmediatos (tales como la inflación y el desempleo) se les denomina actuaciones o medidas discrecionales.

Existe otro tipo de actuaciones fiscales que no son discrecionales, en el sentido de que el Gobierno tiene que implementarlas (como consecuencia de la legislación vigente) automáticamente cuando se dan determinadas circunstancias (cualesquiera que sean los problemas económicos). Actuaciones no discrecionales son, por ejemplo, el pago del subsidio de desempleo o los ingresos procedentes de un impuesto progresivo. La legislación vigente en cada momento establece que las personas desempleadas que reúnan determinadas condiciones tienen derecho a obtener del Gobierno una determinada cantidad de dinero en concepto de subsidio de desempleo; del mismo modo, la ley que regula el impuesto sobre la renta de las personas físicas establece que la persona que obtenga una determinada cantidad de renta ha de pagar al Fisco un porcentaje concreto de ésta. Las actuaciones no discrecionales constituyen los llamados estabilizadores automáticos, que veremos más adelante.

Los cambios en los gastos públicos afectan a la I y a la G de la DA, y las variaciones en los tipos y en los ingresos impositivos tienen una influencia sobre la C y la I (recordemos que la I incluye la inversión privada y pública). en consecuencia, la política de gastos e ingresos del Gobierno en último extremo afecta al nivel de producción, renta y empleo. En períodos de recesión y depresión económica (de reducción de la actividad económica o de un bajo nivel de ésta), la demanda de bienes y servicios (fundamentalmente la inversión) por parte del Gobierno puede ser aumentada en orden a compensar parcialmente la reducción de la demanda procedente de los otros sectores de la economía (economías domésticas, empresas y resto del mundo). Cuando, por el contrario, la DA es demasiado pujante y puede dar lugar a inflación, el Gobierno tiene en sus manos la posibilidad de reducir su demanda de bienes y servicios, y de esta forma hacer más pequeña o eliminar la brecha inflacionista.

Las compras de bienes y servicios de cualquier tipo (ya se trate de un tanque o de un bolígrafo) por parte del Gobierno obviamente representan una demanda de aquéllos. A través de cambiar estas compras (su demanda o su gasto en bienes y servicios), el Gobierno puede afectar a las condiciones económicas del país. El Gobierno puede seguir una política fiscal *expansionista,* que consiste en estimular o aumentar la DA a través de aumentar sus gastos; o aplicar una política fiscal *contractiva,* que estriba en reducir la demanda agregada por medio de disminuir sus propios gastos. La política fiscal expansionista se sigue por el Gobierno en los períodos de recesión y cuando se da desempleo. La política contractiva se emplea cuando se da inflación o se teme que ésta vaya a darse.

Como hemos señalado, el gasto del Gobierno tiene el mismo carácter que cualquier otro componente de la DA. Un aumento de los gastos del Gobierno (sin que se dé simultáneamente una variación en los impuestos; es decir, sin que se cambien ni los tipos impositivos, ni las bases de los impuestos, ni se creen nuevos tributos, y, por lo tanto, no varíen los ingresos impositivos gubernamentales) dará lugar a un desplazamiento de la línea de la DA agregada hacia arriba, y a un incremento de la renta de mayor cuantía que el ΔG (cuantía que dependerá del valor del multiplicador).

Supongamos que la DA en una economía concreta es la representada por la línea DA_1 de la Figura 37.5; esta DA determina el nivel de renta Y_1. Si a este nivel de renta existe desempleo en la economía, un aumento del gasto del Gobierno de la cuantía ab daría lugar a la nueva demanda agregada DA_2 y al consiguiente aumento del nivel de renta (aumento que sería de la magnitud $Y_1 Y_2$, siendo evidentemente $Y_1 Y_2 > ab$). De esta forma se reduciría el desempleo en la cuantía correspondiente a la mano de obra adicional empleada en la elaboración del *output* $Y_1 Y_2$. Del mismo modo, una reducción del gasto del Gobierno (sin que cambien los impuestos) dará lugar a una disminución de la DA y del nivel de renta, en una magnitud que vendrá determinada por la cuantía de la reducción y por el valor del multiplicador.

Pero el Gobierno puede también afectar a la DA en ambas direcciones a través de variar sus ingresos impositivos (recordemos que los gastos del Gobierno representan una entrada al flujo circular de la renta, y que los impuestos constituyen una salida). Los impuestos constituyen uno de los instrumentos más importantes de la política fiscal, ya que afectan muy directamente a la demanda de bienes y servicios de todo tipo por parte de las economías domésticas y de las empresas. La dirección del cambio en los impuestos es la opuesta a la del impacto que se desea producir sobre el nivel de producción y renta. Así, si se pretende seguir una política expansionista, se reducirán los impuestos (es decir, se reducirán los tipos impositivos, se estrecharán las bases de los impuestos y/o se suprimirán algunos de éstos); por el contrario, si se desea aplicar una política contractiva, el Gobierno aumentará los impuestos (subirá los tipos impositivos, ampliará las bases de los impuestos y/o se crearán nuevos tributos). En el primer caso aumentarán la renta disponible de las economías domésticas y los beneficios post-impuestos de las empresas, con lo que se incrementarán el gasto en consumo y posiblemente la inversión privada. En el segundo caso ocurrirá el fenómeno opuesto; se reducirá la renta privada y con ella el consumo y la inversión privadas.

Los impuestos que con mayor frecuencia se utilizan por el Gobierno para reducir la DA son los impuestos directos: el impuesto sobre la renta de las personas físicas y el impuesto sobre la renta de sociedades. Un aumento del primero reduce la renta personal disponible, y, por lo tanto, hace disminuir el gasto en consumo privado, y un aumento del segundo reduce los beneficios post-impuestos de las empresas, y por lo tanto, disminuye la inversión privada (ya que ésta depende en alguna medida de la tasa de beneficios post-impuestos de las empresas y de las reservas de éstas). Durante los períodos de recesión y depresión económicas el Gobierno puede estimular la DA reduciendo los impuestos. Al decir una reducción queremos decir una disminución de los ingresos que obtiene el Gobierno procedentes de los impuestos, debido a algunas de las causas ya señaladas: una reducción de los tipos impositivos, y/o un estrechamiento de la base (una reducción de los ingresos que se consideran renta gravable y/o un incremento de las deducciones).

Cuando se reducen los tipos y/o se estrecha la base del impuesto sobre la renta de las personas físicas, los ingresos impositivos del Gobierno producidos por este impuesto disminuyen. Esto implica que la renta disponible de las economías domésticas aumenta, y con ella se incrementa su gasto en consumo, lo que a su vez estimula la producción (aumenta la producción, la renta y el empleo). Dicho de una forma más técnica: una reducción de los impuestos directos sobre la renta de las personas físicas produce un desplazamiento de la función de consumo hacia arriba (aumenta la $PMeC$). Del mismo modo, una reducción en el tipo del impuesto sobre la renta de las empresas (una reducción del porcentaje de sus beneficios que las empresas tributan) puede hacer aumentar la tasa de rendimiento de la inversión, lo que puede inducir a un aumento de la inversión privada.

La reducción de los tipos impositivos en el impuesto sobre la renta de las personas físicas puede hacerse igual para todos los tramos de renta, o sólo para algunos de éstos (los tramos más bajos, los medios o los altos), según la finalidad que se persiga. Si se pretende aumentar el gasto en consumo privado, entonces se reducen los tipos (los porcentajes de la renta gravable que se tributan) aplicables a los tramos de renta baja, ya que las economías domésticas con rentas bajas tienen una $PMeC$ mayor que las economías domésticas con rentas elevadas o medias. De esta forma se puede conseguir un aumento del consumo de una determinada magnitud con una reducción relativamente más pequeña de los tipos impositivos que si se bajan los tipos impositivos para los tramos de renta elevada. Por el contrario, si se pretende aumentar el ahorro, se reducirán los tipos impositivos de los tramos de renta elevada, ya que los perceptores de ésta tienen una *PMeS* mayor que los perceptores de rentas bajas.

El Gobierno puede utilizar tanto sus gastos como su recaudación impositiva (sus ingresos procedentes de los impuestos) como armas de política económica. En ocasiones los emplea simultáneamente y otras veces utiliza sólo una. El impacto del gasto de Gobierno sobre la *DA* es inmediato: la demanda cambia tan pronto como es realizado el gasto. Los cambios en la recaudación impositiva tienen un efecto más reducido sobre la *DA* que los gastos por dos razones:

a) Existe un retardo temporal entre el momento en el que las economías domésticas toman conciencia del nuevo nivel de los impuestos y ajustan su gasto a éste. A los individuos les lleva tiempo tomar conciencia de que han de pagar en impuestos un porcentaje mayor o menor de su renta; y aun cuando han tomado conciencia, tardan un período de tiempo en ajustar su nivel de gasto a su nuevo nivel de renta disponible (sobre todo si han de reducir su nivel de consumo). Algunos impuestos, como el que grava la renta de las personas físicas, se pagan una sola vez cada año, con lo que los individuos no sienten el efecto de un cambio en este impuesto hasta que realizan la primera liquidación tras el cambio, y pueden darse varios meses entre aquél y ésta.

b) El impacto de un cambio en la recaudación impositiva del Gobierno es menor que la cuantía de aquél debido a que la *PMaC* es menor que la unidad. Así, si *PMaC = 0,8,* un aumento en la recaudación impositiva de 100 sólo reduciría el gasto en consumo en 80, y una disminución de la recaudación impositiva de 100 sólo aumentaría el gasto en consumo en 80. Parte de la cuantía del cambio en la recaudación impositiva afectará al ahorro, con lo que se reduce parcialmente el impacto que los impuestos tienen sobre el nivel de actividad económica.

En el Capítulo 37 vimos el valor del multiplicador tomando en consideración, primero sólo la *PMaC* y la *PMaS*, y después introduciendo además la *PMaM*. Entonces mostramos que el valor del multiplicador en el primer caso era:

$$m = \frac{1}{1-c} = \frac{1}{s}$$

y en el segundo era:

$$m = \frac{1}{1-(c-a)} = \frac{1}{s+a}$$

siendo *a* la *PMaM*. Tanto la *PMaS* como la *PMaM* son coeficientes que relacionan la cantidad que se ahorra y gasta en importaciones, respectivamente, con los cambios en la renta. Así, $S = -C_0 + sY$ y $M = M_0 + aY$. Del mismo modo (y debido a la existencia de los tipos impositivos fijos que se aplican a la base para obtener la cantidad que tributan las personas físicas y las empresas, y a que la base se calcula a partir de la renta en el caso de las personas físicas y de los beneficios en el caso de las empresas) existe una relación entre la recaudación impositiva y los cambios en la renta. De esta forma se puede formular la siguiente función:

$$T = tY$$

donde *T* es la recaudación impositiva, y *t* es el tipo macroeconómico de imposición que expresaría la proporción que de un aumento de la renta detrae la Hacienda por la vía impositiva (*t* sería un coeficiente medio de todos los tipos impositivos de todos los impuestos existentes que nos da la fracción que de un aumento de la renta se lleva el Fisco).

Sabemos también que la renta real disponible se define como la RN menos la recaudación impositiva del Gobierno:

$$Y_d = Y - T$$

Asimismo, sabemos que el consumo privado es una función de la renta real disponible. Supongamos que la función de consumo toma la forma (más sencilla que la que hemos utilizado en el Capítulo 34 que se recordará era $C = C_0 + cY$) siguiente:

$$C = cY_d$$

De estas relaciones funcionales se deduce que (dejando fuera el sector exterior) la ecuación del equilibrio de la renta

$$Y = C + I + G$$

se convierte en:

$$Y = c(Y - T) + I + G$$

Hemos sustituido Y_d por su valor $(Y - T)$, ya que $C = cY_d$. Multiplicando c por los dos miembros del paréntesis, tenemos:

$$Y = cY - cT + I + G$$

Pero sabemos que $T = tY$. Sustituyendo ésta en la ecuación anterior por su valor tY, tenemos:

$$Y = cY - ctY + I + G$$

sacando cY factor común en el lado derecho de la ecuación, tenemos:

$$Y = cY(1 - t) + I + G$$

pasando $cY(1 - t)$ al lado izquierdo de la ecuación, tenemos:

$$Y - cY(1 - t) = I + G$$

sancando Y factor común, tenemos:

$$Y[1 - c(1 - t)] = I + G$$

despejando Y, tenemos:

$$Y = \frac{1}{1 - c(1 - t)}(I + G)$$

Realizando la multiplicación de c por $(1 - t)$, tenemos:

$$\frac{1}{1 - c\,(1 - t)} = \frac{1}{1 - c + ct}$$

Esta es la fórmula del multiplicador cuando se toma en consideración el tipo macroeconómico de imposición o el porcentaje que de cada aumento de la renta en una peseta se lleva el Fisco. Este multiplicador es más general que $\dfrac{1}{1 - c}$. Para un valor dado de c, si $0 < t < 1$ (si de cada peseta de renta el Fisco se lleva una fracción de ésta por pequeña que sea), entonces el multiplicador que toma en consideración el tipo macroeconómico de imposición tiene un valor más reducido que $\dfrac{1}{1 - c}$; es decir:

$$\frac{1}{1 - c\,(1 - t)} < \frac{1}{1 - c}$$

ya que $1 - c\,(1 - t) > 1 - c$, siempre que $c > 0$ y $t > 0$. La conclusión importante que se desprende de aquí estriba en que los impuestos reducen el valor del multiplicador de la renta. Así, si $c = 0,8$ y $t = 0,15$

$$m = \frac{1}{1 - 0,8 + (0,8 \times 0,15)} = \frac{1}{1 - 0,8 + 0,12} = \frac{1}{0,32} = 3,1$$

De no haber existido impuestos, el multiplicador habría tenido un valor de 5.

Recuerde el lector que si se tomaban en consideración las importaciones y se daba una $PMaM$, ésta también reducía el valor del multiplicador, ya que constituye igualmente otra salida. Incluyendo también el efecto de la $PMaM$ sobre el multiplicador, la fórmula completa de éste es:

$$m = \frac{1}{1 - c + ct + a}$$

siendo a la $PMaM$. Así, si $c = 0,75$, si $t = 0,25$ y $a = 0,1$, el multiplicador tendrá el valor:

$$m = \frac{1}{1 - 0,75 + 0,1875 + 0,1} = \frac{1}{0,5375} = 1,86$$

Vemos, pues, que el valor del multiplicador es reducido de 4 (en el caso de que no existieran ni impuestos ni importaciones) a 1,86 cuando se toman T y M en consideración. La conclusión importante que se desprende de aquí es que el multiplicador no se puede esperar que tenga un valor muy elevado; y, en consecuencia, los cambios en las variables exógenas han de ser de magnitud considerable para que aquéllos tengan un efecto significativo sobre el nivel de renta, producción y empleo.

Recordemos al lector que la expresión $(G - W)$ se refiere sólo a los gastos e ingresos gubernamentales en cuenta corriente o por cuenta de renta. La W recoge la casi totalidad de los ingresos del Gobierno (constituidos fundamentalmente por los impuestos directos e indirectos, T), pero la G no incluye los gastos de inversión o gastos por cuenta de capital (que incluimos en I), gastos que generalmente representan una parte importante del gasto del Gobierno y que son además la variable que éste puede utilizar más fácilmente de una forma discrecional y variar de un período corto de tiempo a otro. Generalmente el Gobierno tiene un superávit en $(W - G)$, superávit que constituye el ahorro público, y que pasa a la cuenta de capital como el principal componente del lado de ingresos de la cuenta para financiar el gasto de inversión. Los Presupuestos Generales del Estado recogen todos los gastos e ingresos del Gobierno. La diferencia entre éstos constituye un déficit presupuestario si los gastos totales son mayores que los ingresos totales, y un superavit si los ingresos son superiores a los gastos.

El Gobierno naturalmente puede jugar con todas las variables $(G, W, T,$ la I pública y $t)$ en el contexto de su política fiscal. Puede aumentar unas y disminuir otras, puede aumentar unas más que otras, etc. Si desea estimular la demanda agregada, puede aumentar su I en un período corto de tiempo (dentro de los márgenes que le permite el Presupuesto, ya que éste es un documento que se convierte en ley desde el momento que es aprobado por las Cortes, que, por lo tanto, el Gobierno debe cumplir lo que se expresa en ella, y que en dicho Presupuesto se detalla minuciosamente el destino que se da a cada partida), puede reducir los impuestos, y puede aumentar las transferencias de todo tipo al sector privado. Si pretende reducir la presión inflacionista (debido a que existe un exceso de DA) puede aumentar los impuestos y reducir el gasto, aumentar los impuestos y no variar el gasto, o reducir el gasto y no cambiar los impuestos. La combinación de medidas que empleará en cada momento dependerá de diversos factores, tales como la eficacia y la rapidez con que los cambios produzcan sus efectos, los intereses políticos del partido gobernante, etc.

La Financiación del Déficit Presupuestario: la Deuda Pública

Los superávits naturalmente no plantean problemas al Gobierno, ya que éste sólo tiene que mantener inutilizados unos recursos (la diferencia entre los ingresos y los gastos). Por el contrario, los déficits plantean la cuestión de su financiación, y las consecuencias económicas que ésta tiene. La parte de esta financiación que proceda de préstamos de instituciones financieras privadas generalmente constituye una reducción de los fondos prestables que podría obtener el sector privado (reducción que, por lo tanto, puede afectar adversamente a la inversión privada y al gasto en consumo, en la medida en que éstos dependan del crédito). Sólo si el sistema financiero tiene exceso de recursos prestables (si el sector privado, principalmente las empresas, demandan poco crédito debido a que la coyuntura es mala), el crédito obtenido por el Gobierno no afectará al gasto privado en consumo e inversión.

Otro medio de financiación del déficit lo constituye la Deuda Pública. Esta se materializa en unos títulos de deuda que emite el Gobierno y que trata de vender a los agentes del sector privado (bancos, cajas de ahorro y demás instituciones financieras, empresas y economías domésticas). El adquirente de uno de estos títulos emitidos por vez primera paga la cantidad de dinero correspondiente a su valor nominal, cantidad que va a parar al Gobierno, y que éste devuelve al poseedor del título en el momento que indique el plazo de amortización al que se ha emitido dicho título. Durante el período de tiempo en que el título de deuda está vigente, el Gobierno paga un tipo de interés (el fijado en el título) al poseedor de éste. La deuda pública no es, pues, más que un préstamo de los agentes económicos que la compran al Gobierno. Los títulos de la Deuda Pública pueden ser vendidos y comprados en Bolsa, lo que les da liquidez y los hace atractivos (además de la falta de riesgo que implica el ser el Estado el deudor, y del tipo de interés que rentúen.

No vamos a tratar aquí las cuestiones complejas que plantea la financiación de la Deuda Pública. Digamos solamente que la parte de ésta que compran voluntariamente las economías domésticas y/o las empresas no financieras (debido a que a éstas les resulta rentable colocar temporalmente sus recursos en este tipo de activo financiero) no reduce la demanda de bienes y servicios por parte de los agentes que la compran, ya que la adquieren con ahorro. No obstante, puede tener un efecto sobre la cantidad de recursos que las instituciones financieras pueden prestar al sector privado (ya que los recursos que pagan al Gobierno los adquirentes de la Deuda Pública no van a parar a éstas).

A través de los coeficientes de fondos públicos y/o de los coeficientes de inversión (los coeficientes que el Gobierno fija a los bancos y cajas de ahorro, según los los cuales estas instituciones obligatoriamente han de mantener un porcentaje de sus pasivos en títulos de Deuda Pública, generalmente cédulas de inversión), el Gobierno obliga a las instituciones financieras a prestarle recursos. En la medida y cuantía en la que estos recursos constituyen una reducción del crédito que las instituciones financieras dan al sector privado, el déficit presupuestario así financiado disminuye la demanda agregada (con lo que la adición a ésta que representa el déficit es contrarrestada en parte con la reducción del gasto del sector privado).

La creación de dinero es otra posible fuente de financiación del déficit, pero no suele utilizarse en una magnitud significativa, ya que ello crearía inflación (y el evitar ésta constituye uno de los objetivos principales de la política económica de los Gobiernos). También se puede financiar en parte el déficit presupuestario con crédito exterior, pero éste no suele constituir una fracción significativa de aquél.

El Efecto Multiplicador de los Ingresos y Gastos Públicos, y del Presupuesto

Digamos por último que se puede demostrar que si un incremento del gasto del Gobierno (G, incluyendo aquí la inversión pública) es contrarrestado por un incremento de igual cuantía en los ingresos impositivos (T), el efecto multiplicador de este incremento de G y de T sobre la Renta Nacional tiene un valor de la unidad. Esto significa que un aumento de G no es contrarrestado (en el sentido de anular su efecto) por un incremento en T, sino que el ΔG tiene un efecto sobre la Renta Nacional de una magnitud exactamente igual a ΔT. A este efecto se le denomina el multiplicador del presupuesto equilibrado (si bien en realidad no es el presupuesto en su totalidad el que ha de estar equilibrado, sino simplemente que $\Delta G = \Delta T$).

Esta afirmación se puede demostrar fácilmente. La magnitud del cambio que se produce en Y al variar los ingresos impositivos hemos visto que es:

$$\Delta Y = (PMaC \times \Delta T) \times \frac{1}{PMaS} = \frac{PMaC}{PMaS} \times \Delta T;$$

$\dfrac{PMaC}{PMaS}$ es el valor del llamado efecto multiplicador de los impuestos, que tiene signo negativo, ya que un aumento de los impuestos reduce Y.

Sabemos que un incremento de los impuestos (ΔT) reduce el consumo en la siguiente cuantía:

$$\Delta C = PMaC \times \Delta T = c\Delta T$$

Por lo tanto, para determinar en qué cuantía (en términos absolutos) varía la Renta Nacional (RN) ante un cambio en T, hemos de determinar el efecto del ΔC (producido por el ΔT) sobre la RN o Y. Este no será otro que:

$$\Delta Y = \frac{1}{PMaS} \Delta C = \frac{1}{s} \Delta C$$

como $\Delta C = c\Delta T$, tenemos que:

$$\Delta Y = \frac{1}{s} \Delta T \times c = \frac{c}{s} \Delta T = \frac{PMaC}{PMaS} \Delta T$$

En consecuencia, el multiplicador de los impuestos (que recordamos tendrá signo negativo, ya que un aumento de T lleva a una reducción de C) tiene el valor $\dfrac{PMaC}{PMaS}$; si $c = 0,8$ y $s = 0,2$, un aumento de los impuestos en 50 tendrá el siguiente efecto cuantitativo sobre Y:

$$Y = \frac{0,8}{0,2} \times 50 = 200, \quad \text{ya que} \quad \frac{0,8}{0,2} = 4$$

magnitud ésta que constituye el valor del multiplicador de los impuestos y que tiene signo negativo. Un aumento de los impuestos de 50 reducirá la Y en 200 (dados $c = 0,8$ y $s = 0,2$).

El valor del multiplicador del gasto público es, como sabemos, $\dfrac{1}{1-c}$ (como el de cualquier otro gasto). El valor del multiplicador de los ingresos impositivos hemos visto que es $\dfrac{PMaC}{PMaS}$. El valor del multiplicador del presupuesto equilibrado será la suma de estos dos multiplicadores (el que mueve la Y en la dirección de aumentar y el que la reduce). Si $c = 0,8$ y $s = 0,2$, el valor del multiplicador del G es $\dfrac{1}{0,8} = 5$, y el de T es $\dfrac{0,8}{0,2} = 4$ con signo negativo; en consecuencia, $5 + (-4) = 1$. Algebraicamente:

$$\frac{1}{PMaS} - \frac{PMaC}{PMaS} = \frac{1 - PMaC}{PMaS} = \frac{PMaS}{PMaS} = 1$$

Esto nos lleva a la importante conclusión de que si el Gobierno aumenta sus gastos en 50 e incrementa su recaudación impositiva también en 50, la Y aumenta en 50 (en lugar de no variar, como parece sugerir el sentido común). Este es otro de los casos en los que la Teoría Económica nos permite obtener conclusiones correctas, conclusiones que parecen ir en contra del sentido común. De ahí que en épocas de recesión y/o depresión, el simple aumento del presupuesto (aunque éste aumento esté equilibrado) ya tiene un efecto positivo sobre el nivel de actividad, renta y empleo.

Distintas Concepciones del Presupuesto como Instrumento de Política Económica

Digamos por último en este epígrafe que existen distintas concepciones del Presupuesto como instrumento de política económica para obtener los objetivos que se proponga el Gobierno (alcanzar el pleno empleo, mantener la estabilidad del nivel de actividad económica y de los precios, obtener una tasa razonable de crecimiento de la economía, etc.) concepciones que no vamos a exponer aquí por razones de brevedad.

Como ya hemos dicho, una parte (la más importante, ya que se trata de la recaudación impositiva) de los ingresos y de los gastos constituyen los llamados *estabilizadores automáticos*. Con esta denominación se designa a unos mecanismos que actúan automáticamente en la economía para amortiguar o reducir las fluctuaciones (en ambas direcciones) de la producción, la renta y el empleo. Como T depende directamente de la renta (y además los tipos impositivos del impuesto de la renta de las personas físicas son progresivos: a mayor volumen de renta, se tributa un porcentaje más elevado de ésta), cuando aumenta Y, la recaudación impositiva se incrementa más que proporcionalmente de forma automática, con lo que se contiene el incremento del C y posiblemente de la I privada. Cuando Y se reduce (como consecuencia de una disminución en la DA y de la producción) la T disminuye menos que proporcionalmente, con lo que se amortiguan en parte los efectos que la disminución de Y tiene sobre la C y la I (al quitarle a los individuos una fracción más reducida de sus ingresos, la $PMeC$ de las economías domésticas aumenta). Lo mismo ocurre con ciertas transferencias como los pagos por el subsidio de desempleo. Cuando se reduce Y y aumenta el desempleo, los pagos por el subsidio aumentan en volumen absoluto, con lo que se palía en parte la reducción en la renta de los individuos y los efectos de ésta sobre el consumo.

LOS CICLOS

Hasta ahora hemos visto las fluctuaciones del nivel de actividad económica en el corto plazo (lo que se denomina la coyuntura económica): los cambios del nivel de renta y empleo de un año a otro, o incluso de un trimestre a otro. Por otra parte, las economías de los países industrializados han seguido una tendencia ascendente: la producción, el empleo y el nivel de vida han crecido continuamente en los últimos doscientos años. Sin embargo, se ha observado que el nivel de la actividad económica sigue un curso irregular, con períodos de expansión seguidos de estancamiento e incluso de recesiones. Estos movimientos oscilantes de la actividad económica son denominados ciclos.

Los estudiosos de las fluctuaciones de la actividad industrial han encontrado tres tipos de ciclos: uno que tiene una duración de unos nueve años, otro más corto y que suele durar entre dieciocho y cuarenta meses, y un tercero de unos cincuenta años de duración. El primero es el llamado ciclo comercial. Al segundo se le relaciona con las variaciones en las existencias de las empresas (cuando éstas están acumulando existencias, el valor de sus compras de factores será superior a la magnitud de sus ventas). Finalmente, el tercer tipo de ciclo se le relaciona con el incremento pronunciado de la inversión que se suele dar cuando se produce alguna innovación tecnológica fundamental.

Las Fases del Ciclo

Se suelen distinguir cuatro fases en el ciclo: la depresión, la recuperación, el auge y la recesión. La Figura 38.1 muestra estas fases del movimiento ondulatorio del ciclo.

FIGURA 38.1

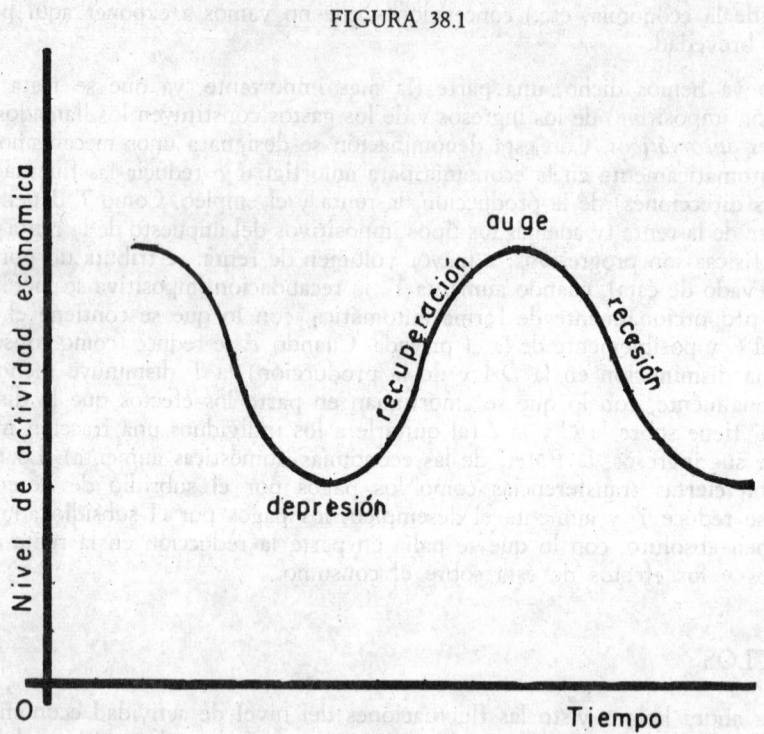

La depresión se caracteriza por la existencia de una tasa elevada de desempleo, y por un nivel de la demanda de consumo muy inferior a la capacidad que tiene la industria de producir bienes y servicios de consumo (se da un alto porcentaje de capacidad productiva instalada sin utilizar: las empresas en general producen a un nivel muy por debajo de su capacidad). En general los precios no suben, e incluso algunos bajan. La tasa de beneficios de las empresas es reducida, e incluso en el caso de muchas empresas concretas se dan pérdidas. Las expectativas de los empresarios son pesimistas y, en consecuencia, no se arriesgan a realizar nueva inversión. Los bancos y demás instituciones financieras suelen tener exceso de encaje, ya que, por una parte, la demanda de crédito es baja, y por otra, el riesgo de conceder préstamos es elevado.

Cuando por alguna razón se inicia la *recuperación,* se dice que la recesión ha tocado fondo y se pone en marcha una fase ascendente del ciclo, cuyo ritmo suele acelerarse con el paso del tiempo. Los empresarios reponen o reemplazan la maquinaria deteriorada u obsoleta (decisión que habían postpuesto cuando las condiciones existentes y las expectativas eran malas). El empleo, la producción, la renta y el gasto en consumo empiezan a aumentar. Las expectativas de los empresarios cambian y se hacen más optimistas (o menos pesimistas) como consecuencia del aumento de la producción, de las ventas y de los beneficios. La inversión, que antes parecía representar un riesgo inaceptable, se presenta ahora como rentable. A medida que aumenta la demanda, la producción puede ser fácilmente expandida (la oferta es muy elástica) debido a que para ello sólo hay que utilizar la capacidad desutilizada existente, ya que hay mano de obra desempleada. Los precios dejarán de descender (si es que lo habían hecho en la recesión), y permanecerán constantes o subirán.

A medida que la recuperación avanza, empiezan a darse cuellos de botella (rigideces en la oferta). La capacidad productiva instalada es utilizada plenamente; empieza a darse escasez de mano de obra, especialmente de mano de obra especializada; y aparecen escaceses de algunas materias primas importantes. Cada vez se hace más difícil el aumento de la producción con la capacidad instalada existente, lo que conduce a que se realice nueva inversión y a un aumento de la productividad de la mano de obra ya empleada. Los nuevos incrementos de la demanda agregada no pueden ser satisfechos en su totalidad en términos reales, con lo que los precios empiezan a subir. Se desarrolla un exceso de demanda de mano de obra, con lo que los salarios y los costes suben.

Pero los precios también suben, y la tasa de beneficios es alta. No se suelen dar pérdidas en las empresas, ya que es fácil obtener ganancias simplemente con mantener existencias de los bienes cuyos precios están subiendo. La inversión alcanza un nivel elevado, los recursos financieros se hacen escasos y el tipo de interés tiende a subir (ante la elevada demanda de fondos prestables). Las expectativas son optimistas, y puede que se realice inversión que no está justificada sobre la base de los precios y las ventas existentes, y que hacen necesarios nuevos aumentos de la demanda y de los precios para que aquélla sea rentable.

Cuando por alguna razón se alcanza el techo de la expansión y el *auge,* se inicia una *recesión,* que también va ganando intensidad por su propia inercia. La demanda de bienes y servicios de consumo empieza a descender. La inversión que parecía rentable cuando se esperaba que la demanda y los precios continuarían incrementándose, empieza a presentarse como no rentable. Los elevados tipos de interés que se podían pagar cuando los precios y las ventas estaban aumentando, ahora se convierten en una carga pesada. La quiebra de empresas empieza a convertirse en un fenómeno frecuente. La producción y el empleo descienden y con ellos la renta y el gasto. Muchas empresas empiezan a tener dificultades financieras. Disminuyen los precios y los beneficios, lo que hace que la inversión se contraiga a un nivel muy bajo. A menudo no se reemplaza la maquinaria y el equipo que se deteriora, ya que se dispone de capacidad productiva ociosa. Cuando la recesión desarrolla sus efectos, se llega a una situación de depresión, situación de la que partimos, y el ciclo vuelve a empezar.

La Teoría del Ciclo

La Teoría Económica trata de explicar el fenómeno de los ciclos y de sus fases. La teoría de los ciclos la podemos dividir en tres partes: una teoría que trata de explicar los movimientos acumulativos (tanto de expansión como de contracción) del nivel de actividad económica; una teoría de los niveles máximos y mínimos de actividad económica que se dan, teoría que pretende explicar por qué los movimientos acumulativos (tanto expansivos como recesivos) finalmente se agotan; y por último, una teoría que explique por qué una vez que se agota, el movimiento tiende a invertir su dirección.

El Principio de la Aceleración

La teoría que pretende explicar los movimientos acumulativos que constituyen las expansiones y las recesiones considera que son tres los principales factores que producen estos movimientos acumulativos. El primero de ellos es el efecto multiplicador, que ya hemos considerado ampliamente. Una vez que se produce un gasto exógeno, se pone en marcha un proceso acumulativo de producción, renta, consumo, producción, renta, etc. (véase la Tabla 37.1). El proceso opera igualmente en el sentido opuesto: una reducción en una de las variables pone en marcha el proceso en la dirección de reducir la producción, la renta, el consumo, la producción, etc.

El segundo factor lo constituye el mecanismo que describe la llamada teoría del acelerador. Hasta ahora nosotros habíamos supuesto que la inversión era una variable exógena (que no dependía de la renta). Sin embargo, el aumento de la renta genera nueva demanda, y (si las empresas que reciben esa demanda adicional están produciendo a un nivel próximo al de plena capacidad), para hacer frente a ésta será necesario ampliar la capacidad productiva (realizar nueva inversión o inversión neta).

Un tipo sencillo de la función de inversión es el asociado con el llamado principio de aceleración.

El primero en formular el principio de aceleración fue el profesor John Maurice Clark (1884-1963), de la Universidad de Columbia, quien trató de relacionar las fluctuaciones cíclicas de la inversión con las variaciones del consumo, y proporcionó una explicación del hecho de que en el ciclo económico las fluctuaciones en las industrias de bienes de inversión son mucho más acentuadas que en las de artículos de consumo. Combinado con el del «multiplicador», el principio de «aceleración» se integró en el mecanismo analítico keynesiano y adquirió así un desarrollo más amplio. De la misma manera que el principio del multiplicador (en su forma original) es una explicación del consumo «inducido» resultante de un cambio autónomo en la inversión, el principio de aceleración es una teoría de la inversión «inducida», resultante de un cambio autónomo en el consumo. De este modo, el principio de aceleración y el del multiplicador se completan como elementos simétricos. La acción recíproca de estos dos elementos ha permitido la construcción de un modelo teórico de fluctuaciones cíclicas.

En su enunciado más sencillo, el principio de aceleración supone una relación lineal entre el consumo o (más exactamente) la producción de bienes de consumo y el acervo existente de bienes capital; esto es, un incremento en el consumo requerirá un aumento proporcional en el equipo de capital para satisfacer la demanda adicional. Expresada en términos de cambios, si en un momento determinado aumenta la demanda de consumo de C a $C + \Delta C$, la adición exigida en el equipo de capital ΔK, será proporcional al incremento en el consumo.

Tenemos:

$$\Delta K \doteq \beta' \Delta C$$

donde β' es el coeficiente de proporcionalidad, o la «razón» entre la adición al acervo de equipo de capital y el consumo adicional (que viene determinado por la relación capital-producto).

Esta relación entre K y C lleva a ciertas conclusiones teóricas interesantes. Introduciendo el factor tiempo y haciendo uso (en lugar de incrementos absolutos) de incrementos por unidad de tiempo o tasas de incrementos, se tendrá:

$$\frac{\Delta K}{\Delta t} = \beta' \frac{\Delta C}{\Delta t}$$

$$\text{donde} \quad \frac{\Delta K}{\Delta t} \quad \text{y} \quad \frac{\Delta C}{\Delta t}$$

son las tasas de incremento del capital existente K y del consumo C, respectivamente.

$$\frac{\Delta K}{\Delta t}$$

(el aumento neto del acervo de capital por unidad de tiempo, generalmente un año), no es otra cosa que la inversión neta I. De esta forma, la ecuación anterior se puede formular de la siguiente manera:

$$I = \beta' \frac{\Delta C}{\Delta t}$$

La inversión neta «inducida» será proporcional a la tasa de variación en el consumo.

Esta ecuación nos permite deducir algunas conclusiones importantes, que representan una síntesis del principio de «aceleración».

1) A un nivel constante de consumo, o sea aquel en que $\frac{\Delta C}{\Delta t} = 0$, la inversión neta inducida será cero.

2) Para mantener un nivel constante de inversión neta inducida (digamos un volumen anual de inversión igual a x) el consumo de la colectividad deberá aumentar a una tasa anual constante $\frac{\Delta C}{\Delta t} = x$. Expresándolo geométricamente, si el consumo incrementa siguiendo una línea recta de pendiente constante x, la inversión neta será estable siguiendo la línea horizontal de nivel x. Pero si el consumo, después de haberse elevado a un determinado nivel, se mantiene estacionario en la nueva posición, la inversión neta requerida volverá a caer a cero. La inversión también descenderá, aunque no completamente a cero, si el consumo se mantiene en ascenso, pero a una tasa menor que la anterior.

3) A fin de requerir un aumento secular en la inversión neta es necesario que el consumo de la colectividad no sólo aumente, sino que aumente a una tasa creciente. Cualquier baja en la tasa de incremento del consumo causará el deslizamiento de la inversión del nivel alcanzado anteriormente. Traduciendo lo anterior a términos geométricos, podemos decir que si la inversión inducida ha de seguir una línea recta ascendente, el consumo deberá incrementar según una curva parabólica, cóncava en su origen; esto es, aumentar a una tasa creciente.

El tercer factor determinante de los movimientos acumulativos lo constituyen las expectativas de los empresarios. Cuando éstas cambian, los empresarios actúan en consecuencia, con lo que se produce el fenómeno que ellos predicen. Así, si las expectativas se hacen pesimistas, los empresarios reducirán la inversión, con lo que la situación empeorará y las expectativas se harán más pesimistas aún, con lo que la situación vuelve a empeorar, y así continúa el movimiento acumulativo. Las expectativas son auto-confirmantes (otro ejemplo es el de las expectativas sobre el curso que seguirán las cotizaciones bursátiles: si la gente cree que éstas van a bajar, muchas personas querrán vender sus acciones y pocas querrán comprar, con lo que efectivamente las cotizaciones de éstas disminuirán).

EL PRESUPUESTO COMO INSTRUMENTO DE POLITICA ANTICICLICA

La difícil situación de la economía mundial en la década de los 30 tuvo como consecuencia la creación de un estado de opinión entre los economistas que llevaría a romper con las normas clásicas de actuación del Estado en la vida económica y muy especialmente en lo referente a la actividad presupuestaria. La aparición de la Teoría General de la Ocupación, el Interés y el Dinero de J. M. Keynes marcaría el nacimiento de una nueva normativa en este campo en orden a lograr un nivel de actividad económica que permitiera el mantenimiento del pleno empleo de los recursos disponibles.

La primera línea de actuación en tal sentido se encuentra en las propuestas derivadas de los trabajos de la Comisión del Paro sueca, de las que nació la idea de combinar el equilibrio presupuestario con una actuación anticíclica del presupuesto, surgiendo así el Presupuesto Cíclico. En síntesis, la norma básica consistía en alargar el plazo de equilibrio, extendiendo éste a la duración total del ciclo económico. Ello se conseguía compensando los aumentos en los gastos necesarios para relanzar la actividad económica en las fases depresivas del ciclo con los aumentos en los ingresos que se producirían en los períodos de auge. Esta compensación de los déficits de unos años con los superávits de otros permitiría asegurar el mantenimiento del patrimonio neto del Estado.

En 1947 surge, en base a los estudios efectuados por el Comité de Desarrollo Económico de los Estados Unidos, una nueva fórmula presupuestaria: el Presupuesto de Estabilización Automática, que pretendía obviar dos problemas importantes que se presentaban al instrumentar políticas presupuestarias anticíclicas: el problema de la discrecionalidad (entendido como la dificultad de establecer procedimientos de control *a priori* sobre el gasto público) y el problema de los retrasos (éstos se deben a la lentitud con que actúa la política fiscal, ya que puede existir un fuerte desfase temporal desde la detección de un problema hasta que la medida tomada para solventarlo tenga efecto. Ello puede llevar en algunos casos a que la política fiscal tenga efectos contraproducentes, al incidir una medida expansiva tomada en un momento de depresión económica sobre una coyuntura de recuperación).

Las bases del Presupuesto de Estabilización Automática son dos: 1) la introducción en el presupuesto de estabilizadores automáticos; éstos son programas de ingresos y gastos que varían por sí mismos al variar la renta sin necesidad de una acción específica por parte de la autoridad presupuestaria. Ejemplos típicos de estos estabilizadores serían, por el lado de los ingresos, los impuestos progresivos sobre la renta o el impuesto sobre ventas, y por el lado de los gastos los subsidios de desempleo; 2) los tipos impositivos deben establecerse de manera que el presupuesto arroje cierto volumen de superávit al hallarse la economía en situación de pleno empleo, a fin de poder amortizar los títulos de la deuda pública emitida para financiar los déficits originados en períodos de depresión.

Sin embargo, la principal virtud del Presupuesto de Estabilización Automática es simultáneamente su mayor inconveniente. Es obvio que los estabilizadores automáticos constituyen un paracaídas que, aumentando los gastos y reduciendo los ingresos, frenan la caída de la actividad económica; pero también constituyen una rémora que impide el crecimiento de la economía más allá de cierto nivel ya que, si la renta nacional crece, aumentarán los ingresos y se reducirán los gastos, con lo que el presupuesto empezará a arrojar superávits crecientes que frenarán el crecimiento económico. A este fenómeno se le conoce como la «rémora fiscal».

En los años 60 se va a producir un cambio en las metas a lograr mediante la política fiscal, pasando de una perspectiva puramente coyuntural a otra a más largo plazo. Va a surgir así un nuevo enfoque en la política fiscal estabilizadora que va a dotar a ésta de un doble contenido: uno de carácter coyuntural, cuyo objetivo seguirá siendo lograr el producto y renta nacionales de pleno empleo; y otro a medio y largo plazo, cuya meta será la consecución y mantenimiento de una tasa de crecimiento estable al ritmo permitido por el crecimiento del potencial productivo de la economía.

Se trata de hecho de una nueva forma de concebir la política fiscal, nacida de los trabajos realizados por el Council of Economic Advisers de USA: el objetivo de la política estabilizadora no va a ser ya únicamente moderar las oscilaciones cíclicas de la economía, sino colaborar en el logro y mantenimiento del PNB potencial de pleno empleo, entendido éste como el PNB que en cada momento puede alcanzarse mediante el pleno empleo de los recursos existentes.

Para lograr estos objetivos se han desarrollado tres métodos distintos: el Superávit Presupuestario de Pleno empleo, el Margen Presupuestario Estructural y el Presupuesto Neutral. Los rasgos comunes a todos ellos son: 1) parten de la insuficiencia de los estabilizadores automáticos como instrumentos de acción anticíclica; 2) presentan una notable desconfianza hacia la actuación discrecional del Sector Público, especialmente a consecuencia de los retrasos; 3) el papel de la política fiscal debe verse complementado mediante una política monetaria activa, y 4) todos los métodos citados pretenden definir criterios de neutralidad de la política fiscal frente a la coyuntura. Veámoslos muy brevemente.

a)   El Superávit Presupuestario de Pleno Empleo. La utilización de este concepto, elaborado por el Council of Economic Advisers del Presidente Kennedy, aparece por primera vez en el Informe económico del Presidente de 1962. Se define como Superávit Presupuestario de Pleno Empleo a aquel superávil que arrojaría una estructura concreta de ingresos y gastos en una hipotética situación de pleno empleo de los recursos. Dada la relación existente entre recaudación impositiva y renta nacional, el crecimiento del PNB potencial de pleno empleo origina automáticamente un crecimiento del Superávit Presupuestario de Pleno Empleo. Como quiera que este fenómeno puede incidir negativamente sobre la posibilidad de aumentar el PNB real (ya que se trata de la rémora fiscal), deberá aumentarse el gasto público a fin de devolver a la economía esos aumentos automáticos de la recaudación impositiva que acompañan al crecimiento del PNB potencial.

b)   El Margen Estructural Presupuestario. Es el criterio empleado por el Ministerio de Hacienda de Holanda desde 1960. Su propósito inicial es el de establecer criterios limitadores del crecimiento del gasto público a medida que la economía crece. Para ello se selecciona un año en que la coyuntura haya estado próxima al pleno empleo que se toma como año base y se determina el déficit del Sector Público: éste se interpreta como el resultado de una estructura presupuestaria que ha colaborado a producir una situación óptima de la economía. El objetivo consiste en mantener dicho déficit, ya que tal comportamiento de la política fiscal no obstaculiza el mantenimiento del pleno empleo. El problema se presenta debido al crecimiento automático de los impuestos a medida que crece la economía: a este crecimiento automático se le denomina «Margen Estructural Presupuestario» y se considera como el aumento en el gasto público que puede admitirse a medida que crece el PNB a fin de no distorsionar el equilibrio económico de pleno empleo.

c) El Presupuesto Neutral. Se trata de una fórmula sugerida por el Consejo de Asesores Económicos de Alemania en 1967. Se basa en una especial desconfianza en el papel de la política fiscal como arma anticíclica, lo que se traduce en el deseo de limitar el comportamiento de la actividad presupuestaria y en la búsqueda de criterios que permitan la programación del gasto público sobre una base más estable que el PNB. Un cambio en la estructura presupuestaria de ingresos y gastos se considera neutral respecto a la coyuntura cuando no altere con sus efectos el grado de utilización de la capacidad productiva del sistema económico respecto de un año que se toma como base. En consecuencia, la autoridad presupuestaria deberá decidir en ese año base la estructura presupuestaria que estime adecuada, especialmente la presión fiscal y la absorción de recursos por el sector público. El mantenimiento de estos valores asegura un comportamiento neutral del presupuesto frente a la coyuntura.

BIBLIOGRAFIA SELECCIONADA

Samuelson, P.: *Curso de Economía Moderna,* op. cit., Cap. 14.
Lipsey, R.: *Introducción a la Economía Positiva,* op. cit., Caps. 50 y 51.
Bailey, M.: *Renta Nacional y Nivel de Precios,* op. cit., Cap. 10.
Rojo, L.: *Renta, Precios y Balanza de Pagos,* op. cit., Cap. 6.
Branson, W.: *Teoría y Política Macroeconómica,* op. cit.
Bober, S.: *Teoría de los Ciclos, Editorial* Amorrortu, Buenos Aires, 1974.

DINERO, INTERMEDIARIOS FINANCIEROS Y PRECIOS

EL DINERO: CONCEPTO Y EVOLUCION HISTORICA

Definición y funciones del dinero

Tradicionalmente los economistas han definido el dinero no en función de lo que es, sino en función de aquello para lo que sirve *(money is what money does)*. Se trata, pues, en primer lugar de intentar definir sus propiedades o funciones esenciales, para luego buscar en la economía aquellos activos que puedan ser considerados como dinero. Puede criticarse este tipo de definición apriorística sobre todo atendiendo a los condicionantes que las definiciones adoptadas tienen sobre el desarrollo posterior de la teoría monetaria, pero quizás sea la más conveniente a nivel de un curso elemental.

En este sentido, se considera generalmente que el dinero es: *a)* un medio de cambio; *b)* una medida del valor, y *c)* un depósito del valor.

a) Considerando como *medio de cambio,* dinero sería cualquier bien utilizado para facilitar las transacciones. El dinero sería un intermediario en los intercambios que permite superar la fase elemental en las operaciones de trueque (del cambio directo de un producto por otro producto). Para que un bien alcance esta consideración de instrumento o medio para realizar los intercambios es preciso que éste goce de general aceptación (ya sea por costumbre o por imposición legal). La confianza en esta aceptación, el hecho de que quien lo recibe a cambio de algún bien confía en que podrá utilizarlo para adquirir otros bienes, convierte a su vez el dinero en un *medio general de pago;* en algo que, por costumbre o por ley, se sabe que podrá ser usado como instrumento liberatorio de las obligaciones contraídas.

La utilización de dinero en una economía es un requisito básico para que los efectos sobre el desarrollo económico de la división del trabajo, tanto técnica como profesional, señalados por Adam Smith (1723-1790), se alcancen plenamente. En efecto, ¿quién tendría aliciente en, por ejemplo, especializarse como panadero si luego tuviera que acudir al mercado con su mercancía y buscar al que tiene carne, pero necesita pan, tiene calzado y lo desea cambiar por pan, etc.? El dinero como medio de cambio permite evitar estos inmensos costes de transacción. El panadero cambiará pan por dinero, sabiendo que éste, al ser de general aceptación, le permitirá adquirir posteriormente todos los bienes y servicios que precise.

Otro importante efecto consiste en la separación del acto de la compra y de la venta, que en el trueque son simultáneas. El dinero permite separar ambas operaciones tanto en el tiempo como en el espacio. Quien recibe dinero no está obligado a gastarlo inmediatamente; puede diferir sus compras. Ni tiene por qué hacerlo en el mismo mercado geográfico en el que lo recibió.

   b) Como *medida de valor* el dinero sirve para comparar los bienes intercambiados. Es una *unidad de cuenta* que permite referir el valor de todos los restantes bienes en términos de múltiplos o submúltiplos de dicha unidad homogénea.

Conviene precisar que el dinero como medio de cambio y pago, y el dinero como unidad de cuenta no tienen necesariamente que coincidir. En los tiempos homéricos el valor de los bienes se expresaba en términos de cabezas de ganado, pero no parece que un buey sea el instrumento más cómodo para facilitar un intercambio. Puede existir, por tanto, un *dinero contable,* utilizado como unidad de cuenta, y un *dinero corriente,* utilizado como medio general de pago. Normalmente en las economías modernas, el dinero corriente vendrá a su vez expresado en unidades de cuenta (pesetas, dólares). No obstante, pueden encontrarse ejemplos que tipifican la persistencia en utilizar unidades de cuenta que no sólo no coinciden con el dinero corriente, sino que ni siquiera existen realmente. Así, en España la peseta es, desde 1868, la unidad legal. Sin embargo, es frecuente expresar valores (contar) en duros (que como tal moneda ya no existe; es una moneda de 5 pesetas sin ninguna relación con los antiguos «pesos duros»). E incluso no hace mucho tiempo era habitual, sobre todo en las zonas agrarias, expresar valores en reales. De la mismo forma, en Inglaterra se utilizaba la guinea (21 chelines), desaparecida como moneda hace muchos años, o en Francia aún se utiliza como unidad de cuenta el franco antiguo.

   c) Si el dinero como medio de cambio puede servir para diferir los pagos es porque puede conservar su valor; sirve como reserva o *depósito de valor.* Y como tal es una de las muchas formas, de los muchos activos, que puede escoger un sujeto económico para conservar su riqueza. Evidentemente, cuanto mejor conserve su valor (su capacidad adquisitiva en relación con los restantes bienes) más idóneo será para tales fines. La consideración del dinero como un posible depósito de valor, que ampliaremos cuando hablemos del dinero como activo financiero, introduce un cambio en el análisis monetario: como medio de pago el dinero es un flujo, una corriente monetaria enfrentada a una corriente de mercancías; como reserva de valor, el dinero es un stock, un depósito susceptible de ser inventariado en un momento dado del tiempo.

El dinero como medio de cambio vimos que facilitaba la división del trabajo. El dinero como depósito de valor facilita el ahorro, la acumulación de capital. En ambos casos incide directamente sobre la productividad del trabajo; sobre el volumen de producción que puede obtenerse en una sociedad.

Clases de Dinero: Evolución Histórica

Del examen de las funciones fundamentales del dinero podemos concluir que para que un bien pueda cumplirlas simultáneamente debe de satisfacer algunas condiciones, como son: 1) estabilidad de su valor; 2) posibilidad de conservación, y 3) facilidad para ser transferido y dividido. En efecto, para poder ser utilizado como depósito de valor, como medio de diferir los pagos, es preciso que la mercancía utilizada como dinero pueda ser conservada sin sufrir mucho deterioro (así, en algunas islas polinésicas utilizan la nuez de coco a estos efectos, pero no los plátanos) ni cambios sensibles en su valor. Incluso como unidad de cuenta requiere esta condición, pues la mejor unidad de medida es la que no cambia ella misma. Una unidad de cuenta que variase bruscamente de valor sería como un metro de goma. Por último, un medio general de pago debe ser fácilmente transferible, sin incurrir en excesivos costes de transporte para las sumas grandes, y debe poder ser también utilizado para pagos pequeños (luego tiene que ser susceptible de ser dividido incluso en pequeñas fracciones).

A lo largo de la historia han sido innumerables los bienes utilizados como dinero, desde el ámbar báltico encontrado en las ruinas paleolíticas de Austria y Francia, hasta las conchas, las plumas, el ganado, la sal (muy apreciada en ciertas zonas de Africa), el tabaco en las primitivas colonias de Nueva Inglaterra, o incluso los cigarrillos en tiempos recientes (Alemania en 1945). Pero todas estas mercancías son utilizadas como dinero al ser generalmente apreciadas por algún grupo social (es lógico que en una economía ganadera sea el ganado el bien más apreciado), por su alto valor de uso, o por su escasez. Sin embargo, no puede decirse que cumplan las condiciones lógicas que antes se han expuesto. Los metales, en cambio, sí que las reúnen, y dentro de los metales, el oro y la plata (por sus características de alto valor en relación con su peso y su volumen, de inalterabilidad y de satisfactoria estabilidad en su valor) se configuran como los más idóneos. No es extraño, por tanto, que a lo largo del proceso histórico se los seleccionase como las mercancías monetarias por excelencia.

En una primera etapa los metales debieron circular en barras más o menos uniformes, siendo su peso el que determinaba su valor (de hecho, el talento era originariamente una unidad de peso, como la libra). Motivos de comodidad en el tráfico y de seguridad acerca del contenido del lingote debieron inducir a efectuar algunas marcas en ellos, lo que evolucionó hacia la acuñación de las primitivas barras en monedas; es decir, en piezas de oro y plata con forma, tamaño y peso tipificados que garantizaban al receptor el valor de lo que estaba recibiendo, sin acudir a los molestos expedientes de pesar y contrastar los metales (precauciones que nunca llegaron a desaparecer por completo; una buena prueba de ello es la representación característica del cambista medieval con una balanza en la mano).

Dejando a un lado la controvertida y erudita polémica sobre dónde acaecieron las primeras acuñaciones (prioridad que, por lo que respecta al oro, parece recaer en Creso, rey de Lidia, en el siglo VI a. C.) debemos destacar que el poder político procuró reservarse el derecho de acuñar moneda, tanto por razones políticas (como expresión de la soberanía: la moneda figura entre las cuatro cosas que el Fuero Viejo de Castilla reservaba al Rey), como por razones económicas: para seguridad del tráfico comercial y porque constituía un saneado método de financiación para las arcas reales.

Al fijar la acuñación, el poder político debía determinar la unidad de cuenta como equivalente a un cierto peso de oro, de ley definida. Así, Constantino, en el siglo IV, fija el *aureus solidus nummus* o «sueldo de oro», que contiene 4,48 gramos de oro fino. De este modo, Constantino había adoptado un *patrón monometálico de oro*. La unidad de cuenta queda definida en esos términos, y puede haber otras monedas que se expresen como múltiplos o submúltiplos de la unidad de cuenta. La moneda de oro, acuñada según las disposiciones legales, pasa a tener un doble valor: un valor como dinero, y un valor como mercancía que viene determinado por su contenido metálico. Si el valor de la moneda como mercancía coincide con su valor como dinero (con la denominación facial que tiene estampada) se dice que es una *moneda de pleno contenido*. Ambos valores deben de coincidir si existe libertad de acuñación, es decir, si los particulares pueden conservar a voluntad su oro en pasta, en lingotes, o en monedas acuñadas. Puesto que los individuos pueden acudir si lo desean a la casa de acuñación (en Castilla, la Ceca) y entregar oro en lingotes para recibir a cambio oro amonedado (deducidos los gastos de acuñación), si el valor del oro como metal superase su valor como dinero, los particulares fundirían las monedas, con lo cual aumentaría la oferta de oro metálico y su valor disminuiría. El proceso continuaría hasta que ambos valores coincidiesen. El caso inverso seguiría un proceso análogo.

Si tomamos en consideración el comercio internacional, con libertad de exportar e importar oro, los flujos de entrada y salida que se producirían buscando la relación más favorable entre el oro-metal y el oro-dinero, contribuirían también a establecer el equilibrio entre ambos valores.

Los problemas en la circulación monetaria pueden aparecer cuando los soberanos perciben que un recurso inmediato de financiación es reducir el contenido metálico de las monedas, conservando al mismo tiempo su denominación o valor facial. En tal caso, como habría en circulación moneda «buena», de peso y ley antigua, y moneda «mala» con menor contenido metálico, los particulares retendrían toda la moneda «buena» que llegase a sus manos, y utilizarían para sus pagos solamente la moneda «mala». La moneda «mala», pues, expulsaría a la «buena» de la circulación. Esta es la esencia de la llamada *ley de Gresham* (en honor de Sir Thomas Gresham, consejero de la Reina Isabel I de Inglaterra). La ley de Gresham actúa también en el caso de que por coexistir en la circulación moneda de cuño reciente y moneda más antigua, esta última, debido al desgaste normal por fricción o a limaduras y recortes, contenga menos oro que la nueva. La moneda nueva será retenida y desaparecerá de la circulación.

Otra posibilidad de actuación de la ley de Gresham se da en los sistemas de *patrón bimetálico,* en los cuales la unidad de cuenta no viene referida a un solo metal, sino al oro y a la plata simultáneamente, con lo cual existe una doble definición metálica de la unidad patrón. En tal caso, la relación legal establecida entre los dos metales (que, por ejemplo, en España, país tradicionalmente bimetálico, se fijaba en el decreto de creación de la peseta —1868— en 1/15,5, debe de coincidir con su relación como mercancías. Si esto no ocurre (si la relación de los valores del oro y la plata como mercancías no coincide con la relación legal) o si, supuesta la libertad de comercio, en el extranjero la relación es diferente, la moneda sobrevaluada expulsaría a la otra. Esto es algo que ocurrió en España, donde la moneda «mala» (plata) acabó expulsando a la «buena» (oro).

El oro, como metal monetario, presenta, sin embargo, un inconveniente. Si bien es adecuado para pagos de sumas elevadas, resulta poco apto para los pequeños pagos, pues, dado su alto valor, la pieza de moneda correspondiente sería de un tamaño ínfimo. Por eso se utilizaba la plata y aún, para gran número de pagos, resultaba engorrosa. De ahí que se acuñasen monedas de pequeño valor facial, aptas para los pagos menudos, en metales no preciosos como el cobre, el bronce, etc.

Estas *monedas fraccionarias* presentan la característica de que su valor como dinero (su valor facial o estampado) es muy superior a su valor como mercancía.

Por lo tanto, la libertad de acuñación no puede extenderse a ellas. Su emisión constituye un monopolio del poder político, ya que son dinero no por lo que contienen, sino por lo que representan. Son, pues, un *dinero-signo* o fiduciario, similar en este sentido a nuestros actuales billetes de curso legal, aunque sin poder liberatorio ilimitado.

El oro, que como hemos visto no es apto para los pequeños pagos, presenta también el inconveniente de que, para el pago de grandes sumas, es necesario incurrir en la inseguridad y en los costes de su transporte. Por lo tanto, y haciendo desaparecer de un plumazo una evolución histórica que duró siglos, los poseedores de oro se acostumbraron a depositarlos en establecimientos con garantías de seguridad (orfebres, cambistas o los primitivos banqueros) para su custodia. A cambio recibían un recibo acreditativo de la suma depositada. Dicho recibo o certificado de depósito podía utilizarse, si el acreedor lo aceptaba, como medio de pago para saldar una deuda. Bastaba con endosarlo y hacer una nueva inscripción en los registros del banquero.

Conforme estos recibos se fueron generalizando como medio de pago, los banqueros, para eliminar la engorrosa práctica del endoso, tendieron a emitir los certificados «al portador» en lugar de «nominativos». Esto significa que el banquero se comprometía a entregar la suma depositada al último tenedor que deseara retirarla. De esta forma había nacido el *billete de banco,* que se aceptaba por la solvencia que inspirase el banquero; es decir, por la creencia en que éste pudiese hacer frente a las peticiones de conversión de los billetes.

Pero en tanto en cuanto la cantidad de billetes en circulación fuese idéntica a la cantidad de oro depositado en los cofres de los bancos, el proceso sólo consistía en un cambio de instrumento: en lugar de circular oro amonedado, circulaba papel que sustituía al oro. Ahora bien, la práctica bancaria evidenció pronto que en situaciones normales la gente conservaba los billetes y realizaba con ellos sus transacciones. Por lo tanto, los banqueros no tenían por qué conservar todo el oro depositado, sino que sólo con una fracción del mismo —*el encaje bancario*— podían atender las demandas corrientes de conversión, teniendo en cuenta, además, que las retiradas de fondos eran compensadas con nuevas entregas. Así podían utilizar una parte de los fondos improductivos depositados en realizar operaciones de préstamos o adquisición de activos reales (fincas, casas, etc.). Estas operaciones se realizaban mediante la entrega de billetes bancarios que ya no correspondían al depósito previo de oro. La suma total de billetes en circulación podía exceder del valor del oro depositado. Ya no se trataba de una simple sustitución de moneda-oro por papel-oro, sino que se había creado realmente más dinero. Había aparecido así el *dinero-bancario.*

Vamos a pasar por alto las interesantísimas controversias monetarias que se desarrollan acerca de este proceso de creación de dinero desde comienzos del siglo xix para resumir las características de su evolución posterior.

Este *dinero bancario* era dinero en la medida en que el público creía que lo era. El *dinero legal* seguía siendo el oro (y/o la plata). La existencia del dinero bancario descansaba, pues, en la general confianza del público. Si esta confianza se alteraba por factores externos (guerras, catástrofes), por creencias fundadas en la falta de solvencia bancaria, o por simples rumores alarmistas, y los poseedores de billetes acudían masivamente a los bancos en demanda de su conversión, los bancos no tendrían oro suficiente para hacerles frente y el sistema entraría en crisis.

La historia bancaria del siglo xix es una sucesión de crisis y sobresaltos financieros como el descrito (llegando a formarse con frecuencia las célebres «colas» en las puertas de los bancos); crisis que se saldaban con quiebras bancarias, ruinas personales y, en muchos casos, mediante el recurso extremo del curso forzoso. En efecto, los gobiernos, como medida para cortar la crisis mientras los bancos incrementaban su liquidez, podían por decreto suspender la convertibilidad de los billetes y declararlos legalmente de aceptación obligatoria.

Estas perturbaciones tan perjudiciales para la economía de un país aconsejaron pronto a los gobiernos la intervención mediante disposiciones legales que regulaban el capital mínimo para crear un banco, los procedimientos de emisión de billetes, la cantidad de oro a conservar en las arcas bancarias según el volumen de billetes emitidos (*el encaje bancario,* que en una primera etapa dependía de la prudencia de los banqueros), etc. Un segundo paso para poder controlar mejor la creación de dinero fue la supresión de la libertad de emisión bancaria y la adjudicación de dicho privilegio (o monopolio de emisión) a un solo banco, considerado como Banco Central, que en España es el Banco de España cuyo monopolio de emisión se le concedió en 1876 siendo entonces un banco privado (lo fue hasta su nacionalización en 1962). A cambio de este monopolio, el Banco Central se comprometía a prestar ciertos servicios al Estado (financiación, servicio de tesorería, control bancario, etc.).

La culminación del proceso descrito no presupone nada acerca del patrón monetario que siga vigente en el país. Puede darse una situación en la que exista un solo Banco de emisión y circulen billetes, pero que éstos pueden ser totalmente convertibles a su presentación en el Banco (la fórmula «El Banco de España pagará al portador la cantidad de ... pesetas» es una reminiscencia de esos tiempos). En tal caso sigue en vigor un *patrón oro,* pero en lugar del *patrón oro puro* examinado («gold specie standard»), se trataría de un *patrón oro lingotes* («gold bullion standard»). Puede asimismo ocurrir que los billetes no sean convertibles en modo alguno, con lo que nos encontraríamos ante un régimen fiduciario de curso forzoso. O pueden ser convertibles con ciertas limitaciones, no en oro, pero sí en otra moneda extranjera convertible en oro. Se trataría entonces de un *patrón cambios oro* («gold exchange standard») como el que se estableció en Bretton Woods en 1944, vigente casi hasta nuestros días. Volveremos a tratar de estos patrones monetarios en la parte dedicada al comercio internacional.

El Dinero Como Activo Financiero

Hasta ahora venimos hablando fundamentalmente del dinero como medio de pago. Hemos hablado de la circulación monetaria, o sea, de un flujo de medios de pago que es la contrapartida monetaria de un flujo real de bienes y servicios que se produce en una economía por unidad de tiempo. Pero en tanto en cuanto que el dinero sirve también como *depósito de valor,* el dinero puede asimismo ser considerado como un stock, como una cantidad de riqueza existente en un momento determinado.

Como reserva o depósito de valor, el dinero es, pues, un activo (una forma de conservar riqueza), y en este sentido es una más de las muchas posibilidades, de los muchos activos, entre los que puede optar un individuo. A grandes rasgos podemos trazar una línea divisoria básica dentro de este complejo conjunto de activos: *activos reales* y *activos financieros.* El dinero (a excepción de las monedas de pleno contenido) no es un bien físico. No es un activo real como una máquina, una casa, un electrodoméstico o un diamante. Es un activo financiero.

La tenencia de activos reales no implica para terceras personas ningún tipo de contrapartidas contables. Si yo poseo un piso, éste figura como un activo en mi patrimonio, pero no es un pasivo para otro sujeto. Sin embargo, los activos financieros suponen un activo para quienes los detentan y un pasivo para quienes los generan. Si se posee un billete de mil pesetas, se tiene un activo de ese valor, pero ese billete es un pasivo del banco que lo ha emitido. Si se es titular de una cuenta corriente bancaria, se posee un activo por valor de su saldo, pero ese saldo es un pasivo exigible para el banco depositario.

Los activos financieros pueden a su vez subdividirse en *activos financieros primarios y activos financieros indirectos*. Cuando un consumidor adquiere un automóvil puede comprarlo a plazos, mediante la aceptación de unas letras de cambio. En ese momento, el individuo está generando un activo financiero primario (la letra de cambio) con el objetivo de conseguir recursos para incrementar sus activos reales (el automóvil que compra). Esa letra es un pasivo para él y un activo para quien la tome, ya sea un particular que actúa como prestamista o una institución especializada o *un intermediario financiero* (banco, caja de ahorro, sociedad de financiación, etc.). De la misma forma que el consumidor proceden las empresas cuando emiten acciones u obligaciones o el Estado al emitir cédulas de Deuda Pública. Todos están generando activos financieros primarios, que figuran como pasivos de quien los emite.

Los intermediarios financieros realizan una misión de mediación entre quienes poseen recursos para prestar (los ahorradores o prestamistas) y quienes los demandan (los prestatarios), disminuyendo considerablemente los costes de transacción entre estos dos grupos de agentes económicos y aprovechándose de todas las ventajas que surgen en torno a la división del trabajo y la especialización. Los intermediarios financieros generan *activos financieros indirectos* (certificados de depósitos, depósitos bancarios, pólizas de seguros, etc.) que por razones de homogeneidad, comodidad y seguridad resultan muy atractivos para los ahorradores, colocándolos entre éstos y captando así los recursos indispensables para efectuar su misión mediadora. Conviene distinguir entre los intermediarios financieros, aquellos que pueden crear dinero (que son los *intermediarios financieros bancarios*) y los *intermediarios financieros no bancarios* (compañías de seguros, mutualidades, sociedades financieras, etc.), cuyos activos indirectos no constituyen dinero.

Por lo que llevamos expuesto se comprenderá que puesto que todos los activos financieros son activos para un sujeto y pasivos para otro, en una consideración global (agregando todos los sectores) se cancelarían entre sí, quedando únicamente el stock existente de activos reales, o riqueza en términos reales existente en una sociedad (si suponemos que ésta es de tipo cerrado; es decir, sin contactos con el exterior).

Podemos pasar ahora a considerar el concepto de *liquidez* de un activo. Existe acuerdo generalizado, aunque con algunas reticencias, en considerar que la liquidez de un activo depende de su capacidad para ser realizado, es decir, convertido en dinero, en un momento dado y a un precio relativamente cierto. El grado de liquidez de un activo dependerá, pues, de la facilidad con la que pueda ser realizado en breve tiempo sin sufrir pérdidas, y también (aunque parezca redundante) de la confianza o certidumbre que se tenga en que dicha realización es factible.

Si, tomando en cuenta su grado de liquidez, procedemos a efectuar una ordenación de los activos existentes, nos encontraríamos con que, obviamente, el dinero aparece encabezando la clasificación, pues los restantes activos se definen por su proximidad a él. Así, un valor bursátil (ya sea acción u obligación) será más líquido, más realizable, que una finca rústica, y un depósito de ahorro en un banco más líquido que el valor bursátil. El dinero aparecería como el activo financiero plenamente líquido, aunque seguido de cerca por una gama de activos financieros con un grado tan elevado de liquidez que algunos autores los denominan como *cuasi-dinero* y cuya frontera con el dinero es tan ambigua que plantean problemas definitorios a la hora de abordar la oferta monetaria.

LA OFERTA MONETARIA

Distintas Acepciones

Como vimos al analizar las diversas clases de dinero, puede decirse que en una economía avanzada como las actuales, el dinero existente está formado por la moneda de pleno contenido (si la hay), la moneda fraccionaria, y los billetes de banco. Su conjunto constituye el *dinero legal* de un país, el dinero que éste posee, conferido por el Estado, y con poder liberatorio pleno o limitado (la moneda fraccionaria cuya aceptación sólo es obligatoria para los particulares hasta una cantidad limitada).

Junto a este dinero legal existe el llamado *dinero bancario*, el dinero que pueden crear los bancos en el transcurso de sus operaciones con el público, en las cuales se crean depósitos a la vista, es decir, depósitos movilizables sin previo aviso, mediante unas órdenes de pago dirigidas al banco que se llaman *cheques*.

El dinero bancario está formado, pues, por los depósitos a la vista que mantiene el público en los bancos. Estos depósitos pueden crearse de dos formas. En primer lugar tenemos los *depósitos primarios*, que surgen cuando un cliente efectúa una entrega de dinero legal o de cheques bancarios. El proceso es similar al que narramos al tratar de la aparición del billete de banco. La práctica bancaria enseña que una proporción importante de sus depósitos no va a ser requerida para retirarla por sus clientes, y que además diariamente se produce un flujo de nuevas entregas que compensan las retiradas. Por lo tanto, manteniendo en caja sólo una parte de sus depósitos globales, los bancos pueden hacer frente a sus necesidades normales de pago (la proporción de este dinero legal que deben mantener en caja en relación con el volumen de sus depósitos se llama *coeficiente de encaje o de caja,* y está determinada por la autoridad monetaria).

El banquero puede aprovechar el exceso restante de sus depósitos para realizar operaciones rentables con otros clientes. De esta forma puede conceder préstamos o comprar activos (reales o financieros) al público. A la hora de pagar estas compras o de entregar la cantidad prestada lo hará creando un depósito a favor del titular, en este caso se trata, pues, de un depósito que no ha nacido como consecuencia de una entrega previa; éstos son los *depósitos derivados.* Más adelante analizaremos el proceso de expansión de los depósitos bancarios.

Los depósitos bancarios a la vista son movilizables mediante cheques, pero conviene destacar que el cheque en sí mismo no es dinero, sino que es sólo un instrumento para movilizarlo. En efecto, el público no acepta los cheques como medio general de pago, pero sí acepta como pago los depósitos resultantes una vez que el cheque ha sido entregado en un banco. Por lo tanto, lo que constituye dinero son los depósitos (aceptados y usados como medio de pago) y no los cheques.

Hay que tener en cuenta que el dinero bancario, al igual que ocurría con los primitivos billetes de banco, es dinero en la medida en que el público cree que es dinero. El sistema bancario descansa en la confianza del público. Si éste la perdiese y acudiese a retirar masivamente sus depósitos, no habría suficiente dinero legal en toda la economía para atender las peticiones de retirada, máxime cuando en las modernas economías el dinero bancario desempeña un papel de creciente importancia. Recordemos, pues, que así como el fundamento del dinero legal es la ley que lo determina y lo impone, el dinero bancario sólo se acepta por la confianza del público en la solvencia y la liquidez bancarias. Por otra parte, el Estado puede a voluntad, con unas determinadas limitaciones, crear dinero legal, mientras que los bancos sólo pueden crear dinero bancario en la medida en que se les demande los activos financieros que son dinero (depósitos a la vista primarios o derivados) por otros agentes o sectores de la economía.

De lo expuesto parece que podemos concluir que la *oferta monetaria* o cantidad de dinero existente en un momento determinado en manos del público es igual a la suma del dinero legal más los depósitos bancarios a la vista (deduciendo el dinero legal que mantienen como encaje los bancos).

Sin embargo, la solución no es tan simple puesto que ha venido determinada por una cierta preconcepción: la idea de que el dinero bancario sólo está formado por los depósitos a la vista. Pero existen autores que consideran también a los depósitos de ahorro (las «libretas» de ahorro) como dinero bancario, pues, aunque no son movilizables mediante cheque, en la práctica pueden retirarse «a la vista», sin previo aviso ni demoras. Otros autores consideran que, dados los pocos obstáculos que en la realidad se ofrecen para que el público cancele sus depósitos a plazo, éstos también deben considerarse como integrantes del dinero existente en manos del público. Hay incluso quien incluye en la oferta monetaria el valor residual de las pólizas de seguro de vida (es decir, lo que puede retirarse hoy si se cancela la póliza), los descubiertos bancarios, la porción de crédito comercial no dispuesto, los cheques de viaje, etc. Evidentemente, el concepto de oferta monetaria varía según se consideren sólo algunos o todos los activos de la gama de éstos como integrantes del dinero bancario.

A efectos de resumir podemos adoptar el criterio seguido por el Banco de España en la presentación de sus *Informes*. Según éstos, tendríamos como M_1 la oferta monetaria tradicional en los términos ya definidos o en sus equivalentes: el dinero legal (o efectivo) en manos del público más los depósitos a la vista; otra aproximación distinta sería la M_2, que es igual a la M_1 más los depósitos de ahorro; y, por último, tendríamos el concepto más amplio de «disponibilidades líquidas» o M_3, igual a la M_2 más los depósitos a plazo.

Sistema Monetario y Oferta Monetaria

Aunque a veces se utiliza la expresión «sistema monetario» para aludir al tipo de patrón monetario adoptado y a la estructura que, a nivel interno e internacional, lo soporta, vamos ahora a utilizarla en un sentido más restringido para referirnos al «conjunto de instituciones de un país que tienen capacidad para crear dinero». En este sentido, el sistema monetario puede estar integrado por tres elementos: el *Gobierno* que, mediante el Tesoro, puede emitir moneda metálica; el *Banco Central* que emite los billetes dotados de poder liberatorio y crea depósitos convertibles inmediatamente en dinero legal; y los *bancos comerciales*, que crean el dinero bancario (depósitos a la vista).

En la práctica podemos hacer abstracción del Gobierno, puesto que la moneda metálica de pleno contenido que puede existir es irrelevante por su escasez, y la moneda fraccionaria es puesta en circulación por lo general a través del Banco Central. En España la Fábrica Nacional de Moneda y Timbre emite la cantidad requerida, según las disposiciones legales. El Gobierno la entrega al Banco de España quien emite billetes o realiza un asiento en la cuenta del Gobierno por el importe de su valor.

En consecuencia, podemos reducir el sistema (o sector) monetario de la economía al Banco Central y a los bancos comerciales, si consideramos que la moneda fraccionaria se emite directamente por el Banco Central. Los restantes sectores de la economía son sectores no monetarios y podemos agruparlos en el *sector público* (Gobierno), el *sector privado* (empresas y economías domésticas), y el *sector exterior* (el resto del mundo). El dinero se crea cuando el sector monetario de la economía aumenta los activos que posee sobre los sectores no monetarios de la economía. Ya hemos visto el proceso de creación del dinero bancario, que constituye el pasivo monetario de los bancos comerciales. El dinero legal se crea cuando el Banco Central concede créditos al sector público y a los bancos comerciales. Estos créditos forman parte de los activos del Banco Central, mientras que el dinero legal puesto en circulación es un pasivo monetario del Banco. Si, como consecuencia de un **superávit** en el comercio internacional, entran en el país oro o divisas extranjeras, éstas (vía los exportadores y los bancos comerciales) llegan al Banco Central, e incrementan los activos de éste (y consecuentemente su pasivo monetario) por un importe igual a los billetes puestos en circulación a cambio del oro y las divisas. En definitiva, todo aumento de los activos poseídos por el sector monetario sobre los sectores no monetarios de la economía supone un incremento de sus pasivos monetarios y, por consiguiente, una creación de dinero.

Normalmente, a lo largo de su evolución histórica, los Bancos Centrales han dejado de mantener relaciones directas con el público, actuando como «Banco del Gobierno» (relaciones con el sector público), como «Banco de bancos» (con los bancos comerciales) y como custodio del oro y las divisas (con el sector exterior). Los bancos comerciales mantienen su encaje de dos formas: una parte la integra el dinero legal que mantienen en sus arcas, y otra la constituyen los depósitos que mantienen en el Banco Central y que son convertibles inmediatamente en dinero legal.

Los pasivos monetarios del sistema podemos agruparlos de la siguiente forma (manteniendo la acepción restringida de dinero bancario como equivalente sólo a los depósitos a la vista):

TABLA 39.1

1. *Pasivos monetarios de los bancos comerciales.*
   A) Depósitos a la vista (dinero bancario).
2. *Pasivos monetarios del Banco Central.*
   B) Dinero legal.
      b_1 En manos del público.
      b_2. En la cajas bancarias.
   C) Depósitos de los bancos comerciales en el Banco Central.

Ya hemos definido la oferta monetaria (que en su primera acepción sería $M_1 = b_1 + A$, o lo que es igual $M_1 = B + A - b_2$ (siendo $b_2 + C$ el encaje bancario). A efectos de simplificar, podemos considerar que el Banco Central, actuando coordinadamente con el sector público, puede controlar el volumen de sus pasivos monetarios mediante una política de adquisición de activos, concesión de créditos al sector público y a los bancos comerciales, adquisición de oro y divisas, etc. Si consideramos que la proporción de dinero legal que el público desea poseer en efectivo es relativamente estable y que el coeficiente de encaje viene fijado (la relación entre $(b_2 + C)$ y A), el Gobierno puede imponer los cambios que desee a la oferta monetaria a través de modificar el volumen de los pasivos monetarios del Banco Central.

Estos pasivos monetarios del Banco Central también se denominan *base monetaria, dinero primario* o *dinero de alta potencia* («high powered money»). Toda ampliación de los activos poseídos por el Banco Central supone, como hemos visto, una expansión de la base monetaria. Toda reducción de sus activos supone, a la inversa, una contracción de la base monetaria. El mecanismo se entenderá mejor con un ejemplo: supongamos que el Banco Central, actuando libremente en la Bolsa de Valores (realizando lo que se llama una «operación de mercado abierto»), compra valores públicos (cédulas de la Deuda Pública, bonos del Tesoro) al sector privado de la economía (empresas y economías domésticas). Dicha compra supone un incremento de sus activos, pero al realizarla ha puesto en circulación dinero legal; en consecuencia, ha aumentado la base monetaria del sistema. El dinero se crea siempre como resultado de un proceso de monetización de los activos del sector monetario de la economía. El razonamiento inverso también es válido: si para obtener recursos financieros, el Banco Central, en vez de comprar, vendiese títulos (en lugar de emitir billetes e incrementar así su pasivo, que como sabemos es la base monetaria), estaría recogiendo billetes (drenando liquidez) y, por lo tanto, la venta de títulos, que supone una reducción de los activos que poseía, implica también una reducción de la base monetaria. En lugar de *crear* dinero, estaría *destruyendo* dinero.

Conviene detenerse para comprender bien este simple mecanismo: el dinero se crea, pero también se destruye. Un razonamiento similar puede aplicarse a la creación (o destrucción) del dinero bancario. Si un particular se dirige a un banco en demanda de un préstamo hipotecario y le es concedido, el banco ha incrementado sus activos sobre el público con esa operación. Como contrapartida, el banco ha generado un depósito derivado que es el asiento efectuado en la renta del cliente por el importe del préstamo: se ha creado dinero. Cuando el préstamo se concede, el banco verá disminuido su activo y, consiguientemente, su pasivo monetario. Se habrá destruido dinero.

La forma en la que las variaciones en la base monetaria, decididas por el Gobierno y/o el Banco Central, actúan sobre la cantidad de dinero existente u oferta monetaria puede evidenciarse mediante unas sencillas expresiones algebraicas. Llamemos H a la base monetaria y M a la oferta monetaria. Sean b_1, b_2, A y C los conceptos definidos en la Tabla 39.1. Llamemos α a la relación entre el dinero legal que posee el público (b_1) y los depósitos a la vista en los bancos comerciales. Llamemos w a la relación entre el el encaje bancario $(b_2 + C)$ y los depósitos a la vista (w sería entonces el coeficiente de encaje, y significa que si su valor fuese, por ejemplo, de un 5 por 100, de cada 100 pesetas que se depositasen en un banco, 5 deberían quedar retenidas como encaje).

Las relaciones serían las siguientes:

(1) $H = b_1 + (b_2 + C)$

(2) $\quad M = b_1 + A$

(3) $\quad \alpha = \dfrac{b_1}{A} \to \alpha A = b_1$

(4) $\quad w = \dfrac{b_2 + C}{A} = \dfrac{E}{A} \to wA = b_2 + C = E$

Sustituyendo en (1) α y w por sus valores en (3) y (4):

(5) $\quad H = \alpha A + wA = (\alpha + w) A$

De donde

(6) $\quad A = \dfrac{H}{(\alpha + w)}$

Pasando a la ecuación (2):

(7) $\quad M = \alpha A + A = (1 + \alpha) A$

Y sustituyendo (6) en (7):

(8) $\quad M = \dfrac{(1 + \alpha)}{(\alpha + w)} H$

Expresión que nos indica cómo actúan las variaciones de la base monetaria *(H)* sobre la oferta monetaria *(M)*, estando dados unos valores determinados de α y w.

EL MULTIPLICADOR DE LOS DEPOSITOS BANCARIOS

Como ya se expresó anteriormente, los depósitos a la vista existentes en los bancos comerciales son de dos tipos: los *depósitos primarios* (que surgen cuando el público entrega dinero legal o cheques bancarios en las ventanillas de los bancos), y los *depósitos secundarios* (que se generan como consecuencia del aumento en los activos sobre el público que poseen los bancos comerciales).

Parece evidente que cualquier incremento en los depósitos a la vista que ocurra como consecuencia de una nueva entrega de dinero en efectivo por parte del público a los bancos, no influye directamente sobre la oferta monetaria, puesto que el aumento de los depósitos se ve contrarrestado por la disminución que sufre el volumen de dinero legal en circulación. Sin embargo, la influencia indirecta puede ser muy importante, ya que el aumento de los depósitos primarios permite que los bancos aumenten su volumen de préstamos e inversiones (en definitiva, su tenencia de activos sobre el público), con la consecuencia de incrementar los depósitos derivados, creando así dinero bancario y, por lo tanto, incrementándose la oferta monetaria.

Vamos a analizar este proceso de expansión de los depósitos bancarios. Como se recordará, el encaje bancario es la porción de sus depósitos que los bancos deben conservar como dinero legal en sus cajas o como depósitos convertibles inmediatamente en el Banco Central. El encaje es, pues, la primera línea de liquidez de que disponen los bancos para atender las posibles demandas de dinero legal por parte de sus depositantes. La proporción que el volumen de encaje debe guardar con el volumen de depósitos constituye el llamado coeficiente de encaje, de caja o de reserva. En nuestros días este coeficiente está regulado por la autoridad monetaria, y, como veremos a continuación, de su cuantía depende básicamente la mayor o menor capacidad de los bancos para poder crear dinero.

En efecto, supongamos que nos encaminamos hacia nuestro banco habitual con 1.000 pesetas en el bolsillo y las entregamos para que se abonen en nuestra cuenta (o abrimos una cuenta nueva en cualquier banco). Nosotros disponemos ahora de un activo financiero (la cuenta corriente) por importe de 1.000 pesetas, y el banco tiene un pasivo que le podemos exigir cuando deseemos por valor de 1.000 pesetas. ¿Qué hará el banco con esas 1.000 pesetas? Eso va a depender de las disposiciones legales que regulen el coeficiente de encaje o reserva. Si éste se ha fijado en el 20 por 100, eso significa que de las 1.000 pesetas que hemos entregado, el banco debe de conservar 200 pesetas como encaje. Con el 80 por 100 restante el banco intentará realizar alguna operación rentable, ya que debe de pagarnos unos intereses y hacer frente a unos gastos de funcionamiento. Supongamos que se dirige ahora al banco un comerciante que desea un préstamo para poder ampliar su negocio. Se formaliza el contrato por el cual el empresario reconoce su deuda con el banco. El banco posee ahora un activo contra el comerciante por importe del citado préstamo, el cual constituye un pasivo para el empresario. La operación se cierra abonando en la cuenta del comerciante las 800 pesetas.

El comerciante podía haberse llevado las 800 pesetas en efectivo; sin embargo, lo más normal es que las deje en su cuenta y contra ella extienda cheques para pagar a sus proveedores. Cuando éstos reciben cheques por importe de las 800 pesetas, los entregan en sus bancos (que podían coincidir o no con el primero), los cuales los presentan al cobro al banco inicial para hacerlos efectivos. ¿Cuál es ahora la situación del banco inicial después de atender esos pagos? Frente a nosotros sigue teniendo una deuda (un pasivo) de 1.000 pesetas. En cambio, y como contrapartida, figura en su activo un préstamo al comerciante por 800 pesetas, y un encaje o suma de dinero legal de 200 pesetas.

Esta sería la primera etapa. Consideremos ahora la segunda. Los bancos que han recibido los cheques entregados por el comerciante a sus proveedores han visto incrementados sus depósitos primarios en 800 pesetas (nótese que nuestra primera entrega crea un depósito primario; como consecuencia de él, el banco inicial genera un depósito derivado y de éste se originan nuevos depósitos primarios). De estas 800 pesetas (puesto que el coeficiente de encaje sigue siendo el 20 por 100) los bancos deberán retener 160 pesetas. Restarán, por lo tanto, 640 pesetas disponibles para realizar operaciones activas. Los bancos adquirirán activos (concederán más préstamos, comprarán acciones de empresas, etc.) por ese importe, con lo que volverán a generar nuevos depósitos derivados y de esta forma continuará un proceso similar al descrito anteriormente. Este proceso de expansión múltiple de los depósitos bancarios (como se muestra en el ejemplo numérico de la Tabla 39.2, adaptado de M. H. Spencer) se detendrá cuando las 1.000 pesetas en dinero legal iniciales se hayan distribuido en forma de encaje entre los distintos bancos.

La expansión total de los depósitos originada por el sistema bancario en su conjunto es un múltiplo del depósito inicial, que en este caso es de 5 veces. Este coeficiente multiplicador depende obviamente de la cantidad de dinero legal que en cada etapa los bancos retienen como encaje, y esta cantidad depende a su vez del coeficiente legal de encaje.

Por lo tanto:

$$Multiplicador\ de\ los\ depósitos\ bancarios = \frac{1}{coeficiente\ legal\ de\ encaje}$$

En nuestro ejemplo, éste sería de $\dfrac{1}{20/100} = 5$.

TABLA 39.2

EL PROCESO DE EXPANSION MULTIPLE DE LOS DEPOSITOS BANCARIOS

Etapas	Depósitos nuevos	Encaje	Incremento de los activos bancarios (prést. e inversiones)
1	1.000	200	800
2	800	160	640
3	640	128	512
4	512	102	410
5	410	82	328
6	328	66	262
7	262	52	210
8	210	42	168
9	168	34	134
10	134	27	107
Etapas restantes	536	107	429
	5.000 ptas.	1.000 ptas.	4.000 ptas.

En el mundo real el proceso no sería en absoluto tan mecánico, pues influiría mucho el que en cada etapa hubiese retiradas de dinero efectivo (por ejemplo, que el comerciante inicial se llevase 50 pesetas en efectivo y dejase en su cuenta sólo 750 pesetas). También puede ocurrir que los bancos retengan más encaje del legalmente exigido, ya que el coeficiente lo que impone es un tope mínimo, no máximo. Y sobre todo, el proceso depende (haciendo abstracción de causas más complejas) de que los bancos deseen conceder préstamos, y más aún de que el público quiera pedir prestado, ya que los bancos sólo pueden conceder préstamos si alguien los solicita (en este sentido, los bancos juegan un papel pasivo: pueden prestar menos, pero no más de lo que se les pide).

LA DEMANDA DE DINERO

Hasta ahora hemos analizado cómo la actuación del sistema bancario determina el nivel de la oferta monetaria. El Banco Central, dentro de un programa de política monetaria que puede perseguir diversos objetivos (estabilidad del nivel de precios, pleno empleo, etc.), controla, a través de la base monetaria, la cantidad de dinero ofrecida u oferta monetaria.

Esta cantidad ofrecida depende tanto de la oferta (es decir, de la voluntad del sistema bancario de crear dinero) como de la demanda de dinero (es decir, del deseo o las necesidades de dinero que experimenta el conjunto de la economía). La interacción de la oferta y la demanda de dinero tiene importantísimas consecuencias para el funcionamiento del sistema de precios, implicaciones que se analizarán en los Capítulos siguientes, junto con las principales teorías explicativas. Aquí nos vamos a limitar a exponer (esquemáticamente) las principales razones que determinan la demanda de dinero.

Estas razones pueden enlazarse con las funciones básicas que desempeña el dinero en un sistema económico y que fueron examinadas al comienzo de este Capítulo. En efecto, si el dinero es un medio general de pago, parece que, en principio, el público (incluyendo las empresas) van a demandar dinero para atender las transacciones normales necesarias por período, de acuerdo con su nivel de ingresos. Por otra parte, siendo el dinero un medio de conservar el valor (un activo más para poder conservar riqueza) un componente de la demanda irá también dirigido a conservar dinero efectivo, no para utilizarlo en transacciones inmediatas, sino para poder hacer frente a contingencias imprevistas.

Las dos razones expuestas son las que los economistas neoclásicos consideraban como los motivos de *conveniencia* y *seguridad,* y que coinciden con los motivos que Keynes denominaba de *transacciones* y de *precaución.*

La demanda de dinero para transacciones dependerá del volumen de transacciones esperadas y, dada una cierta relación entre este volumen y el nivel de renta monetaria, también dependerá de éste.

La demanda de dinero por motivo de precaución toma en cuenta la consideración del dinero como el activo financiero plenamente líquido. La gente deseará mantener parte de su riqueza en dinero por el motivo de liquidez. Pero si bien el dinero desempeña este papel de equilibrar la colocación de su riqueza entre activos más líquidos y menos líquidos, hay que tener presente que existe una relación inversa entre rentabilidad y liquidez. En otras palabras, la decisión de mantener dinero en efectivo supone una renuncia a poseer activos rentables. Por lo tanto, puede suponerse que la demanda de dinero por precaución variará inversamente con el tipo de interés. Si éste aumenta, el público deseará mantener menores saldos monetarios líquidos y escogerá activos más rentables.

Keynes introdujo un nuevo motivo para demandar dinero: el motivo de *especulación.* En realidad, tanto la demanda por precaución como la demanda por especulación son demandas de dinero como activo, pero difieren en sus características. En la demanda de precaución se desea el dinero para reducir riesgos. La demanda de especulación se basa en las expectativas de los especuladores, que se desplazarán con rapidez del dinero a otros activos y a la inversa con ánimo de obtener beneficios: comprando valores cuando caen las cotizaciones para esperar que se eleven éstas y venderlos después. La demanda especulativa de dinero también será una función decreciente del tipo de interés.

LA POLITICA MONETARIA

Hemos visto cómo el Banco Central puede aumentar o contraer la oferta monetaria en función de la política monetaria perseguida, que nunca puede ser independiente de la política económica general que desea aplicar el poder político. Sin embargo, lo que caracteriza a la política monetaria son los instrumentos que utiliza y que la diferencian netamente de las otras ramas de la política económica.

En efecto, la política monetaria se limita a actuar sobre la estructura monetaria y crediticia de la economía, mediante una serie de instrumentos y medidas de control y regulación, de los que nosotros vamos a presentar solamente tres de los más significativos:

1. Variaciones en los Coeficientes de Encaje

En el análisis del proceso de expansión de los depósitos bancarios ya vimos cómo la variable fundamental era la magnitud del coeficiente de encaje. Nótese, a modo de ilustración, que si en el ejemplo numérico presentado en la Tabla 39.2 consideramos una variación del coeficiente de forma que en lugar de ser el 20 por 100 pase a ser el 10 por 100, la expansión total de los depósitos se ampliaría de 5.000 a 10.000 pesetas. Igualmente, si pasase a ser del 40 por 100, la suma total de los depósitos se reduciría a 2.500 pesetas.

Luego el coeficiente de encaje es posiblemente la herramienta más poderosa de que disponen las autoridades monetarias. Una disminución del coeficiente constituiría una medida expansionista porque incrementaría la oferta monetaria. A la inversa, un aumento sería contractivo porque reduciría la oferta monetaria.

Sin embargo, pese a la efectividad de su manejo resulta un instrumento poco utilizado por su tosquedad y sus bruscas consecuencias.

2. Variaciones en el Tipo de Descuento

Uno de los instrumentos crediticios más utilizados es la letra de cambio, que supone, como mínimo, la relación entre dos sujetos económicos, uno de los cuales (el librado) promete a otro (el librador) el pago de una cantidad monetaria cierta en una fecha determinada. Estas letras suelen surgir normalmente como consecuencia de operaciones comerciales. El librador de la letra (o el tomador, si no coinciden en la misma persona) puede optar entre esperar a la fecha fijada para realizar el cobro, o presentarla a un banco (u otro intermediario financiero) para que la descuente. Esta operación de descuento supone que el banco entrega la cantidad nominal que figura en la letra deducida una cantidad (el descuento) que está en función del tipo de interés vigente y del tiempo que falte para su vencimiento.

A su vez el banco puede optar por mantenerla en su cartera de activos hasta que llegue el día del cobro, o, si necesita liquidez en un momento dado, puede descontarla (en realidad, redescontarla) en el Banco Central, el cual suele aplicar el mismo tipo de descuento que el banco comercial, aumentado en un punto.

Puesto que los bancos utilizan esta línea para ampliar su liquidez, las variaciones que determine el Banco Central en el tipo de descuento a aplicar son básicas, porque permiten controlar las tendencias expansivas o contractivas del sector bancario. Además, actúan de forma indirecta sobre el tipo de interés de mercado y modifican el coste del crédito en la economía.

3. Operaciones de Mercado Abierto («Open Market Operations»)

Ya las hemos examinado al hablar del proceso por el cual el Banco Central, al incrementar su tenencia de activos sobre los otros sectores, procedía a crear dinero.

Recordemos que las compras de valores públicos en el mercado abierto son expansionistas, ya que, al aumentar los depósitos bancarios (bien sea porque la autoridad monetaria compra los títulos a particulares, les paga con cheques y éstos los depositan en los bancos comerciales; bien sea porque se incrementan los depósitos de los bancos comerciales en el Banco Central, si son éstos los vendedores), permiten una expansión múltiple posterior del crédito. A la inversa, las ventas de títulos en el mercado abierto son contractivas.

Aunque nos hemos limitado a un corto número de instrumentos de entre los muchos que están a disposición de las autoridades monetarias para perseguir los fines que se propongan, esta esquemática visión nos puede servir para, como conclusión, exponer brevemente las ventajas y limitaciones de la política monetaria.

Entre las ventajas se suele destacar que, debido a la utilización de instrumentos de carácter general, la política monetaria es *no discriminatoria,* en el sentido de que se limita a introducir unos controles generales y es el mercado el que efectúa las reasignaciones precisas. Se suele también aducir su *flexibilidad,* ya que las medidas pueden introducirse de forma rápida y suave, sin pasar por el engorro que puede suponer las discusiones y el control parlamentario precisos para otras medidas (de política fiscal, por ejemplo).

Entre las limitaciones que se han señalado, destacan la escasa efectividad en la política anticíclica, ya que se ha evidenciado que las medidas monetarias son mucho más efectivas para contraer le expansión de una economía que para realizarla. De aquí que pueda ser útil para cortar la inflación, pero mucho menos para superar una depresión. Por otra parte, sólo sería útil para luchar contra la inflación de demanda, pero no contra la de costes. También se señala como grave inconveniente el hecho de que puede ser contradictoria con otros objetivos del Gobierno. Así, el Banco Central puede considerar que la elevación del tipo de interés puede ser útil para combatir la inflación, pero esa elevación del tipo de interés perjudicará a la hacienda estatal que tendrá que incurrir en unos desembolsos mucho más elevados para el pago de los intereses de la Deuda Pública.

BIBLIOGRAFIA SELECCIONADA

Samuelson, P. A.: *Curso de Economía Moderna,* op. cit., pp. 314-78.

Lipsey, R. G.: *Introducción a la Economía Positiva,* op. cit., pp. 655-705.

Rojo Duque, L. A.: *Renta, Precios y Balanza de Pagos,* op. cit., pp. 417-78.

Harrod, R.: *El Dinero,* Ariel, Barcelona, 1972.

Argandoña, A.: *La Teoría Monetaria Moderna,* Ariel, Barcelona, 1972.

Fleming, M.: *Teoría Monetaria,* McMillan-Vicens Vives, Barcelona, 1973.

Robertson, D. H.: *Dinero,* FCE, Barcelona, 1945.

Morgan, E. V.: *Historia del Dinero,* Ed. Istmo., Madrid, 1972.

Johnson, H. G.: *Ensayos de Economía Monetaria,* Amorrortu, Buenos Aires, 1972.

EL SISTEMA FINANCIERO: CONCEPTO Y CARACTERISTICAS

Podemos definir el sistema financiero como el conjunto de instituciones que proporcionan los medios de financiación al sistema económico para el desarrollo de las actividades de éste. Su función primordial estriba, por tanto, en captar el ahorro por medio de estas instituciones para dirigirlo posteriormente hacia la inversión a través de los mercados financieros. A las instituciones financieras que realizan esta función se les denomina intermediarios financieros.

Cabe preguntarse el porqué de la existencia de estos intermediarios financieros. De hecho, sólo pueden existir en una economía en la que algunas unidades económicas gasten en menor cuantía que la totalidad de la renta que perciben (es decir, que ahorren), mientras que otras deseen gastar en una magnitud superior a los ingresos que obtienen (es decir, si hay oferentes y demandantes de fondos). Por tanto, podemos concluir que los intermediarios financieros sólo tendrán sentido y existirán en aquellas economías en las que la distribución del gasto difiera de la distribución de la renta. Ahora bien, esta condición no basta para que aparezcan estas instituciones, ya que, aun dándose la situación anterior, no serían necesarias si las unidades prestamistas (las que tienen ese exceso de fondos) trataran directamente con las unidades prestatarias (las que tienen déficit de fondos) y realizaran los contratos de préstamo directamente entre ellas.

Pero es muy posible que las condiciones que exigen los prestamistas para ceder sus ahorros sean inaceptables en cuanto a una serie de factores tales como plazo, tipo de interés, seguridad y liquidez del préstamo realizado para los prestatarios; e inversamente, es muy posible también que en las condiciones que a los prestatarios les parecen interesantes, los prestamistas no quieran efectuar préstamos. Cabe pensar en tal sentido, que los prestamistas deseen recuperar su dinero en un momento determinado con poco o ningún aviso previo, mientras que los prestatarios, como veremos, estarán interesados en que la devolución de la mayor parte de la suma obtenida se realice en períodos largos de tiempo (o incluso como veremos, a ser posible nunca). Tales circunstancias justifican la aparición de los intermediarios financieros, a fin de reconciliar esta contraposición de intereses entre prestamistas y prestatarios. Veamos con algún detalle cómo realizan esta función.

Es claro que las unidades económicas demandantes de fondos (prestatarios) deben presentar algún tipo de garantía para poder conseguir los fondos demandados. En algunos casos esta garantía será de carácter personal; pero lo usual es que tome la forma de un contrato en el cual se especifica la cantidad a devolver, el tipo de interés a pagar y el plazo de devolución. A efectos analíticos podemos considerar que los prestatarios venden estos contratos y a cambio obtienen el dinero que necesitan. La forma de estos contratos es muy diversa: acciones, obligaciones, participaciones societarias, seguros de vida, cuentas bancarias e incluso billetes de banco, como veremos posteriormente; pero todos tienen una característica común: son un pasivo para la unidad económica que los emite o pone a la venta, y un activo para la unidad económica que los adquiere. Esta propiedad debe quedar totalmente clara, ya que constituye la esencia de los llamados activos financieros: sólo son activos para su poseedor, por cuanto que suponen un conjunto de derechos determinados que éste tiene sobre el individuo o institución emisora, la cual adquiere el compromiso de afrontar o hacerse cargo de los derechos que dichos activos conllevan. Por tanto, se dice en términos generales que los activos financieros incorporan un crédito.

Se distingue entre activos financieros primarios y secundarios. Los activos primarios los emiten las unidades económicas prestatarias (los demandantes de fondos) para obtener dinero con el que poder financiar su exceso de gasto. Ahora bien, debido a los factores analizados, las unidades económicas prestamistas (los oferentes de fondos) no suelen encontrar atractivos estos activos financieros primarios. Debido a esta circunstancia entran en escena los intermediarios financieros: su función es emitir activos financieros atractivos para las unidades prestamistas y, con el dinero así obtenido, adquirir los activos financieros primarios de los demandantes de fondos: de esta manera resuelven el conflicto de intereses entre prestamistas y, prestatarios a que antes hacíamos alusión. A los activos emitidos por los intermediarios financieros se les denomina activos financieros secundarios o indirectos; y la aceptación por los ahorradores de estos activos financieros indirectos permite el desarrollo de la labor de intermediación de estas instituciones.

En general, para que un activo financiero sea atractivo para los ahorradores debe reunir dos condiciones: liquidez y rentabilidad. Estas dos condiciones son contrapuestas, de manera que cabe esperar que cuanto más líquido sea un activo, menor será su rentabilidad (el caso típico es el dinero, ya que si bien es el activo líquido por excelencia, su rentabilidad es nula). La liquidez de un activo depende de la facilidad con la que pueda ser convertido en dinero a corto plazo sin que ello imponga una pérdida a su poseedor. Así, los depósitos bancarios a la vista son un activo financiero muy líquido, ya que pueden convertirse en dinero solo con cursar la oportuna orden al banco. Sin embargo, la liquidez de los activos financieros primarios (acciones, obligaciones), como veremos, depende de la existencia de mercados organizados, donde puedan ser vendidos rápidamente, y de la eficacia y amplitud de tales mercados.

Por tanto, puede concebirse a los intermediarios financieros como instituciones que realizan una labor de transformación, ya que adquieren estos activos financieros primarios (que son un pasivo para las unidades económicas emisoras y un activo para los intermediarios) y, en cierta manera, los transforman en activos financieros secundarios (que son un activo para los ahorradores y un pasivo para la institución) aceptables para los ahorradores. Ahora bien, cabe preguntarse por qué realizan esta transformación que como puede imaginarse, implica cierto riesgo, ya que los plazos de vencimiento de los activos y pasivos financieros de estas instituciones suelen ser bastante diferentes como consecuencia del mencionado conflicto

CUADRO 40.1

BANCO DE ESPAÑA
- Banca privada.
- Cajas de Ahorro Confederadas
- Caja Postal.
- Cajas Rurales.
- Cooperativas de Crédito.
- Sociedades mediadoras en el mercado de dinero.

INSTITUTO DE CREDITO OFICIAL
- Entidades Oficiales de Crédito.
  - Banco de Crédito Local de España, S. A.
  - Banco Hipotecario de España, S. A.
  - Banco de Crédito Industrial, S. A.
  - Banco de Crédito Agrícola, S. A.
  - Banco Exterior de España, S. A. *

CONSEJO SUPERIOR DE BOLSAS
- Bolsas
  - Madrid.
  - Barcelona.
  - Bilbao.
  - Valencia.
- Bolsines.

INTERMEDIARIOS FINANCIEROS NO BANCARIOS
- Entidades aseguradoras.
- Entidades de capitalización.
- Sociedades de Leasing y Factoring.
- Entidades de financiación.
- Fondos de inversión.
- Sociedades de inversión.
- Sociedades de garantía recíproca y de crédito hipotecario.
- Sociedades y Fondos de capital riesgo.

---

* El Banco Exterior de España, S. A., actúa como un banco comercial privado, pero parte de sus recursos los obtiene de fondos que le facilita el Instituto de Crédito Oficial para financiar créditos a la exportación.

de intereses entre ahorradores y prestatarios. Esta labor la pueden realizar debido sobre todo a que gozan de ciertas economías de escala, ya que a través del trato simultáneo con un gran número de prestamistas y prestatarios pueden reducir los riesgos que conlleva esta operación de transformación. Por otra parte, y mediante esta labor, es posible que los intermediarios financieros logren aumentar el volumen de ahorro que luego fluye hacia los prestatarios.

Es tradicional la distinción entre intermediarios financieros bancarios y no bancarios. Los primeros son aquellos cuyos pasivos financieros son considerados dinero: en este grupo se incluyen al Banco de España, a la banca privada (ya que sus pasivos son los depósitos que como sabemos son movilizables mediante cheques y dado que éstos se aceptan como medio de pago, constituyen dinero) y las cajas de ahorro, en tanto en cuanto tengan esta posibilidad. Por el contrario, los pasivos de los segundos no gozan de aceptación general como medio de pago, no siendo, por tanto, dinero: en este grupo se incluyen las sociedades de ventas a plazos, sociedades de *leasing* y *factoring,* compañías de seguros, mutuas y Entidades de Crédito Oficial.

Señalemos por último, que los activos financieros se transaccionan en unos mercados propios (los mercados financieros) que, en un sentido amplio, son el lugar de transacción de los fondos prestables. Estos mercados están separados de acuerdo con las características de los activos que se transaccionan en: mercado de capitales y mercado de dinero. Analizaremos posteriormente las características propias de cada uno de ellos.

El sistema financiero español se estructura a partir de tres instituciones : El Banco de España, el Instituto de Crédito Oficial y la Bolsa de Valores. Dependientes de estas tres instituciones se encuentran los restantes intermediarios financieros, como podemos observar en el cuadro 40.1. Los intermediarios financieros no bancarios, aunque de alguna manera dependientes de las tres instituciones mencionadas, se han agrupado en la parte inferior del diagrama a efectos de claridad expositiva. Analizaremos por separado estas instituciones.

EL BANCO DE ESPAÑA

Históricamente el Banco de España empezó a funcionar bajo tal denominación en 1856, constituyéndose como banco privado y compartiendo con otros bancos la emisión de billetes. Tal situación finaliza en 1874, en que se otorga al Banco de España el monopolio de emisión en todo el territorio nacional, pero con la contraprestación de financiar el gasto gubernamental, debido a la difícil situación en que se encontraba la Hacienda Española en el último cuarto del siglo XIX. La Ley de Ordenación Bancaria de 1921 establece al Banco de España en sus funciones de banco central, alejándole de la competencia en las operaciones comerciales con los demás bancos. Tal disposición pretendía que el Banco de España se constituyera en el ejecutor de la política monetaria del Gobierno bajo la dirección del Ministerio de Hacienda.

Pero es con la Ley de ordenación Bancaria de 1946 cuando realmente queda configurado como banco central, con las funciones propias de dicha actuación en un sistema financiero moderno: la ejecución y el control de la política monetaria (se acentúa su dependencia del Ministerio de Hacienda); la supervisión y el control de la actuación de la banca privada; y el carácter de banco de bancos (prestando a los bancos privados en situaciones de falta de liquidez de éstos). Por último la Ley de 1962 nacionalizó el Banco de España, mediante la adquisición por el Estado de la totalidad de las acciones, otorgándole competencias en las operaciones monetarias con el exterior y reestructurando sus órganos superiores.

La situación anterior se modificó parcialmente con la promulgación en 1980 de la Ley de Organos Rectores del Banco de España que dota a éste de una mayor autonomía en la instrumentación de la política monetaria dentro del marco económico general señalado por el Gobierno (Autoridad Monetaria) y, en especial, para salvaguardar el valor del dinero. Finalmente, el 12 de mayo de 1987, el Banco de España firma el Acta de Adhesión al Acuerdo de Basilea que fija las modalidades de funcionamiento del Sistema Monetario Europeo (SME). Esta adhesión constituye el pilar de la futura participación de la peseta en el ECU y en el mecanismo de cambios del SME.

Actualmente, las funciones del Banco de España pueden agruparse en dos categorías: las funciones de asesoramiento y ejecución de la política monetaria y crediticia del país, y las funciones propiamente bancarias. Citemos aquí únicamente el asesoramiento al Gobierno sobre la política monetaria y crediticia; la elaboración de estadísticas monetarias y bancarias; la inspección del funcionamiento y actividades de la banca privada y de casi la totalidad de las entidades financieras; y la centralización de la información de las operaciones crediticias efectuadas por todas las entidades financieras (la llamada Central de Riesgos).

En cuanto a sus operaciones bancarias, destacan:

a) La emisión de billetes de curso legal y la retirada de billetes en circulación (la moneda metálica la emite el Tesoro, el cual se la cede al Banco de España, y éste la pone en circulación).

b) Las operaciones con el exterior: la centralización de las reservas nacionales de oro y divisas, y el control de los pagos al y del extranjero.

c) Las operaciones como banco de bancos: concesión de créditos, centralización de los depósitos legales obligatorios, concesión de ayuda a las entidades con problemas de tesorería, etc.

LA BANCA PRIVADA

La banca privada es el principal intermediario financiero de la economía española. Su función primordial es captar el ahorro existente en la economía para emplearlo en otorgar financiación a aquellos agentes económicos cuyo gasto excede a sus ingresos. Dado el escaso desarrollo de otros mecanismos de financiación alternativos, la banca ha asumido un papel central en el mercado financiero español.

Sin entrar en análisis sobre su aparición (alrededor de 1856) digamos que la banca española desde sus inicios venía operando como una banca mixta: es decir, efectuando simultáneamente operaciones industriales, que normalmente requieren una financiación a largo plazo, junto con operaciones comerciales (descuento de efectos comerciales o letras, concesión de créditos a corto plazo, etc.). La Ley de Bases de 1962 rompió esta tendencia, forzando a la especialización bancaria de acuerdo con las operaciones que realizaran. Así, se llevó a cabo una división de la banca privada en bancos comerciales y bancos industriales, limitando las operaciones que cada uno de ellos podía realizar y reglamentando meticulosamente la composición de sus activos.

En la década de los 70 se observó la artificialidad de esta distinción, produciéndose un retorno a la banca mixta. Así, progresivamente se han ido suprimiendo las diferencias legales existentes entre ambos tipos de bancos hasta llegar a la práctica equiparación. Las diferencias establecidas entre ambos tipos de bancos en la ley de 1962 eran abismales. Citemos a título de ejemplo que los bancos comerciales sólo podían tener fondos públicos (títulos de deuda pública) en su cartera de valores; los bancos industriales no podían tener más de tres sucursales, y sólo estaban facultados para descontar papel a aquellas empresas en las que tuvieran una participación importante. Suprimida en 1974 la necesidad de autorización por parte del Banco de España necesaria para ampliar el número de sucursales, los bancos han iniciado un fuerte proceso de expansión, existiendo en marzo de 1987 un total de 16.517 oficinas en el territorio nacional, según datos publicados por el Banco de España en el *Boletín Estadístico* de junio de dicho año.

La principal fuente de recursos de la banca son los depósitos, que representan el 44 por 100 del total de su pasivo. Estos se clasifican en depósitos a la vista, o cuentas corrientes cuya remuneración es prácticamente nula; su origen son los depósitos mantenidos por las economías domésticas para atender a sus pagos corrientes, domiciliación de recibos, etc. Son especialmente importantes las cuentas mantenidas por las empresas, ya que están muy relacionadas con los créditos obtenidos por éstas. Según datos del Banco de España, en marzo de 1987 suponían un 24 por 100 del total de los depósitos. La principal característica de estos depósitos (y su principal atractivo) estriba en que son movilizables mediante cheques, que tanto economías domésticas como empresas pueden utilizar para efectuar sus pagos corrientes. En tanto estos cheques sean generalmente aceptados como medio de pago, los depósitos a la vista constituyen dinero (el llamado dinero bancario).

Los depósitos de ahorro se remuneran libremente, y su cuantía sobre el total de los depósitos es del 16,8 por 100 en la fecha anteriormente citada. Se diferencian de los anteriores en que no son movilizables mediante cheques, aunque su disponibilidad es inmediata. Son mantenidos fundamentalmente por particulares, aunque ne algunos casos las empresas también los utilizan.

En marzo de 1987, los depósitos a plazo constituían el 49 por 100 del total de depósitos. Tras las últimas disposiciones al respecto (marzo de 1987), la remuneración de éstos es libre para todos los plazos.

Los restantes recursos de los bancos se componen de los créditos del Banco de España (cuya proporción es variable de acuerdo con las condiciones de política monetaria), de los fondos captados en el mercado interbancario (que posteriormente estudiaremos), y de los fondos propios.

En cuanto a los recursos, éstos se destinan a empleos rentables y no rentables. Los segundos están constituidos por los activos líquidos destinados a cumplir el encaje bancario determinado por la autoridad monetaria. En abril de 1987 el coeficiente de caja está fijado en un nivel del 19,50 por 100, con un tramo remunerado del 17 por 100 para la totalidad de bancos y cajas de ahorro. Los empleos rentables son aquellos que proporcionan un rendimiento; cabe distinguir entre los empleos libremente decididos por la banca, y aquellos cuyo destino viene condicionado por la autoridad monetaria o financiera. Los primeros están constituidos por la financiación al sector privado de la economía, financiación que adopta diversas formas: créditos, préstamos, descuento de papel comercial (letras), adquisición de títulos valores emitidos por empresas privadas, etc. Cabe destacar aquí lo apuntado en el Capítulo 18, en el que hablábamos de la preponderancia del crédito a corto plazo respecto al total que conceden los bancos, lo que ha originado un fuerte déficit de financiación a medio y largo plazo para las empresas. Para paliar esta situación, la autoridad monetaria define el coeficiente de inversión, cuya cuantía es del 11 por 100, que debe cubrirse forzosamente con financiación a medio y largo plazo.

Las inversiones obligatorias son el resultado de la política de intervención administrativa en el mercado crediticio a lo largo de los años 60 y parte de los 70. El Gobierno, para asegurar la financiación de determinadas empresas (públicas o privadas) consideradas de interés preferente, colocaba coactivamente entre los bancos las emisiones de títulos de éstas, mediante el establecimiento de unos porcentajes de inversiones obligatorias directamente realizadas por los bancos. Asimismo, obtenía fondos mediante la imposición a los bancos de otros porcentajes de inversión en títulos del Instituto de Crédito Oficial (las cédulas del ICO); los obtenidos con la colocación de estas cédulas eran entregados a dicha entidad, la cual posteriormente los canalizaba entre las empresas agraciadas. Este sistema de financiación constituye los llamados circuitos de financiación privilegiados, aludiendo con ello tanto a la seguridad con la que estas empresas obtenían fondos como al bajo tipo de interés que por estas inversiones se pagaban. Para hacerse una idea de la importancia de estos canales privilegiados de financiación, en 1986 el crédito concedido por esta vía superaba los cuatro billones de pesetas, lo que equivalía al 10 por 100 del total de pasivos del sistema crediticio (42 billones).

La cobertura del coeficiente de inversión obligatoria por parte de los bancos se efectúa con dos tipos de activos financieros: los fondos públicos, que se destinan a financiar las operaciones del crédito oficial, y que suponen en 1986 un 10 por 100; el resto debe cubrirse con los efectos y créditos especiales que señale la autoridad monetaria a fin de orientar la inversión hacia los sectores considerados prioritarios.

La banca, por otra parte, se configura cada vez más como un ente productor de servicios diversos (la custodia de valores, la adquisición de títulos para sus clientes, la domiciliación y pago de recibos, etc.), encaminándose hacia el modelo de «banca universal», término que expresa la absorción por los bancos de actividades reservadas a los intermediarios financieros no bancarios.

Un último comentario sobre la incidencia de la liberalización del sistema financiero en la banca privada. Algunas de las medidas tomadas han sido objeto de comentario en la exposición anterior. Añadamos únicamente que, con la abolición de la especialización bancaria y la liberalización de los tipos de interés, se espera conseguir un cierto aumento de la competitividad en este sector, que redunde en beneficio tanto del ahorrador como del prestatario. Por otra parte, se tiende hacia la equiparación de los diversos intermediarios financieros bancarios, homogeneizando las normas de actuación y extendiéndolas a las cajas de ahorro. Se pretende también una mayor transparencia del mercado crediticio; desde enero de 1981 los bancos están obligados a publicar los tipos de interés preferenciales (éstos son los tipos de interés que los bancos cobran en las operaciones activas realizadas con los mejores clientes: los tipos de interés más bajos, por tanto). Se detecta también una mayor apertura al exterior: actualmente hay instalados en España (al amparo de las últimas disposiciones sobre la materia) un total de treinta y cuatro bancos extranjeros.

LAS CAJAS DE AHORROS

Estas entidades surgen a partir de los llamados Montes de Piedad, creados para luchar contra la usura en el primer tercio del siglo XIX. En 1880 se dicta una normativa reguladora de las cajas, en la cual se privatizan estas entidades, haciéndolas depender, sin embargo, del Ministerio de la Gobernación. Pero el período de consolidación de estas instituciones se efectúa entre 1924 y 1934, en que se dictan las normas sobre su funcionamiento y se traspasa su dependencia del Ministerio de la Gobernación al de Trabajo. En este período surge un movimiento de federación entre las distintas cajas de ahorro que culminará posteriormente en la Confederación Española de Cajas de Ahorro (CECA).

Con posterioridad a la guerra civil, la Ley de Bases de 1962 afirma la condición de las cajas como entidades financieras, pero sin descuidar su carácter benéfico-social. Actualmente, las cajas pueden ser provinciales o municipales, según hayan sido promovidas por una Diputación o un Ayuntamiento. La expansión de las Cajas ha sido muy fuerte desde los últimos años de la década de los 70, contando en marzo de 1987 con 11.115 oficinas.

Los depósitos constituyen, al igual que en la banca, la fuente básica de los fondos con que desarrollan su actividad, representando un 74 por 100 del total de los recursos ajenos que manejan. Por otra parte, los depósitos a plazo son los más importantes cuantitativamente y en términos relativos, ya que suponen el 44 por 100 del total de depósitos. Ello se debe principalmente a que las cajas constituyen las instituciones financieras preferidas por los ahorradores de las capas de renta media y baja para colocar sus saldos. Sin embaro, los depósitos a la vista han experimentado una tendencia creciente, sobre todo a partir de 1977 en que se derogó la prohibición existente de descontar papel, que pesaba sobre estas entidades.

Otra característica de las cajas la constituye el gran número de impositores, lo que supone un saldo medio de las cuentas pasivas relativamente bajo (casi la mitad que en la banca). La razón fundamental es la ya apuntada del tipo de clientela característico de estas instituciones. En cuanto a las remuneraciones de los depósitos, éstas son libres desde junio de 1977, al igual que en la banca.

Las cajas, en virtud de su definición como entidades benéfico-sociales, carecen de cuentas de capital: por tanto no han de distribuir dividendos, y emplean dicha suma en la financiación de bienes públicos (las obras benéfico-sociales de las cajas de ahorro).

Sin embargo, es por el lado del activo donde las cajas presentan mayor número de peculiaridades específicas. Las cajas siempre han mantenido un margen de liquidez muy superior al obligatorio, debido a la elevada rentabilidad que obtenían colocando este exceso de dinero en la banca. Con el acceso (a partir de 1977) al mercado monetario (que tenían vedado anteriormente) han podido ajustar mejor su tesorería, lo que les ha permitido destinar sumas mayores a empleos más rentables. Los coeficientes de caja e inversión de las cajas de ahorros están regulados al mismo nivel que los coeficientes de la banca privada.

En cuanto a las novedades que ha supuesto la reforma, cabe señalar el acceso de las cajas al descuento de papel comercial (lo que servirá para estrechar sus relaciones con el mundo empresarial), y el decreto sobre regionalización de inversiones, que viene a reforzar la vocación provincial y regional de estas entidades. En general puede concluirse que las cajas se encaminan hacia comportamientos cada vez más atentos a la eficacia y a la rentabilidad de sus operaciones. La liberalización de los tipos de interés, la reducción de los coeficientes de inversión obligatoria y su equiparación con la banca les forzará a optar por criterios de comportamiento competitivos con los bancos privados, lo que conducirá a una mejora de los niveles generales de competencia en el sector.

LAS COOPERATIVAS DE CREDITO

Se definen (en la ley dictada en 1974 que regula su actuación) como sociedades que realizan cualquier actividad económica y social para la mutua ayuda entre sus miembros y al servicio de éstos y de la comunidad. Pueden admitir la imposición de fondos y realizar los servicios bancarios que consideren convenientes; pero sólo pueden realizar operaciones activas (concesión de créditos y préstamos) con sus socios. Para su creación deben contar al menos con diez socios, y su capital social no puede ser inferior a 500.000 pesetas, estando sometidas a la inspección y control del Banco de España. En general sólo pueden realizar operaciones tanto activas como pasivas con sus socios, lo que limita mucho su campo de actividad.

Las más importantes son las Cooperativas de Crédito Agrario, o Cajas Rurales. Estas pueden tener o no la categoría de caja calificada: para ello sus operaciones deben tener un ámbito provincial y su capital social ha de ser superior a cinco millones. Los beneficios de la calificación estriban en tener acceso al redescuento de papel en el Banco de España, y en la posibilidad de conceder créditos a sus socios con fondos del Banco de Crédito Agrícola.

Debido a este conjunto de limitaciones y a la especialización de las operaciones que realizan, estas entidades tienen un reducido peso específico en el conjunto del sistema financiero. La labor que realizan es, sin embargo, muy importante, ya que suministran fondos a un segmento del mercado tradicionalmente marginado en las actividades de la banca privada.

EL CREDITO OFICIAL

Desde la fundación en 1872 de la primera de las entidades que actualmente componen el Crédito Oficial, (el Banco Hipotecario de España) queda perfilada con claridad la función de estas entidades en la economía española. Las peculiares características de ésta (escasez de ahorro, industrialización tardía, inexistencia de una gama amplia de otros tipos de intermediarios financieros, prácticamente reducidos a la banca y cajas de ahorro) impulsaron a los sucesivos Gobiernos a la creación de las llamadas Entidades de Crédito Oficial.

Ante las crecientes necesidades de apoyo al proceso de industrialización, en 1920 se crea el Banco de Crédito Industrial, cuyo fin era prestar ayuda a la industria nacional, y que desarrolló una actividad muy reducida hasta 1926, en que se agilizan sus mecanismos de actuación y se robustece la participación estatal (inicialmente era un banco privado).

Así se van creando las diferentes entidades en el período que abarca desde 1920 hasta 1928, en que el Crédito Oficial se halla materializado en el Banco Hipotecario, el Banco de Crédito Local, el Banco de Crédito Industrial, el Banco Exterior de España, el Crédito Oficial Pesquero y el Servicio de Crédito Agrícola. Se trata de entidades crediticias ligadas en alguna manera a la banca privada, ya que normalmente se crean mediante concurso público entre los bancos privados existentes. Posteriormente, en 1939 se crea el Banco de Crédito a la Construcción.

Durante el período previo al Plan de Estabilización (1957) el Crédito Oficial se amplía a diversos sectores industriales, otorgando financiación en condiciones muy ventajosas con respecto al mercado, financiación que constituye una subvención a determinadas actividades que se pretendían expansionar. Los fondos necesarios son obtenidos durante este período mediante la emisión de cédulas que tenían la consideración de fondos públicos y que se colocan coactivamente entre la banca privada y cajas de ahorro, o mediante el recurso directo al Banco de España (las dotaciones del Tesoro).

Una característica fundamental de estas actividades en el período considerado estriba en que su funcionamiento careció de coordinación, actuando en consecuencia de un modo bastante anárquico. La homogeneización de las directrices de funcionamiento no se producirá hasta 1958, año en el que, con la creación de la Comisión Consultiva de Crédito a Medio y Largo Plazo y el Comité de Crédito a Medio y Largo Plazo, se intenta coordinar las actividades de los diversos organismos integrantes del Crédito Oficial. Por otra parte, se fijó a cada entidad un límite máximo a la cantidad de crédito que podía conceder.

Con la Ley de Bases de 1962 se procede a la nacionalización de las entidades que aun tenían carácter de privadas o semiprivadas, quedando configurada así la actual estructura del Crédito Oficial. La financiación a partir de esta fecha se realizará vía dotaciones del Tesoro, dependiente del Ministerio de Hacienda, reservándose a este último el monopolio de la emisión de cédulas de inversión, que (debido al bajo interés de emisión) eran poco atractivas para el público, lo que obligó a recurrir a la fórmula de los coeficientes obligatorios de inversión, que ya hemos comentado en los epígrafes correspondientes a la banca privada y a las cajas de ahorro.

Desde 1940 hasta 1970, el Crédito Oficial había incrementado enormemente su peso específico en el total del sistema financiero, guiándose rara vez por criterios de tipo económico y repartiendo fondos con notable arbitrariedad. El caso Matesa que estalló en 1970 puso de manifiesto con toda su crudeza la ineficiencia y arbitrariedad con que estas entidades habían actuado. Así, en 1971 se procede a una reorganización del Crédito Oficial, en un intento de mejorar la estructura de los activos de las entidades componentes, orientando su actuación de un modo más acorde con las exigencias de rentabilidad económica y financiera. El nuevo entramado que permanece hasta la reforma del sistema financiero efectuado en los últimos años de la década de los 70 se estructura de la siguiente forma:

a)   Las competencias del Gobierno consisten en el establecimiento de las normas generales para la asignación sectorial de los recursos del Crédito Oficial, la fijación de los tipos de interés de las operaciones activas, y la concesión de créditos excepcionales.

b)   El Ministerio de Hacienda es el encargado de fijar los tipos de interés de los fondos que el Tesoro facilite al Instituto de Crédito Oficial, y de los que éste facilite a las Entidades Oficiales de Crédito.

c) El Instituto de Crédito Oficial queda encargado de coordinar, inspeccionar y controlar las actividades de las entidades de él dependientes, y de proveerlas de recursos.

d) Por último, las Entidades Oficiales de Crédito son las encargadas de facilitar el crédito (de acuerdo con las directrices recibidas) a los diversos sectores económicos.

La financiación de las diversas entidades se realiza de un modo indirecto (a través del Instituto de Crédito Oficial), mediante dotaciones del Tesoro (que suponen el 61 por 100 de los recursos totales en marzo de 1987), sus recursos propios, y las operaciones crediticias en el mercado nacional y exterior. Tras la reforma del sistema financiero iniciada en 1977 se ha emprendido la reducción de los coeficientes de inversión obligatoria de cajas de ahorro y bancos, y se ha reducido la dependencia del Crédito Oficial de las dotaciones del Tesoro. Las nuevas emisiones de cédulas de inversión han visto aumentados sus tipos de interés, y desde 1981 el Instituto de Crédito Oficial ha venido realizando emisiones de bonos en el mercado destinadas al público en general (y no sólo a los bancos y cajas).

Cabe destacar que, a pesar de todos sus defectos, el Crédito Oficial ha desempeñado una importante labor como suministrador de fondos a medio y largo plazo, función tanto más importante cuanto que en España, debido a la estrechez del mercado de capitales y a la resistencia de la banca privada a conceder créditos a medio y largo plazo, el volumen de este tipo de financiación existente en la economía era muy reducido. El inconveniente mayor de la actuación de estas instituciones ha sido la ausencia de un criterio de rentabilidad económica en cuanto a la concesión y distribución de fondos, lo que ha supuesto una asignación ineficiente de unos recursos escasos y, en consecuencia, caros.

Un último comentario en cuanto a la distribución sectorial del crédito facilitado por dichas entidades entre los diversos sectores económicos. El sector industrial es el principal demandante, debido sobre todo a las enormes necesidades de capital que requiere el proceso de reconversión industrial en el que desde 1981 está inmersa la estructura industrial española. Le sigue muy de cerca el Crédito Local, cuyo ritmo de crecimiento en los últimos años se ha visto acelerado a consecuencia del incremento en los servicios municipales, llevado a cabo por las nuevas corporaciones, y al escaso rendimiento de los impuestos controlados por éstas, ya que su flexibilidad es reducida y la fuerte inflación experimentada por la economía española ha supuesto un descenso vertiginoso de la recaucación en términos reales. El sector de la construcción de viviendas sigue ocupando un puesto de importancia, así como la agricultura, aunque ésta haya conocido un retroceso en los últimos años en su participación relativa.

OTROS INTERMEDIARIOS FINANCIEROS

El conjunto de intermediarios financieros que estudiaremos en este epígrafe, si bien forman un conjunto bastante heterogéneo en cuanto a servicios prestados, métodos de financiación, actividades realizadas, etc., tienen una característica común: los pasivos que emiten no son dinero, ni legal ni bancario: no tienen aceptación general como medio de pago. Son, por tanto, intermediarios financieros no bancarios. Si bien en este grupo deberíamos incluir a las entidades componentes del Crédito Oficial, ya que sus pasivos (que, como hemos visto, son los anticipos del Tesoro, los valores propios emitidos, los fondos propios, etc.) tampoco son dinero, hemos preferido analizarlas por separado debido a las sustanciales diferencias que los distinguen del conjunto de entidades objeto de estudio en el presente epígrafe.

Su posición relativa en el conjunto del entramado financiero español es más bien reducida, y sus posibilidades de actuación escasas, ya que la mayoría de ellas se encuentran rígidamente reglamentadas en cuanto a sus actividades. Por otra parte es significativa su fuerte dependencia de la banca: en su mayor parte se trata de sociedades dominadas o dependientes (cuando no directamente creadas) por la banca.

Las Entidades Financieras

Si bien de una forma genérica todas las entidades anteriormente examinadas tienen la consideración de entidades financieras, suele utilizarse esta expresión para designar a los establecimientos vinculados a la financiación directa o indirecta al comprador o vendedor, a plazo, de toda clase de bienes. Su aparición está ligada al desarrollo de la producción masiva y a la aparición de la sociedad de consumo.

Las entidades financieras pueden agruparse en financieras de bienes de equipo, financieras de descuento de papel, y financieras de bienes de consumo duradero. Deben constituirse como sociedades anónimas, cuyo capital oscila entre 15 y 100 millones de pesetas según el ámbito, nacional, regional o local, de su actuación. La apertura de sucursales es libre y deben estar inscritas en el Registro de la Dirección General del Tesoro y Política Financiera, que se ocupa del control y regulación de las mismas. Tienen expresamente prohibido admitir depósitos de valores o de efectivo. Su actividad de financiación se limita al descuento de los efectos (letras) representativos de la parte del precio del bien capital cuyo pago ha sido aplazado. Normalmente financian la compra de bienes de equipo de fabricación nacional en una cuantía del 80 por 100 de su precio total, y durante un período de unos tres años.

En cuanto a las entidades financieras de bienes de consumo duradero, su actuación se centra en la financiación de la parte del precio del bien cuyo pago ha sido aplazado. La obtención de fondos la realizan mediante el descuento bancario de los efectos que emiten para realizar sus operaciones.

Las Sociedades de Leasing y Factoring

Las sociedades de leasing suponen una fórmula distinta de financiación de las inversiones de la empresa, ya que ésta, en lugar de adquirir un bien capital concreto, puede obtenerlo en régimen de leasing. Básicamente éste consiste en l alquilr del bien a una sociedad especializada (la sociedad leasing), con opción de compra del bien al finalizar el contrato por un valor residual fijado de antemano.

La mayoría de las empresas de leasing están vinculadas a la banca, y se financian mediante el descuento bancario de los efectos que emiten con motivo del pago de los arrendamientos de los bienes de equipo.

En cuanto a las empresas de factoring, ya fueron estudiadas en el Capítulo 18; recordemos aquí únicamente que la operación financiera conocida con este nombre consiste en la transferencia de los créditos frente a los clientes de una empresa dedicada a la propucción y distribución de bienes y servicios a otra empresa, el factor que se encarga de realizar su cobro. Mediante su actividad, las empresas factoring descargan a la empresa productora o distribuidora de todos los problemas inherentes al cobro de dichos créditos, reduciendo también los riesgos de insolvencias y las necesidades de personal administrativo especializado. En España se implantaron por primera vez en 1964, y han cobrado desde entonces un fuerte empuje.

Otros Intermediarios

Estudiaremos un último grupo de entidades que, si bien no pueden considerarse como entidades financieras propiamente dichas, su actuación repercute en cierto modo en el sistema financiero. Citaremos a las mutuas, sociedades de seguros y sociedades de tarjetas de crédito.

Las mutuas patronales son entidades sin finalidad lucrativa constituidas por empresarios, cuyo objeto es colaborar en la gestión de las eventualidades derivadas de los accidentes laborales, repartiendo entre los asociados los gastos correspondientes a aquéllos. Se financian mediante el pago de cuotas de los asociados.

Las sociedades de seguros canalizan el ahorro vinculado a las primas de los seguros que conciertan. Sus inversiones están rígidamente reguladas mediante ley, siendo normalmente en valores públicos o acciones de empresas de cotización calificada. La ley de Ordenación del Seguro Privado de 1984 ha dotado a estas entidades de mayor agilidad y reducido la anterior atomización del sector (en el que coexistían, junto a unas pocas empresas aseguradoras grandes, un elevado número de compañías de tamaño muy reducido).

Las sociedades de tarjetas de crédito son entidades creadas para la difusión de este medio de pago. No nos referimos aquí a las tarjetas emitidas por los grandes almacenes o cadenas de distribución de bienes de consumo, sino a aquellas cuyo uso posibilita el acceso al crédito a su poseedor, aplazando el pago de las compras efectuadas mediante la presentación de la tarjeta. Normalmente las emiten los bancos o sociedades bancarias creadas al efecto; la tendencia actual es a que estas tarjetas se configuren como un servicio bancario más.

EL MERCADO DE VALORES

Si bien esta institución ya ha sido objeto de estudio en el Capítulo 18, profundizaremos aquí en su análisis, sistematizando los conceptos que allí se esbozaron.

El mercado de valores se divide en mercado primario o de emisión, y mercado secundario o de negociación constituido fundamentalmente por la Bolsa. Suele distinguirse también entre mercado negociado y mercado organizado. El primero estaría compuesto por el mercado primario y los mercados secundarios distintos de la Bolsa, mientras que el segundo es la Bolsa propiamente dicha.

Los valores emitidos que son objeto de transacción en el mercado primario consisten fundamentalmente en valores públicos (cédulas para inversiones emitidas por el ICO, deuda pública emitida por el Ministerio de Economía y Hacienda, obligaciones del Instituto Nacional de Industria y otras empresas estatales, y emisiones de deuda de las corporaciones locales y comunidades autónomas), y valores privados (acciones y obligaciones de empresas privadas).

El mercado de emisión o primario es aquel en que las empresas y/u otros prestatarios últimos se ponen en contacto con los ahorradores a fin de obtener fondos mediante la emisión de acciones u obligaciones. El mercado secundario es aquel en que los tenedores o propietarios de estos títulos valores se ponen en contacto directo a fin de realizar entre ellos transacciones de estos títulos valores. Ambos mercados se complementan mutuamente, ya que la existencia de un mercado secundario amplio y activo es condición necesaria para la eficacia (e incluso la existencia) del mercado primario, puesto que la existencia de un mercado secundario con estas características es lo que confiere liquidez a los títulos valores, haciéndolos atractivos para los ahorradores.

A su vez, el mercado primario puede ser directo o intermediado. El primero es el que hemos descrito anteriormente: los prestatarios últimos se dirigen a los prestamistas últimos, ofreciéndoles los títulos-valores emitidos para la adquisición por éstos. Sin embargo, esta actuación no es la más corriente (aunque en los últimos años se está asistiendo al auge de este tipo de mercado con la emisión y puesta a la venta directamente al público de títulos de deuda pública) debido a los elevados costes de publicidad que supone. Por tanto, lo usual es que los prestatarios últimos (las empresas, el Gobierno, etc.) ofrezcan sus títulos valores a los intermediarios financieros que adquieren la totalidad (o al menos una fracción considerable) de la emisión y posteriormente colocan los títulos entre sus propios clientes y/o los mantienen en sus propias carteras. La colocación forzosa de títulos de la deuda pública o de cédulas del ICO entre los bancos y cajas de ahorro entra evidentemente en el primer tipo de mercado, por cuanto que los títulos así colocados no suelen ser objeto de reventa (más concretamente, sería la parte fundamental del mercado negociado).

Los mercados secundarios están compuestos por las Bolsas y los mercados paralelos. En un sentido financiero, las Bolsas son los mercados donde se negocian y transaccionan los valores mobiliarios. Ahora bien, no todos los títulos valores pueden cotizar en Bolsa, ya que se exigen para su admisión a cotización una serie de requisitos que varían según se trate de títulos públicos o privados. Los primeros se admiten directamente, previa publicación en el «Boletín Oficial del Estado» de la emisión y sus características. Los segundos precisan de una serie de requisitos que van desde la solicitud a la Junta Sindical de la Bolsa de Comercio de que se trate (que debe ir acompañada de determinada documentación a fin de que dicha junta se asegure de la buena fe de la emisión y la libre transmisibilidad de los títulos), hasta la remisión anual a la Junta de la cuenta de pérdidas y ganancias, memoria del ejercicio y balance de la entidad.

Cumplidos estos requisitos, el título puede transaccionarse libremente en Bolsa; se dice entonces que ha sido admitido a cotización. Esta puede ser simple o calificada: la primera se deriva del cumplimiento de los requisitos de admisión y permanencia, mientras que la segunda se concede a determinados títulos-valores que cumplen un conjunto de requisitos especificados oficialmente en cuanto a volumen y frecuencia de contratación (es decir, dependiendo del número de días que el título ha sido objeto de transacción y del volumen de estas transacciones).

Una vez expuesto este conjunto de observaciones generales, pasemos a analizar el mercado español de valores con la ayuda de la Tabla 40.1, elaborada en base a los datos del Boletín Estadístico del Banco de España para los años comprendidos entre 1980 y 1986.

Observando la Tabla 40.1 cabe destacar los siguientes fenómenos:

a) Dentro del mercado primario, la gran importancia de las emisiones de las Administraciones Públicas, cuyo papel preponderante se ha consolidado en estos últimos años frente a las emisiones del sector privado de la economía nacional.

b) La considerable ampliación de nuestro mercado de valores que ha multiplicado ampliamente su volumen de negocio, tanto en emisiones primarias como en la negociación de títulos en comparación con el mercado primario.

c) Las emisiones realizadas por las Instituciones financieras han aumentado notablemente en estos años, superando a las realizadas por las Empresas no financieras e invirtiendo así la anterior situación de comienzos de la década de los ochenta.

d) Un crecimiento espectacular, en el mercado secundario, de la negociación de títulos privados, particularmente de acciones, que pasan de 84.000 millones de pesetas en 1980 a 2,2 billones de pesetas en 1986. Todo esto es síntoma de la revitalización de nuestros mercados financieros en los últimos años, auspiciada por la liberalización de los mismos y de la economía en general y por los procesos de innovación financiera a que asistimos desde hace algunos años.

Los títulos negociados en Bolsa son los que han sido colocados en el mercado de emisión. Ya comentábamos en el Capítulo 18 que los títulos de nueva emisión no se adquieren en Bolsa; en ésta sólo se negocian los títulos previamente adquiridos en el mercado primario.

TABLA 40.1

				(En miles de millones de pesetas)			
	1980	*1981*	*1982*	*1983*	*1984*	*1985*	*1986*
MERCADO PRIMARIO [a]							
Emisiones brutas: Total (1+2)	692	867	1.411	2.602	5.998	6.930	9.413
Prestatarios:							
1. Administraciones Públicas	259	327	648	1.759	4.655	5.363	7.233
2. Sector Privado (2.1+2.2)	433	540	763	843	1.343	1.567	2.180
2.1. Empresas no financieras	276	335	415	426	740	822	970
2.2. Instituciones financieras	157	205	348	417	603	745	1.210
MERCADO SECUNDARIO [b]							
Negociación de títulos: Total (3+4) ...	137	233	255	337	634	881	2.739
3. Públicos	16	14	18	40	59	129	315
4. Privados (4.1+4.2)	121	219	237	297	575	752	2.424
4.1. Acciones	84	176	172	218	441	621	2.266
4.2. Obligaciones	37	43	65	79	134	131	158

FUENTE: Banco de España, *Boletín Estadístico.*
[a] Emisiones de renta fija y de renta variable con aportación real de fondos.
[b] Cantidades efectivas negociadas.

RASGOS BASICOS DE LA RECIENTE EVOLUCION
DEL SISTEMA FINANCIERO ESPAÑOL

El Sistema Financiero español experimenta un proceso de transformación en virtud de una serie de reformas emprendidas a todos los niveles desde 1977, destinadas a dotarlo de una mayor flexibilidad y agilidad por medio de mecanismos que estimulen la competencia en el sector, aumenten su transparencia e incrementen su eficiencia en la función de asignación de un bien tan específico como es el dinero. Algunas de las medidas tomadas han sido objeto de comentario en anteriores epígrafes; nos limitaremos aquí a sistematizarlas a efectos de una mayor claridad expositiva.

Con anterioridad al programa de reformas iniciado en 1977, nuestro Sistema Financiero tenía una estructura excesivamente rígida, producto de su puesta al servicio del proceso de crecimiento e industrialización que la economía española había experimentado en la década de los 60. Podemos concretar en cuatro puntos las características más importantes de aquel sistema financiero:

a) El control de los tipos de interés, que limitaba el precio de las operaciones activas y pasivas concertadas a plazo inferior a dos años, dificultando el desarrollo de la competencia entre las diversas instituciones del sistema financiero.

b) Un sistema de inversiones obligatorias, que constituían la fuente de fondos de los llamados canales de financiación privilegiados.

c) La compartimentación de operaciones según el tipo de institución financiera, acompañada de distintas exigencias en cuanto a coeficientes de obligatorio cumplimiento y limitaciones de actuación.

d) El escaso desarrollo de los intermediarios financieros no bancarios, con un claro predominio de los activos financieros a corto plazo.

La reforma del sistema financiero emprendida en el Plan Económico de Urgencia, aprobado en julio de 1977, perseguía los siguientes objetivos: la liberalización progresiva de los tipos de interés, la reducción del peso relativo de los circuitos privilegiados de financiación, la homogeneización del tratamiento de las entidades de depósito (especialmente banca y cajas de ahorro), el logro de una mayor transparencia del mercado de valores y el reforzamiento de la competencia en los mercados financieros.

El siguiente paso importante en la reforma del sistema financiero, en una línea de desarrollo coincidente con la anterior, lo constituyó la entrada en vigor a lo largo de 1981 de diversas Ordenes Ministeriales, entre las que cabe destacar la O.M. de 17 de enero. Estas disposiciones impulsaron un nuevo conjunto de transformaciones tendentes, principalmente, a la liberalización de los tipos de interés tanto de las operaciones activas como pasivas de depósitos, a la reducción progresiva de los coeficientes de inversión obligatoria, al incremento del volumen de financiación a medio y largo plazo y al reforzamiento de las normas de solvencia y seguridad de las instituciones y operativa bancarias.

Desde estas fechas, el sistema financiero español se ha visto influido por tres tendencias principales: una, un intenso proceso de innovación financiera que afecta a todos los mecanismos de intermediación en el sistema y que había caracterizado a los sistemas financieros más avanzados del mundo durante la década de los setenta; dos, una integración cada vez mayor de instituciones e instrumentos en los mecanismos financieros internacionales, y tres, un interés creciente por dotar al sistema de la estabilidad y garantía suficientes para su funcionamiento eficaz.

Este proceso de reforma se ve obstaculizado, principalmente, en los años 1983 y 1984 por la acción de dos desequilibrios: el primero, la crisis bancaria, para cuya resolución se arbitran mecanismos de intervención tales como el Fondo de Garantía de Depósitos. Entre 1978 y 1983, el número de bancos que entran en crisis en nuestro país es de 51, siendo el volumen total de recursos afectados de aproximadamente 2,5 billones de pesetas. El segundo de los desequilibrios es el importante déficit público existente, cuya financiación introduce en el sistema factores de distorsión y rigidez.

Finalmente, en los años 1985 y 1986 asistimos a la puesta en práctica de una moderada flexibilización de los mecanismos de intervención en el sistema financiero. Entre los pasos dados en este sentido, cabe destacar: uno, la modificación de los coeficientes de garantía e inversión que afectan al sistema bancario; dos, las mayores facilidades otorgadas a las entidades financieras para sus operaciones exteriores, y tres, la clarificación y simplificación de la normativa aplicable a instituciones y operativa bancarias.

BIBLIOGRAFIA SELECCIONADA

Banco de España: *Informes anuales,* diversos años.
Banco de España: *Boletín económico* (mensual).
Gil, Gonzalo: *Sistema financiero español,* Banco de España, Madrid, varias ediciones.
Papeles de Economía Española, *Suplementos sobre el Sistema financiero,* diversos números.
Rojo, L. A., y Pérez, L.: *La Política monetaria en España*: *Objetivos e Instrumentos,* Banco de España, Servicio de Estudios, 1977.
Trujillo, J. A., y Cuervo-Arango, C.: *El sistema financiero español,* Barcelona, Ariel, 1985.

CAPITULO 41

DINERO, PRECIOS Y ACTIVIDAD ECONOMICA

LAS TEORIAS SOBRE EL PAPEL DEL DINERO EN LA ACTIVIDAD ECONOMICA

En el presente Capítulo vamos a considerar el papel del dinero en los diferentes modelos macroeconómicos, tanto con el objeto de evaluar el alcance y eficacia de la política monetaria, entendida ésta como el manejo de la cantidad de dinero existente en la economía por parte de la autoridad monetaria (en nuestro país esta función la efectúa el Banco de España), como de analizar las variaciones en el nivel de precios.

En líneas generales, podemos distinguir dos tipos de variables en un modelo: las reales (nivel de producción real, salario real y tipo de interés real) y las monetarias (salarios monetarios, precios y tipo de interés nominal). Diremos entonces que «el dinero no importa» si variaciones en la cantidad de éste no tienen ningún efecto sobre el nivel de las variables reales o, lo que es lo mismo, si el dinero es «neutral». A su vez, diremos que «el dinero importa», si las variaciones en las existencias de éste son capaces de modificar los niveles de las variables reales. Es fácil ver que, en el primer caso, la política monetaria no tendrá el menor efecto sobre el nivel de producción, renta y empleo de la economía, mientras que en el segundo será muy importante.

Estudiaremos en primer término dos modelos en los que se obtienen conclusiones diametralmente opuestas, como resultado de las distintas hipótesis efectuadas sobre el comportamiento de los individuos respecto de la demanda de dinero. El primero de ellos, el sistema clásico, en sus posturas más extremas llega a la conclusión de que «el dinero no importa», ya que las variaciones en la cantidad de éste van a suponer únicamente alteraciones en el nivel de precios, manteniéndose constantes la producción, la renta y el empleo reales; el segundo de ellos, el sistema keynesiano, va a llegar a la conclusión de que el dinero importa y que las variaciones en la cantidad de éste tienen un efecto sustancial sobre la producción real, la renta real y el nivel de empleo, otorgándole gran importancia a la política monetaria en la obtención de los niveles deseados de estas variables.

El Sistema Clásico

El sistema clásico se basa en tres pilares:

a) *La Ley de Say.*—En su versión más simple dice que «toda oferta crea su propia demanda». Esta ley es fácilmente observable en una economía de inter-cambio (o economía «real») en la que las diversas unidades económicas que la integran intercambian en sus transacciones productos por productos. Al ofrecer un individuo bienes en el mercado, recibe como contraprestación otros bienes, con lo que la oferta de vender unos bienes es formalmente idéntica a una demanda de comprar otros bienes. La consecuencia que se desprende es que, sea cual fuere el nivel de producción, ésta tendrá asegurada su venta.

Sin embargo, en el caso de una economía que emplea dinero (una economía monetaria) el proceso se complica un poco. Si la Ley de Say es aplicable también a ésta, la oferta agregada es igual a la demanda agregada, con lo que el dinero va a actuar solamente como un velo que recubre las fuerzas reales de la economía, siendo su función principal la de facilitar las transacciones, ya que no es necesario que un individuo tenga que buscar a otro que disponga del producto que a él le interesa y que, simultáneamente esté interesado por los bienes que ofrezca el primero. Basta con que se lleve su producción al mercado, la convierta allí en dinero, y emplee éste en comprar las mercancías que desea; pero entonces deben cumplirse dos condiciones: *Primera,* que la oferta total de bienes de la economía, a sus precios de venta, sea igual a la suma de las remuneraciones pagadas en el proceso productivo (los salarios, los beneficios y las rentas) a las distintas unidades económicas, y *segunda,* y ésta es la esencial, que la suma de estas remuneraciones tiene que ser igual a la demanda agregada. Como las eco-nomías domésticas no consumen toda su renta, sino que ahorran una parte, es necesario que la demanda agregada se vea complementada en una cuantía idén-tica a la del ahorro realizado. Este complemento es el gasto en inversión que efectúan las empresas, y la condición anterior implica que los ahorros planeados de las economías domésticas se igualen con la inversión planeada de las empresas. Los economistas clásicos suponían que esta igualdad ocurría siempre, ya que el tipo de interés actuaría como mecanismo corrector que aseguraría la igualdad entre ambos conceptos. Así, si por cualquier causa, las economía, domésticas decidían aho-rrar una fracción mayor de sus ingresos (aumentaban su *PMeS*), ello significaría un exceso en la oferta de fondos prestables sobre la demanda de éstos, lo que haría disminuir el tipo de interés, estimulando así la inversión empresarial.

Luego, como primer punto del sistema clásico, tenemos que consumo, aho-rro e inversión dependen del tipo de interés, el cual a su vez (y mediante varia-ciones en su nivel) actuará igualando ahorro e inversión.

b) La Ley de Say asegura que cualquiera que sea su nivel, la oferta agre-gada se igualará con la demanda agregada, pero ello no supone que necesariamente el nivel de producción determinado sea el correspondiente al de pleno empleo de los factores productivos (fundamentalmente, el trabajo). El sistema clásico afir-ma que la economía estará siempre situada en el pleno empleo en base al *com-portamiento del mercado de trabajo;* éste funciona de acuerdo con los principios de competencia perfecta y flexibilidad de los salarios monetarios. El salario mo-netario es la remuneración que perciben los trabajadores por unidad de tiempo, medida en unidades de dinero: pesetas a la hora, dólares al mes, libras al año, etc. El que los salarios monetarios sean flexibles quiere decir que pueden variar (tanto aumentando como disminuyendo) de acuerdo con las circunstancias del mercado:

si la oferta de trabajo es mayor que la demanda, los salarios monetarios disminuirán; mientras que si la demanda de trabajo es mayor que la oferta, los salarios
monetarios crecerán.

FIGURA 41.1

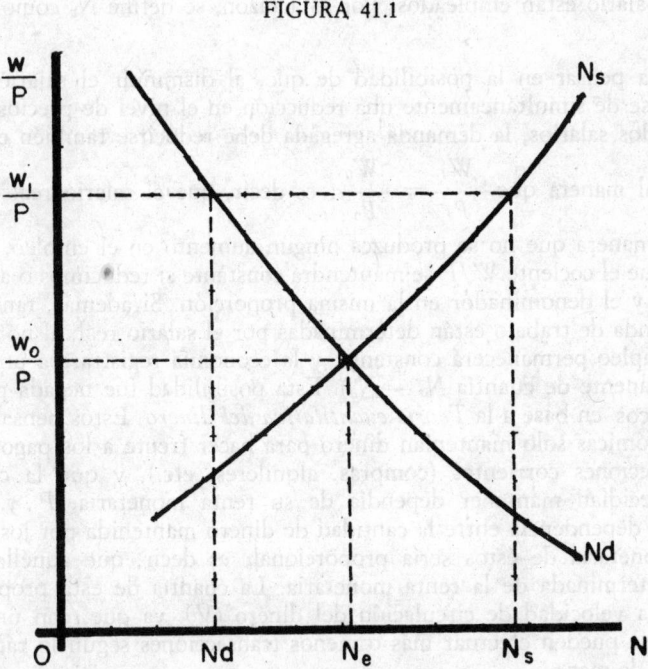

En el sistema clásico, la demanda y la oferta de trabajo son función de los
salarios reales. El salario real se define como el cociente entre el salario monetario
y el índice de precios. Aquél expresa la cantidad de bienes que un obrero puede
comprar con el dinero cobrado a cambio de su trabajo. *La demanda* es una función decreciente del nivel de salario real, indicando que cuanto más caro sea el
factor trabajo, menor cantidad de él emplearán los empresarios, y a la inversa;
la oferta será una función creciente del nivel de salario real, indicando que los
individuos estarán más dispuestos a emplearse cuantos más bienes puedan comprar
con el dinero que perciben.

La Figura 41.1 es la representación gráfica de lo expresado anteriormente. Sea P
el nivel de precios, W_1 y W_0 los salarios monetarios (siendo $W_1 > W_0$) N_s la oferta
de trabajo que efectúan las economías domésticas, N_d la demanda total de trabajo
que realizan las empresas, y N_e el nivel de empleo de equilibrio. En el eje vertical
medimos los salarios reales y en el horizontal el empleo, N. Si, para un nivel de precios P, el salario monetario se sitúa en W_1, la demanda de trabajo será N_d, mientras
que la oferta será N_s; el resultado es que en la economía habrá un volumen de desempleo involuntario (formado por los trabajadores que desearían trabajar a ese nivel
de salario, pero que no encuentran trabajo al ser la demanda menor que la oferta),
y que en la Figura 41.1 vendría dado por la distancia $N_s — N_d$. Si los salarios monetarios son flexibles a la baja, algunos de estos obreros parados aceptarán trabajar
por un salario monetario menor que W_1; el efecto general será una reducción del sa-

lario monetario (y del salario real, ya que si los precios no varían, los salarios monetarios y reales se mueven en la misma dirección), con lo cual la cantidad demandada de trabajo crecerá, y la cantidad ofertada de trabajo disminuirá, hasta llegar al punto de equilibrio, en el que ambas coinciden, y que viene definido por un salario real de W_0/P y un nivel de empleo N_e, en el que todos los obreros que desean trabajar a ese nivel de salario están empleados. Por esta razón, se define N_e como el nivel de pleno empleo.

c) Cabría pensar en la posibilidad de que, al disminuir el salario monetario de W_1 a W_0, se dé simultáneamente una reducción en el nivel de precios de P_1 a P_0 (al disminuir los salarios, la demanda agregada debe reducirse también en la misma cuantía) de tal manera que $\dfrac{W_1}{P_1} = \dfrac{W_0}{P_0}$; es decir, que el salario real permanezca constante de manera que no se produzca ningún aumento en el empleo. Fácilmente puede verse que el cociente W/P se mantendrá constante si reducimos o aumentamos el numerador y el denominador en la misma proporción. Si además, tanto la oferta como la demanda de trabajo están determinadas por el salario real, al no variar éste, el nivel de empleo permanecerá constante, y la economía registrará un paro involuntario permanente de cuantía $N_s - N_d$). Esta posibilidad fue negada por los economistas clásicos en base a la *Teoría cuantitativa del dinero*. Estos pensaban que las unidades económicas sólo mantenían dinero para hacer frente a los pagos derivados de sus transacciones corrientes (compras, alquileres, etc.), y que la cantidad de dinero que decidían mantener dependía de su renta monetaria, $P \cdot y$. Indicaron además que la dependencia entre la cantidad de dinero mantenida por los individuos y la renta monetaria de éstos sería proporcional; es decir, que aquélla sería una proporción determinada de la renta monetaria. La cuantía de esta proporción viene dada por la velocidad de circulación del dinero (V), ya que, con una cantidad dada de éste, se pueden efectuar más o menos transacciones según lo rápido que el dinero cambie de manos.

Intentemos ilustrar el concepto de velocidad de circulación con un ejemplo sencillo. Supongamos una economía compuesta sólo por dos individuos, y en la que la cantidad de dinero asciende a 2.000 pesetas en 20 billetes de 100 pesetas. Durante una semana, un individuo vende al otro dos pescados a 1.000 pesetas cada uno, mientras que el segundo vende al primero 8 barras de pan a 100 pesetas cada una. En tal caso, tendremos que la renta agregada de la economía en términos monetarios sería de 2.800 pesetas (2 pescados $\times$ 1.000 ptas. + 8 panes $\times$ 100 ptas.); la renta real sería de 2 pescados y 8 panes. La velocidad de circulación sería:

$$V = \frac{P \cdot y}{M} = \frac{2.800}{2.000} = 1,4$$

y esta cifra indica que las 2.000 pesetas habrían dado 1,4 vueltas a la semana en el circuito de compraventa. Ello es perfectamente compatible con el hecho posible de que algunos billetes no hayan sido utilizados en absoluto, mientras que otros habrán sido usados múltiples veces; la velocidad de circulación lo que nos mide es el número de veces que por término medio habrá girado el dinero.

Los economistas clásicos postulaban también que la velocidad de circulación dependía a su vez de factores institucionales o estructurales de la economía, tales como la frecuencia con la que se realizaran los pagos en las empresas (diaria, semanal o mensualmente), del grado de concentración de la industria (cuanto más concentrada esté ésta, menos veces se transferirán por compraventa los productos intermedios), y de otros factores que, en general, cambiaban con mucha lentitud, de manera que, en el corto plazo, la velocidad de circulación era constante.

En la ecuación cuantitativa:

$$M . V = P . y$$

decíamos que y era la producción real u oferta agregada. En un modelo a corto plazo (como son todos los empleados en este Capítulo) podemos suponer que el stock de capital (entendiendo como tal al capital productivo: maquinaria, edificios, terrenos, instalaciones, etc.) es fijo (no varía en el período de tiempo considerado). Recordando lo expuesto en el Capítulo 20 sobre la función de producción, el producto total de la economía vendrá determinado exclusivamente por el número de obreros empleados. En consecuencia, y ya que esta magnitud se determina en base al nivel de salarios reales en el mercado de trabajo, la producción real, y, es una magnitud que nos viene dada. Por tanto, un aumento en la cantidad de dinero, M, dadas V e y, sólo puede ser compensada mediante un aumento en el nivel de precios, P.

El mecanismo, en términos sencillos sería el siguiente: supongamos que la autoridad monetaria decide aumentar la cantidad de dinero existente en la economía, de manera que, en su conjunto, los individuos se encuentran con más dinero que antes. Puesto que la cantidad de éste que desean mantener es una fracción constante de la renta monetaria $(P . y)$, en un primer estadio en el que los precios aún no han cambiado, se encontrarán con que tienen una cantidad de dinero mayor que la que desean mantener, y que intentarán gastar rápidamente comprando bienes y servicios. Como esto ocurrirá en toda la economía simultáneamente, este aumento en la demanda agregada supondrá un aumento en el nivel de precios suficiente como para compensar el incremento producido en la cantidad de dinero.

Veamos ahora qué ocurre en el mercado de trabajo. El aumento en el nivel de precios, para un salario monetario constante, supondrá una reducción en el salario real (en la fracción W/P, el denominador aumenta), con lo cual las empresas demandarán más trabajo, mientras que, paralelamente, los obreros reducirán su oferta. En el intento de atraer más trabajadores, las empresas empezarán a ofrecer salarios monetarios más altos, con lo que el salario real crecerá, y volveremos otra vez al punto de equilibrio, N_e.

De acuerdo con este mecanismo, podemos ver que en el modelo «el dinero no importa», ya que los aumentos o disminuciones en la cantidad de éste sólo suponen variaciones proporcionales y del mismo sentido en el nivel de precios, permaneciendo las magnitudes reales (empleo y producción) al nivel que estaban previamente a las variaciones en la oferta de dinero.

El Modelo Keynesiano

En su *Teoría General de la Ocupación, el Interés y el Dinero* publicada en 1936, el economista inglés Keynes efectúa una crítica al sistema clásico basada en los tres puntos siguientes:

Primero: rechaza la teoría cuantitativa del dinero, destacando que las unidades económicas mantendrán saldos en dinero no sólo para atender a sus pagos corrientes (por motivo transacciones); además de por esta razón, Keynes señala que es posible que los individuos mantengan ciertas cantidades por motivos de precaución (para cubrir pagos imprevistos tales como los debidos a una enfermedad o accidente,. o para efectuar alguna posible compra a precios ventajosos). Con esto, Keynes quiere destacar que, un aumento en la cantidad de dinero no va a suponer necesariamente un incremento proporcional en el gasto agregado (tal y como predice la Teoría Cuantitativa), sino que parte de ese dinero «nuevo» se mantendrá como reserva, constituyendo lo que Keynes llama «saldos ociosos».

Segundo: rechaza también la idea de competencia perfecta y flexibilidad a la baja de los salarios monetarios. Frente al modelo anterior, Keynes postuló la idea de que los salarios monetarios se fijan mediante convenios entre sindicatos y empresarios, y que una vez fijados, los primeros van a ser reacios a aceptar reducciones en los salarios monetarios. Estos van a tener, por tanto, lo que Keynes define como «comportamiento asimétrico»: son flexibles el alza, pero rígidos a la baja.

Tercero: rechaza la idea de que el ahorro (y, por tanto, el consumo) venga determinado por el tipo de interés, como se deduce en el modelo anterior. El ahorro es función del nivel de renta; el tipo de interés lo único que determina es la distribución que harán las unidades económicas de sus ahorros entre saldos ociosos y fondos prestables (la parte de éstos que destinarán a la adquisición de obligaciones de las empresas o bonos del Gobierno).

Keynes va a elaborar (basado en estas hipótesis alternativas) un modelo distinto. Estudiemos sus componentes.

El Mercado de Trabajo: Keynes admite (al igual que los clásicos) que la demanda de trabajo por las empresas es función del salario real, y que ésta tiene la forma de una curva de demanda típica. Sin embargo, piensa que la oferta es función del salario monetario, y que (para un nivel concreto de éste, determinado en los convenios colectivos) es perfectamente elástico hasta el nivel de pleno empleo; a partir de dicho punto será creciente, reflejando la idea de que, para aumentar el empleo a través de incorporar trabajadores marginales (amas de casa) o de aumentar el número de horas trabajadas (dobles empleos, horas extraordinarias), el salario monetario debe crecer.

FIGURA 41.2

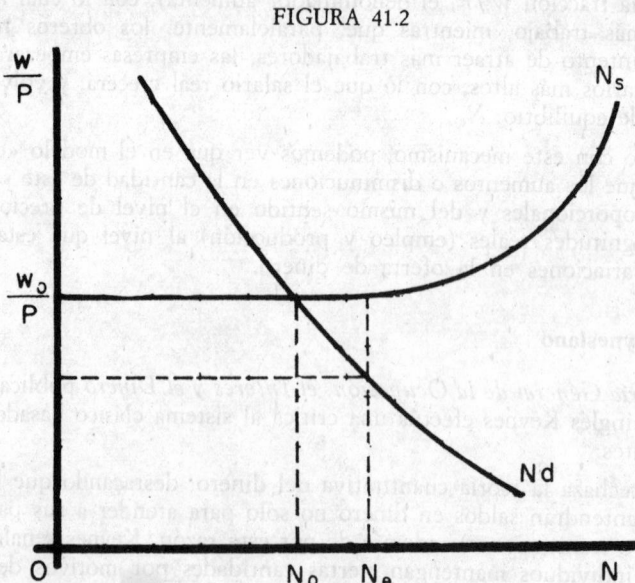

La Figura 41.2 es la representación gráfica de lo dicho anteriormente. Sea P el nivel de precios y W_0 el salario monetario. A un salario real W_0/P, la oferta de trabajo es perfectamente elástica hasta N_e, indicando que ningún obrero está dispuesto a trabajar a un salario menor que W_0/P; a partir de dicho punto se hace creciente, como una curva de oferta normal. Si la demanda está situada en N_d, el nivel de empleo que se obtiene es N_0. $(N_0 < N_e)$; por tanto, habrá un desempleo involuntario que vendrá dado por la diferencia $N_e - N_0$. Dado que los salarios monetarios no disminuyen, a menos que haya un aumento de los precios que reduzca el salario real, o que, por cualquier causa, se desplace hacia la derecha la curva N_d, el desempleo no se elimina.

La Teoría Keynesiana del Dinero

Keynes admite que los individuos guardan dinero para atender a sus pagos corrientes y por motivo precaución. Pero, junto a estos dos motivos, indica que las unidades económicas pueden conservar ciertas sumas como una manera de mantener parte de su riqueza. Recordemos que la riqueza de un individuo no coincide con la cantidad de dinero que éste tiene. La riqueza es un concepto más amplio, ya que incluye, tanto los activos líquidos (el dinero) como los activos financieros (bonos, certificados de depósito, etc.), como los activos reales (terrenos, maquinaria, casas, cuadros). Esta distinción es importante por cuanto que vulgarmente suelen confundirse ambos conceptos. Ahora bien, teniendo en cuenta que el tipo de interés es siempre mayor que cero, ¿cómo es posible que la gente tenga parte de su riqueza en dinero, que no rinde ningún interés, pudiendo colocarlo en otros activos que sí tienen un rendimiento? La razón de ese comportamiento la analiza Keynes al tratar el motivo «especulación» de la demanda de dinero.

Para estudiarlo, debemos destacar antes algunas características de los bonos. Estos son títulos que supondremos idénticos en cuanto a su valor nominal, y cuyo rendimiento está fijado en términos monetarios. Por ejemplo, sea un bono cuyo nominal es de 1.000 pesetas y que tiene unos rendimientos monetarios anuales de 100 pesetas; por tanto, el tipo de interés asociado a los bonos será del 10 por 100. Por su parte, estos bonos pueden comprarse y venderse en un mercado, y el precio en éste viene determinado por la oferta y la demanda de éstos. Así, si el bono anterior se cotiza en el mercado a 500 pesetas, el tipo de interés sería del 20 por 100, al seguir aquél rindiendo 100 pesetas al año. En consecuencia, el precio de los bonos y el tipo de interés varían inversamente; cuando el precio o cotización de éstos sube, el tipo de interés baja, y al revés.

Pues bien, Keynes dice que cada individuo tiene una estimación personal de lo que es un tipo de interés razonable o normal, y que supone que es precisamente el tipo que va a prevalecer en el mercado; en consecuencia, el sujeto supondrá que las desviaciones del tipo de interés corriente (el que efectivamente se da en el mercado) respecto de ese tipo de interés razonable serán transitorias. Comparando ambos tipos, el individuo decide mantener su riqueza en bonos o en dinero. Veámoslo con un sencillo ejemplo.

Supongamos un individuo que estima que el tipo de interés normal es del 10 por 100 (lo que implica una cotización de los bonos de 1.000 ptas.). Si el tipo de interés corriente se sitúa hoy al 20 por 100 (lo que implica un valor de cotización de los bonos de 500 ptas.), el individuo comprará todos los bonos que pueda, ya que, al retornar el tipo de interés a su nivel normal, podrá venderlos con una ganancia de 500 pesetas por bono. Por el contrario, si el tipo de interés de mercado (o tipo de interés corriente) está en el 5 por 100 (lo que implica una cotización de los bonos de 2.000 ptas.), este individuo se desprenderá de todos los bonos que tenga vendiéndolos, ya que espera que en los próximos días la cotización de los bonos descienda, con lo cual perdería parte de su riqueza.

Keynes supone también que este «tipo de interés normal» es distinto para los diferentes individuos, de manera que habrá algunos que crean que el nivel normal es el 20 por 100, otros el 15 por 100, etc., con lo que podemos trazar para el conjunto de la economía una función que nos relacione el tipo de interés corriente con la demanda de dinero por motivo especulación.

FIGURA 41.3

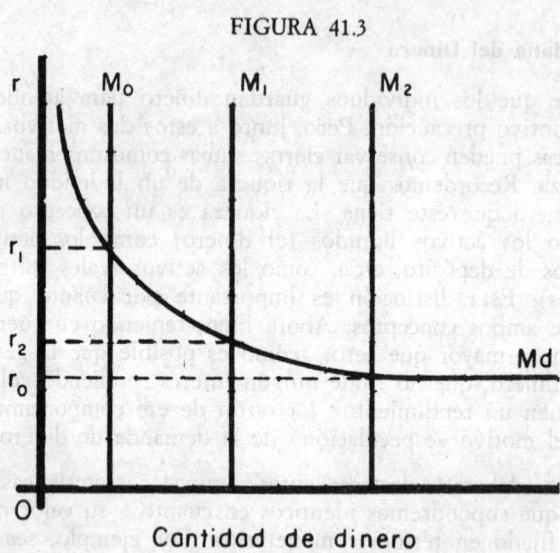

La representación gráfica viene dada en la Figura 41.3. La demanda de dinero por motivo especulación, M_d, es una curva decreciente, indicando que, para niveles elevados del tipo de interés, la mayoría de las personas esperan que éste descienda, con lo cual casi todos los sujetos se van a mantener en posición bonos (van a mantener bonos en lugar de dinero), y muy pocos en posición de dinero (muy pocos van a mantener dinero). A medida que el tipo de interés corriente va disminuyendo, la demanda de dinero crece, mientras que el número de personas que mantienen bonos se va reduciendo. La Figura anterior muestra además el fenómeno que Keynes llamó «la trampa de la liquidez»: hay un tipo de interés límite (pero positivo) tal que todos los individuos están convencidos de que éste ya no puede descender más (en la figura, r_0), y están esperando que suba.

En tales circunstancias, todos los individuos mantienen posiciones de dinero; se dice que la demanda se hace infinitamente elástica a ese tipo de interés.

Por su parte, la cantidad de dinero, M, está controlada por la autoridad monetaria, que decide el volumen de ésta en base a consideraciones de política económica; la oferta monetaria es, por tanto, totalmente insensible o rígida al tipo de interés, siendo su representación una línea vertical al eje de abscisas, y que corta a éste al nivel de la cantidad de dinero existente. Sea ésta M_0; para un nivel de renta, las unidades económicas deciden las cantidades a mantener en forma de dinero para transacciones y precaución, destinando el resto a especular con bonos, Será por tanto, en el mercado de éstos donde se determine el tipo de interés. Las autoridades pueden decidir que éste se encuentra a un nivel excesivo; para reducirlo, aumentarán la cantidad de dinero. Para el mismo nivel de renta y precios, las unidades económicas (que ya tienen cubiertas sus necesidades de dinero por motivos transacción y precaución) dedicarán este aumento a especular en el mercado de bonos, con lo cual aumentará la demanda de éstos, crecerá su precio, y disminuirá el tipo de interés.

En la Figura 41.3 pueden, además, observarse las consecuencias de la trampa de la liquidez. Si la cantidad de dinero de la economía está a un nivel M_2, el tipo de interés se sitúa en r_0, que decíamos que era el tipo de interés mínimo por debajo del cual todos los individuos van a mantener posiciones de dinero. Si las autoridades aumentan la cantidad de dinero por encima de M_2, los sucesivos incrementos de ésta serán íntegramente absorbidos por las unidades económicas, sin que se registre ningún descenso en el tipo de interés. Se dice que los individuos muestran un comportamiento de «preferencia absoluta por la liquidez».

La conclusión inmediata del modelo es que «el dinero importa». Veamos el mecanismo. Supongamos que nos encontramos en una economía con un nivel determinado de renta, precios, tipo de interés y cantidad de dinero, y que las autoridades monetarias deciden aumentar la cantidad de dinero: ello supondría, como hemos visto, una reducción del tipo de interés. Ahora bien, esta reducción en el tipo de interés supondrá un estímulo a la inversión, ya que (para un nivel dado de eficiencia marginal de la inversión) una reducción de éste supone que pueden realizarse proyectos que anteriormente habían sido archivados, al ser su rendimiento inferior al tipo de interés de mercado. Pero, a su vez, este aumento en la inversión exige que se emplee a un mayor número de obreros; la curva de demanda de trabajo se desplazará hacia la derecha, reduciéndose el desempleo, y (como consecuencia de ese aumento en el nivel de empleo e inversión) se dará un incremento en el nivel de producción de la economía. Estamos entonces ante un modelo en el cual las variables monetarias (la oferta de dinero) determinan el nivel de las variables reales. El eslabón que conecta ambas clases de variables es el tipo de interés, r (véase la Figura 41.4).

FIGURA 41.4

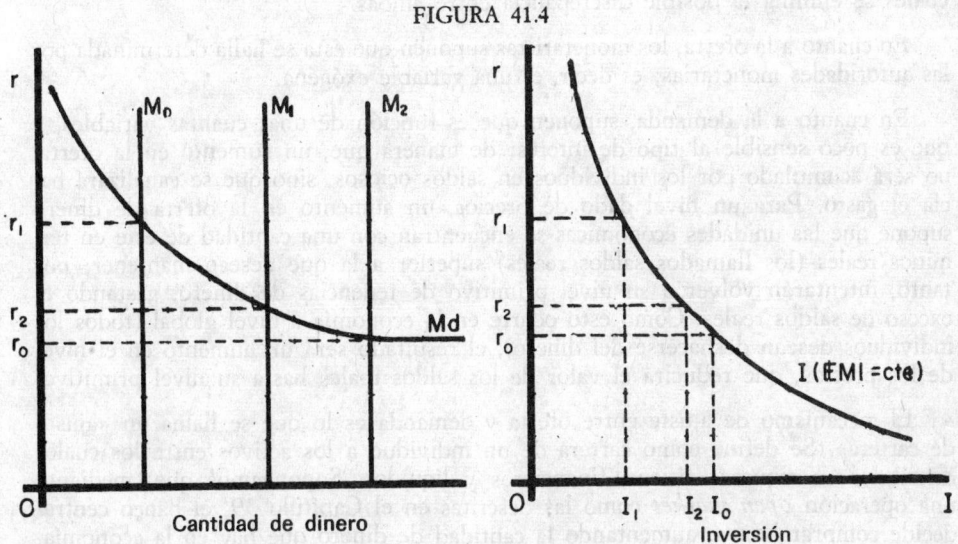

Sin embargo, Keynes pensaba que esto era una visión excesivamente mecanicista y simplificada de los fenómenos económicos. Para Keynes, la inversión no sólo depende del tipo de interés, sino también de la eficiencia marginal de la inversión, y, ésta a su vez es función (entre otros factores) de las expectativas que sobre el futuro tienen los empresarios; de manera que, si éstas son muy pesimistas (caso de una depresión económica) la reducción en r no será por sí sola suficiente como para provocar un aumento de la inversión. Por otra parte, Keynes estaba convencido de la inestabilidad de la función de la demanda de dinero por motivo especulación, ya que el tipo de interés esperado podía variar con el tiempo para un mismo individuo (el sujeto podría considerar como normales diferentes tipos de interés en distintos momentos), lo que podría plantear problemas de determinación de la función de preferencia por la liquidez. De ahí que para sacar a una economía de una situación depresiva Keynes va a mostrarse partidario de la política de gasto público, indicando que ésta sería más efectiva y rápida que la política monetaria.

La moderna Teoría Cuantitativa

El modelo clásico basado en la Teoría Cuantitativa había caído en descrédito desde principios de la década de los 40, con la divulgación de las ideas keynesianas. Sin embargo, y sobre mediados de los 50, se da un tímido resurgir de la Teoría Cuantitativa en base a una serie de estudios empíricos realizados por un grupo de economistas norteamericanos de la Universidad de Chicago, de los que la figura más conocida es el Profesor Friedman.

Los modernos cuantitativistas o monetaristas, parten de la conocida ecuación $MV = Py$; ahora bien, a diferencia de los autores clásicos no creen que V sea una constante institucionalmente determinada, sino que opinan que pueden producirse cambios en su valor. Entonces, cabe preguntarse si un cambio en la cantidad de dinero, M, se verá compensado por un cambio en sentido contrario de V, o bien si se verá reforzado por un cambio de V en la misma dirección. Para responder a esta pregunta, los monetaristas estiman que deben analizarse detenidamente los factores que determinan la demanda y oferta de dinero, y los mecanismos por los cuales se elimina la posible discrepancia entre ambas.

En cuanto a la oferta, los monetaristas suponen que ésta se halla determinada por las autoridades monetarias; es decir, es una variable exógena.

En cuanto a la demanda, suponen que es función de unas cuantas variables, y que es poco sensible al tipo de interés; de manera que, un aumento en la oferta, no será acumulado por los individuos en saldos ociosos, sino que se canalizará hacia el gasto. Para un nivel dado de precios, un aumento en la oferta de dinero supone que las unidades económicas se encuentran con una cantidad de éste en términos reales (los llamados saldos reales) superior a la que desean mantener; por tanto, intentarán volver a su nivel primitivo de tenencias de dinero, gastando el exceso de saldos reales. Como esto ocurre en la economía a nivel global (todos los individuos desean deshacerse del dinero), el resultado será un aumento en el nivel de los precios, que reducirá el valor de los saldos reales hasta su nivel primitivo.

El mecanismo de ajuste entre oferta y demanda es lo que se llama un «ajuste de cartera». Se define como cartera de un individuo a los activos entre los cuales distribuye su riqueza: físicos, financieros y líquidos. Supongamos que, mediante una operación *open market* como las descritas en el Capítulo 39, el banco central decide comprar bonos, aumentando la cantidad de dinero que hay en la economía. Algunos individuos decidirán vender sus bonos y recibirán dinero a cambio; pero ahora se encontrarán con que tienen en sus carteras una cantidad mayor de dinero del que desean. Por tanto, en un primer momento, los poseedores de estos excedentes de dinero intentarán comprar otros activos similares a los vendidos, aunque no idénticos, lo que hará aumentar los precios de éstos y reducir el tipo de rendimiento asociado a ellos, con lo que disminuirá su atractivo respecto de los restantes activos. Ello inducirá a otros individuos, no implicados originalmente en la operación de *open market,* a aumentar su demanda de otros activos, tales como casas, bienes de consumo duradero, etc. A medida que los poseedores de activos reaccionan de esta manera, el dinero adicional (concentrado inicialmente en los vendedores de bonos) se difunde por toda la economía, y, de acuerdo con el mecanismo descrito, se dará un aumento del nivel de precios; pero ello implica una reducción en los saldos reales (cociente entre la cantidad de dinero que se mantiene y el nivel de precios), con lo cual las unidades económicas se verán impulsadas a mantener mayores cantidades de dinero en términos monetarios. El resultado final es una nueva posición de equilibrio, en la que los precios han crecido en la cantidad suficiente para eliminar los efectos derivados del aumento en la cantidad de dinero.

Sin embargo, es posible que el proceso de ajuste hasta esa nueva posición de equilibrio no se efectúe de una vez, sino que sea cíclico, y que los precios estén oscilando durante un tiempo alrededor de su posición de equilibrio. Según Friedman, ello se debe a la naturaleza propia del proceso de ajuste que se realiza mediante la comparación continua por parte de los individuos entre los niveles reales y los deseados de los saldos de dinero que mantienen. En el desarrollo cíclico del proceso, es posible que, a corto plazo, los aumentos en la cantidad de dinero tengan alguna influencia sobre el nivel de producción, renta y empleo; pero, una vez alcanzado el nuevo equilibrio, las variables reales se hallarán a su nivel primitivo, y habrá un nivel de precios superior al inicial.

BIBLIOGRAFIA SELECCIONADA

Samuelson, P.: *Curso de Economía Moderna,* op. cit., Cap. 41.
Lipsey, R.: *Introducción a la Economía Positiva,* op. cit., Cap. 43.
Pierce, D. G., y Shaw, D. M.: *Economía Monetaria,* op. cit., Caps. 6, 7 y 8.
Branson, W. H.: *Teoría y Política Macroeconómica,* Fondo de Cultura Económica, Madrid, 1976.
Friedman, M.: «Un Bosquejo Teórico para el Análisis Monetario», en *El Nuevo Monetarismo,* Ed. Instituto de Estudios Fiscales, 1972.
Keynes, J. M.: *La Teoría General de la Ocupación, el Interés y el Dinero,* Fondo de Cultura Económica, Méjico, 1977.

INTRODUCCION

En la literatura económica el término inflación ha sido empleado para designar a una serie de fenómenos distintos, por lo que se halla rodeado de cierta confusión. Así, en diversos escritos podemos ver que al hablar de inflación se hace referencia a fenómenos tales como un aumento en la cantidad de dinero existente en la economía, aunque dicho aumento no vaya acompañado de una subida del nivel de precios; un crecimiento durante un período corto del nivel de precios, aunque a éste período le suceda otro en el que los precios disminuyan; o un aumento continuado del nivel de precios.

Para obviar el problema terminológico, en este Capítulo adoptaremos una definición práctica de la inflación: diremos que ésta consiste en un crecimiento continuo y generalizado de los precios de los bienes y servicios existentes en una economía (o, lo que es equivalente, un descenso continuo del valor del dinero), medible y observable mediante la evolución de algún índice de precios. La importancia de la inflación se debe al papel esencial que juega el dinero en las economías modernas, papel que hemos intentado evidenciar en el Capítulo anterior. Una reducción continuada en el precio de cualquier bien (el trigo, por ejemplo) no sería considerada como un problema social de importancia, por trascendente que esto pudiera ser para los agricultores que se dedicaran a cultivarlo.

La determinación de las causas de la inflación ha sido motivo de controversia en la Teoría Económica durante los últimos treinta años. Cabe distinguir en este lapso de tiempo dos períodos distintos: el período hasta la mitad de la década de los 60, en que las discusiones se centraron en torno a las teorías del empuje de los costes y del tirón de la demanda; y el período desde finales de la década de los 60 hasta la actualidad, en el que la persistencia de la inflación y la insuficiencia de las medidas para combatirla propugnadas por las teorías anteriores motivaron un cambio en las perspectivas de enfoque de este tema. En el presente Capítulo, tras una breve referencia a las teorías «clásicas» de la inflación, nos centraremos en la exposición de estas nuevas teorías.

INDICE DE PRECIOS

Al estudiar la inflación, el primer problema que se nos presenta estriba en medir su magnitud; es decir, cuantificar ese aumento de los precios. Este problema no se presentaría si los precios de todos los bienes y servicios de una economía crecieran en la misma cuantía porcentual durante un período de tiempo dado. Así, si los precios de todos los bienes y servicios se duplicaran en un año, podríamos decir que la inflación anual en la economía en cuestión es del 100 por 100. Sin embargo, en el mundo real lo normal es que no todos los precios crezcan en la misma cuantía, sino que se dé un notable grado de dispersión entre los porcentajes de variación experimentados por los precios de los distintos bienes y servicios.

Para obviar este problema se recurre a la confección y comparación de los índices de precios, que son una media de los precios de los diferentes artículos existentes en una economía. Supongamos una economía en la que sólo hay dos bienes (patatas y carne), y que en un año concreto el precio de las patatas sube un 20 por 100 y el de la carne un 10 por 100. En tal caso, el aumento en el nivel general de precios lo podríamos obtener como una media simple de los incrementos experimentados por los precios de ambos bienes: concretamente, $\dfrac{20 + 10}{2} = 15\%$, y diríamos que en el año que consideramos los precios han subido un 15 por 100.

Sin embargo, este cálculo puede conducir a resultados engañosos. Supongamos ahora que los individuos gastan el 90 por 100 de su renta en comprar patatas y el 10 por 100 restante en carne. Es evidente en tal caso que el efecto que tendrá el aumento en el precio de las patatas sobre la renta de los consumidores será mucho mayor que el que tendrá el aumento en el precio de la carne. Si un consumidor tiene una renta de 100.000 pesetas, a los precios iniciales se gastaría 90.000 en patatas y 10.000 en carne. Tras el aumento en los precios, para obtener las mismas cantidades de patatas y carne necesitará gastarse 119.000 pesetas, mientras que si en base al primer cálculo efectuado (el aumento en el nivel de precios del 15 por 100) quisiéramos saber cuánto dinero necesitaría el consumidor para obtener las mismas cantidades de patatas y carne, llegaríamos a la conclusión de que sólo precisaría

115.000 pesetas $(100.000 + \dfrac{15 \times 100.000}{100})$.

Por tanto, vemos que el cálculo del índice de precios debe incluir de algún modo la importancia relativa de cada mercancía respecto de la totalidad de éstas. Un modo de reflejar esto consiste en calcular, en lugar de la media simple, la media ponderada. En el caso anterior, el aumento en el índice de precios calculado por este procedimiento sería

$$\dfrac{(20 \times 90)+(10 \times 10)}{100} = 19\%$$

Como podemos observar, las variaciones en los precios de las mercancías están corregidas por un número que expresa su peso relativo en el total de los bienes y servicios. Así, si la gente gasta el 90 por 100 de su renta en patatas y el 10 por 100 en carne, el aumento en el precio de las patatas es nueve veces más importante que el aumento en el precio de la carne. El denominador de la fracción (100) es la suma de todos estos números correctores (90 + 10). A esta operación se le llama ponderación, y a los números correctores se les denomina coeficientes de ponderación. La media ponderada puede calcularse para cualquier número de bienes, con tal de que la suma de los coeficientes de ponderación que empleamos para la totalidad de los bienes considerados sea igual a 100.

Notemos que, en el cálculo de la media ponderada del aumento de los precios que hemos efectuado antes, no hemos empleado en ningún momento los precios absolutos de los bienes (hemos obtenido dicha media sin decir en ningún momento que el precio de las patatas era de tantas pesetas por kilo). En Economía, para calcular los índices de precios se procede de un modo similar. Para ello se toman los precios absolutos de todos los bienes en un año concreto (el año base) y se les da el valor 100; después se calculan las variaciones de precios experimentadas por los bienes con referencia a ese valor. Veamos esta operación con un sencillo ejemplo. Si en 1970 el precio de las patatas es de 16 pesetas/kilo, éste será el valor que igualemos a 100. Si en 1971 las patatas pasan a valer 20 pesetas, diremos que el precio de las patatas en 1971 base 1970 es de 125. Fácilmente puede comprobarse, mediante una sencilla regla de tres, que el aumento experimentado por el precio de las patatas en 1971 (4 ptas.) equivale a un 25 por 100 de su precio en 1970.

Por tanto, cuando en Economía hablamos del nivel de precios, nos estamos refiriendo a una media ponderada calculada del modo descrito. En consecuencia, un índice de precios puede interpretarse de dos maneras distintas:

a) Como la media de los precios actuales de los bienes, calculados en términos relativos respecto de los del año base (igualados estos últimos a 100) y ponderados mediante unos coeficientes que nos indican la proporción del gasto efectuado en cada bien.

b) Como el coste en el año actual de comprar el conjunto de bienes adquiridos en el año base, expresado en relación a un gasto de 100 en dicho año.

Es evidente que un índice de precios no puede comprender todos los bienes existentes en una economía. Por tanto, de entre todos los bienes y servicios producidos, debe elegirse un conjunto que se considere representativo del total de los bienes y servicios existentes. Dicho conjunto de bienes estará en función de aquel aspecto de la economía que queremos resaltar. Así, si lo que deseamos conocer es el aumento en los precios experimentado por los bienes y servicios que las economías domésticas adquieren para su consumo particular, la serie de bienes que se tomará en consideración será distinta que si lo que se desea conocer es la variación experimentada por el nivel general de precios de una economía, o de los productos industriales o agrícolas.

Si bien en las economías modernas suelen calcularse multitud de índices de precios, señalamos aquí los más importantes:

a) El índice de precios al por menor, índice de precios al consumo o índice del coste de la vida. Recoge la variación en los precios experimentada por un conjunto de artículos que se suponen representativos del consumo de una familia media, ponderados de acuerdo con el gasto que dicha familia realiza en tales artículos.

b) El índice de precios al por mayor, que recoge algunas materias primas, y productos agrarios e industriales, ponderados de acuerdo con su importancia en el total de la economía.

c) El deflactor del PIB. Se intenta con éste representar el nivel general de precios de una economía completa. Este índice se aplica al PIB en pesetas corrientes para obtener el PIB en términos reales o en pesetas del año base.

La elección de un índice u otro dependerá del fenómeno que queramos estudiar. Por otra parte (y como puede suponerse), los índices citados no suelen coincidir, ya que entran en su confección bienes distintos cuyos precios son diferentes, e incluso si un mismo bien entra en el índice de precios al por mayor y en el deflactor del PIB, probablemente lo haga con distintas ponderaciones. Además, los números índices sólo suponen una aproximación a la realidad, y como tal debemos emplearlos. Concluir que si el índice del coste de la vida ha subido en un año concreto el 10 por 100, el precio del pan habrá aumentado en ese período un 10 por 100, probablemente será falso.

Señalemos, por último, dos inconvenientes de los índices de precios relacionados con el método de cálculo. Uno es su fuerte dependencia del año base. Es evidente que la variación en los precios será muy distinta si consideramos como año base 1960 ó 1979. Por tanto, debe especificarse con toda claridad este dato. El otro estriba en la dependencia del índice respecto de los artículos que consideramos significativos para determinar el índice de precios: incluso para un mismo año, y con referencia a un mismo año base, el índice de precios variará según los bienes y servicios que incluyamos y las ponderaciones utilizadas.

En España, el organismo que efectúa el cálculo de los diversos índices de precios es el Instituto Nacional de Estadística (INE). El año base que se emplea es 1970, al igual que para la elaboración de las cifras de la Contabilidad Nacional. Aquí nos centraremos en el cálculo del índice de precios al Consumo (IPC) por cuanto que es el más importante, ya que se suele utilizar en las negociaciones colectivas para determinar el porcentaje de aumento de los salarios, a fin de mantener la capacidad adquisitiva de los mismos.

Para obtener el IPC, el INE empieza por determinar la renta de una familia media española, en base a cálculos estadísticos. Obtenido este dato, se toma una muestra de la población considerada representativa de la estructura social y económica del país, muestra que está integrada por unas 2.000 familias elegidas cuidadosamente en cuanto a sus características (educación, nivel de renta, medio ambiente, profesión, número de individuos que las componen, etc.), de manera que puedan considerarse representativas de la totalidad de la población del país. Seguidamente se efectúa entre ellas una encuesta sobre sus hábitos de consumo (la llamada encuesta de presupuestos familiares); es decir, a través de la encuesta se intenta averiguar en qué bienes y servicios gasta su dinero una familia media española, y así establecer el porcentaje del gasto total que se efectúa en cada uno de éstos, en orden a obtener los coeficientes de ponderación. Una vez determinados éstos, se realizan en todo el territorio nacional una serie de encuestas sobre los precios alcanzados en los diversos puntos geográficos por dichos bienes y servicios, y, en base a ambos datos (ponderaciones y precios), se elabora el IPC.

La última encuesta de presupuestos familiares realizada en España fue en 1976. A título orientativo citaremos sus epígrafes más importantes. Según esta encuesta, cada 100 pesetas que esta familia media destina al consumo se distribuyen de la siguiente manera:

Alimentos, bebidas, tabaco … … … … … … … … …	40,5
Vestidos y calzado … … … … … … … … … … … …	8,1
Vivienda … … … … … … … … … … … … … … … …	14,0
Medicinas, salud … … … … … … … … … … … …	3,4
Transportes … … … … … … … … … … … … … …	9,7
Esparcimiento y educación … … … … … … … … …	6,4

siendo éstos los principales epígrafes. Estos a su vez se dividen en subgrupos que engloban los diversos bienes y servicios concretos, considerándose un total de 308 productos.

LAS TEORIAS CLASICAS DE LA INFLACION

La Inflación de Demanda

Según esta teoría, los aumentos en el nivel general de los precios se deben a desplazamientos de la función de demanda agregada en una economía que se halla en una situación de pleno empleo de todos los factores. Así si una economía se halla en una situación tal que la totalidad de los factores productivos se hallan empleados, la producción física de bienes y servicios no puede aumentar: al llegar a ese nivel, la oferta agregada se convierte, por tanto, en una línea vertical respecto del eje de abscisas, indicando que es totalmente inelástica respecto de las variaciones en los precios, tal y como aparece en la Figura 42.1. En ella podemos ver que la línea de oferta agregada OO tiene un tramo creciente hasta el punto a, indicando que para emplear mayor cantidad de factores, los empresarios deberán elevar los precios que han de pagar por éstos. Pero, a partir de este punto, se encuentran empleados la totalidad de los factores existentes en la economía, con lo que (al menos, a corto plazo) no hay posibilidad de aumentar la producción en términos físicos más allá del punto Y_e que indica la renta de pleno empleo para esa economía. Por tanto, a partir de ese punto la oferta agregada se convierte en una línea perpendicular al eje de abscisas, indicando con ello que la cantidad de bienes y servicios ofertados en términos físicos no puede aumentar aunque crezcan los precios.

Si en tal situación, por cualquier causa, se da un aumento en la demanda agregada al crecer alguno de sus componentes (el consumo, la inversión o el gasto público), el resultado será únicamente un aumento en los precios. En la Figura 42.1 podemos ver que si la demanda aumenta de D_1D_1 a D_2D_2, se produce un aumento de precios de P_1 a P_2, sin que varíe el nivel de producción real Y_e.

Monetaristas y keynesianos propugnan distintas explicaciones acerca de las causas que provocan estos desplazamientos de la función de demanda agregada. Según los monetaristas, la causa que explica los movimientos hacia la derecha de la función de demanda agregada es el aumento en la cantidad de dinero.

Si en una economía que se halla inicialmente en equilibrio se produce un aumento en la oferta monetaria, las unidades económicas se encontrarán con una cantidad mayor de dinero. Recordemos que, según estos economistas, el único motivo por el que se mantiene dinero es el motivo transacciones: el dinero en sí es estéril, ya que por sí mismo no rinde beneficio alguno. Al encontrarse las unidades económicas con una cantidad mayor de dinero de la que precisan para atender a sus transacciones corrientes, intentarán gastar ese exceso de dinero en la compra de otros activos rentables o aumentando su demanda de bienes y servicios corrientes.

Sin embargo, a nivel agregado esto no es posible, ya que todos los individuos que integran la comunidad no pueden deshacerse simultáneamente del exceso de liquidez. Las compras de bienes y servicios de un individuo son forzosamente las ventas de otro, y así sucesivamente. Pero esto lo ignoran los individuos por separado, y por ello todos y cada uno aumentan simultáneamente su demanda de bienes y servicios; el resultado es un crecimiento de la demanda global de la economía. Si existe pleno empleo de los recursos, a corto plazo esta demanda incrementada no puede satisfacerse mediante un aumento en la producción, con lo que inevitablemente se traducirá en una subida de los precios. En principio, el proceso concluye en el punto *b* de la Figura 42.1: en el momento en el que los precios más altos obligan a las unidades económicas a mantener más dinero líquido para hacer frente a sus pagos corrientes.

FIGURA 42.1

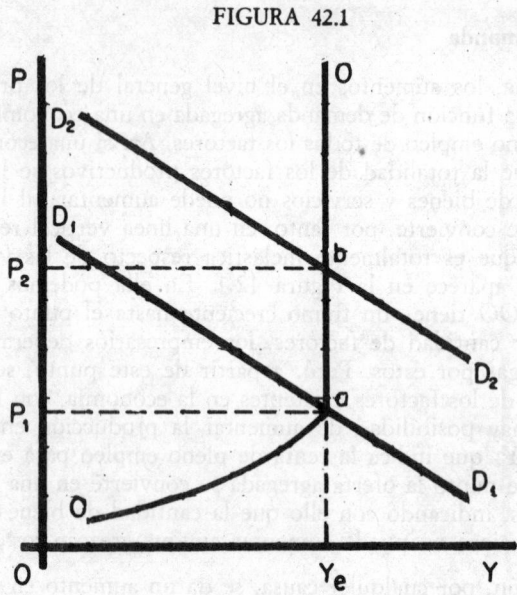

Pero en esta secuencia hay un punto oscuro, ya que no se justifica cómo un aumento en la oferta monetaria se convierte en una adición a la demanda agregada de la economía. La respuesta a esta cuestión la dio el economista sueco Knut Wicksell. Supongamos que, en un momento concreto, la banca privada se encuentra con un exceso de liquidez: los bancos intentarán obtener algún rendimiento de ese exceso de caja, adquiriendo con él títulos-valores. Se produce entonces un aumento en la demanda de éstos, con lo que sus cotizaciones suben y el tipo de interés baja. Al bajar éste, las empresas estarán dispuestas a efectuar algunos proyectos de inversión que se habían desechado anteriormente por no ser rentables cuando el tipo de interés estaba en su nivel precedente más elevado. El resultado es un aumento de la demanda de bienes de inversión por las empresas, lo cual supone un desplazamiento hacia arriba de la demanda agregada (al crecer uno de sus componentes) que, al estar empleados la totalidad de los factores productivos existentes en la economía, se traduce en una elevación del nivel de precios.

Las consideraciones anteriores muestran una relación fundamental entre el nivel de precios y la cantidad de dinero: el proceso inflacionista aparece indisolublemente vinculado a una expansión en la oferta monetaria. Keynes puso en duda esta secuencia de acontecimientos: la demanda de dinero como activo (lo que en el Capítulo anterior llamábamos la demanda de dinero por motivo especulación) puede absorber en determinadas circunstancias los aumentos en la oferta monetaria. Recordemos que Keynes, junto al motivo transacción, decía que los individuos mantienen una determinada fracción de su riqueza en forma de dinero, y que la cuantía de dicha fracción dependerá del nivel del tipo de interés.

En lugar de la oferta monetaria, la variable clave en el análisis keynesiano va a ser la demanda efectiva. Recordemos una vez más que ésta se halla integrada por tres componentes: la demanda de bienes y servicios de consumo, la demanda de bienes de inversión y el gasto público. Si la suma de estos tres componentes excede de la renta real de pleno empleo (aquel nivel de producción física para el cual se hallan empleados la totalidad de recursos existentes en la economía), se producirá un aumento en el nivel de precios.

FIGURA 42.2

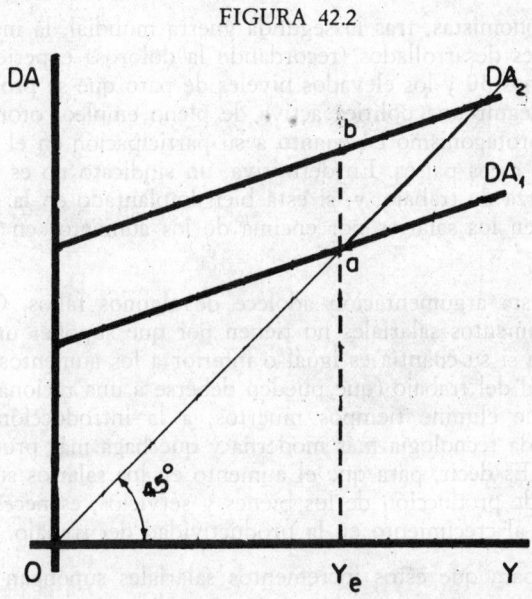

En la Figura 42.2 podemos observar este fenómeno. Sea Y_e la renta real de pleno empleo, y DA_1 el nivel inicial de la demanda efectiva; a será el punto de equilibrio de pleno empleo, en el que el gasto total es igual a la producción total de bienes y servicios correspondientes al pleno empleo, ya que se halla sobre la recta de 45°. Pero si por cualquier causa (un aumento en la propensión al consumo de las economías domésticas, una mejora en las expectativas empresariales que provoque un crecimiento de la inversión, o un incremento en el gasto público), la demanda efectiva se desplaza hasta el nivel DA_2, el exceso de ésta sobre Y_e se traducirá en precios superiores. El segmento ab indica la presión existente sobre la oferta total, y representa el *gap* o bache inflacionista. Si en tal situación el gasto público se reduce en la cuantía *ab*, o se elevan los tipos impositivos de manera que el consumo disminuya también en la magnitud *ab* (al reducirse la renta disponible de las economías domésticas en la cantidad correspondiente), o se eleva el tipo de interés a fin de reducir la inversión, la demanda efectiva volverá a su posición inicial, con lo que se eliminarán las tensiones inflacionistas.

Podemos observar que ambas teorías son muy similares: las dos parten de una situación de pleno empleo de los factores productivos, y el motivo que desencadena la inflación es un desplazamiento de la demanda agregada. Pero se diferencian en un punto básico: mientras que para los monetaristas es condición *sine qua non* un aumento en la cantidad de dinero, para los keynesianos el desplazamiento de la demanda agregada puede deberse a otros factores, no necesariamente monetarios.

La Inflación de Costes

Como dice el economista americano Gardner Ackley, la inflación de costes ha sido invariablemente descrita como el resultado de la presión sindical sobre los tipos de salario. Para un conjunto de economistas, de los cuales la figura más conocida es el Profesor Gottfried Haberler, se trata de una inflación salarial siendo el villano de la historia los sindicatos en su desmedido afán por aumentar los niveles salariales.

Según estos economistas, tras la segunda guerra mundial, la mayoría de los gobiernos de los países desarrollados (recordando la dolorosa experiencia de la Gran Depresión de los años 30 y los elevados niveles de paro que se produjeron) se comprometieron a perseguir una política activa de pleno empleo, otorgando a los sindicatos un mayor protagonismo en cuanto a su participación en el diseño de la política económica de estos países. En definitiva, un sindicato no es más que un monopolista de la fuerza de trabajo, y, si está bien implantado en la economía, puede obtener aumentos en los salarios por encima de los aumentos en la productividad del trabajo.

Sin embargo, esta argumentación adolece de algunos fallos. Cabe destacar al respecto que los aumentos salariales no tienen por qué suponer un aumento en el coste de producción si su cuantía es igual o inferior a los aumentos experimentados por la productividad del trabajo (que pueden deberse a una racionalización del proceso productivo que elimine tiempos muertos, a la introducción de maquinaria que lleva incorporada tecnología más moderna y que haga más productivo el trabajo empleado, etc.). Es decir, para que el aumento en los salarios suponga un incremento en el coste de producción de los bienes y servicios, es necesario que tal aumento sea superior al crecimiento en la productividad del trabajo.

Pero, además, para que estos incrementos salariales supongan un aumento en el precio de los bienes y servicios, es necesario que las empresas tengan la posibilidad de trasladar dichos incrementos a los consumidores, elevando discrecionalmente los precios de venta de los bienes y servicios y dando con ello lugar al fenómeno que se conoce como la espiral precios-salarios; es decir, es preciso que las empresas de la economía tengan cierto poder monopolístico, de manera que puedan alterar a su conveniencia el precio de los productos. Recordemos que, en un mercado competitivo en equilibrio, un aumento en los costes suponía una reducción en los beneficios (beneficios que eran los normales para la totalidad de la economía) que estaban obteniendo las empresas; a largo plazo esto supondría el abandono de la industria por parte de algunas de éstas, con lo que la oferta se contraería, el precio de los bienes subiría, y se volvería a una situación de equilibrio. Pero este proceso de ajuste es excesivamente largo comparado con el que realmente se produce, ya que por este procedimiento se tardarían años en trasladar a los precios los aumentos en los costes, lo que no está muy de acuerdo con los acontecimientos observados en el mundo real.

Este aspecto de la teoría de la inflación de costes fue especialmente enfatizado por Ackley, que indicó que, si bien la teoría de la inflación de costes era cierta, ya que reconocía que los salarios eran «precios administrados» (es decir, precios no determinados en una estructura competitiva, sino fijados por el comprador o vendedor), no tomaba en consideración que en las economías actuales la mayoría de los precios de los bienes y servicios son también precios administrados.

También desde el campo monetarista, la teoría de la inflación de costes originada por los sindicatos sufrió críticas. Los economistas monetaristas pusieron de manifiesto que para financiar los aumentos de salarios y precios, era necesaria una política permisiva por parte de la autoridad monetaria, que habría de emitir dinero suficiente como para que la espiral precios-salarios tuviera carácter acumulativo (pudiera perpetuarse en el tiempo). Esta proposición podemos representarla tal como se hace en la Figura 42.3. Supongamos que la situación inicial viene dada por las curvas de demanda y oferta agregadas D_1D_1 y O_1O_1; a es el punto de equilibrio que determina un nivel de precios de P_0 y una renta de equilibrio de Y_0. Si ahora los sindicatos deciden elevar los salarios sin que se haya producido un incremento paralelo de la productividad, la curva de oferta agregada pasaría a ocupar la posición O_2O_2, con lo que obtendríamos un nivel de precios de equilibrio de P_1 (mayor que P_0) y una renta de equilibrio de Y_1 (menor que Y_0), pasando a situarnos en el punto b.

FIGURA 42.3

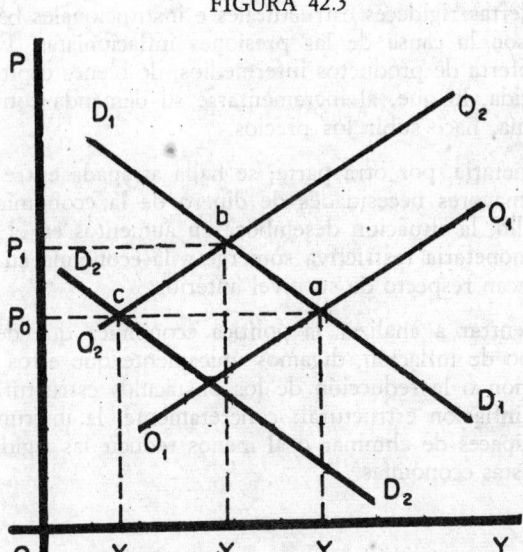

Si ahora deseamos volver al nivel inicial de precios (P_0) desde el punto b, vemos que la demanda debe reducirse hasta el nivel D_2D_2, con lo que la renta disminuye hasta el nivel Y_2, que es aún menor que Y_1. El resultado sería la aparición de cierto volumen de desempleo. Si el Gobierno considera que éste es inaceptable, no tomará las medidas de política monetaria y fiscal necesarias para llevar a cabo esta reducción de la demanda. Pero, incluso, puede estimar que el nivel de renta correspondiente a Y_1 es también insuficiente, de acuerdo con sus objetivos generales de política económica; en tal caso estimulará la demanda agregada hasta que se vuelva al nivel de renta Y_0 en base a la nueva curva de oferta O_2O_2, con lo que el nivel de precios de equilibrio será aún mayor que P_1. Ello provocará un nuevo aumento de los salarios monetarios, reivindicado por los sindicatos a fin de defender el poder adquisitivo de los obreros, lo que a su vez supondrá un aumento en el precio de los bienes y servicios, y así sucesivamente. Una vez que la espiral inflacionista se ha afincado en la economía, es imposible erradicarla sin provocar un cierto volumen de desempleo, lo que hace muy difícil eliminar este tipo de inflación.

Para completar esta rápida visión de las teorías clásicas de la inflación, haremos, por último, una breve referencia a lo que se ha llamado la inflación estructural. Esta teoría apareció expuesta por primera vez en un informe que las Naciones Unidas publicaron en 1956, e intentaba identificar las causas de la inflación en los países en vías de desarrollo. Se observó que el proceso de crecimiento experimentado por algunas naciones latinoamericanas en la década de los 50 iba acompañado de una persistente inflación, contra la que fracasaban las políticas antiinflacionistas empleadas con más o menos éxito en los países desarrollados (restricciones del crédito, reducciones del gasto público y/o aumentos impositivos, cierto régimen de controles directos sobre precios y salarios, etc.).

Los economistas dedicados al estudio de este tipo de inflación, ligados en algún modo a la CEPAL (Comisión Económica para América Latina: de ahí el nombre de escuela «cepalina» con el que también se les conoce) ven en la inflación una manifestación o síntoma externo de los profundos desequilibrios existentes en la economía: el trasfondo de la inflación se halla en las magnitudes reales (y no monetarias), ya que ciertas rigideces estructurales e institucionales básicas y profundamente enraizadas son la causa de las presiones inflacionistas. Fundamentalmente consideran que la oferta de productos intermedios, de bienes capital y de productos alimenticios, es rígida, lo que, al incrementarse su demanda con el desarrollo general de la economía, hace subir los precios.

La política monetaria, por otra parte, se halla atrapada entre dos alternativas: si se ajusta a las mayores necesidades de dinero de la economía que conlleva el proceso de desarrollo, la situación desemboca en aumentos en el nivel de precios; pero una política monetaria restrictiva sumerge a la economía en la crisis, sin que los precios se reduzcan respecto de su nivel anterior.

Sin ánimo de entrar a analizar la política económica que debe de emplearse para atajar este tipo de inflación, digamos únicamente que estos economistas propugnan la eliminación o la reducción de los obstáculos estructurales que motivan la aparición de la inflación estructural: concretamente, la instrumentación de una serie de medidas capaces de eliminar o al menos reducir las rigideces estructurales características de éstas economías.

LAS NUEVAS TEORIAS SOBRE LA INFLACION

Las teorías anteriores dominaron el panorama de la Teoría Económica hasta la primera mitad de los años 60. Pero, al final de dicha década, la persistencia de la inflación en las economías desarrolladas y su progresiva aceleración, forzaron la búsqueda de nuevas explicaciones, dando lugar a un enorme crecimiento de la literatura al respecto. Así, desde 1965 hasta la actualidad, podemos diferenciar dos hipótesis alternativas:

a) La curva de Phillips.

b) El modelo monetarista de la inflación.

La Curva de Phillips

Las investigaciones realizadas por el economista inglés A. W. Phillips en torno a la relación entre las variaciones en el nivel de salarios monetarios y la tasa de desempleo supusieron una contribución importante a la teoría de la inflación. Utilizando series temporales de salarios, Phillips observó que, para el período 1861-1957, existía una relación inversa entre las variaciones en los salarios monetarios y el nivel de desempleo en Inglaterra. Los salarios se mantenían estables cuando la tasa de desempleo (medida como el porcentaje de obreros parados sobre el total de la población activa) alcanzaba un nivel del 5,5 por 100; si esta última se reducía, los salarios empezaban a crecer.

La representación gráfica de la curva de Phillips podemos verla en la Figura 42.4, en la que medimos en ordenadas la tasa de variación de los salarios monetarios $(\hat{W})$ expresada en términos porcentuales, y en abscisas la tasa de desempleo (u). Los salarios se mantienen estables a un nivel de desempleo del 5,5 por 100 (u_0).

FIGURA 42.4

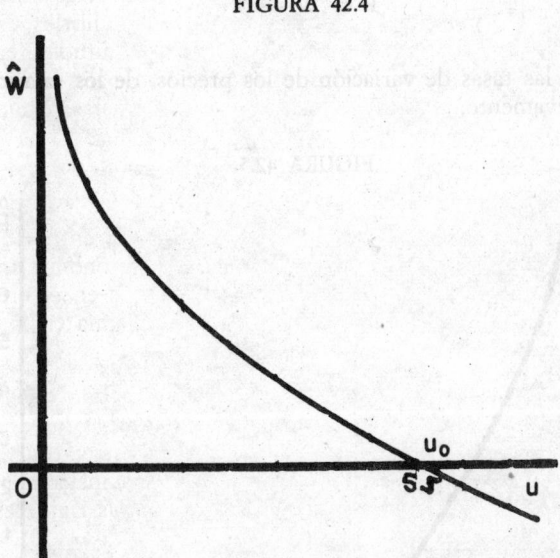

La existencia de una relación inversa entre la tasa de crecimiento de los salarios monetarios y la tasa de desempleo no era nueva, ya que se conocía con anterioridad a los estudios realizados por Phillips; la aportación básica realizada por éste fue la hipótesis de que dicha relación era estable; es decir, que podía diseñarse una función que relacionara ambas variables y cuyos parámetros no cambiaban con el transcurso del tiempo. Esta hipótesis fue rápidamente sometida a contrastación en la mayoría de las economías desarrolladas, obteniéndose (mediante el empleo de técnicas estadísticas) las curvas de Phillips para la mayoría de éstas. Los resultados corroboraron en la práctica totalidad de los casos la hipótesis de Phillips: existía una relación inversa y estable entre las tasas de variación de los salarios monetarios y la tasa de desempleo en la economía. Por otra parte, esta relación no era lineal (si la proporción entre ambas tasas fuera constante, su representación en el plano sería una línea recta con pendiente negativa), sino que, al reducirse la tasa de paro, los salarios monetarios crecían en una proporción mayor. Esta proposición podemos comprobarla en la Figura 42.4: descensos iguales de la tasa de paro requieren aumentos cada vez mayores de la tasa de crecimiento de los salarios monetarios.

La curva de Phillips alcanzó su mayor aceptación cuando, en 1960, los economistas americanos Paul Samuelson y Robert Solow difundieron su empleo como instrumento de política económica. Según estos autores, existe una relación inversa (o *trade-off*) entre las tasas de inflación y desempleo, de manera que un Gobierno puede elegir situarse en diferentes puntos de la curva de Phillips, puntos que supondrían distintas combinaciones entre inflación y desempleo. La conexión con la curva de Phillips original la realizaron Samuelson y Solow en base a la hipótesis de que las empresas fijan sus precios añadiendo un margen constante (el *mark up*) al coste medio de producción. Sin embargo, sabemos que los aumentos en los salarios no repercuten totalmente sobre los costes si paralelamente se da algún aumento en la productividad del trabajo (solamente lo harán en la cuantía en que el aumento salarial exceda al crecimiento de la productividad). Por tanto, podemos escribir:

$$\hat{P} = \hat{W} - \Pi$$

siendo $\hat{P}$, $\hat{W}$ y Π las tasas de variación de los precios, de los salarios y de la productividad, respectivamente.

FIGURA 42.5

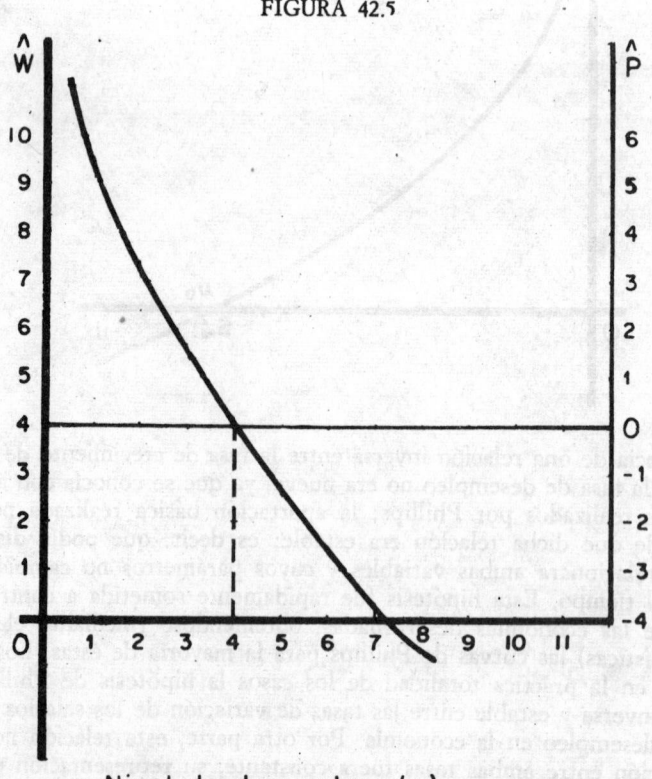

Nivel de desempleo (u)

Gráficamente podemos ver esta transformación en la Figura 42.5. Supongamos que en la economía representada en el diagrama, la productividad crece a una tasa del 4 por 100. Consecuentemente, los precios crecerán 4 puntos menos del aumento que experimenten los salarios, lo que evidenciamos en el eje de la derecha, desplazando el eje de abscisas hasta el nivel 4, con lo que queremos significar que si los salarios crecen a un 4 por 100, los precios se mantendrán estables (y así con el resto de la escala). Podemos, por tanto, comprobar que la escala de la derecha es la misma que hemos expresado en el eje de la izquierda, disminuida en 4 unidades.

Como antes apuntábamos, el descubrimiento de esta relación entre la tasa de crecimiento de los precios (tasa de inflación) y la tasa de desempleo, proporcionó a los Gobiernos un poderoso instrumento de política económica, ya que podían reducir el paro a costa de aumentar la inflación, y viceversa. Así, la política económica de los años 60 se concentró en la búsqueda de la combinación óptima de ambos factores, y en el mantenimiento de la economía en una posición lo más próxima posible a dicho punto (la llamada política de ajuste aquilatado o *fine-tunning*, que consistió en arbitrar los instrumentos más eficaces para evitar que la economía se desplazase del punto óptimo elegido).

El Modelo Monetarista. La Hipótesis de la Tasa Natural de Paro

Al final de los años 60 aumentaron las dudas sobre los modelos basados en la curva de Phillips. Ya Richard Lipsey, al someter a contrastación empírica los estudios realizados por Phillips, observó que, para el período 1861-1913, cuatro quintas partes de la variación en las tasas de los salarios monetarios podían explicarse mediante las variaciones en el nivel de desempleo. Sin embargo, para los años posteriores a la primera guerra mundial, la relación se mostraba más débil, ya que sólo podían explicarse por este procedimiento las tres quintas partes del cambio salarial. Este fenómeno, unido al hecho de que a finales de la década de los años 60 las mismas tasas de desempleo iban asociadas con niveles de inflación cada vez mayores, indujo a la búsqueda de hipótesis y teorías alternativas.

Los economistas americanos Milton Friedman y Edmund Phelps fueron los primeros en cuestionar la existencia de una relación estable a largo plazo entre el paro y la inflación, introduciendo en el análisis la distinción entre inflación anticipada y no anticipada. En el primer caso (la inflación anticipada), los individuos conocen con exactitud cuál va a ser el aumento en los precios que se va a producir en el futuro, y ajustan su comportamiento en función de ese dato; en el segundo, los individuos tienen formada una idea de la inflación futura, pero ésta toma en la realidad una magnitud distinta a la que inicialmente habían previsto los sujetos.

Según esta teoría, la tasa de desempleo disminuye si un estímulo monetario o fiscal provoca una inflación no anticipada; pero este efecto será sólo temporal. Una vez que los individuos observen que la tasa de inflación real es mayor que la esperada, ajustarán en tal sentido sus expectativas, modificando su comportamiento en función del nuevo dato. Por tanto, tras el proceso de ajuste de las expectativas, la inflación anticipada coincidirá con la real, y el desempleo volverá a aumentar.

En la Figura 42.6, vemos gráficamente el proceso descrito. Supongamos que la economía se halla en equilibrio en el punto a (con una tasa de inflación del 5 por 100 anual perfectamente conocida y anticipada, y un nivel de desempleo de $\bar{u}$) y que el Gobierno decide, por la razón que fuere, reducir el desempleo hasta el nivel

u_1. De acuerdo con la curva de Phillips que pasa por dicho punto, para conseguir este objetivo le basta con aumentar la tasa de inflación al 10 por 100 anual, con lo que, a corto plazo, la economía se situará en *d,* con una tasa de desempleo de u_1 y una inflación del 10 por 100 anual. Sin embargo, los individuos, al persistir esa inflación, ajustarán sus expectativas a esa nueva tasa: los contratos se renegociarán teniendo en cuenta este dato, los salarios pactados llevarán una cláusula de incremento del 10 por 100 anual, etc.; el resultado será un desplazamiento hacia arriba de la curva de Phillips hasta el punto *b,* en el que las expectativas ($\hat{P}^* = 10\,\%$) coinciden con la tasa efectiva de inflación, y el desempleo ha vuelto a crecer hasta *u* (recordemos que estos economistas definen el equilibrio como aquella situación en la que las expectativas coinciden con la realidad, mediante un proceso de ajuste de las primeras a la segunda). Si ahora el Gobierno quiere volver otra vez a un nivel de desempleo de u_1, sólo podrá conseguirlo durante un cierto período de tiempo a costa de aumentar la inflación al 15 por 100; pero una vez que las expectativas se hayan adaptado a esta variación en las circunstancias, el desempleo volverá a $\bar{u}$ situándose la economía en el punto *c.* De esta forma, el Gobierno está abocado al fracaso en su intento de reducir el desempleo consiguiendo sólo aumentar los precios.

FIGURA 42.6

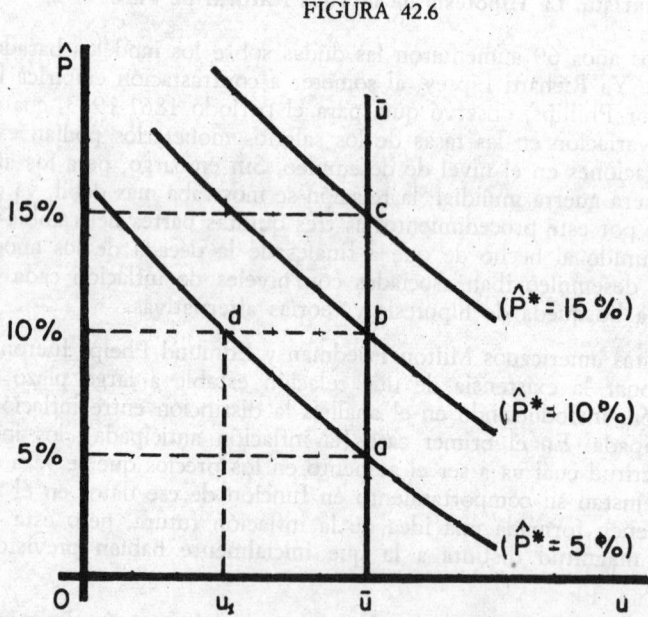

La línea $\bar{u}\bar{u}$ representa la tasa natural de desempleo: el nivel de paro que es consistente con cualquier tasa de inflación, siempre que ésta sea totalmente anticipada. Una inflación anticipada no produce ningún efecto sobre los precios relativos ni sobre los salarios reales, ya que todos los agentes económicos se protegerán de la inflación elevando sus rentas monetarias o sus precios en la cuantía necesaria para que éstas se mantengan constantes en términos reales. Por tanto, la línea $\bar{u}\bar{u}$ representa una curva de Phillips a largo plazo (en la que expectativas y realidad coinciden y la economía está en equilibrio); pero, a corto plazo, y debido a que pueden darse divergencias entre las expectativas y la realidad (pueden darse situaciones de inflación no anticipada), la curva de Phillips puede tener una pendiente negativa, existiendo una curva de Phillips a corto plazo para cada nivel de inflación esperada, como podemos ver en la Figura 42.6.

Por tanto, y de acuerdo con este modelo, solamente las variaciones inesperadas en la tasa de crecimiento de la cantidad de dinero tienen un efecto sobre la producción y el empleo. Por el contrario, una tasa constante de aumento de la oferta monetaria no ejerce la menor influencia sobre estas variables; la única variable que determina es la tasa de inflación.

En este modelo las expectativas juegan un papel central en la toma de decisiones económicas. Podemos definir éstas como la idea que tienen formada los diversos agentes económicos sobre la evolución futura de alguna variable. Es, por tanto, esencial disponer de una teoría que explique cómo forman estos agentes económicos las expectativas sobre la tasa futura de inflación. Examinaremos aquí brevemente dos teorías:

a) La teoría de las expectativas acomodantes. Parte de la hipótesis de que los individuos forman sus expectativas sobre la tasa de inflación futura en base a sus experiencias pasadas. Así, la tasa de inflación esperada en el momento t es una media ponderada de las tasas de inflación que realmente se han dado en períodos anteriores. Los coeficientes de ponderación son decrecientes, indicando con ello que los individuos otorgan más importancia a las tasas de inflación más recientes que a las más distantes en el tiempo. Formalmente:

$$\hat{P}_t = \alpha_1 \hat{P}_{t-1} + \alpha_2 \hat{P}_{t-2} + \alpha_3 \hat{P}_{t-3} + \ldots + \alpha_n \hat{P}_{t-n}$$

en que α_1, α_2, ..., α_n, son los coeficientes de ponderación, que cumplen las siguientes condiciones:

$$0 < \alpha_i < 1$$
$$\alpha_1 > \alpha_2 > \alpha_3 \ldots > \alpha_n$$

$$\sum_{i=1}^{n} \alpha_i = 1$$

es decir, los coeficientes son menores que la unidad aunque positivos, decrecen en el tiempo, y (al igual que ocurre con todos los coeficientes de ponderación) su suma vale la unidad. El número de períodos que se consideren relevantes depende de la memoria de los individuos; si n es reducido, se dice que tiene una memoria corta; mientras que si es elevado, tienen una memoria larga.

b) La teoría de las expectativas racionales. Los economistas partidarios de esta teoría critican el modelo de las expectativas acomodantes por no tener en cuenta otras fuentes de información en la formación de las expectativas que los individuos consideran relevantes. Así, de acuerdo con estos teóricos, los individuos recogen toda la información disponible para formar sus expectativas sobre la evolución futura de cualquier variable; y existe una teoría económica relevante en la que cabe toda la información disponible y cuyas predicciones son las mejores posibles. Se dice entonces que las expectativas económicas son racionales cuando están de acuerdo con las predicciones efectuadas por la teoría económica relevante para el individuo.

Estas teorías sobre la elaboración de expectativas son muy recientes y podemos decir que se hallan aún en estado embrionario. Su formalización matemática es muy sofisticada y compleja, por lo que no entraremos en más detalles. Pioneros en este análisis son los economistas americanos Robert Lucas, Walter Nordhaus y Thomas Sargent.

LOS EFECTOS DE LA INFLACION: COSTES Y BENEFICIOS

Los costes de la inflación están ampliamente reconocidos e incluso en algunos casos exagerados. El propósito del presente epígrafe es mostrar que, si la inflación fuera perjudicial para la totalidad de los agentes de una economía (incluido el Gobierno), la oposición política frente a ésta sería tan fuerte que se acabaría por eliminarla. Sin embargo, la inflación es posible, ya que determinados segmentos de la sociedad se ven beneficiados en el proceso, y debido a esto, una vez que la inflación se pone en marcha, es relativamente difícil detenerla.

Los efectos derivados de la inflación en una economía serán distintos según que ésta sea o no anticipada con exactitud por los diversos agentes, ya que, en el primer caso adoptarán un conjunto de acciones tendentes a protegerles de los efectos negativos de la inflación. Nos centraremos en el segundo caso, en el que los individuos desconocen la tasa de inflación que se va a producir en el futuro, o que las expectativas que tienen formadas sobre ella se revelan erróneas.

Podemos clasificar los efectos de la inflación sobre el sistema económico en dos grupos: los efectos sobre la asignación eficiente de los recursos en una economía, y los efectos sobre la distribución de la renta y la riqueza.

a) Los efectos sobre la asignación eficiente de los recursos. Supongamos que en una economía se produce un aumento en la cantidad de dinero existente; los agentes económicos destinarán el exceso de dinero sobre sus gastos corrientes, bien a la compra de activos productivos, bien a aumentar su demanda de bienes y servicios de consumo, bien a una mezcla de los dos. El empresario individual sólo percibe en un primer momento el aumento en la demanda monetaria de sus productos, con lo que estará dispuesto a aumentar su demanda de factores y a pagar precios más elevados por ellos; en definitiva, habrá de aumentar su capacidad productiva a fin de hacer frente a ese aumento en la demanda que percibe. Sin embargo, para poder contratar una mayor cantidad de factores debe pagar por ellos precios más elevados, con lo que sus costes medios crecen y desaparece la posibilidad de obtener beneficios extraordinarios; incluso para mantener el nivel anterior de beneficios, el empresario se ve obligado a elevar el precio de sus productos, con lo que la curva de oferta se desplaza hacia la izquierda.

Pero, en el intervalo, el empresario ha contratado una mayor cantidad de factores, ha aumentado sus stocks de materias primas, etc. Los contratos realizados para la adquisición de los servicios de los factores suelen realizarse por una duración determinada (en particular, pensemos en el caso del trabajo: excepto en determinadas ocupaciones que constituyen una pequeña fracción de la totalidad de las existentes en economía, no se contrata a los obreros diariamente, sino durante cierto período de tiempo: seis meses, un año o más), con lo que la empresa se encuentra con cierta capacidad productiva excedente que reduce sus beneficios (a los obreros hay que seguirles pagando, trabajen o no y se vendan o no los productos, durante toda la duración del contrato). Si la capacidad excedente es lo suficientemente grande, puede dar lugar a que la empresa incurra en pérdidas y se vea obligada a cerrar, generándose así cierto desempleo de los factores productivos.

Además, sabemos que la inflación no incide en la misma cuantía sobre los precios de los distintos bienes, servicios y factores de la economía. Decíamos al principio de este Capítulo que si el índice del coste de la vida sube en un 10 por 100, ello no implica necesariamente que el precio del pan suba en esa cuantía. Por tanto, la inflación, al incidir en una cantidad diferente sobre los distintos precios absolutos en la economía, altera los precios relativos, con lo que éstos no cumplen su función de señalizadores en la asignación de los recursos. En palabras del Profesor Friedman, en una situación inflacionista las señales emitidas por el sistema de precios se ven distorsionadas por los parásitos inflacionistas, de la misma manera que las ondas de televisión o radio están sometidas a las interferencias atmosféricas, impidiéndoles cumplir su función.

En resumen, podemos afirmar que la inflación genera una cierta dosis de incertidumbre (por todos los motivos expuestos) que reduce la eficiencia global del sistema productivo, pudiendo en algunos casos llegar a generar desempleo. Esta podría ser una explicación del fenómeno que aqueja a las economías desarrolladas: la aparición de tasas de paro crecientes acompañadas de aumentos en la tasa de inflación, fenómeno que recibe el nombre de stagflación. Recordemos, por último, que en una situación inflacionaria de aumento generalizado del nivel de precios, los individuos huyen del dinero, por cuanto que éste experimenta una pérdida continua de valor, utilizando sus excedentes monetarios en la adquisición de activos cuyo precio aumente con la inflación. En tal caso, es posible que algunos individuos compren materias primas o productos intermedios, si su coste de almacenamiento no es muy elevado a fin de revenderlos posteriormente, cuando los precios hayan aumentado. En tal caso, una determinada cantidad de bienes se sustraen al proceso productivo y se mantienen inactivos durante cierto período de tiempo, con lo que puede aparecer cierto volumen de desempleo. La misma conducta pueden adoptar algunas empresas, aumentando sus stocks tanto de materias primas como de productos terminados. Tal comportamiento tiene un límite, que viene marcado por los recursos de la empresa; una vez que ésta haya acumulado todas las existencias que sus recursos financieros le permitan, reducirá drásticamente los pedidos, con lo que se producirá una reducción en la demanda agregada que provocará una disminución en los niveles de producción, renta y empleo.

b) Los efectos sobre la distribución de la renta y la riqueza. En este caso, la inflación actúa como mecanismo redistribuidor de la renta y la riqueza en la economía. Como es evidente, la redistribución de una renta y riqueza dadas sólo puede hacerse a costa de que algunas unidades económicas vean reducidos sus niveles de éstas en la misma cuantía en que otras los ven aumentados (lo que técnicamente se conoce con el nombre de juegos de suma cero, o juego en el que lo que gana un sujeto participante es lo que pierde otro, indicando que la situación final, considerada la economía como un todo, es idéntica a la inicial, por mucho que pueda haber variado la posición concreta de un individuo en particular).

Por tanto, la inflación supone un coste para algunos individuos (o grupos de éstos) exactamente de la misma cuantía en la que otros se benefician (excepto cuando la inflación vaya acompañada de una reducción en los niveles de producción, renta y empleo, en cuyo caso se perjudican todos los sujetos). Examinemos detenidamente cuáles son los grupos sociales perjudicados y cuáles los beneficiados, y cuál es la naturaleza de los costes y beneficios derivados dé la inflación.

Un primer grupo de perjudicados son los acreedores en términos monetarios: los tenedores de bonos, los inversores institucionales, etc. Todos estos individuos o instituciones concertaron préstamos en términos monetarios, en el sentido de que el deudor se comprometió a devolver una cantidad fija de dinero por período de tiempo; por lo tanto, al pagarse una cantidad fija en términos monetarios en una situación inflacionista, el valor real de dicha suma decrece. Por cuanto que los contratos de préstamo suelen negociarse para una duración de varios años, el acreedor normalmente no podrá elevar el tipo de interés monetario a fin de aumentar el rendimiento monetario del préstamo, con lo que el rendimiento real de éste (en términos de poder de compra) se reducirá.

Otro grupo social especialmente perjudicado son los perceptores de rentas fijas en términos monetarios, y que no pueden elevarlas para afrontar la inflación: pensionistas, jubilados, etc. De acuerdo con los estudios empíricos realizados, se observa que en períodos inflacionistas, la posición de este grupo en la distribución de la renta empeora rápida e irreversiblemente. Todos los perceptores de rentas contractuales (prestamistas, trabajadores de toda clase, pensionistas, etc.) ven sus ingresos reales reducidos con la inflación. Las rentas cuya cuantía es fija (especificada en un contrato) durante un período de tiempo pierden valor con la inflación.

Un último grupo social que también se ve perjudicado es el de los individuos sometidos al pago de impuestos progresivos, tales como el impuesto sobre la renta de las personas físicas. Como sabemos, en este tipo de impuestos, las bases vienen cuantificadas en términos monetarios; y el tipo impositivo crece con más rapidez de lo que lo hace la base. Pues bien, si las rentas monetarias crecen, debido a la inflación la cuota impositiva crece más rápidamente que aquéllas; y en una situación inflacionaria, si no se revisan periódicamente las bases de este tipo de impuestos, la presión fiscal en términos reales puede hacerse rápidamente insoportable.

En cuanto a los beneficiarios son, lógicamente, los grupos opuestos a los anteriores. Así, un primer grupo social que se beneficia de esta situación es el de los deudores en términos monetarios: los individuos que concertaron préstamos para la compra de activos reales a plazos (casas, automóviles, etc.) en el período pre-inflacionario, las empresas que emitieron obligaciones para financiar sus planes de expansión, y especialmente el Gobierno. Este último se beneficia siempre de la situación inflacionaria, no sólo porque, como veíamos, sus ingresos impositivos aumentan, sino también porque sus pagos en términos reales decrecen. Como un parte muy importante de los gastos gubernamentales está constituida por el llamado «servicio de la deuda pública» (es decir, el pago de los intereses y la amortización de los títulos de deuda pública), y éstos vienen especificados en términos monetarios, el resultado es que el servicio de la deuda en términos reales se reduce a costa de los ingresos reales de los tenedores de estos títulos.

Un último comentario sobre los efectos de la inflación en la distribución de la riqueza. Esta cuestión fue analizada por Keynes en su obra *Cómo Pagar la Guerra*. Puesto que la inflación supone una caída en el valor del dinero, ésta afectará a los agentes económicos en función de la fracción de su riqueza que éstos mantengan en forma de dinero líquido. En una economía ideal, sin fricciones, los diversos agentes (al aparecer una situación inflacionaria) se desprenderían del dinero líquido y comprarían activos, que posteriormente venderían a la hora de realizar sus pagos. Sin embargo, esto no es posible, ya que siempre se necesita cierta cantidad de dinero para afrontar pagos imprevistos, y normalmente la compra y la venta de activos (y a veces su mantenimiento) suele tener un coste determinado. Por tanto, la inflación incidirá sobre los agentes económicos en proporción a la cuantía de dinero líquido que éstos se vean obligados a mantener.

Esperamos que, tras esta somera y breve exposición, el lector haya podido comprobar la afirmación realizada al principio del epígrafe y que pudo parecer sorprendente en su momento: la inflación no es perjudicial para todos los agentes económicos; de ser así, se habría eliminado en un corto período de tiempo.

BIBLIOGRAFIA SELECCIONADA

Samuelson, P.: *Curso de Economía Moderna,* op. cit., Caps. 15 y 41.

Lipsey, R.: *Introducción a la Economía Positiva,* op. cit., Cap. 51, págs. 885-892.

Lancaster, K.: *Economía Moderna,* op. cit., Cap. 25.

Branson, W. H.: *Teoría y Política Macroeconómica,* op. cit., Cap. 16.

Friedman, M.: *Paro e Inflación.* Unión Editorial, Madrid, 1980.

Pierce, D., y Shaw, D. M.: *Economía Monetaria,* op. cit., Cap. 10.

Brofenbrenner, M. y Holzmann, F.: «Una Visión Panorámica de la Teoría de la Inflación», en *Panoramas Contemporáneos de la Teoría Económica,* Alianza Editorial, 1970.

Frisch, H.: *La Teoría de la Inflación 1963-1975,* Información Comercial Española, septiembre, 1978.

CRECIMIENTO Y DESARROLLO

CAPITULO 43

CRECIMIENTO Y DESARROLLO ECONOMICO

INTRODUCCION

Al estudiar los problemas fundamentales que debe afrontar cualquier sistema económico, expusimos que éstos podían reducirse básicamente a tres: qué bienes producir y en qué cantidades, cómo producirlos y para quién producirlos. Por razones de comodidad expositiva omitimos otro problema crucial, que afecta a la propia viabilidad del sistema: la repetición, regular y sistemática, de todas las actividades ligadas a estos tres problemas económicos fundamentales de período en período (de año en año si se prefiere).

En efecto, cualquier economía desde las más complejas (como los Estados Unidos o el Antiguo Imperio de los faraones) hasta las más simples (una tribu primitiva o una comunidad agrícola medieval) no sólo debe de obtener una producción total anual suficiente para las necesidades de sus integrantes, sino que debe de estar en condiciones de poder repetir o «reproducir» el proceso en el período siguiente. Supongamos una comunidad agrícola primitiva y aislada. Su problema económico fundamental no es sólo poder cosechar este año un volumen de producto suficiente para subsistir, sino también estar en condiciones de realizar las actividades de siembra que, en el próximo período, le garantizarán una nueva cosecha. Este nuevo producto total anual puede ser igual en cantidad al del período precedente, en cuyo caso diríamos que el sistema está en estado estacionario. Puede ser menor y en este caso el sistema sería regresivo hasta el punto que, si continúa así, acabaría extinguiéndose; o, por el contrario, el producto total de cada período puede ser mayor que el del precedente, lo cual implica que estamos ante un proceso de crecimiento económico. Las causas de este crecimiento (una mayor población, una mayor habilidad o productividad del trabajo, un mejor instrumental o progreso tecnológico, etc.) constituyen el campo de estudio de una especialidad denominada teoría del crecimiento económico, pero antes de seguir con la exposición conviene que nos detengamos para aclarar algunas cuestiones fundamentales.

CRECIMIENTO Y DESARROLLO

A veces se usan, de forma indistinta, los términos «crecimiento» y «desarrollo», sin embargo, no son totalmente equivalentes, aunque guarden una estrecha relación, por lo que conviene establecer sus diferencias a fin de utilizarlos adecuadamente. El crecimiento económico significa, generalizando nuestro ejemplo, un incremento de la producción total de bienes y servicios disponibles para una sociedad en un momento determinado. En este sentido, uno de los indicadores más utilizados para medir el ritmo de crecimiento económico es la tasa (expresada en tanto por cien) de aumento del PNB, a la que se denomina «tasa de crecimiento» de la economía. Ahora bien, en España se experimentó un fuerte y sostenido incremento de dicha tasa durante la década de los 60... Otros países europeos y también (aunque en menor proporción) los Estados Unidos, crecieron a elevadas tasas durante dicho período. La pregunta que podemos formularnos es si tienen el mismo sentido, para sus respectivas economías, esas similares tasas de crecimiento españolas y europeas o americanas. La respuesta debe ser negativa. No son en absoluto fenómenos económicos equivalentes, puesto que el crecimiento inglés, holandés o americano no implicaba ningún tipo de cambio estructural profundo en esos países, mientras que en España se producían, acompañando al crecimiento, fuertes movimientos migratorios internos; el porcentaje de población activa ocupado en el campo disminuía, aumentando el dedicado a industria y servicios; aumentaba la participación femenina en el mercado del trabajo; se operaba un cambio de mentalidad que provocaba distorsiones en la escala tradicional de valores sociales, etc. En otras palabras, en España no se producía un simple crecimiento económico, sino que éste estaba acompañado de un «desarrollo». Lo cual no quiere decir que en los restantes países no se produjeran también cambios estructurales, pero reservaremos el término «desarrollo económico» a un proceso de crecimiento económico o expansión de la producción cuando ésto implica simultáneamente una profunda transformación de las estructuras sociales.

Por lo tanto, tampoco son equivalentes las teorías del crecimiento y del desarrollo económico, aunque estén íntimamente relacionadas. La teoría del crecimiento explica los factores determinantes de éste y las formas que puede adoptar sin referencia a ninguna economía concreta, utilizando normalmente modelos económicos abstractos y altamente formalizados. La teoría del desarrollo se interroga sobre las causas del atraso económico, sobre las razones que explican los distintos ritmos de crecimiento de los países, efectuando análisis comparativos en base a material estadístico, sobre las posibilidades de aplicar políticas económicas específicas que ayuden al desarrollo, etc. En este sentido, y desde la perspectiva económica, recibe su instrumental y fundamentos teóricos de la teoría del crecimiento. Pero el desarrollo es un proceso histórico y total que el economista no puede abordar en solitario. Es preciso la interacción de las distintas ciencias sociales para poder aproximarse a la problemática del desarrollo.

Siguiendo ahora con las precisiones conceptuales, es necesario distinguir entre el crecimiento económico y las fluctuaciones en el nivel de actividad económica. Se recordará que al estudiar la teoría de la producción distinguíamos entre la capacidad productiva total de un stock dado de maquinaria y su grado de utilización. Resulta evidente que al cambio en la producción total que se produce si, por ejemplo, pasamos de utilizar el 40 por 100 de la capacidad productiva a utilizar el 80 o el 100 por 100 no podemos denominarlo crecimiento, puesto que la producción total potencial del sistema siempre fue la misma, o sea, la maquinaria existente utilizada a plena capacidad (al 100 por 100). Debemos, pues, reservar el término crecimiento a los cambios en la producción potencial, eliminando los efectos de las fluctuaciones a corto plazo en el nivel de actividad económica.

Por otra parte, los indicadores utilizados (PNB, PNB *per cápita*, Renta Nacional, etc.) están expresados en unidades monetarias, pero se recordará que el dinero es utilizado como medida del valor, pero no es una medida invariable, puesto que su valor se altera con el tiempo al producirse cambios en los precios. Debemos, pues, limitarnos a medir cambios en la producción real, eliminando los efectos de un crecimiento aparente que sea debido a un aumento de los precios y no del producto, para lo cual es imprescindible utilizar como medidas unidades monetarias (pesetas, dólares, libras, etc.) deflactadas (referidas a un valor de la unidad monetaria en un año tomado como base).

Otro problema, a la hora de medir el crecimiento económico en un país determinado, puede venir impuesto por el volumen de la población, ya que, por ejemplo, si el PNB de ese país está creciendo a una tasa del 5 por 100 y la población crece en ese mismo porcentaje, la cantidad de bienes y servicios para un miembro de ese país seguirá siendo la misma. Por lo tanto, es posible un crecimiento del PNB total sin que se produzca un incremento similar del PNB *per cápita*. Incluso, si la tasa de crecimiento de la población es superior a la del PNB, podría haber crecimiento del PNB total y disminución del PNB *per cápita*. Por esto es conveniente utilizar como indicador del crecimiento no sólo los cambios en el PNB, sino también del PNB *per cápita*.

EL CRECIMIENTO ECONOMICO

Factores determinantes del crecimiento económico

Tal como exponíamos al estudiar la teoría de la producción, la característica esencial de cualquier actividad productiva parece a simple vista un truismo: no podemos producir nada a partir de nada. Esto, unido a la constatación de que los bienes no son eternos, tiene una importancia analítica decisiva. Implica, por una parte, que en cualquier proceso productivo debemos partir de la utilización de unos recursos o factores de producción (esquemáticamente tierra, trabajo y capital) y que además debemos dedicar parte del *output* obtenido a reponer el desgaste de los factores originado en el transcurso de la producción. Luego podemos afirmar que mientras la inversión bruta sea igual a la amortización (sólo cubra la depreciación o desgaste) nos encontraremos en una situación de estado estacionario. En cada período sólo podremos obtener, como máximo, un volumen de producto igual al del precedente a no ser que consigamos obtener más volumen de producto a partir de las cantidades dadas de recursos (incremento de la productividad). En ausencia de cambios en la productividad sólo habrá crecimiento económico si la inversión neta es positiva, o sea, si en cada período no sólo nos limitamos a cubrir la depreciación, sino que además aumentamos la capacidad productiva del sistema (acumulación o formación de capital). Aunque la evidencia histórica muestra que normalmente ambos fenómenos suelen darse conjuntamente y que, por consiguiente, sus efectos son acumulativos vamos a analizar brevemente y por separado estas causas.

Generalizando lo expuesto, y por lo que se refiere a los recursos productivos, podemos decir que un aumento de los recursos físicos de un país supone un aumento de su trabajo y/o su capital, puesto que la cantidad de tierra disponible podemos considerarla dada y no puede «producirse» más tierra, exceptuando algún caso anecdótico como el de Holanda. El incremento de la población supone, en princi-pio, un incremento potencial de la fuerza de trabajo disponible. Pero el aumento de la población, como veremos al examinar la problemática del subdesarrollo, cons-tituye un arma de dos filos. En efecto, un volumen escaso de población puede su-poner un estrangulamiento del proceso de crecimiento al limitar la oferta de mano de obra (a no ser que haya una afluencia de emigrantes procedentes de otros países como fue el caso de Estados Unidos), pero una población muy abundante implica un PNB *per cápita* menor y, por consiguiente, una baja capacidad adquisitiva per-sonal con sus efectos consiguientes sobre el volumen de demanda efectiva. Por otra parte, es posible aumentar la oferta total de trabajo sin que la población total au-mente, si puede conseguirse aumentar la proporción de la población activa respecto la total mediante la educación o formación profesional, el incremento del trabajo femenino, cambios en las estructuras productivas que liberen mano de obra, etc. Y, por último, es posible que el aumento de la población no suponga disminuciones del PNB *per cápita,* siempre que la tasa de crecimiento de éste sea superior a la de aquélla, lo cual es difícil de obtener si no hay aumento del capital disponible (entendiendo el capital en sentido físico —maquinaria y equipos productivos— no monetario).

Incluso en ausencia de un aumento en los recursos productivos disponibles es po-sible concebir un aumento en la producción si crece la productividad —entendida ésta como el producto medio por hombre empleado—, aunque, como antes se ha señalado, lo normal ha sido el crecimiento simultáneo de la productividad y del trabajo y el capital utilizado. La productividad puede aumentar por diversas causas, desde la división del trabajo, analizada ya por Adam Smith (1776), hasta la mayor eficacia organizativa, la utilización de economías de escala, una mayor difusión de la educación o un incremento de la destreza o habilidad personales. Pero junto a estas causas ha actuado otra que, aun en ausencia de datos fiables suficientes, pa-rece caracterizarse como la más decisiva: el progreso tecnológico, entendiendo por éste tanto los cambios en los procesos productivos como la introducción de maqui-naria más perfeccionada (incluso, en un sentido amplio, podría incluir también la utilización de nuevos métodos de administración y organización).

Sin embargo, el progreso tecnológico en su sentido más habitual se entiende como un cambio técnico materializado (nuevo capital físico más productivo), por lo que el aumento o acumulación de capital sigue siendo un factor crucial en el crecimiento económico. Por lo tanto, y como tendremos ocasión de ver al exami-nar las distintas teorías, la tasa de acumulación de capital (o de formación neta de capital) va a determinar la tasa de crecimiento del PNB (en ausencia de progreso tecnológico) o a condicionarla fuertemente en cualquier caso. Como a su vez esta tasa de acumulación depende del nivel de inversión en esa economía, todos los fac-tores que actúan sobre dicho nivel adquieren una especial relevancia para el creci-miento económico y, como se puede entender fácilmente, un modelo de crecimien-to arrojará conclusiones muy distintas según cuáles sean los factores determinantes considerados. En especial, diferirán básicamente según se considere que el nivel de ahorro depende del tipo de interés o, por el contrario, que viene determinado por el nivel de renta. Por otra parte, recordando el concepto básico de escasez de los recursos y el de la curva de transformación (o posibilidades de producción) de una economía, resulta evidente que la acumulación de capital implica una elección intertemporal: cuanto mayor sea la tasa de acumulación en una economía o, lo que es lo mismo, cuantos más bienes de capital produzcamos hoy, menos bienes de con-sumo disfrutaremos en la actualidad, pero mayor será la cantidad de consumo que se podrá realizar en el futuro.

Progreso tecnológico

Una diferencia básica que la presencia de progreso tecnológico aporta a un proceso de crecimiento es que la tasa de crecimiento deja de depender de la existencia de inversión neta positiva. En efecto, la adición de capacidad productiva al sistema ya no depende exclusivamente de la incorporación de nuevas máquinas al stock existente. Aunque la inversión bruta sea igual a la amortización o, en otras palabras, la inversión neta sea nula, puede aumentarse la capacidad productiva si la sustitución de la maquinaria amortizada se realiza por maquinaria más perfeccionada, por un nuevo equipo que permite obtener en los procesos productivos más cantidad de *output* con la misma cantidad de *inputs* que se utilizaba anteriormente. Por supuesto que, si en estas condiciones, la inversión neta fuese positiva, la tasa de crecimiento resultante sería mayor, pues la nueva tecnología además de entrar incorporada en el equilibrio de reemplazo entraría también en el equipo adicional.

Es poco lo que sabemos acerca de las causas que posibilitan o estimulan el progreso tecnológico. Lo que sí que resulta claro es que previa a la innovación, a la introducción directa del cambio técnico, ha sido preciso una invención, que puede ser el resultado de una casualidad, de una idea brillante o de un proceso de investigación largo y laborioso. El cambio técnico podría expresarse, pues, como la aplicación práctica de una invención previa. Aunque puede existir un tipo más lento de progreso tecnológico, basado no en la innovación brusca, sino en la mejora lenta y acumulativa de tecnologías ya existentes. En cualquier caso, parece evidente que siempre existe, a disposición de cualquier sociedad, un volumen de invenciones potencialmente utilizables y que aún no han sido aplicadas.

Es este contexto, la figura del innovador, del empresario que se arriesga a la introducción de un nuevo equipo productivo, a la utilización de nuevos materiales o a la fabricación de nuevos productos, adquiere una importancia decisiva. Joseph Schumpeter (1883-1950) economista austríaco radicado después en Harvard, basa precisamente su visión dinámica del desarrollo del sistema capitalista en la actividad de estos empresarios innovadores. Schumpeter, una de cuyas obras más importantes consistió en un estudio histórico del ciclo comercial, estaba en desacuerdo con la creencia de sus contemporáneos (los llamados economistas neoclásicos) de que el crecimiento económico sigue un proceso gradual y armónico y hacía hincapié en la naturaleza dinámica e irregular del desarrollo capitalista. Los cambios económicos importantes tienen lugar de forma brusca y discontinua y los grandes auges del ciclo económico están marcados por la ampliación de las oportunidades de inversión provocada por las grandes innovaciones (el ferrocarril, la industria química y la electrificación a mediados y finales del siglo XIX, el automóvil, la aeronáutica y la informática en nuestros días, etc.). Para él nunca faltan las invenciones disponibles, los adelantos tecnológicos; lo que sí puede escasear es la capacidad empresarial precisa para aplicar estos cambios técnicos en la economía. Una vez que esto se realiza y algunas empresas los introducen poniéndose a la cabeza de sus respectivos sectores, pueden actuar durante un cierto tiempo obteniendo beneficios extraordinarios. Las restantes empresas se ven obligadas a imitarlas y seguirlas en las innovaciones o a quedar desplazadas del mercado. El equipo productivo anterior, aunque físicamente sea utilizable, no lo es ya en términos económicos, ha sufrido un tipo de desgaste no material (denominado obsolescencia) provocado por la presencia de equipo más perfeccionado. Es preciso sustituirlo y el nivel de inversión y de empleo aumenta en la economía y el proceso de auge continúa hasta que, disminuidas las oportunidades de inversión, va agotándose e incluso puede producirse una depresión hasta la próxima oleada de innovaciones. Por eso Schumpeter hablaba de que la acumulación de capital se producía en un «proceso de destrucción creadora».

Los costes del crecimiento económico

Ya nos hemos referido anteriormente a lo que podríamos denominar el coste de oportunidad del crecimiento económico en el sentido de que una tasa mayor de crecimiento implica un sacrificio en términos de consumo actual, pero la expresión «costes del crecimiento» suele utilizarse haciendo referencia a los costes sociales del crecimiento económico. Estos, por otra parte, son tan antiguos como la propia Revolución Industrial (finales del siglo XVIII), pero también cambia su sentido según pensemos en los inicios de la industrialización o en nuestros días. Los historiadores, al referirse a los costes sociales de la industrialización, aluden el proceso histórico de formación del proletariado industrial, con secuela de miseria, hacinamiento urbano y pauperismo (excepto aquellos historiadores que quieren presentar el advenimiento del capitalismo industrial como una de las mayores bendiciones que haya recibido la humanidad). En nuestros días, si hablamos de coste social del crecimiento económico, pensamos en paisajes y medios naturales degradados, en vertederos y polución, en la destrucción de centros históricos, en el ruido y en las consecuencias sobre nuestra salud de un ritmo agitado de vida, etc.

Otra vertiente del problema la constituye la amenaza de agotamiento que sobre los limitados stocks de algunos recursos naturales (sobre todo petróleo y minerales) pesa por la creciente utilización que de ellos se hace y que puede por sí misma constituir un freno a nuestros actuales modelos de crecimiento. Teniendo en cuenta, además, el cada vez mayor volumen de recursos que es preciso dedicar al mantenimiento de algunos *inputs* (el aire y el agua) que antes se consideraban gratuitos y que debe afectar también en sentido negativo a la tasa de crecimiento (en los Estados Unidos los gastos por estos conceptos, en 1980, superaron los 40.000 millones de dólares).

En cualquier caso, las críticas que en este sentido se realizan desde distintas perspectivas, más que centrarse en el crecimiento mismo del PNB —que en tanto en cuanto representa más bienes y servicios parece ser deseable en sí mismo— se dirigen a la forma «equivocada» del crecimiento, o a la composición del PNB, en tanto en cuanto pueden representar una alta proporción del mismo bienes no deseables (armamento, más transporte privado que público, bienes cuya producción implica «males» públicos o efectos externos negativos, etc.).

En este sentido, puede que los indicadores utilizados para medir el crecimiento (aumento del PNB total o *per cápita*) no sean suficientemente significativos, y que debieran utilizarse otros indicadores que en lugar de limitarse a registrar si ha habido simplemente crecimiento real del producto muestren el crecimiento, o la disminución, paralelos del bienestar social.

Teorías del crecimiento económico

Aunque ha podido afirmarse que el estudio del crecimiento económico es tan antiguo como la propia ciencia económica resulta evidente que las limitaciones propias de una obra como la presente nos impiden desarrollar un examen detenido no ya de todas las teorías formuladas, sino ni siquiera de las más importantes, puesto que en realidad deberíamos remontarnos a los autores que suelen considerarse agrupados bajo la denominación de mercantilistas (siglos XVII-XVIII) y uno de cuyos escasos puntos comunes es precisamente su interés por el crecimiento económico (el aumento de la riqueza nacional). También los economistas franceses que, encabezados por Quesnay, forman la escuela fisiocrática (siglo XVIII) deberían recibir algo más que una simple mención, puesto que les debemos algo tan básico como el concepto macroeconómico de producto total y de flujo circular y su énfasis en la importancia del estudio de la formación y distribución del excedente económico (o *produit net*) va a condicionar, en mayor o menor grado, el análisis posterior de los llamados economistas clásicos (desde Adam Smith a Stuart Mill).

Una de las preocupaciones principales de los economistas clásicos, que vivieron una época de desarrollo económico sin precedentes, fue precisamente interrogarse sobre las posibilidades de que el sistema pudiese mantener su ritmo de crecimiento. Abandonan la idea fisiocrática del excedente económico como un fenómeno natural, pero consideran que es el volumen de dicho excedente —que ya no es sólo proporcionado por la agricultura— y, sobre todo, el destino que se dé al mismo el que condiciona el crecimiento de todo el sistema. Cuanto mayor sea la proporción del excedente que se destine a fines productivos o, en otras palabras, cuanto mayor sea la acumulación de capital, mayor será el ritmo de crecimiento. La acumulación de capital, determinada por el nivel de inversión, es, pues, el motor del sistema. Y puesto que el nivel de inversión depende del tipo de beneficio que pueda obtenerse en la economía, las causas que a su vez determinan el tipo de beneficio, adquieren una especial importancia en el análisis. Por eso, en la economía clásica, las teorías del valor, de la distribución y del crecimiento son inseparables.

Existe, no obstante, una diferencia básica entre la visión de Smith en su *Riqueza de las Naciones* (1776) y la que ofrece David Ricardo en sus *Principios de Economía Política* (1817). Para Smith es el propio proceso de acumulación de capital el que va a imponer un freno al crecimiento, puesto que conforme aumente la acumulación de capital en todos los sectores productivos irán disminuyendo las oportunidades lucrativas de inversión, hasta el punto en que ésta caerá a un nivel tan bajo que el crecimiento del sistema se estancará. Ricardo no aceptará que la ineludible llegada al estado estacionario esté determinada por causas internas a la propia dinámica del sistema capitalista. Para él, una vez iniciado el proceso de crecimiento, la acumulación de capital supondrá un incremento de la demanda de trabajo que implicará un aumento de los salarios por encima del nivel de subsistencia. Esta situación provocará que, al actuar la teoría malthusiana de la población, ésta crecerá hasta que al aumentar la oferta de trabajo el salario disminuya al nivel de subsistencia. Pero entonces la población total habrá aumentado y la presión demográfica hará necesaria la puesta en cultivo de nuevas tierras menos fértiles y también la intensificación de los cultivos; por consiguiente, al actuar la ley de los rendimientos decrecientes los costes agrarios subirán y también los precios agrícolas, lo cual supondrá posteriores incrementos de los salarios monetarios. Conforme sigue el proceso, los beneficios de los capitalistas (que están en relación inversa con los salarios) disminuirán, mientras los terratenientes verán aumentada su participación en el excedente (renta de la tierra). Cuando desaparezcan los incentivos para invertir, debido al bajo nivel de los beneficios, la economía capitalista habrá llegado a un estado estacionario. El comercio libre de trigo, al reducir temporalmente los precios, retrasará esta llegada. También el progreso técnico, al aumentar la productividad, retardará el estancamiento, pero, a largo plazo, los rendimientos decrecientes acabarán imponiendo su tendencia y nada podrá evitar la llegada al estado estacionario de la economía.

Marx partirá de estas aportaciones para desarrollar su obra (realmente, desde un punto de vista analítico, existen pocas razones para no considerar a Marx junto a los economistas clásicos), pero se separa de ellos tanto en su particular versión de la dinámica capitalista como en el abandono de algunos postulados básicos (las leyes malthusianas) y en sus conclusiones. Para los economistas clásicos, la llegada al estancamiento final se haría suavemente y sin convulsiones, mientras que Marx concibe el desarrollo del capitalismo a través de una sucesión de crisis periódicas (de hecho, es uno de los primeros teóricos del ciclo económico). El progreso técnico desempeña un importante papel en su esquema, puesto que al ser introducido mediante la acumulación del capital desplaza continuamente fuerza de trabajo al «ejército industrial de reserva», un conjunto de obreros sin trabajo que cumplen en su análisis la función anterior de las leyes malthusianas: mantener a largo plazo el salario real a nivel de subsistencia. La continua sustitución de mano de obra por capital determina, tanto un incremento de la productividad como un empeoramiento en la situación del proletariado. La propia acumulación del capital implica una tendencia descendente en el tipo de beneficio, mientras que volúmenes cada vez mayores de producción llegan al mercado, donde la capacidad adquisitiva del obrero es reducida cada vez más, lo que da lugar a crisis de realización (subconsumo). El sistema se desarrolla entre crisis sucesivas y lleva en su seno una creciente tensión social que acabará estallando de forma revolucionaria, acabando con el sistema y entrando en la sociedad socialista.

Tanto los economistas clásicos como Marx analizaron el sistema capitalista en términos de relaciones de producción y una teoría objetiva del valor, en la cual el beneficio aparecía como algo residual, como el exceso del valor del producto sobre el coste real de producción. Por el contrario, los economistas neoclásicos (el austríaco Menger, el suizo Walras, el inglés Jevons, por citar sólo a los primeros marginalistas) abandonan este enfoque centrándose en la demanda, los precios relativos y el consumo. Para ellos el valor de los bienes se determina subjetivamente mediante las funciones de utilidad de los individuos, siendo dicho valor exactamente igual al precio de mercado del bien, puesto que dicho precio era la suma de los precios de coste de los factores (incluido el beneficio como precio del capital). Así pues, al desaparecer el problema clásico del excedente, desaparece también la preocupación por el estudio de las leyes que regulan el crecimiento del producto total y su distribución entre las distintas clases sociales, puesto que, en equilibrio, dicha distribución está determinada por la remuneración de los factores productivos en base a las respectivas productividades marginales de la tierra (renta), el capital (beneficio) y el trabajo (salario). Los economistas neoclásicos no se plantearon dinámicamente el proceso de crecimiento al centrarse en un marco de referencia estático. Su problema central consistía en determinar un conjunto de precios relativos de equilibrio con unos recursos dados. El mecanismo de mercado libre conduciría a un conjunto de precios de equilibrio que determinaría una asignación óptima de los recursos productivos dados, estando asimismo dados los gustos del consumidor y las técnicas de producción. Siendo fija la oferta de factores no tiene sentido el estudio del crecimiento. En sus sistemas de ecuaciones simultáneas sólo entra el tiempo lógico, el tiempo histórico no tiene cabida. En cualquier caso, el proceso real de crecimiento se desarrollaría según la armonía natural «Natura non facit saltum» escribió Marshall como lema de sus *Principios de Economía* (1898).

En efecto, en un mundo neoclásico, el crecimiento, si se produce, será un crecimiento equilibrado al estar los factores productivos siempre a plena utilización. Cualquier desajuste se corregirá automáticamente debido a la flexibilidad de precios y salarios a la baja. Así, si los salarios descienden los empresarios demandarán más trabajo y siempre habrá un nivel de salarios para el que se alcanzará el pleno empleo. Conforme se fue desarrollando el poder de los sindicatos, el supuesto neo-clásico de que el salario es igual a la productividad marginal del trabajo perdió todo atisbo de realismo. La crisis de 1929 y la posterior Gran Depresión evidenció la total irrelevancia de esta teoría a la hora de intentar explicarla como a la de for-mular políticas económicas adecuadas.

La incapacidad de la teoría neoclásica para explicar la crisis de 1929 es, preci-samente, lo que motiva la aparición de la teoría de John Maynard Keynes, cuya obra fundamental se publica en 1936. Para Keynes, el ahorro global no depende del tipo de interés, sino del nivel de renta; por otra parte, el tipo de interés dis-minuirá al aumentar la oferta monetaria, pero sólo hasta un determinado nivel y las inversiones aumentarán al bajar el tipo de interés, pero si éste ya es muy bajo, posteriores descensos del mismo no estimularán más inversiones. Keynes pensaba que en una situación de crisis sólo descenderá el precio del dinero. Los sindicatos evitarán que el salario caiga por debajo de un cierto nivel, por lo que aparecerá el paro. Los demás precios, debido a la presencia de monopolios y oligopolios, pre-sentarán también rigideces, por lo que la economía podrá estar en una situación de equilibrio con desempleo de mano de obra y desutilización de factores produc-tivos. Los principios del multiplicador y del acelerador de la inversión explicarán las fluctuaciones del nivel de actividad económica a corto plazo y pueden servir de justificación al recurso al gasto público como política antidepresiva.

La teoría keynesiana es esencialmente una teoría del corto plazo (a Keynes per-tenece la célebre frase: «a largo plazo todos muertos») y aunque existen disputas sobre los elementos dinámicos contenidos en su teoría, vamos a dejarlas a un lado para exponer el primer intento de dinamizar dicha teoría.

En 1939, Roy Harrod, consciente de que en la *Teoría General* de Keynes existe el embrión de una teoría dinámica (pues en tanto que exista ahorro e inversión neta positivos el sistema no puede ser estacionario, sino que debe estar en creci-miento) expuso, basándose en los principios del acelerador y del multiplicador, un ensayo de teoría dinámica, en el cual formuló a partir del concepto de una «tasa natural de crecimiento»(Gn), determinada por el tipo de crecimiento de la fuerza de trabajo y el ritmo de progreso neutral, y una «tasa garantizada de crecimien-to» (Gw), determinada por las condiciones de la demanda que satisfacen los pla-nes empresariales, una serie de relaciones de las que se deducía que la senda del crecimiento equilibrado es muy estrecha («el filo del cuchillo» de Harrod), puesto que a ambos lados de la misma operan factores desestabilizadores. Si Gn, que es la tasa máxima de crecimiento permitida por el incremento de la población, la acu-mulación del capital y los adelantos tecnológicos, es superada por Gw (debido, por ejemplo, a una alta tasa de ahorro) se producirá una tendencia hacia la depresión de forma acumulativa. Por el contrario, si la tasa garantizada, Gw, se mantenía por debajo de la natural, podían producirse desviaciones que impulsasen la econo-mía hacia una expansión explosiva. Para que una economía mantenga un ritmo de crecimiento uniforme y equilibrado a largo plazo sería preciso la coincidencia entre ambas tasas y, según Harrod, «no existe una tendencia inherente para que estas tasas coincidan». En base precisamente a las posibles desviaciones hacia la expan-sión y la contracción del sistema, Hicks construyó posteriormente una teoría del ciclo.

Las relaciones del modelo de Harrod, expuestas luego de forma similar por el profesor Domar (por lo que se suelen denominar como el modelo Harrod-Domar) pueden entenderse más fácilmente a través del sencillo ejemplo presentado por Kelvin Lancaster: Supongamos una economía muy simple sin Sector Público y sin depreciación del capital, por lo que la renta disponible es igual al PNB total. La propensión media al consumo es igual a la propensión marginal y, por consiguiente, es constante. Si su valor es de 0,9 la propensión media al ahorro será de 0,1. Dada la tecnología existente son precisas cuatro pesetas de capital adicional para poder incrementar el producto total anual en una unidad. Con una propensión al ahorro igual a 0,1, esto significa que de cada 100 pesetas del PNB se ahorrarán al año 10 pesetas, que, al no haber depreciación, incrementarán la capacidad productiva incorporándose como inversión al capital existente y nos permitirán producir al año próximo 2,5 pesetas (ya que son precisas 4 pesetas para obtener una unidad adicional de producto) por cada 100 pesetas del PNB del año actual. Si no existe ningún cambio en las relaciones descritas, por cada 100 pesetas del PNB del año en curso se podrán producir 2,5 pesetas más al siguiente, y así sucesivamente. La tasa de crecimiento del PNB será, por consiguiente, del 2,5 por 100 acumulativo.

Cambios en las propensiones a ahorrar y/o cambios en la tecnología disponible inducirán cambios en la tasa de crecimiento, puesto que ésta es igual a la propensión al ahorro dividida por el incremento de capital necesario para generar un aumento de una peseta en el PNB, expresada en términos porcentuales ($G_w = \dfrac{0,10}{4} = 0,025$, o sea, el 2,5 por 100).

Para que no haya desviaciones respecto al crecimiento equilibrado no sólo es precisa la condición, antes expuesta, de que coincida esta tasa «garantizada» de crecimiento con la tasa «natural» permitida por el incremento de la población y/o el progreso técnico, sino que además deben de coincidir la tasa «garantizada» con la tasa «real», o sea, la inversión *ex post* debe ser igual a la inversión *ex ante* o, en otras palabras, se requiere que, en el modelo los empresarios y el Estado estén dispuestos a invertir, en conjunto, exactamente lo que los consumidores están dispuestos a ahorrar. Si la inversión planeada *(ex ante)* es inferior al ahorro generado por el nivel de PNB de pleno empleo, el sistema se deslizará hacia una recesión. Un nivel superior de inversión planeada inducirá una expansión inflacionaria.

A partir de estos primeros intentos se han desarrollado líneas de investigación diferentes. Una línea neo-neoclásica (cuyos representantes más destacados son Solow, Samuelson y Modigliani), que incluye en sus modelos las funciones agregadas de producción neoclásicas (que Harrod se negó a considerar) y una línea postkeynesiana, radicada básicamente en Cambridge (con Joan Robinson, Kahn, Kaldor y Pasinetti) influenciada también fuertemente por las obras de Kalecki y Sraffa, que siguen razonando en los términos clásicos de costes reales de producción y relacionando el crecimiento con la distribución del producto total. Entre ambas escuelas ha habido frecuentes y fecundas controversias que afectan también a la teoría del capital. En cualquier caso, como señala Kregel, «es evidente que la teoría del crecimiento económico no constituye un cuerpo de conclusiones establecidas, sino que todavía se halla en desarrollo, incluso en cuanto a su método de pensamiento».

EL DESARROLLO ECONOMICO

Problemas del desarrollo económico

La preocupación por la problemática del desarrollo económico, entendiendo éste, como ya hemos expuesto, no como un simple crecimiento cuantitativo, sino como el crecimiento económico cuando va acompañado de grandes cambios cualitativos, es relativamente reciente y sólo se generaliza cuando al concluirse el período de descolonización una gran cantidad de nuevos países aparecen en la escena mundial, evidenciando sus deficientes niveles de desarrollo. Comienza a hablarse de países subdesarrollados, países pobres, países atrasados... Y aunque parezca que todos estos conceptos son sinónimos la utilización consciente de alguno de ellos supone ya una toma de postura previa sobre el enfoque que vaya a seguir.

En efecto, si hablamos de «país subdesarrollado» es porque consideramos que se está por debajo de ciertos índices económicos (PNB total o *per cápita,* sobre todo) considerados suficientes, y también en relación a indicadores sociales. Hablar de subdesarrollo implica considerar una estructura social, institucional y económica cuyo cambio es deseable mediante las adecuadas políticas y programas de reforma. Resulta evidente que el término «país atrasado» tiene connotaciones menos amplias, puesto que, de alguna forma, sugiere la idea de que se está simplemente en una etapa del crecimiento, como el niño respecto al adulto, y que éste puede ser solamente cuestión de tiempo. Si hablamos de «países no industrializados» nos estamos refiriendo a un aspecto parcial de su estructura económica y podemos hablar en términos de producción de cemento o acero por habitante, o de consumo de energía, dejando a un lado otros índices como pueden ser la tasa de mortalidad infantil, las calorías medias consumidas, la incidencia de algunas enfermedades ya erradicadas en otros países, etc. Si hablamos de «países pobres», los estamos definiendo por relación a otros considerados «ricos» y estamos evidenciando cuestiones como que, actualmente, el 26 por 100 de la población mundial disfruta del 82 por 100 de la producción total. A partir de esta consideración, las políticas redistributivas pasarán a primer plano. Si hablamos de «países menos desarrollados» estamos utilizando un eufemismo pudoroso, empleado por la ONU para intentar no herir susceptibilidades, al igual que la expresión «países en vías de desarrollo», que parece tener un contenido de optimismo, pues sugiere la idea de un camino ya emprendido hacia la meta final del desarrollo. En definitiva, las cuestiones terminológicas pueden encubrir cuestiones de contenido que afecten, como ya hemos dicho, al tratamiento posterior del problema. Tomemos, por ejemplo, la definición que ofrece el Profesor Samuelson —y muy parecida a la de Irma Adelman— y comparémosla con la de un economista latinoamericano, Sunkel. Para Samuelson, «una nación subdesarrollada es simplemente aquella cuya renta real por habitante es baja en relación con la renta por cabeza de naciones como Canadá, Estados Unidos, Gran Bretaña y Europa Occidental en general. Se considera nación subdesarrollada aquella capaz de mejorar notablemente su nivel de renta». Sunkel considera el subdesarrollo como «el conjunto complejo e interrelacionado de fenómenos que se traducen y expresan en desigualdades flagrantes de riqueza y de pobreza, en estancamiento, en retraso respecto de otros países, en potencialidades productivas desaprovechadas, en dependencia económica, cultural, política y tecnológica». Resulta evidentemente el carácter mucho más abierto de esta última definición, así como el hecho de que dos programas de desarrollo para un mismo país diferirían considerablemente si se plantean a partir de una u otra concepción.

Los países subdesarrollados presentan una gran diversidad en sus respectivas estructuras económicas, pero se puede generalizar y destacar algunas características comunes. Así, todos ellos presentan una baja renta *per cápita,* debida a una escasa productividad, consecuencia, a su vez, en muchos casos, de la persistencia de formas tradicionales de producción, sobre todo en la agricultura, que sigue absorbiendo un elevado porcentaje de la población activa (en muchos casos superior al 40 por 100, frente a 5-8 por 100 que presentan los países avanzados). El régimen de tenencia de tierras (en muchos casos heredado del sistema feudal o colonial anterior) suele presentar una elevada proporción de las mismas en pocas manos, lo cual constituye un obstáculo al desarrollo en tanto en cuanto el consumo de los terratenientes suele ser de carácter suntuario y la reducida capacidad adquisitiva del campesinado priva a la escasa industria que puede existir de las ventajas de un amplio mercado interior. Existe normalmente un alto porcentaje de la población desocupada o subocupada. El mercado crediticio o no existe siquiera o está muy poco desarrollado, etc.

La enumeración anterior no pretendía ser exhaustiva, y además se ha dejado para un tratamiento separado una característica importantísima de gran parte de estos países: la gran importancia que para sus economías tiene el comercio exterior, ya que suelen depender de las exportaciones de uno o dos productos, lo que las hace muy vulnerables (el cobre representa casi la mitad de las exportaciones chilenas, el café el 47 por 100 de las brasileñas, el algodón llegó a suponer el 70 por 100 de las egipcias, etc.). Además, las tendencias del comercio mundial van en perjuicio de estos países exportadores de productos primarios, pues ven cómo se deteriora su relación real de intercambio en favor de los países industrializados. Las nueve décimas partes del incremento del comercio mundial entre 1950 y 1970 han sido en productos manufacturados. Los productos manufacturados suponen el 70,3 por 100 de las exportaciones totales de los países desarrollados y sólo el 14,3 por 100 de las de los subdesarrollados. Además, el valor global de las importaciones de estos países suele superar al de sus exportaciones, lo que los coloca en dificultades de pago, con déficits persistentes en sus balanzas de pago, que suelen traducirse en elevados volúmenes de endeudamiento exterior.

Por otra parte, estos países, a la hora de intentar salir de estas situaciones, caen en lo que Nurkse llamaba «el círculo vicioso de la pobreza»: el bajo nivel de renta impide generar un volumen interno suficiente de ahorro, por lo cual la inversión es escasa y esto provoca que se produzca poco, lo cual, a su vez, se traduce en baja renta. Esto supone que es preciso acometer las reformas estructurales necesarias para poder romper este «círculo», pues la simple ayuda del exterior, aunque necesaria, no es suficiente.

Sin entrar ahora en la polémica sobre si las estrategias para promover el desarrollo deben basarse en procurar un crecimiento «equilibrado» (como sostiene Ragnar Nurkse) o «desequilibrado» (según el criterio de Hirschmann y de Myrdal), apuntaremos algunos cambios que se proponen generalmente en diversas estrategias de desarrollo: a) procurar cambios en las formas tradicionales de producción, incrementando tanto la educación como la investigación e incorporando tecnologías más avanzadas; b) diferenciar en lo posible el comercio exterior, huyendo de la dependencia de las exportaciones de un reducido número de productos (o, en otras palabras, intentar el «crecimiento hacia dentro»). Evidentemente esto puede ocasionar problemas de pagos internacionales a los países que los intenten, pues disminuyen las divisas que pueden utilizar en comprar la tecnología y el equipo que precisen. Una medida complementaria, para reducir el desembolso de divisas, ha sido la política de sustitución de importaciones, que no ha dado muy buenos resultados; c) cambios en las decisiones respecto al uso del capital monetario disponible, lo cual puede significar la renuncia al consumo presente (sobre todo de bienes de lujo) para liberar fondos que puedan ser canalizados hacia la inversión; d) reforma en el sector agrario. La reforma agraria puede ser fundamental por varias razones: porque es preciso incrementar la productividad, ya que aunque son países eminentemente agrícolas, tienen que importar muchos alimentos, y porque debe disminuir la población activa agrícola y liberar mano de obra al sector industrial. Conseguir incrementar la oferta de alimentos es básico. El fracaso en este objetivo, con una oferta inferior a la demanda de alimentos, ha provocado aumentos de precios y, por consiguiente, de costes salariales en muchos de estos países, situación denominada como inflación «estructural».

El problema del desarrollo económico es una de las grandes cuestiones de nuestro tiempo y sólo la suficiente sensibilidad y solidaridad por parte de los países avanzados pueden lograr que los objetivos de sacar del subdesarrollo a la mayor parte de la población mundial puedan lograrse. Un camino de esperanza parece abrirse con la reciente iniciación del diálogo Norte-Sur, pero, pese a la importancia del tema, su tratamiento exhaustivo desbordaría ampliamente los límites de esta obra.

BIBLIOGRAFIA SELECCIONADA

Samuelson, P.: *Curso de Economía Moderna*, op. cit., Caps. 37 y 38.
Lipsey, R.: *Introducción a la Economía Positiva, op. cit.,* Caps. 48 y 49.
Lancaster, K.: *Economía Moderna*, op. cit., vol. II, Cap. 24.
Kregel, J.: *Teoría del Crecimiento Económico*, McMillan-Vicens Vives, Barcelona, 1976.
Rojo Duque, L. A.: *Lecturas sobre la Teoría Económica del Desarrollo,* selección e introducción, Ed. Gredos. Madrid. 1966.
Solow, R. M.: *La Teoría del crecimiento*, FCE, México, 1976.
Baldwin, R.: *Desarrollo Económico,* Amorrortu, Buenos Aires, 1970.
Elkan, W.: *Introducción a la Teoría Económica del Desarrollo,* Alianza, Madrid, 1975.
Hirschmann, A.: *La Estrategia del Desarrollo Económico,* FCE, México, 1972.
Nurkse, R.: *Problemas de Formación de Capital en los Países Insuficientemente Desarrollados,* Editorial Fondo de Cultura Económica, Méjico, 1973.

IV
COMERCIO INTERNACIONAL

CAPITULO 44

LA TEORIA DEL COMERCIO INTERNACIONAL

INTRODUCCION

En Capítulos anteriores, a lo largo del presente *Curso*, se ha analizado el fenómeno del intercambio, de las compras y las ventas, entre los distintos individuos o sujetos económicos dentro de un sistema económico que por comodidad expositiva, se supone en principio como un sistema *cerrado* (sin relaciones con otros sistemas), pero en la realidad lo que existen son sistemas *abiertos,* relacionados con el exterior. Lo cual significa, en otras palabras, que ni todo lo que se consume en España, por ejemplo, se ha producido en su interior, ni todos los productos españoles van destinados al mercado interno.

La afirmación anterior puede fácilmente constatarla el lector en cualquier comercio de su barrio o ciudad. Ahora bien, si ya se han establecido los fundamentos del intercambio ¿por qué volver a hablar de ello? Si suponemos que realizamos la elección de un vino francés en lugar de uno español, ¿qué diferencia se presenta para merecer un tratamiento específico? ¿Por qué las transacciones realizadas entre ciudadanos españoles y franceses difieren de las realizadas en el interior de nuestras fronteras?

Por ejemplo, un ciudadano español no tiene ninguna traba legal para desplazarse entre Sevilla y Barcelona con cualquier cantidad de pesetas que posea y realizar cualquier tipo de transacción que desee. Sin embargo, no puede hacer lo mismo entre Barcelona y Marsella que están más próximas; ¿a qué se deben las reglamentaciones legales, a veces muy complejas y restrictivas, que regulan las transacciones económicas internacionales?

Por otra parte, sabemos que la base del intercambio de entre individuos de una misma nación se encuentra en la especialización, en la división del trabajo. Así, un fontanero, una bailarina, un profesor o un abogado se especializa en una actividad que le supone un ingreso o remuneración con la que puede adquirir muchos más bienes y servicios que los que podría producir por sí mismo. Por consiguiente, los individuos no son autosuficientes, pero ¿pueden serlo las naciones?, y si la respuesta es negativa ¿cuál es el fundamento de los intercambios internacionales?

Vamos a intentar, en las páginas siguientes, dar una contestación a estos interrogantes.

LA TEORIA DE LAS VENTAJAS COMPARATIVAS

La primera y más simple explicación que podría darse a la existencia del comercio entre dos naciones sería afirmar que éste se produce cuando cada una de ellas, por efectos de sus recursos naturales o de su capacidad productiva, puede facilitar a la otra determinado bien o servicio a un precio menor de lo que le costaría a ésta producirlo en su interior. Así, España compra a Argelia gas natural y le vende productos textiles y calzado. A su vez tanto España como Argelia venden naranjas a Francia y ésta les vende artículos de cristal y carros de combate. Esta sería una explicación en términos de la *ventaja absoluta* que cada nación posee para algunos tipos de mercancías.

Pero más allá de esta explicación evidente se encuentra el hecho de que el comercio entre dos países puede ser beneficioso para ambos incluso cuando uno de ellos pudiera producir más eficientemente todos los productos intercambiados que el otro país. La explicación de esto se expone en la llamada *teoría de las ventajas comparativas* (o de los costes comparativos), cuya primera formulación se debe al economista inglés David Ricardo (1773-1823).

Para seguir su argumentación nos limitaremos al caso de dos países, Inglaterra y Portugal y dos únicas mercancías, tela y vino. Supongamos que para producir en Inglaterra un metro de tela se precisan cuarenta horas de trabajo y para obtener un litro de vino hacen falta 30 horas de trabajo, mientras que para producir en Portugal un metro de tela se requieren 20 horas de trabajo y 10 horas para un litro de vino. Resulta evidente que en Portugal el trabajo es mucho más productivo en las dos mercancías. Sin embargo, pese a esta ventaja absoluta de Portugal, podemos demostrar que exportarán la mercancía en la cual su ventaja comparativa es mayor, el vino, importarán la tela, pese a que puedan producirla más eficientemente que en Inglaterra.

En efecto, si consideramos en primer lugar la situación de ambos países en ausencia de comercio exterior, la relación de intercambio entre ambas mercancías estará en razón a sus respectivos costes de producción (tanto si los medimos en horas de trabajo, como Ricardo, o en su expresión monetaria). O sea, que en Inglaterra se cambiará vino por tela en la proporción de 3/4, mientras que en Portugal será de 1/2. En otras palabras, en Inglaterra un litro de vino comprará 3/4 de metro de tela, mientras que en Portugal por un litro de vino se obtendrá 1/2 metro de tela. Es evidente que la tela es más barata en Inglaterra y el vino es más barato en Portugal.

Podemos ahora preguntarnos qué sucederá si se establecen relaciones comerciales libres y sin restricciones entre ambos países. Para simplificar haremos abstracción de los costes de transporte y supondremos que existe competencia perfecta. En estas condiciones los portugueses pueden obtener más tela por su vino enviándolo a Inglaterra y viceversa. Inglaterra se verá inundada de vino portugués y Portugal de tela inglesa de tal forma que de la industria inglesa del vino se desplazaran recursos productivos hacia la industria textil, donde son *comparativamente* más eficientes e igual reasignación de recursos, pero de signo inverso, se producirá en Portugal, ya que por cada unidad de tela que renuncien a producir liberan 20 horas de trabajo, las cuales, aplicadas a la producción de vino, obtendrían dos unidades de vino, que según la relación de cambio inglesa podrían comprar $2 \times \dfrac{3}{4} = \dfrac{6}{4}$ metros de tela, o sea metro y medio en lugar del metro que se ha dejado de producir.

Evidentemente, la relación de intercambio (*o términos de intercambio*) no sería exactamente la misma que existía antes de introducirse el comercio, puesto que ahora los dos países forman un solo mercado y se establecerá un nivel de precio común, disminuyendo la anterior diferencia en los precios relativos. La nueva relación se fijará en un nivel tal que permita a los portugueses obtener algo más de medio metro de tela por cada litro de vino y a los ingleses entregar algo menos de tres cuartos de metro de tela por cada litro de vino. Con cualquier relación fijada entre estos límites, ambas partes participan de las llamadas *ganancias del comercio*: la reasignación de recursos que provoca el comercio libre es tal que ahora cada nación dispone de más tela y de más vino que cuando cada una abastecía su propia demanda interna.

En definitiva, el modelo de Ricardo nos enseña que, en ausencia de restricciones, mientras existan diferencias en los costes relativos de producción de dos bienes se establecerá comercio entre ellos, exportando cada país el bien que pueda producir más barato relativamente y que este comercio provoca una especialización que se traduce en una asignación de recursos más eficiente y en un incremento de la producción global, de tal forma que ambos países salen beneficiados. Estas conclusiones son la base del comercio internacional y proporcionan la justificación teórica a las políticas tendentes a establecer o mantener un comercio libre y sin restricciones entre los países (las llamadas políticas librecambistas).

Aunque intencionadamente hemos seguido una exposición muy sencilla del modelo ricardiano, centrándonos sólo en el caso de dos países y de la oferta de dos mercancías e ignorando las decisivas aportaciones posteriores de John Stuart Mill (1806-1873) sobre la influencia de *las demandas recíprocas* a la hora de fijar el nivel exacto en el que se establecerá la relación de intercambio antes mencionada, así como las mejoras introducidas en el análisis por Alfred Marshall (1842-1924) al considerar el caso de que los costes puedan ser crecientes, las conclusiones básicas del modelo no se alteran por estos refinamientos analíticos, siendo válidas igualmente si generalizamos el caso a un número muy superior de países y de mercancías, o incluso si consideramos la posibilidad del llamado *comercio triangular* (Inglaterra-Francia, Francia-Portugal, Portugal-Inglaterra) en lugar del comercio directo.

El desarrollo posterior de la teoría pura del comercio internacional (dedicada al estudio de las causas que originan el comercio y las ventajas que de él se derivan) aun manteniendo bastantes de los supuestos tradicionales de la teoría clásica como la competencia perfecta, la ausencia de costes de transportes o la completa movilidad de los recursos dentro de los países, ha ido ampliando sus perspectivas, tanto mediante la generalización del análisis como por la introducción de estudios empíricos (sobre imperfecciones de los mercados, la emigración, etc.) que corrigen el grado de abstracción de los supuestos básicos. Podemos mencionar aportaciones, como la de los economistas suecos Heckscher y Öhlin, que abandonan el supuesto clásico de que cada país posee una dotación dada de recursos productivos y consideran precisamente que son las diferencias en dichas dotaciones relativas de recursos las que constituyen la causa principal del comercio internacional. Incluso recientemente se está produciendo una eclosión de nuevas teorías (las llamadas teorías «realistas» del comercio internacional) que rechazan la conclusión clásica de la diferencia entre precios relativos como causa del comercio para buscar otras explicaciones (el «intercambio desigual» entre países desarrollados y subdesarrollados, el comercio «potencial», la teoría de la disponibilidad absoluta o relativa de productos, etc.).

LOS TIPOS DE CAMBIO

La teoría monetaria del comercio internacional, a diferencia de la teoría pura expuesta someramente en el epígrafe anterior, no se preocupa de las causas del comercio, sino de los problemas de tipo monetario que se originan como consecuencia del mismo. Esta distinción sólo obedece a razones formales y de exposición, ya que, obviamente, los dos aspectos del comercio internacional son interdependientes. A continuación expondremos algunos de los aspectos teóricos que afectan a los tipos de cambio y su determinación, dejando el Capítulo siguiente los aspectos más realistas del cambio de divisas.

Así como para el comercio interior la forma normal de tráfico comercial no es el trueque, el cambio directo producto por producto, sino las transacciones monetarias (ventas a cambio de dinero, compras entregando dinero), de igual forma todo intercambio entre individuos pertenecientes a distintos países origina un movimiento de dinero. La diferencia esencial que existe entre el comercio interior y el exterior es que para el primero los ciudadanos de un país cuentan con *medios de pago internos,* la moneda de curso legal vigente en su país. Pero en el comercio exterior, puesto que quienes exportan o venden mercancías al extranjero sólo están dispuestos a aceptar como medio de pago la moneda legal de su propio país, esto implica para los importadores la necesidad de permutar su moneda nacional por la extranjera y es así como surge el problema del cambio exterior.

De la amplia gama de pagos y cobros que se realizan entre dos países vamos a olvidarnos, por el momento, de todos aquellos que no procedan de operaciones comerciales. Posteriormente ya consideraremos los efectos de los restantes componentes de la balanza de pagos.

Los problemas de formación del tipo de cambio exterior (de las relaciones de cambio entre monedas distintas), así como los mecanismos de equilibrio de los pagos internacionales, no pueden estudiarse sin referencia a la forma de sistema monetario vigente entre los países que realizan el comercio. Y aunque podría realizarse una amplia tipología de sistemas monetarios a efectos de nuestro análisis podemos considerarlos reducidos a dos únicos sistemas: el régimen de patrón oro (*gold standard*) y el régimen de patrón fiduciario (o moneda inconvertible en oro). El primero va ligado a un sistema de tipos de cambio fijos y el segundo a un sistema de tipos de cambio fluctuantes.

Tipos de cambio fijos

Como se recordará, la forma pura del patrón oro era el patrón oro clásico o en especie (*Gold specie standard*) bajo el cual circulan directamente monedas de oro cuyo valor facial (o nominal) coincide con su contenido en oro (o valor intrínseco). En este sistema, por consiguiente, la cantidad de dinero en circulación depende directamente del stock (o existencias) de oro de cada país. Una forma atenuada es el llamado sistema de patrón oro en lingotes (*gold bullion standard*), porque el oro no circula ya libremente, sino que es conservado en lingotes en el Banco Central. El dinero que circula no es oro (pueden ser billetes o moneda de plata), pero es plenamente convertible no en monedas, pero sí en lingotes de oro. Estos, normalmente sólo se entregaban a partir de una suma elevada, lo cual restringía la convertibilidad. Otra forma atenuada es el patrón de cambios en oro (*gold exchange standard*) que se caracteriza porque el dinero circulante no es convertible en oro de ninguna forma, pero sí en la divisa de países con algún tipo de patrón oro (divisas son tanto las monedas extranjeras como cualquier letra de cambio, cheque o documento análogo expresado en dichas monedas).

El sistema de patrón oro, en cualquiera de sus formas, puesto que las monedas nacionales están ligadas al oro mediante una relación fija (por ejemplo, un dólar estadounidense = 0,088671 gramos de oro fino, según la relación vigente hasta 1971), supone el establecimiento rígido y automático del tipo de cambio entre ellas. Así, cuando en 1959 se establece que la paridad de la peseta son 0,0148112 gramos de oro fino, esto equivale a decir que el tipo de cambio entre la peseta y el dólar será de 60 pesetas por dólar). Una alteración por parte de una de las monedas de su paridad monetaria supone una alteración del tipo de cambio, que se habrá *devaluado* o *revaluado* según disminuya o se incremente la paridad. En 1967 la peseta modifica su paridad y el cambio con el dólar pasa a ser de 70 pesetas = 1 dólar. La peseta, por consiguiente, se *devalúa* (un dólar vale ahora más pesetas). En 1971 el Presidente Nixon fija una nueva paridad del dólar con el oro, pasando de ser 35 dólares la onza de oro fino a 38 dólares la onza (onza = 31,10495 gramos). Luego el dólar vale ahora, en términos de oro, un 8,57 por 100 menos. Se ha *devaluado* y todas las monedas que mantengan inalteradas su paridad anterior con el oro se *revalúan* respecto al dólar.

Sin embargo, si bien la paridad monetaria es el determinante del tipo de cambio no es cierto que en todo momento el cambio de equilibrio corresponda a la paridad, ya que una operación de cambio entre monedas es similar a un cambio de mercancías en la que una moneda puede considerarse la mercancía intercambiada y la otra moneda como el dinero. Al fin y al cabo, el tipo de cambio no es otra cosa que el precio de una moneda én términos de otra.Por consiguiente, y al igual que el precio de cualquier mercancía, el precio de una moneda extranjera en el mercado de cambios estará determinado en un momento dado por la oferta y la demanda de dicha divisa y se le pueden perfectamente aplicar todas las conclusiones derivadas de la teoría de la formación de precios en el mercado.

En principio, y a efectos de simplificar, podemos suponer que existe una correspondencia estable entre la demanda de una divisa (por ejemplo, el dólar) que existe en un determinado país (España) y la demanda existente en ese país hacia los productos procedentes del país extranjero (incluyendo no sólo mercancías físicas, sino valores financieros, deseos de visitar Nueva York, etc.). Mientras la oferta de dólares (o lo que es lo mismo, la demanda de pesetas en Estados Unidos) nace de los deseos equivalentes que exista en el país extranjero.

En la Figura 44.1 se recoge la determinación del tipo de cambio de mercado (o precio de equilibrio) según la conocida interacción de la oferta y la demanda.

El caso más sencillo que puede darse es cuando el precio de equilibrio, determinado por la interacción de la oferta y demanda de la divisa, coincida con el nivel de paridad monetaria. En tal caso la balanza de pagos está equilibrada y el cambio se mantiene estable. Pero podemos suponer que a partir de esta situación se produce, por ejemplo, un cambio en los gustos de los consumidores nacionales hacia las importaciones. La demanda de éstas aumenta y, simultáneamente, la demanda de divisas aumentaría, desplazándose hacia la izquierda y el tipo de cambio aumentaría. Esta variación del cambio acabaría afectando a la oferta de la moneda extranjera, pero de momento el tipo de cambio se establecerá a un nivel superior. A partir de esta consideración podemos plantearnos si los tipos de cambios pueden aumentar o disminuir de forma indefinida, o si existen límites concretos a las variaciones. La respuesta será la misma sea cual fuere el tipo de sistema patrón oro que consideremos, pero el mecanismo de ajuste difiere considerablemente.

FIGURA 44.1

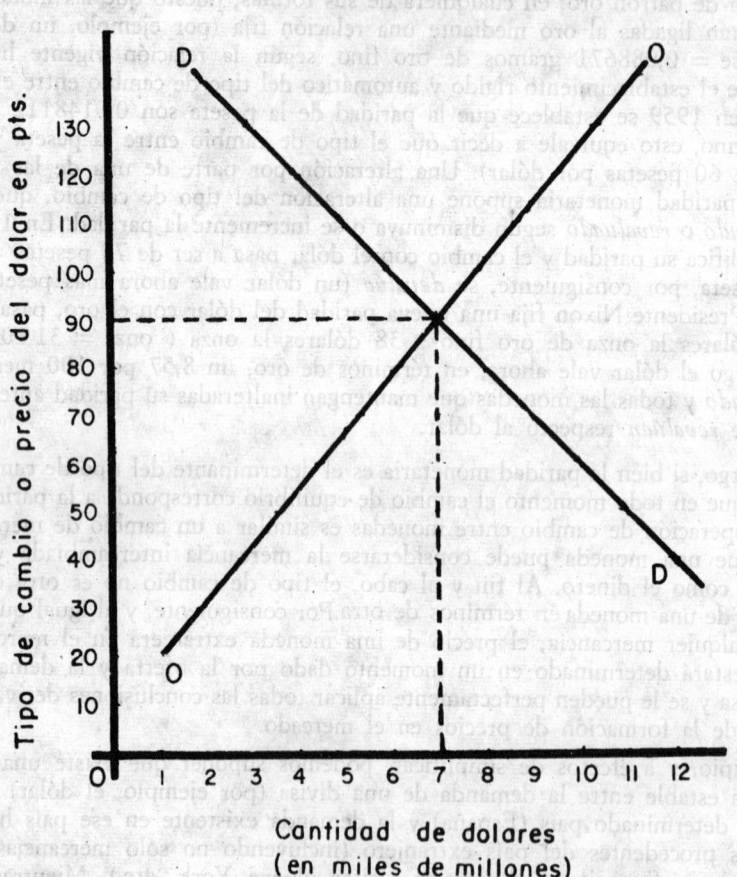

Cantidad de dolares
(en miles de millones)

Examinaremos en primer lugar la situación en un sistema patrón oro clásico. Bajo tal sistema, un importador español que tuviese que pagar la suma de 1.000 libras esterlinas a su acreedor inglés puede escoger entre dos formas de pago: la primera consistiría en adquirir billetes, cheques o letras de cambio pagaderas en Inglaterra por el importe de las 1.000 libras. La segunda, adquirir oro por un importe equivalente y remitirlo a Inglaterra. Si el tipo de cambio (en el mercado) coincide con el nivel de paridad monetaria, resulta evidente que la primera opción le resultará más ventajosa, puesto que aunque también comporta unos gastos bancarios o de negociación está claro que los costes de transporte (y el riesgo) de remitir el oro en especie serán muy superiores. Por lo tanto, eligirá la primera alternativa hasta que el tipo de cambio en el mercado no supere al precio del oro más los costes de envío al extranjero. Una vez rebasado ese nivel al importador español le interesará comprar oro y enviarlo a Inglaterra, puesto que con un gasto en pesetas menor conseguirá saldar su deuda en libras.

El razonamiento inverso, en el caso de que el cambio estuviese por debajo del precio del oro, deducido los gastos de envío, también es válido, ya que en este supuesto al exportador inglés le interesa que se le envíe oro desde el extranjero, corriendo él con los gastos de transporte, y cambiarlo luego por libras, ya que así obtendría una suma mayor.

En definitiva, con un patrón oro puro, el tipo de cambio sólo puede oscilar entre un nivel superior, llamado *punto de exportación o salida* del oro y uno inferior, el *punto de importación o entrada* del oro, ya que rebasados estos niveles son los movimientos del oro los que reemplazan a las fluctuaciones del cambio en el mercado como mecanismos de ajuste del equilibrio.

La elegancia formal del modelo clásico se complementa incluyendo la consideración del efecto que la entrada del oro tendría sobre los precios internos del país importador neto de oro (o, lo que es lo mismo, exportador neto de mercancías): esta entrada de oro, según la teoría cuantitativa de la moneda tendría un efecto alcista sobre los precios internos; éstos aumentarían y, por consiguiente, desalentarían la compra de mercancías nacionales por el extranjero. De tal forma que la curva de demanda para su divisa disminuiría, desplazándose hacia la izquierda y aproximando el tipo de cambio de equilibrio al nivel de paridad monetaria.

Dado este automatismo del sistema, el oro existente a nivel mundial tendería a distribuirse a largo plazo entre los distintos países de manera que se alcanzase una situación tal que el oro, dadas las condiciones de la demanda internacional, fuese sólo un medio de cambio neutral: los intercambios de mercancías se harían como si fuese un trueque directo producto por producto y la redistribución del oro entre los distintos países cumpliría el papel de ajustar los niveles de precios internos a las modificaciones de las condiciones de la demanda internacional.

En un sistema de patrón cambios oro *(gold exchange standard)* el mecanismo de ajuste sería distinto. En efecto, ante una alteración similar del tipo de cambio por encima de la paridad, puesto que no funcionaría el mecanismo de ajuste automático mediante la salida del oro, la autoridad monetaria (el Banco Central) se vería obligada a intervenir para limitar las fluctuaciones del cambio; supongamos que el nivel de paridad sea de 1 dólar = 60 pesetas. Si la alteración supone que el cambio de mercado se establece en la relación 65 pesetas = 1 dólar, el Banco de España, para evitar la caída del valor de la peseta, debe estar dispuesto a vender dólares en el mercado de cambios.

Así, aumentando la oferta conseguiría que la cantidad intercambiada en el mercado se hiciese en un nivel de paridad. El problema aparecería cuando las reservas en dólares custodiadas por el Banco de España fuesen suficientes para cumplir este objetivo previsto. En tal caso, y suponiendo la inexistencia de préstamos del exterior, la única solución sería la devaluación de la peseta, fijando la paridad en un nivel más próximo al de equilibrio.

En cualquier caso, la intervención estatal tendría que ser completada con algún tipo de medidas de política económica tendentes a corregir las causas del desajuste en el mercado de cambios, pues resulta evidente que la intervención no podría mantenerse de forma indefinida. El ajuste definitivo vendría mediante una variación de los precios y del nivel de renta internos que se traducirían en los necesarios desplazamientos de la curva de demanda de divisas, aproximando el cambio de equilibrio al nivel de paridad deseado.

Precisamente ésta es una de las mayores críticas que sus oponentes dedican al sistema de tipos de cambio fijos: subordina la economía interna de un país al resultado de sus relaciones económicas internacionales, teniendo que sufrir procesos internos de deflación o de inflación, para lograr el equilibrio internacional.

Tipos de Cambio Fluctuantes

Por el contrario, en un sistema de tipos de cambio fluctuantes, podríamos decir que se opera de manera opuesta: a partir de una situación dada de los elementos internos (renta nacional y nivel de precios interno) se consigue el equilibrio internacional dejando que varíe o fluctúe el tipo de cambio exterior.

Este sistema de tipos de cambio fluctuantes (ya sea totalmente libre la fluctuación o solamente permitida entre ciertos niveles) esá relacionado con un sistema monetario de tipo fiduciario, en el cual la moneda nacional es totalmente inconvertible, ya sea en oro o en divisas ligadas al oro. En tal caso, puesto que no existe una paridad monetaria que determine la relación de cambio entre las distintas monedas, el cambio se establece de acuerdo con las leyes de la oferta y la demanda. A estos efectos la formación del cambio exterior no difiere de la analizada anteriormente, en cuanto que serán las posiciones respectivas de las curvas de demanda y oferta de la moneda extranjera lo que determinará el tipo de cambio (precio de equilibrio) y la cantidad intercambiada. Sí que difiere, como ya se ha indicado, respecto al mecanismo de ajuste. Al producirse una alteración sobre la situación de equilibrio (un desplazamiento hacia la izquierda de la curva de demanda, por ejemplo) se deja que el cambio fluctúe hasta alcanzar el nivel superior.

Aunque volveremos sobre los procesos de ajuste cuando hablemos de la balanza de pagos podemos ya señalar que con el tipo de cambio fluctuante los niveles de precios internos no se ven afectados por los resultados del comercio internacional. A cambio de esto, el comercio internacional sufriría las consecuencias de la incertidumbre sobre las posibles variaciones en el tipo de cambio. Los comerciantes de cada país encontrarán difícil y arriesgado aceptar compromisos hoy para ser concluidos dentro de semanas o meses. La incertidumbre generada puede afectar al volumen del comercio internacional.

Control de Cambios

Por último, podemos mencionar otro método de determinación del tipo de cambio distinto del de los anteriores: el control de cambios, expediente al que han acudido países con problemas de pagos exteriores por carecer de oro o de divisas extranjeras. El control de cambios supone que todos los ingresos recibidos en moneda extranjera deben ser vendidos al Gobierno y, viceversa, cualquier cantidad que se desee de alguna divisa debe de ser adquirida al mismo. Los tipos de cambio a los que compra o vende el Gobierno se establecen oficialmente, y no es preciso que sean iguales, sino que normalmente se establece lo que se llama un «sistema de cambios múltiples» (vigente en España hasta 1959). El precio de compra puede diferir considerablemente del de venta, y a su vez éste puede ser muy distinto según el fin al que se destina la divisa comprada. El Gobierno puede así desalentar la importación de bienes considerados no esenciales y estimular la compra de aquellos bienes extranjeros considerados necesarios. En cualquier caso, las consecuencias serán discriminación (ya sea hacia países, hacia mercancías o hacia ambos) y racionamientos.

PROTECCIONISMO COMERCIAL: ARANCELES Y CONTINGENTES

Pese al cúmulo de evidencias teóricas que pueden aducir en favor de una mayor liberalización del comercio exterior, históricamente se comprueba que los países se han mostrado remisos a aceptarlo. Por el contrario, han sido de común utilización diversos métodos, a fin de levantar barreras para obstaculizar el libre comercio internacional.

Los argumentos doctrinales que han servido de justificación a este tipo de actuaciones proteccionistas son de diversa índole. Uno de los más utilizados, y quizá también de los más consistentes, es el de la protección a las «industrias nacientes», una industria aún no desarrollada de forma que pueda sufrir los embates de la competencia por industrias similares existentes en otros países. En tal situación los proteccionistas argumentan que debe establecerse una restricción a la libre importación de productos similares extranjeros hasta que la industria nacional sea capaz de afrontarlos competitivamente. Este ha sido el fundamento de numerosas políticas proteccionistas desarrolladas en los siglos XIX y XX.

El juicio de los economistas sobre este tipo de argumentación es contradictorio, pues si bien la evidencia histórica nos muestra casos en los cuales realmente se consiguieron los objetivos propuestos (Estados Unidos y Alemania, por ejemplo) no es menos cierto que muchas industrias protegidas nunca dejan la «infancia». Han crecido aisladas en un clima artificial de invernadero, y no pueden sufrir los aires de la competencia exterior. Por otra parte, y como cualquier otra medida proteccionista, los consumidores nacionales la pagan en la forma de precios internos más elevados.

Otros argumentos utilizados han sido el de la «seguridad nacional», según el cual un país debe tender a ser autosuficiente en la producción de bienes precisos para la defensa nacional, argumento más de carácter político y militar que económico; el de diversificación de la economía para evitar que una excesiva especialización conduzca al país a ser muy vulnerable a los cambios en la demanda mundial de sus productos y el de protección al empleo y los salarios nacionales.

Los instrumentos utilizados más frecuentemente como formas de protección son de dos tipos: aranceles y contingentes o cuotas.

Un arancel es un gravamen aduanero o impuesto cobrado por el Gobierno sobre las importaciones (o exportaciones) de un bien. Pueden ser de dos tipos: específicos y *ad valorem*. Un arancel específico supone una cantidad de dinero determinada por cada unidad de mercancía. Un arancel *ad valorem*, en cambio, es un porcentaje del valor de la mercancía. Los aranceles *ad valorem* proporcionarán una protección constante aunque los precios exteriores cambien, mientras que los específicos varían al variar el precio. En cambio, son los más fáciles de percibir, puesto que no plantean problemas de valoración.

Las cuotas o contingentes son límites físicos impuestos a la cantidad que puede importarse. Determinan exactamente el número de unidades de un bien que pueden ser importadas durante un período dado de tiempo. Otras formas de restricciones no arancelarias pueden revestir la forma de disposiciones restrictivas sobre la financiación de las importaciones, de regulaciones complejas sobre sanidad, seguridad, formas de embarque, estipulación de calidades, etc.

EL COMERCIO INTERNACIONAL
Y EL FLUJO CIRCULAR DE LA RENTA

Recordando el modelo de flujo circular de la renta ya expuesto (ver Capítulo 32), podemos considerar a las importaciones como deducciones del flujo circular de un país, ya que equivalen a dinero ganado en el país, pero que no es gastado en el mismo, o sea, no vuelve a incorporarse al flujo de la renta mediante la corriente del gasto. Mientras que las exportaciones pueden considerarse, por el contrario, como adiciones a dicho flujo circular, porque representan dinero ganado por los ciudadanos extranjeros que compran nuestros productos.

Por consiguiente, si los precios no varían, un aumento autónomo de las importaciones (debido, por ejemplo, a un cambio en los gustos de los consumidores nacionales que les hace demandar más automóviles extranjeros) debe de provocar una disminución en la renta nacional. Ya que, en nuestro ejemplo, la industria nacional de automóvil disminuirá sus ventas, reaccionará reduciendo la producción y despidiendo obreros, los cuales a su vez comprarán menos ropa, diversiones, automóviles, etc. Todas las industrias afectadas por estas disminuciones en sus ventas, reaccionarán disminuyendo la inversión y el empleo. Por consiguiente, el aumento de las importaciones acabará provocando una caída en la renta nacional superior al propio valor de las importaciones. Se ha producido un efecto multiplicador (que en este caso es negativo).

Por el contrario, si lo que ocurre es un aumento de nuestras exportaciones (vendemos más automóviles nacionales al extranjero) el proceso será el inverso. La industria automovilística ampliará sus equipos, contratará más obreros, los cuales aumentarán su demanda de otros productos, y así, el aumento inicial de las exportaciones acabará traduciéndose en un aumento superior de la renta.

En realidad, y como fácilmente se deduce de lo expuesto, lo que acabará actuando en un sentido u otro, será la diferencia neta entre exportaciones e importaciones. Teniendo en cuenta, además, que existe una correlación entre el nivel de renta nacional y las importaciones (puede hablarse de una propensión media y de una propensión marginal a las importaciones) y que, por lo tanto, el efecto multiplicador de un exceso de exportaciones puede verse algo disminuido por el hecho de que el propio incremento de renta que genera, inducirá un incremento de las importaciones que reducirá el efecto multiplicador total.

BIBLIOGRAFIA SELECCIONADA

Samuelson, P. A.: *Curso de Economía Moderna*, op. cit., págs. 762-804.
Lipsey, R. G.: *Introducción a la Economía Positiva*, op. cit., págs. 707-788.
Bhagwati, J.: «La Teoría Pura del Comercio Internacional: una Visión Panorámica», en *Panoramas Contemporáneos de la Teoría Económica*, op. cit., vol. II, págs. 229-340.
Kindleberger, Ch. P.: *Economía Internacional*, Aguilar, Madrid, 1957, Caps. III-VI.

DEFINICION Y COMPONENTES DE LA BALANZA DE PAGOS

Se suele definir la balanza de pagos de un país como el registro sistemático de todas las transacciones económicas efectuadas entre los residentes en dicho país y los de países extranjeros durante un período de tiempo determinado (que normalmente es un año). Se trata, pues, de un documento contable, similar al que realizan las empresas o incluso las unidades domésticas, que resume en términos monetarios los resultados de las transacciones económicas internacionales de un país.

Conviene precisar que se trata de un registro *ex post,* es decir, que recoge estadísticamente los resultados de operaciones que ya han sido efectuadas. No contiene, por lo tanto, previsiones sobre situaciones esperadas o planeadas para el futuro.

A efectos de la balanza de pagos se consideran como residentes las personas que normalmente residen en el país. Luego los turistas, por ejemplo, son residentes de su país de procedencia y las transacciones realizadas por ellos tienen la consideración de transacciones internacionales y son recogidas en la balanza de pagos.

La balanza de pagos se construye de acuerdo con los principios de la contabilidad por partida doble, según los cuales cada transacción tiene una parte deudora y otra acreedora. Así, si una empresa española vende calzado a un cliente inglés por valor de un millón de pesetas, esta operación se recogerá, en cuanto al valor de las mercancías exportadas, en el *Haber* de la balanza de pagos española por representar un crédito (en sentido contable). Por el contrario, el valor de dichos bienes es un débito para Inglaterra y aparecerá en el *Debe* de su balanza de pagos. Cuando el importador inglés pague, puede escoger entre varias opciones. Podría pagar en pesetas si posee cuenta abierta en España. La reducción del saldo bancario de dicha cuenta representaría una disminución de las deudas españolas con el extranjero, equivale a una salida de capital y se asienta en el *Debe* de la balanza espñola. Igualmente, si el importador inglés paga en libras esto equivale a un incremento de los activos netos españoles sobre el exterior y se anota en el *Debe* como contrapartida de la exportación. Si el exportador español ha regalado sus zapatos por ser amigo del inglés o por destinarlo a una obra benéfica, se computaría también en el *Debe* en concepto de donativo o ayuda.

Si todas las transacciones, incluso las que parecen transferencias unilaterales sin contraprestación, como los donativos o las remesas de emigrantes, son objeto de una doble anotación como débito (Debe) y como crédito (Haber); esto significa que, puesto que la suma de débitos será siempre igual a la suma de créditos, la balanza de pagos estará siempre en equilibrio en sentido contable. En la práctica, dado el número elevado y la complejidad de las transacciones recogidas en la balanza, es muy difícil que la suma de las dos columnas coincida exactamente. Debido a lo cual se suele añadir una partida de «errores y omisiones» que equivale a la diferencia entre la suma de débitos y la de créditos, para así cuadrar o dejar en equilibrio la balanza.

Ahora bien, el hecho de que la balanza de pagos de un país esté siempre saldada o en equilibrio contable no debe hacernos inferir que ese país no pueda tener graves problemas en sus relaciones económicas internacionales. Pero para poder calibrar con precisión el significado de los diferentes desequilibrios reales que pueden producirse, es preciso analizar separadamente los diferentes componentes o balanzas que integran la balanza de pagos de un país (ver Tabla 45.1).

LA BALANZA POR CUENTA CORRIENTE

La balanza por su cuenta corriente (o balanza corriente) comprende a su vez tres partidas distintas: la *balanza comercial* o de mercancías, la *balanza de servicios* y la cuenta de *transferencias unilaterales*.

TABLA 45.1

LA BALANZA DE PAGOS ESPAÑOLA

Conceptos	Saldos en millones de dólares USA	
	1985	1986
1. Mercancías y oro no monetario	−4.379,0	−6.267,0
2. Servicios	5.895,4	9.431,0
3. Transferencias	1.137,3	1.092,0
BALANZA CORRIENTE (1+2+3)	2.653,7	4.256,0
4. Capital a largo plazo	−1.459,6	−1.336,2
BALANZA BASICA (1+2+3+4)	1.194,1	2.919,8
5. Capital a corto plazo	−120,2	−178,4
6. Movimientos monetarios	15,1	−3.230,1
7. Partidas no clasificadas y diferencias de valoración	−1.089,0	488,7
BALANZA DE CAPITAL (4+5+6+7)	−2.653,7	−4.256,0

FUENTE: Elaboración propia a partir de cifras de la Secretaría de Comercio y Banco de España.

La *balanza comercial* relaciona las exportaciones e importaciones de bienes. A su diferencia neta se le llama «saldo comercial», aunque cada vez es más usada como indicador la «tasa de cobertura» del comercio exterior que no es más que la relación por cociente entre exportaciones e importaciones. Así, decir que la tasa de cobertura es del 100 por 100 equivale a decir que las exportaciones igualan en valor a las importaciones. Cualquiera de ellos nos da un índice de la competitividad de un país cara al exterior. Pero sería erróneo deducir tomando sólo como dato un saldo comercial excedentario, que la salud de la economía de un país es buena, ya que dicho excedente puede deberse a que la moneda nacional está subvaluada en relación con las divisas extranjeras por lo cual vende más al exterior. O puede incluso deberse a una recesión económica, ya que la reducción de la actividad económica interna, al disminuir las importaciones, puede hacer aparecer un excedente en el saldo comercial.

La *balanza de servicios* también es conocida como la de «transacciones» o «comercio invisible», puesto que no recoge movimientos de mercancías, sino partidas como gastos en fletes, seguros y transportes; turismo y viajes; rentas de inversión; gastos gubernamentales en el exterior y pagos e ingresos por asistencia técnica y «royalties». Resulta, por tanto, una cuenta heterogénea y de confuso significado económico, pese a la evidente importancia que para algunos países tienen algunas de sus partidas (para España, el turismo, por ejemplo).

Las *transferencias unilaterales* son movimientos sin contrapartida. Puede ser tanto privadas (remesas de emigrantes) como públicas (donativos y ayudas al exterior).

La agregación de estas tres cuentas constituye, como ya se ha indicado, la balanza por cuenta corriente que, aunque no es lo suficientemente amplia como para permitir una correcta evaluación de la balanza de pagos de un país, constituye no obstante un valioso instrumento para diagnosticar su situación económica. Si el saldo neto de esta balanza es positivo, el país acumula oro, divisas o créditos sobre el exterior; si el saldo es negativo, el país tendrá que enviar a sus acreedores oro, divisas o recibir préstamos.

La balanza por cuenta de capital

Se compone íntegramente de derechos y obligaciones. Dentro de ella se distinguen los *movimientos de capital a largo plazo,* que consisten en préstamos e inversiones (tanto públicas como privadas) con plazo de vencimiento superior a un año y los *movimientos de capital a corto plazo,* mucho más sensibles a los cambios en la coyuntura.

Los resultados de la cuenta de capital a largo plazo unidos a los de la balanza por cuenta corriente forman una nueva balanza que sirve para describir las tendencias a largo plazo de una economía. Esta es la llamada *balanza básica* (ver Tabla 45.1), cuyo saldo refleja la situación fundamental de la economía de un país en relación con el exterior, ya que todos sus componentes pueden considerarse como *partidas autónomas,* en el sentido de que se producen por razones independientes de la propia balanza de pagos. En efecto, el intercambio de mercancías y servicios se realiza por las razones expuestas en el Capítulo anterior sobre el comercio internacional. Los movimientos de capital a largo plazo obedecen a las variaciones relativas en las tasas esperadas de rendimiento sobre las inversiones en el país y en el extranjero. Y las transferencias, tanto públicas como privadas, obedecen a razones personales, políticas o militares.

En cambio, existen unas *partidas compensatorias* que se producen como respuesta directa a consideraciones basadas en la balanza de pagos. Son partidas que tienden a equilibrar las diferencias entre las entradas y salidas de dinero provocadas por las transacciones autónomas. Se consideran generalmente como partidas compensatorias los *movimientos de capital a corto plazo* y las *variaciones de las reservas* (en oro y divisas) de un país.

Cuando a lo largo de un cierto período de tiempo la suma de los ingresos autónomos no es igual a la suma de los pagos autónomos decimos que existe un *desequilibrio* en la balanza de pagos. Si los ingresos superan a los pagos se tratará de un déficit y, en caso contrario, de un superávit. El problema no es acuciante si, a lo largo de unos pocos años, los déficits y superávits periódicos se van saldando entre sí. Cuando esto no sucede es un reflejo de algún problema más profundo que aqueja a la economía del país. El caso más corriente es el de un país que sufre déficits año tras año, en cuyo caso esto significa que el país está gastando más de lo que gana, por lo cual debe de sufrir mermas continuas en sus reservas de divisas; está vendiendo sus activos o tomando préstamos del exterior.

Ante un desequilibrio persistente en la balanza de pagos debe de iniciarse un proceso de ajuste tendente a restablecer el equilibrio. Si suponemos el caso más simple de un país con un déficit crónico en su balanza de pagos y que no recibe préstamos ni donaciones del exterior, es evidente que en cada período deberá saldar el déficit enviando a los países extranjeros acreedores oro o las correspondientes divisas. El problema radica en que, como ya vimos, un país puede crear los medios de pago internos que necesite, pero éstos no son válidos para dotarlo de liquidez exterior; no puede saldar con ellos sus deudas (el lector quizás recuerde una campaña gubernamental, desarrollada hace unos años, sobre el consumo energético, cuyo lema era: «Ahorre energía, aunque usted pueda pagarla España no puede»).

Para evitar llegar a una situación de grave iliquidez exterior (como ocurrió en España en 1959 cuando no se poseían divisas ni para pagar la gasolina de nuestros embajadores acreditados en el extranjero) deben de modificarse los factores que están provocando el desfase entre los pagos y los ingresos autónomos del país. El ajuste, tal y como analizamos en el Capítulo anterior al tratar de la formación del tipo de cambio exterior, puede consistir básicamente en la libre fluctuación del tipo de cambio de modo que se fije una nueva relación de cambio para la moneda nacional que desaliente las importaciones de bienes extranjeros al ser más caras ahora sus divisas y estimule las exportaciones al resultar ahora más barata su moneda nacional en el mercado de cambios. En el caso de un sistema de tipos de cambio fijos, las correspondientes salidas de oro y divisas actuarán de forma deflacionaria sobre el nivel de precios internos, que se reducirán, estimulando las exportaciones y disminuyendo las importaciones, corrigiéndose así el desequilibrio.

En la práctica, excepto en el caso histórico del patrón oro puro, los gobiernos no se limitan a esperar que se produzcan de forma automática los ajustes descritos, sino que, de una u otra forma, actúan aplicando distintas políticas monetarias y fiscales que influyan sobre el nivel de precios interno y la renta nacional en el sentido deseado y/o ejercitando diversos tipos de controles directos, ya sea en la forma de controles de cambios o de controles sobre el comercio (aranceles, contingentes, impuestos o subsidios a la importación y a la exportación, etc.).

EL MERCADO DE DIVISAS

Como ya se ha visto, la característica básica que diferencia a las transacciones económicas internacionales es el uso de monedas diferentes. Cada país emite su propia moneda que, dentro de sus fronteras, constituye el único medio de pago generalmente aceptado. Por lo tanto, cuando en el transcurso del comercio internacional los exportadores que venden mercancías al exterior reciben dinero extranjero, desean convertirlo en dinero nacional. Análogamente, los importadores poseen dinero doméstico, pero necesitan moneda extranjera para comprar mercancías en otros países. Igualmente, los inversionistas que desean comprar acciones y obligaciones en otros países demandan moneda extranjera a cambio de moneda nacional. El medio a través del cual se pueden comprar y vender las distintas monedas nacionales es el mercado de divisas, que cumple así la función de transferir poder adquisitivo entre países distintos.

El mercado de divisas no coincide con un lugar físicamente determinado, como la Bolsa de Valores o una lonja de pescado, sino que está formado por un conjunto de instituciones bancarias, de participantes privados y de autoridades financieras estatales (el Tesoro o el Banco Central), que compran y venden divisas. Pese a la enorme dispersión geográfica de los participantes, debido al empleo de los modernos medios de comunicación, las operaciones se desarrollan en brevísimos períodos de tiempo y los precios resultantes (los tipos de cambio) pueden variar de momento en momento.

Las divisas son una mercancía totalmente homogénea, aunque por divisa se entienda una gama de diferentes activos monetarios a corto plazo expresados en moneda extranjera. El estudio del mercado de divisas es similar al que pueda realizarse sobre cualquier mercado de otra mercancía, pese al hábito de misterio que parece envolver a las transacciones monetarias internacionales. Los bancos desempeñan un papel fundamental en el intercambio de divisas efectuando transacciones con sus clientes y compensaciones con los agentes dedicados al comercio de divisas (corredores y cambistas). Los bancos actúan también como mayoristas de monedas respecto a los comerciantes e inversionistas en general. Las autoridades financieras intervienen en el mercado de distintas formas y con diferentes fines, según se ha descrito.

El mercado de divisas se aproxima bastante al modelo de mercado de competencia perfecta: el producto es homogéneo (un dólar es un dólar, esté en Nueva York o en Kuwait). Los individuos que participan en el mercado tienen un conocimiento casi perfecto, ya que el mercado es transparente y puede disponerse de todas las cotizaciones en poco tiempo. Y, por último, existe un gran número de compradores y de vendedores. El único inconveniente es que puede no ser un mercado libre si las autoridades financieras de cada nación intervienen fijando limitaciones a la entrada en el mercado o a los movimientos de precios en el mercado.

En efecto, la primera condición para que funcione el mercado de cambios es la *convertibilidad*. Una moneda totalmente convertible es aquella que puede comprarse y venderse libremente por residentes en cualquier país y con cualquier finalidad. Actualmente sólo existen 16 divisas libremente convertibles entre ellas (cualquier poseedor de una puede cambiarla por las demás): dólar USA, dólar canadiense, libra esterlina inglesa, marco alemán, lira italiana, franco suizo, franco francés, franco belga, florín holandés, corona danesa, corona sueca, corona noruega, chelín austríaco, escudo portugués, peseta española y yen japonés, aunque esta libre convertibilidad no se extiende a las transacciones de capital, para las que muchos países siguen manteniendo algunas restricciones. En cuanto a las limitaciones en el movimiento de precios, ya se han examinado los fines y los métodos mediante los cuales los gobiernos podían actuar evitando las fluctuaciones en el tipo de cambio de su moneda por encima o por debajo de algunos límites establecidos.

El mercado de futuros

Las divisas no sólo se compran al contado, para entrega inmediata (habitualmente dos días después), sino que también pueden comprarse y venderse para entrega futura, normalmente a treinta, sesenta, noventa o ciento ochenta días aunque pueden fijarse períodos más cortos o más largos. Estas transacciones dan lugar a la formación de un nuevo tipo de cambio llamado *tipo a plazo* o *tipo futuro*. En un mercado de divisas libre y en ausencia de expectativas sobre cambios en la paridad de una moneda (devaluación o revaluación) el tipo de cambio futuro entre dos monedas diferirá del tipo de cambio actual si los tipos de interés en los dos países son diferentes. Si fuesen iguales no habría diferencia. La divisa del país cuyo interés a corto plazo sea superior se cotizará a futuros con un descuento en el cambio a plazo (o cambio «forward») sobre el cambio actual (o cambio «spot»). En caso contrario se cotizará con un premio sobre el cambio actual.

Los mercados futuros desempeñan un importante papel en la cobertura de riesgos, proporcionando a los comerciantes e inversionistas un medio relativamente barato de proteger sus operaciones corrientes contra los riesgos de posibles fluctuaciones en el tipo de cambio al contado. En efecto, gran parte de las operaciones de cambio están basadas en la expectativa de pagos e ingresos procedentes de operaciones comerciales y financieras, ya que un exportador, por ejemplo, que debe recibir 10.000 dólares USA dentro de tres meses corre el riesgo de que entonces el tipo de cambio al contado haya bajado (reciba menos pesetas a cambio de sus dólares de los que podría obtener hoy al cambio actual). Para cubrirse de ese riesgo puede vender hoy los dólares que recibirá dentro de tres meses. No recibe dinero ni lo entrega, se compromete simplemente mediante un contrato a entregar dentro de tres meses la cantidad de 10.000 dólares a cambio de un precio estipulado en el contrato. Deja, pues, de preocuparse por si el tipo de cambio subirá, bajará o permanecerá estable, ya que sabe la cantidad exacta de pesetas que recibirá a cambio de sus dólares. Análogamente, un importador que tenga que pagar 10.000 dólares dentro de tres meses puede comprarlos hoy para recibirlos entonces. Procede de forma inversa: compra dólares a futuros.

Especulación y arbitraje

Se dice que una persona posee una «posición abierta» en una divisa cuando tiene una posición acreedora o deudora neta en la misma (nuestro exportador y nuestro importador). Cuando la posición es acreedora neta se llama una «posición larga» (el exportador). Si es deudora neta se dice que tiene una «posición corta» en dicha divisa (el importador). El riesgo de una «posición larga» es que el tipo de cambio al contado llegue a depreciarse. El riesgo de una «posición corta» es el inverso. En ambos casos el mercado de futuros actúa desempeñando una función de cobertura del riesgo, eliminando la incertidumbre sobre el cambio en las transacciones económicas internacionales, tanto si procede de operaciones comerciales como de inversiones a corto plazo o tenencia de depósitos bancarios en divisas extranjeras.

Pero al mismo tiempo que proporciona esta cobertura de riesgos, facilita la actuación de los especuladores, personas que aceptan deliberadamente riesgos. La especulación en el mercado de futuros consiste en adoptar «posiciones abiertas» en una moneda extranjera, exponiéndose al riesgo de cambio con la esperanza de que su expectativa sobre la posible fluctuación al alza o a la baja de una moneda sea la acertada. Si acierta obtendrá beneficios, si se equivoca perderá dinero. Si espera que una moneda se deprecie tomará una «posición corta» a futuros en la misma (la venderá hoy para entregarla dentro de un plazo). Si por el contrario espera que se aprecie adoptará una «posición larga» a futuros (comprará hoy para recibirla después). En el primer caso estará jugando a la baja y en el segundo al alza del precio de la moneda. La especulación también puede darse en el mercado al contado, pero entonces se incurre en un coste adicional debido a los intereses que hay que pagar o dejar de percibir en su caso.

A diferencia de la especulación (que consiste, como hemos visto, en intentar obtener ventaja de las diferencias de cotización de una moneda en distintos períodos de tiempo), el arbitraje se basa en obtener ventaja de las diferencias de cotización que de una moneda existen en lugares separados en un mismo momento dado del tiempo. Así, si el precio del dólar es de 80 pesetas en Madrid y de 79,50 en Nueva York se podrá obtener un beneficio comprando dólares con pesetas en Nueva York y vendiéndolos en Madrid. La demanda aumentará en Nueva York y la oferta en Madrid hasta que el precio sea común.

Igualmente actúa el arbitraje para igualar los tipos de cambio cruzados. Supongamos que el dólar se cambia en Madrid por 80 pesetas y que el franco francés se cambia a su vez por 20 pesetas. Resulta evidente que el precio del dólar en francos debe ser de 4 francos. Si en París el dólar cotizase a 4,5 francos interesaría enviar dólares a París, comprar francos, cambiarlos en Madrid por pesetas, comprar allí más dólares y continuar la operación, que se detendría cuando ya no hubiese diferencias.

El arbitraje resulta, por tanto, un mecanismo esencial para integrar mercados de divisas geográficamente separados en un solo mercado en sentido económico.

EL COMERCIO EXTERIOR ESPAÑOL

A continuación, se ofrecen unas cifras significativas del comercio exterior español según los datos de la Dirección General de Aduanas. La Tabla 45.2 muestra cifras de exportación e importación clasificadas por grupos de productos, de acuerdo con la nueva metodología de la Dirección General de Aduanas, mientras que la Tabla 45.3 indica la distribución geográfica del comercio exterior de España para los años 1985 y 1986.

España presenta una relación de exportaciones a producto interior bruto bastante baja, de un 12 por 100 en 1986. Este coeficiente hace pensar que, en la actual situación de recesión del comercio internacional, las políticas de fomento de la competitividad exterior deben constituir un objetivo prioritario. En 1986, el comercio internacional se ha visto fuertemente influido por la repercusión a la baja de los precios petrolíferos y la depreciación del dólar, lo que ha provocado importante modificaciones en la estructura de precios relativos de los productos comerciales. Estos hechos pueden apreciarse gráficamente en las Tablas 45.2 y 45.3. De acuerdo con el *Banco de Pagos Internacionales* el volumen de comercio mundial en 1986 ha tenido un crecimiento modesto en torno al 4,5 por 100 en términos reales. Asimismo, se han acentuado las tendencias proteccionistas y las prácticas restrictivas en el comercio mundial.

De los datos contenidos en las Tablas de comercio exterior español que se ofrecen a continuación podemos destacar:

a) Las exportaciones de productos no energéticos retrocedieron un 8 por 100 en términos reales en 1986, mientras que nuestras importaciones de esos mismos bienes crecieron un 24 por 100 en términos reales. Este deterioro ha venido marcado por el hundimiento de los mercados de exportación en áreas tales como la OPEP, América Latina y otros países deudores, además del crecimiento experimentado por nuestra propia demanda interna y la pérdida de competitividad de nuestros bienes y servicios.

CUADRO 45.2

ESPAÑA. CIFRAS DE COMERCIO EXTERIOR POR GRUPOS DE PRODUCTOS

| | MILES DE MILLONES DE PESETAS | | | | | | PORCENTAJE SOBRE EL TOTAL | | TASA DE CRECIMIENTO 1986/1985 | |
| | Importaciones | | Exportaciones | | | | | | | |
	1986	1985	Saldo	1986	1985	Saldo	Importaciones 1986	Exportaciones 1986	Importaciones	Exportaciones
1. Productos energéticos ...	930	1.808	−878	239	384	−145	19,0	6,3	−48,6	−37,8
2. Productos no energéticos ...	3.961	3.265	696	3.561	3.716	−155	81,0	93,7	21,3	−4,2
— Materias primas y productos intermedios ...	1.670	1.519	151	1.334	1.550	−216	34,1	35,1	9,9	−13,9
— Productos animales y vegetales alimenticios ...	503	372	131	603	594	9	10,3	15,9	35,2	1,5
— Bienes de consumo no alimenticio ...	449	270	179	835	792	43	9,2	22,0	66,3	5,4
— Bienes de equipo ...	1.329	1.087	242	758	743	15	27,2	20,0	22,3	2,0
— Resto ...	10	18	−8	31	37	−6	3,0	0,8	−44,4	−16,2
TOTALES ...	4.891	5.073	−182	3.802	4.104	−302			−3,6	−7,4

FUENTE: Elaboración propia sobre datos de la Dirección General de Aduanas.

CUADRO 45.3

DISTRIBUCION GEOGRAFICA DEL COMERCIO EXTERIOR DE ESPAÑA

	VALOR (miles de millones de pesetas)		PORCENTAJE SOBRE EL TOTAL		VARIACION (%) (variación anual)	
	1986	1985	1986	1985	1986	1985
A) IMPORTACIONES						
1. Europa total	2.828	2.232	57,8	44,0	26,7	14,5
— CEE-11	2.458	1.868	50,3	36,8	31,6	17,9
— Comecon	99	140	2,0	2,8	−29,3	−11,4
— Resto Europa... ...	271	224	5,5	4,4	21,0	12,0
2. América total	850	1.157	17,4	22,8	−26,5	6,6
— Estados Unidos ...	483	553	9,9	10,9	−12,7	6,6
— América Latina ...	348	583	7,1	11,5	−40,3	7,2
3. Africa total	468	842	9,6	16,6	−44,4	37,4
4. Asia total	699	808	14,3	15,9	−13,5	−15,3
— Japón	241	173	4,9	3,4	39,3	21,8
5. Oceanía total	43	34	0,9	0,7	26,5	3,0
TOTAL MUNDIAL	4.891	5.073	100,0	100,0	−3,6	9,6
— OPEP	552	1.022	11,3	20,1	−46,0	−8,7
— OCDE	3.500	2.883	71,6	56,8	21,4	15,4
B) EXPORTACIONES						
1. Europa total	2.579	2.508	67,8	61,1	2,8	10,9
— CEE-11	2.295	2.142	60,4	52,2	7,1	10,2
— Comecon	109	170	2,9	4,1	−35,9	38,2
— Resto Europa... ...	175	196	4,6	4,8	−10,7	1,0
2. América total	605	696	15,9	17,0	−13,1	14,5
— Estados Unidos ...	351	409	9,2	10,0	−14,2	13,3
— América Latina ...	211	245	5,5	6,0	−13,9	16,7
3. Africa total	239	349	6,3	8,5	−31,5	−15,9
4. Asia total	314	467	8,3	11,4	−32,8	8,4
— Japón	42	54	1,1	1,3	−22,2	−8,5
5. Oceanía total	15	23	0,4	0,6	−34,8	27,8
TOTAL MUNDIAL	3.802	4.104	100,0	100,0	−7,4	10,0
— OPEP	216	300	5,7	7,3	−28,0	−13,3
— OCDE	2.942	2.876	77,4	70,1	2,3	9,9

FUENTE: Elaboración propia sobre cifras de la Dirección General de Aduanas.

b) Además de las dos últimas causas mencionadas, hemos de considerar, igualmente, los efectos del desarme arancelario provocado por la incorporación de España a la Comunidad Económica Europea, como explicación del fuerte crecimiento de las importaciones. Existen, además, otros factores adicionales a esa incorporación que inciden sobre la evolución de nuestro comercio exterior: básicamente, la reforma del sistema fiscal con la introducción del Impuesto sobre el Valor Añadido y la necesidad de modificar sustancialmente el sistema anterior de incentivos (subvenciones) a la exportación y trabas (recargos) a la importación.

c) La estructura geográfica de nuestro comercio exterior se ha modificado siguiendo las pautas antes expuestas: retroceso de los mercados de exportación en áreas fuertemente endeudadas o con sensible merma de ingresos básicos (petróleo), aumento de las corrientes comerciales con los países de la CEE y más ampliamente de la OCDE, y fuerte incidencia del tipo de cambio en las cifras globales de nuestro comercio exterior.

BIBLIOGRAFIA SELECCIONADA

Samuelson, P. A.: *Curso de Economía Moderna,* op. cit., pp. 733-758.
Lipsey, R. G.: *Economía Positiva,* op. cit., pp. 540-655; pp. 793-96.
Rojo Duque, L. A.: *Renta, Precios y Balanza de Pagos,* op. cit., pp. 210-17.
Kindlerberger, Ch. P.: *Economía Internacional,* op. cit., Caps. II-IV.
Cohen, B. J.: *Política de Balanza de Pagos,* Alianza Editorial, Madrid, 1975.
Bricall, J. M.ª: *Introducción a la Economía,* op. cit., pp. 356-80.
Banco de España: *Boletín Económico* (mensual) e *Informe Anual.*
Banco Exterior de España: *Boletín de Información Económica* (mensual).

CAPITULO 46

EL SISTEMA MONETARIO INTERNACIONAL

EL PERIODO DE ENTREGUERRAS: EL «GOLD EXCHANGE STANDARD»

El estallido de la Primera Guerra Mundial, en agosto de 1914, desarticuló bruscamente el sistema económico internacional que se había desarrollado a lo largo del siglo XIX, afectando a todo el conjunto de la estructura económica internacional. Los cuatro años de conflicto bélico, que afectaron a las principales naciones industriales, fueron el origen de una serie de problemas que nunca llegaron a solucionarse por completo durante el período de reconstrucción económica desarrollado en la etapa de entreguerras.

Los países europeos, que durante la guerra habían aumentado enormemente sus importaciones procedentes de los Estados Unidos, concluyeron el conflicto con elevados niveles de endeudamiento exterior y con sus reservas de oro sumamente debilitadas mientras que las potencias de los Imperios Centrales, agotadas por el esfuerzo bélico, se vieron gravadas por una estúpida política de reparaciones de guerra imposibles de cumplir. El Imperio Austrohúngaro se descompuso y Alemania perdía sus colonias a la vez que Rusia se aislaba del contexto económico mundial.

En el plano financiero internacional la transformación más importante consistió en la pérdida del monopolio que hasta entonces había detentado la City londinense, como consecuencia de su papel de financiación del comercio internacional y, por lo tanto, en la caída de la libra como moneda clave del sistema. El dólar se alzaba ahora, junto con el oro, como eje del sistema. En efecto, pese al abandono del patrón oro durante la guerra, a excepción de Estados Unidos, la vuelta a la paz suscitó entre los países la necesidad de arbitrar un sistema monetario, sistema que en las diferentes propuestas pasaba ineludiblemente por la vuelta al oro.

En 1922 se celebró en Ginebra una Conferencia Monetaria Internacional que daba lugar al crecimiento de un «gold exchange standard» o patrón cambios oro, sistema que, basado en el dólar y la libra, entraría en colapso a comienzo de la década de 1930, siendo restaurado, con algunas modificaciones y basado exclusivamente en el dólar, en la Conferencia de Bretton Woods en 1944.

Los puntos clave del nuevo sistema venían determinados: *a)* por la aceptación como reserva de las monedas de oro, no sólo oro metálico, sino también diversos tipos de activos, tales como depósitos, letras, efectos a corto plazo, divisas de otros países, etc., y *b)* por la posibilidad abierta a todos los países que lo deseasen de convertirse en centros de oro, es decir, de establecer un mercado libre del oro o, en otros términos, de asumir la obligación de conversión directa de sus monedas de oro. Así pues, con el «gold exchange» las divisas quedaban divididas en dos categorías: las divisas clave, o directamente convertibles en lingotes de oro, y divisas indirectamente convertibles en oro a través de su relación de paridad con las divisas clave.

Evidentemente, los objetivos del nuevo sistema eran, dadas las dificultades de preguerra, la economización del oro y la eliminación de los efectos deflacionistas que no hubieran dejado de producirse con una vuelta al patrón oro clásico. Sin embargo, los puntos débiles del sistema afloraron rápidamente. La eliminación del monopolio de Londres como centro del oro y la posibilidad de irrogarse tal categoría cualquier país; desató la competencia desaforada primero entre los mercados financieros de Nueva York y de Londres y, después, entre Londres y París, dando lugar a la aparición de fuertes movimientos especulativos de capital que socavarían el sistema hasta derribarlo, puesto que la base del mismo era la confianza en que en todo momento los centros del oro fuesen efectivamente capaces de hacer frente a sus obligaciones de convertibilidad.

El crack de Wall Street, en 1929, prendió la mecha de esta explosiva situación. En 1931, Gran Bretaña abandona el patrón oro, suspendiendo la convertibilidad de la libra y asestando así un golpe mortal al «gold exchange standard», mientras que Estados Unidos lo haría en 1934, aunque lo restablecería un año más tarde.

A partir de este momento, el sistema monetario internacional se debate en un caos pese a los intentos de asirse a tablas de salvación, tales como la creación del área de la libra y del dólar, constituyendo la progresiva eliminación de la cooperación económica internacional, que se manifestaría en los procedimientos de devaluaciones competitivas y control de cambios, la característica básica del sistema hasta la Segunda Guerra Mundial.

En definitiva, la traumática experiencia de la crisis bursátil de 1929, con la posterior Gran Depresión, ocurría en el seno de un sistema internacional mal preparado para hacerle frente. El comercio internacional mostró precisamente su capacidad de transmisión de las depresiones económicas cuando todos los países acentuaron su tendencia al proteccionismo comercial en un inútil intento de aislarse de la crisis mundial, lo cual provocó aún más la caída en los niveles de empleo y de producción, de tal forma que puede decirse, por dramático que resulte, que sólo la brutal agresión hitleriana en 1939 hizo que los principales países industriales recuperasen su actividad.

EL SISTEMA DE BRETTON WOODS

La Segunda Guerra Mundial volvió a quebrantar el comercio mundial al tiempo que provocaba enormes devastaciones en los recursos de los países europeos implicados. La reconstrucción económica europea comenzó recién acabada la contienda, ayudada por el Programa de Recuperación Europea (el célebre Plan Marshall) desarrollado por los Estados Unidos a partir de 1947. Pero no deja de ser significativo de las tristes experiencias adquiridas en el anterior conflicto que en plena guerra, mientras las tropas aliadas luchaban en las playas de Normandía, cuatrocientos delegados representantes de cuarenta y cuatro países se reunían en Bretton Woods, en el marco de la Conferencia Monetaria y Financiera de las Naciones Unidas, acordando la creación de dos instituciones: el Fondo Monetario Internacional (FMI), cuyo fin sería promover la estabilidad de los cambios y la eliminación de las barreras que obstaculizaban los pagos internacionales, y el Banco Internacional de Reconstrucción y Desarrollo (BIRD, llamado también comúnmente Banco Mundial).

Los acuerdos de Bretton Woods fueron el resultado de la confrontación de dos programas, el de Keynes y el del americano White. La solución de Keynes a los problemas planteados por la crisis del sistema radicaba en la creación de una «Unión Internacional de Compensación», es decir, se orientaba hacia la creación de un banco internacional y una moneda internacional, el «bancor». El valor del «bancor» debía ser fijo, pero no inalterable respecto al oro y aceptado como equivalente a él. Los países que tuviesen saldos comerciales favorables en el comercio internacional acumularían créditos «bancor» en la Unión; por el contrario, los que tuviesen déficits presentarían saldos negativos en unidades «bancor». La Unión concedería créditos a corto plazo a los países deudores, los cuales serían financiados mediante superávits de los países cuya balanza de pagos fuese favorable.

El objetivo de la propuesta era, pues, la creación de una vía de ayuda a los países con déficits para que pudieran salvar las dificultades temporales de sus balanzas de pagos. Era indudable que la Unión favorecía a los deudores, como Gran Bretaña, y no tanto a los acreedores, como Estados Unidos, pues aunque ningún país podría acumular deudas por encima del valor de unas cuotas previamente establecidas; estas cuotas eran lo suficientemente generosas como para preocupar a los acreedores. De ahí que este plan no tuviera una aceptación entusiasta por parte de los EE.UU. La contrapropuesta fue obra de H. D. White y sus colaboradores del Tesoro americano. El Plan White coincidía en algunos puntos con el Plan Keynes, sobre todo en la necesidad de un organismo internacional que regulase el comercio y la moneda. No obstante, las diferencias eran mucho mayores que las semejanzas; Keynes fue «persuadido» de abandonar la idea de la Unión y de aceptar el Fondo Monetario Internacional (FMI) propuesto por los Estados Unidos.

El FMI, con sede en Washington, inició su actividad en 1946 con dos funciones fundamentales: la reguladora y la crediticia. La función reguladora consiste en hacer respetar las «reglas del juego» o conjunto de normas establecidas sobre el funcionamiento del sistema económico internacional (básicamente mantener la estabilidad de los tipos de cambio). En relación con estos objetivos, y de forma complementaria, el Fondo dispone de una serie de instrumentos crediticios para ayudar a los países miembros a superar las crisis temporales de sus balanzas de pagos.

En 1976 los países miembros eran 128. Los países miembros aportan una cuota (fijada en orden a su capacidad económica relativa) diversa de un país a otro. El 25 por 100 de la cuota se entrega en oro y el 75 por 100 restante en moneda nacional. Los países aceptan mantener una paridad o tipo de cambio fijo entre su moneda y las monedas de los restantes países. Para reducir sus déficits pueden sacar las monedas que necesiten del fondo, pero con ciertas condiciones: La cantidad que puede sacar está determinada por el volumen de su cuota; tiene que devolverlas en el plazo de cinco años y debe seguir las políticas económicas que se le indiquen tendentes a reducir el déficit. Si éste no es corregido y el país continúa sufriendo un persistente «desequilibrio fundamental» en su balanza de pagos podrá obtener autorización del FMI para devaluar su moneda en un 10 por 100.

En Bretton Woods se estableció un sistema monetario internacional del tipo patrón cambios oro (o «gold exchange standard»), ya estudiado. Siendo el dólar la moneda clave, ya que es la única convertible en oro (sólo a través de los Bancos Centrales) a la paridad establecida. El dólar se configura así como medio de pago internacional y como instrumento de reserva, ya que a un país extranjero le es teóricamente igual acumular oro o dólares.

Cada país establece una paridad fija de su moneda, debiendo indicar al FMI cuantas unidades de la misma son necesarias para adquirir un gramo de oro (o un dólar, dada la relación fija entre éste y el oro). Cada moneda sólo podrá fluctuar en un 1 por 100 en más o menos respecto a la paridad establecida. Si el cambio se aproxima a los márgenes, el Banco Central en cuestión debe intervenir en el mercado de cambios a través del mecanismo del tipo de venta y tipo de compra de la divisa, que desempeñarán el papel del punto de exportación y de importación del oro en el patrón oro clásico. Supongamos la paridad peseta-dólar igual a 1 dólar-60 pesetas. El tipo de cambio puede oscilar hasta 1 dólar-60,6 pesetas, por arriba, y 1 dólar-59,4 pesetas por debajo. Con el mecanismo del tipo de venta de la divisa por parte del Banco Central se impide que la peseta se devalúe por encima del techo 1 dólar-60,6 pesetas, puesto que éste se compromete a vender cuantos dólares se le soliciten a ese precio, de manera que nadie comprará dólares a más de 60,6 pesetas vendiéndolos el Banco Central a ese precio. Igual mecanismo, pero a la inversa, tiene lugar con el tipo de compra de la divisa. En definitiva, con el mecanismo de la venta los países protegen la devaluación de sus monedas, mientras que con el tipo de compra lo que protegen es la del dólar. La estabilidad monetaria quedaba así teóricamente garantizada.

EVALUACION DEL SISTEMA HASTA LA CRISIS DE 1971

El sistema de Bretton Woods, pese a su normal funcionamiento inicial, poseía, aunque atenuada, la misma dificultad originaria del patrón oro. Según éste, la liquidez internacional, los medios de pagos necesarios para el comercio exterior, sólo aumentaban en la medida en que aumentaba la producción de oro. En el nuevo sistema, al constituirse el dólar como eje de la liquidez internacional, lo que tenía que aumentar era su «producción», es decir, la disponibilidad de dólares fuera de las fronteras de Estados Unidos, lo cual implicaba la existencia de un déficit creciente en la balanza de pagos americana. Ahora bien, no sólo se trataba de una disponibilidad creciente de dólares, sino también de que estos dólares fuesen sólidos. Por lo tanto, se requería un superávit en la balanza por cuenta corriente americana, en función de la competitividad de su economía, que respaldase la solidez del dólar, y un déficit creciente con su balanza por cuenta de capital, tanto pública como privada, que asegurase la necesaria irrigación con dólares, la necesaria provisión de liquidez de las economías occidentales.

Durante el período de 1945-1960, que vino marcado por la reconstrucción postbélica, la escasez de dólares y un proceso de desarrollo económico sin precedentes en la historia universal, las reglas del sistema funcionaron. Sin embargo, desde comienzos de la década de los sesenta, y más concretamente desde 1958, tiene lugar una «crisis del dólar» que procede del alto grado de déficit alcanzado por la balanza de pagos americana, de manera que el volumen de su deuda exterior a corto plazo era mayor que sus reservas de oro.

Este prolongado déficit estadounidense (agravado por acontecimientos como los enormes gastos de guerra en el Vietnam) condujo a una situación paradójica: el dólar continuaba siendo convertible porque no se convertía. En efecto, los bancos centrales extranjeros acumulaban enormes reservas de dólares y, o seguían absorbiéndolas y defendiendo la paridad del dólar o, en caso contrario, si dejaban sin apoyo al dólar se verían privados de la principal fuente de liquidez internacional, por débil y problemática que ésta fuese. Por otra parte, la retirada del apoyo al dólar tenía otras dos importantes consecuencias negativas. De una parte, implicaba la revaluación de las monedas de los países europeos respecto al dólar, con el consiguiente perjuicio para sus exportaciones. De otra, el valor de los saldos de reservas en dólares mantenidos en sus bancos centrales se verían disminuidos en la proporción en que se devaluase el dólar. En definitiva, en los años sesenta los países europeos se vieron forzados a apuntalar el dólar.

De facto se había entrado en un patrón dólar («dollar standard»). La situación se mantenía porque los bancos centrales no pedían la conversión en oro de sus créditos contra el Tesoro americano. Pero además, dentro de la línea de apoyo al dólar, para reforzar así los tambaleantes cimientos del sistema, se hizo necesaria la formación, a finales de 1961, de un «pool» del oro que defendiese la paridad oro del dólar según el nivel fijado en Bretton Woods. Sin embargo, en 1968, tal política sólo había conseguido reducir las reservas de oro de los bancos centrales europeos, puesto que las causas de la tensión en la paridad oro-dólar continuaban existiendo. Así, en 1968, se abandona el «pool» y se crea un doble mercado de oro: un mercado oficial, entre bancos centrales, que garantiza el precio del oro a 35 dólares la onza, según los acuerdos de 1944 y un mercado libre en el que el precio viene determinado por el juego de la oferta y la demanda.

LA LIBERALIZACION DE LOS PAGOS INTERNACIONALES: DE LA UEP AL AME

Tras la Segunda Guerra Mundial las preocupaciones básicas en el contexto de la reconstrucción del sistema monetario internacional se ciñeron, aparte de los problemas ya mencionados, en torno a la liberalización del comercio y la vuelta a la convertibilidad. En efecto, la quiebra de los canales internacionales del comercio y del sistema multilateral de pagos había encorsetado los intercambios intraeuropeos en un rígido marco de acuerdos bilaterales. Se trataba, pues, de buscar el sistema que permitiera la vuelta a la multilateralidad, sistema que cuajó con la creación, por parte de los países miembros de la Organización Europea para la Cooperación Económica (OECE) de la Unión Europea de Pagos (UEP) en 1950.

A partir de 1944 se firmaron en Europa acuerdos bilaterales de pagos, que en realidad no eran otra cosa que una versión de los acuerdos «clearing» de los años 30. El principal inconveniente de un sistema de este tipo radica en que los países deben tener un comercio equilibrado dos a dos, ya que la inconvertibilidad de las monedas no permite que el excedente de divisas adquirido sobre un país pueda ser utilizado para cubrir el déficit frente a un tercero.

El primer paso para superar estas dificultades tuvo lugar en 1948, al firmar los países miembros de la OECE un acuerdo de compensación monetaria multilateral. Este acuerdo estaba vinculado directamente a la distribución de la ayuda americana del Plan Marshall. No solamente cada país recibe una ayuda directa para financiar su propio déficit en dólares, sino también una ayuda indirecta para hacer frente a su déficit con los demás miembros de la OECE

La creación de la UEP, en 1950, se basaba en la compensación automática de los saldos comerciales acreedores y deudores efectuada cada mes por el Banco de Pagos Internacionales, que era el agente del sistema, así como en la concesión de créditos a los deudores.

La vuelta a la libre convertibilidad de las monedas, en 1958, significó el fin de la UEP entrando en vigor en ese año el denominado Acuerdo Monetario Europeo (AME). Los mecanismos del AME se basaron, pues, como acabamos de señalar, en la vuelta a la convertibilidad y en una marcada preferencia por el papel de las divisas clave (dólar y libra) en los pagos internacionales, ya que con la eliminación de la UEP desaparecen las compensaciones automáticas y los créditos y la liquidez queda reducida al dólar y la libra. En definitiva, se puede afirmar que, realmente, el nuevo «gold exchange standard» data de la sustitución de la UEP por el AME. El dólar y, en menor medida, la libra, van a ratificar así su papel tradicional de monedas internacionales, papel que se había visto seriamente comprometido por la UEP.

LOS PLANES DE REFORMA DEL SISTEMA MONETARIO INTERNACIONAL

La vuelta a la convertibilidad en el mercado internacional de cambios, al margen de toda compensación multilateral automática, primaba sin duda al dólar y a los intereses americanos pero no eliminaba los problemas de la liquidez que el alto nivel de desarrollo económico y el crecimiento del volumen de comercio mundial planteaban al sistema. La consolidación del nuevo *gold exchange standard* se asentaba, pues, sobre una base sumamente inestable.

Como consecuencia de los problemas planteados por la debilidad del dólar como fuente de liquidez internacional durante los años sesenta, surgieron una serie de planes tendentes a la reforma del sistema monetario internacional. En todos ellos el oro continúa estando en el centro del sistema. Las divergencias vendrán marcadas por el papel que se le asigna a éste, así como por las diferentes apreciaciones de la liquidez internacional. A este respecto cabe distinguir dos bloques: un primer bloque, a cuya cabeza se halla Francia, para quien el problema radica en una mejor distribución de la liquidez internacional; y un segundo bloque, con Estados Unidos al frente, que pondrá el acento en la insuficiencia de liquidez y, por tanto, en la búsqueda de los mecanismos con capacidad para aumentarla.

Entre las numerosas propuestas se puede citar el Plan Mendès France, Plan Meade, el Plan Triffin, el Plan Machlimp, el plan Zolotas, el Plan Roosa, el Plan Posthuma, etc. Sin embargo, nos centraremos exclusivamente, por su mayor importancia, en los siguientes:

A) Plan gaullista. Este plan, de 1965, que debe su nombre al apoyo de De Gaulle, es una nueva versión del Plan Berstein de 1962, aunque en 1965 el encargado de defenderlo sería Giscard d'Estaing, entonces Ministro de Hacienda. Proponía la creación de una unidad monetaria nueva, el CRU (unidad de reserva colectiva), que sería un instrumento financiero creado al margen del FMI por un bloque de países industrializados. Las CRU, junto con el oro, constituirían las reservas internacionales de liquidez, pudiendo crearse bien mediante depósitos de oro, bien mediante depósitos de moneda nacional respaldada con una garantía en oro. De este modo, al poderse crear unidades de reserva mediante el depósito de monedas nacionales de los países miembros, las divisas clave perderían su significado. En otras palabras, todas las monedas se convertirían de hecho en monedas clave.

Lógicamente, el plan francés tenía como objetivo reducir la influencia del dólar y la libra en el ámbito de los pagos internacionales.

B) Plan americano. Este plan parte de la base de una liquidez insuficiente, si bien matizando que esta liquidez debería definirse en cada período, tomando como referencia la evolución de las necesidades del comercio internacional.

A diferencia del plan gaullista, el plan americano circunscribe la creación de liquidez en el marco del FMI. Para ello propone la creación de unos «créditos de reserva», con garantía en oro e independientes de los créditos automáticos del FMI.

Es evidente que las propuestas contenidas en los planes y las discusiones de los mismos desbordaban el marco estrictamente económico para alcanzar el político, lo que explica el nulo éxito de los planes que afectaban los intereses americanos. Mientras tanto, y debido a ello, en el seno del FMI se tuvieron que ir articulando diversos instrumentos para paliar la falta de liquidez. Entre ellos, aparte del «pool» del oro y del doble mercado del oro ya mencionados, debemos destacar los bonos Roosa, los acuerdos «swaps», los créditos «stand-by», los Gab (acuerdos generales de pago) y los DEG (Derechos Especiales de Giro).

Nos limitaremos a explicar estos últimos, debido a que son la innovación más importante introducida en el FMI por tratarse de un nuevo medio de pago o moneda internacional emitido por el FMI. El proyecto de los DEG data de la elaboración del Informe Ossola por encargo del «Grupo de los Diez». Este informe constituiría la base de discusión de la reunión del FMI, que tuvo lugar en Río de Janeiro en 1967, creándose en 1970 los primeros DEG por valor de 9.500 millones de dólares.

Los DEG son unas partidas contables administradas por el FMI, por medio de una cuenta especial en la cual se asigna a cada país miembro una cantidad de los mismos, proporcional a su cuota en el Fondo, constituyendo el tope el doble de dicha cuota. Su mecanismo de funcionamiento radica en una petición del país en cuestión al FMI, el cual designará a otro país con excedente en su balanza de pagos, como contrapartida de una operación que consiste en el intercambio de DEG del país deficitario por divisas del país excedentario.

Sus principales características son: *a)* la creación de una nueva línea de liquidez. Se trata, como ya se ha dicho, de un nuevo dinero internacional que aunque se define en términos de oro es independiente de él, y cuya base son los excedentes en divisas de los países miembros del FMI; *b)* son auténticas reservas y como tales figuran en las cifras oficiales de reservas de los países; *c)* su utilización se restringe a situaciones de déficits de balanza de pagos y pérdida de reservas, sin que puedan utilizarse en la compra de bienes y servicios; *d)* Son multinacionales, es decir, pueden ser utilizados por cualquier miembro del FMI; *e)* su concesión es automática, y *f)* para que tengan lugar sucesivas dotaciones de DEG hace falta el acuerdo, al menos, del 85 por 100 de los votos del FMI.

Su principal problema radica en que al ser su volumen de utilización proporcional a la cuota en el FMI, el gran beneficiario es Estados Unidos, lo que explica la oposición de Francia a su creación. Por otra parte, por la misma razón, pese a que se pretendió que fuesen una importante ayuda para los países subdesarrollados, los DEG apenas han representado ningún papel para solucionar los graves problemas de balanza de pagos de estos países, ya que las cuotas al FMI se fijaron precisamente en relación fundamental con el nivel económico de cada país.

EL SISTEMA MONETARIO INTERNACIONAL EN LA DECADA DE LOS SETENTA

En 1971, al producirse el primer déficit estadounidense en la balanza por cuenta corriente desde 1893, el Presidente Nixon suspende *de iure* la convertibilidad del dólar en oro y, por lo tanto, se entra también *de iure* en un patrón dólar. A finales de año, el dólar sufre una devaluación al fijarse en 38 dólares la onza su nueva paridad con el oro, lo que a su vez dará lugar a la fijación de nuevas paridades con el dólar de las restantes monedas. Por último, los márgenes de variación del tipo de cambio, es decir, el techo superior e inferior, aumentan de ± 1 por 100 a un ± 2,25 por 100, lo cual, en último extremo, se traducía en el alargamiento del intervalo dentro del cual los bancos centrales podían eludir «sostener» el dólar.

Poco después, en abril de 1972, tiene lugar en el área del Mercado Común la formación de la primera «serpiente» europea, lo que en definitiva representaba el compromiso de fluctuación conjunta de sus monedas dentro de los márgenes del dólar, o en otras palabras, en el «túnel» del dólar. De esta forma, el resultado gráfico de una serie temporal de fluctuaciones se asemeja a las ondulaciones de una serpiente, y de ahí recibe su nombre este sistema.

Esquemáticamente, el compromiso y la creación de la «serpiente» obedece a las siguientes razones. En un momento dado, con el nuevo margen de oscilación del tipo de cambio, la diferencia máxima de éste entre el dólar y otra divisa puede ser como máximo del 2,25 por 100. Ahora bien, en un intervalo de tiempo (de t_1 a t_2) la lira, por ejemplo, puede subir a su punto máximo de depreciación, y el dólar, en el mismo intervalo de tiempo, puede bajar a su punto máximo de revaluación. Resulta por tanto, de t_1 a t_2, una diferencia máxima de 4,5 por 100 respecto a la situación inicial. Pero si no se trata de una divisa cualquiera y el dólar, sino de dos divisas, liras y francos franceses, por ejemplo, como el marco de referencia de la paridad es el dólar las diferencias se duplican. Así la diferencia máxima en un determinado instante puede llegar a 4,5 por 100 y la que tiene lugar en un intervalo a un 9 por 100. El compromiso de los países de la CEE radicaba en la intervención sobre los tipos de cambio para que la diferencia máxima entre sus monedas fuese de 2,25 y de 4 por 100, es decir, dentro del «túnel» del dólar.

La nueva crisis del sistema, en 1973, haría abandonar esta restricción. Se crea así la segunda «serpiente» europea, que mantenía el compromiso de la fluctuación conjunta dentro del límite de oscilación del tipo de cambio de ± 2,25 por 100, pero exclusivamente para sus propias divisas, dejando de lado al dólar, es decir, abandonando el «túnel». En otras palabras, ello significaba inhibirse del apuntalamiento del dólar. Se entra, pues, en un régimen de fluctuación intervenida. Los dos pilares básicos del sistema de Bretton Woods, convertibilidad del dólar en oro y tipos de cambio fijos ajustables terminaban así desmoronándose.

Ahora bien, ello no quiere decir que el dólar haya pasado a ocupar un papel secundario. Como consecuencia de la crisis petrolífera desencadenada en 1974 y ante la ausencia de un crecimiento adecuado de otros instrumentos de liquidez internacional, pese a los esfuerzos del FMI incrementando el volumen de Derchos Especiales de Giro (DEG) contra el Fondo y la creación de las «facilidades petrolíferas» («oil facilities»), las preocupaciones sobre el déficit de la balanza de pagos americana y sobre la solidez del dólar se han disipado. La necesidad de un medio de pago, de una fuente abundante de liquidez, ha sido suficientemente fuerte como para contrarrestar la debilidad de dicha fuente, y así, el dólar ha conseguido mantener su privilegiado puesto de sol de nuestro sistema monetario, que ya en nada se parece al nacido en Bretton Woods en 1944.

La formación de la «serpiente» europea no es un hecho aislado, sino que forma parteo, mejor dicho, constituye el eje de un proyecto de Unión Monetaria Europea (UEM). En efecto, la decisión de que los bancos centrales interviniesen en los mercados de cambios con el fin de que la desviación instantánea de dos monedas de países miembros no excediese de 2,25 por 100 se hallaba en el contexto de la realización, por etapas, de una UEM, proyecto resultado del Informe Werner de 1970. Pero no se trataba sólo de mantener este margen, sino de comprimirlo paulatinamente con el objetivo, que no llegó a realizarse, de que a partir de 1980 los tipos de cambio intracomunitarios fuesen fijos a la vez que se pretendía, como otro objetivo básico, una mayor coordinación en las políticas macroeconómicas de los países miembros de la CEE.

Una característica esencial del plan UEM es que no tenía rango «constitucional»; es decir, no exigía que los países miembros de la CEE se vinculasen al acuerdo, aunque todos ellos lo suscribieron, a excepción de Irlanda. Por otra parte, permitía la incorporación al acuerdo de países no miembros, como ocurrió con Inglaterra, Dinamarca, Suecia y Noruega, que todavía no eran miembros de la CEE, y con Suecia que no lo sería posteriormente.

Obviamente, el UEM contenía un programa referente a las ayudas a los bancos centrales para mantener el margen de las desviaciones en el máximo del 2,25 por 100, así como para atender los desequilibrios de las balanzas de pagos de los países miembros mediante créditos. El organismo encargado de ello sería el Fondo Europeo de Cooperación Monetaria (FECOM) creado a tal fin en 1973, a excepción de los créditos a medio plazo que se concedían de Estado a Estado y los créditos a largo plazo que se obtenían por la CEE mediante endeudamiento con países no miembros.

La vida de la «serpiente» y del proyecto de UEM fue, no obstante, corta. En el mismo año de 1972, antes de nacer la segunda «serpiente», la lira y las libras inglesa e irlandesa denunciaban el acuerdo y en 1976 lo hacía el franco francés. A partir de ese momento la «serpiente» quedó ligada al marco alemán y a los países de su zona de influencia (Bélgica, Luxemburgo y Holanda) además de Dinamarca, Suecia y Noruega. Pero en 1978 incluso estos dos últimos lo habían abandonado.

A la hora de buscar responsabilidades en el fracaso del UEM es preciso destacar dos elementos claves: en primer lugar, la asimetría del proceso de ajuste y, en segundo lugar, la falta de coordinación, pese a ser un objetivo prioritario, entre las diferentes políticas macroeconómicas de los países de la CEE.

Respecto al primer problema, el eje básico del mismo lo constituye, por una parte, la política exterior americana que, aprovechando la situación privilegiada del dólar como fuente de liquidez, se desentiende de la estabilidad exterior del mismo, es decir, de su progresiva debilidad y, por otra parte, el alto nivel de competitividad de la economía alemana. Ambos factores han presionado, cada uno por su parte, a la revaluación del marco. Y ha sido esta tensión revaluadora sobre el marco la que, básicamente, ha puesto sobre el tapete el problema de la asimetría.

La revaluación del marco es evidente que afecta a Alemania en la medida en que, dejando aparte el problema de sus exportaciones, para mantenerse dentro de los márgenes de oscilación del tipo de cambio fijados, tiene que intervenir en los cambios impidiendo que la revaluación salte el techo. Ahora bien, en el UEM y en el régimen de la «serpiente» no estaba previsto a quién correspondía asumir la carga y la responsabilidad ante una situación de tensión entre los tipos de cambio de dos países que llevase a desbordar los márgenes establecidos. Sin embargo, la carga ha recaído normalmente en los países con moneda débil, esto es, ha sido asimétrica, ya que para ellos el ajuste supone reducir la devaluación, de hecho, de su moneda motivada por la revaluación del marco. Por lo tanto, intervienen a través del tipo de venta, vendiendo divisas a cambio de su moneda, lo que comporta un coste de pérdida de divisas con efectos sobre la oferta monetaria y, por lo tanto, sobre sus niveles internos de actividad económica. Así pues, esta asimetría en el coste de mantener los márgenes de los tipos de cambios ha ido llevando a los países miembros de la CEE a abandonar el acuerdo.

Respecto al problema de la coordinación de las políticas macroeconómicas, la diferente evolución y los diferentes niveles de inflación, paro, actividad económica, déficit exterior e impacto de la crisis petrolífera ha hecho prácticamente imposible una política uniforme a la vez que, por otra parte, ha imposibilitado el objetivo de acceder gradualmente a tipos de cambio fijos entre las divisas de la CEE.

EL ACTUAL SISTEMA MONETARIO EUROPEO (SME)

El deseo de la CEE de defenderse frente al dólar y de consolidar un área monetaria propia e independiente de los Estados Unidos ha prevalecido, dando lugar al nacimiento, en 1979, del actual Sistema Monetario Europeo.

El proyecto de tipos de cambios fijos ha vuelto a imponerse, no sólo por la idea de dotar de estabilidad al área de la CEE, sino precisamente porque la experiencia adquirida en los últimos años ha demostrado cuán débiles eran las grandes ventajas que en principio parecían ofrecer los tipos de cambios flexibles, así como la manipulación de los mismos. Ha sido tradicional argumentar, como ventaja esencial de los tipos de cambios flexibles frente a los fijos su neutralidad respecto a los objetivos de política económica interna. Con tipos de cambio flexibles los déficits de la balanza de pagos no comprometerían la política económica interior, puesto que la modificación del tipo de cambio resolvería automáticamente los problemas. Por el contrario, con un tipo de cambio fijo, un déficit persistente obligaría, en ausencia de la posibilidad de devaluación para conseguir una mayor competitividad, a deflacionar la economía, es decir, a tomar medidas contractivas de política económica interior, que redujesen los precios. De esta manera, los problemas de la balanza de pagos serían costeados por un menor nivel de actividad económica y por una reducción en nivel de empleo.

Sin embargo, las políticas expansivas se reflejaban finalmente de forma negativa en la balanza de pagos mediante la elevación de los precios. La neutralidad no jugaba y la manipulación de los tipos de cambio no aislaba la coyuntura interna de la externa. Por otra parte, las graves dificultades provocadas por el alza del precio del petróleo hacían impensables devaluaciones neutralizadoras. Por último, la idea mantenida, bajo el supuesto de neutralidad, de que en el orden económico interior los gobiernos podían optar, según las famosas curvas de Phillips, por un cierto nivel de paro para reducir la inflación, o viceversa, también se ha desvanecido frente al advenimiento de una situación económica desconocida hasta ahora: estancamiento con inflación (*stagflation*).

La novedad esencial del mismo, aparte de ciertas características que le otorgan una mayor viabilidad, puesto que como ya dijimos es una actualización del UEM, incluso en lo que respecta a su no «constitucionalidad», es la creación de una moneda internacional: el «ecu» o escudo (*european currency unit*) que pretende ser el embrión de una nueva moneda para Europa, y cuyo objetivo inmediato es servir de corrector de la asimetría ya explicada. De forma esquemática se puede decir que el «ecu» es una «moneda-cesta» en la que participan, con porcentajes previamente determinados, todas las monedas comunitarias, siendo el elemento determinante de la ponderación, es decir, del «peso» de cada moneda en el «ecu», su cotización.

En definitiva, se trata de un sistema de cambios fijos pero ajustables, ya que se permiten alteraciones, por acuerdo mutuo, aunque todavía no se hayan determinado los márgenes de los mismos, así como por un camino que promete proporcionar estabilidad, unión e independencia al área monetaria europea.

BIBLIOGRAFIA SELECCIONADA

Samuelson, P.: *Curso de Economía Moderna,* op. cit., Cap. 36.

Lancaster, K.: *Economía Moderna II,* op. cit., Cap. 34.

Pierce, D. G., y Shaw, D. M.: *Economía Monetaria,* Ediciones I.C.E., Madrid, 1977, Cap. 13.

Varela Parache, M.: *Organización Económica Internacional,* Ariel, Barcelona, 1965.

Tamames, R.: *Estructura Económica Internacional,* Alianza Ed., Madrid, 1970.

Bortolani, S.: *La Evolución del Sistema Monetario Internacional,* Pirámide, Madrid, 1980.

Marchal, J.: *Le système monétaire international: de Bretton Woods aux changes flottants,* Cujas, París, 1975.

Niveau, M.: *Historia de los hechos económicos contemporáneos,* Ariel, Barcelona, 1968.

V
LA ECONOMIA PUBLICA
Y LA ELECCION COLECTIVA

CAPITULO 47

LA EFICIENCIA ECONOMICA, LA EQUIDAD Y EL ESTADO

EL SISTEMA DE PRECIOS Y LA EFICIENCIA DE LA ECONOMIA: EL EQUILIBRIO GENERAL DE LOS MERCADOS COMPETITIVOS

Como hemos señalado en capítulos anteriores, el Análisis Económico que hemos expuesto hasta aquí constituye el núcleo central de la Teoría Económica que podemos llamar ortodoxa, ya que representa la corriente más importante dentro de la Ciencia Económica. Dentro de ese análisis económico, se ha elaborado una teoría que trata de explicar, a nivel microeconómico (de ahí la Microeconomía o la Teoría Microeconómica), el comportamiento de los agentes económicos (economías domésticas y empresas privadas) actuando libremente en el mercado, y concomitantemente la determinación de la producción, el intercambio y los precios de los bienes y servicios de consumo privados, de los bienes de capital privados y de los factores de producción privados, a través del libre juego de la oferta y la demanda dentro del marco institucional del mercado (sistema de precios, economía de libre empresa o economía capitalista). También es aplicable este análisis a los resultados de la actividad de las empresas públicas y de la Administración del Estado en sus distintos niveles cuando actúan en el mercado como demandantes y oferentes de bienes y servicios de consumo, de bienes de inversión y de factores productivos; es decir, siempre que se someten al libre juego de la oferta y la demanda, y no ejercen su poder coactivo dimanado del poder político del Estado. En ese caso, las empresas y Administraciones públicas actúan de la misma forma que los agentes económicos privados.

Los bienes y servicios de consumo privados, los bienes de capital privados y los demás factores de producción privados, cuya producción, intercambio y precios trata de determinar la Microeconomía que hemos estudiado, son los bienes, servicios y factores que comúnmente consideramos como económicos o, dicho de otra forma, los bienes a los que atribuimos un carácter económico: los bienes de consumo privados, en los que se incluyen todos los bienes materiales que sirven para satisfacer las necesidades o deseos últimos de los individuos; los servicios de consumo privados, que están constituidos por todas aquellas prestaciones por cuyo disfrute generalmente tenemos que pagar un precio monetario; los bienes de capital privados, que están integrados por todos los bienes elaborados por el hombre que sirven para producir otros bienes de capital o de consumo privados, los servicios igualmente de inversión privados (los bienes y los servicios de inversión encierran la tecnología inventada y aplicada a los procesos productivos por el ser humano); y el resto de los factores productivos privados: tierra (que incluye todos los recursos naturales privados) y trabajo (todo tipo de prestación humana). Recordemos que en la Teoría de la Distribución (que es la rama de la Teoría Económica que estudia la determinación de las cantidades producidas e intercambiadas en los mercados así como los precios de los factores productivos) hablábamos de tierra, capital y trabajo. Los bienes de capital constituyen factores productivos que incluimos en el factor capital, entendido éste como recursos financieros, ya que dichos bienes se reducen a capital financiero.

Estos bienes y servicios de consumo y de inversión privados y estos factores productivos privados se intercambian en el mercado a través del libre juego de la oferta y la demanda, si bien, como sabemos, aquél, dejado a su natural funcionamiento, puede dar lugar a la aparición de elementos monopolísticos en determinados mercados, que distorsionan, coartan y restringen el libre juego de la oferta y la demanda, creando así una asignación ineficiente de los recursos utilizados en la producción de los bienes y servicios intercambiados. Como ya vimos en su momento, los oferentes de los bienes y servicios de consumo privados son las empresas privadas, siendo los demandantes las economías domésticas. También las Administraciones públicas, sus distintos organismos autónomos y las empresas públicas (financieras y no financieras) actúan como demandantes de bienes y servicios de consumo privados (en el sentido que estamos dando a éstos y que definimos a continuación), tales como ropa, comida y bebida para el ejército, comida y bebida para las recepciones oficiales, servicios de taxis para funcionarios, limpieza de cristales de oficinas públicas, etc. Igualmente, las empresas y las Administraciones públicas ofertan en el mercado servicios que tienen al menos en parte el carácter de servicios de consumo privados, por los que aquéllas cobran un precio (más o menos político): los servicios ofertados por Iberia, Renfe y las empresas municipales de transportes, etc. Más adelante veremos cómo estos servicios no son servicios de consumo completamente privados, sino que tienen un cierto carácter público (no son ni servicios de consumo privados puros ni servicios de consumo públicos puros, sino semiprivados o semipúblicos).

En los mercados de factores productivos privados las empresas privadas son los principales demandantes y las economías domésticas (de las que aquéllos son propiedad) constituyen los oferentes. Asimismo, las empresas públicas son demandantes unas veces y oferentes otras en los mercados de factores, y la Administración del Estado a todos los niveles es demandante de factores (sobre todo de trabajo y de capital o recursos financieros) y, en ocasiones, oferente (principalmente de capital), actuando a través del mecanismo del mercado (es decir, sometiéndose al libre juego de la oferta y la demanda). No obstante, con frecuencia, las Administraciones obtienen factores productivos por medios distintos a los canales del mercado: por ejemplo, cuando expropian terrenos (aun cuando los paguen a precios de mercado) para construir una carretera, un parque, un edificio público, etc.; cuando obtienen recursos financieros imponiendo legalmente a los bancos privados y cajas de ahorro unos coeficientes de fondos públicos o de inversión, por los cuales estas instituciones están obligadas a colocar parte de sus recursos (unos porcentajes determinados de sus depósitos) en la compra de deuda pública, o en determinadas inversiones preferentes, o cuando el Gobierno de la Nación utiliza el recurso al Banco de España para que éste le preste obligatoriamente los fondos que necesita para cubrir sus necesidades financieras (lo que constituye la creación de dinero). También aquéllas actúan de oferentes de recursos financieros, bien cuando el Banco de España realiza préstamos a los bancos privados (préstamos de regulación monetaria), o bien cuando las entidades oficiales de crédito conceden préstamos a agentes económicos privados (individuos, cooperativas o empresas) a tipos de interés inferiores a los del mercado. Obviamente, ni la obtención de recursos financieros por las Administraciones a través de los impuestos, ni el gasto público que representan los beneficios fiscales, la realización de transferencias y la provisión de bienes públicos por parte de aquéllas, pueden considerarse intercambios de mercado (en aquéllas no se da una actuación voluntaria, o un intercambio o relación de *quid pro quo,* que es lo que caracteriza al mercado libre).

Como se recordará, la Teoría Microeconómica de la determinación de la producción, el intercambio y los precios de los bienes, servicios y factores privados ha sido elaborada a partir de unos supuestos de comportamiento de los agentes económicos en el mercado o de actuación en la que podemos considerar su esfera privada, por contraposición a la esfera pública (la esfera de las cuestiones públicas o colectivas, en la que las decisiones se toman colectivamente y a través de mecanismos políticos).

Los dos supuestos de comportamiento de los agentes económicos que subyacen o sobre los que se fundamenta la Teoría Económica ortodoxa son:

1) Por una parte, la idea de que el hombre es un ser egoísta (que actúa motivado principalmente por la búsqueda de su propio interés, sin que ello sea peyorativo) y racional. El hombre busca maximizar su utilidad (cualquiera que sean las cosas que le den utilidad: desde disfrutar de bienes de consumo, pasando por leer libros o coleccionar insectos, tomar cocaína, ver representaciones teatrales, etc.); es decir, el individuo es utilitarista. Esta concepción del hombre constituye el llamado modelo del *homo oeconomicus,* que se ha utilizado con bastante éxito por los economistas como supuesto sobre el que construir la Teoría Económica (los supuestos en las ciencias sociales equivalen a los axiomas en las Matemáticas: son proposiciones o afirmaciones cuya veracidad se da por supuesta y no se cuestiona, y sobre las que se construye la teoría; son una especie de piedra base o cimientos sobre los que se levanta la estructura de la teoría). Precisamente la utilización de esta concepción del hombre, con su corolario en cuanto a su comportamiento (la mayor parte de sus actuaciones están orientadas a buscar la maximización de su utilidad o satisfacción, en la que se pueden incluir los sentimientos que producen la práctica del altruismo, el patriotismo o la religión), ha hecho posible el mayor grado de desarrollo de la Teoría Económica con respecto a las demás ciencias sociales (la Sociología, la Ciencia Política, la Psicología Social o la Antropología) que no han dispuesto de un modelo o concepción del hombre equiparable al *homo oeconomicus,* del cual deducir unos supuestos de comportamiento de éste que permitan formular hipótesis sobre los fenómenos sociales susceptibles de contrastación empírica. No queremos decir que la visión del hombre como *homo oeconomicus* sea ni la única posible ni la mejor imaginable; solamente queremos señalar que esta concepción del hombre ha dado resultados razonablemente buenos, en cuanto que ha permitido elaborar un cuerpo de teoría que explica en alguna medida los fenómenos económicos. Hay que admitir, no obstante, que estamos muy lejos de haber construido una Ciencia Económica muy alejada todavía en poder explicativo y predictivo (y en consecuencia, en valor científico) de cualquiera de las ciencias naturales (la Física, la Química, la Biología, la Astronomía, etc.). Muy posiblemente nunca se llegue a elaborar una Teoría Económica equiparable a las ciencias naturales debido a los enormes y difíciles problemas metodológicos con los que se enfrenta aquélla.

Entre éstos, el carácter cambiante de su objeto de estudio (las estructuras políticas y sociales, las técnicas y los métodos de producción, los factores productivos, los conocimientos, las actitudes y los comportamientos de los agentes económicos cambian con relativa rapidez en términos históricos y desde luego mucho más rápidamente que las estructuras del resto de la naturaleza); el hecho de que sus objetos de análisis —los individuos— aprenden del conocimiento que sobre ellos se acumula; la dificultad de medir con precisión las magnitudes y las variables económicas (y en consecuencia, de contrastar empíricamente las distintas teorías) así como el efecto negativo que la ideología de los economistas tiene sobre las cuestiones que éstos se plantean, las hipótesis que formulan y la contrastación empírica que hacen de éstas.

La búsqueda de la máxima utilidad posible por parte de los consumidores, de los beneficios máximos posibles por parte de empresarios y de la mayor ventaja neta posible (constituida por las retribuciones pecuniarias y no pecuniarias) por parte de los propietarios de los factores productivos, actuando todos bajo condiciones restrictivas (una renta limitada por parte de los consumidores, unas funciones de producción dadas por parte de los productores, y unas cantidades limitadas de factores por parte de los propietarios de éstos), junto con las estructuras de mercado existentes y los condicionantes que éstas implican, todo ello nos permite explicar y predecir el comportamiento de los agentes económicos en el mercado; es decir, formular una teoría sobre aquél.

2)   Por otra, la idea de que es el individuo el único ser que siente placer o disgusto y, por lo tanto, el único que toma decisiones. Los organismos sociales o colectivos de todo tipo (desde el Estado hasta la comunidad de vecinos de una casa) no son más que la agrupación de los sujetos que los integran y, en consecuencia, no tienen vida propia. Esta visión constituye el llamado individualismo metodológico, que afirma que toda ciencia que pretende elaborar una teoría que explique los fenómenos sociales (políticos, económicos, sociológicos, etc.) ha de basarse en el supuesto de que son los individuos los únicos que experimentan satisfacción, placer, disgusto o dolor, y, consecuentemente, los únicos que deciden sobre las cuestiones. Frente a esta concepción existen otras, como la marxista o la corporativista, que parten de la idea de que son las clases sociales, los grupos sociales corporativos, de interés o de ideología común, y las estructuras sociales, políticas y económicas (y no los individuos) los entes cuyo funcionamiento y comportamientos están en la base de los fenómenos colectivos.

Estos dos supuestos, evidentemente, son restrictivos (no recogen toda la variedad de matices de la realidad). Pero, de un lado, han hecho posible la elaboración de un conjunto de teorías (una ciencia) que explican en alguna medida los fenómenos económicos y que hacen posible tomar medidas conducentes (no siempre con éxito) a resolver los problemas económicos. Quizás pueda afirmarse sin riesgo a equivocarse que esta Teoría Económica, que hemos llamado ortodoxa, está más desarrollada como ciencia, dentro de su subdesarrollo (sus teorías son más elaboradas y tienen mayor poder explicativo y predictivo, rasgos definitorios de cualquier conocimiento científico) que ninguna otra de las teorías que parten de otros supuestos.

De otro lado, los supuestos (como los axiomas) son siempre simplificadores de la realidad (como un mapa, que sólo registra los rasgos más importantes y característicos del terreno) y no es necesario que sean ciertos al cien por cien (para la validez de la teoría no es necesario que absolutamente todos los consumidores pretendan maximizar su utilidad, ni que todos los empresarios busquen maximizar sus be-

neficios; basta con que la mayoría tengan este comportamiento y que las predicciones que de la teoría se deduzcan sean corroboradas por la realidad): recuérdese a
este respecto lo expuesto en el Capítulo 3 sobre el realismo de los supuestos.

Así pues, en la Microeconomía estudiada se analiza el comportamiento de los
individuos en el mercado, donde se intercambian entre ellos bienes y servicios de
consumo privado, bienes de capital privados y demás factores de la producción privados, bajo los supuestos de comportamiento y las restricciones mencionadas. Ese
ámbito de actuación de los sujetos constituye la que hemos llamado su esfera privada; es decir, la esfera de actuación de los individuos en la que las decisiones por
éstos tomadas versan sobre cuestiones que afectan fundamentalmente al agente
decisor: el consumidor que compra un bien o un servicio de consumo (es decir, que
sólo disfruta él o su familia), el empresario que vende un cierto número de unidades del producto que elabora o del servicio que provee y compra factores de la
producción, y el individuo que vende unidades de los factores de los que es propietario para obtener renta. Estas decisiones son tomadas por agentes concretos e
implican un intercambio o una contraprestación frente a otro agente económico
concreto (individuo o empresa con forma de sociedad mercantil): al comprar un
paquete de Winston, entrego su precio en dinero a la persona que me lo vende y
ésta, a cambio, me entrega el paquete. El número de agentes económicos implicados en la inmensa mayoría de las transacciones privadas es de dos. El que entrega
el bien, el servicio o el factor de la producción y el que entrega el dinero o cualquier otra contraprestación. En algunos casos varios individuos actúan como si
se tratara de uno solo: un grupo de niños que compran un paquete de tabaco, un
sindicato que negocia un salario o convenio colectivo, los exportadores de naranjas que negocian una tarifa de transportes, etc.

También se estudia en la Microeconomía el comportamiento de los grupos de
agentes económicos: los consumidores o demandantes de naranjas de la ciudad de
Valencia, de España, de la Europa Comunitaria o del mundo, cuyas curvas de demanda individuales se suman para obtener la curva de demanda en cada ámbito geográfico; los oferentes de zapatos que integran la industria del calzado de la Comunidad
Valenciana, de España, de Europa o del mundo, cuyas curvas de oferta individuales sumamos para obtener la curva de oferta de una industria determinada para un
ámbito geográfico concreto, o las ofertas y las demandas de factores de producción
obtenidas del mismo modo para los distintos ámbitos geográficos considerados. Pero
en este análisis siempre se supone que la demanda o la oferta de un bien determinado en un ámbito geográfico es la suma de las preferencias y de las elecciones que
hacen los agentes individuales concretos sobre bienes y servicios privados y en la
esfera privada (las decisiones sólo afectan al individuo o individuos que las toman).

Finalmente, en la Macroeconomía se analiza, por una parte, el comportamiento
de las magnitudes o variables macroeconómicas a nivel agregado (el PIB, la renta
nacional, el gasto privado en bienes y servicios de consumo, la inversión privada, el
ahorro privado, el nivel de empleo, el nivel de precios, la tasa de inflación, el tipo
de interés, las exportaciones, las importaciones, la recaudación impositiva, el gasto
público corriente y de inversión, etc.), como si tuvieran vida o comportamiento
propios, independientemente del comportamiento de los sujetos individuales que
hay detrás o que integran esas variables (el consumo privado lo constituye la suma
del gasto en bienes y servicios de consumo, valga la redundancia, que realizan todas las economías domésticas del país; la inversión privada es la suma del gasto en
bienes de capital realizado por todas las empresas —societarias o no— del país).
Por otra parte, en la Macroeconomía estudiamos la teoría de la determinación del
nivel de renta de equilibrio y sus fluctuaciones a corto y largo plazo. En esta teoría

hemos considerado la actuación del Gobierno que, basándose en la teoría keynesiana, trata de manejar la demanda agregada efectiva a fin de conseguir el mayor nivel de producción, renta y empleo posible, así como la estabilidad de éste a corto plazo, una tasa de crecimiento de la economía a largo plazo lo más próxima posible a su potencial y la estabilidad de los precios. Los medios de que se sirve aquél para conseguir estos objetivos (y otros que señalaremos seguidamente) son la política fiscal (la política de ingresos y gastos públicos, con todos sus instrumentos ya conocidos: las tasas y los impuestos —clases y número de impuestos, bases y tipos impositivos—, la deuda pública y la creación de dinero del lado de los ingresos, y los gastos —gastos corrientes, gastos de inversión o por cuenta de capital—, subvenciones y transferencias por el lado de los gastos), así como la política monetaria (el control de la oferta monetaria, con sus corolarios, la disponibilidad de crédito y los tipos de interés).

No tratamos, sin embargo, con el detalle necesario el hecho de que la parte más importante del gasto público se destina a la financiación de los llamados bienes públicos, cuya provisión en número, cuantía y calidad ha de decidirse de alguna forma y cuya financiación es un tema importante en cuanto que supone elegir los canales de obtención de los necesarios recursos financieros, y consecuentemente decidir quiénes en la sociedad han de pagarlos en último extremo.

Además, al analizar la actividad del Estado, sector público o Gobierno (que incluye todos los niveles de la Administración pública, los entes autónomos y las empresas públicas) tanto a nivel microeconómico (comprando, produciendo y vendiendo bienes y servicios de consumo y de capital en el mercado, y comprando y vendiendo factores de la producción también a través del mercado), como a nivel macroeconómico (aumentando o reduciendo el gasto público y/o los ingresos impositivos, variando la oferta de dinero y el tipo de interés, etc.), hemos estado suponiendo dos cosas:

a) Que las decisiones del Estado en los distintos ámbitos son tomadas por un ser omnímodo que tiene todo el conocimiento y poder para decidir los bienes sociales y meritorios que provee, los demás gastos que realiza, y los canales y la cuantía de los recursos financieros que obtiene.

b) Que los gobernantes que actúan en los distintos poderes del Estado, los burócratas de las diferentes ramas de la Administración y los gestores de las empresas públicas (que son o bien políticos o bien burócratas) buscan indefectiblemente el bien público o el interés general de la comunidad.

La Teoría Macroeconómica expuesta en este Curso introductorio ha sido básicamente la teoría keynesiana en su versión simplificada, si bien en los Capítulos 41 y 42 hemos considerado el llamado modelo clásico (con la Teoría Cuantitativa, en su formulación primera y en su posterior nueva formulación por Friedman, como la teoría monetaria de éste), así como los posteriores de la Macroeconomía en su doble vertiente de la denominada Síntesis Neoclásica (Post-Keynesiana o Neo-keynesiana, cuyos artífices principales son Patinkin, Samuelson, Tobin, Modigliani y Solow, entre muchos otros) y de la Teoría Neoclásica (la Teoría de las Expectativas Racionales formulada por Robert Lucas, Jr., y Thomas Sargent, entre otros). Debemos señalar, sin embargo, que la Teoría Macroeconómica, a pesar de los avances importantes que ha experimentado desde que se publicó «La Teoría General» de Keynes en 1936, atraviesa en estos momentos por un período de cierta confusión y fluidez. Los desequilibrios simultáneos de inflación y alto nivel de desempleo acaecidos a partir de la primera subida de los precios del petróleo en

1973, han puesto en tela de juicio la Teoría keynesiana y la curva de Phillips como instrumentos analíticos suficientes para explicar su mantenimiento y desarrollar políticas mixtas adecuadas. La Teoría Cuantitativa ha vuelto a cobrar un cierto auge y la Teoría de las Expectativas Racionales o Teoría Macroeconómica Neoclásica ha surgido como una nueva orientación teórica de esta rama de la Economía ante la situación de crisis e incertidumbre en que se desenvuelve la ciencia económica actualmente. Galbraith ha definido nuestro tiempo como una «era de incertidumbre» y esto tiene, naturalmente, su repercusión sobre la orientación de los estudios económicos.

LA ECONOMIA DEL BIENESTAR Y LAS CONDICIONES DE LA ASIGNACION OPTIMA DE LOS RECURSOS POR EL MERCADO

Hemos visto el funcionamiento de un sistema económico de mercado o de precios, considerando cómo se determinan las cantidades producidas e intercambiadas, así como los precios de cada uno de los bienes y servicios de consumo y de los factores productivos en sus respectivos mercados, suponiendo que estos mercados funcionan libremente, sin interferencias. En tales mercados ocurre que la oferta y la demanda competitivas actúan conjuntamente para determinar el precio en cada mercado; las curvas de demanda de los sujetos reflejan fielmente las utilidades marginales de éstos; las curvas de oferta competitivas representan los costes marginales de los productores; la curva de coste total y la curva de coste medio de cada empresa se basan en la función de producción técnica de ésta (función que relaciona la producción con los costes) y las empresas minimizan los costes cuando demandan factores en la cuantía en que el valor del producto marginal de cada uno de éstos es igual a su precio respectivo; los productos marginales físicos y los correspondientes ingresos o valores marginales de éstos para cada empresa determinan las demandas derivadas de factores productivos por su parte. Estas demandas derivadas de bienes de capital, tierra y trabajo se enfrentan a las ofertas de éstos (determinadas a su vez por la búsqueda de la consecución del principio de igual ventaja neta por parte de sus propietarios) en los mercados de factores, fijándose en ellos las cantidades intercambiadas y sus precios y, consecuentemente, los ingresos o la renta de los sujetos. Los recursos primarios, tales como la tierra y el trabajo, se emplean para producir bienes de capital, bienes que a su vez son utilizados en procesos productivos indirectos para incrementar la producción de bienes , servicios finales (de consumo) de la sociedad y el capital genera una tasa de rendimiento, tasa que determina su demanda (constituye el valor de su producto marginal), y ésta, en interrelación con su oferta (la renta ganada por los individuos y no gastada en bienes de consumo —la disposición de los sujetos a abstenerse de consumir—), determinan conjuntamente el tipo de interés. Como señalamos en el Capítulo 6, el estudio de cada una de estas relaciones, que explican el comportamiento de cada mercado, economía doméstica o empresa, constituye el objeto de análisis del equilibrio parcial.

Al mismo tiempo, esta teoría sobre el funcionamiento de los mercados individuales implica la existencia de un equilibrio general simultáneo para toda la economía (para todos los mercados al mismo tiempo). Millones de precios y de cantidades intercambiadas se determinan simultáneamente, fenómeno que es posible gracias a la estructura general lógica de interrelaciones existente entre los agentes económicos. Este equilibrio general, que expresa qué bienes y servicios producir, la cantidad de cada uno de ellos, cómo producirlos y quiénes han de disfrutarlos, está interrelacionado en los mercados competitivos mediante una red de conexiones de precios. Desde el punto de vista lógico-formal (matemático), el sistema competitivo de precios de equilibrio general es completo, ya que existe un número suficiente de relaciones o funciones de oferta y demanda (con sus correspondientes curvas) para determinar todos los precios y todas las cantidades intercambiadas. El análisis de estas relaciones simultáneas constituye el objeto de estudio de la Teoría del Equilibrio General, que (el lector debe recordar) no es la teoría de determinación del nivel de producción, renta y empleo macroeconómico que hemos expuesto en los Capítulos 36 y 37.

Una vez visto el funcionamiento del sistema de precios sin interferencias, la siguiente cuestión importante que se plantea es la de si el sistema es o no eficiente en la asignación de los recursos escasos dados, en el sentido de hacer que con éstos se produzca la mayor cantidad posible de bienes y servicios que den a los individuos la mayor satisfacción o utilidad alcanzable. Una rama de la Teoría Económica, la Economía del Bienestar, tiene por objeto de estudio precisamente esta cuestión. Los economistas que han cultivado esta parcela de análisis, han determinado con precisión matemática las condiciones que deben cumplirse para que el sistema de precios (el equilibrio competitivo), funcionando por el libre juego de la oferta y la demanda, produzca una asignación eficiente de los recursos. Estos requisitos son:

a)   Las condiciones de la competencia perfecta (véase el Capítulo 24).

b)   La independencia entre los comportamientos de los agentes económicos; es decir, la independencia de las funciones de utilidad de los consumidores y de las funciones de producción de los productores (esto, como veremos seguidamente, equivale a la no existencia de efectos económicos externos).

c)   Las llamadas condiciones de segundo orden de las funciones de utilidad (que la utilidad marginal de los consumidores sea decreciente), y de las funciones de producción (que la productividad marginal sea decreciente o por lo menos constante, lo que equivale a costes marginales crecientes o constantes). Este requisito hace que las curvas de demanda tengan una pendiente negativa y que las curvas de oferta tengan una pendiente positiva, lo que garantiza que se alcance el equilibrio en los mercados al cruzarse necesariamente aquéllas en un punto. Si en la producción de un bien o servicio cualquiera se dan costes marginales decrecientes para niveles crecientes de producción (debidos, por ejemplo, a economías de escala continuadas), la curva de oferta de aquél tendrá pendiente negativa y en consecuencia puede no cortar a la curva de demanda, con lo que no se daría el equilibrio en el mercado de dicho bien o servicio (el precio y la cantidad no quedarían determinados en ese mercado).

Este comportamiento, estudiado por la Teoría Microeconómica, implica que:

a)   Los consumidores se comportan de forma que la relación marginal de sustitución entre dos bienes de consumo cualesquiera (el cociente de las utilidades marginales de esos bienes) es, en equilibrio, igual a la relación de precios de esos dos bienes.

b)   Los productores se comportan de forma que la relación marginal técnica de sustitución entre dos factores cualesquiera (el cociente de los valores de las productividades marginales de estos dos factores) es igual a la relación de precios de esos dos factores.

c) La relación marginal de transformación entre dos productos cualesquiera (el cociente de los productos marginales obtenidos por una unidad adicional de la combinación óptima de factores) es igual a la relación de los precios de esos dos productos.

En resumen, la relación marginal de sustitución entre dos bienes es igual para todos los consumidores e igual a la relación marginal de transformación entre ese par de bienes y la relación marginal de sustitución entre dos factores es igual para la producción de todos los productos por todas las empresas. Estas son las condiciones paretianas del óptimo social.

Como señala Samuelson (en su conocido «Curso de Economía Moderna», página 821): «En condiciones de competencia perfecta —al ser todos los precios de los bienes iguales a los costes marginales— ser los precios de todos los factores iguales al valor de sus productos marginales y no haber efectos —difusión o externos— un mecanismo de mercado lleva, en efecto, a la eficiencia en la asignación. En este caso, cuando cada productor maximiza egoístamente los beneficios y cada consumidor maximiza egoístamente su propia utilidad, el sistema en conjunto es eficiente en el sentido de que no es posible mejorar el bienestar de una persona sin empeorar el de alguna otra... En esta situación la economía se halla en su frontera de posibilidades de producción y en su frontera de posibilidades de utilidad. Pero son muy restrictivas las condiciones en las que se alcanza el equilibrio competitivo eficiente: tienen que no darse ni externalidades, ni monopolios, ni economías de escala ni incertidumbres contras las que no podamos obtener una póliza de seguro. La presencia de dichas imperfecciones lleva a una ruptura de las condiciones precio = coste marginal = utilidad marginal y, por lo tanto, a la ineficiencia». La frontera de posibilidades de utilidad se define, al igual que la frontera o curva de posibilidades de producción que veíamos en el Capítulo 1, como la curva que representa la utilidad, satisfacción o bienestar máximos alcanzables por una sociedad, dadas las preferencias de los individuos. Si se da el equilibrio competitivo en una economía, entonces es imposible introducir cambios que incrementen la renta o la utilidad de todos.

Tal afirmación exige teóricamente el conocimiento de la función de bienestar social o, al menos, el conocimiento de las medidas de cambios en el bienestar que permitan asegurar que una situación es «mejor» o «peor» que otra. Esta es, quizás, la cuestión fundamental que se plantea en la Economía del Bienestar. De ahí que la base de ésta sea el llamado equilibrio paretiano (en honor de Wilfredo Pareto, economista y sociólogo italiano, 1848-1923), que se basa a su vez en el concepto de cambio paretiano: un cambio social es paretiano si al menos un individuo de la sociedad se beneficia y ninguno se perjudica. La eficiencia paretiana se define, entonces, como una situación en la que se han agotado las posibilidades de realizar cambios paretianos; es decir, un cambio a partir de esa situación comportaría una pérdida de utilidad o bienestar al menos para un individuo. Este concepto, un tanto abstracto y difícil de aplicar (ya que no es fácil de determinar la función de utilidad social), es sin embargo útil como criterio de orientación para decidir las intervenciones del sector público en la economía y las medidas que ha de adoptar. En este sentido, la Economía del Bienestar es normativa, ya que determina lo que se debe hacer para alcanzar el objetivo de la asignación eficiente de los recursos, frente a la Economía positiva, que hemos explicado hasta aquí, que sólo trata de explicar lo que es (la realidad), sin formular prescripciones.

Si la economía está planificada, el Gobierno deberá calcular los precios relativos de los productos y de los factores de acuerdo con las condiciones paretianas, anunciándolos a los agentes económicos, que tomarán las decisiones correctas conducentes al bienestar máximo alcanzable. Si la economía está totalmente descentralizada (la economía de mercado), la acción individual de cada agente en interacción con los demás conducirá a un sistema de precios igual al anterior y que lleva también al máximo bienestar social alcanzable. A esto se le podría llamar el «teorema de la mano invisible», que puede ser demostrado matemáticamente a partir de los supuestos iniciales mencionados. El Gobierno decidiría en este caso que el marco institucional adecuado para alcanzar el máximo bienestar social es la libertad económica total (el funcionamiento del mercado dejado a su libre juego). No habría intervención alguna colectiva, excepto para preservar las condiciones que hacen este mecanismo posible (ley y orden, regulación de los contratos y de su cumplimiento).

LAS DEFICIENCIAS DEL SISTEMA DE MERCADO

Los fallos del mercado en la asignación eficiente de los recursos

Las condiciones tan restrictivas necesarias para que el sistema de libre mercado produzca una asignación eficiente de los recursos rara vez se dan en el mundo real. En la realidad, los fallos del mercado impiden dicha asignación eficiente de los recursos supuesta en la teoría de la mano invisible: los elementos monopolísticos o la competencia imperfecta que se dan en muchos mercados de bienes y servicios y de factores, así como la existencia de múltiples efectos económicos externos en numerosas actividades de consumo y de producción hacen muy difícil que se dé la competencia perfecta. En ambos casos, el problema clave que se plantea es el mismo: los precios de los bienes y de los factores que se determinan en el libre mercado no reflejan los verdaderos costes marginales sociales ni las utilidades marginales sociales.

Los costes sociales pueden ser superiores o inferiores (generalmente son superiores) a los costes privados. Estos se definen como los costes en que incurren las empresas al producir y que efectivamente pagan (es decir, que aparecen contabilizados en sus cuentas de explotación: sueldos, materias primas, electricidad, teléfono, publicidad, intereses, etc.). Pero en la actividad productora de muchas empresas con frecuencia se generan efectos cuyas consecuencias deben remediarse, para lo cual la sociedad u otras empresas han de gastar recursos, y que las empresas generadoras de aquéllos no pagan. Es el caso de una empresa que contamina el aire o el agua, congestiona y deteriora una carretera con el tráfico de camiones que su actividad conlleva o crea problemas sociales en la localidad donde instala su fábrica (falta de puestos escolares, mayores problemas de seguridad ciudadana, etc.). Los costes sociales en estos casos son superiores a los costes privados, ya que aquéllos incluyen además de los privados los costes adicionales que se producen a la sociedad y/o a otra u otras empresas privadas o públicas. Obviamente también pueden producir estos efectos económicos externos las Administraciones y las empresas públicas en el desarrollo de sus actividades.

Asimismo, se pueden generar efectos económicos externos positivos en la actividad productiva de unas empresas, efectos que favorecen a otras empresas y por los que éstas no compensan a las primeras: cuando una empresa o individuo inventa un producto como la fotocopiadora que ahorra a todas las demás empresas, a las Administraciones e incluso a las economías domésticas unos costes de mecanografía que sin duda serían muy superiores a los de fotocopiar los textos o los documentos. En este caso, los costes sociales que conlleva inventar el procedimiento de xerocopia son inferiores a los costes privados, ya que aquéllos son iguales a éstos menos los efectos beneficiosos (valorados en términos monetarios como la reducción en sus costes) que para otros agentes económicos tiene el invento. Los inventores (tanto empresas como individuos) en general están mal recompensados por su trabajo, lo que explica que se destinen relativamente pocos recursos a investigación y desarrollo. Las leyes de patentes tratan de paliar este problema, permitiendo a los inventores obtener la mayor cantidad posible de los resultados beneficiosos de sus inventos; esto es difícil de conseguir en la mayoría de los casos, ya que los efectos están muy difundidos y son difíciles de medir (piénsese por ejemplo en los efectos del descubrimiento de la penicilina). Del mismo modo, puede darse una diferencia entre las utilidades marginales sociales y las privadas, pudiendo ser las primeras superiores o inferiores a las segundas. Un ejemplo del primer caso sería el del consumo de educación o de alimentos sanos por los individuos cuyos efectos benéficos no sólo los perciben éstos sino también otros sujetos (los que conviven con ellos), las empresas que los emplean y la sociedad en general (aquéllos posiblemente son ciudadanos más civilizados y sanos). Un ejemplo típico del segundo caso lo constituye el uso del coche privado por los individuos, que contribuye a crear los problemas de tráfico que suponen un efecto económico negativo para los demás sujetos (los embotellamientos de tráfico les cuestan a los sujetos que se ven atrapados en ellos tiempo, gasolina y desgaste nervioso).

Los elementos monopolísticos

No vamos a exponer de nuevo las imperfecciones o desviaciones en cuanto a la competencia que se dan en los mercados de la mayoría de los bienes y servicios y de los factores. Recuérdese a este respecto lo visto en los Capítulos 24, 25 y 26. La existencia de economías de escala en un proceso productivo, que hacen que una o varias empresas (las que tienen los recursos o la previsión de construir las fábricas con el tamaño óptimo de explotación, reduciendo los costes y de esta forma expulsando a los competidores del mercado y quedándose en él como monopolistas, oligopolistas o competidores imperfectos); la posibilidad de diferenciar un mismo producto (la homogeneidad de un producto es condición necesaria para que se dé la competencia perfecta: el trigo, las naranjas y los demás productos agrícolas, los títulos valores, etc.) hace que cada productor sea un pequeño monopolista de un producto (los coches, los electrodomésticos, los detergentes, las bebidas y la mayoría de los bienes y servicios); las barreras de entrada y salida o abandono (naturales y legales) en una industria para las empresas individuales; en los mercados de factores (sobre todo en el caso del trabajo): la falta de movilidad de éstos, las barreras de entrada (titulaciones, sindicatos, etc.), la discriminación (racial, por sexos, política, social, etc.) y los elementos políticos que juegan un papel en la retribución de los factores (y que desvirtúan los resultados que predice la teoría marginalista de la determinación de los precios de los factores y en consecuencia de la distribución de la renta: la igualdad del valor del producto marginal de cada factor con su precio), así como el hecho de que ni los precios ni los salarios son perfectamente flexibles al alza y a la baja (la flexibilidad de ambos es condición absolutamente necesaria para la asignación eficiente de los recursos, ya que los cambios de los precios absolutos son los que hacen posible las diferencias en los precios relativos, que son a su vez los que realmente reflejan la valoración que de los distintos bienes y servicios se hace en el mercado); todos estos son factores que reducen en distintas medidas (y en ocasiones eliminan, totalmente) el elevado grado de competencia que exige la asignación eficiente de los recursos. El lector puede plantearse qué utilidad tiene la teoría de la competencia perfecta si ésta sólo se da en muy pocos de los miles de mercados de una economía. No obstante, el modelo de la competencia perfecta se parece al modelo sin fricciones del físico: no sólo describe una realidad (entre otras), sino que además sirve de referencia teórica para determinar las consecuencias de los demás modelos, permitiendo la formulación de hipótesis sobre el funcionamiento de los distintos tipos de mercado especialmente válidas a largo plazo. Los estudios empíricos sobre el costo (en términos de asignación ineficiente de los recursos) que para la sociedad tienen los elementos monopolísticos parecen indicar que éste no es muy elevado, oscilando entre medio y varios puntos porcentuales del PIB.

Los efectos económicos externos

El segundo gran fallo del sistema de mercado lo constituyen los efectos económicos externos. Estos, o (como de forma poco elegante se les llama actualmente en la literatura económica) las externalidades, han sido y son centrales a la crítica neoclásica de la organización del mercado. Representan la excepción más general a la hipótesis de que la competencia perfecta en todas las industrias y en todos los mercados de factores lleva a la situación de bienestar social óptima.

Ya hemos expuesto en buena medida lo que son los efectos económicos externos positivos y negativos que se dan en algunas actividades de producción y consumo, y que producen una diferencia entre los costes y las utilidades sociales y privadas.

Formalmente, se define el efecto económico externo o externalidad como la interdependencia entre funciones de utilidad y/o funciones de producción. De partida, pues, una externalidad supone una alteración de las condiciones básicas del problema paretiano inicialmente expuesto.

Por ejemplo, hay una externalidad en el consumo entre dos sujetos, si:

$$u_1 = u_1 (X_{11}, ..., X_{1n}) \quad y \quad u_2 = u_2 (X_{21}, ..., X_{2n}, X_{11})$$
$$\delta u_2 / \delta X_{11} \neq 0$$

es decir, la utilidad del individuo 2 depende no sólo del nivel de consumo X_{21}, ..., X_{2n}, sino también de las decisiones que tome el individuo 1 respecto al consumo del bien 1 (X_{11}).

Una definición más clásica y a la vez más precisa, desde el punto de vista del planteamiento del «second-best», es la siguiente: existe un efecto económico externo cuando un individuo, siguiendo el comportamiento individual propio que le lleva a su utilidad máxima, ejerce un efecto positivo (negativo) sobre la utilidad de otro individuo, sin que el marco institucional o legal le permita (obligue) a ser compensado por (compensar) el segundo individuo. Como señala Mishan, «lo que la notación sola no consigue expresar, sin embargo, es que la característica esencial del concepto de efecto externo es que el efecto producido no es una creación deliberada, sino un subproducto no intencionado o incidental de alguna actividad por lo demás legítima». Por ejemplo, la producción de gases tóxicos por una fábrica ejerce sobre el público en general un efecto perjudicial que las leyes no prohíben y, por tanto, no obligan a la fábrica a compensar al público por el perjuicio causado. Los efectos perjudiciales o beneficiosos no se reflejan en las transacciones monetarias entre los sujetos; es decir, el mercado no los contabiliza.

En el caso de existencia de un efecto económico externo, la situación social no es óptima mientras sea posible realizar mejoras paretianas; es decir, en la medida en que se pudiesen realizar compensaciones del individuo afectado al individuo generador del efecto para que éste reduzca su nivel de consumo o producción mientras que la cuantía de la compensación sea inferior al aumento de la utilidad que se deriva de eliminar total o parcialmente el efecto externo. El caso aquí descrito es el correspondiente a un marco institucional que no prohíbe el efecto. La iniciativa de la negociación corresponde, lógicamente, al individuo que la produce.

El nivel óptimo de efecto externo es aquel en que se agotan las posibilidades de mejora paretiana; es decir, cuando el valor marginal de consumo o producción reducido para 1 es igual al valor marginal de la utilidad creada para 2. Esta condición marginal del óptimo es en todo similar a las condiciones paretianas ($RMS^1 = RM^2 = RMT$: la relación marginal de sustitución entre los bienes 1 y 2 es igual para todos los consumidores, e igual a la tasa marginal de transformación entre ellos).

La negociación entre las partes para alcanzar el óptimo de generación de efecto externo es llamada *internalización* del efecto económico externo. Cuando una externalidad se internaliza espontáneamente, el óptimo se alcanza por decisión descentralizada de los individuos y no se plantea la necesidad de intervención pública. Pero esta espontaneidad no se da en la práctica y ello se atribuye a que los costes de la negociación son excesivamente elevados.

Esto significa que la legislación no define claramente los derechos de propiedad (a quién pertenecen) sobre factores y bienes que se están utilizando por productores y consumidores como si fueran bienes libres (bienes que existen en cantidades ilimitadas y que, por lo tanto, no hay que pagar un precio por ellos: el aire, el agua, los ríos, la salud física y psíquica de las personas, el buen funcionamiento de la sociedad, etc.). Si la ley definiera taxativamente a quién pertenecen esos factores o bienes, los agentes que quisieran utilizarlos tendrían que comprárselos a sus propietarios (agentes privados o públicos) o alquilárselos, con lo cual pagarían un precio que contabilizarían como costes. De esta manera dejarían de existir efectos económicos externos, ya que se internalizarían los costes de emplear dichos factores. Los costes privados se igualarían con los costes sociales. La moderna Teoría de los Derechos de Propiedad estudia precisamente los temas que surgen en este terreno.

Los bienes públicos y su provisión

Un caso extremo de externalidad lo constituyen los bienes públicos. De todos los fallos del mercado, posiblemente el más acusado sea el que se produce cuando un bien genera efectos económicos externos.

En la provisión de los bienes privados, el mercado funciona con arreglo a dos principios:

1) El *principio de exclusión*. Este afirma simplemente que quienes no abonan el precio de mercado fijado para los bienes, quedan excluidos de su consumo.

2) La *preferencia revelada*. El mercado funciona a base de la información suministrada por los hábitos de compra de los consumidores a los precios corrientes.

Aquéllos están dispuestos a revelar sus preferencias porque si no lo hacen quedarán excluidos del consumo y, efectivamente, las revelan al estar dispuestos a pagar un precio por los bienes que refleja la utilidad que éstos tienen para ellos.

La preferencia revelada y el principio de exclusión funcionan eficazmente para ordenar la producción, la distribución y el intercambio de la mayoría de los bienes y servicios. Pero hay bienes (necesidades) para los cuales las preferencias no se revelan plenamente y a los que el principio de exclusión no es aplicable de un modo efectivo, por lo que no serían suministrados de una manera satisfactoria en una economía de mercado. Estos son los llamados bienes sociales y bienes meritorios (o indeseables). Presentaremos estos conceptos mediante una consideración de tres características comunes para todos los bienes y servicios.

En primer lugar, existe la competitividad o la conjunción en el consumo: hay bienes de consumo competitivo y bienes de consumo conjunto. Así, los caramelos se consumen competitivamente porque si una persona come un caramelo ninguna otra persona puede comer ese mismo caramelo. Cuantos más caramelos coma un individuo menos quedarán para los demás. Por el contrario, el alumbrado público se consume de un modo conjunto. Cuanto más alumbrado público obtiene una persona, más iluminación disfruta todo el mundo en esa misma calle o población. Al mismo tiempo, sería muy costoso cobrar un precio a los usuarios del alumbrado público aunque sea técnicamente posible. Además de tener estos bienes un consumo conjunto, su oferta es también conjunta: cuando se establece en un país un sistema de defensa antimisiles, no se puede excluir de la defensa a ningún ciudadano del mismo (los efectos económicos externos del consumo de tales bienes son individuales en más de un individuo).

En segundo término, los costes y los beneficios de la producción y del consumo de un bien pueden ser internos —y en ese caso serán disfrutados exclusivamente por los productores y consumidores de ese bien— o externos, caso en el cual parte de los beneficios y/o costes serán soportados por terceras personas. Si yo dejo que mi casa se deteriore o adquiera mala fama, experimentará una pérdida interna al descender el valor de mi patrimonio. Pero mis vecinos sufrirán una pérdida externa en la medida en que mi conducta descuidada reduce el valor de las casas de mi vecindad. Si me encuentro protegido por la vacuna contra las enfermedades infecciosas, se trata de un beneficio interno particular. Pero también confiere beneficios externos a todas las personas con quienes entro en contacto, debido al menor peligro de infección. Así, el grado o extensión de las externalidades (pueden también denominarse desbordamientos, costes y beneficios sociales o efectos de vecindad) constituye un atributo importante de algunos bienes y servicios.

Y, en tercer lugar, encontramos un problema de ignorancia. El consumidor se enfrenta con una gama amplísima de bienes y servicios en los cuales puede gastar su renta. La mayoría de los bienes dan lugar a una serie de beneficios fácilmente comprensibles; por ejemplo, el carbón proporciona calor a las personas, los automóviles transportan a las familias y las alfombras contribuyen a amortiguar el ruido que producen los niños. Podemos esperar que los individuos efectúen elecciones racionales entre tales bienes. Pero hay otros beneficios que son menos fácilmente comprensibles por una serie de razones:

a) La ignorancia puede nacer de la separación en el tiempo entre coste y beneficio. El seguro médico ha de contratarse cuando se está sano, y es fácil que una persona sana subestime la probabilidad o la importancia de la enfermedad. La contribución a la Seguridad Social o a un fondo de pensiones para obtener una pensión a la jubilación por enfermedad, accidente o vejez debe efectuarse cuando se es joven y no se piensa en la vejez o desgracia. Si el individuo pudiera realizar la elección retrospectivamente sobre si afiliarse o no a la Seguridad Social, es casi seguro que en la mayoría de los casos la decisión sería positiva, pero ésta hay que tomarla anticipadamente.

b) La naturaleza de los beneficios puede no ser entendida por los consumidores. Las naranjas y las peras tienen sabor agradable tanto unas como otras, pero desde el punto de vista de los beneficios para la salud de los consumidores de estas frutas la superioridad de la naranja es abrumadora.

c) En cuanto a la educación, es pagada por los padres y los beneficios son disfrutados por los hijos, con lo cual, aun en el caso de que los beneficios sean entendidos por el consumidor final, éste no se halla en situación de pagar su educación hasta después de haberla consumido.

A los bienes que tienen estas características (consumo conjunto y/u oferta conjunta; efectos económicos externos muy importantes, generalizados y en ocasiones difusos; una naturaleza tal que la sociedad considera bien que los individuos obligatoriamente tienen que consumirlos en determinadas cantidades, ora que no deben consumirlos) se les llama bienes públicos, por contraposición a los bienes privados. Los bienes públicos a su vez se dividen en *bienes sociales* por una parte, y *bienes de mérito* (también llamados preferentes o deseables) y *de demérito* (o indeseables, por la otra. A los bienes de mérito y de demérito también se les llama bienes tutelares, al ser el Estado el que decide la cantidad que de ellos ha de consumir o rechazar el individuo. Estos bienes, además de tener efectos económicos externos importantes (el que los individuos disfruten de Seguridad Social y reciban una educación obligatoria mínima hasta los dieciséis años, no sólo beneficia a los que los obtienen sino que obviamente también es provechoso para toda la sociedad), reúnen las características señaladas en los apartados *a)*, *b)* y *c)*.

La falta de información (o la información incorrecta) y la posibilidad de una elección retrospectiva mejor para el propio individuo son las dos razones más poderosas para la intervención pública en esta lógica. Además de bienes públicos hay «males públicos». Es el caso del llamado «efecto invernadero»: la quema creciente de combustibles fósiles produce en la tierra al incrementarse peligrosamente la cantidad de dióxido de carbono que hay en la atmósfera, unos efectos que pueden resultar catastróficos para todos los habitantes del planeta. Las actividades productivas de las empresas generan efectos-difusión o efectos económicos externos que constituyen uno de los grupos de males públicos más importantes: la contaminación del aire y del agua (de la que la lluvia ácida o la radioactividad que se escapa a la atmósfera cuando se produce un accidente en una central nuclear o cuando, como se prevé, los contenedores en los que se han depositado los residuos nucleares se deterioren y éstos se liberen) representa una auténtica amenaza para la especie humana. También existen enormes economías externas positivas generadas por los avances en la tecnología, en la genética, en la biotecnología, en la Medicina, en los medicamentos y en la ciencia en general, aunque aquéllos al mismo tiempo pueden potencialmente producir grandes males públicos o economías externas negativas por su uso, utilizándose con fines de poder y de dominio sobre seres humanos o sobre países, por ejemplo). Igualmente, una información superior (por ejemplo, del Estado) puede indicarnos que el consumo de determinados productos, tabaco, alcohol o drogas, resulta perjudicial para el propio individuo que los consume. La soberanía del consumidor individual se sustituye en estos casos por la decisión estatal de regular (prohibir o gravar) el consumo de tales bienes. Estos productos o «bienes» se consideran entonces indeseables y la tutela pública sobre el individuo y la sociedad establece mecanismos de disuasión para el consumo (y/o producción) de los mismos. El argumento de Basu o de la elección retrospectiva es una razón poderosa en este tipo de análisis de la asignación pública de recursos.

Muchos bienes privados tienen algún grado de públicos, en el sentido de que producen efectos económicos externos positivos o negativos más o menos cuantiosos y/o extensos. Así, por ejemplo, el consumo de productos alimenticios sanos (frutas, verduras, carne de ternera, leche, etc.) no sólo beneficia a los individuos que los ingieren, sino que también beneficia a los sujetos que se relacionan con ellos (si en alguna medida como consecuencia de ello disfrutan de buena salud, tendrán un trato y un aspecto más agradables), a las empresas que los emplean (si por la misma razón, rinden más en el trabajo y faltan menos a éste), y a la sociedad en general (la Seguridad Social tendrá que destinar a ellos menos recursos médicos, hospitalarios y farmacéuticos). Del mismo modo, muchos bienes públicos participan del carácter de bienes privados; por ejemplo, la salud pública beneficia directa e inmediatamente a cada individuo que disfruta de buena salud. Así pues, se trata de una cuestión de grado: hay bienes privados puros como el pan, la ropa, el calzado, etc.; y bienes públicos puros, como la defensa nacional o la investigación espacial. Entre ambos extremos hay toda una gama de bienes con mayor o menor grado de privados o de públicos, a los que se les llama semi-privados o semi-públicos.

Debido a todas estas características de algunos bienes, el sistema de mercado (de iniciativa privada basada en la búsqueda de beneficios) no provee adecuadamente estos bienes. O no los suministra en absoluto (en el caso de los bienes a los que no se les puede aplicar el principio de exclusión o es demasiado costoso hacerlo), o los provee en cantidades demasiado pequeñas, es decir, hasta aquella cantidad en la que el coste marginal es igual al ingreso marginal. Pero el ingreso marginal del empresario o de la industria puede no recoger los efectos benéficos que el consumo de dichos bienes tiene para la sociedad y en consecuencia restringe la producción y el consumo, que será inferior a la cantidad que se determinaría si se igualara el coste marginal con el ingreso marginal privado más el beneficio social adicional. Si se cumpliera esto último, el equilibrio se establecería a aquel nivel de producción al cual la curva de coste marginal (oferta) cortaría a una curva de demanda que resultaría de sumar horizontalmente la curva de ingreso marginal privado y la curva de utilidad marginal social de consumir dicho bien. Al ser la utilidad marginal social positiva, la curva resultante de la suma de ésta más la curva del ingreso marginal privado estaría más a la derecha y hacia arriba que ésta, con lo que (dada una curva de coste marginal con pendiente positiva, plana o incluso con pendiente negativa —siempre que ésta sea inferior a la pendiente de la curva de demanda—) el equilibrio del mercado se establecería a un nivel de producción más elevado. Al no percibir los productores privados de tales bienes más que la utilidad privada (expresada en el gasto privado de los consumidores) y no recibir además unos ingresos como pago de la utilidad social adicional a la utilidad privada que su consumo genera, aquéllos restringen la producción. En consecuencia, se destinan menos recursos a la producción de estos bienes de los que serían deseables desde el punto de vista de la sociedad en general, lo que produce una asignación ineficiente de aquéllos. Este argumento es válido cualquiera que sea el tipo de mercado (competencia perfecta, monopolio, oligopolio, etc.) a través del que se provean dichos bienes. El lector puede comprobar que ha comprendido adecuadamente este razonamiento considerando la determinación del equilibrio en los mercados de competencia perfecta y monopolio que vimos en los Capítulos 24, 25, 26 y 27, y trazando la curva de demanda social (que recoge la utilidad de los individuos que consumen los bienes públicos más la utilidad que sus efectos económicos externos positivos produce a los demás ciudadanos y a la sociedad en general) más hacia arriba y a la derecha de la curva de demanda privada. Verá entonces cómo el equilibrio del mercado se establece a un nivel de transacciones (y por lo tanto de producción) mayor.

El mercado, concebido como un mecanismo para dar a la gente lo que le haga más feliz, no funciona bien si la información es escasa porque, cuando los individuos no conocen los verdaderos costes y beneficios, no pueden elegir racionalmente. Asimismo, tampoco el mercado puede tener en cuenta esas externalidades, que acaso no afecten a ninguna de las partes que intervienen en la actividad económica que las genera. Si existe conjunción en el mercado, éste se verá frustrado por los «francotiradores», que rehúsan revelar sus preferencias ante bienes de consumo conjunto porque saben que no pueden ser excluidos de su disfrute, aun cuando no contribuyan a su financiación (este es el conocido problema del *free-rider* o usuario que no paga, que constituye la mayor dificultad para la aplicación del principio del beneficio en la distribución de la carga fiscal, según el cual debe pagar más impuestos el que más se beneficie con los bienes públicos).

Samuelson (*Curso...*, pág. 866) utiliza una figura que reproducimos por su valor ilustrativo a este respecto.

FIGURA 47.1

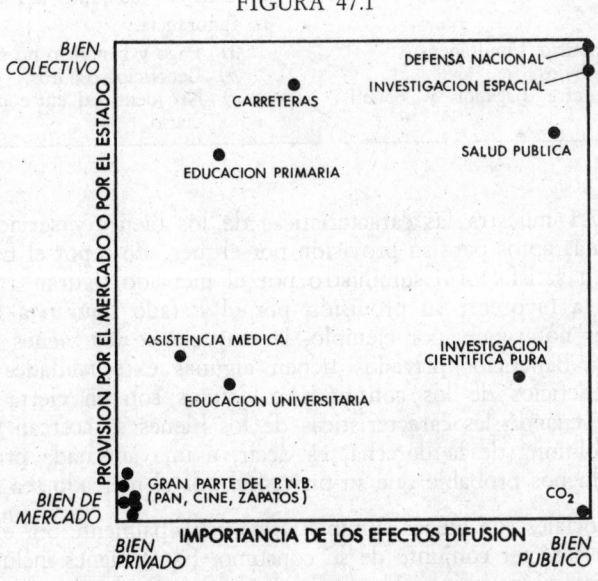

En ella se distingue entre bienes de mercado y bienes colectivos por una parte, y entre bienes privados y bienes públicos (sociales) por otra. La distinción es importante, ya que la primera se refiere a la forma de provisión de los bienes por el mercado (es decir, por la decisión de agentes económicos privados) o colectivamente (por el Estado), mientras que la segunda hace referencia al carácter de los bienes. Hay bienes públicos puros que son provistos por el mercado como la provisión de CO_2; bienes que son más privados que públicos (la educación primaria, la asistencia médica o las carreteras por ejemplo) y que en buena medida se les suministra colectivamente (mediante una decisión colectiva o política y por el Estado); y otros bienes que son públicos y se les provee colectivamente (la defensa nacional; la administración de justicia; el orden público; la pavimentación, urbanización, alumbrado, y embellecimiento de las ciudades, etc.). Muchos bienes que hace cincuenta o cien años eran provistos por el mercado, hoy son suministrados socialmente (por decisiones colectivas tomadas en instituciones políticas). La mayoría de los bienes que tienen un elevado grado de públicos también se proveen socialmente.

Es importante distinguir entre provisión, pública o privada, de un bien, y financiación de ese mismo bien. El hecho de que el Estado decida ofrecer públicamente un determinado bien social, por ejemplo, una carretera, no supone sino que su financiación se realiza a través del Presupuesto público (impuestos o deuda pública). Pero, de hecho, su construcción puede llevarse a cabo privadamente, por empresas constructoras privadas. Un bien público supone, pues, una financiación pública, pero no necesariamente su producción a través de la empresa pública.

TABLA 47.1

Características de los Bienes y Servicios

Provisión por el mercado	Provisión por el Sector público
1. Costes y beneficios privados.	1. Externalidades.
2. Consumo competitivo (rivalidad).	2. Consumo conjunto (no rivalidad).
3. Conocimiento.	3. Ignorancia.
a) Pago y beneficio simultáneos.	a) Pago y beneficio no simultáneos.
b) Beneficios obvios.	b) Beneficios oscuros.
c) Identidad entre pagador y beneficiario.	c) No identidad entre pagador y beneficiario.

La Tabla 47.1 muestra las características de los bienes y servicios que hacen que éstos sean más aptos para su provisión por el mercado o por el Estado. Las que contribuyen a un satisfactorio suministro por el mercado figuran a la izquierda y las que tienden a favorecer su provisión por el Estado figuran a la derecha. Es importante hacer notar que, por ejemplo, la mayoría de los bienes que dan lugar principalmente a beneficios privados tienen algunas externalidades anejas y que los costes y beneficios de los consumos colectivos son en cierta medida oscuros. En cambio, cuando las características de los bienes se acercan más a las que figuran en la columna de la derecha, es decir, a una adecuada provisión por el Estado, resulta menos probable que su provisión por el mercado sea óptima.

Los bienes sociales son bienes suministrados principalmente por el Estado como consecuencia del carácter conjunto de su consumo. Estos bienes incluyen la defensa nacional, administración de justicia y orden público, alumbrado, vivienda, limpieza de playas, parques urbanos. El Estado ha de encargarse de su provisión porque no puede aplicarse a ellos el principio de exclusión: es decir, se encargaría de ofrecerles (ponerlos a disposición) socialmente y de su financiación presupuestaria.

Los bienes meritorios son bienes suministrados por el Estado, principalmente a causa de la ignorancia y de las externalidades. Tales bienes preferentes son la educación primaria y secundaria, los servicios sanitarios, la leche que se da a los niños en las escuelas públicas, etc. Los beneficios de la leche para la salud de los jóvenes no son comprendidos por muchas personas, que, por razones de gustos, preferirían que a sus hijos se les diera Fanta, por ejemplo. La elección de una cantidad óptima de educación puede resultar demasiado difícil para muchas personas por los motivos mencionados. Y aun en el caso de que los beneficios privados sean entendidos, los beneficios externos, los beneficios que afluyen al conjunto de la sociedad como resultado de saber leer, escribir y las cuatro reglas, pueden no ser tenidos en cuenta en una economía de mercado.

Los bienes meritorios resultan infraconsumidos en un mercado libre por una información escasa o deformada y la presencia de fuertes efectos externos. Los bienes indeseables son consumidos en exceso debido igualmente a la ignorancia y a las externalidades por lo que el Estado actúa entonces para desalentar su consumo. Los cigarrillos producen deseconomías externas en forma de contaminación del aire, y la separación en el tiempo entre el disfrute del cigarrillo y la posibilidad del cáncer o de la bronquitis hace posible la adopción de decisiones erróneas. El Estado puede frenar el consumo de bienes considerados indeseables mediante la tributación y las leyes. En el consumo de bienes de mérito y de demérito (bienes tutelados), el Estado no respeta el principio de la soberanía del consumidor, sino que ejerce un poder tutelar, obligando a los ciudadanos a consumir los primeros en cantidades determinadas (generalmente superiores a las que aquéllos elegirían consumir libremente), y prohibiendo o desincentivando el consumo de los segundos.

La distribución desigual de la renta

Por otra parte, además de los fallos del mercado que hemos visto, los sistemas de *laissez-faire* competitivos no producen necesariamente una distribución de la renta entre los individuos que pueda considerarse justa desde un punto de vista ético. La competencia perfecta del sistema de libre mercado puede producir una gran desigualdad en la distribución de la renta y de la riqueza entre los sujetos. Recordemos que la renta que cada individuo obtiene en un período determinado de tiempo depende de la cantidad y calidad de los factores productivos que posee, de la cantidad de éstos que venda en dicho período y de los precios que alcancen en el mercado. A su vez, la cantidad y calidad de los factores de que dispone un sujeto están formados, de un lado, por la riqueza que posee, ya sea heredada y/o acumulada por él a lo largo de su vida (naturalmente excluimos la riqueza robada, apropiada por la fuerza, por fraude legal u obtenida por concesión estatal gratuita o cuasi gratuita, aunque si nos remontáramos dos mil años atrás en la Historia y repasáramos los acontecimientos acaecidos desde entonces —revoluciones, invasiones, guerras de todo tipo, desamortizaciones, confiscaciones, donaciones— podríamos explicar el origen de la riqueza no ganada por sus propietarios —a través de la actividad económica— de una parte de esta fracción que posiblemente hoy ya no sea tan importante debido a la ingente cantidad de nueva riqueza que se ha producido en los últimos doscientos años, y especialmente en los últimos cuarenta y cinco; no obstante, la «explotación» del Estado ha sido, como observó Brittain, un método de enriquecimiento importante en toda la historia), y por otro, por la cantidad y calidad de las prestaciones laborales que personalmente sea capaz de realizar el sujeto.

La riqueza incluye todo tipo de activos poseídos: bienes inmuebles (pisos, chalets, palacios, locales comerciales, solares, etc.), fincas rústicas (fincas agrícolas y forestales, minas o yacimientos, etc.), activos financieros de toda clase (acciones, obligaciones y pagarés de empresas, títulos de las diversas clases de deuda pública existentes, certificados de depósito, letras aceptadas por otros sujetos, hipotecas sobre bienes de otras personas, préstamos a otros agentes económicos, depósitos de toda clase en las instituciones bancarias —bancos y cajas de ahorro—, así como dinero efectivo), oro y plata, joyas, obras de arte, y negocios que tienen un nombre comercial , fondo de comercio o *goodwill* (que en sí tiene un valor monetario en la medida en que el negocio es bueno), patentes, propiedad intelectual o artística (sobre libros, películas, etc.), bienes capital físicos (camiones, tractores, bulldozers, taxis, etc.) y algunos otros activos de consumo propio (coches, avionetas o aviones particulares, yates, etc.).

La capacidad laboral (llamémosla así) está compuesta por los conocimientos del individuo, su inteligencia, sus habilidades, su capacidad de trabajo y su disposición a trabajar. Los conocimientos (más o menos amplios, profundos, avanzados o especializados) dependen de la educación que los sujetos han recibido a lo largo de su vida, la cual sólo en muy escasa medida ha sido decidida y financiada por el propio sujeto (sus padres o el Estado lo han hecho por él). Estos conocimientos, formación o educación en sentido amplio (ya que incluyen la capacidad de analizar y de razonar) constituyen lo que se llama el capital humano de una persona (su capacidad de generar renta en el futuro a través del trabajo, capacidad que se obtiene y acumula invirtiendo en educación); este capital, como cualquier otro (recursos financieros, fincas de todo tipo, etc.) genera un flujo de renta en el futuro. Por su parte, la inteligencia, la imaginación, la creatividad y las habilidades son en buena medida heredadas genéticamente, aunque evidentemente crecen y se perfeccionan con el ejercicio y la práctica, aspectos éstos que dependen en parte de las decisiones de padres y educadores y en parte de los propios sujetos.

En definitiva, tanto la riqueza como la capacidad laboral que poseen los individuos en buena medida no han sido ganada la primera y financiada la segunda por ellos: provienen de herencia o donaciones recibidas. Ambas constituyen la cantidad y calidad de los factores que cada sujeto puede ofertar en el mercado. A su vez, la demanda de cada uno de éstos (como sabemos) es una demanda derivada, que depende de la demanda de los bienes y servicios de consumo y de los bienes de capital en cuya elaboración se utiliza. La demanda de éstos depende por su parte de los gustos de los consumidores, es decir, de la utilidad que para éstos tengan dichos bienes y servicios (la demanda de bienes de capital en último extremo también viene determinada por la demanda de aquéllos). La demanda y la oferta de cada factor se enfrentan en su correspondiente mercado y juntas determinan la cantidad intercambiada y el precio alcanzado. Así pues, cada individuo obtiene la renta que se determina por la cantidad y la calidad de los factores que posee y oferta, las unidades de éstos que consigue vender y los precios que obtiene por ellos. En consecuencia, la renta de un sujeto en un período de tiempo (y por lo tanto sus derechos a disfrutar de bienes y servicios, o la fracción que le corresponde de la cantidad limitada de los bienes y servicios de consumo disponibles en una sociedad) depende fundamentalmente de la dotación inicial que posea de factores productivos (riqueza humana y no humana) y de los gustos de los consumidores. Esto tiene dos implicaciones: por un lado, que la primera sólo depende en parte del esfuerzo del sujeto que obtiene la renta (la riqueza que haya acumulado con su propio trabajo, pero la riqueza heredada u obtenida por otros medios también genera renta); por otro, los gastos de los consumidores cambian y oscilan frecuentemente con las modas y los gastos de la gente así como con los avances tecnológicos. Esto expone a muchos sujetos a fluctuaciones violentas en sus ingresos (esto es lo que se conoce como el problema del reciclaje de los trabajadores de todo tipo, tan importante en la actualidad). Aquellos dos factores producen desigualdades enormes en la distribución de la renta entre los individuos en los sistemas económicos de *laissez-faire,* lo que implica pobreza, desnutrición, ignorancia y mala salud para muchos ciudadanos. Si, por el contrario, la distribución inicial de la riqueza y de las capacidades genéticas, las oportunidades de recibir educación y formación profesional fueran totalmente uniformes, la competencia perfecta podría llevar a una sociedad en la que los salarios, las rentas y la propiedad serían próximos o iguales para todos los sujetos.

Esta desigualdad en la distribución de la renta tiene, por una parte, el aspecto éticamente positivo de que en muchos casos recompensa el esfuerzo y la habilidad de los individuos y, económicamente, resulta justo y eficiente que cada factor perciba como precio el valor de su contribución a la producción de bienes (determinado aquél por su oferta y su demanda). Asimismo, tiene el efecto económico externo positivo de estimular a los individuos a mejorar su condición económica, educativa y cultural-social, etc. (lo que constituye un motor poderosísimo de la generación de renta y riqueza, que al mismo tiempo beneficia a toda la sociedad). Por otra parte, tiene consecuencias negativas muy importantes. En primer lugar, tal desigualdad es éticamente inadmisible para la mayoría de los ciudadanos de las sociedades civilizadas actuales (posiblemente pueda afirmarse que uno de los progresos importantes de la humanidad estriba en el grado de igualitarismo que los valores éticos dominantes en las sociedades presentes han producido); en segundo lugar, las enormes desigualdades en la renta y en la riqueza tienen importantes efectos económicos, sociales, políticos y culturales negativos. La pobreza de muchos ciudadanos hace que una parte de la fuerza laboral de los países sea de baja calidad (educación pobre, formación profesional muy reducida, mala salud de muchos sujetos); asimismo, da lugar a una demanda agregada de consumo reducida, lo que no permite el aumento de la producción, la renta y el empleo desde el punto de vista macroeconómico hasta los niveles potenciales más altos de la sociedad. También la desigualdad y la pobreza pueden producir descontento social, disturbios, revoluciones y guerras, con los costes de todo tipo que estas conmociones sociales implican (si bien en ocasiones los beneficios que se derivan de éstas pueden ser muy superiores a aquéllos, como el derribo de un dictador). Políticamente, también puede haber implicaciones negativas: la acumulación de poder económico por unos pocos individuos, empresas o grupos puede llevar (y con frecuencia lleva) a la concentración de poder político en manos de unos pocos, con el peligro que ello supone de ser utilizado para beneficio individual. imponiendo a la sociedad políticas perjudiciales para la mayoría de los ciudadanos.

Por último, como otra desventaja del sistema competitivo libre, señalamos que en ocasiones las demandas de los individuos en el mercado no reflejan el verdadero bienestar de éstos. El drogadicto o el forofo del volante demandan bienes que pueden   perjudiciales para ellos.

Las fluctuaciones del nivel de actividad económica

Finalmente, señalemos otros fallos del sistema de mercado competitivo que también tienen importancia. Como vimos al estudiar Macroeconomía, los sistemas capitalistas se han mostrado sensibles a las imperfecciones del mercado en forma de fluctuaciones del nivel de producción, renta y empleo a corto plazo y de ciclos económicos a largo plazo. El sistema de libre mercado competitivo en modo alguno garantiza el pleno empleo de los recursos productivos de una sociedad ni el crecimiento económico que su dotación de factores potencialmente permite. J. M. Keynes puso de manifiesto que el denominado (por él mismo) modelo macroeconómico clásico (en parte implícito en el modelo microeconómico del mercado competitivo, en parte formulado explícitamente por algunos autores anteriores a Keynes, y expuesto de forma completa y rigurosa por éste —exposición no realizada por ningún tratadista hasta entonces— a fin de poder criticarlo y exponer su propia teoría alternativa), aunque lógico, coherente y completo desde el punto de vista formal, no explicaba la realidad adecuadamente.

Dicho modelo clásico, partía de los supuestos de plena flexibilidad al alza y a la baja de todos los precios y salarios, una demanda de dinero por parte de los individuos sólo determinada por motivos de transacciones y una velocidad de circulación del dinero bastante estable (determinada por factores institucionales: los hábitos de gasto de la gente, la periodicidad con que se pagan los sueldos, los instrumentos de pago existentes —pago con dinero efectivo, con talones bancarios, con tarjeta de crédito, etc.). Predice que la economía tiende al nivel de renta de pleno empleo de los recursos, nivel que corresponde al del equilibrio general competitivo que se da en los mercados de todos los bienes, servicios y factores. Bajo esos supuestos, en el mercado de trabajo se determinan la cantidad de mano de obra empleada y los salarios reales. En éste, la demanda de trabajo la realizan los empresarios y su correspondiente curva tiene pendiente negativa, ya que representa las cantidades de trabajo demandadas por aquéllos a las que se igualan el valor del producto marginal de éste con el salario real (se supone que la productividad marginal del trabajo es decreciente). La oferta de trabajo la realizan los trabajadores y es una función creciente del salario real, ya que aquéllos prefieren ganar más para poder consumir mayores cantidades de bienes y servicios y/o efectuar un mayor volumen de ahorro. De esta forma, la cantidad de trabajo empleada corresponde a la de pleno empleo (todas las personas que desean trabajar encontrarán empleo). Si existiera desempleo, el salario monetario bajaría y con él el salario real (el salario en términos de poder adquisitivo), con lo que los empresarios emplearían a más personas. Del mismo modo, si el salario monetario es demasiado elevado (lo que equivale a decir que el salario real es superior al valor del producto marginal del trabajo), los empresarios darán empleo a menos personas. De esta forma, el equilibrio del mercado de trabajo está asegurado.

En el mercado de dinero, el equilibrio se consigue igualmente a través de la variación de los precios a un nivel de producción de pleno empleo, sin que el dinero afecte al nivel de actividad económica. La oferta de dinero viene determinada por la Autoridad Monetaria. La demanda de dinero viene determinada por el nivel de precios y el volumen de producción de pleno empleo (ambos conjuntamente determinan el valor monetario de las transacciones que éste implica), por una parte, y la velocidad de circulación del dinero por otra. Dado que ésta es más o menos constante (cambia lentamente en el tiempo) y que los individuos sólo demandan dinero por motivo de transacciones (sólo desean mantener la cantidad de dinero que necesitan para efectuar éstas, y no mantienen dinero ocioso por motivos de especulación o de precaución —motivos éstos que añadió Keynes—), el equilibrio en este mercado está asegurado. La ecuación cuantitativa del dinero $MV = PT$ se convierte así en una hipótesis de comportamiento de la economía (por contraposición a la tautología $MV \equiv PT$ que supondría el que la velocidad de circulación del dinero variara acomodaticiamente), que afirma que un incremento o una reducción de la oferta de dinero, M, sólo producirá a largo plazo una subida o una caída del nivel general de precios. La posterior formulación por parte de Friedman de la Teoría Cuantitativa matiza esta hipótesis pero no la cambia sustancialmente. Por supuesto, los precios relativos de los bienes están cambiando continuamente a través de variaciones en los precios absolutos o monetarios de éstos en función del libre juego de la oferta y la demanda de cada uno de ellos (unos subirán, otros bajarán, unos subirán más que otros, y unos bajarán más que otros). Recuérdese a este respecto lo expuesto en el Capítulo 41.

En el mercado de fondos prestables, la oferta la constituye el ahorro (renta ganada y no gastada que los individuos prestan —no mantienen el dinero ocioso— a fin de obtener un rendimiento, ya que el ahorro supone el sacrificio de dejar de consumir algunos bienes y servicios en el presente a cambio de poder consumir más en el futuro) y ésta es una función creciente del tipo de interés. La demanda la llevan a cabo los empresarios solicitando recursos para financiar su inversión, y es una función inversa del tipo de interés (los empresarios tratan de igualar el producto marginal del capital con el tipo de interés que es precio del dinero, y, dado que la productividad marginal del capital se supone decreciente, entonces a mayor tipo de interés demandarán menor cantidad de capital, y a menor tipo de interés demandarán mayor cantidad de aquél).

Como vimos en su momento, Keynes formuló una teoría alternativa según la cual la economía por sí sola no tiende al nivel de pleno empleo. Dadas unas funciones de consumo y de ahorro de la sociedad (que dependen de la renta), una función de inversión (que depende principalmente de las expectativas de los empresarios y en menor medida del tipo de interés y de la tasa de cambio del gasto en consumo), unas exportaciones (que dependen del nivel de actividad económica del resto de los países del mundo), unas importaciones (que son función de la renta del país) y un gasto del Gobierno (que es determinado por decisiones políticas), el volumen de producción, renta y empleo que se da en una economía a corto plazo se determina a aquel nivel en el que la demanda agregada es igual a la oferta agregada (las entradas al flujo circular de la renta son iguales a las salidas). Este nivel generalmente no será el de pleno empleo, ya que éste es sólo uno entre los muchos posibles y para llegar a él es necesario conseguir que la demanda agregada efectiva alcance una magnitud igual al valor de la oferta agregada correspondiente al nivel de producción de pleno empleo. De ahí la importancia de la demanda efectiva, ya que en una economía generalmente con cierto grado de desempleo (de la fuerza laboral y de la capacidad productiva instalada de las empresas privadas y públicas), ésta determina el nivel de producción con su correspondiente nivel de empleo (dada la tecnología).

El resto de las piezas del modelo keynesiano (el supuesto de salarios monetarios inflexibles a la baja; la demanda por motivos de precaución y de especulación, además de por motivos de transacciones; la determinación del tipo de interés por la curva de demanda de dinero para especular —la llamada curva de la preferencia por la liquidez— y la oferta de dinero que puede destinarse a este fin —constituida por la diferencia entre la oferta total de dinero y la demanda para transacciones—; la teoría del multiplicador de la renta) pueden verse en el Capítulo 41. Lo importante a destacar aquí es que la teoría keynesiana ofreció una explicación teórica de las situaciones de desempleo en las economías capitalistas y dio una fundamentación igualmente teórica a las llamadas políticas económicas activas del Gobierno en el manejo de la demanda agregada, tanto monetarias como fiscales (la oferta monetaria puede afectar al consumo y a la inversión a través de los activos líquidos en manos del público, la disponibilidad de crédito y los tipos de interés: el gasto público puede contribuir poderosamente a variar la demanda agregada en la medida en que su financiación —a través de impuestos, deuda pública o creación de dinero— no reduzca el gasto privado en consumo e inversión). La teoría keynesiana explica las fluctuaciones del nivel de renta y empleo a corto plazo. Los acontecimientos recientes han puesto de manifiesto las limitaciones en los hechos y en las ideas de esa teoría y las dificultades que encuentran los Gobiernos para conseguir la estabilidad del nivel de actividad económica y de los precios con pleno empleo, así como una tasa de inflación tolerable. Algunos teóricos marxistas señalaron que la teoría keynesiana sólo ha constituido un balón de oxígeno para las economías capitalistas, ya que éstas llevan en su misma esencia la semilla de las crisis periódicas y recurrentes y el desmoronamiento final.

Por otra parte, las economías de libre mercado experimentan igualmente ciclos de mayor o menor duración, en los que se dan fases de recesión, depresión, recuperación y auge, con períodos de estancamiento (valles) y otros de crecimiento (cimas), unas veces rápidos y otras lentos. Se ha desarrollado una teoría de los ciclos que los explica en parte —recuérdese la teoría del acelerador; hay otras como la de las existencias y la de las innovaciones tecnológicas—, pero en cualquier caso no se ha conseguido eliminarlos o controlarlos, aunque sin duda se ha reducido su intensidad. Aun cincuenta años después de Keynes, las economías industriales modernas no han conseguido gestionar su política monetaria y fiscal de una forma suficientemente eficaz como para erradicar los períodos prolongados de elevado desempleo y/o de inflación intolerable, para impedir que la producción sea inferior a la potencial de pleno empleo y para hacer frente a los crecientes déficit públicos que pueden producir un desplazamiento (o efecto *crowding-out*) de la inversión privada en los mercados.

Los desarrollos teóricos posteriores (la curva de Phillips, la síntesis neoclásica, la teoría de las expectativas racionales) tratan de encontrar una explicación de estos fenómenos (una elevada tasa de desempleo, una tasa de inflación difícil de reducir y que rebrota con frecuencia, y una tasa de crecimiento reducida). En cualquier caso, el importante papel que la teoría keynesiana otorga al Gobierno en las economías de mercado ya nadie lo pone en duda, si bien se discute su amplitud y se somete a debate la eficacia/justicia de cada una de sus actividades.

Por último, también el sistema de precios puede dar lugar a una inversión insuficiente (no se destinen suficientes recursos a la producción de bienes de capital) como para asegurar una tasa de crecimiento deseable para la economía. Ello puede deberse a la ignorancia de los inversores privados acerca del valor de la renta futura o de la capacidad del interés compuesto para resolver los problemas de la pobreza; a la insuficiencia de la inversión en mercados libres, como sucede con los beneficios externos de la enseñanza que no son tenidos en cuenta por los inversores privados, y a las demás imperfecciones del mercado que impiden el crecimiento.

LAS CORRECCIONES DE LOS FALLOS DEL MERCADO COMO JUSTIFICACION DEL INTERVENCIONISMO DEL ESTADO EN LA ECONOMIA

La economía perfectamente competitiva se presenta, al menos a primera vista, como capaz de funcionar de un modo muy satisfactorio sin que intervenga directamente el Estado. En la competencia perfecta los problemas de producción, distribución e intercambio se resuelven por la actuación libre de hombres también libres que tratan de satisfacer sus personales deseos en mercados libres. Los capitalistas intentan obtener los mayores beneficios pero no pueden explotar a los demás. Si producen artículos de mala clase, si lo hacen de modo ineficiente con el resultado de que los precios son demasiado altos o si tratan de abusar, los artículos no se venderán y los consumidores preferirán los bienes de otros fabricantes. Los obreros tratan de obtener los mejores salarios y condiciones posibles, pero no pueden recibir un valor superior a lo que producen, pues en otro caso el patrono obtendría un beneficio despidiéndolos. Pero tampoco han de recibir mucho menos del valor de lo que producen, porque entonces otro patrono estaría interesado en contratarlos a un salario ligeramente superior. El intercambio es siempre correcto en los mercados libres porque cada una de las partes en una transacción ha de obtener una ventaja, pues de otro modo rehusaría celebrar el contrato.

Cuando observamos las economías de Occidente este sistema estilizado de mercado parece bastante verosímil, como una aproximación a lo que sucedería si se redujera al mínimo la acción del Estado. Cabe imaginar la producción de la mayoría de los bienes de consumo con una mínima intervención estatal. Conforme aumentase la demanda de nuevos productos, nuevos empresarios surgirían para obtener un beneficio produciéndolos. A medida que cambiase la demanda de los consumidores, las empresas que produjeran para mercados en decadencia comenzarían a incurrir en pérdidas. Automáticamente desaparecerían o modificarían sus programas de producción.

Pero hemos visto que el sistema de libre mercado tiene defectos importantes que podemos resumir en tres:

1) Lleva a cabo una asignación en parte ineficiente de los recursos escasos de la sociedad. Esto se debe, por una parte, a la aparición de elementos monopolísticos en los mercados de muchos bienes y factores; por otra, a los efectos importantes económicos externos positivos y negativos que generan gran número de las actividades de consumir y producir. Un caso extremo de lo anterior lo constituyen los bienes públicos (los bienes sociales y los bienes de mérito y de demérito), cuyas características hacen que el mercado no los provea adecuadamente, que no los provea en absoluto, o que lo haga en cantidades demasiado pequeñas o demasiado grandes.

2) Genera desempleo, estancamiento, ciclos y, en ocasiones, una tasa reducida de crecimiento de la economía en relación con los recursos de que ésta dispone.

3) Produce una distribución de la renta y la riqueza muy desigual entre los ciudadanos; desigualdad que, en las sociedades modernas, es ética y políticamente inaceptable para la mayoría.

Todos estos defectos justifican que el Estado intervenga en la economía para tratar de corregirlos. Ello ha dado lugar al desarrollo de las llamadas economías mixtas, economías sociales de mercado, en las que se conjugan las actividades de un sector privado y las de un sector público cuya magnitud varía enormemente de unos países a otros. A título de ejemplo, en 1985, en los países de la OCDE, el gasto público en porcentaje respecto al PIB representaba alrededor de un 70 por 100 en Suecia, un 60 por 100 en Holanda, un 52 por 100 en Francia, un 45 por 100 en Reino Unido y Alemania Occidental, un 39 por 100 en Estados Unidos y un 38 por 100 en España y Japón. En otros países pobres, como la India, Colombia, Filipinas o Paraguay, los porcentajes oscilan entre un 18 y un 7 por 100. Esto significa que en la gran mayoría de los países industrializados de la OCDE, alrededor del 50 por 100 de los recursos empleados en las economías respectivas (PIB) son asignados directamente por el Estado; es decir, su asignación no pasa por el mercado, sino que se efectúa por decisiones colectivas tomadas a través y dentro de instituciones políticas. No obstante, esa cifra no supone que todos los recursos sean absorbidos por el sector público: a través de transferencias

muchos de ellos vuelven al sector privado de la economía. En los últimos cuarenta
años, la tendencia ha sido de un fuerte crecimiento del sector público en prácticamente todos los países con algún grado de desarrollo, hasta llegar a la enorme magnitud que éste tiene en la actualidad. Sin embargo, en los últimos veinte años se
ha producido una fuerte reacción contra este gigantismo del sector estatal, argumentándose que éste es todavía más ineficiente en la asignación de los recursos que
el mecanismo del mercado competitivo, y que este enorme tamaño está ahogando
al sector privado al absorber factores productivos escasos (fundamentalmente recursos financieros) en cantidades ingentes, obtenidos por medios privilegiados (en
detrimento del sector privado) y produciendo fuertes desequilibrios macroeconómicos generados por el cuantioso déficit público (la diferencia entre los ingresos y los
gastos públicos de todas las Administraciones, los entes autonómicos y las empresas públicas). Esta reacción está llevando a intentos por parte de los Gobiernos
de algunos países de reducir el grado de intervención y el tamaño del Estado en
las economías, sin que aquéllos estén teniendo demasiado éxito por el momento.

Las áreas de intervención del Estado: la economía mixta
o economía social de mercado

Como es sabido, gran parte de la moderna Economía del Bienestar y de la Hacienda Pública se ocupa del problema de los fallos del mercado en la asignación
óptima de los recursos. Estos fallos son precisamente los que justifican esa necesidad de la intervención pública en general y de la actividad financiera estatal en particular, con la finalidad de aproximar, en la medida de lo posible, los resultados
deseables que se derivan de la filosofía del mercado, y que éste es incapaz de realizar plenamente o falla en su consecución, debido a que no se cumplen los supuestos
o axiomas sobre los que descansa el concepto de mercado de competencia perfecta.

Para corregir los fallos del mercado a la hora de plasmar los efectos económicos externos, el Estado puede intervenir, bien produciendo él mismo los bienes
que generan dichos efectos, o bien introduciendo los cambios necesarios en el marco institucional de la sociedad que lleven a la corrección de los efectos externos a
través de la provisión privada de los bienes y servicios.

El carácter parcial de bien público que los efectos económicos externos dan a
los bienes y servicios que los generan, hace necesaria la intervención estatal para
corregir tanto los efectos económicos externos generalizados, por ejemplo la polución, como los efectos económicos limitados al ámbito de dos personas o dos empresas. El análisis de este fenómeno generalmente se ha hecho en términos de equilibrio parcial. No obstante, el carácter generalizado de un número creciente de efectos económicos externos ha llevado a que últimamente se hayan realizado algunos
planteamientos del problema con un enfoque de equilibrio general.

Los efectos económicos externos en sus variadas formas (economías y deseconomías externas, divergencias entre el coste marginal social y el coste marginal privado, los efectos de rebosamiento y de vecindad, los bienes públicos o los colectivos) constituyen el centro de la Economía teórica del Bienestar, y en cierto sentido
puede decirse que de la teoría de la política económica en general y de la política
fiscal en particular. El problema de su control encaja dentro del marco de la Economía del Bienestar, en cuanto que se trata de realizar mejoras en el bienestar social, eliminando o corrigiendo conflictos económicos entre varias partes. En realidad, se trata de un problema de Economía del Derecho.

Ya hemos visto que si la economía está totalmente descentralizada (son millones de agentes económicos los que individualmente toman las decisiones, como se supone ocurre en el sistema de libre mercado) y se cumplen las condiciones paretianas del óptimo social, el Gobierno decidirá entonces que el marco institucional y legal adecuado es el de la libertad total de los agentes económicos, sin intervención alguna por parte del Estado, con la excepción del establecimiento de las normas que hagan posibe el funcionamiento correcto de este mecanismo, y de hacer observar dichas normas a los agentes económicos privados. Este sería el prototipo del sistema económico liberal del *laissez-faire,* que ya Keynes dio por concluido en su trabajo de 1926, *El fin del «laissez faire»,* con un Estado mínimo (también llamado Estado policía o vigilante nocturno), cuyas funciones consistirían en establecer el marco legal-institucional adecuado y hacerlo cumplir: la propiedad privada, el dominio sin restricciones sobre ella y su respeto total; el contrato privado, la libertad (sin restricciones) de contratación y el cumplimiento de aquél; la libertad de establecer y cerrar empresas sin más limitaciones que las indispensables para la seguridad ciudadana; crear las normas y los instrumentos jurídico-mercantiles adecuados a las necesidades del tráfico mercantil; mantener el orden público y el imperio de la ley; proveer algunos bienes públicos como la defensa nacional, la ley y el orden (la administración de justicia y la policía), y unos pocos bienes como pantanos, carreteras y puertos que la actividad privada no está interesada en producir y que, sin embargo son muy beneficiosos para ésta, tendríamos trazadas las condiciones que habrían de darse para que funcionase bien una sociedad y se pudiera llevar a cabo una actividad económica ordenada. Sería el modelo del sistema liberal de *laissez-faire,* que surge en el siglo XIX tras la independencia de Estados Unidos y la Revolución Francesa. En realidad este prototipo ideal de sistema, con un sector público (Estado) mínimo, no se dio entonces ni se da en la actualidad en ningún país del mundo civilizado. Es cierto que en estos países el sector público era en esa época mucho más reducido que en el momento presente y los límites fijados por Leroy-Beaulieu a fines del siglo pasado lo ponen de manifiesto. Pero ello no se debía tanto a una acción deliberada para conseguirlo, como a las dificultades que los Gobiernos encontraban para obtener recursos e incrementar su control y su intervención en la economía.

Si se modifican algunos de los supuestos iniciales necesarios para alcanzar el óptimo de Pareto (competencia perfecta, etc.), el problema del Gobierno (que es responsable políticamente y pretende conseguir la asignación eficiente de los recursos) seguirá siendo el mismo: determinar el comportamiento adecuado de los agentes económicos. Ahora bien, con unas condiciones iniciales diferentes, es decir, con un marco institucional diferente (existencia de elementos monopolísticos en algunos mercados, de efectos económicos externos generalizados, etc.), el comportamiento que los individuos deberán (en el sentido normativo) tener será también diferente al que tendrían en una situación en la que se dieran las condiciones paretianas del óptimo social. Si, por el contrario, aun cuando se dieran desviaciones del modelo de competencia perfecta, los individuos (porque se les deja libertad) se comportan como si actuaran en un sistema perfectamente competitivo, entonces no será posible alcanzar el máximo bienestar social. Para alcanzar este máximo es necesario cambiar el comportamiento de alguno o algunos agentes; es decir, hay que privarles de una parte de su libertad económica. En otras palabras, hace falta una acción del Gobierno, una acción colectiva, que corrija su comportamiento. Igualmente, si, sin cambiar el marco institucional (o cambiándolo), un agente se comporta de manera distinta según las condiciones paretianas y el Gobierno no puede obligarle a actuar según éstas, entonces se puede demostrar que el comportamiento de los demás agentes deberá también ser alterado respecto al paretiano.

Este es el enunciado del teorema del *second-best,* que se puede demostrar matemáticamente. Este teorema demuestra que la intervención del Gobierno es necesaria para alcanzar el máximo bienestar posible. El teorema, en su demostración, proporciona indicaciones respecto a la corrección que hay que realizar en el comportamiento de los agentes, pero no da indicación alguna de la forma que ha de tomar esta corrección: política de precios, leyes sobre prohibiciones, cuotas, etc. Este es precisamente el problema de política económica (Hacienda Pública) que se plantea.

La corrección de las desviaciones de la competencia perfecta producidas en el mercado se intenta por el sector público a través de la legislación antimonopolio. En todos los países industrializados existen leyes que prohíben y penalizan las prácticas restrictivas de la competencia, utilizando distintos criterios para medir el grado de poder monopolístico de las empresas. Generalmente, se emplean dos: el *ratio* de concentración o porcentaje de las ventas totales de un producto controlado por un vendedor o por el grupo más importante de vendedores de aquél; y la persistencia de beneficios elevados en una industria. En España, existe igualmente una legislación antimonopolio y un tribunal (el Tribunal de Defensa de la Competencia) especialmente encargado de aplicarla. La Comunidad Económica Europea dispone también de una normativa contra las prácticas de competencia desleal bastante estricta y de aplicación general a todos los países miembros.

En ocasiones, la existencia de monopolios es inevitable: cuando en una industria se dan costes marginales decrecientes continuados (economías de escala), cuando las condiciones técnicas de producción de un bien o servicio son tales que sólo puede realizarla una empresa (no puede haber más de una empresa proveedora) de gas, electricidad, agua y teléfono en una ciudad; no puede haber más que una empresa explotando el ferrocarril de una zona geográfica o el metro de una ciudad. Sería muy costoso tener varias compañías de transporte de pasajeros en las mismas áreas de una población o entre dos ciudades. Cuando el mercado es tan reducido que sólo puede actuar en él una empresa (un solo hotel en una isla pequeña, un solo restaurante-bar en un tren, etc.) es otro caso.

Cuando las condiciones de la producción o del mercado son tales que sólo puede haber una empresa operando, se dan los llamados *monopolios naturales.* En tales casos el Estado actúa de dos formas alternativas: bien reconociendo y legalizando el monopolio, otorgándole la provisión del servicio a una empresa privada y regulando la actuación de ésta (servicios que presta, material que utiliza, precios que cobra, etc.); o bien, creando una empresa pública que provea el bien o servicio. En ambos casos, la Administración ha de decidir la cantidad y calidad del bien o servicio que se suministra y el modo de financiarlo. La financiación puede adoptar varias formas: cobrar un precio al usuario o proveerlo libremente. En el caso de que se cobre un precio, obviamente éste puede ser superior, igual o inferior al coste de producción. En el primer caso, la diferencia entre los ingresos y los costes (superávit de explotación) constituye una fuente de obtención de recursos para la Administración, equivalente a un gravamen o impuesto de consumo; en el segundo caso, el precio será igual al del mercado y no plantea problemas de financiación pública y, en el tercer caso (que es el más frecuente: los transportes urbanos, la Renfe, etc.), la diferencia entre los ingresos y los costes (el déficit de explotación de las empresas) lo ha de financiar la Administración correspondiente por el medio que estime conveniente (impuestos, deuda pública y emisión de dinero —en el caso del Gobierno central que es el único con poder para hacerlo—). Los precios superiores o inferiores a los costes representan los llamados precios políticos, ya que política es la decisión por la que determina su cuantía y financiación (los motivos y los mecanismos). Generalmente los precios políticos son inferiores a los costes de producción de este tipo de bienes y servicios, ya que la mayoría de éstos tienen en buena medida el carácter de públicos. Si es privada la empresa que suministra el bien o servicio a través de una concesión, la Administración concesionaria cubre el déficit de explotación de aquélla, incluyendo entre los costes de la empresa un margen de beneficios adecuados, margen que es el que hace atractivo para la iniciativa privada el proveer dicho bien.

La corrección de los efectos económicos externos se plantea en dos terrenos. Por una parte, la corrección de las externalidades generadas por las actividades de consumir y producir bienes y servicios que no tienen el carácter de bienes públicos (la producción y la contaminación del agua y del aire; la destrucción y la degradación de bosques, lagos, ríos y costas; la emisión de ruidos por parte de muchas industrias. Por otra, la producción y provisión de los bienes públicos.

El control de los efectos económicos externos del primer tipo plantea la cuestión de cómo alcanzar el óptimo mediante la intervención del Gobierno (acción colectiva). Esto puede tomar múltiples formas, de las que enumeramos algunas:

a) La implantación de dispositivos técnicos que reduzcan la producción de efectos (depuradoras de humos, por ejemplo).

b) La separación geográfica de las partes afectadas lejos de la parte que produce el efecto.

c) La aprobación de instituciones que reduzcan los costes de la internalización hasta que ésta se realice espontáneamente.

d) La fijación de niveles de tolerancia o prohibición para la producción de efectos.

e) Políticas de precios y/o de producción.

f) Políticas fiscales.

La utilización de alguno(s) de estos métodos responde al criterio económico de mínimo coste. El óptimo de control vendrá definido por las condiciones marginales habituales (coste marginal = beneficio marginal).

Las medidas a), b), c) y d) son obvias y no las vamos a comentar. En el caso del apartado c) esto significa que la Administración puede crear canales de negociación entre las partes afectadas para que a éstas les resulte más fácil y menos costoso llegar a un acuerdo que sea beneficioso para ellas. También recurre en ocasiones el Gobierno a obligar a las empresas a que cobren unos precios determinados por sus productos (el caso de los productos farmacéuticos que tienen precios fijados y controlados por el Gobierno por tratarse de bienes que se consideran de primera necesidad para la nutrición o la salud de los ciudadanos, y a cuyos precios éstos son muy sensibles, con las implicaciones políticas que ello conlleva), o bien a imponerles unas cuotas de producción. La Comunidad Económica Europea basa su Política Agrícola Común en ambos tipos de controles, debido a que (por razones políticas y éticas) se considera como bien público (redistribución) el mantener las ventas de sus agricultores a un nivel igual o próximo al de los demás sectores económicos.

Finalmente, la política fiscal es otro instrumento importante de actuación del Gobierno en el control de los efectos económicos externos del tipo que estamos considerando. En términos del problema del *second-best,* este método pretende hacer que el comportamiento de los agentes económicos se ajuste lo más posible a las condiciones paretianas señaladas anteriormente. Formalmente, en el caso del individuo 1 que al consumir el bien 1 produce una desutilidad al individuo 2, se trata de obligar al individuo 1 a comportarse según

$$\frac{\vartheta u_1}{\vartheta X_{11}} = \frac{\vartheta u_2}{\vartheta X_{11}} + P_1 ,$$

en lugar de comportarse como individualmente se ve inclinado a hacer (según

$$\frac{\vartheta u_1}{\vartheta X_{11}} = P_1) ;$$

es decir, obligar al individuo 1 a que se comporte de tal manera que consuma unidades del bien 1 hasta aquella cantidad para la que la utilidad marginal que obtiene sea igual al precio que paga por dicho bien más la desutilidad que produce al sujeto 2 (en el caso en el que el individuo 1 actúe egoístamente sin tener en cuenta el perjuicio que produce al sujeto 2, aquél iguala la utilidad marginal del bien 1 con el precio de éste).

La política fiscal supone tanto la fijación de gravámenes a empresas e industrias que producen efectos económicos externos negativos, como la concesión de beneficios fiscales de todo tipo (que constituyen pura y simplemente transferencias: la entrega de recursos financieros y/o de bienes o factores por un agente a otro sin una contraprestación del segundo al primero) a las empresas que generan efectos económicos positivos. Todo el tema de la reconversión industrial, así como el salvar de la quiebra y hacerse cargo del saneamiento de empresas y bancos privados por el Estado (con las ingentes cantidades de recursos financieros que éste destina a ello y que se financian con cargo a sus presupuestos generales) se basan en la idea de que el que tales industrias y empresas no quiebren ni desaparezcan, y que prosigan su actividad, tiene el carácter de bien público (empleo o interés nacional). En el caso de la reconversión de las industrias en declive (la de la construcción naval, la siderurgia, etc.) se considera que: a) mantener en ellas una parte del empleo existente, y b) sanear y hacer competitivas las empresas que las integran (introduciendo en ellas tecnologías y métodos productivos modernos que reduzcan los costes y las hagan internacionalmente competitivas en el futuro a fin de que con su actividad continúen generando empleo, no tengamos que importar los bienes que fabrican, y posiblemente se incrementen nuestras exportaciones) son bienes públicos que hay que financiar públicamente. La política industrial de los Gobiernos está constituida principalmente por el conjunto de medidas de concesión y prestación de ayudas de todo tipo a unas empresas e industrias y de imposición de gravámenes y desincentivos a otras. La mayor parte, y posiblemente la más importante y eficaz, de estas medidas suponen la realización de gastos (transferencias) o la obtención de ingresos para la Administración, y por lo tanto son tema de la política fiscal. En todo caso, las decisiones al respecto son decisiones políticas y se llevan a cabo por medio de la acción colectiva.

La provisión de los bienes públicos por el Estado (bien directamente o bien a través de empresas privadas a las que contrata su realización) constituye la segunda vía de actuación de éste en la corrección de los fallos del mercado. La Economía del Bienestar y la Hacienda Pública o Economía Pública (la ciencia social que estudia la actividad económica del Estado o sector público y sus efectos, y que si bien originariamente era una rama de la Teoría Económica, ha alcanzado un grado de desarrollo tal que hoy se la considera como una disciplina en sí misma) han desarrollado toda una teoría muy elaborada sobre los bienes públicos y su provisión, ya que representa éste uno de los campos más importantes de la actividad económica en las sociedades modernas. Se ha elaborado una amplia teoría sobre la conceptualización de estos bienes, su provisión óptima y su financiación en términos de bienestar para los individuos y para la sociedad, tanto en el marco de un análisis de equilibrio parcial como en el de equilibrio general. Para la determinación de si merece o no la pena suministrar un bien público, así como de la cantidad óptima de su provisión, se utiliza la técnica del *análisis coste-beneficio*. A este respecto, el concepto de excedente del consumidor es extraordinariamente útil, especialmente en el caso de bienes tales como aeropuertos, puertos, carreteras, autopistas, puentes, pantanos, ferrocarriles, metros y parques. Supongamos que se está considerando la posibilidad de construir una carretera. Al ser gratuito su uso para todas las personas que transitan por ella, no reportará ningún ingreso y toda la utilidad que proporcione a los usuarios será un excedente del consumidor. Si éste es superior al coste de construirla valdrá la pena hacerlo. En el caso de muchos bienes públicos (tales como la defensa, el orden público o la administración de justicia), aunque obviamente producen efectos muy beneficiosos para la sociedad (ya que permiten el buen funcionamiento de la sociedad en todas sus esferas de actividad), este cálculo es muy difícil por el carácter difuso y amplio de éstos.

No obstante, las decisiones sobre si se provee o no por el Estado un bien público, así como la cuantía en que se lo suministra se toman sobre la base no sólo de criterios económicos (de eficiencia económica), sino también por razones políticas, éticas y de justicia social. No olvidemos que una parte muy importante de redistribución de la renta que efectúa el Estado (a fin de que la distribución sea más igualitaria, justa, y política y socialmente deseable que la que realiza el mercado) se lleva a cabo mediante la provisión gratuita (o a precios inferiores a los costes) de un gran número de bienes y servicios públicos, cuya financiación se realiza con fondos públicos obtenidos fundamentalmente a través de la recaudación impositiva. El disfrute de un bien o servicio gratuitamente por un individuo cualquiera equivale a un incremento de su renta (por encima de la obtenida con la venta de los factores que posee). Si la financiación de dicho bien o servicio se ha efectuado con recursos procedentes de la recaudación impositiva obtenida de impuestos generales (el impuesto sobre la renta de las personas físicas, el impuesto de sociedades, el impuesto de sucesiones, la imposición general sobre el consumo), todos los ciudadanos (usuarios o no del servicio) habrán contribuido en distintas proporciones a su financiación, con lo que el usuario sin duda se beneficia. En el caso de los bienes públicos de uso muy generalizado (los que consumen la inmensa mayoría de los ciudadanos de una sociedad, tales como la educación, el alumbrado público o las carreteras) es evidente que su disfrute equivale a una transferencia de renta de los que pagan más impuestos a los que pagan menos. Existen, sin embargo, bienes públicos, cuyo consumo puede ser controlado técnicamente (las autopistas, por ejemplo); en estos casos cabe la posibilidad de financiarlos a través de los llamados impuestos afectados o finalistas (es decir, impuestos que gravan el consumo de determinados bienes, y cuya recaudación se destina a financiar aquéllos). Así por ejemplo, se puede gravar la gasolina con un impuesto al consumo y afectar o destinar la recaudación con él obtenida a la construcción y el mantenimiento de las carreteras y autopistas gratuitas.

Como hemos señalado, en el caso de los bienes de mérito, el Estado obliga a su consumo en determinadas cuantías (la educación y la afiliación a la Seguridad

Social, por ejemplo) sin respetar la soberanía o la voluntad del consumidor, y los financia bien en su totalidad con cargo a los presupuestos generales o una combinación de fondos públicos y aportación de los usuarios. Con los bienes de demérito o indeseables (el consumo de drogas y de alcohol, o el conducir a elevadas velocidades), el Estado o bien prohíbe su consumo o lo desincentiva gravando tales bienes con un impuesto de consumo (el cual tiene el efecto que vimos en el Capítulo 12 de trasladar su curva de oferta hacia la izquierda, con lo que, dada una curva de demanda con pendiente negativa de aquéllos, aumenta su precio y se reduce la cantidad comprada).

La corrección de las fluctuaciones del nivel de actividad económica (del nivel de producción, renta y empleo) y del nivel de precios, así como de los ciclos, que se dan en los sistemas de economías de mercado, trata de realizarla el Gobierno (con más o menos éxito) a través de las políticas fiscal y monetaria, que ya vimos en los Capítulos 37, 38 y 41. Como exponíamos allí, la política fiscal está constituida por la política de ingresos y gastos públicos. Sus instrumentos y efectos macroeconómicos los analizamos en su momento. Señalemos aquí solamente que el logro de un elevado nivel de ocupación se puede considerar como un bien público que beneficia no sólo a las personas que tienen empleo y a sus familias, sino también a los empresarios (que producirán y venderán mayores cantidades de productos y en consecuencia obtendrán mayores beneficios, ya que el consumo agregado depende de la renta nacional y ésta proviene en su mayor parte de los sueldos y salarios del trabajo —en las economías avanzadas más del 80 por 100 de las personas que trabajan son asalariados— y éstos constituyen para la gran mayoría de los sujetos su principal o única fuente de ingresos), al Estado (que obtiene mayores ingresos impositivos —ya que la base imponible crece generalmente al aumentar la renta de las personas físicas, los beneficios de las empresas y el valor añadido generado en la actividad productiva, y ve reducidos sus gastos anticíclicos y redistributivos, tales como el subsidio de desempleo, las subvenciones a empresas en dificultades y otras transferencias con carácter de ayudas), y a la sociedad en general (al ser mayor el bienestar general, al gastar más el Estado en la provisión de bienes públicos de consumo y de inversión y posiblemente reducir su déficit, y al invertir más las empresas privadas —la inversión pública y privada incrementa la capacidad productiva actual y futura de la sociedad— y al mejorar la calidad de vida de los ciudadanos).

Lo mismo puede decirse de la estabilidad de los precios. La inflación produce efectos económicos muy negativos para el nivel general de actividad económica y para la asignación eficiente de los recursos que implican una pérdida de producción (producción que deja de realizarse y que nunca se recupera, puesto que las horas de trabajo perdidas y de máquinas no utilizadas o infrautilizadas constituyen una pérdida irrecuperable para los empresarios y sobre todo para la sociedad en su conjunto). Recuérdese a este respecto lo expuesto en el Capítulo 42. Pero, además, la inflación viene a suponer un impuesto que grava a las personas que mantienen riqueza en dinero efectivo, en cuentas bancarias o en cualquier otro tipo de activo financiero con un valor nominal fijo, así como a los sujetos que perciben rentas contractuales (sueldos y salarios, pensiones, alquileres e intereses del capital). La inflación tiene el carácter de un impuesto porque equivale a una detracción de renta (el poder adquisitivo de las personas propietarias de activos financieros denominados en unidades monetarias con un valor fijo, y de los perceptores de rentas contractuales se ve reducido exactamente en la cuantía de la inflación), y porque los individuos sufren esa detracción sin que puedan hacer nada para impedirlo (ahorro forzoso). De ahí que en muchos contratos de arrendamiento de factores se incluya una cláusula llamada de indiciación, por la cual la retribución de éstos aumenta automáticamente con y en proporción al incremento del IPC (índice de precios al consumo) o de otro índice convenido entre las partes. Esta cláusula se incluye en los contratos laborales, en los contratos de alquileres e incluso se está utilizando cada vez más en los contratos de concesión de créditos financieros (el tipo de interés que se obliga a pagar el prestatario se liga a un índice acordado). Se trata de mantener la retribución real que perciben los factores (el sueldo real, el salario real, el tipo de interés real, el alquiler real) y el poder adquisitivo de las pensiones.

Por otra parte, la inflación puede tener algunos efectos beneficiosos para la sociedad en general o para los individuos y empresas que ven incrementado el valor monetario de sus activos de todo tipo en mayor cuantía que la subida del IPC. Una tasa reducida de inflación experimentada durante períodos cortos de tiempo puede tener el efecto beneficioso a nivel macroeconómico de estimular la producción como consecuencia de que los beneficios de las empresas pueden aumentar al iniciarse la subida de los precios, ya que el valor de las existencias se incrementa (sube el valor de los stocks de productos elaborados a costes anteriores a la subida de los precios, y de materias primas adquiridas igualmente con anterioridad). También beneficia a los especuladores, que en períodos de inflación encuentran más fácil obtener ganancias de este tipo. La inflación por una parte produce una pérdida de renta (renta que deja de generarse y que no se puede recuperar), y por otra realiza una redistribución de la renta desde los agentes cuyos activos pierden valor real a los sujetos a los que sucede lo opuesto.

La reducción (y no la eliminación total) de la intensidad de los ciclos a largo plazo y la consecución de una tasa elevada de crecimiento de la economía se trata de conseguir por el Estado a través de la planificación económica, la inversión en infraestructura y en capital humano y el gasto en investigación y desarrollo (I + D). La consecución de este objetivo puede considerarse igualmente un bien público que beneficia a la sociedad en su conjunto, al paliar los efectos de las fases depresivas de aquéllos y obtener un crecimiento económico continuado y lo más elevado posible que haga factible el incremento del bienestar y del nivel de vida de los ciudadanos, así como el prestigio y poderío de la nación en el concierto internacional.

Por último, la redistribución pública de la renta para corregir la distribución desigual de ésta que realiza el mercado (éste es despiadado e inmisericorde en tal función, ya que no se guía por criterios éticos, humanitarios, políticos o de cualquier otra índole) reviste del mismo modo el carácter de bien público. Por una parte, contribuye a que el consumo y la demanda agregados sean mayores o aumenten, al transferir poder adquisitivo a los perceptores de rentas más bajos, con lo que el nivel de actividad económica será mayor y el desempleo será menor que si aquélla no se efectuara (se puede argumentar que también tiene el efecto macroeconómico negativo de reducir el ahorro privado al transferir renta de los grupos de ingresos elevados —que se supone son los que más ahorran— a los grupos de renta baja, que ahorran un porcentaje menor de ésta); por otra, aumenta la utilidad total de la sociedad, al ser menor la utilidad marginal de la renta para los perceptores de ingresos elevados que para los de ingresos bajos; por otra, permite acercarse en mayor medida a la consecución de los objetivos de justicia social, y de disfrute de nivel de vida mínimo que sea digno y acorde con la condición humana civilizada (no cabe duda de que por razones éticas e incluso estéticas y de la propia seguridad, para las personas sensibles constituye una desutilidad —una utilidad negativa o una pérdida de utilidad y bienestar— el toparse diariamente con las manifestaciones de la pobreza: mendigos, niños desnutridos, chabolas, etc.).

El Estado lleva a cabo la redistribución de la renta a través de la provisión de los bienes públicos y de las transferencias de recursos financieros a los individuos beneficiarios. La política fiscal es el instrumento empleado por medio de la cual retira recursos de unos sujetos y los transfiere a otros. Pero también se utilizan otras políticas, por ejemplo de precios o estructurales. Las decisiones se toman por motivos éticos, políticos y económicos, y son decisiones políticas efectuadas a través de instituciones políticas o colectivas.

Todas las actuaciones del Estado encaminadas a corregir los defectos del sistema de mercado están estrechamente relacionadas entre sí. El Gobierno, al planear cada una de las medidas concretas a tomar, trata de conjugarlas todas en la consecución simultánea de todos los objetivos. La corrección de los fallos del mercado en la asignación eficiente de los recursos, la consecución de la estabilidad y el crecimiento de la actividad económica con un alto nivel de empleo y una tasa reducida de inflación y la redistribución de la renta exigen una intervención masiva del Estado y la asignación por éste de una fracción muy elevada de los recursos de la economía. De ahí que el sector público haya crecido tan rápidamente en los últimos cincuenta años y haya alcanzado el enorme volumen que tiene en muchos países.

Las funciones económicas del Estado y sus instrumentos de actuación: el Estado del Bienestar

De todo lo expuesto anteriormente en este Capítulo se desprende que las funciones del Estado en las economías mixtas las podemos agrupar en cuatro: establecer el marco legal que regule la actividad económica, determinar y aplicar la política de estabilización macroeconómica, influir en la asignación de los recursos para la mejor eficiencia económica, y determinar y aplicar los programas que influyen en la distribución de la renta entre los ciudadanos. La llamada Hacienda Pública normativa (el enfoque de la Hacienda Pública desarrollada a partir de la obra clásica de Richard Musgrave «Teoría de la Hacienda Pública», 1959) establece cuatro áreas de la intervención del Gobierno en la economía con la finalidad de alcanzar otros tantos objetivos: la orientada a la consecución de una asignación eficiente de los recursos, la dirigida a conseguir la estabilidad del nivel de actividad económica y de los precios con un elevado nivel de empleo, la orientada a alcanzar la tasa de crecimiento potencial de la economía, y la encaminada a obtener la redistribución de la renta según los criterios que se determinen en la sociedad. Consecuentemente, esta disciplina se divide en cuatro ramas: la de asignación, la de estabilidad, la del crecimiento y la de redistribución. En cada una de ellas (a partir de los conocimientos que ofrece la Teoría Económica) se estudian las medidas que debe tomar el Gobierno para alcanzar esos objetivos y sus efectos.

La función de establecer el marco legal e institucional dentro del cual se desarrolla la actividad económica en realidad trasciende a la propia Teoría Económica. El sector público fija las reglas del juego económico a las que han de ajustarse los consumidores, las empresas e incluso el propio Estado. Estas abarcan a la definición de los derechos de propiedad (impone limitaciones a la propiedad privada), a las leyes sobre los contratos y las empresas, a las obligaciones mutuas de los sindicatos y de los empresarios, y a una multitud de leyes y reglamentos que determinan el entorno económico. Así, se regulan el salario mínimo, la afiliación obligatoria a la Seguridad Social y la cotización, la jornada laboral máxima de niños, mujeres y hombres, las condiciones de trabajo en las fábricas, el seguro obligatorio de accidentes, la negociación colectiva y las relaciones laborales justas, los fondos de pensiones, los requisitos para crear y cerrar empresas, etc.

La llamada normativa social incluye leyes contra la adulteración de los alimentos y de las medicinas y normas que regulan la seguridad de los trabajadores en todas las actividades, la contaminación del aire y del agua y el vertido de sustancias peligrosas, la seguridad en la utilización de la energía nuclear y de los residuos tóxicos, y la seguridad en el uso de los automóviles y de los productos de consumo.

Para garantizar el interés público y vigilar el sistema económico, todo un conjunto de industrias está sometido a la regulación económica, según la cual el Gobierno fija los precios, las condiciones de establecimiento y cierre de empresas en ellas y las normas de seguridad que éstas deben aplicar: las compañías aéreas; el transporte por carretera y el transporte marítimo; la electricidad, el gas y el teléfono; los mercados financieros. Los precios de otros bienes están controlados por el Gobierno, que ha de autorizar su subida: el pan, la leche, los medicamentos; los de otros están garantizados por el Gobierno a unos niveles mínimos para los productores: el trigo, la cebada, el centeno. Las decisiones relativas al marco legal tienen su origen, en muchos aspectos, en preocupaciones que van más allá de la simple Teoría Económica. Estas normas se establecen más en respuesta a unos valores e ideales de justicia ampliamente compartidos en la sociedad, que a un análisis económico riguroso de coste-beneficio. Sin embargo, el marco legal puede afectar profundamente a la conducta económica de los individuos y de las empresas. No cabe duda de que todas estas normas hacen la vida de los ciudadanos más segura, más cómoda y más civilizada, pero también es cierto que coartan la iniciativa privada y en particular reducen la disposición de las empresas a innovar en áreas en las que los riesgos legales son elevados. Para llevar a cabo esta función reglamentista, el Estado utiliza el poder regulador que le confiere el poder político dentro del marco de la Constitución.

La función estabilizadora macroeconómica es la primera y principal función económica del Gobierno. Como hemos visto, por lo general y por todos los medios a su alcance, los Gobiernos tratan de reducir la intensidad de las fluctuaciones del nivel de actividad económica y de los ciclos, impidiendo el desempleo crónico y el estancamiento económico e intentando luchar contra la inflación de demanda. Para ello utilizan las dos grandes armas de la política fiscal y la política monetaria, en diferentes combinaciones. Los Gobiernos disponen del poder fiscal y del poder monetario que dimanan de la autoridad política y que les confiere la Constitución. El primero les otorga la potestad, por una parte, de hacer uso de impuestos y gravámenes y emitir deuda pública, y por otra, de efectuar gastos de acuerdo con las leyes presupuestarias y financieras. El poder monetario le otorga la potestad exclusiva de emitir dinero legal y de controlar las reservas de los bancos privados y cajas de ahorro: el Gobierno es la Autoridad Monetaria (España). La política monetaria y crediticia la utiliza el Gobierno para influir sobre el nivel de actividad económica, elevar el empleo, incrementar la producción y estabilizar los precios.

La función de contribuir a una asignación socialmente deseable de los recursos de la sociedad constituye el segundo objetivo económico esencial del Gobierno. Representa éste el lado microeconómico de la política pública, encaminada a influir sobre qué bienes y servicios producir y cómo producirlos. Aquí se incluyen la política agrícola, la política industrial la política laboral o de empleo y la planificación económica. En definitiva, se trata de determinar la combinación de mercado u orden que elija la sociedad en momento determinado.

Finalmente, está la función de redistribuir la renta y la riqueza entre los ciudadanos. No hay razones por las que la distribución de la renta a que da lugar la competencia darwiniana de *laissez-faire* deba considerarse justa o equitativa desde un punto de vista ético o político, e incluso económico. Los Estados de Bienestar del mundo occidental destinan actualmente una parte importante de sus recursos a mantener unos niveles mínimos de salud, nutrición y renta para todos los ciudadanos. Asimismo, redistribuyen la renta entre éstos, de un lado incrementando sus ingresos con la provisión de bienes públicos y de transferencias; de otro, detrayendo renta mediante el establecimiento de distintas cargas entre los diferentes individuos, grupos y clases. El impuesto sobre la renta de las personas físicas, con sus tipos crecientes (a mayor renta absoluta se pagan porcentajes mayores de ésta), sus desgravaciones y deducciones, constituye el principal instrumento tributario redistribuidor. Los impuestos sobre sociedades (sobre los beneficios de éstas), sobre sucesiones (sobre las herencias) y sobre donaciones, sean de tipo único o de tarifas con tipo crecientes, constituyen también importantes armas redistributivas. Por último, los impuestos sobre la propiedad rústica y urbana representan igualmente un medio de redistribución que, no obstante, se caracteriza por unas bases en general petrificadas o mal definidas.

En los sistemas políticos de democracia parlamentaria de corte occidental, se le ha asignado a los partidos, a los Gobiernos y a los Parlamentos la responsabilidad política de resolver los problemas, no sólo políticos y sociales, sino también económicos. La mayoría de los ciudadanos esperan que los Gobiernos den solución a las complejas cuestiones económicas que se les plantean a las sociedades modernas, y juzgan sus actuaciones y los resultados de éstas al emitir su voto en las elecciones políticas a todos los niveles de la Administración.

La determinación precisa que la Teoría Económica ha efectuado de los fallos del mercado en la consecución de una asignación eficiente de los recursos, la fundamentación teórica que Keynes dio al papel del gasto público y al manejo de la demanda agregada en la consecución de un elevado nivel de producción y empleo, así como de la estabilidad y el crecimiento de la actividad económica; las modernas ideas sobre justicia económica y social, nivel de vida digno e igualitarismo y el funcionamiento de los sistemas políticos de democracia parlamentaria son los cuatro factores que han llevado al desarrollo de las actuales economías mixtas o economías sociales de mercado y al Estado de Bienestar que disfrutamos.

Desde comienzos de la década de los setenta, sin embargo, estamos asistiendo a un replanteamiento del Estado de Bienestar, cuestionándose la eficiencia del sector público en la asignación de los recursos así como la conveniencia de un sector público voluminoso. Nadie cuestiona ni las conquistas de justicia económica y bienestar social que el Estado de Bienestar ha hecho posibles, ni la necesidad de que el Estado intervenga en la economía tanto a nivel microeconómico como macroeconómico. Pero un número cada vez mayor de economistas, de hombres de negocios, de políticos y de ciudadanos en general afirman que se han atribuido demasiadas funciones al Estado, que éste es mucho más ineficiente que el mercado en la provisión de muchos bienes públicos, que la actividad económica en general está demasiado regulada, ya que el enorme sector público que tenemos está asfixiando al sector privado (al absorber una cantidad de recursos financieros cuantiosísimos que obtiene por canales privilegiados con los que no puede competir el sector privado produciendo el llamado efecto expulsión: expulsa al sector privado de ciertos mercados y actividades) y que éste no sólo no corrige los desequilibrios macroeconómicos sino que también crea otros igualmente perniciosos. Se está redescubriendo y aireando por muchos la bondad de la mano invisible (del sistema de mercado y de la iniciativa privada), pidiéndose la reducción del intervencionismo (dirigismo) estatal en la economía a todos los niveles.

Como veremos en el próximo Capítulo, la Teoría de la Elección Pública ha puesto de manifiesto los fallos del sector público en la asignación eficiente de los recursos, así como las implicaciones de los mecanismos inherentes al sistema político de democracias parlamentarias que llevan a un crecimiento desmesurado de éste. Esto está dando lugar a que se plantee el importante tema de la dicotomía eficiencia económica-equidad (en inglés, «trade-off» o relación marginal de transformación o de intercambio, en el sentido de qué cantidad de una hay que sacrificar para obtener una cantidad determinada de la otra), así como de la combinación de ambas que una sociedad desea tener en cada momento histórico. En cierto sentido, con ello se está admitiendo que, como mecanismo de asignación de los recursos, el mercado es más eficiente que el Estado, pero que la asignación realizada por éste puede ser más justa éticamente. De ahí que estemos asistiendo a una ofensiva neoliberal que está traduciéndose en que hayan ganado las elecciones políticos como Reagan, Margaret Thatcher, Chirac o Köhl con programas económicos en los que se incluyen medidas económicas tales como la reducción de impuestos, la privatización de empresas públicas y la desregulación de ciertos mercados (el transporte aéreo o el financiero, por ejemplo). En definitiva, lo que se discute es si se reduce o no el sector público y si se deja o no mayor libertad a la iniciativa privada y al mercado.

BIBLIOGRAFIA SELECCIONADA

Samuelson, P.: *Curso de Economía Moderna,* op. cit., Caps. 31, 32, 33 y 34, págs. 844-922.

Lipsey, R.: *Introducción a la Economía Positiva,* op. cit., Caps. 32 y 33, págs. 459-494.

Fisher, S., y Dornbusch, R.: *Economía,* McGraw-Hill, Madrid, 1985, Caps. 11 y 12, págs. 283-325, y Cap. 20, págs. 538-566.

Phelps, E. S.: *Economía Política. Un texto introductorio,* Barcelona, A. Bosch, 1986, esp. Caps. 1 a 3, págs. 3-92.

Musgrave, R. A.: *Teoría de la Hacienda pública,* Madrid, Aguilar, 1967, esp. Caps. 1 a 3.

Musgrave, R. A., y Musgrave, P. B.: *Hacienda Pública Teórica y Aplicada,* Madrid, Instituto de Estudios Fiscales, 1981, esp. Parte I, págs. 3-192.

Hacienda Pública Española, Sección de Documentos, Instituto de Estudios Fiscales, diversos números (68, 77, ...).

CAPITULO 48

LA TEORIA DE LA ELECCION PUBLICA *

EL AREA DE LAS DECISIONES COLECTIVAS O PUBLICAS

A la Teoría de la Elección Pública, conocida generalmente como la *Public Choice,* se la puede definir o caracterizar brevemente como el análisis económico de la política; o dicho de una forma más precisa, como la aplicación de los instrumentos de análisis de la Teoría Económica neoclásica al estudio de los fenómenos políticos, entendidos éstos en un sentido amplio.

La que podemos denominar Teoría Económica ortodoxa (entiéndase la teoría neoclásica) se ha centrado principalmente en el estudio del comportamiento de los agentes económicos en el mercado. Desde Adam Smith, la gran mayoría de los economistas se han dedicado al análisis del sector privado de la economía. Dicho de otra forma, el análisis económico ha estudiado fundamentalmente los problemas de la formación de los precios en una economía de mercado; o lo que es lo mismo, la formación de los precios de los denominados bienes y servicios económicos que se intercambian a través de las relaciones mercantiles y monetarias. Obviamente la actuación del sector público o Estado también ha sido estudiada, dentro del campo de la Hacienda Pública, de la Microeconomía y de la Macroeconomía.

A efectos de nuestra exposición, los términos sector público o Estado son intercambiables. Nos referimos a todas aquellas instituciones económicas o políticas cuyas actuaciones son decididas por la autoridad pública, ya sea ésta política o administrativa. Los anglosajones utilizan el término Gobierno, pero este concepto tiene para nosotros un significado más reducido que el de Estado.

Sin embargo, en aquellas ramas de la Economía la actuación del sector público se estudia de una forma agregada, sin distinguir el comportamiento individual de los agentes que lo integran en sus distintos organismos o departamentos. Concreta-

---

* Este Capítulo reproduce, con algunas modificaciones, el texto de mi estudio introductorio incluido en el libro *El Análisis Económico de lo Político,* Instituto de Estudios Económicos, Madrid, 1984.

mente, la Macroeconomía, sobre todo a partir de la obra de Keynes, consiste en el estudio de las grandes magnitudes de la contabilidad nacional.

Frente a esta situación de la principal corriente del análisis económico, varios fenómenos evidencian las limitaciones de éste. En primer lugar, el hecho importante de que en la actualidad, incluso en los países con sistema de economía de mercado, una parte muy importante de los recursos es asignada por mecanismos ajenos al mercado, fundamentalmente por mecanismos políticos. Por otra parte, y en íntima conexión con el fenómeno anteriormente señalado, es evidente que la economía de un país (su estructura, el nivel de actividad económica y sus fluctuaciones, su marcha en el largo plazo e incluso el comportamiento de los agentes económicos a corto y a largo plazo) está inextricablemente relacionada con la política del país en cuestión e incluso con la política de otros países.

El término «política» lo utilizamos aquí en su acepción más amplia, equivalente al vocablo inglés *polity,* que hace referencia al sistema de organización de la sociedad y a todos los procesos públicos de interacción de los miembros de ésta: las instituciones públicas de todo tipo, el sistema legal que regula las relaciones entre los individuos y entre las instituciones en todos los ámbitos de la actividad, la estructura social, los procesos colectivos de interacción y de toma de decisiones por los agentes (tanto reglados como consuetudinarios), etc. En suma, nos referimos al entramado de relaciones determinadas por las normas y las instituciones públicas de todo tipo que condicionan el comportamiento de los individuos en el ámbito del sistema político, así como los resultados de ese comportamiento o actuación. Naturalmente también nos referimos aquí a la política en sentido estricto, es decir, al conjunto de instituciones, interrelaciones y procesos a través de los cuales se toman las decisiones colectivas en las comunidades.

Finalmente, digamos también que desde hace unos veinticinco años se ha producido, principalmente en Estados Unidos, un movimiento entre algunos economistas (muchos de ellos asociados a las denominadas escuelas de Chicago y Virginia) consistente en una profundización y extensión de las teorías microeconómicas neoclásicas a otros campos de la actividad humana distintos del económico, definido éste en el sentido estricto que antes hemos señalado. Así, se aplican las técnicas del análisis económico y econométrico al fenómeno de la discriminación, a los fenómenos políticos, a los fenómenos jurídicos y a la dinámica del derecho, a la familia, a las relaciones sexuales, y a otras áreas de las interrelaciones humanas.

Esta nueva corriente analítica extiende su influencia a través de cuatro grandes vías: la corriente monetarista, la teoría del capital humano, el movimiento de los derechos de propiedad y la escuela de la elección pública o *Public Choice.* En este Capítulo nos ocuparemos sólo de esta última escuela.

Así pues, partiendo de los cuatro hechos señalados anteriormente (la Teoría Económica tradicional se ha ocupado casi exclusivamente de la economía de mercado, la asignación por mecanismos políticos de una parte muy importante de los recursos económicos en las sociedades modernas, la inextricable conexión entre la economía y la política, y la aplicación de los instrumentos analíticos de la Microeconomía Neoclásica al estudio de los fenómenos políticos), ha surgido la escuela de pensamiento conocida como la *Public Choice* o Teoría de la Elección Pública, también conocida con el nombre de Nueva Economía Política. Con ella se trata de construir un análisis que vaya más allá del estudio del sistema de precios, y en el que se consideren otros mecanismos o procesos de toma de decisiones distintas del mercado.

Resumiendo, pues, la Teoría de la Elección Pública o *Public Choice* consiste en la aplicación de la Teoría Microeconómica Neoclásica al análisis de las instituciones y de los fenómenos políticos. En definitiva, se trata de una ampliación del campo de análisis de la Teoría Económica ortodoxa a las cuestiones políticas dentro del marco del reciente fenómeno de ampliar las áreas a las que se aplican los instrumentos analíticos y las teorías de la Economía ortodoxa. El punto de partida estriba en la idea de que la economía y la política de un país están inseparablemente unidas. Ya hemos señalado que, sin embargo, la Economía tradicional se ocupa casi exclusivamente de estudiar la economía de mercado, lo que implica que las cuestiones económicas pueden ser disociadas de las políticas. Los tratadistas que se encuadran dentro de esta corriente de pensamiento entienden que la Economía debe hacerse Economía Política, si con esta disciplina se desea entender la realidad de una forma adecuada, y consiguientemente, influir sobre ella para modificarla. Para esto, el análisis ha de ir más allá del estudio del sistema de precios e incluir otros procesos de toma de decisiones distintos de éste.

Digamos también que la Teoría de la Elección Pública, es, al mismo tiempo que un análisis económico de los fenómenos políticos, una teoría positiva de la política. En consecuencia, es una teoría que necesariamente trata a los agentes individuales que toman decisiones como participantes en una interacción compleja que genera resultados políticos. Se trata, pues, de una teoría que está a caballo entre la Teoría Económica y la Ciencia Política.

LOS PRECEDENTES DE LA TEORIA DE LA ELECCION PUBLICA

Tres son fundamentalmente los orígenes de la Teoría de la Elección Pública. Dejamos al margen a los institucionalistas norteamericanos, que ya a finales del siglo pasado y principios de éste señalaron la importancia de las instituciones en los procesos económicos, así como el carácter evolutivo de aquéllos y las implicaciones que ello tiene para la elaboración de la Teoría Económica. Autores como Veblen, Commons y Mitchell, y en la actualidad Galbraith y Myrdal, han insistido en la necesidad de estudiar el funcionamiento del mercado como un proceso dinámico en el que las instituciones cambian a lo largo del tiempo, y con ellas «las reglas del juego» o normas dentro de las que se desarrollan las actividades de los individuos. En consecuencia, según estos autores, es necesario analizar las causas de la evolución y del cambio de las instituciones, y elaborar una Teoría Económica que tome en cuenta ese carácter evolutivo y acumulativo de los fenómenos económicos, al igual que ocurre con la Biología de Darwin.

Tampoco vamos a considerar como un precedente inmediato de la Teoría de la Elección Pública la obra de los demás economistas que podemos llamar heterodoxos, tales como Marx, Sombart, Max Weber y Schumpeter, que igualmente señalaron la interrelación entre la estructura institucional de una sociedad (las instituciones políticas, sociales, jurídicas, económicas, etc.) y los fenómenos económicos. No obstante, es evidente que las ideas y las concepciones de estos economistas y las de los institucionalistas norteamericanos han debido pesar en alguna medida en las ideas de los teóricos de la Elección Pública.

Sin duda el primer antecedente incontrovertible de la Teoría de la Elección Pública lo constituyen las aportaciones de los hacendistas italianos y suecos de finales del siglo pasado y comienzos de éste. Se trata específicamente de De Viti de Marco, Puviani, Fasiani y Einaudi en Italia, y Wisksell y Lindahl en Suecia. El origen de estas ideas se remonta a Maquiavelo y más próximamente a los escritos de Vilfredo Pareto y Gaetano Mosca sobre las clases gobernantes.

Los hacendistas italianos, especialmente De Viti de Marco y Fasiani, plantearon la cuestión de que es necesario definir específica y taxativamente los modelos sobre el marco u orden político en el que se producen los fenómenos fiscales que se analizan. Estos tratadistas desarrollaron explícitamente modelos de funcionamiento del Estado como un monopolio de oferta de bienes públicos, en los que se considera al Estado como un ente separado y desligado de los ciudadanos que tiene sus propios intereses. Examinaron los fenómenos fiscales dentro de un modelo en el que las decisiones colectivas-gubernamentales, que son obligatorias para todos los ciudadanos, son tomadas por una élite o un grupo que controla el poder político. Establecido y definido el marco político-institucional, los italianos analizaron las reacciones individuales a través de su comportamiento ante el conjunto de decisiones colectivas que les vienen impuestas desde fuera. También consideraron los fenómenos fiscales dentro de un modelo en el que los oferentes-productores de bienes colectivos, públicos o gubernamentales, son al mismo tiempo (simultáneamente) consumidores-demandantes de esos mismos bienes.

A finales del siglo pasado, Wicksell advirtió contra el peligro de que los economistas ignoren el dato elemental o el hecho simple de que las decisiones de política económica son tomadas por políticos que participan en procesos complejos y no por déspotas benevolentes que disfrutan de un poder omnímodo; asimismo estudió las implicaciones de los distintos sistemas de votación para las decisiones públicas, inclinándose por el sistema de la unanimidad.

Wicksell y Lindahl fueron los primeros hacendistas en presentar (y analizar las implicaciones de) la concepción del Gobierno como un proceso de *quid pro quo,* o de intercambio entre los ciudadanos. De ahí el nombre de la teoría del cambio voluntario sobre la Hacienda pública. Los suecos tuvieron, pues, la visión de considerar los fenómenos fiscales dentro del marco de un sistema político democrático, mientras que los italianos sólo analizaron esos mismos fenómenos en un régimen político elitista, aristocrático o dictatorial. No obstante, las aportaciones de ambos grupos de tratadistas fueron auténticamente innovadoras al considerar no sólo el lado de los ingresos del Estado, sino también el de los gastos y con éste la oferta de bienes públicos y los procesos políticos por medio de los cuales se decide su provisión. Estas contribuciones fueron en buena medida ignoradas o desconocidas por los hacendistas anglosajones hasta los años cuarenta.

La segunda línea de análisis que ha llevado al desarrollo de la moderna Teoría de la Elección Pública ha sido la Economía del Bienestar y sus implicaciones para el análisis de las funciones de bienestar social y para la política económica. Tras las aportaciones de Abraham Bergson y de Arrow ha surgido toda una literatura en la que se analizan las propiedades de las funciones de bienestar social o de elección social, que ha dado lugar a una parte de la Teoría de la Elección Pública, a la que Dennis Mueller llama «la elección pública normativa».

Esta literatura sobre las propiedades de las funciones de bienestar social se centra en los problemas de agregar las preferencias individuales para maximizar una función de bienestar social, o para justificar algún conjunto de criterios normativos, por ejemplo, sobre el problema de qué estado social debería ser elegido, dadas las preferencias de los votantes individuales. Esta investigación sobre los métodos óptimos de agregación naturalmente ha estimulado el interés en las propiedades de los procedimientos que se emplean para agregar preferencias a través de las reglas de votación, por ejemplo, sobre la cuestión de qué resultado será elegido para un conjunto dado de preferencias bajo reglas de votación diferentes. El problema de encontrar una función de bienestar social que satisfaga ciertos criterios normativos resulta ser bastante similar al problema de establecer un equilibrio bajo diferentes reglas de votación.

Esta línea de análisis, que ha constituido una de las primeras ramas de la Teoría de la Elección Pública, sigue desarrollándose en la actualidad. El estudio de los aspectos lógico-formales de la agregación de preferencias individuales y de las decisiones colectivas sigue atrayendo a muchos tratadistas, si bien para algunos autores sus posibilidades analíticas están agotadas y no hay mucho más que decir en ese terreno. Debemos señalar a este respecto que los tratadistas de la rama de la Elección Pública conocida como Escuela de Virginia, en la que se incluyen autores tan importantes en este campo como James M. Buchanan (premio Nobel de Economía en 1986), Gordon Tullock, Robert Tollison y Geoffrey Brennan, entre otros, y que constituyen uno de los grupos más creativos y vigorosos en el avance de esta teoría, no están interesados en los aspectos lógico-formales de las decisiones colectivas, por considerar esta área poco fructífera analíticamente hablando, ya que entienden que es más relevante a efectos explicativos y predictivos, e incluso normativos, estudiar los procesos políticos y el funcionamiento de las instituciones.

Dentro de la Economía del Bienestar, la teoría de los fallos del mercado, desarrollada dentro de la Teoría Económica ortodoxa en los años treinta, cuarenta y cincuenta de este siglo, puede ser considerada también como un antecedente de la Teoría de la Elección Pública.

Esta línea de análisis, continuada en la llamada Teoría de los Bienes Públicos, se preocupa de determinar las condiciones que deben darse para conseguir una asignación eficiente de los recursos en mercados en los que se dan bienes públicos, economías de escala y efectos económicos externos positivos y negativos. Lógicamente, una de las cuestiones que se han planteado en el análisis de los fallos del mercado ha sido el estudio de los procedimientos extra-mercado (políticos fundamentalmente) por los que los sujetos revelan sus preferencias individuales en la demanda de bienes públicos. Este campo de la revelación de las preferencias de los individuos respecto de los bienes públicos constituye una de las áreas centrales de la Teoría de la Elección Pública.

Finalmente señalemos que el desarrollo de la Elección Pública tiene también su origen en la frustración que algunos hacendistas norteamericanos han experimentado ante los planteamientos de la Hacienda Pública anglosajona, tal como ésta había sido transmitida en Inglaterra y en Estados Unidos. Esta insatisfacción intelectual se debía en buena medida al desconocimiento que en los países anglosajones ha habido de los autores continentales europeos, italianos y suecos principalmente.

A este respecto, en su artículo «De las preferencias privadas a la Filosofía Pública: el desarrollo de la Elección Pública» (incluido en el libro *Análisis Económico de lo Político,* Instituto de Estudios Económicos, Madrid, 1984, pág. 201), Buchanan, refiriéndose a Inglaterra, escribe: «Sus economistas, y en particular Lord Keynes, junto con sus colegas norteamericanos, continuaron asesorando en cuestiones de política económica como si hablaran a un déspota benevolente que estuviera dispuesto a poner en práctica sus consejos... Pero los economistas ingleses y norteamericanos, a lo largo de la mayor parte de este siglo, continuaron pareciendo tener los ojos cerrados a lo que ahora nos parece tan simple y es que los déspotas benevolentes no existen y que la política gubernamental surge de una estructura institucional altamente compleja e intrincada, poblada por hombres y mujeres normales muy poco diferentes del resto de nosotros. Los científicos de la Ciencia Política eran más ingenuos que los economistas e incluso hoy no han aprendido mucho.»

Esa especie de provincianismo que caracterizó a gran parte de la literatura económica anglosajona —denunciado, por ejemplo, por Neumark—, ignorante del avance científico experimentado en áreas importantes de la hacienda pública por economistas italianos, austríacos o suecos, fue ampliamente superado por los autores de la Elección Pública y por Buchanan en particular, uno de cuyos trabajos pioneros importantes fue, precisamente, sobre la tradición financiera italiana.

EL OBJETO DE ESTUDIO: LAS DECISIONES EXTRAMERCADO PUBLICAS

Como se sabe, la justificación teórica de la necesidad de tomar decisiones colectivas se basa fundamentalmente en los fallos del mercado, la existencia de efectos económicos externos y la política macroeconómica keynesiana. Esta justificación ha tenido como consecuencia un enorme crecimiento del sector público hasta alcanzar un volumen insospechado. La idea subyacente a este crecimiento estriba en que las funciones que el mercado realiza de una forma ineficiente, el sector público o el Estado las llevan a cabo eficientemente.

En los últimos treinta años han aparecido un grán número de trabajos orientados hacia la realización de un examen profundo de la racionalidad de la intervención pública en el mercado. Así han surgido la teoría de los bienes públicos y la teoría de la elección colectiva. Más recientemente, en los últimos veinte años, ha aparecido un grupo de economistas que, sin cuestionar la justificación básica de la intervención colectiva en la economía, ha intentado sacar a la luz las limitaciones y las lagunas de esta intervención. Estos son los economistas de la llamada Teoría de la Elección Pública.

Como escribe Henri Lepage, en su conocida obra *Mañana, el capitalismo,* páginas 155-157, básicamente lo que estos economistas se proponen es lo siguiente: «Está muy bien señalar las imperfecciones de nuestro sistema de mercado. Está muy bien profundizar en la investigación sobre la lógica de la intervención colectiva y perfeccionar los instrumentos de que dispone el poder público. Pero es necesario, además, estar seguros de que el Estado hace en cualquier ocasión el mejor uso posible de los instrumentos que tiene a su disposición. Ahora bien, ¿quién puede asegurarnos esto? ¿Quién puede garantizarnos, en primer lugar, que las decisiones que toma son exactamente las que corresponden efectivamente y lo mejor posible a la estructura de las preferencias de la colectividad? ¿Quién garantiza, además, que incluso si las decisiones son las buenas, las que corresponden lo mejor posible al interés colectivo, los resultados de la acción del Estado estarán efectivamente de acuerdo con las intenciones del legislador? El Estado no es una construcción divina, dotada de un don de ubicuidad y de infalibilidad. Es una organización humana, donde las decisiones son tomadas por el resto de los seres humanos, ni mejores ni peores, que también son susceptibles de equivocarse, y cuya acción se encuentra a su vez condicionada por reglas y estructuras que son "fabricaciones" humanas y que no son necesariamente más infalibles que las de cualquier otra organización, cualquiera que sea. Mientras que el papel del Estado era relativamente limitado, cuestiones de ese tipo sólo tenían un interés marginal. Pero se convierten en esenciales a partir del momento en que la intervención del Estado ocupa un lugar fundamental en el funcionamiento de las economías modernas. Ahora bien, lo que nosotros observamos es que, a propósito de esos temas, la teoría económica moderna es prácticamente muda. Los economistas se comportan como si examinaran con dos patrones, dos medidas diferentes, según analicen la economía privada o la economía pública. Así, por un lado, hay individuos que son guiados por su interés egoísta y estrechamente individual, los "agentes económicos", consumidores, directores de empresa, etc., cuyas motivaciones conviene corregir mediante una reformulación colectiva que encarne el interés general; por otro lado, el Estado, supermecanismo divino, es el reflejo de los intereses de la colectividad, que está animado por funcionarios que no tienen otra motivación que la afirmación y el respeto del interés público. Es de esta ficción de la que hay que huir. No para cuestionar el principio de la intervención del Estado, sino para que nuestros contemporáneos tomen conciencia de que si el mercado es un mecanismo de asignación de recursos bastante imperfecto, el Estado tampoco se encuentra exento de imperfecciones. Lo que queremos es aplicar al Estado y a todos los engranajes de la economía pública exactamente las mismas técnicas que han sido utilizadas desde hace veinticinco años para señalar los defectos y deficiencias de la economía de mercado. No para caer en una concepción maniqueísta de las cosas, que consistiría, como se ha hecho y se sigue haciendo para el mercado, en denunciar al "vicioso" Estado frente al "virtuoso" Mercado, sino simplemente para reintroducir un poco de buen sentido y no elegir el Estado más que a partir del momento en que se haya demostrado que es evidente que la solución del mercado es realmente más costosa que la solución de la intervención pública. Nuestro objetivo consiste en cierta forma en invertir la demostración: en lugar de partir del principio de que cualquier intervención es legítima desde el momento en que se constatan una serie de imperfecciones del mercado, nosotros queremos estar seguros de que las imperfecciones de los mecanismos estatales no serán superiores a las imperfecciones que se quieren remediar.»

Estas ideas de Henri Lepage, supuestamente puestas en boca de los economistas de la *Public Choice*, resumen muy bien el enfoque general y las implicaciones prácticas de esta teoría. Como es sabido, la economía teórica del bienestar puede ser considerada como una teoría de los fallos del mercado. Los desarrollos analíticos de los años treinta, cuarenta y cincuenta, en los que se articularon los elementos esenciales de la Economía teórica del Bienestar, consistieron, en primer lugar, en formular rigurosamente las condiciones necesarias y suficientes que habrían de darse para alcanzar la eficiencia en la asignación de los recursos en una economía, y en segundo lugar, en establecer las definiciones de las relaciones entre variables económicas que no satisfacen las condiciones exigidas. Aunque el contenido institucional de la Economía del Bienestar era relativamente reducido, se aceptaba generalmente que era la economía capitalista (el mercado) la que fracasaba en la consecución de la eficiencia en la asignación de los recursos. Estas demostraciones de los fallos del mercado por la Economía teórica del Bienestar fueron tomadas explícita o implícitamente como una justificación de la necesidad de introducir medidas correctoras puestas en práctica a través de medios político-gubernamentales. En la Economía del Bienestar no se prestaba ninguna atención a la estructura institucional dentro de la que debían llevarse a cabo tales medidas correctoras idealizadas. De alguna manera, para los economistas teóricos del bienestar los mercados fracasaban en el proceso de asignación de los recursos, y de ello se seguía que el Estado «ideal» constituía la alternativa. Los economistas de la Teoría de la Elección Pública han cuestionado esta implicación y se proponen estudiar la eficiencia del sector público en la realización de las funciones que se le asignan en sustitución del mercado.

Veamos ahora el contenido concreto de la *Public Choice*. Ya el título «Elección Pública» es bastante expresivo del objeto de estudio de esta nueva disciplina. El término «elección» significa el acto de seleccionar, de elegir una de entre las varias alternativas mutuamente excluyentes que se le presentan al sujeto que realiza la acción de elegir. Asimismo, el acto de seleccionar implica la decisión de que se ejecute la opción adoptada.

A su vez, el término «pública» hace referencia, por una parte, a la colectividad o a cualquier grupo de individuos organizados socialmente, como entes capaces de elegir, de seleccionar, de decidir sobre cuestiones que afectan a los sujetos comunitariamente; y por otra, a la «cosa pública», a las cuestiones que son comunes a los individuos que forman parte de una comunidad o una institución. Es obvio, pues, que este término se refiere a todo lo que no sea el individuo en el sentido de una persona aislada, sino que hace referencia al individuo como miembro de cualquier grupo organizado de personas en cualquier esfera de la vida comunitaria (las áreas política, económica y social), cualquiera que sea el tamaño del grupo (desde el electorado político de un país hasta los miembros de un club privado con un número reducido de socios), y cualquiera que sea la naturaleza de la cuestión sobre la que se decida (desde los asuntos que afectan a toda la colectividad, tales como los que se dirimen en unas elecciones políticas generales, hasta los que conciernen a los vecinos de una casa; desde las cuestiones políticas de la mayor importancia y trascendencia hasta el reglamento de un club privado que agrupa a los individuos de una comunidad y que tienen un *hobby* común).

Las elecciones que los individuos realizan entre las diversas alternativas que sobre una cuestión se les ofrecen, pueden ser privadas o colectivas. Las elecciones (en el sentido de elegir) privadas son aquellas que sólo conciernen o afectan de forma directa al propio individuo que las realiza. Por contraposición, la elección es colectiva cuando, al tomarla, el individuo selecciona entre soluciones o decisiones alternativas que afectan no sólo a él, sino también, y al mismo tiempo, a otros individuos. Cuando el sujeto vota en unas elecciones generales, está decidiendo sobre el partido y los líderes que van a gobernar, y en consecuencia sobre políticas que le afectarán a él y a los demás ciudadanos del país. Lo mismo ocurre con muchas otras decisiones en todas las esferas y a todos los niveles de la vida comunitaria.

Es evidente que la gran mayoría de las elecciones (y decisiones) que realiza un individuo afectan directa o indirectamente, en mayor o menor medida, a un número más amplio o más reducido de los demás sujetos que conviven con él. No obstante, los efectos de las elecciones privadas realizadas por parte de un sujeto sobre los demás individuos son indirectos y posiblemente no demasiado importantes. Además, y esto es más significativo desde el punto de vista analítico, el individuo que realiza una elección privada no tiene la noción o la conciencia de estar modificando los condicionantes ambientales, el contorno, el marco en el que actúan otras personas. La elección privada, que desde la perspectiva del Análisis Económico ortodoxo puede ser tipificada como la actuación del individuo en el marco idealizado del mercado competitivo, implica un comportamiento del sujeto en el que éste considera que su actuación sólo genera cambios en su economía «privada». Tal es el caso de la persona que actúa como comprador o vendedor de cualquier bien o servicio en un mercado plenamente competitivo. Aunque el economista que analiza los fenómenos reconozca que todo acto económico tiene algún efecto, por pequeño que sea, sobre las condiciones en las que se desenvuelven todos los sujetos económicos que participan en el mercado, el sujeto que realiza aquel acto no tiene conciencia de estos efectos y actúa como si no existieran. Las elecciones que tienen estas características son las elecciones privadas.

Las elecciones públicas o colectivas que realiza el individuo, por el contrario, no sólo afectan directamente o incluso indirectamente a los miembros de uno o varios grupos más o menos amplios de conciudadanos, sino que además el sujeto tiene conciencia de estos efectos. Desde las consecuencias de la votación en unas elecciones generales hasta los efectos de la votación en una comunidad de vecinos, existe toda una gama de decisiones colectivas en las que, al participar, el individuo toma decisiones y realiza elecciones que le afectan a él y a otros conciudadanos suyos simultáneamente.

Al mismo tiempo, estas decisiones colectivas, que afectan a todas las áreas de la vida de los individuos, son tomadas en el marco de unas instituciones en las que aquéllos participan como miembros y a través de las cuales se eligen entre alternativas sobre regulaciones y funcionamiento de las instituciones. Tales instituciones tienen unas reglas para la toma de decisiones colectivas, y para llegar a éstas y dentro de las instituciones, se producen procesos políticos que hacen posible realizar la elección. Obviamente, todas las instituciones, las normas que regulan el funcionamiento de éstas y los procesos por los que se llegan a tomar las decisiones y elegir entre alternativas tienen un contenido político en el sentido amplio del término.

Pues bien, el estudio de las decisiones colectivas o públicas, del funcionamiento de las instituciones y de los procesos políticos que aquéllas implican constituyen el campo de análisis de la *Public Choice.* Esta teoría estudia el comportamiento de los individuos al participar de diversas formas y en distintas capacidades en la formación de las decisiones o elecciones públicas o colectivas, entendiendo por éstas la selección de una entre varias alternativas mutuamente excluyentes y que una vez elegida es aplicable a todos los miembros de la colectividad que la realiza.

Dado el ámbito de estudio de la *Public Choice,* es lógico que generalmente se distingan en esta disciplina tres grupos de agentes o sujetos activos: los ciudadanos en su calidad de votantes y partícipes en los procesos políticos de decisión colectiva, los políticos y los burócratas. Los ciudadanos participan en la elección de representantes y gobernantes a todos los niveles del Estado y de la Administración, en los referéndums sobre determinadas medidas políticas, en los partidos políticos, en los grupos de presión, en las organizaciones profesionales, en los clubs y en todo tipo de organizaciones ciudadanas. Por lo que respecta a los políticos, éstos participan como miembros en las instituciones políticas de toma de decisiones (parlamento y Gobierno o poder ejecutivo a los distintos niveles de éstos: nacional, autonómico y local). Y, finalmente, los burócratas toman decisiones a través de los órganos de la Administración del Estado en todas sus esferas. Naturalmente, los políticos y los burócratas como ciudadanos participan también en las elecciones políticas y en las instituciones ciudadanas. La Teoría de la Elección Pública estudia principalmente el comportamiento de estos tres grupos de agentes en las instituciones colectivas de todo tipo y en los procesos políticos que se dan en ellas. Asimismo, los cultivadores de esta disciplina de la Elección Pública ponen un énfasis especial en el análisis comparativo de las instituciones, en la adecuación e inadecuación entre las funciones que la sociedad les asigna y los resultados que realmente se obtienen (dada la estructura de las instituciones y los procesos políticos que tienen lugar en ellos), así como en las consecuencias e implicaciones económicas de ese funcionamiento.

EL METODO DE ANALISIS: LOS INSTRUMENTOS
DE LA TEORIA ECONOMICA NEOCLASICA

Pero si bien el objeto de estudio de la Teoría de la Elección Pública son estas decisiones o elecciones realizadas a través de las instituciones políticas y por procesos fundamentalmente políticos, el método que se aplica en el análisis es el método y los instrumentos analíticos de la Teoría Económica. Hasta el momento, la gran mayoría de los estudiosos que han llevado a cabo este análisis han sido economistas y hacendistas. De ahí que la Teoría de la Elección Pública haya sido definida como el estudio económico de los procesos de toma de decisiones por mecanismos extra-mercado. La Teoría de la Elección Pública estudia los aspectos económicos de los procesos y de las instituciones democráticas por medio de las cuales individuos con preferencias muy diversas y a menudo divergentes toman decisiones sobre la producción y distribución de bienes y servicios que disfrutan conjuntamente.

El análisis de estos fenómenos es económico porque, como ocurre en la Teoría Económica que podemos llamar ortodoxa, en él se parte de los individuos como las unidades sobre las que se construye la teoría. Son los individuos (y no las sociedades o las colectividades o los Estados) los que toman decisiones, tienen preferencias y experimentan satisfacción o disgusto. Las unidades sobre las que se elabora la teoría son personas que eligen, que tienen sentido económico y que intentan maximizar su renta y la satisfacción que obtienen de ella, así como otras variables que también les producen utilidad (tales como poder, prestigio, influencia, número de votos, condiciones de trabajo, etc.). En este análisis el individuo es considerado como una función de utilidad o como un conjunto de preferencias. Naturalmente, estas preferencias difieren de unos individuos a otros, lo que plantea la cuestión de cómo se alcanzan las decisiones colectivas y cómo funcionan las instituciones comunitarias, dado que los individuos tienen preferencias dispares.

Buchanan, uno de los tratadistas más importantes en este campo (en su artículo citado, pág. 203), escribe a este respecto: «A partir de estos comienzos inocentes, la teoría económica de la política surge como algo natural. La teoría es "económica" en el sentido de que, al igual que la teoría económica tradicional, los pilares sobre los que se construye son los individuos, no las entidades corporativas, ni las comunidades, ni los Estados. Los pilares sobre los que se construye son personas que viven, que eligen, que economizan. Si se permite que estas personas tengan preferencias divergentes, y si aceptamos que algunos aspectos de la vida son inherentemente sociales o colectivos más bien que puramente privados, el problema central de la elección pública se nos presenta en toda su dimensión. ¿Cómo reconciliar preferencias individuales divergentes para alcanzar resultados que por definición deben ser compartidos por todos los miembros de la comunidad? La pregunta de carácter positivo que se plantea es: ¿cómo se reconcilian las diferencias bajo las instituciones políticas que observamos en la realidad? Esta pregunta va acompañada de otra de carácter normativo: ¿cómo deberían ser reconciliadas las diferencias en las preferencias entre individuos para alcanzar unos resultados deseados?». Este párrafo del profesor Buchanan resume de forma precisa el contenido tanto positivo como normativo de la Teoría de la Elección Pública, así como el método que emplean los estudiosos que cultivan esta línea de análisis.

El método de análisis de los fenómenos políticos es también económico en el sentido de que se considera que en los procesos políticos los resultados surgen de un proceso de intercambio, de compromiso, de ajuste mutuo entre varias personas, cada una de las cuales tiene sus preferencias privadas sobre las alternativas. Más aún, la satisfacción de estas preferencias privadas ofrece la *raison d'être* de la acción colectiva. El paralelismo con los resultados que se obtienen a través del mercado es evidente.

Asimismo, en la Teoría de la Elección Pública se utilizan los conceptos, las hipótesis y los instrumentos analíticos de la Teoría Económica ortodoxa. Se considera a los ciudadanos-votantes como consumidores o demandantes de políticas y de bienes públicos, que actúan en el mercado político a través de sus votos en las elecciones tratando de maximizar sus intereses. Se emplea el concepto de soberanía de los ciudadanos-votantes en el mercado político en un sentido equivalente y equiparable al de la soberanía del consumidor en el mercado de bienes y servicios. Del mismo modo, a los políticos se les conceptualiza como oferentes de políticas que tratan de maximizar los votos que obtienen en las elecciones; de esta forma, los políticos se encuentran en una situación muy similar a la de los empresarios que diseñan sus productos no tanto en términos de lo que realmente piensan que es el mejor producto, sino en función de lo que ellos creen que los clientes comprarán (las medidas políticas que aceptarán los votantes y que éstos apoyarán con su voto en las elecciones). Asimismo, los partidos políticos se consideran como oferentes de políticas que compiten entre sí en el mercado político por el voto de los votantes consumidores de medidas políticas. El Gobierno y los distintos departamentos de la Administración son conceptualizados como monopolios naturales (no puede haber dos Gobiernos en un país). Esta conceptualización se parece mucho a la que se emplea en la Teoría Microeconómica, en la que la oferta y la demanda constituyen los instrumentos básicos del análisis de los fenómenos; y en el que los resultados que se obtienen provienen del ajuste de la oferta y la demanda en los mercados de los distintos bienes, servicios y factores.

SUPUESTOS DE PARTIDA: EL *HOMO OECONOMICUS* Y EL INDIVIDUALISMO METODOLOGICO

El primer y básico supuesto del que parte la Teoría de la Elección Pública es el mismo que se utiliza en la Teoría Económica ortodoxa, a saber: el hombre es un ser egoísta, racional, y que busca maximizar su utilidad (es utilitarista). Este supuesto, fundamental para el subsiguiente cuerpo de hipótesis que se han elaborado sobre él, sitúa a la *Public Choice* dentro de la corriente de filosofía política que se remonta a Hobbes, Spinoza, Madison y Tocqueville. El hombre es un animal racional que intenta maximizar una función objetiva de utilidad que puede ser especificada para un número limitado de variables bien definidas, lo que permite su cálculo y su estudio empírico.

El segundo supuesto de partida lo hemos señalado ya: el hombre o el individuo es el único ente que siente placer o disgusto y, por lo tanto, el único que toma decisiones. La sociedad como tal no maximiza ni elige, sino que las elecciones colectivas son el resultado de algún método de agregar las decisiones individuales. Los teóricos de la Elección Pública en general tienen una concepción individualista de la sociedad, por contraposición a la concepción organicista de ésta.

Los dos supuestos señalados hasta ahora no representan innovación alguna respecto de la Teoría Económica ortodoxa tradicional, y sobre ellos se apoya el llamado modelo económico del comportamiento del individuo, basado en el postulado motivacional de maximización de la utilidad individual. Una vez que se identifican las cosas que el sujeto valora (la renta, el prestigio, el poder, el ocio, las condiciones en el trabajo, el aprecio de los demás, los votos obtenidos en unas elecciones, etc.), se pueden derivar hipótesis sobre el comportamiento de aquél, que son perfectamente contrastables con la realidad que observamos. El modelo económico es fundamentalmente predictivo más que prescriptivo. Los agentes que se comportan económicamente prefieren y eligen más en lugar de menos, estando las cantidades más y menos medidas en unidades de bienes que son identificados y definidos independientemente.

De esta forma, el campo de estudio de la Teoría de la Elección Pública es el mismo que el de la Ciencia Política (la Teoría del Estado, las reglas de votación, el comportamiento del individuo como votante, los partidos políticos, los grupos de presión, los políticos, la burocracia y los burócratas, etc.) y su metodología es la de la Teoría Económica.

El tercer supuesto que, por contraposición con los dos anteriores, constituye una innovación importante respecto de la Teoría Económica tradicional, es el de que los individuos que participan en los procesos de decisión colectiva (votantes, políticos y burócratas) son las mismas personas que intervienen en el mercado. En consecuencia, se puede predecir que los sujetos actuarán en los mecanismos e instituciones de decisión colectiva por las mismas motivaciones que lo hacen en el mercado. Es erróneo suponer que el individuo es un ser egoísta con sentido económico y maximizador cuando actúa en el mercado, y un ser altruista, imbuido de espíritu de servicio a la comunidad, cuando es votante, político o burócrata. Por supuesto que el individuo no se mueve exclusivamente por motivos egoístas y que es capaz de sentimientos y acciones altruistas, pero no cabe duda que el partir del supuesto de que la persona es movida en buena medida por las mismas motivaciones cuando actúa en la esfera privada y cuando lo hace en la vida pública ayuda a explicar muchos fenómenos colectivos y abre unas considerables perspectivas a la también llamada «nueva ciencia política».

La Teoría de la Elección Pública descansa, pues, en una sola estructura de decisión para el individuo, por contraposición a la Teoría Económica tradicional, que distingue entre las motivaciones de las acciones o elecciones privadas y las de las públicas de una misma persona, y entre las motivaciones de los individuos y las de los ciudadanos-votantes, las de los políticos y las de los burócratas.

A este respecto, en su trabajo mimeografiado, *The New Science of Politics,* página 1, Tullock escribe: «La nueva ciencia de la política comienza con una observación muy simple y, sin embargo, revolucionaria. Esta es simplemente que las personas son las mismas, ya estén inmersas en la actividad privada o en el Gobierno. El ama de casa es la misma persona cuando hace la compra para su familia que cuando vota. No parece haber ninguna razón poderosa para creer que sus motivos serían radicalmente diferentes. En ambos casos, intenta conseguir lo mejor para sí misma y para su familia. Del mismo modo, los políticos no son personas radicalmente diferentes del resto de nosotros. La mayor parte de nosotros tomamos nuestras decisiones en términos de nuestro propio bienestar, pero algunas veces tomamos decisiones en las que instintos caritativos están implicados, o en las que hacemos sacrificios por el interés público. Lo mismo ocurre con los políticos. Finalmente, los burócratas en el Gobierno no son marcadamente diferentes de los burócratas que trabajan en la General Motors. En ambos casos, están primordialmente interesados en sus propias vidas, en las oportunidades de hacer carrera, en los efectos que las decisiones que toman tendrán sobre ellos mismos. Sólo en menor medida están interesados en beneficiar esa organización que les da trabajo, ya sea esa organización más amplia la Renault o el municipio de Rouen.»

Finalmente, el cuarto supuesto de partida de la Teoría de la Elección Pública al que queremos referirnos es el de que existe una estrecha interrelación entre los fenómenos económicos y las instituciones y los procesos políticos. Por una parte, las actuaciones económicas de los individuos en el mercado se desarrollan dentro de unas normas, de unas instituciones que tienen sus reglas de funcionamiento, y en una sociedad en la que una parte importante de la asignación de los recursos y de la redistribución de la renta se hacen a través del sector público. Este marco de normas e instituciones de todo tipo constituye las reglas del juego dentro de las que han de desarrollarse las actuaciones privadas y públicas de los individuos. La puesta en práctica de estas actuaciones y sus resultados son evidentemente influenciados muy considerablemente por aquellas reglas, reglas que son establecidas y cambiadas a través de procedimientos políticos, desarrollados en las instituciones con la participación de los individuos. Por otra, las cuestiones económicas dependen de los factores políticos, y a su vez los factores económicos ejercen una gran influencia sobre las decisiones y los fenómenos políticos. La situación de la economía (la tasa de desempleo, la tasa de inflación, la tasa de crecimiento del PIB, la situación de la balanza de pagos, el crecimiento de los salarios, etc.) a menudo juega un papel de primera magnitud en los resultados de las elecciones políticas, ya que los Gobiernos son considerados responsables de la marcha de la economía.

LAS AREAS DE ESTUDIO

Como hemos señalado, la Teoría de la Elección Pública consiste en la aplicación de los métodos de análisis de la moderna Teoría Económica al estudio de los procesos políticos. Esta Teoría trata de combinar la Teoría Económica con la Ciencia Política. Incluso se puede decir que, debido a la uniformidad de los métodos utilizados, la distinción entre los tradicionales temas de estudio de la Economía y de la Ciencia Política ha perdido sentido.

Dado que los fenómenos políticos constituyen el objeto de estudio de la *Public Choice,* es posible agrupar las áreas de estudio de la Teoría de la Elección Pública en dos grandes campos. Un primer campo está constituido por el análisis de los problemas básicos de la acción política, problemas que son tan generales que son independientes de las instituciones concretas. La política puede ser considerada como un procedimiento para llegar a alcanzar o a tomar decisiones sociales o colectivas sobre la base de las preferencias individuales. Es evidente que si las decisiones sociales no han de proceder de la dictadura de un individuo o de un grupo, ni han de ser arbitrarias, entonces es de capital importancia el tomar en consideración los deseos o preferencias de los miembros individuales de la sociedad. De ahí que la agregación de las preferencias de los individuos en orden a tomar decisiones colectivas sea considerada por muchos científicos sociales como el aspecto más importante de la elección pública, ya que es el más básico; a menos que se mantenga una concepción organicista del Estado, es claro que todos los mecanismos de toma de decisiones sociales son procedimientos para agregar preferencias no homogéneas. El análisis de las condiciones bajo las que las preferencias individuales pueden ser agregadas en orden a alcanzar una decisión social consistente o a construir una función completa de bienestar social constituye el ámbito de estudio de este campo de la Teoría de la Elección Pública. Esta agregación de las preferencias puede ser considerada como un elemento de todo proceso político y, en consecuencia, es independiente de las instituciones.

Una segunda gran área de la Teoría de la Elección Pública está constituida por el estudio de las instituciones. Esta Teoría estudia positiva y comparativamente el funcionamiento de los Gobiernos, los parlamentos, las judicaturas, los partidos políticos, los grupos de presión y las burocracias. Por contraposición a la Teoría Económica tradicional, que se centra en el estudio del funcionamiento del sistema de precios y en gran medida hace abstracción de las instituciones, la Teoría de la Elección Pública puede ser considerada como una teoría moderna de las instituciones.

Esta clasificación de las grandes áreas de investigación de la Teoría de la Elección Pública coincide con otra clasificación de los campos de estudio de esta Teoría que también suele emplearse: la de distinguir entre una teoría de la demanda de bienes públicos y una teoría de la oferta de estos mismos bienes. La primera estudia las formas en las que se pueden amalgamar las preferencias individuales para generar resultados colectivos bajo el supuesto de que estos resultados están a disposición de quien quiera utilizarlos. Los problemas lógico-formales de la agregación de las preferencias y los resultados de las distintas reglas de votación a través de las que se decide la demanda de bienes públicos por parte de los contribuyentes-votantes constituirían el objeto de estudio de esta área de la Teoría de la Elección Pública.

En definitiva, se trata de estudiar los procedimientos por los que los ciudadanos votantes revelan su demanda de bienes y servicios públicos. La teoría de la oferta de bienes públicos por su parte estudia el comportamiento maximizador de utilidad de los agentes que participan en la provisión de bienes y servicios públicos: los partidos políticos, los Gobiernos, los parlamentos, las judicaturas, los políticos individualmente considerados, las burocracias y los burócratas. Utilizando el concepto de intercambio político voluntario efectuado por los miembros de una comunidad en la esfera política, equivalente al intercambio económico realizado por los individuos en el mercado, James Buchanan hace otra clasificación de las áreas de estudio de la Teoría de la Elección Pública. Para este autor, las áreas fundamentales son dos: la teoría económica de las constituciones políticas y la teoría de las instituciones políticas. El intercambio político entre los sujetos tiene lugar a dos niveles: al nivel constitucional y al nivel post-constitucional. A este respecto, en su artículo «Política sin Romanticismos: Esbozo de una Teoría Positiva de la Elección Pública y de sus Implicaciones Normativas», incluido en el libro antes mencionado, pág. 116, Buchanan escribe: «En primer lugar, el "intercambio político" básico, el contrato conceptual bajo el cual el propio orden constitucional es establecido, debe preceder a cualquier interacción económica significativa. El comercio ordenado de bienes y servicios privados sólo puede tener lugar dentro de una estructura legal definida que establezca los derechos de propiedad y de control de los individuos sobre los recursos, que haga cumplir los contratos privados y que establezca límites al ejercicio de los poderes gubernamentales». La teoría económica de las constituciones estudia, pues, ese intercambio político básico que conduce al establecimiento de la constitución como norma básica de convivencia y como regla fundamental de toma de decisiones. La teoría de las instituciones políticas estudia el funcionamiento de éstas dentro del marco legal que establece la constitución. Esta área de investigación incluye la teoría de las reglas de votación, la teoría de la representación y de la competencia electoral y la teoría de la burocracia.

La agregación de las preferencias individuales

Haciendo uso de la primera clasificación, veamos ahora el contenido de cada una de las dos grandes áreas de investigación de la Teoría de la Elección Pública.

El primer gran campo lo constituye el estudio de los sistemas de agregación de las preferencias individuales no homogéneas para llegar a resultados o decisiones colectivas. En las democracias, la votación constituye el procedimiento más significativo para derivar decisiones sociales a partir de las preferencias de los individuos. Las mayorías exigidas para aprobar cuestiones (unanimidad, mayoría cualificada, absoluta o mayoría simple), el quórum requerido y las normas de votación son piezas fundamentales en la toma de decisiones colectivas en sistemas democráticos. De ahí que la teoría formal de la votación sea una parte importante de la Teoría de la Elección Pública. En ella se analiza la relación entre las reglas de votación y las propiedades necesarias para alcanzar una decisión social. Los requisitos exigidos de la función de bienestar o de las decisiones sociales, también llamados criterios o condiciones, pueden ser de una amplia variedad pero siempre parten de un juicio de valor. Una decisión colectiva solamente es «razonable» si reúne ciertas condiciones lógicas.

La paradoja de la votación

Una cuestión importante que se plantea en la agregación de las preferencias individuales estriba en si es o no posible construir una función de bienestar agregada. Sin exponer los argumentos técnicos, digamos que la conclusión a la que se ha llegado afirma que la votación por mayoría simple puede llevar a tales contradicciones que no resulta posible construir funciones de bienestar que sean razonables: las preferencias de los individuos generalmente son tales que no pueden ser ordenadas de una manera consistente a través de una votación por mayoría simple. La relevancia de esta paradoja de la votación estriba en la imposibilidad de encontrar una propuesta o un candidato ganadores, dándose lo que se conoce como mayorías cíclicas (la alternativa *A* gana a *B*, *B* gana a *C*, y a su vez *C* gana a *A*). En la realidad, a menudo se desconoce si se da un ciclo, ya que la votación es interrumpida cuando se encuentra una alternativa ganadora. De ahí que el resultado pueda ser irracional o arbitrario, pues puede ocurrir que el orden en el que se presenten las alternativas sea decisivo en lugar de serlo las preferencias individuales y el procedimiento democrático. Por esta razón, el orden del día de las reuniones formales de los órganos de gobierno de las instituciones colectivas (las cuestiones a tratar en éstas y la prelación en que se hacen: 1.º, 2.º, 3.º, ...) tiene también gran importancia en cuanto a las decisiones que se adoptan en ella; consecuentemente, el control de la confección del orden del día y el presidir las deliberaciones y votaciones constituyen temas importantes.

El teorema de la imposibilidad de Arrow

Las decisiones sociales inconsistentes no sólo aparecen cuando se emplea la regla de la mayoría simple. En 1951, Arrow, en su obra clásica *Elección Social y Valores Individuales,* formuló la prueba general de la posibilidad de que se den resultados paradójicos en las decisiones sociales. Arrow señala cuatro condiciones que ha de cumplir la función de bienestar social derivada de las preferencias individuales para que la decisión colectiva sea razonable.

No expondremos aquí —dado su carácter técnico— estas cuatro condiciones. Baste con decir que, aplicando la lógica matemática, Arrow demuestra que las cuatro condiciones, por lo demás bastante razonables, son incompatibles entre sí. Las implicaciones de esta demostración son enormemente importantes: no existe una función de bienestar social derivada a partir de las preferencias individuales, y las decisiones democráticamente tomadas pueden conducir a decisiones sociales lógicamente contradictorias. El teorema prueba que tales resultados inestables no pueden ser excluidos con certitud, cualquiera que sea el método de decisión colectiva que se adopte.

La enorme importancia de las implicaciones de la paradoja de la votación de Black y del teorema de la imposibilidad de Arrow a efectos de la toma de decisiones colectivas, ha hecho que se estudien exhaustivamente los aspectos lógico-formales de las distintas reglas de votación. De ahí que la teoría de las votaciones y de las reglas de votación haya constituido un campo de estudio muy cultivado de la Teoría de la Elección Pública. La teoría general de la agregación de las preferencias puede decirse que ya está construida; la búsqueda de la posibilidad de agregar las preferencias individuales sin incurrir en contradicciones ha sido completada.

En la actualidad se están estudiando algunos aspectos nuevos del problema de la agregación de las preferencias individuales para alcanzar decisiones colectivas, aspectos que no entran dentro del problema fundamental de la agregación de las preferencias en su formulación abstracta o de la que hemos llamado la teoría general de la agregación, pero que ayudan a comprender y mejorar las decisiones tomadas en la vida real. Se están analizando los efectos que sobre los resultados alcanzados por la acción colectiva tienen la discusión y la negociación por una parte, y los propios procesos de toma de decisiones por otra, ya que las preferencias de los individuos a menudo se forman en el momento de participar en estos procesos. El análisis de qué problemas están sujetos y cuáles no a una toma explícita de decisiones constituye otro nuevo tema de estudio. El examen de los problemas de la constitución y de las reglas de toma de decisiones, en particular en relación con la teoría de los bienes públicos, representa también otra área de investigación. Asimismo están teniendo lugar desarrollos interesantes en la búsqueda de nuevos mecanismos o procedimientos de toma de decisiones colectivas: se están proponiendo nuevos sistemas de votación y se están estudiando las posibilidades y las limitaciones que tiene la aplicación de estos procedimientos de votación. En definitiva se trata de encontrar formas de que los individuos revelen sus preferencias por los distintos bienes públicos de la manera más precisa posible.

La teoría de las instituciones

La Teoría de la Elección Pública constituye una teoría positiva de la política, una teoría que necesariamente trata a los agentes individuales que toman decisiones como participantes en una interacción compleja que genera resultados políticos. Esta interacción se lleva a cabo a través de la participación de los individuos en las instituciones políticas y sociales y en los procesos políticos que tienen lugar dentro de ellas. De ahí que en la Teoría de la Elección Pública se estudien con gran profusión las instituciones políticas, su funcionamiento en relación con los fines que la sociedad les atribuye, y la comparación entre instituciones similares de diferentes países. Esta teoría se ha convertido así en una teoría de las complejidades institucionales de la interacción social.

El análisis de las instituciones y estructuras de elección política ha permitido desterrar la concepción ampliamente difundida de que los fallos que se observan en el funcionamiento de aquéllas se deben a los abusos o a la estupidez de los individuos que toman decisiones dentro de ellas (los burócratas y los políticos). La Teoria de la Elección Pública, además de hacer un análisis positivo de las instituciones políticas, estudia las relaciones entre éstas y los resultados que es posible predecir que se producirán, independientemente de la inteligencia o de los patrones éticos de las personas que juegan el papel clave en el proceso de decisión. Al hablar de fallos del Gobierno, los teóricos de la *Public Choice* se refieren a fallos debidos a la estructura institucional y organizativa, a los resultados nocivos producidos por la estructura de las instituciones y por las reglas para la toma de decisiones dentro de éstas. Este énfasis de la Teoría de la Elección Pública implica un aspecto normativo muy importante y útil de la teoría: la posibilidad de plantear la posible reforma de las instituciones existentes y el diseño de otras nuevas, adecuando los resultados predictibles sobre su funcionamiento con los fines que la sociedad les asigna.

Las instituciones que se estudian en esta área de la *Public Choice* son fundamentalmente los tres poderes del Estado (el ejecutivo, el parlamento y el judicial), los partidos políticos, los grupos de presión y la burocracia. También se investigan el funcionamiento de los clubs públicos y privados. Como ya hemos señalado, la esencia de este análisis estriba en que todas estas instituciones, incluyendo el Gobierno y el Estado, están integradas por individuos egoístas, que buscan ante todo su propio interés, con lo que se rompe la concepción organicista del Estado.

ALGUNAS HIPOTESIS DE LA TEORIA DE LA ELECCION PUBLICA

Los cuatro supuestos de partida anteriormente enumerados han permitido a los teóricos formular y contrastar un número considerable de hipótesis sobre el comportamiento de los individuos y el funcionamiento de las instituciones políticas. No podemos enumerar aquí más que algunas de estas hipótesis debido a la limitación de espacio de este Curso. Los supuestos que hemos expuesto son utilizados para explicar y predecir el comportamiento político de los individuos. Muchos científico-políticos han tachado a la Teoría de la Elección Pública de utilizar modelos de explicación del comportamiento político de los sujetos que, por estar basados en tales supuestos, son muy simplistas y abstractos. No obstante, hay que decir que ésta es la acusación que más general y tradicionalmente se hace a la Teoría Económica, la cual no ha invalidado su valor científico. Para los teóricos de la Elección Pública el empleo de modelos simplificados de comportamiento político está justificado en tanto en cuanto dé mejores resultados, en lo que se refiere a poder explicativo y predictivo, que los modelos de los científico-políticos, aun cuando éstos tengan una visión del votante, del político y del burócrata más compleja y completa que la de aquéllos.

Hemos señalado ya las dificultades que plantea la revelación de las preferencias de los individuos en los procesos políticos. De una parte se ha formulado la hipótesis de que el proceso de revelación de preferencias es parecido al proceso del mercado: los individuos intercambian votos con todas las posibilidades de alianzas que les sean factibles, a través de las votaciones las personas revelan sus curvas de demanda, los ciudadanos se hacen socios o se dan de baja de clubs, etc.

De otro lado, y dentro del estudio de la revelación de las preferencias por los individuos, se han analizado en términos formales los sistemas de votación: mayoría simple, mayoría absoluta, unanimidad, etc. Se ha llegado a la conclusión de que si no existe una moción mayoritaria, el sistema de votación por mayoría simple produce una rotación o ciclo continuo entre un subgrupo o un subconjunto de las alternativas que se plantean. En este sentido, en su artículo mencionado, «De las Preferencias Privadas a la Filosofía Pública», pág. 204, Buchanan escribe: «El resultado colectivo dependerá de dónde termine la votación, lo que a su vez dependerá de la manipulación del orden del día y de las normas de procedimiento. El miembro de un comité que pueda asegurarse que su moción o enmienda preferida sea votada justo antes de que se levante la sesión, a menudo gana el juego estratégico que siempre introducen las reglas de mayoría. La paradoja de la votación se ha convertido en uno de los ingredientes básicos de cualquier análisis subsiguiente de la elección colectiva.»

Arrow intentó formular una función de bienestar social para servir de guía a los responsables de la planificación social. Sin entrar a explicar el procedimiento formal que Arrow siguió en su análisis, digamos que la conclusión a la que llegó es que si se desea que la elección social esté basada en los ordenamientos de las preferencias de los individuos que integran la sociedad, y que lo que él llama la constitución (que es una regla que asocia una norma de elección social con cada conjunto posible de ordenamientos de las preferencias de los individuos) reúna las condiciones de racionalidad colectiva, de que se cumpla el principio de Pareto, de no tener carácter dictatorial y de independencia de alternativas irrelevantes (condiciones que son razonables y que implican que las preferencias de los individuos reúnen las propiedades estándar necesarias para que las personas realicen las elecciones normales que efectúan en el mercado), entonces la construcción de una función de bienestar social es una tarea imposible desde el punto de vista lógico. Las cuatro condiciones son contradictorias entre sí. Como señaló Condorcet en 1785, la regla de votación por mayoría puede no conducir a un ordenamiento de las preferencias individuales, o, más precisamente, se puede dar una intransitividad en el ordenamiento que resulta de agregar las preferencias individuales a través de esta regla de votación.

Como hemos visto anteriormente, este resultado ha sido llamado el teorema de la imposibilidad de Arrow, o la paradoja de la elección social. Sus implicaciones filosóficas y distributivas no están todavía claras. Dada por una parte la existencia de efectos económicos externos, rendimientos crecientes y fallos del mercado; y por otra, que, aun cuando se cumplieran las condiciones del óptimo de Pareto en la asignación de los recursos a través del mercado, no hay nada en el mecanismo del mercado competitivo que garantice que la distribución de la renta resultante sea justa (de hecho, la Teoría Económica nos dice que la asignación final dependerá de la distribución de las ofertas iniciales de factores y de la propiedad de las empresas. De ahí que si hemos de confiar en el mercado como mecanismo de asignación de los recursos y al mismo tiempo obtener una distribución más justa de la renta, la teoría sugiere cambiar la distribución inicial de los recursos), entonces existe una necesidad ineludible de realizar elecciones públicas o colectivas sobre el papel del Estado y sobre la distribución inicial de los factores. Si es lógicamente imposible la obtención de una elección social que reúna las características de la elección privada en el mercado, entonces el problema es inmenso.

Duncan Black y otros teóricos han continuado y continúan trabajando en la búsqueda de soluciones al problema de la paradoja de la elección social. Se está tratando de determinar las restricciones que se necesitaría imponer a las preferencias individuales para que se generen ordenamientos sociales consistentes. También en este campo de análisis se ha elaborado el teorema del votante medio, que dice que si se cumplen unas ciertas condiciones, puede existir una moción mayoritaria única que corresponderá a la propuesta (de entre el conjunto de éstas) que sea preferida por el votante situado en la mediana. Esto permite formular la hipótesis de que en sistemas de votación por mayoría la alternativa que tiene más posibilidades de ser elegida será la que prefieran los votantes situados en la mitad del espectro de preferencias, y consecuentemente el sistema de votación por mayoría simple produce un resultado definido, pero que ello se consigue sobre la base de que las elecciones públicas satisfacen más a los votantes situados en el centro que a los que están en los extremos. De aquí se puede predecir que los partidos políticos, en su intento de maximizar el número de votos obtenidos en las elecciones, tenderán a presentar como suyas las preferencias del votante medio, hipótesis que es contrastable empíricamente.

Por razones de brevedad sólo enunciaremos algunas otras hipótesis de comportamiento. Respecto de los ciudadanos como votantes, el supuesto de partida es que éstos actúan en la esfera pública movidos principalmente por las mismas motivaciones egoístas que inspiran su actuación en el mercado. De este supuesto se deduce la hipótesis (formulada y demostrada por Tullock) de que al votante medio no le compensa informarse adecuadamente como para emitir un voto razonado sobre los temas que se dirimen en las elecciones políticas. El esfuerzo y los recursos que le exigiría el informarse son superiores en términos de coste a los posibles beneficios que obtendría de ser una persona bien informada en cuestiones políticas. Esto explicaría la falta de información que tiene la gran mayoría de los ciudadanos y el abstencionismo en las elecciones.

Por lo que se refiere a los políticos, el supuesto inicial es que éstos también, como las demás personas, persiguen fundamentalmente sus propios intereses. Dado que la mayoría de los políticos viven de la política, su objetivo principal es ganar las elecciones. En consecuencia, sus actuaciones estarán dirigidas a obtener el apoyo de los votantes. Puesto que los votantes suelen estar mal informados y generalmente es más fácil convencer a personas desinformadas que a individuos conocedores de los temas, los políticos en general no estarán motivados para hacer que los votantes adquieran una mejor información. También se desprende de este supuesto que los políticos tenderán a presentar programas y políticas que tengan el apoyo de los votantes, en lugar de aquellas que sean impopulares. Asimismo, se puede predecir que los políticos preferirán proponer y apoyar medidas de política a corto plazo que aumenten su popularidad de cara a su elección o reelección, que defender medidas a largo plazo cuyos resultados, aunque sean convenientes para el país, no son claramente percibidos por los electores y están lejanos en el tiempo. También preferirán, en general, apoyar medidas que impliquen mayor gasto público a medidas que aumenten los impuestos.

Respecto a los partidos políticos, Downs, en su libro clásico «Una teoría económica de la democracia», los analizó bajo el supuesto de que actúan como empresas. Los partidos políticos buscan maximizar los votos que obtienen en las elecciones. Downs intentó explicar la realidad política observada en términos de sus modelos de maximización de votos, y formuló el teorema de que en una lucha electoral entre dos partidos, cada uno de éstos tiende a tomar posturas cercanas a las del otro y a colocarse cerca del centro del espectro ideológico y de las preferencias del votante en la mediana. Riker ha mantenido que el supuesto de maximización del voto de Downs no es correcto, y ha formulado la hipótesis de que los partidos sólo buscan obtener el suficiente número de votos para asegurar la formación de coaliciones mínimamente ganadoras. El estudio del *logrolling* o cabildeo (intercambios entre partidos) tiene en este marco su desarrollo natural.

Sobre la burocracia se ha desarrollado una amplia línea de análisis. Buchanan, en su citado artículo «De las Preferencias Privadas...», pág. 210, resume muy bien los desarrollos en este campo cuando escribe: «Tullock puso en tela de juicio la ortodoxia dominante de la ciencia política moderna y de la administración pública ejemplificada por las obras de Max Weber y Woodrow Wilson, a base de plantear la simple pregunta: ¿cuáles son las recompensas y las penalizaciones con las que se enfrenta un burócrata inserto en una jerarquía, y qué tipo de comportamiento describiría sus esfuerzos por maximizar su propia utilidad? El análisis de la burocracia encajó una vez que esta pregunta fue formulada. La mitología del burócrata sin rostro que sigue órdenes venidas desde arriba, que ejecuta pero no realiza elecciones respecto a políticas y que está motivado sólo por servir al interés público, no pudo sobrevivir al asalto lógico. Ya no era posible seguir concibiendo a los burócratas como eunucos económicos.»

Posteriormente, y utilizando los avances obtenidos en el análisis de la llamada teoría de los derechos de propiedad, la teoría de la burocracia ha progresado considerablemente. Los teóricos de los derechos de propiedad han estudiado la influencia de las estructuras de recompensa y penalización sobre el comportamiento de los individuos, y han comparado el efecto de aquéllas sobre las personas que trabajan en instituciones que actúan bajo el móvil de maximizar beneficios y sobre los sujetos que trabajan en instituciones no lucrativas (aquí se incluye la Administración del Estado). La conclusión a la que se ha llegado es que para poder predecir el comportamiento de las personas que trabajan en la burocracia estatal o en instituciones privadas como empleadas, es necesario analizar detallada y cuidadosamente las limitaciones y las oportunidades que tienen los individuos para hacer carrera y obtener todo tipo de ventajas.

En el mismo artículo (pág. 211), Buchanan escribe: «Una vez que empezamos a considerar la burocracia de esta forma, por supuesto podemos predecir que los burócratas individuales buscarán expandir el tamaño de sus departamentos, puesto que en casi todas las sociedades occidentales modernas los sueldos y otros beneficios derivados del puesto están relacionados directamente con los tamaños de los presupuestos administrados y controlados. La fuerza motivacional implícita que empuja en la dirección de la expansión, la dinámica de la burocracia estatal moderna a escala reducida y a escala grande, era obvia para todos los que se molestaran en pensar. Esta teoría del crecimiento de la burocracia fue formalizada por William Niskanen, el cual desarrolló un modelo de departamentos y subdepartamentos maximizadores del presupuesto cada uno por separado. En el caso límite, el modelo de Niskanen sugería que los burócratas podían tener éxito en expandir los presupuestos hasta el doble del tamaño necesario para hacer frente a las auténticas demandas de bienes y servicios públicos por parte de los contribuyentes. En este caso límite, los contribuyentes terminan por no estar mejor que si no tuvieran ningún bien público a su alcance; todos los beneficios netos les son sustraídos por los burócratas. La implicación es que cada y todo bien o servicio público, ya sean servicios médicos, educación, transportes o defensa, tiende a ser expandido mucho más allá de cualquier nivel tolerable de eficiencia, tal como es definido por las demandas de los ciudadanos.»

También se ha formulado la hipótesis de que en los sistemas democráticos occidentales los gobiernos tienden a contraer déficit presupuestarios debido a que, al buscar mantenerse en el poder, ceden a las presiones de los grupos de intereses. Estos grupos buscan siempre privilegios, generalmente que se realice gasto público en su provecho u obtener algún beneficio fiscal, y al no existir limitación constitucional sobre el tamaño de los ingresos y los gastos públicos, los gobiernos tienden a gastar más de lo que recaudan. Los economistas se han ocupado casi exclusivamente de la Teoría Económica de Keynes, ignorando las implicaciones políticas de esta teoría. En lo que respecta a la política económica, la aportación de la economía keynesiana estriba en justificar teóricamente la creación de déficit presupuestarios para aumentar la demanda agregada existente en la economía durante los períodos de depresión y desempleo. Simétricamente, durante períodos de inflación se deberían tener superávit presupuestarios para reducir el exceso de demanda. Pero en la realidad, cuando se toman en cuenta los factores políticos, esa simetría ideal de la política keynesiana no se aplica. Los parlamentos no autorizan la recaudación de impuestos sin al mismo tiempo gastar los ingresos; de hecho generalmente los Gobiernos gastan más de lo que ingresan. La economía keynesiana ha destruido la fuerza y la justificación de la regla del equilibrio presupuestario. Se ha introducido así un sesgo en favor de mantener déficit presupuestarios de sesgos inflacionistas. Asimismo, se producen ciclos económicos generados por razones y actuaciones políticas: se realiza un mayor gasto público en períodos preelectorales y se reduce aquél después de las elecciones. A su vez, los parlamentarios tienden a ser reacios a votar en favor de medidas a largo plazo que vayan más allá del período de su mandato y de las siguientes elecciones, ya que están primordialmente interesados en ser reelegidos.

LIMITACIONES DE LA TEORIA DE LA ELECCION PUBLICA

Para contrarrestar el posible optimismo que puede desprenderse de lo hasta aquí expuesto sobre el valor científico y el poder explicativo de la Teoría de la Elección Pública, conviene que señalemos algunas limitaciones de esta teoría. La primera y más importante es sin duda la misma limitación que se le achaca al modelo neoclásico, a saber: el modelo del *homo oeconomicus* subyacente a éste está siendo cuestionado. La misma racionalidad que se les atribuye a los agentes económicos en su comportamiento les permite comprender (y sacar conclusiones) que en un mundo en el que se dan el espacio, el tiempo, la información imperfecta y el azar, y en el que la teoría del *second best* nos dice que no es posible determinar en qué medida una posición en el mundo real está alejada de la posición de óptimo ni en qué dirección movernos para alcanzar ese óptimo, los esfuerzos de maximizar alguna función están condenados al fracaso.

A este respecto, Fusfeld, en su importante artículo «El Marco Conceptual de la Economía Moderna» (*Journal of Economic Issues*, vol. XIV, núm. 1, marzo 1980, págs. 26-27) escribe lo siguiente: «Cualquier teoría social que interprete los acontecimientos como el resultado de un proceso social de comportamiento individual racional que lleva a un óptimo social, claramente no explica los acontecimientos de nuestro tiempo. En algunos aspectos el problema más importante de la filosofía social en este siglo es el de por qué y en qué medida el comportamiento humano intencionado y presumiblemente racional puede llevar a resultados masivamente irracionales.

La visión del mundo de la teoría del equilibrio general está orientada exactamente en la dirección opuesta. Esta busca mostrar que el caos potencial de la toma de decisiones por los individuos, potenciada por la intencionalidad racional, lleva al orden: si no a la estabilidad, al menos a la determinación. En este sentido, la teoría es normativa en un sentido muy fundamental. Su visión del mundo es una visión de orden, de resultados determinados y de bien social. Es la visión del mundo del doctor Pangloss. Como Voltaire señala, tal visión del mundo era difícil de justificar incluso en el siglo XVIII; es aún más difícil de justificar en el último cuarto del siglo XX.

No obstante, el trabajo reciente en las fronteras de la propia teoría del equilibrio general está empezando a destruir la vieja misión del mundo. El espacio, el tiempo, la información, el azar y las imperfecciones del mercado hacen que los resultados determinados se conviertan en indeterminados, que el ajuste ordenado se transforme en ajuste desordenado, que los óptimos sociales sean inalcanzables, y que el equilibrio se convierta en no equilibrio. Cuando los supuestos límites que conducen a equilibrios determinados son abandonados, entramos en un mundo no solamente más complejo, con un mayor número de variables, sino en un mundo cualitativamente diferente, en el que la naturaleza misma de los resultados es cambiada desde el racionalismo panglosiano del siglo XVIII a los dilemas existenciales del siglo XX.»

Esta es la limitación más fundamental del paradigma neoclásico y, en consecuencia, de la Teoría de la Elección Pública. Lo único que podemos aducir en su favor es que, por una parte, estas teorías están explicando aspectos de la realidad; y por otra, que por el momento no disponemos de otras teorías mejores.

También presenta problemas el modelo del *homo oeconomicus* aplicado a la actuación de los individuos en la esfera pública, cuando éste es considerado en su sentido estricto de suponer que el hombre es un ser egoísta y racional, que trata de maximizar su satisfacción, entendida como la riqueza neta; es decir, la versión fuerte del modelo del *homo oeconomicus,* que supone que las personas que actúan en roles de elección pública se comportan como si estuvieran predominantemente influenciadas por valores económicos, no explica adecuadamente la conducta de los sujetos en la esfera pública. Esto ocurre con el comportamiento de los votantes individuales. Todo el mundo sabe que cuando se trata de grupos numerosos de votantes, las probabilidades de que un voto cualquiera afecte al resultado determinado por la mayoría son muy pequeñas. En consecuencia, si el acto de votar implica cualquier tipo de coste, se puede formular la hipótesis de que las personas racionales movidas por razones económicas no votarán. Lo mismo ocurrirá con la hipótesis denominada del «fallo de la información», que es subsidiaria a la hipótesis del abstencionismo y que a menudo es citada como una de las causas básicas de los «fallos del Gobierno». La expresión «fallos del Gobierno» es la equivalente de la de «fallos del mercado», y hace referencia al fracaso del Gobierno o del sector público en la asignación eficiente de los recursos cuando realiza actividades económicas.

La hipótesis del «fallo de la información» postula que, incluso en el caso de las personas que formando parte de un electorado numeroso efectivamente votan, estas personas no tienen ningún incentivo económico para invertir recursos en obtener información sobre las alternativas entre las que el grupo ha de elegir. Puesto que las personas individualmente consideradas no soportan los costes ni cosechan los beneficios de elegir una alternativa, éstos no sienten la responsabilidad de realizar la elección.

Pero en la realidad muchos individuos votan y se informan sobre las cuestiones que se dilucidan en las elecciones, a pesar de que ambas actividades implican costes de diversos tipos (tiempo para asistir a reuniones y mítines y para votar, dinero y tiempo para adquirir periódicos y revistas y libros, así como escuchar noticias y debates en radio y televisión, etc.). Estas conductas, que no se explican con el modelo restrictivo del *homo oeconomicus,* tienen explicación cuando se abandona esta concepción estricta y se introducen como argumentos en la función de utilidad de los individuos otros elementos, además de la riqueza económica neta: la satisfacción de cumplir con el deber de ciudadano; el placer de que gane el candidato, el partido o el programa que uno apoya; el deseo de que prevalezca una concepción de la sociedad o de determinadas relaciones sociales, económicas o políticas, etc. El problema que se plantea entonces estriba en que estos argumentos no son medibles, con lo que resulta difícil obtener apoyo empírico directo para las hipótesis de comportamiento de los individuos. No obstante, utilizando esta construcción más amplia del *homo oeconomicus,* se pueden formular hipótesis contrastables tales como que cuanto más se reduzcan los costes de votar, mayor será el número de votantes, y mayor será el número de personas que adquieren información sobre las alternativas entre las que hay que elegir cuanto más reducidos se hagan los costes de informarse, y otras proposiciones similares.

Lo mismo ocurre con la explicación del comportamiento de las personas que actúan en otros roles de elección pública. Tal es el caso de los burócratas y de los políticos elegidos democráticamente. Si partimos del modelo del *homo oeconomicus* en su sentido estricto, los burócratas se comportarán de tal manera que intentarán minimizar el trabajo que realizan y que les resulta molesto efectuar, en la medida en que les sea posible dentro de las restricciones con las que se enfrentan; es decir, que sólo buscarán satisfacer sus intereses privados, soslayando todo lo que puedan el cumplir con los roles que tradicionalmente se les ha asignado como promotores del interés público. Del mismo modo, a los políticos electos, miembros del ejecutivo o de las cámaras legislativas, se les modeliza como que sólo buscan mantener las prebendas del puesto. Pero muchos burócratas y políticos, además de buscar satisfacer sus intereses particulares, también pretenden realizar el bien común.

Si se adopta el modelo del *homo oeconomicus* en su formulación estricta, según la cual el único argumento que entra en la función de utilidad de los individuos es la riqueza neta que aquéllos tratan de maximizar, entonces nos encontraremos en un mundo en el que: los votantes no votan, o si lo hacen, no están informados sobre lo que votan; los burócratas eluden el cumplimiento de sus deberes y utilizan sus poderes discrecionales para manipular el tamaño y la composición de los presupuestos de sus departamentos en su propio interés; los políticos elegidos sólo buscan conservar las ventajas del puesto y únicamente se ocupan de satisfacer las demandas de los grupos de electores cuyos votos necesitan para ser reelegidos; y los jueces dedican muy poco tiempo y esfuerzo al cumplimiento de sus deberes. No es de extrañar que a los politólogos ortodoxos este modelo les parezca una caricatura de lo que ocurre en el mundo de la política. Sin embargo, este modelo es el equivalente del modelo de comportamiento de los individuos en el mercado, que los mismos científico-políticos están dispuestos a adoptar cuando aceptan el diagnóstico de «fallos del mercado» que han formulado los teóricos de la economía del bienestar, y utilizan este diagnóstico para justificar la aplicación de controles políticos a los mercados.

Se puede concluir, pues, de la argumentación anterior que la concepción estricta del *homo oeconomicus* no explica adecuadamente el comportamiento de los individuos en la esfera pública, y que su utilización llevaría a la conclusión de que el Gobierno siempre ha de fracasar en el cumplimiento de sus funciones. Sin embargo, en la realidad observamos que algunos de los bienes y servicios que desean disfrutar los ciudadanos son provistos por los Gobiernos y que los impuestos no están en sus límites estrictos de maximización de los ingresos públicos. Ello nos permite afirmar que el empleo de la versión fuerte del *homo oeconomicus* constituye una limitación de la Teoría de la Elección Pública. Los teóricos de la *Public Choice* harán bien en utilizar el modelo más limitado (más débil) del *homo oeconomicus,* que permite incluir la riqueza neta como argumento en la función de utilidad de los individuos que actúan en la esfera pública, pero que aquélla entra como uno más entre varios argumentos y que, en muchos casos, no es ni siquiera el más importante. Es necesario tomar en consideración otros argumentos además del económico como integrantes de la función de utilidad de los sujetos al actuar en roles de elección pública, si bien no se debe perder de vista que aquél está siempre presente en las funciones de utilidad como un argumento importante y relevante para explicar el comportamiento de los individuos en sus actuaciones públicas.

Otra limitación que, a nuestro entender, presenta la Teoría de la Elección Pública reside en su extremado individualismo metodológico. En su mayor parte, los tratadistas de esta teoría parten del supuesto de que no existe más que el individuo sobre el que se puede construir el análisis, ya que sólo el individuo siente placer o disgusto, y es el que toma decisiones en último extremo. Aunque resulta difícil justificar cualquier otra posición metodológica que no sea la individualista, es necesario reconocer que existe una interrelación entre las preferencias de los individuos a través de las influencias que unos ejercen sobre otros, y entre las recompensas de todo tipo que reciben los sujetos en la sociedad. Es decir, es necesario admitir y tomar en consideración dentro del análisis que:

a)   La recompensa (en el sentido amplio) que recibe cada individuo depende en alguna medida de la recompensa que reciben todos los individuos de la comunidad.

b)   La recompensa que recibe cada individuo depende en algún grado de las elecciones que realizan los demás sujetos de la sociedad.

c)   La elección que realiza cada individuo depende en alguna medida de las elecciones que efectúan todos los demás sujetos.

d)   Las preferencias de los individuos se forman y cambian por la interacción y la interrelación de éstos en la sociedad.

Señalamos, en fin, que otra limitación que frecuentemente se le achaca a la Teoría de la Elección Pública estriba en el talante liberal-conservador de muchos de los cultivadores de esta disciplina. Es indudable que, en general, éstos mantienen un cierto recelo frente a las actuaciones e intervenciones del sector público en la economía. No obstante, es necesario reconocer que su postura es la de que no es correcto o válido partir del supuesto de que si el sector privado tiene defectos en la realización de ciertas funciones, el sector público lo hará necesariamente mejor. Sostienen que hay que examinar con el mismo rigor crítico y con la misma minuciosidad ambos sectores, y determinar con criterios científicos cuál de ellos es más eficiente en la implementación de cada función. En cualquier caso, el valor científico de las hipótesis de la Teoría de la Elección Pública habrá de ser determinado por la contrastación empírica de aquéllas, como ocurre con las hipótesis formuladas desde otros supuestos de partida. De momento, esta disciplina está contribuyendo a explicar y entender mejor muchos fenómenos políticos, y está rompiendo muchas concepciones establecidas y no suficientemente analizadas. Para estos teóricos su aportación constituye el movimiento científico innovador más importante que se ha producido en las ciencias sociales en los últimos cuarenta años. Según Buchanan, la Teoría de la Elección Pública puede ser considerada como la construcción del puente crítico entre el comportamiento de las personas cuando actúan en el mercado y el comportamiento de esas mismas personas cuando intervienen en los procesos políticos.

CONSIDERACIONES FINALES

Resumiendo, pues, digamos que básicamente esta teoría, en su vertiente conocida como la *Public Choice,* consiste en la aplicación de la Teoría Económica neoclásica al análisis de las instituciones y de los fenómenos políticos. En definitiva, se trata de una ampliación del campo de análisis de la Teoría Económica a las cuestiones políticas, dentro del marco del reciente fenómeno de ampliar las áreas de estudio a las que se aplican los instrumentos analíticos y las teorías de la Economía ortodoxa.

Pero si bien la Teoría de la Elección Pública constituye una parte integrante del modelo neoclásico, aquélla presenta adiciones importantes a éste, tanto en el terreno metodológico como en el sustantivo. Veamos cuáles son las principales aportaciones.

1. El modelo neoclásico, del que forma parte la Economía del Bienestar como la rama de la Teoría Económica que tiene por objeto de estudio el análisis del funcionamiento del sistema de precios o del mercado en cuanto a la eficiencia de éste en la asignación de los recursos (por lo que, como es sabido, aquélla se ha convertido en una teoría de los fallos del mercado), no se ocupa de estudiar el comportamiento de los agentes económicos (consumidores y productores) en la esfera pública, dejando esta parcela del análisis del comportamiento de los individuos a la Ciencia Política.

La *Public Choice* viene a subsanar esta deficiencia y a cubrir esta importante laguna del modelo neoclásico.

La aportación metodológica más importante de la Teoría de la Elección Pública estriba en la ampliación pura y simple del modelo de maximización de la utilidad para explicar el comportamiento de las personas que actúan en roles de elección pública. Los roles de votantes, burócratas, jueces, legisladores y políticos son desempeñados por personas como las demás, que buscan maximizar sus propias utilidades, sujetas a las restricciones dentro de las que actúan. A este respecto, Tullock señala, según menciona Henri Lepage (*Mañana, el capitalismo,* pág. 164): «Lo que diferencia a una empresa capitalista de un organismo administrativo no es el que los individuos allí se comporten de forma diferente, sino el hecho de que las reglas de juego, las restricciones institucionales que delimitan el grado de autonomía en la búsqueda de sus objetivos personales son bastante más rigurosas en la empresa privada que en la Administración. De aquí se desprende el resultado paradójico de que es en la empresa privada donde los actos individuales, permaneciendo constante todo lo demás, tienen mayor posibilidad de coincidir con el interés general, mientras que es en los organismos públicos donde los individuos tienen mayores posibilidades de maximizar sus intereses individuales, y de que éstos converjan o no con el interés general.»

Sin duda es esta una contribución metodológica de gran trascendencia, ya que supone el plantear el estudio del comportamiento de los individuos en la esfera pública bajo los mismos supuestos que los utilizados por la Teoría Económica ortodoxa en su análisis del comportamiento de los sujetos en el mercado. La Economía del Bienestar no se ha atrevido a dar ese paso, por lo que su análisis ha sido incompleto y en buena medida inoperante. El desarrollo del análisis de la Teoría de la Elección Pública permite intentar elaborar un modelo cerrado que trate de explicar el comportamiento de los individuos simultáneamente en la esfera pública y en la privada a partir de unos mismos supuestos. Hablamos de un modelo cerrado

frente al modelo abierto actual, que sólo pretende explicar la conducta de los sujetos en el mercado.

En este sentido, en su artículo «Hacia un Análisis de los Sistemas de Comportamiento cerrado», incluido en el libro editado por Buchanan y Tollison, *Teoría de
la Elección Pública: aplicación política de la Economía,* pág. 14, Buchanan escribe:
«La *Public Choice* no es otra cosa que un esfuerzo de formulación de una teoría
general de la economía pública que permite realizar en el campo de la elección pública lo que se ha hecho desde hace mucho tiempo a nivel de la microeconomía del
mercado. Se trata de complementar la teoría de la producción y del intercambio
de los bienes o servicios mercantiles con una teoría equivalente y, en la medida
de lo posible, compatible del funcionamiento de los mercados políticos. Esta teoría
constituye un esfuerzo de creación de los modelos de simulación de los comportamientos sociales de que disponemos en la actualidad y presenta la característica de
tratar los mecanismos de la decisión humana de forma diferente, según que el individuo actúe sobre un mercado económico o sobre un mercado político. Mientras
que todos los modelos tradicionales tratan las decisiones económicas como variables endógenas al sistema, pero consideran las decisiones políticas como factores
exógenos sobre cuya lógica y producción no se plantean preguntas, el espíritu de la
Public Choice consiste en reintroducir estos dos aspectos de los comportamientos
humanos en un modelo único que tenga en cuenta que los que experimentan los
efectos de las decisiones políticas son también los mismos que eligen a quienes
toman las decisiones por ellos.»

2. El modelo neoclásico toma las instituciones y las normas que regulan las
relaciones económicas y de todo tipo entre los individuos como dadas. En un esfuerzo por construir una Teoría Económica lo más general posible (aplicable en
todo lugar y época) se hace abstracción del marco jurídico-político-institucional
(incluyendo aquí la constitución) en el que se desarrollan las actividades de los
agentes económicos y sus interrelaciones. En consecuencia, en el paradigma neoclásico se está suponiendo que la influencia de las instituciones y de las normas (a las
que se toman como datos) no afectan de una forma significativa ni al comportamiento de los sujetos económicos ni al resultado de sus acciones e interrelaciones.

Como ya hemos señalado, la Teoría de la Elección Pública viene a llenar este
vacío de la Economía neoclásica. El estudio, tanto positivo como normativo, de
las instituciones políticas constituye una parte central de la *Public Choice.* En ella
se analiza la aparición y el funcionamiento de las instituciones y de las reglas de
decisión dentro de ellas. Sin duda, constituye éste un campo de estudio de una enorme importancia, no sólo porque nos permite conocer un área hasta ahora prácticamente ignorada, sino también porque el conocimiento adquirido permite reformar
las instituciones en orden a que éstas cumplan adecuadamente los fines que se les
asignan. Para algunos tratadistas, a las instituciones en las que se decide por mayoría y a las burocracias se les han encomendado funciones que no pueden cumplir. Así, en su artículo «Une Grande Enquête d'Henri Lepage aux États-Unis»,
Realités, noviembre, 1977, pág. 14, Lepage afirma: «El funcionamiento de los Estados "envejecidos, prolíficos", es responsable de nuestros males. Las nuevas teorías liberales de la economía pública quieren demostrar por qué las estructuras ar-
caicas de los mecanismos políticos contemporáneos —más que la economía capitalista— son generadores de la crisis del mundo occidental actual.»

El análisis de la Teoría de la Elección Pública permite detectar las inadecuacio-
nes entre, por una parte, el funcionamiento de las instituciones y los resultados que
de éste se desprenden, y por otra, las funciones que se espera cumplan aquéllas.

La Teoría de la *Public Choice* no tiene nada que decir sobre los objetivos que se persiguen con las políticas adoptadas, pero en cambio sí tiene mucho que afirmar sobre el proceso institucional, a través del cual los objetivos elegidos han de ser alcanzados. De ahí que una función importante de la Teoría de la Elección Pública haya consistido en dar una explicación de por qué han fracasado muchas políticas bien intencionadas. Asimismo, el análisis institucional comparado constituye una parte importante de esta teoría en la que el fracaso demostrado o predicho de un proceso institucional es definido en relación con una alternativa que se predice es superior. De esta forma, el énfasis de la *Public Choice* en el estudio positivo de las instituciones tiene unas implicaciones normativas de gran trascendencia, ya que permite tomar decisiones más inteligentes y más informadas sobre la estructura constitucional-institucional más adecuada a los fines perseguidos.

A este respecto, en su Prefacio a la edición inglesa del libro de Tullock, *The Vote Motive,* Institute of Economic Affairs, Hobart Papers Londres, 1976, Seldon escribe: «Lo que interesa al economista de la *Public Choice* no consiste en saber si es mejor que el Estado produzca una determinada cantidad de defensa nacional, de solidaridad o de redistribución más bien que otra; no consiste tampoco en saber si determinado impuesto es, por naturaleza, más justo que otro, o tal ley mejor que otra..., sino en comprender por qué una colectividad opta por esto más bien que por aquello. Su objetivo consiste en comprender cómo funcionan los procesos de decisión que rigen la producción y la asignación de los productos públicos. Su objeto consiste en saber cómo se organiza, se estructura el aparato de producción colectivo; cuáles son sus sistemas de restricción, de sanciones o de recompensa que determinan o influyen sobre la acción individual de todos los que concurren en el proceso de producción colectiva; cuáles son las finalidades que de ahí se desprenden según los diferentes escalones, etc.; el Estado es analizado como un mecanismo cuyos diferentes engranajes se descomponen de la misma forma en que los economistas han diseccionado desde hace bastante tiempo todos los aspectos del funcionamiento de los mercados privados. Lo que interesa es saber cómo repercuten sus acciones sobre el "bienestar" de la sociedad y no en saber cómo deberían comportarse en principio. Se trata de un enfoque positivo del estudio de los mecanismos sociales y políticos que rompe el enfoque normativo adoptado desde hace treinta años por la ciencia económica o las otras ciencias sociales como la filosofía, la sociología o la ciencia política.»

El enfoque normativo al que hace referencia Seldon corresponde al enfoque que del Estado se hacía tanto en la Teoría del Estado como en la Economía ortodoxa, consistente en estudiar lo que el Estado debería hacer y no lo que realmente hace. La *Public Choice* aporta el enfoque positivo de estudiar cómo realmente funcionan las instituciones que integran el Estado.

3. Cuando, por las razones que fuere, el sector público interviene (con la finalidad, se entiende, de corregir los fallos del mercado en la asignación de los recursos, en la plena utilización de éstos y/o en la distribución de la renta) para intentar maximizar una función de bienestar social, el modelo neoclásico supone que:

a) Las decisiones sobre las medidas de política económica son tomadas por una persona o grupo de personas que disponen del poder para elegir. No se contempla el hecho de que las decisiones sobre las medidas de política económica que puede llevar a cabo el sector público en las sociedades democráticas (fundamentalmente gastos públicos, recaudación de impuestos, pagos de subsidios y transferencias y regulación normativa de actividades) son el resultado de procesos complejos en los que intervienen los individuos a través de grupos organizados dentro de unas re-

glas o normas y por medio de unas instituciones. El supuesto del déspota benevolente, que tiene un poder omnímodo para tomar las decisiones y al que los economistas aconsejan y asesoran, no responde a la realidad de los procesos de decisión
colectiva de las sociedades democráticas.

Pero incluso si no se parte del dictador omnímodo, implícitamente se está suponiendo también que en las democracias los individuos, que como ciudadanos votan
en las elecciones políticas de todo tipo, y los políticos profesionales (ambos grupos,
junto con los burócratas, participan en la toma de decisiones colectivas), actúan
movidos exclusivamente por el bien público.

b) La ejecución de las decisiones colectivas por parte de la Administración
pública es llevada a cabo por una institución u organización monolítica (se supone
implícitamente que el sector público está formado por una sola institución), servida
por unos funcionarios motivados exclusivamente por la consecución del bien o interés público, y que se limitan a cumplir las órdenes y las directrices que les impar-
ten los políticos que ocupan el poder ejecutivo en cada momento. En cierto modo
se considera a los burócratas como unos eunucos económicos y políticos.

La Teoría de la Elección Pública abandona estos supuestos simplificadores e
irrealistas. Por el contrario, en esta teoría se considera que las medidas de política
económica son el resultado de complejos procesos políticos en los que intervienen
gran cantidad de agentes, instituciones y normas; que el Estado está constituido
por un gran número de instituciones y organismos, cada uno con sus estructuras,
sus normas y sus políticos y burócratas; y que los votantes, los políticos y los burócratas son los mismos individuos que actúan en el mercado, y que en consecuencia
se puede esperar que persigan fundamentalmente los mismos objetivos que desean
alcanzar en su actuación privada. Los burócratas dejan así de ser considerados como
unos seres asépticos que sólo buscan el bien común.

Digamos, por último, que las implicaciones normativas de la Teoría de la Elección Pública son también importantes. Para algunos de sus cultivadores, ésta es ya
una teoría de los fallos del Estado (o del sector público) en la asignación de los recursos, comparable a la Economía del Bienestar como una teoría de los fallos del
mercado. Sabemos que los fallos del mercado son considerados actualmente como
una consecuencia de la estructura institucional organizativa de los mecanismos a
través de los que se realizan los intercambios, y que en parte aquéllos podrían
corregirse cambiando esta estructura y las normas que la regulan. En este sentido,
según la *Public Choice,* del análisis de las propiedades del funcionamiento que se
puede esperar de las instituciones públicas y de las normas o restricciones que las
regulan (este es el análisis positivo) se pueden deducir los cambios que habría que
introducir en las instituciones y en las normas para obtener los resultados deseados
por la sociedad.

Pero la Teoría de la Elección Pública es, en alguna medida, menos normativa
que la Economía del Bienestar. Los teóricos de la *Public Choice* no han cometido
el error de los economistas de la Economía del Bienestar, que han comparado la
realidad del funcionamiento del mercado con un ideal. Los economistas de la Elección Pública no han mantenido la noción de un mercado idealizado como una alternativa institucional efectiva a los procesos políticos. De esta forma, su contribución
al estudio del comportamiento de los votantes, de los políticos, de los partidos
políticos y de sus cabildeos, de los parlamentos, de los grupos de intereses, de las
instituciones de todo tipo, de las reglas de decisión y de las normas que regulan
aquéllas están teniendo importantes implicaciones normativas por su carácter realista y operativo.

BIBLIOGRAFIA SELECCIONADA

Samuelson, P.: *Curso de Economía Moderna,* op. cit., Cap. 32, págs. 844-864.

Buchanan, J., y Tullock, G.: *El Cálculo del Consenso,* Espasa-Calpe, Madrid, 1980.

Arrow, K.: *Elección Social y Valores Individuales,* Madrid, Instituto de Estudios Fiscales, número 27.

Mueller, D.: *Teoría de la Elección Pública,* Madrid, Alianza, 1984.

Sen, A.: *Elección Colectiva y Bienestar Social,* Alianza Editorial, Madrid, 1976.

Casahuga, A.: *Democracia y Economía Política,* Instituto de Estudios Fiscales, Madrid, 1980.

Barberá Saldez, S.: *Teoría de la Elección Social,* «Hacienda Pública Española», núm. 44, 1972.

Hacienda Pública Española, núm. 52, 1978.

Casas Pardo, J. (ed.): *El análisis económico de la política,* Madrid, Instituto de Estudios Económicos, 1984.

— «Algunas consideraciones sobre la teoría de la elección pública (*Public Choice*)», en Varios, *Homenaje a Lucas Beltrán,* Moneda y Crédito, Madrid, 1982.

INDICE DE AUTORES

INDICE DE MATERIAS

A

B

C

D

E

F

G

H

I

N

O

P

R

S

T

U

V

INDICE DE ABREVIATURAS

B = beneficio

BIRD = Banco Internacional de Reconstrucción y Desarrollo

BT = beneficio total

C = consumo

c = propensión marginal al consumo

CCOO = Comisiones Obreras

CEE = Comunidad Económica Europea

CEOE = Confederación Española de Organizaciones Empresariales

CECA = Confederación Española de Cajas de Ahorro

CECA = Comunidad Europea del Carbón y del Acero

CF = coste fijo

CMa = coste marginal

CMaCP = coste marginal a corto plazo

CMaLP = coste marginal a largo plazo

CMe = coste medio

CMeF = coste medio fijo

CMeCP = coste medio a corto plazo

CMeLP = coste medio a largo plazo

CMeT = coste medio total

CMeTCP = coste medio total a corto plazo

CMeTLP = coste medio total a largo plazo

CMeV = coste medio variable

CNE = Contabilidad Nacional de España

CT = coste total

CTF = coste total fijo

CTV = coste total variable

Δ = cambio

D = demanda

DA = demanda agregada

DEG = Derechos Especiales de Giro

DP = deuda pública

ECU = European Currency Unit - Unidad de Cuenta Europea

EMaI = eficiencia marginal de la inversión

η = elasticidad-precio

FMI = Fondo Monetario Internacional

G = gasto público

g = tasa de crecimiento

GMa = gasto marginal

GMe = gasto medio

GNB = gasto nacional bruto

GT = gasto total

I = ingreso

I = inversión

i = tipo de interés

ICV = índice del coste de la vida

IMa = ingreso marginal

IMe = ingreso medio

INE = Instituto Nacional de Estadística

INI = Instituto Nacional de Industria

IPC = índice de precios al consumo

IRPF = impuesto sobre la renta de las personas físicas